DIE SYMBOLIK VON FAUST II

SINN UND VORFORMEN

VON

DR. WILHELM EMRICH
o. Professor an der Universität Köln

2., durchgesehene Auflage

ATHENÄUM-VERLAG BONN

Schutzumschlag und Einband: Oul Esté

Alle Rechte vorbehalten · Printed in Germany.
© 1957 by Athenäum-Verlag Junker und Dünnhaupt KG., Bonn
Satz und Druck: Hans Triltsch, Würzburg.
Einband: H. G. Gachet & Co., Langen.
Gesetzt aus der Linotype Garamond.

Inhaltsverzeichnis

Seite

Vorwort 9

Einleitung: Zur Methode der Faust II-Interpretation 12
1. Die Inhaltsinterpretation und ihre inneren Schwierigkeiten . . . 15
2. Die Forminterpretation, Leistung und Grenzen 21
3. Die historisch-genetische Motivinterpretation und ihre Grenzen . 26
4. Aufgaben der Interpretation 29

I. Kapitel: Die Schichtung des Gesamtwerkes und die innere Struktur
des dichterischen Bildes bei Goethe 32
1. Das Verhältnis des Gesamtthemas des Werkes zur einzelnen dichterischen Bild- und Motivschicht 32
a) Das Werden der dichterischen Bilder und die symbolische Vertauschung von Natur, Kunst und Geschichte 32
b) Gemeinschaftsdichtung und sinnliches Bild 38
2. Die „Mitte" des Werkes und die innere Struktur des dichterischen
Symbols 39
a) Die Überschneidung biologisch-historischer und ontologischer
Elemente im dichterischen Symbolschaffen und das Problem des
„Ursprünglichen" 39
b) Symbol, Zeichen und Schleier 44
3. Die inhaltliche Schichtung des dichterischen Symbols und das Ge-
samtthema von „Faust II" 55
a) Die Lage der Kunst zwischen Natur und Geschichte . . . 56
b) Der „Urteppich" und das „Kunstwerk des Kunstwerks" . . 58
c) Die Entstehung des Gesamtthemas und der Einheit von Faust II
aus der Schichtung des dichterischen Bildes 59
4. Die Konsequenzen der Bildanalyse für das moderne Kunst- und
Geschichtsdenken 61

II. Kapitel: Der grundsätzlich neue Strukturentwurf von „Faust II" 64
1. Die Aufhebung der Faust I-Struktur während der Entstehung der
Anfangsszenen von „Faust II" 64
2. Die Symbolformen der Anfangsszene als Grundlagen der Goetheschen
Kunst 67
Schlaf und Lethe als Elemente des Tragischen 67
Schlaf und Lethe als Elemente der Kunstlehre (Oper, Theater,
Maskenzug) 72
Sonne und Iris und die Symbolstruktur von Faust II . . . 88
Sonne und Iris und das „andere Selbst" in Bild und Porträt . 90
Reihung, Ironie und „farbiger Abglanz" und ihre Abgrenzung
vom Ästhetizismus 91
Das Verhältnis des Irissymbols zu Wille und Tat in der „Farben-
lehre" und Dichtung 96

3. Die Symbolformen der Anfangsszene in ihrem Verhältnis zu Tat und
   Geschichte 100
   Die Bildformen der ersten Szene: Kindheit, Spiegel, Hoffnung und
   Tat und ihre kunstgenetischen Hintergründe 100
   Jugend, Hoffnung und Tat in Goethes antikisierender Tragödie 104
   Der Einbruch der „historischen" Welt in Goethes Urzeit- und Ver-
   jüngungsbegriff und seine Folgen für die Faust II-Komposition 110
   Goethes Stellung zwischen normativem und positivistischem Ge-
   schichtsdenken und die künstlerischen Mittel der Gestaltung
   von Geschichte beim späten Goethe und in Faust II . . . 116

III. Kapitel: Die Schichtung des 1. Aktes und ihre Vorformen . . 131

   1. Die ersten Skizzen und die Ursachen ihrer Änderung 131
   2. Gesellschaftsrevue und „Schatz" 137
   3. Die Rolle der Gesellschaftsrevue zwischen Kunst und Natur . . 140
   4. Die Blumen- und Früchtesymbolik der ersten Mummenschanzszene 143
   5. Die Gesellschaft als dynamischer Jahreszeitenkreislauf beim jungen
      Goethe 146
   6. Die statische Gesellschaftsrevue des klassischen Goethe und ihre Be-
      deutung für die Symbolwelt der ersten Mummenschanzszenen . . 148
   7. Künstlichkeit und Natur im „Naturell der Frauen" und ihre kunst-
      genetischen Hintergründe im „Wilhelm Meister" 152
   8. Die formale und sprachstilistische Entwicklung des Konventions-
      problems von den „Wahlverwandtschaften" und dem „Divan" bis
      zu „Faust II" 161
   9. Die Funktionen und Bedeutungen der Mummenschanzallegorien bis
      zum Auftreten des Knaben Lenker 169
  10. Die Erscheinung der Dichtung in der Gesellschaft der Mummen-
      schanz: der Knabe Lenker, Entstehung und Wesen 171
  11. Fausts Doppelrolle als Plutus und Dichter 176
  12. Fausts Doppelrolle als Magier und Dichter 181
  13. Goldkiste und Flammenzauber, ihre Vorformen und staatsphänomeno-
      logischen Funktionen 185
  14. Mütterszene und Helenabeschwörung 212

IV. Kapitel: Die Schichtung des 2. Aktes und ihre Vorformen . . 226

   1. Die Entstehung des zweiten Aktes und seine inneren Voraussetzungen 226
      Die ersten Helenaskizzen und der Wandel von der normativen
      Hochklassik zur historischen Haltung der Spätklassik . 227
      Die ersten Entwürfe zum zweiten Akt und das Verhältnis
      zwischen Geschichte und biologischer Wiedergeburt im Wandel
      der Homunkulusmythe und Helenabeschwörung . . . 233
   2. Studierstube und Ledavision und die kunst- und geschichtsonto-
      logischen Hintergründe ihrer Konfrontation 248
   3. Die neue Homunkuluskonzeption und ihre Vorformen . . . 251
   4. Die Klassische Walpurgisnacht 257
      Die Eingangsszene und das „Klassische" der Situation . . . 257
      Allgemeine und formale Voraussetzungen der „Ungeheuer" der
      Klassischen Walpurgisnacht 260

Sphinxe, Greife, Arimaspen und Sirenen, ihre Vorformen und
Bedeutungsgehalte 263
   a) Die Sphinxe 263
   b) Greife und Ameisen 267
   c) Die Sirenen 269
Mephistos Rolle und seine Verwandlung in die Phorkyasgestalt 273
Die politischen und künstlerischen Hintergründe der Seismosrevolte, des Parteikampfes zwischen Pygmäen und Kranichen
und des einbrechenden Meteors 285
Die Schichten der hymnischen Schlußfeier und ihre kunstgenetischen Grundlagen 289

V. **Kapitel**: Die Schichtung des 3. Aktes und ihre Vorformen . . 302
1. Die Sonderstellung des Goetheschen Schönheitsbegriffs in der Auseinandersetzung zwischen dem „ästhetischen" Denken des 18. und
dem „kunstgeschichtlichen" Denken des 19. Jahrhunderts . . 302
2. Die tragisch-ästhetische Haltung des Helenafragments von 1800 und
die Gründe seiner Nichtvollendung 308
3. Helenas Idolwerdung, ihre Bedeutung für den Eintritt in die „Geschichte" der Kunst und ihre Vorformen 312
4. Das Nordische und Antike und ihre Hintergründe . . . 326
   Die drei Einheiten im Aufriß des Helenadramas . . . 326
   Fausts gotische Burg im kunsttheoretischen Grundriß des Ganzen 328
5. Krieg und Arkadien und das Verhältnis des Heroisch-Dämonischen
zum Idyllischen bei Goethe 339
6. Der erfüllte „Augenblick" und die Wette zwischen Faust und Mephisto 342
7. Die Stellung Arkadiens zwischen Natur und Geschichte in Goethes
Klassik 346
8. Die Bildschichten Euphorions und ihre naturphilosophischen und
kunstphänomenologischen Hintergründe 348
   a) Die geplante Euphoriondeutung Mephistos 348
   b) Das „Springen" Euphorions, seine Vorformen und Bedeutungen 350
   c) Euphorions Tod und seine Aufspaltung in Aureole und Hülle 353
9. Der Schluß des Helenaaktes 356
   Seine verschiedenen Unsterblichkeitsformen 356
   Aufstieg und Ende der „Oper" und ihre Stellung in der Gesamtdichtung 359

VI. **Kapitel**: Die Schichtung des 4. und 5. Aktes und der eigene dich-
terische Daseinsentwurf Goethes 362
2. Die Schichtung des vierten Aktes 370
   Die grundsätzliche „Umwendung" vom dritten zum vierten Akt 370
   Der Anfangsmonolog und sein Verhältnis zum dritten und vierten
Akt 371
   Geologie und Gesellschaft und Parallelkompositionen in den
„Wanderjahren" 373
   Krieg und Magie und ihre Bedeutung für das Ganze . . . 378
   Der Raub des Reichsschatzes und der positive Aufriß der Staats-
bildung in der Schlußszene 384
3. Die Schichtung des fünften Aktes 389
   Schuld, Sorge, Magie und inneres Licht im Aufriß der ersten
Szenen und ihre Bedeutung für das Gesamtproblem der
Faustischen Rettung 389

Fausts Tod und das Verhältnis des Tragischen zum Religiösen bei
Goethe 403
Die Bild- und Problemschichten des hymnischen Schlusses und
ihre Funktionen 407
4. Der dichterische Daseinsentwurf 419

Anmerkungen: 433
Vorbemerkung 434
Zeittafel und Vorlagen zur Entstehung von Faust II 438
Zeittafel 438
Vorlagen und Anregungen zu Faust II 439
Abkürzungen 441
Einleitung und Kapitel I 442
1) Zur Einleitung 442
2) Zum I. Kapitel 444
Einzelanmerkungen 446
Anmerkungen zu Kapitel II 451
Literatur 451
Einzelanmerkungen 452
Anmerkungen zu Kapitel III (1. Akt) 455
Literatur 455
Einzelanmerkungen 456
Anmerkungen zu Kapitel IV (2. Akt) 462
Literatur 462
Einzelanmerkungen 464
Anmerkungen zu Kapitel V (3. Akt) 467
Literatur 467
Einzelanmerkungen 468
Anmerkungen zu Kapitel VI (4. und 5. Akt) 469
Literatur 469
Einzelanmerkungen 470
Werkregister 474
Namenregister 476
Sachregister 478

Vorwort

Vorliegende Arbeit entspringt der Erkenntnis, daß in der Symbolwelt des späten Goethe Probleme künstlerisch gelöst und ausgereift sind, die das Verhältnis zwischen Kunst, Geschichte und Natur grundlegend neu bestimmen und unsere Vorstellungen von den Zusammenhängen zwischen künstlerischen, geschichtlichen und naturgenetischen Vorgängen umzubilden vermögen.

Geistesgeschichtliche und innerdichterische Gründe haben diese Probleme bis jetzt nicht ansichtig werden lassen. Vor allem das reifste und tiefste Werk des alternden Dichters, die Faust II-Dichtung, hat weder philosophisch noch dichtungsgeschichtlich noch naturphilosophisch die Wirkung ausgelöst, die der Größe ihrer Konzeption entspräche. Der Philosophie stand ihr geheimnisvoll Dichterisches im Wege, der Dichtungsgeschichte ihr unsinnlich Symbolisches und der Naturphilosophie die fremdartige Struktur der in ihr auftretenden Naturkategorien. Das Werk verfiel vereinzelter Quellen- und Vorlagenforschung oder dilettantischer Geheimnisauslegung. Als „Rätsel" verharrte es vor der Welt der Forschung und lebt noch als solches stillschweigend quälend weiter in unserem Bewußtsein, halb von dem dunklen Vorwurf bedroht, daß in ihm Großes — Größtes — nicht voll zur Ausformung kam, halb die Anklage gegen uns selbst richtend, dem größten Genius unseres Volkes immer noch die gebührende Erschließung seines reifsten Werkes schuldig zu sein.

Um demgegenüber eine einwandfreie Grundlage der Sinndeutung zu erhalten, unternahm vorliegende Arbeit eine Entstehungsgeschichte der spätgoetheschen Symbolik auf der ganzen Breite der künstlerischen, biologischen, geologischen, kunsttheoretischen und -geschichtlichen Vorstellungswelt Goethes. Der Nachweis, daß es bei Goethe ein streng gesetzlich in sich zusammenhängendes, durch sein Gesamtwerk von Sturm und Drang bis zur Spätklassik sich entwickelndes Gefüge von Symbolen gibt, das sämtliche Gestalten und Problemkreise der Faust II-Welt bereits vorgeformt in sich enthält, bot erst die Voraussetzung für eine methodisch sichere, objektive Deutung. Die Aufdeckung der gesetzlichen Entfaltung der Faust II-Symbolik aus dem Goetheschen Gesamtschaffen ist die wesentliche philologische Arbeit dieses Buches. Sie erst gab dem Werk seine sichere Grundlage. Die tatsächliche Entstehungsgeschichte der Symbole — nicht der jeweils wechselnde dogmatisch-kritische Standpunkt der Deuter liefert den Schlüssel zur Faust II-Dichtung. So konnten für die Entstehungsgeschichte der Faust-Plutusgestalt, der Mephisto-Phorkyasfigur, des Knaben Lenker, Euphorions, des Homunkulus, wesentlicher Teile des ersten und zweiten Aktes (Mummenschanz, Sphinxe, Greife usw.) Ursprünge und Entwicklungsstufen deutlich gemacht werden, die in den seitherigen Kommentaren durchgehend fehlen, obgleich sie bereits alle Elemente ihrer Sinndeutung in sich enthalten.

Die Entstehungsgeschichte der Faust II-Dichtung bildet daher in vorliegender Darstellung die äußere und innere Ausgangsbasis sowohl für die Erschließung der Einheit und Vielformigkeit der spätgoetheschen Gesamtdichtung wie für die Auswertung der in ihr schlummernden geisteswissenschaftlich fortwirkenden Inhalte. Die äußere Einschränkung auf die Analyse des „Faust II" ist die Voraussetzung für die innere Ausweitung in stofflicher und gehaltlicher Hinsicht. So führte die Frage nach der inneren Wesenheit des dichterischen Schaffens, die sich aus bestimmten Teilfragen der Faust II-Forschung (in der Einleitung) ergab, zur Aufrollung grundsätzlicher Probleme, die das Verhältnis zwischen klassischzeitloser Kunst, Kunst-Geschichte und den biogenetischen Voraussetzungen des künstlerischen Gestaltens betreffen. Ihre Lösungen sind für die Neuformung unseres Goethebildes besonders wichtig, können aber nur i n und m i t der Sache selbst, d. h. in und mit den Goetheschen Kunstformen begriffen und konsequent zu Ende gedacht werden. Das erklärt den äußeren Umfang der Arbeit.

Systematische Untersuchung und philologische Einzelinterpretation führten von jeweils verschiedenen Seiten zu dem Ergebnis, daß im Faust II-Drama im Grunde die genetischen Voraussetzungen, die Elemente und Formen aller natürlichen und geistigen Bildung Inhalt und Thema des Werkes ausmachen und ihm seine Ausnahmestellung in der Geschichte der deutschen Dichtung verleihen. Das universale, Goethe zeitlebens bewegende Thema der urgesetzlichen Bildung von Kunst, aber auch von Natur und selbst Geschichte bot die Erklärung dafür, daß hier im Drama von der Eroberung der Schönheit (erste drei Akte) in einer einmaligen Weise im Inneren einer konkreten Kunst zugleich die „urphänomenologischen" Aufbaugesetze alles künstlerischen, natürlichen und geschichtlichen Werdens selber thematisch erscheinen. Die Folgerungen für das grundsätzliche Verhältnis zwischen Kunst, Biologie und Geschichte sind um so wesentlicher, als sie nicht in einem außerkünstlerischen Gedankengebilde, sondern im Inneren der größten deutschen Dichtung entstanden und vom Dichterischen aus allein einen Problemumfang entfalten, dessen systembildende Spannweite durchaus den entwickelten philosophischen Kunstlehren sich gewachsen zeigt, ja sogar in entscheidenden Punkten über sie hinausgreift, da sie nicht nur ein normativ zeitloses (klassisches) System der Kunst aufbaut, sondern auch das Problem der Kunst g e s c h i c h t e erstmalig „apriorisch" zu lösen versucht unter Einschluß einer genetischen Begründung der „Tat".

Damit war auch eine geistesgeschichtliche Bestimmung und Einordnung Goethes gefordert. Sie ergab eine einsame Mittelstellung des späten Goethe zwischen dem organologischen Historismus und dem normativ-klassischen Kunst- und Geschichtsdenken. Vor allem in der Analyse des H e l e n a - a k t e s wird diese Problemlage entwickelt.

Der Eigenart der Sache entsprechend kann das Gesagte nur in der Nachzeichnung der einzelnen Symbole und künstlerischen Fragestellungen deutlich werden, um deren philologisch entstehungsgeschichtliche Herausarbeitung es hier vordringlich geht. Wer das dichterisch-sinnliche K u n s t - b i l d in seiner unbegrifflichen Reinheit liebt und verehrt, wird schon an der einem Wunder gleichenden spontan lebendigen Entfaltung und wechselseitigen Verknüpfung der einzelnen Gestalten und Symbole Freude empfinden.

Einleitung

Zur Methode der Faust II-Interpretation

Die Faust II-Forschung sieht sich vor eine Reihe tief erregender Fragen gestellt, die Werk und Forschungsmethode als Ganzes berühren. Nicht ohne Grund trägt ein Forschungsbericht, der die Faust II-Arbeiten der ersten vier Jahrzehnte des 20. Jahrhunderts zusammenfaßt, den Titel: „Der Streit um Faust II"[1]). Scheint es doch, als lebe diese rätselvolle Dichtung aus Gesetzen, die in anderen Dichtungen nicht statthaben und auch den fortgeschrittenen Methoden der Dichtungsanalyse nur unter ganz bestimmten Voraussetzungen zugänglich sind. Schlichte wie erhabene Fragen der Faust II-Deutung, ja gerade einfache Grundlagen der Interpretation, die in anderen Werken fraglos gegeben sind, stehen hier unter dem Zeichen des „Streites". Und doch nötigt die Tatsache, daß sich in diesem Werk die größte deutsche Sprachschöpfung ausspricht und vollendet, zur Stellungnahme, Nachprüfung und Klärung.

Diese Besinnung ist aus mehreren Ursachen immer wieder erschwert worden, Ursachen, die einmal in der äußeren Struktur des Werkes selbst und zum anderen in der Zielrichtung der jeweiligen Forschung begründet sind. Die vielfältig richtunggebenden und grundlegenden Arbeiten von Kurt May[2]), Hertz[3]), Borcherdt[4]), Burdach[5]), Petsch[6]), Kommerell[7]), Obenauer[8]) u. a. haben mit Nachdruck hervorgehoben[9]), wie die äußere Struktur von „Faust II" als „Fortsetzung" des ersten Teils der Faustdichtung den Blickpunkt der früheren Forschung schon im Ansatz zu Ungunsten des Werkes verschob und zu Mißdeutungen führte, so seit Vischer in jeweils anderen Wendungen bei B. Croce[10]), K. Ziegler[11]), Fr. Gundolf[12]) usw. Auf die weltanschaulichen Voraussetzungen der Faust II-Kritik des 19. Jahrhunderts hat bereits Th. A. Meyer[13]) am Beispiel Vischers und seines dogmatisch-realistischen Liberalismus hingewiesen. Dennoch bleibt auch in der jüngeren Forschung eine entscheidende Lücke, die sich aus den inneren Schwierigkeiten des Werkes selbst und den entsprechenden Forschungsmethoden ergibt:

So hat z. B. die Suche nach der inneren „Einheit" des Werkes die Forschung auf Sinngebilde gedrängt, die wohl als durchlaufend und tragend

angesprochen wurden, aber gemäß ihrer Einschichtigkeit immer wieder
Entgegnungen und Widerspruch fanden. So suchte die Forschung, wie
etwa Hertz, Aufbau und Gehalt aus den naturphilosophischen Elementen
Goethes zu bestimmen. So erklärte sie, wie Beutler[14]), die Einheit aus der
Wendung Fausts von Mephisto zu Gott und zur Natur. Sie fragte nach
der Funktion und den Wandlungen der Faust- und Mephistogestalt und
suchte Stufen der sittlichen Läuterung Fausts aufzuzeigen, oder, da dies
selten oder niemals unmittelbar möglich ist, sie mittelbar durch einzelne
Stelleninterpretation und Verknüpfung auseinanderliegender Teile nachzuzeichnen. Sie fragte, wie Petsch[15]) und Borcherdt[16]), nach dem pädagogischen Sinn der Mummenschanz; sie suchte, wie Obenauer, in Analogie
zu Goethes „Märchen" die ästhetische und allgemein geistige Problematik
zu bestimmen oder wie Meißinger[17]) systematisch aus Schillers Ästhetik
abzuleiten. Sie versteht, wie Kommerell[18]), den Helden aus seiner seelisch-
ontologischen Verflechtung in die Mächte von „Welt", Dasein, Tod und
sucht aus ihr inhaltliche und formale Bestimmungen zu gewinnen. Sie
unternimmt, wie die großangelegte Arbeit von Kurt May, auf dem Boden
einer eingehenden Sprachanalyse eine Deutung des Werkes aus sich selber,
aus der formalen Zuordnung der Teile und Versgruppen zueinander; und
sie entwickelt schließlich in zahllosen Einzeluntersuchungen die Vorlagen,
Quellen, geistesgeschichtlichen und historischen Hintergründe einzelner
Stellen und Szenen, in vorbildlicher Weise vor allem in den Arbeiten von
K. Burdach, Beutler[19]), Petsch, Th. Friedrich[20]) usw. Die außerordentliche
Förderung, die diese Untersuchungen für die Erkenntnis des Faust II-
Werkes bedeuten — ohne sie ist heute keine Faust II-Deutung mehr mög-
lich —, kann jedoch nicht darüber hinwegtäuschen, daß gerade die ent-
scheidende Frage nach der „Einheit" des Werkes und dem Verhältnis des
Ganzen zu den Teilen immer noch ungelöst vor der Forschung steht, daß
die Genesis des Werkes immer noch nicht aus einer klaren, eindeutigen
Notwendigkeit des dichterischen Gesamtschaffens Goethes verstanden und
entsprechend eingegliedert ist, sondern von jeweils verschiedenen Deutungs-
sichten aus verschiedene Möglichkeiten des „Sinns" und der Einheit des
Werkes entwickelt und geltend gemacht werden. Noch ist nicht die Dichtung aus zwingenden Gesetzen ihres Werdens erschlossen. Noch sucht die
Forschung entweder die Gesamtdichtung systematisch als ein auf sich selbst
gestelltes Werk zu behandeln, aus Charakter, Handlung und Sprache des
Helden und seiner Umwelt, aus der Ideen- und Vorstellungswelt Goethes
usw. eine Sinndeutung zu entfalten[20a]), oder sie versucht, „hinter" jeweils
einzelnen Szenen und Bildern die möglichen „Bedeutungen" zu entziffern.
Gerade die Frage nach der Genesis der dichterischen Bild- und Symbolformen und dem immanenten Gesetz ihrer Bildung ist, wie ein Überblick
über die seitherigen methodischen Ansätze zeigt, bis jetzt fast ganz
unerörtert geblieben. Die entscheidenden Vorstöße zu einer tieferen und

schärferen Ergründung prägnanter Bilder und Symbole liegen meist außerhalb der eigentlichen Faustforschung. So wurden z. B. in einem allgemeinen Aufriß der „Klassik und Romantik" das Marionettensymbol, die Hieroglyphe und andere Symbole von Franz Schultz[21]) aus der ganzen Breite der klassischen Epoche gedeutet, während die Symboldeutungen Beitls[22]), W. Müllers (Erscheinungsformen des Wassers bei Goethe[23]) u. a. meist äußerliche Materialsammlung blieben. Man beachtete kaum oder nicht, daß es bei Goethe ein ausgesprochenes Symbol- und Bildnetz gibt, das sich von seiner frühesten Zeit bis ins höchste Alter in streng gesetzlichen Wandlungen zieht, nach überraschend konsequenten Prinzipien in sich zusammenhängt und ganz bestimmte, untrügliche Kriterien für die Deutung einzelner Bilder und Gestalten Goethes enthält. Man übersah, daß aus diesem Symbolnetz die Schichten wie die Ganzheit der Faust II-Dichtung wachsen und ihr „Wesen" enthüllen. Selbst wenn die Faustforschung auf analoge Bild- und Symbolformen beim früheren oder gleichzeitigen Goethe hinwies, so leitete sie diese entweder aus historischen Vorformungen ab (Burdach) oder verzeichnete sie als parallele bzw. identische Wendungen, ohne ihre zwingende Notwendigkeit und innere Verbindung aus der Breite des Goetheschen Schaffens zu entwickeln. So wird meist in den Kommentaren[24]) lediglich eine Analogie zu Goetheschen Vorformen verzeichnet[25]), in entscheidenden Symbolen jedoch selbst diese noch übersehen: die goldhütenden Greife oder goldscharrenden Ameisen z. B. erklärt man durchgehend aus der antiken Mythologie, statt auf die Fülle der Goldsymbole und ihre Bedeutungen bei Goethe auch nur hinzuweisen. Eine Entwicklung der Bilder aus dem eigenen Goetheschen Symbolganzen dagegen vermag erst das spezifisch „Dichterische" des Vorgangs aufzuschließen. Sie sucht nach keiner vorgegebenen Einheit (naturphilosophischer, ethischer, stoffgebundener Art usw.), sondern befragt die geschaffenen Bilder und Symbole nach dem Zusammenhang, den sie im Gesamtbereich des Goetheschen Dichtens haben, verfolgt ihr Werden und Wandeln nochmals von vorn und bestimmt erst hieraus Umfang und Einheit ihrer Bedeutung.

Wie aber kann eine Bild- und Symbolwelt aus sich selbst Sinneinheiten entfalten, die nicht von Beginn an ihr untergelegt sind? Wie ist eine Deutung von Bildern möglich, ohne den Bezugsort und das, worauf sie hinweisen, also die Sinneinheit selber zu kennen? Muß einer Bildanalyse nicht wiederum eine Analyse der allgemeinen Anschauungswelt Goethes vorausgehen? Würde die Symbolinterpretation sich damit nicht in sich selber verstricken und am Ende nur das herausstellen, was die Gehaltsanalyse bereits herausgearbeitet hat? Diese Fragen führen in das Problem der Entstehung von dichterischen Sinn- und Gehaltsbezügen überhaupt. Struktur- und Wesenserkenntnis der Faust II-Dichtung hängt im wesentlichen von ihrer Beantwortung ab. Wenn gezeigt werden kann, daß erst die Enträtselung des inneren Aufbaus des Goetheschen Symbols die Frage nach der Einheit des Dramas wie nach der Gesetzlichkeit und inneren Notwendigkeit einzelner Teile und Stellen zu lösen vermag und zugleich weltanschauliche Einsichten bringt, die eine reine Gehaltsanalyse nicht in dieser Feinheit, Tiefe und Mannigfaltigkeit entwickeln kann, weil sie die unendlichen „Bezüge"[26]) des dichterischen Bildes nicht mit in ihre Begriffsbildung aufnahm, so würde das Ringen der Forschung um eine werkgemäße Sinndeutung sich in der Frage zu konzentrieren haben, wie Bild und Gehalt bei Goethe ineinander greifen und wissenschaftlich-begrifflich gefaßt werden können. Die „Anschauungsformen" der Dichtung stünden zur Untersuchung. Aus ihnen ergäben sich die Kriterien über die Angemessenheit bzw. Unangemessenheit der Einheits- und Sinnvorstellungen, mit denen seither an die Erklärung des Faust II-Dramas herangetreten wurde; und aus ihnen würde die Frage nach dem Bezugsort und der Mitte der Symbolwelt Goethes gelöst werden müssen. Umso grundsätzlicher wird dieses Problem der „Anschauungsformen" gestellt, je klarer die Schwierigkeiten erscheinen, mit denen die Forschung tatsächlich diesem Werk gegenüber zu kämpfen hatte und hat.

1. Die Inhaltsinterpretation und ihre inneren Schwierigkeiten

Seit je hat die Inhaltsinterpretation von „Faust II" mit zwei Tatsachen sich auseinanderzusetzen, die mit dem Wesen des Werkes unlöslich verknüpft sind, erstens mit der Tatsache, daß jeder Versuch, eine durchlaufende Sinngebung aus den Gestalten und Szenen des Werkes selbst, aus einer Interpretation des Werkes „an sich" zu erhalten, an der tatsächlichen Formung des Ganzen scheitert, die jede Totaldeutung mit dem Vorweis anderer, widersprechender Szenen beantwortet und sich meist spröde, mit souverän „ironischer"[27]) Stummheit in rein zeichenhaft ablaufende Vorgänge und Szenen zurückzieht; zweitens mit der Tatsache, daß selbst die Deutung einzelner Stellen aus den verschiedenen Kreisen des Goetheschen Denkens und Gestaltens immer wieder durchkreuzt wird durch zweite und dritte Möglichkeiten, die sich aus dem schwebend „symbolischen" Charakter, dem wechselseitigen Spiegeln und Vertauschen von Natur, Kunst und Geschichte im dichterischen Symbol Goethes ergeben.

Bevor hier auf die Ursachen beider Erscheinungen eingegangen werden kann, sind sie selbst zu umschreiben: Die vielen Versuche, dem Werk eine innere Entwicklung zu geben, sei es in Form einer Läuterung Fausts, sei es im einfachen Wandel des Helden durch die gesellschaftliche, biologisch-kosmische, ästhetische und ethisch-politische Sphäre, sahen sich immer wieder Interpreten[28]) gegenüber, die den unaufhörlichen Scheincharakter aller, auch der ethisch-politischen Sphären hervorhoben und die eigentüm-

liche Stummheit Fausts, die Unmöglichkeit, an irgendeiner Stelle einwandfrei und ohne gezwungene Deutung eine „innere" Verarbeitung des von
Faust Durchlebten und Gesehenen nachzuweisen, betonten und heraus-
arbeiteten. Wie tief dies selbst in bedeutende Forschungen hineingreift,
mögen folgende Hinweise zeigen:

Die ausgezeichnete Deutung, die z. B. Borcherdt der Mummenschanz
gab, zielt im Ergebnis auf den Nachweis eines erzieherischen Einflusses
Fausts auf den Kaiser. Sein wertvoller Hinweis auf die Bedeutung des
Flammenzaubers der Goldtruhe, der unzweifelhaft bei eingehender Symboluntersuchung den poetischen Sinn der Szene zu erhellen vermag, wird
von ihm inhaltlich ins Pädagogische gewandt im Sinne einer „Warnung"
und einer Heraufbeschwörung elementarer Mächte. Da sich jedoch weder
in unmittelbaren Reden Fausts und des Kaisers, noch im szenischen und
handlungsmäßigen Verhalten beider (abgesehen von einer ganz spät erst
im vierten Akt auftauchenden Erinnerung des Kaisers und einer kurzen
Bemerkung Fausts in V. 5960 f.) eine pädagogische Beeinflussung nachweisen läßt, so setzt Borcherdt dafür eine „symbolische Deutung"[29]): die
Flammen sind die Leidenschaften, die Kaiser und Staat vernichten[30]) usw.
Ferner kann nicht Mephisto dies mahnende Flammenspiel inszeniert haben,
sondern nur Faust, und zwar wiederum nicht mit Hilfe der Magie, sondern
der Poesie. Das Abschiedswort des Knaben Lenker an Faust: „Doch lisple
leis und gleich bin ich zurück" deute auf eine solche geheime Mitwirkung
der Poesie, auf eine unsichtbare Rückkehr des Knaben. Die notwendig
konstruierende Haltung solcher Deutungen — mag sie auch im Einzelnen
zu richtigen Ergebnissen führen[30a]) — gerät jedoch erst dort, wo Borcherdt
mit Recht den eigentlichen Niederschlag der Flammengaukelszene sieht, im
Anfang der „Lustgarten"-Szene, in unaufhebbare Widersprüche. Die merkwürdige Tatsache, daß hier nicht Faust, sondern Mephisto mit dem Kaiser
diesen Flammenzauber beredet, wendet Borcherdt dahin, daß Mephisto
„die mahnenden Bilder des Flammenspiels ... wegzugaukeln"[31]) versuche
und damit alles in „bittere Satire" umschlage. Demgegenüber hat die fort-
geschrittene Sprachanalyse Kurt Mays erwiesen, daß Mephisto hier im
ernsten, hohen faustischen Pathos spricht[32]), daß die „Dynamik der
faustischen Sprachkraft auf ihn übergegangen"[33]) ist, was sich in noch
höherem Maße in der Mütterszene, bei Helenas Tod, Euphorions Geburt
usw. wiederholt, wo Mephisto „die Sprache der religiösen Erschütterung
mit völliger Auslöschung seines eigenen Wesens"[34]) spricht. Zu dem Rätsel
der Flammengaukelszene kommt also das zweite Rätsel der Mephistofigur, die völlig ins Gegenteil verkehrt ist, und das dritte Rätsel der verstummenden, in keiner Weise unmittelbar auf Kaiser und Hof wirkenden
Faustgestalt. Nicht nur die Handlung, sondern auch Charakter und Einheit der Personen werden undurchsichtig und schwankend. Der vielfach
vertretenen Auffassung der Forscher, Mephisto sinke in Faust II immer

mehr ab gegen den immer höher steigenden Faust[35]), steht ebenso unzweifelhaft die stellenweise außerordentlich hohe, ja ans „Göttliche" grenzende
Gestaltung der Mephistofigur gegenüber: „Halte fest! Die Göttin ists
nicht mehr ... Doch göttlich ists ... Es trägt dich über alles Gemeine
rasch" (V. 9948 ff.) u. a. Kurt May hat sie ähnlich wie Borcherdt zu erklären versucht aus der „virtuosen Verwandlungs"-fähigkeit[36]) Mephistos
und seiner Verführungsabsicht[37]), kann aber auch hierfür, wie er selbst
andeutet[38]), keine sicheren Belege erbringen. Denn weder für eine Verführungsabsicht noch für eine Verwandlung ins Heuchlerisch-Umstrickende
ist in der Lustgarten-, Mütter-, Helenaszene usw. ein einwandfreier Nachweis zu finden[39]). Die Vorgänge laufen vielmehr in einer merkwürdig
spröden, unreflektiert eigenwilligen, aus dem Charakter der Personen oder
aus einer Totalidee schlechthin undeutbaren Weise ab. Witkowskis hilf-
loser Hinweis: „Phorkyas muß hier (bei seiner Mahnung an Faust, sich
mit Helenas Schleier „hoch über alles Gemeine" zu erheben) in Ermangelung
eines anderen Sprechers die symbolische Bedeutung von Helenas Gewändern erklären"[40]), führt tief in die Auswegslosigkeit, vor der die
Deutung gerade bezüglich der zentralen Gestalten (Mephisto—Helena—
Faust), Motive und Probleme steht. Denn warum sollte z. B. nicht Faust
zu sich selbst diese Worte sprechen und sich zuinnerst erheben zur „Göttlichkeit" dieses Schleiers, wie er wiederholt in den großen Monologen des
Urfaust und „Faust I" sich einsam emporrang zu neuen Stufen des Seins?
Gerade dies zeigt aber den Abstand des „Faust II" von „Faust I", einen
Abstand, der uns nötigt, der Faust II-Forschung gegenüber auch methodisch
eine grundsätzlich neue und andere Stellung einzunehmen. Weder eine
„innere" Entwicklung Fausts kann, wie schon Kurt May zeigte[41]), hier von
Goethe primär als Gegenstand und Sinn seiner Dichtung gemeint sein,
noch ein durchlaufender Verführungswille Mephistos, noch eine wechselseitig sich vollziehende pädagogische, ästhetische oder ethische Beziehung
zwischen Faust und der „Welt", wie eine andere Deutungsversion meint.
Wenn selbst noch May „eine Ausstrahlung von Faust her auf seine Umwelt ... eine stille unbewußte Einwirkung des faustischen Pathos, der
Lebensfrömmigkeit, von welcher sein Streben getragen ist"[42]), ansetzt, so
zeigt sich in diesem Bemühen zweierlei: einmal das Eingeständnis, daß eine
unmittelbare Wechselwirkung zwischen Faust und Welt schlechterdings
nicht nachweisbar ist und durch mittelbare, „stille, unbewußte Ein-
wirkungen" ersetzt werden muß, und zweitens der Versuch, in berechtigter
Ehrfurcht vor der Größe des Werkes eine innere Einheit und Sinnfülle
der Faustgestalt selbst im Maskenzug und anderen Scheinwelten, die z. B.
von Gundolf als „tiefste Demütigung von Goethes Genius vor der ...
Welt"[43]), als Tiefpunkte der Goetheschen Dichtung überhaupt, bezeichnet
werden, nachzuweisen und zu retten.

Demgegenüber fragt sich, wieweit nicht beide Ansätze, die negativ-

kritische wie die positiv-rettende Haltung insofern auf gleicher Ebene
stehen, als sie unbesehen voraussetzen, das Drama müsse analog aller gewohnten Dramaturgie und Dichtungslehre auf einer Einheit der Charak-
tere oder zum mindesten der Einheit eines Sinnes ruhen, der alle Personen
und Handlungsabläufe übergreifend verbindet. Von dieser Voraussetzung
aus muß die kritische Betrachtung einen ununterbrochenen Widerspruch
zwischen der sich im Anfang und Ende als „Tat" gebenden Faustgestalt
und seiner passiven, am „Schein" — selbst in hochpolitischen Vorgängen
wie dem vierten Akt — sich genügenden Haltung feststellen. Umgekehrt
muß die positiv sich einfühlende Forschung eben diese Scheinentfaltung als
„Höherentwicklung" in überwirkliche, „alle irdischen Bedingungen über-
fliegende Intentionen"[44]) werten, bei der es „auf die Verwirklichung von
Plänen, auf tatsächliche Erfolge und Wirkungen"[45]) längst nicht mehr an-
komme, sie muß versuchen, schon in den Maskenzügen und Scheinwelten
der vier ersten Akte Vorstufen einer allmählichen Aufwärtsentwicklung
bis zur ethischen Höchststufe des letzten Aktes nachzuweisen — trotz der
Schwierigkeiten und konstruierenden Stelleninterpretationen, die notwendig diese Beweisführung (sogar in bezug auf den fünften Akt) mit
sich bringt.

Erst relativ spät hat sich dieser Richtung gegenüber, die sich bei
Beutler, Petsch, Borcherdt, Rickert[46]) usw. immer wieder findet, die Erkenntnis durchgesetzt, daß es sich im Faust II-Drama um eine „volle Vergegenständlichung und Veräußerung von Fausts Erleben" handele, in der
Faust selbst zum „Zuschauer der vergegenständlichten Welt"[47]) wird. Kurt
May hat dieses „Zuschauen" allerdings noch als einen Prozeß der „Erziehung zu Helena" hin gefaßt und kam damit zu jenem Versuch, eine
innere Wechselwirkung zwischen Faust und der Maskenwelt des Hofes,
zwischen seinem nordischen Charakter und der Antike wenigstens im
sprachlichen Niederschlag nachzuzeichnen. Kommerell hat diese Verselb-
ständigung und Veräußerung der Welt- und Daseinskreise dann zu einer
grundsätzlichen Analyse des Verhältnisses von Welt und Seele („Person")
erweitert und kam damit kurz nach seiner Faust II-Interpretation zu einer
Neuaufnahme der Faust-Sorge-Problematik des fünften Aktes[48]), in der ja
dieses Verhältnis innerlich gipfelt. Diese Wendung war notwendig, da die
Konzentrierung der Deutung auf das Verhältnis zwischen Welt und Seele
sich auf eine Grundspannung richtet, die zur Heraushebung dieser einen
Kernszene führt, während andere, weitgespannte Szenen, ja ganze Akte,
als „perspektivische" Durchgangs- und „Verkürzungs"-linien „auf einen
Punkt zu, der außerhalb dieser Bilder liegt"[49]), erscheinen. Indem Kommerell
das Drama unter Erinnerung an Mittelalter und Barock als „verweltlich-
tes Mysterium" und „Weltspiel ohne Charakter" definiert, in dem es um
„Welt und Mensch" schlechthin, bei Faust vor allem um die „Behauptung
der Person" (an sich) im „Weltverbrauch", im „Ernährungsprozeß der

Selbstheit" und ihrer „Weltvernutzung"[50]) geht, so wird alles Einzelne Folie und Metapher, es wird „im Grunde alles Episode", und „als eigentliches Drama" erscheint „die erste Hälfte des fünften Aktes", nämlich die „ganz inwendige Entscheidung"[51]) der Faust-Sorge-Szene. Grundsätzlich hat Kommerell damit jeden Versuch, die einzelnen Szenen des Dramas stufenweise zu verbinden und z. B. wie Hertz in „Helena die entwickelte Entelechie des Homunculus" nachzuweisen, als einen „Rückfall in das herkömmliche Denken, das ein Drama als Folge von Ursache und Wirkung begreift" und „diesem Formplan nicht gerecht"[52]) wird, abgewehrt. Das Drama ist ähnlich wie bei May als Veräußerung verstanden, und ähnlich wie bei ihm steht jeder Akt als „neuer, eigener Daseinskreis" vor dem Blick der Forschung. So unstreitig wertvoll diese Wendung gegenüber der kausal-logisch motivierenden Betrachtungsweise ist, so sehr geht die Zuspitzung des Ganzen auf das Verhältnis zwischen Welt und Person jedoch gerade an dem Eigenen dieser Daseinskreise vorbei. Mag auch das Ganze als „Weltspiel" wirklich alles Einzelne in „Episoden" verwandeln, so stehen doch diese Episoden — im entschiedenen Gegensatz zu Mittelalter und Barock — keineswegs mehr unter den übergreifenden Bezügen solcher Weltspiele. Sie werden nicht mehr durch einen tragenden Sinn- und Ordo-Bezug wie im Mittelalter oder — wie im Barock — durch eine Vergänglichkeitsmetaphysik gerichtet, verworfen oder gerettet — auch nicht durch den von Kommerell genannten „verweltlichten" Zentralpunkt der „Selbsthilfe der Person"[53]). Vielmehr entfalten sie jeweils für sich eine durchaus immanente, produktive Symbolik, die ihre „Geheimnisse" in stumm wechselnden Spiegelungen unaufhörlich in sich selber verbirgt, verrät und wieder verbirgt (gemäß der Goetheschen, von uns noch eingehend zu entwickelnden Lehre vom „offenbaren Geheimnis" der Symbole). Diese Symbolik ist also gerade nicht durch einen „Punkt außerhalb", auf den alle „perspektivischen Verkürzungen" zulaufen, geprägt und chiffriert. Die Symbolik Goethes ist in sich verschlossen[54]), sie läuft mit keiner zwingenden Notwendigkeit auf irgendeine Zentralszene zu, sie ist szenisch und gehaltlich so stark in sich abgekreist, daß sie nicht mehr „Episode", nicht gleichgültig vergängliche und eben dadurch mit außer ihr liegenden allegorischen „Bedeutungen" versehene Durchgangsphase ist wie im Barock (etwa bei Calderon, auf dessen Einwirkung auf Goethe sich Kommerell vor allem stützt), sondern sie trägt in sich selbst Ursprung und Wesen ihrer Bedeutung und kann dadurch allein — wie sich zeigen wird — die Totalität des Werkes im Kleinsten „spiegeln" und herstellen. Zwar — darin besteht Kommerells Ansatz zu vollem Recht — meint in der Tat in Faust II „nichts sich selbst"[55]), alles ist „symbolisch" auf etwas anderes gerichtet. Aber dieses „Andere" ist kein „Standort außerhalb"[56]), durch den das Drama zu einem „seinem Wesen nach christlichen"[57]) Weltspiel wird, sondern ist das „offenbare Geheimnis" einer Symbolwelt, die sich im Laufe einer jahrzehntelangen dichterischen Entfaltung Goethes herausgebildet hat und mit bestimmten immanenten „Bedeutungen" versehen wurde, um deren Erhellung und Herausarbeitung es in vorliegender Untersuchung vor allem geht.

Von welcher Seite die Inhaltsinterpretation auch ansetzen mag, immer ergibt sich, daß jede durchlaufende Sinngebung, die aus einem „außerhalb" der Symbol- und Bilderwelt gewonnenen Prinzip erschlossen ist, sei es durch Überbetonung einzelner Szenen (Faust-Sorge) oder einzelner Kategorien (ethischer, ästhetischer usw.), das Werk in Richtungen drängt, die in Widerspruch geraten mit gerade jenen ausgedehnten Szenen, Akten und einzelnen Bild- und Problemschichten, für deren breite und ausdauernde Gestaltung doch eine unabweisbare Nötigung und Dringlichkeit in Goethes dichterischem Bewußtsein bestanden haben muß.

Demgegenüber hatte eine zweite, methodisch strengere Stelleninterpretation den Vorteil, wenn auch nicht die Gesamtheit des Werkes, so doch Teilformen der Dichtung auf Grund philologischer Quellen- und Vorlagennachweise zu erhellen. Die vorzüglichen Kommentare, die seit Düntzer vor allem Petsch, Erich Schmidt[58]), Th. Friedrich[58a]), Trendelenburg[59]), Beutler[60]) usw. lieferten, haben wertvolle Einblicke in die tatsächliche Interessen- und Vorstellungswelt Goethes während seiner Arbeit an Faust II gegeben, ohne die keine Deutung mehr auskommen kann. Die Versuche, die dann besonders Hertz unternahm, aus solchen Bausteinen und Funden nun schrittweise zu einer Darstellung des Gesamtplanes von Faust II vorzuschreiten (die Vorsichtigkeit seiner Methode zeigt sich schon im Aufbau seines Buches, das sich aus verschiedenen Teilaufsätzen zusammensetzt)[61]), führten zu beachtlichen Ergebnissen besonders bezüglich der „Entstehungsgeschichte und des Gehaltes" des zweiten und fünften Aktes[62]). Zwei Voraussetzungen durchkreuzten auch bei ihm die volle Durchdringung der dichterischen Gestaltungsgrundlagen. Einmal eine weltanschaulich-prinzipielle, die sich schon im Titel seines Buches „Natur und Geist zu vermählen"[63]), und entwickelt dementsprechend den Aufbau der zu der großen lebensphilosophischen Strömung des beginnenden 20. Jahrhunderts — den Sinn des Goetheschen Faust primär darin, „Natur und Geist zu vermählen"[63]), und entwickelt demensprechend den Aufbau der Dichtung. Spätere Einzelauseinandersetzungen mit seinen Ergebnissen werden zeigen, wieweit dadurch die rein naturphilosophische Seite überbetont und wichtige Schichten sogar des biologischen Mysteriums der Schlußapotheose der Klassischen Walpurgisnacht (etwa die „Höhle" der Galatee, ihre „Bewahrung" vor dem Wechsel der Geschichte durch Psyllen und Marsen, die Funktion der geretteten Jünglinge, die ästhetisch entsagende Fernliebe des Nereus usw.) übersehen werden mußten oder in ihrer innersten Wesenheit jenem „kausalen" Verknüpfen der Vorgänge, auf deren Schwäche schon Kommerell hinwies, zum Opfer fielen. Eine zweite Voraussetzung ist das Fehlen entscheidender Einsichten in das Wesen des dichterischen Symbolschaffens. Hertz und mit ihm zahlreiche Interpreten und Kommentatoren setzen eine naturphilosophische bzw. ethische, ästhetische, metaphysische Grundrichtung Goethes voraus, die sich dann in entsprechenden Bildern und Symbolen niedergeschlagen habe. Sie übersehen die Tatsache, daß bei Goethe aus den Bildern selbst eine ganz „eigene" Bedeutungs- und Vorstellungswelt entfaltet wird, die erst heute in unser Bewußtsein rückt. Ich verweise hier nur auf die Darstellung des Todes Helenas und des Chors, dessen naturphilosophische Begründung nicht ausreicht angesichts der auffälligen Ähnlichkeit mit dem Tode Mignons, Ottiliens u. a. und ihrer Verbindung mit einer Schönheits-, Todes- und Bild(„Idol")-Gestaltung, die weder antik noch christlich, noch aus der seither meist systematisch entwickelten „Metaphysik" Goethes zu verstehen ist, sondern in der Tat eine immanente Leistung des Kunstwerkes Goethes darstellt, auf die wir ausführlich eingehen werden. Ich mache ferner auf die merkwürdige und aufschlußreiche Verbindung aufmerksam, die zwischen Goethes Operntheorie und -praxis und dem Höhlen- und Bergwerkmotiv sowie den „Elementen" nicht nur in „Faust II", sondern auch z. B. im „Berliner Theaterprolog von 1821" und vielerorts sonst besteht und eine Verbindung zwischen Goethes geologischen und künstlerischen Symbolen ansichtig macht, der eine rein naturphilosophisch orientierte Forschung nicht gerecht werden kann. Nicht nur der Inhalt der Werke, sondern auch ihr formaler Aufbau (als Oper usw.), ja selbst Goethes Kunsttheorien verbergen sich mit Vorliebe hinter Bildern und „Zeichen". So sind z. B. jene vielgeschmähten und mißverstandenen „Maskenzüge" am Weimarer Hof nichts anderes als Zeichen für Gattungen der Kunst, welche die Strukturen des Goetheschen Schaffens in einer Tiefe verraten, die weder im reinen „Inhalt" noch durch eine systematische Ästhetik erschließbar ist.

Notwendig führen also die inneren Schwierigkeiten der reinen Inhaltsinterpretation zur Forderung einer genauen Bild- und Symboluntersuchung, die im Zeichen zugleich das Wesen durchsichtig macht.

Aus ähnlichen Einsichten erwuchs jedoch neben ihr eine andere Forschungsmethode, die Form- und Sprachinterpretation:

2. Die Forminterpretation, Leistung und Grenzen

Seit dem Aufsatz von Helene Herrmann[64]), der Einzelarbeit von M. Bressem[65]) und allgemeineren Arbeiten von A. Heusler[66]), Knauth[67]), Ruoff[68]) u. a. hat vor allem das grundlegende Werk von Kurt May es unternommen, auf dem Wege der Sprachanalyse „sicherer zum Ziel" zu

gelangen, „als die vielen sich widersprechenden, mehr oder minder geistvollen Gehaltsinterpreten"[69]). Hinter dieser Methode steht also die Überzeugung, daß das dichterische Werk reiner und unverfälschter in seiner
unmittelbaren sprachlichen Ausdrucksgebung erfaßt werden kann als in
der begrifflich-gedanklichen oder gefühlsmäßigen Deutung des Wortes.
Die Formanalyse führe tiefer in Atmosphäre, Stimmung und wirklich Ge-
meintes als die Gehaltsinterpretation. In der Tat streift eine solche
Methode näher an rein „Dichterisches" und führt unstreitig in vielfacher
Hinsicht zu sicheren Ergebnissen. Als Beispiel sei nur Mays bereits er-
wähnter Nachweis verzeichnet, daß Mephisto an entscheidenden Stellen in
echt Faustischer Sprache sich gibt. Ferner konnte May bis ins Einzelne
den Anteil antiker und moderner Sprachelemente in der Klassischen Walpurgisnacht, im Helenaakt usw. bestimmen und auf die sonderbare Tatsache hinweisen, „daß in den Szenen der Klassischen Walpurgisnacht nicht
nur Faust, Mephisto und Homunkulus in nordischen Faustversen reden,
sondern ebenso auch die antiken Figuren, Greifen, Ameisen, Sphinxe,
Chiron, Seismos, Pygmäen, Lamien, Oreas usw."[70]). May betont, daß
„man sich längst einmal darüber hätte wundern sollen", und legt damit
den Finger auf ein Problem, das in der Tat von der systematisierenden
Gehaltsdeutung, in der die Klassische Walpurgisnacht meist einfach als
Vorbereitung und Einführung in die Welt Helenas erscheint oder naiv
als eine tatsächlich „klassische" Nacht im Gegensatz zur nordischen Faust-
welt hingenommen wurde, übersehen oder jedenfalls nicht mit in die
Untersuchung einbezogen wurde.

Die Formanalyse leistet also in der Tat außerordentlich viel. Sie berich-
tigt Thesen und Hypothesen reiner Inhaltsbestimmungen durch den Aufweis der tatsächlichen Ausdrucksgehalte und lenkt den Blick auf unerschlos-
sene Gesichts- und Problemkreise. Damit sind Größe und Umfang ihrer
Leistung bezeichnet. Denn die entscheidenden Folgerungen, die sich z. B.
aus Kurt Mays Ergebnissen ziehen lassen, greifen schon weitgehend über
den Rahmen der Sprachbetrachtung hinaus. Der Nachweis z. B. des „ungewohnten Ernstes Mephistos"[71]) nötigte Kurt May zu dem Schluß, daß
entweder eine Verführungs- und Verstellungsabsicht Mephistos sich dahinter verberge oder, da diese Hypothese sich nicht unmittelbar begründen
und erhärten läßt, als „letzte, wenigstens nicht ganz zu widerlegende
Möglichkeit das Pathos des Dichters die Umrisse der dramatischen Gestalt
sprenge"[72]). Diese „letzte Möglichkeit" charakterisiert in der Tat die Grenze
der Formanalyse: Die Frage, worauf das Pathos des Dichters hier zielt,
aus welchen Quellen es stammt, aus welchen inneren Notwendigkeiten es
die Mephistogestalt so gänzlich umkehrt und verwandelt, während es
doch im ersten Teil des „Faust" sich durchaus auf den Helden beschränkte
und Mephisto in seiner Rolle als Gegenspieler beließ, kann nicht mehr
mit formanalytischen wie auch nicht mehr mit inhaltsanalytischen Mitteln

beantwortet werden. Diese Frage erfordert ein Eindringen in das unmittelbare Gestalt- und Bildschaffen Goethes, eine Erforschung seiner gesamten künstlerischen Absichten, Ziele und Vorstellungen. Die Sprachanalyse weist wohl hin auf ein Problem — das ist ihre Stärke und ihr unschätzbarer Wert —, aber sie kann die Lösung des Problems selbst nicht mehr leisten. Selbst Kommerells im Grunde mit May parallel laufende Erklärung der Mephistowandlung aus dem heroischen Stil der „Barockoper", durch den Goethe genötigt gewesen sei, Mephisto „nicht aus seinem Geist, sondern aus dem Geist der Szene als idealen Sprecher"[73]) reden zu lassen, geht an den Tatsachen vorbei. Faktisch bricht die eigentliche „Oper" bereits ab mit Euphorions Tod („Völlige Pause. Die Musik hört auf"), so daß bei dem Verschwinden Helenas ein prosaisch-sarkastischer Tonfall Mephistos stilistisch haltbar gewesen wäre, genau so wie er kurz zuvor auf dem Gipfel des Faust-Helena-Glückes bei dem „heftigen Eintreten" Mephistos ertragen werden mußte („Buchstabiert in Liebesfibeln, Tändelnd grübelt nur am Liebeln" usw.). Ja, Kommerell selbst und mit ihm fast alle Faustdeuter vermeinen sogar in diesen Schlußteilen des Helenaaktes beim Zurückbleiben des Schleiers ein hohnvoll „grinsendes"[74]) Hindeuten Mephistos auf die „sich verflüchtigende Helena" erblicken zu können, obgleich der Text dazu keinerlei Handhabe bietet. Er selbst empfindet also als eigentlichen „Geist der Szene" keineswegs die Notwendigkeit, Mephisto als „idealen Sprecher" einzuführen, der im Sinne der alten Oper die Vorgänge objektiv von außen her deutet, sondern nimmt als objektiv gegeben eine Enttäuschung Fausts bei Helenas Verschwinden und eine entsprechende Reaktion Mephistos an gemäß der in der Forschung üblichen Auffassung dieser Szene. Derart widerstreiten hier unmittelbares, handlungsbezogenes Gefühl und die tatsächliche, rätselhaft unerklärliche Formung der Szene. Noch auswegsloser verstricken sich andere Deutungen aus reinen Formkategorien, so wenn Kommerell die Reimerfindungsszene sowie die schillernd antik-moderne Technik der Sprach- und Szenenbehandlung lediglich als Nachahmung um der Nachahmung willen, die „der Trug einer Wirklichkeit"[75]) ist, auffaßt oder gar die Idolszene (Helenas Ohnmacht) als „störende" Brechung der Illusion bezeichnet. Danach hat Goethe in der sprachlichen Nachahmung antik-moderner Elemente virtuos die Möglichkeiten trugvoller Wiedergeburt historischer Kunstformen geistvoll interpretieren und in der Idolszene diese Spannung von Trug und Wirklichkeit spielerisch auflösen und andeuten wollen. Indessen ergibt eine genaue Untersuchung der tatsächlichen Vorformungen dieser Szene in den „Wahlverwandtschaften", den „Wanderjahren" usw.[76]), daß hinter diesen Vorgängen abgründige und elementare Kunstprobleme Goethes sich verbergen, die das, was bei Kommerell als reines, interessantes Formspiel erscheint, aus fundamentalen Goetheschen Spannungen zwischen ewiger und geschichtlicher Kunst folgerichtig aufbauen und damit auch die Szenen erst in ihrem Ernst durchsichtig machen.

Ähnlich, um ein weiteres Beispiel der Forminterpretation anzuführen, liegt es mit dem Nachweis des modern-nordischen Sprachstils der antiken Figuren der Klassischen Walpurgisnacht. May erklärt ihn damit, daß „man sich in dieser altgriechischen Welt auf seine neumodischen Gäste einzustimmen ... bemühe", „sich in der nordischen Welt spiegele, nicht ohne sich zuweilen zu verzerren und zu verfärben"[77]). Seine Untersuchung des Wechsels trochäischer und jambischer Verse führt ihn zu diesem Grundgedanken wechselseitiger Spiegelung nordischer und antiker Sphären. Das „Herabsinken" des Sprachstils der antiken Gestalten „in die Sprachtöne der nordisch-modernen Hof- und Gesellschaftswelt" bis „herunter auf die Ebene der salopp-alltäglichen Rede" erklärt er als „Ironie gegenüber den staunenden Fremden", als „Parodie des hohen Stils, den man von ihrer Sprache erwartet"[78]). Wiederum hat May hier ein wichtiges Problem kenntlich gemacht. Die wechselseitige „Spiegelung" historischer Kunstformen und Erscheinungen, die, wie gerade Arbeiten von Meinecke, Koch usw.[79]) betonen, wesentliches Element spätgoetheschen Denkens ist, ferner die eigentümliche Struktur „ironischer" Darstellungsweise, deren genaueste Betrachtung und Abgrenzung mit zu einer der wesentlichsten Aufgaben auch vorliegender Arbeit gehören, können zu einschneidend neuen Erkenntnissen gerade der späten Faust II-Dichtung führen. Dennoch steht die Sprachanalyse damit erst am Anfang des Problems. May nimmt ohne weiteres die Begriffe „nordisch-modern" und „antik" auf in die Deutung und schafft so einen durchgängigen Sinn, eine querlaufende Wechselbeziehung zwischen den Figuren des zweiten Aktes, ohne zu fragen, was denn zunächst die Sphinxe etwa im Unterschied zu den Lamien, Arimaspen usw. tun, treiben und sprechen, welche Symbole hinter ihnen stehen, ihren Ausdruck hervortreiben und lenken und wieweit etwa ihre „Ironie" und saloppe Gesellschaftssprache eben aus diesen ihren inneren Funktionen erwächst. Das Nordisch-Moderne und Ironische könnte ja möglicherweise aus ihrem eigensten Inneren entspringen, wie Mephistos Phorkyasverwandlung plötzlich — wiederum äußerst kompliziert ironisch — etwas „Antikisches" aus ihm hervortreibt[79a]). Zudem kann die formalistische Deutung dieser Ironie als „Parodie des hohen Stils" offenbar schon darum nicht ausreichen, als ja die Elemente des hohen Stils nicht mit in die Parodie aufgenommen sind, das Objekt der Parodie also gar nicht erscheint. Das Problem der Sprachvermischung würde also zu einer neuen, präziseren Bestimmung des Nordischen bzw. Antiken bei Goethe hinführen, anstatt daß dieser Dualismus als Ausgangsbasis vorausgesetzt oder als Erklärungsmittel in die Untersuchung eingeführt wird.

Wie wesentlich dies gerade für die Formulierung der Ergebnisse der Forminterpretation ist, zeigt z. B. die zusammenfassende Folgerung aus der großen Analyse des Helenaaktes bei May. Sie wird von ihm ausdrücklich mit den bereits zitierten Worten: „Wir sind auf unserem Wege sicherer zum Ziel gelangt als die vielen sich widersprechenden, mehr oder minder geistvollen Gehaltsinterpreten" abgehoben von den Ergebnissen reiner Inhaltsdeutung. Sie wiederholt aber in der eigenen Formulierung im Grunde ein längst von der Inhaltsinterpretation gedeutetes Phänomen: „In Euphorions Sehnsucht hat der faustische, der nordisch-germanische Werdedrang die klassische ordo des schönen Seins, die Herrschaft der Schöngestalt durchbrochen"[80]). Mays Forminterpretation stützt sich also im Ergebnis (nicht in der Leistung und Problemstellung) auf die Fundamente der Inhaltsdeutung, sie muß dies auch tun, da sie zunächst bewußt nicht zu neuen Gehaltsuntersuchungen vorstoßen will, sondern sich auf die reine Formdeutung verläßt, in der Formulierung der Endergebnisse wie bei allen Erklärungen jedoch gezwungen ist, auf bestimmte Gehaltsvorstellungen zurückzugreifen, weil eine Form an sich nicht auch sich selbst erklären kann. Die Forminterpretation könnte nur dann einem solchen Zurückgreifen auf vorgegebene Inhaltsbestimmungen entgehen und zu neuen Ergebnissen gelangen, wenn sie ihre entdeckten Probleme unmittelbar durch Analyse der sinnlich dichterischen E r s c h e i n u n g weiterführen würde — ohne vorgefaßte Sinndeutung. Gerade die Euphoriongestalt z. B. erlaubt, bei engster Verbindung der Sprachanalyse mit einer eingehenden Betrachtung der sinnlichen Erscheinung dieser Gestalt, eine neue Sicht auch auf das Problem des „nordisch-germanischen Werdedrangs", wenn ihre Grundbilder — Geburt in der Höhle, rasches Wachstum, geheime Mitwirkung Mephistos, Auffindung der „Schätze" (Leier) in den „Klüften", das Verhältnis ihres „Kleides" zur „Aureole", ihr Springen, die Flammen usw. — aus der Gesamtheit der Vorformen genauer bestimmt sind. Die Parallele zum Springen Mignons, zu ihrer Musikliebe, ihrem Tod (Abstreifen der Hülle und Verklärung) und anderen Elementen dieser Gestalt, in deren Wesen sich ja schon einmal Deutsches und Antikes, unendlicher Drang und verewigte, selbst noch im Tod aufgebahrte, in der „Tiefe des Marmors" gerettete „Schöngestalt" sonderbar überkreuzten, weit sonderbarer, als es eine einfache Gleichsetzung von Euphorion und dem Nordischen erwarten läßt, gegen welche schon Goethes Wort vom „antiken u n d modernen"[81]) Charakter der Euphorion-Byron-Gestalt spricht, andere Parallelen, wie die Suche Felix' in den Klüften des Riesenschlosses nach dem geheimnisvollen Schatzkästchen, die Gestalt des kindlichen Genius in der „Zauberflöte, II. Teil", Erscheinungen, die zunächst gar nichts mit dem Problem antik-modern zu tun haben, aber eben dadurch dieses Problem erneut bereichern und vertiefen, könnten unzweifelhaft bei einer engen Verbindung mit einer exakten Sprachanalyse die von May aufgeworfenen Fragen Lösungen entgegenführen, die dem Sprach- und Bildschaffen Goethes unmittelbar entnommen sind. Auch die reine Formanalyse bedarf als wichtige, ergänzende Forschungsmethode der Interpretation von Symbolen und ihren Vorformen.

3. Die historisch-genetische Motivinterpretation und ihre Grenzen

Eine solche Interpretation der Vorformen berührt sich nun aufs engste mit einer Interpretationsmethode, die in der Literaturwissenschaft seit langem geübt und bezüglich der Faust II-Dichtung vor allem von Konrad Burdach in meisterhafter Weise durchgeführt wurde, der historisch-genetischen Motivinterpretation. In seiner grundsätzlichen Auseinandersetzung mit Simmel, Gundolf usw. bei Gelegenheit des „hundertjährigen Gedächtnisses des Westöstlichen Divans"[82]) hat Burdach Sinn und Ziel seiner Methode zu bezeichnen versucht und der synthetischen Wesensdeutung (vor allem des Georgekreises) gegenüber mit Recht geltend gemacht, wie innig gerade bei Goethe dichterische Schöpfungen mit ihrem „momentanen Ursprung", mit der „persönlichen Gelegenheits- und Erlebniswurzel"[38]) verwachsen und nur aus ihr restlos zu verstehen sind. Zwei Ursprungsschichten werden dabei primär von ihm genannt, der biographische Anlaß (Erlebnis) und die historische Vorform. In diesem Sinn führt er z. B. das Spiegelbild des Gedichtes „Abglanz" auf das Marianne von Willemer-Erlebnis zurück und versucht den Nachweis zu erbringen, daß „Euphorions Mantel, Helenas Kleid und Schleier" parallel zu dem „Mantel gesäter Sterne" im Divan „aus antiken, hellenistischen Sternensagen stammen"[84]). Auf die vielfältigen, ähnlich laufenden Untersuchungen Burdachs in seinen Aufsätzen: „Faust und die Sorge"[85]), „Faust und Moses"[86]), „Die Schlußszene in Goethes Faust"[87]) usw., sowie auf die breite Masse ähnlicher Forschungen der Goethephilologie sei hier nur kurz verwiesen.

Diesem Verfahren lassen sich zunächst einige Tatsachen entgegenhalten, die in der vorliegenden Untersuchung besonders stark hervortreten werden: Einmal wird sich erweisen, daß das Spiegelmotiv — auch in der Wendung des Gedichtes „Abglanz" — weit früher als das Marianne von Willemer-Erlebnis bei Goethe auffindbar ist, ja daß darüber hinaus fast sämtliche Motive und Bilder wie ein einziger, sich ineinander schlingender Kosmos von den ersten Dichtungsversuchen Goethes bis zu den letzten Niederschlägen seines Geistes verlaufen und eine ganz eigene, innere Gesetzlichkeit aufweisen. Ein „momentaner Ursprung" im biographischen Sinne führt in dem Augenblick auf eine falsche Fährte, wo solcher „Ursprung" wirklich als letzte und maßgebende Quelle und nicht als bloßer Anlaß gewertet und gegen andere Deutungsversuche gestellt wird. Zweitens wird sich zeigen, daß ebenfalls das Mantel- und Schleiermotiv in „Faust II" nicht auf dem Umweg über den Divan in antik-hellenistische Sphären führt, sondern außerordentlich früh — schon etwa seit 1780/1784 — bei Goethe eine ganz bestimmte, für seine Dichtungstheorie und -praxis geradezu grundlegende Bedeutung hat und ausschließlich darum immer wieder an den Stellen, wo die Dichtung selbst Thema und Inhalt seiner Dichtung wird (wie in der Helena- und Euphorionszene, aber auch schon in der „Zueignung", in der Schleierszene bei der Hamletaufführung in den „Lehrjahren" u. a.), auftaucht. Ähnlich liegt es mit dem Höhlenmotiv, das Burdach auf Grund seiner ausgedehnten Divanstudien auf orientalisch-hellenistische Mystik zurückführt[88]), in der Tat aber schon in den ersten Weimarer Jahren eine ganz bestimmte, erlebnismäßig wie dichterisch maßgebende Funktion hat. Schon 1776 wird ihm die Höhle unter dem Hermannstein zu einer „Geisterwelt", in der er „ein Gefühl ohne Gefühl" (absolutes Gefühl) entwickelt, in die der „Engel" (Frau von Stein) tritt und „Zeichen" in den Sand schreibt und wo ihm neue Kunst- und Lebensoffenbarungen kommen[89]). Der Hinweis auf historische Vorformen wird also fruchtbar nur dann, wenn die spezifische Wendung bei Goethe ausdrücklich und bis ins genaueste Detail hinein vorher durchsichtig geworden ist.

Darüber hinaus unterliegt aber die historisch-genetische Motivinterpretation einer inneren Spannung, die tief in ihre geistesgeschichtlichen Hintergründe weist. Sie versucht eine historische Erscheinung genetisch aus der anderen zu entwickeln, obgleich ihre eigene, vielfach verteidigte Voraussetzung darin besteht, jede historische Erscheinung möglichst in ihrer eigenen, historisch unwiederholbaren und einzigartigen Geprägtheit zu verstehen. Ohne hier auf das verwickelte Verhältnis von Ursächlichkeit und historischer Individualität im Weltbild des strengen Historismus eingehen zu können[90]), muß im Rahmen vorliegender Untersuchung auf diese Erscheinung hingewiesen werden, weil in ihr neben der grundsätzlichen methodologischen Fragestellung auch das Problem enthalten ist, wieweit ein dichterisches Bild aus Erlebnis-, Motiv-, Stoff- und Sinnschichten „zusammengesetzt" ist und welche Folgen aus dem gegenteiligen Nachweis einer schlechthin unerschöpflichen historischen Einzigkeit des Symbols erwachsen. Burdach hat Goethes Gedichte verstanden als „bedingt durch höchstzusammengesetzte, abgestufte Erlebnisse, in denen sich reale Vorgänge, äußere Anstöße mit wiederholten poetischen Spiegelungen eines fremden Geistes mischen"[91]). Danach erscheint die Genesis des Kunstwerkes als „Mischung" verschiedenster „bedingender" Elemente, woraus sich die methodische Folgerung ergibt, eben diese Elemente in ihrer vielfältigen Zusammensetzung aufzuzeigen. Der Goethesche Begriff der „poetischen Spiegelung", auf den noch grundsätzlich bei der Einzelinterpretation eingegangen werden muß, ist wesentlich bei Burdach ein Auffangen und Umschmelzen eines „fremden", d. h. historisch von Goethe vorgefundenen „Geistes". In Wahrheit ist er bei Goethe weit mehr: er bezeichnet gerade die wechselseitige Behauptung der jeweiligen historischen und eigenen Einzigkeit und ersetzt die genetische Betrachtungsweise prinzipiell durch eine spröde, jede Erscheinung von der anderen absondernde, sie nicht auseinander entwickelnde oder ineinander verwandelnde, sondern sie stufenweise steigernde „doppelte Spiegelung". Damit gibt er dem Subjekt-Objekt-Problem der Geschichtsbetrachtung eine überraschend neue, von Meinecke und Koch[92]) angedeutete Wendung, die von entscheidender Bedeutung selbst für unsere heutige Erkenntnis des Verhältnisses der Kunst zur Geschichte werden kann. Das wird im Einzelnen noch nachzuweisen sein. Wesentlich für die vorliegende Auseinandersetzung ist, daß nach Goethes eigenen Intentionen ein historischer Vorwurf im Kunstwerk zwar „gespiegelt" „wiedererscheint", aber keineswegs die Dichtung bedingt. Gerade die Eigenheit Goethes, sich möglichst viel von seiner Umgebung „anzueignen", in ununterbrochener Wechselwirkung mit Zeitgenossen und Überlieferungen sich und seine Dichtungen zu bereichern, stellt die Forschung vor die Aufgabe, jene Fülle von Vorlagen, Quellen, Anklängen, Einflüssen, in deren Nachzeichnung ein großer Teil wertvollster Goethephilologie sich auch heute noch erschöpft, auf jenen Punkt hin auszurichten, der für Goethe selber maßgebend in seinen schöpferischen Leistungen war. Dieser Punkt liegt in der dichterischen Gestaltung, nicht im Motiv. Die historisch-genetische Motivinterpretation setzt diesen Prozeß der Gestaltung als selbstverständlich voraus und liest dann an den Ergebnissen ab, wieweit Vorbilder und Erlebnisse in sie eingedrungen sind oder nicht. Sie beachtet nicht, daß die Gestaltung selbst ein geschichtsbildender, geschichtszeugender Vorgang ist, in dem das Gesamtverhältnis des Dichters zu Leben und Geschichte immer völlig neu aufgerollt und als Problem gestellt wird, daß in ihm nicht etwa nur Stoffe und Motive der Geschichte produktiv verarbeitet werden, sondern daß eine eigene Geschichte erscheint, die aus eigenen Gesetzen lebt und sich wandelt. „Kunst ... findet sich in dem, was der Moment produziert, keine Spur", sagt einmal Goethe[93]). Das Kunstwerk als selbst geschichtsschaffende Macht ist, wie Bäumler sagt, „ein zwar nicht selbständiges, aber doch ursprüngliches Phänomen"[94]), das in jeder Phase neu gesehen werden muß, in der Aufzeichnung seiner Strukturen nicht nur eine „Mischung" differenziertester Elemente darstellt, sondern die Spannung zwischen Ursprünglichem und Geschichtlichem unaufhörlich zum Austrag bringt und erst auf Grund einer Analyse dieser Spannung entscheiden läßt, wie sich in der jeweiligen Gestaltung Vorlage und Werk, Genesis und Erscheinung zueinander verhalten.

Wenn Kommerell zu Beginn seiner Faust II-Interpretation einmal sagt, daß das Werk, „da sein Sinn es selber ist, ... nie zu Ende begriffen sein" wird[95]), und damit die Unerschöpflichkeit der Dichtung aus ihrer

historischen Individualität ableitet, wenn in ähnlichem Sinne Obenauer
von ihrer Unübersetzbarkeit in jede andere, wissenschaftliche oder künstlerische Sprache spricht, weil „die Sprache jedes anderen Weltbildes zugleich
die Sprache eines anderen Geistes"[96]) sei, so ist damit im Werk selbst eine
Ursprünglichkeit berührt, die sowohl eine „Erklärung" aus vorkünst-
lerischen, historischen oder psychologisch-biographischen Quellen wie auch
eine Deutung aus allgemeinen Erkenntnisquellen verneint auf Grund seiner
einzigartig-einmaligen Geprägtheit, d. h. aber auf Grund einer viel
strengeren Geschichtlichkeit, als sie eine genetisch ableitende Geschichtsauffassung aufzuzeigen vermag. Das Werk wird im Grunde erst damit als
geschichtliches, unvertauschbar individuelles Werk angesprochen und verstanden. Seine Geschichtlichkeit gründet sich darauf, daß „sein Sinn es
selber ist", seine „Sprache" aus einer eigenen Seins- und Lebenssphäre lebt,
mögen auch die Elemente der Sprache von unzähligen Quellen sich her-
schreiben. „Das Kunstwerk als zwar nicht selbständiges, aber doch ursprüngliches Phänomen" erfordert also sowohl eine andere Genesis- und
Ursprungsbestimmung wie auch eine andere Geschichtsbetrachtung, als sie
die historisch-genetische Methode des Positivismus zu liefern vermag.

4. Aufgaben der Interpretation

Damit zeichnen sich die Umrisse einer Dichtungserforschung heraus, die
vor allem zwei Aufgaben in sich beschließt, erstens die Aufgabe, die Verschränkung von Ursprünglichkeit und Geschichtlichkeit im dichterischen
Vorgang und Bild selbst grundsätzlich zu klären, zweitens die Aufgabe,
erst auf Grund einer solchen Klärung den Prozeß der Gestaltwerdung des
Werkes entstehungsgeschichtlich aus dem Werden und Zusammenströmen
seiner dichterischen Form- und Problemkreise zu verfolgen. Die erste Aufgabe schließt in sich eine Analyse des historisch Arteigenen sowie die Möglichkeit einer Überwindung jener historischen Skepsis, die in der „Un-
übertragbarkeit" der Gestalt entweder die wissenschaftliche Irrelevanz jeglicher Deutung behauptet oder aus dem Scheitern solcher Deutung bewußt
eine Sinndeutung aus geschichtsloser Gegenwart durchführt. Die zweite
Aufgabe führt zu einer historisch-chronologischen Interpretation, in
der die allmähliche Eroberung und Durchgestaltung der dichterischen
Welt Goethes sich vor uns entfaltet und damit Sinn und Aufbau des
Faust II-Dramas nicht nur im Rahmen einer Wesensdeutung, sondern auch
einer Entstehungsgeschichte erscheint. Entscheidend wird sein, ob beide
Aufgaben zugleich als Einheit gestellt und gelöst werden können, d. h. ob
in der Genesis zugleich der Gehalt anschaubar wird. Denn die Schwierigkeiten, vor die uns die einzelnen Faust II-Interpretationen gestellt hatten,

konzentrierten sich ja in der Frage, wo die Genesis der Teile und der Sinn des Ganzen sich decken. Nach wie vor steht dieses Problem ungelöst vor uns. Sollte in der Analyse des dichterischen Bildes nicht nur die „Ursprünglichkeit" von Dichtung schlechthin in jener begrifflichen Allgemeinheit, wie sie von Bäumler formuliert wurde, sondern auch die ganz bestimmte Ursprünglichkeit, Einheit und Sinnfülle des Faust II-Dramas zu entdecken sein? Sollten in der Genesis der Teile schließlich auch Thematik und Ganzheit dieses rätselhaften Werkes durchsichtig werden?

Goethe warnte bekanntlich mit immer wiederkehrender Eindringlichkeit davor, eine durchgehende, formulierbare „Idee" im Faust aufsuchen zu wollen und forderte seine Leser und Kritiker auf, sich mutig an die sinnlich gegebenen P h ä n o m e n e zu halten. Um dem Sinn des Werkes nahezukommen, wäre also zunächst der W e s e n s u n t e r s c h i e d zwischen einem p l a n m ä ß i g e n, straff auf einen Grundgedanken ausgerichteten dichterischen Schaffen und einem instinktiv aus einer Fülle von L e b e n s erfahrungen heraus w a c h s e n d e n dichterischen Gebilde zu begreifen. Das Ziel stünde nicht mehr außerhalb und über dem Schaffenden als vorgenommener Zweck, sondern b i l d e t e sich erst mitten im Schaffensprozeß (worauf in der Tat alle Selbstzeugnisse Goethes verweisen). Indem Goethe ausdrücklich den Sinn der Faust II-Dichtung hinter Symbole und Zeichen, „Miene, Wink und leise Hindeutung"[97]) verschließt, scheint er plötzlich die Tür öffnen zu wollen in einen lang verschlossenen herrlichen Saal voll kostbarster Schätze, die alle untereinander in geheimer, sorgsam abgestufter Prägungsverbindung stehen und in ihrer Gesamtheit das Werk selber repräsentieren. Das Drama wächst — wie Goethe mehrfach ausführt[97a]) — wie ein vielverschlungener Urwald aus einer Fülle längst geformter, geliebter und mit sorgfältig gehegten „Geheimnissen" und Bedeutungen versehener[97b]) Bilder, Gestalten und Wesenheiten herauf, die in souveräner Selbständigkeit in seinem Lebenswerk erscheinen, aber auf Grund ihres langsamen, jahrzehntelangen Werdens und Reifens auf eine lebensgesetzliche Mitte verweisen, auf eine innere Nötigung Goethes, so und nicht anders die Frucht seines Fühlens, Anschauens und Glaubens zu gestalten.

Ehe daher die einzelnen Bildschichten genetisch verfolgt werden können und ehe die grundsätzliche Frage nach der Übereinstimmung bzw. Nichtübereinstimmung von Gesamtplan und Einzelausführung gelöst werden kann, muß die innere Struktur und das Bildungsgesetz der Symbolik Goethes erkannt sein. Denn das willkürliche Deuten, Erraten und Inbeziehungsetzen der Teile, das Suchen nach dem, was Goethe alles mit seinen Geheimnissen „gemeint" haben kann, ist nur dadurch zu überwinden, daß das Gesetz des Werdens dieser Geheimnisse erscheint.

Folgerichtig ist solches Gesetz nur zu ergründen durch genaue Beachtung gerade der V e r s c h i e d e n h e i t e n der einzelnen Entwicklungs-

phasen Goethes und der jeweils w e c h s e l n d e n Funktionen, die die
einzelnen Symbole in a n d e r e n Werkzusammenhängen haben[97c]). Nur
dann tritt das Besondere, „Eigene" der Faust II-Dichtung als notwendige
Konsequenz des Goetheschen Lebensprozesses zutage. Und nur dann
weicht eine allzu einheitliche, allzu früh kombinierende Sinngebung[98])
einer strenger ins Tatsächliche zielenden Erschließung jener inneren
Schaffens- und Problemzusammenhänge, aus denen dieses große sinn-
bildliche Spätwerk erwuchs.

Schon diese Blickrichtung trennt die vorliegende Untersuchung unvermeidlich von den geläufigen Forschungsmethoden. Denn erstmalig werden
damit die einzelnen Gestalten und Probleme nicht mehr — wie in der
positivistischen „Goethephilologie" — aus Vorlagen und Quellen (meist
außergoethescher Art) abgeleitet[98a]) oder — wie in der späteren „Geistesgeschichte"[98b]) — aus allgemeinen, abstrakt überbiologisch verlaufenden
Gedankenströmungen entwickelt. Sie werden vielmehr aus dem individuellen
Goetheschen Lebens- und Schaffensgesetz selber g e n e t i s c h entfaltet
in der Hoffnung, den „Sinn" der „geheimnisvoll offenbaren" Symbolwelt
Goethes zugleich aus ihrer Entstehungsgeschichte zu erschließen.

I. Kapitel

Die Schichtung des Gesamtwerkes
und die innere Struktur des dichterischen Bildes bei Goethe

1. Das Verhältnis des Gesamtthemas des Werkes zur einzelnen dichterischen Bild- und Motivschicht

a) Das Werden der dichterischen Bilder und die symbolische Vertauschung von Natur, Kunst und Geschichte

Das Werden seiner Bildschichten hat Goethe vielfach beschrieben und als Auffälligstes immer wieder die fast biologisch zwangsläufig sich ergebende Formung betont. Diese organische Entstehung, die eine totale Angliederung, Bereicherung und Gestaltung aus einem Kern und Mittelpunkt voraussetzt, scheint gerade angesichts der Faust II-Dichtung, die weder eine solche Mitte noch eine organische Gliederung noch eine biologisch zwangsläufige Gestaltung offen aufzuweisen hat, in einen inneren Widerspruch zu geraten. Um diese Problematik zu bewältigen und den tatsächlichen Aufbau des Dramas zu bestimmen, sind zunächst die entsprechenden Äußerungen Goethes, vor allem diejenigen, die in den Jahren der Beschäftigung mit dieser Dichtung liegen, zu analysieren.

Zum Jahreswechsel 1831/32, also zur Zeit des Abschlusses seines Lebenswerkes, schreibt Goethe: „Ich habe unzählige Webereien und Strickereien, Bauereien und Pflanzereien unternommen, die mir immerfort, unter der Hand, zur Hand wachsen, daß ich gar keine Zeit habe, mich zu verbrennen, vielmehr in größter Tätigkeit abwarte, bis dieser wunderliche Organismus sich in sich selbst verkohlt oder auch wohl durch einen anderen chemischen Prozeß sich umbildet und wo möglich tätiger vergeistet"[99]). Goethe bezeichnet „mit diesen närrischen Redensarten, die aber nicht schlimmer sind als andere Psychologien der Jahreszeit"[100]), drei innere Eigenheiten seiner damaligen Dichtungsweise. Erstens erscheint ihm sein Werk als naturhafter „Organismus", der ihm „unter der Hand" aus unzähligen unternommenen Webereien zuwuchs. Zweitens wird diesem Organismus, sobald er „zur Hand" gelangt ist, Prägung und Form verliehen durch ein „In sich selbst Verkohlen", Verfestigen, Verewigen oder durch chemische Umbildung auf einer höheren Ebene des „Vergeistens", wie schon in den „Wanderjahren" das Problem der geistigen „Bildung" des Menschen von Montan ausdrücklich interpretiert wird durch jenen großen Vergleich mit dem brennenden Kohlenmeiler, der die Flammen zugleich anfeuert und dämpft, um eine fixierte Kohle zu erhalten: „Ich halte mich für einen alten Kohlenkorb tüchtig bücherner Kohlen, dabei aber erlaube ich mir die Eigenheit, mich nur um mein selbst willen zu verbrennen, deswegen ich denn den Leuten gar wunderlich vorkomme". Die Sonderbarkeit dieser Symbolik beginnt sich zu lichten, wenn man sich klar macht, daß geistiges Bilden im Alter für Goethe sich fixiert, aufbewahrt und rettet vor Vernichtung in konkreten sinnlichen Niederschlägen (Porträts, Schriftzeichen, Versteinerungen aller Art, die Goethe damals unermüdlich sammelt), daß zugleich aber auch für Goethe eine „Steigerung" des Bildens durch „tätiges Vergeisten" in eine „höhere Sphäre" möglich war, die er gern mit Oxydation, aktiven Verbrennungen, chemischen Umbildungen verglich. Die Wendungen aber: „in größter Tätigkeit abwarten", „womöglich tätiger vergeisten" verraten das, worauf es hier ankommt: Tätigkeit, Wirken, Schaffen, Bilden ist für Goethe zugleich ein „Abwarten" organischen Reifens und Werdens. Umgekehrt ist aber das Reifen und Abwarten keineswegs ein „von selbst" sich still abspielender Vorgang, sondern „größte Tätigkeit". Das „Belehrtwerden durch die Organe" ist ihm in einer sehr späten aufschlußreichen Schilderung des poetischen Prozesses (an Humboldt) zugleich ein aktives „Belehren der Organe", ein „Nachdenken, Verknüpfen ohne Bewußtsein, in freier Tätigkeit"[101]), woraus er sogar die meist mißverstandene Fähigkeit ableitet, jederzeit „die Poesie kommandieren" zu können[102]). Pflanzengleiches Werden und größte Tätigkeit überschneiden sich also derart, daß eine äußerst merkwürdige, dem Material überlegene, sich selber zuschauende und „kommandierende" „freie Tätigkeit" „ohne Bewußtsein" erscheint, die jene dritte Eigenheit des vorhin zitierten Briefes verständlich macht: die Ironie. Goethe sieht dem Gesamtphänomen des Sichbildens der Webereien, dem Verkohlen und höheren Vergeistigen von einem Abstand aus zu, einer ironisch-heiteren Ruhe, die ihm seine eigene Beschreibung als „närrische Redensart" und wenige Wochen später seine Faust II-Dichtung als „sehr ernste Scherze"[103]) erscheinen läßt.

Damit sind bereits wesentliche Elemente der spätgoetheschen Kompositionsweise getroffen. Die Neigung, seine Dichtung als ein unendlich verschlungenes Gewebe, als urwaldartig ineinander verästelte Pflanzereien zu verstehen, ist von großer Bedeutung für Aufbau und Thematik seiner Faust II-Dichtung. Wenn er seine Helenadichtung einmal als „ein Erzeugnis vieler Jahre" bezeichnet, das ihm „gegenwärtig ebenso wunderbar vorkommt als die hohen Bäume in meinem Garten am Stern, welche, doch noch jünger als diese poetische Konzeption, zu einer Höhe herangewachsen sind, daß ein Wirkliches, welches man selbst verursachte, als ein Wunderbares, Unglaubliches, nicht zu Erlebendes erscheint"[104]), so leitet er daraus zugleich das Wesen ihres Aufbaues ab: „Daher denn die Masse von Erfahrung und Reflexion um einen Hauptpunkt versammelt, zu einem Kunstwerk anwachsen mußte, welches, ungeachtet seiner Einheit, dennoch schwer auf einmal zu übersehen ist". Die Gestalt seines Werkes, „Hauptpunkt" wie Einzelheit, werden also von Goethe selbst als das Ergebnis eines historisch-biologischen Werdens empfunden. Die Schwierigkeit, es als Ganzes überschauen und deuten zu können, führt er auf das Wachstum vieler Jahrzehnte zurück. „Ich wußte schon lange her, w a s , ja, sogar, w i e ichs wollte", so schreibt er in bezug auf „Faust II", „und trug es als ein inneres Märchen seit so vielen Jahren mit mir herum, führte aber nur die einzelnen Stellen aus, die mich von Zeit zu Zeit näher anmuteten"[105]).

Die Methode schichtweise in frühere Werke und Lebenssphären zurückweisender Einzelinterpretation ist damit von Goethe selber gefordert. Darüber hinaus ruht aber auch das Thema, die „Einheit", von der Goethe hier spricht, der „Hauptpunkt", um den alle „Reflexions- und Erfahrungsmasse" versammelt ist, verborgen in solchen Schilderungen. Offen hat Goethe den Hauptpunkt niemals genannt. Eine „Grundidee" des Faust anzugeben, hat er sich bekanntlich zeit seines Lebens gesträubt. Aber gerade durch solche Andeutungen und Hinweise entwirrt sich vieles: Denn solche wachstumsartige Entstehung von Dichtung ist selbst vielfach Thema seiner Dichtung geworden. Faust II wiederholt drei Akte hindurch die Entstehung der Schönheit (Helena) und Poesie (Euphorion-Knabe Lenker) aus jeweils anderen Sphären, aus dem allegorischen Naturbild der Gesellschaft (Parklandschaft, Maskenzug)[106]), aus dem biologischen Mysterium der Klassischen Walpurgisnacht, aus der geschichtlichen Konfrontation von Antike und Moderne usw. Mannigfache andere Werke, wie die „Novelle", der „Pyrmont"-Entwurf, wesentliche Teile der „Wanderjahre" u. a. wiederholen den Vergleich der Helenadichtung mit den Bäumen am Stern mit fast wörtlich denselben Wendungen: In der „Novelle" vermischen sich „Kunstwerk" und Urwald zu undurchdringlicher Einheit, denn „niemand wüßte zu sagen, wo die Natur aufhört, Kunst und Handwerk aber anfangen"[107]), und auch hier entsteht aus beiden etwas Wunderbares, Unglaubliches, Nichtzuerlebendes, etwas, „was mir in der Erzählung unmöglich schien und in der Nachbildung unwahrscheinlich bleibt"[108]). Das unentwirrbare Ineinander von „tiefen Blätterschichten" und uraltem Kunstwerk wird ihm zu dem „merkwürdigsten Platz . . . dessengleichen in der Welt vielleicht nicht wieder zu sehen ist"[109]). Analoge Ineinanderverwandlungen von Natur und Kunst in „Des Epimenides Erwachen", in der Szenerie der „Pandora", in den Anfangsteilen der „Wanderjahre" werden uns noch später eingehender beschäftigen. Ferner erhebt sich auch hier (in

der „Novelle") parallel zu „Faust II" (Schluß des dritten Aktes) aus der
Spiegelung der verschiedensten natürlichen und künstlerischen Schichten
am Ende das unbeschreiblich musikalische Wunder der Poesie[110]) im
flötenden Knaben, in dessen Gestalt, Herkommen („natürliche Sprache"[111])
der Eltern) und Naturmelodik („Tonfolge ohne Gesetz") sich nochmals in
einer späten Abwandlung der Lied- und Sprechweise der Mignongestalt
Kunst und Natur „herzergreifend"[111a]) überschneiden.

Solche Analogien umschreiben jedoch erst ganz von ferne die Be-
ziehungslinien, durch die Goethe zeit seines Lebens künstlerische und
natürliche, ja naturwissenschaftliche Phänomene zu verbinden versuchte.
Die Entstehung von Natur- und Kunstwerken dringt bei Goethe immer
wieder thematisch mit in die Kunst ein, wie vor allem die Analyse der
„Klassischen Walpurgisnacht" zeigen wird. D. h. in den „unzähligen
Webereien" werden nicht nur lockere Lebens- und Schaffensfäden Goethes
verwoben, wie es die biographisch orientierte Goethephilologie darstellt,
sondern diese Webereien sind selbst Urform und Sinn alles Webens und
Dichtens, sie sind das Gewebe des Gewebes, wie die „Novelle" alle
Novellen überhaupt repräsentiert („Ich habe Ursache, das Wort E i n e
nicht davor zu setzen"[112]). Nicht umsonst tritt in den „Wanderjahren"
jene breite Schilderung der Technik des Webens auf, die Goethe im Alter
immer wieder zu Vergleichen mit dem dichterischen Weben und Verbinden reizte und innerhalb des Romans nur auf Grund einer unterirdischen Beziehung zur Technik dieses Kunstwerkes selbst, seiner Per-
sonenverknüpfung, Handlungsverschlingung usw. eingesehen werden kann,
ähnlich wie dort auch der zerbrochene Schlüssel zum Kästchen, den Goethe
sinnlich in den Text des Romans einzeichnen ließ, nach Goethes eigenen
Worten den Schlüssel zur rätselhaften Verflechtung des ganzen Romans
symbolisiert[113]). In solchem Sinne sind diese Gewebe bei Goethe „symbolisch". In solchem Sinne ruht weder das organische Wachstumsbild der
Natur noch das Urbild von Geschichte (Ruine), Gesellschaft (Maskenzug)
oder Poesie (musizierender Knabe) auf sich selbst. Vielmehr weisen alle
beziehungsreich[114]) aufeinander hin. Das Bild vom Verkohlen der Gewebe und von der chemischen Umwandlung meint sowohl das Geheimnis
der Natur wie der Kunst, wie auch der Geschichte. Es fragt nach der
„Dauer", „Verewigung" jedes Gewordenen, aber auch nach der Möglichkeit seiner Formung. Das Verkohlen ist Fixieren und Verfestigen des
Lebendigen, Fließenden und berührt sich mit dem im Alter von Goethe
bevorzugten Bild vom „Solideszieren", dem plötzlichen Zusammenschießen
labil ruhender Schichten durch leise „Erschütterung" oder Lagewechsel[115])
zu einem kristalisierten Werk, gleichviel, ob Natur-, Kunst- oder Ge-
schichtswerk. „Solideszenz ist der letzte Akt des Werdens"[116]) nicht nur im
Geologischen, sondern auch im Künstlerischen, so wenn Goethe einmal
von der „Helena" sagt, sie habe sich „in langen, kaum übersehbaren

Jahren gestaltet und umgestaltet. Nun mag sie im Zeitmoment solidesziert endlich verharren"[117]). Ebenso ist das chemische Umwandeln Gleichnis für jegliche Verwandlung in eine höhere Form, für jedes „Vergeisten" usw. So ist thematisch mitinbegriffen im Gewebe der Faust II-Dichtung nicht nur das Werden der Kunst, sondern auch die Entstehung der Erde, des Lebens, der Geschichte.

Die Frage nach dem Verhältnis des Ganzen zu den Teilen rückt also damit in folgenden Lösungsbereich. Nicht eine einzelne Ideenrichtung, nicht eine Naturphilosophie, wie es Hertz faßt, nicht eine Ästhetik, nicht eine neue Ethik usw. sind Hauptpunkt und Ziel des Dramas, auch nicht das Werden und Bilden an sich in seiner Allgemeinheit oder gar als vorgenommener Zweck. Vielmehr ist das Gesamtgewebe das „tätig erwartete", plötzlich zur Einheit zusammenschießende Ergebnis aller einzelnen Fäden: „Im allgemeinen kann ich wohl sagen, daß das Gewahrwerden großer produktiver Naturmaximen uns durchaus nötigt, unsere Untersuchungen bis ins Allereinzelnste fortzusetzen; wie ja die letzten Verzweigungen der Arterien mit ihren verschwisterten Venen ganz am Ende der Fingerspitzen zusammentreffen"[118]), oder, wie Goethe betreffs der „Kunst" in der „Einleitung in die Propyläen" sagt: „Wenn wir uns (von der Kunst) ... einen anschaulichen Begriff bilden wollen, so müssen wir ins Einzelne des Einzelnen hinabsteigen, welches nicht immer eine angenehme und reizende Beschäftigung ist, wofür aber der sichere Blick über das Ganze nach und nach reichlich entschädigt"[119]).

So einleuchtend diese Lösung klingt, so schwierig ist es, ihren genauen Sinn für Goethes Schaffensprozeß zu bestimmen. Denn was heißt „Allereinzelnstes", was „große Maxime" und „Blick übers Ganze"? Wenn die große Maxime nur aus dem Allereinzelnsten „am Ende" entspringt, so muß sie bereits insgeheim in diesem Einzelnsten schlummern. Andererseits kann sie niemals vom Einzelnen ablösbar sein in dem Sinne, daß die Maxime von sich aus das Einzelne schafft, zusammenhält, aufreiht und einheitlich sinnvoll macht, wie das an anderen Dichtungen (etwa Schillers) zu beobachten ist. Denn dann würde nicht die Maxime ganz am Ende, sondern am Anfang schon geistig vorgefaßt sein. Was aber ist eine Maxime, die weder begrifflich noch als Werktotalität unmittelbar faßbar ist, sondern sich ins anschaulich Einzelne birgt in der Hoffnung auf ein Aufleuchten des Sinns durch die Berührung „letzter Verzweigungen" seiner Adern oder Äderchen? Wir stehen hier vor dem zentralen Problem von Faust II, das in den Mittelpunkt von Goethes dichterischem Schaffen wie auch in seine wissenschaftliche Auseinandersetzung zwischen Empirismus und Idealismus führt[120]). Wie entscheidend diese Fragestellung für die Faust II-Deutung ist, zeigt die überraschende Haltung, die Goethe gerade in dieser Beziehung seiner Dichtung gegenüber einnahm. Im gleichen Brief vom 20. Juli 1831, in dem er von den jahrzehntealten, jeweils unabhängig

voneinander entstandenen „einzelnen Stellen" des „Faust II" spricht, heißt
es im unmittelbar darauf folgenden Satz: „Nun konnte und sollte dieser
zweite Teil nicht so fragmentarisch sein als der erste. Der Verstand hat
mehr Recht daran". Der zweite Teil erscheint ihm weniger fragmentarisch
als der erste. Er hat eine stärkere, innigere Einheit, wie er als Ganzes nach
Goethes Äußerungen auf einer „höheren" Ebene steht. Ohne Zweifel hat
Goethe hier einen neuen Einheitsbegriff erworben, vor dem die großartige
Sinneinheit des ersten Teils zu Fragmenten zersplittert, während die
„unzähligen Webereien" des zweiten Teils von einer höheren, „ver-
ständigeren", wenn auch verborgeneren Einheit getragen sind.

Wie diese Einheit gedacht wird, zeigt folgende Äußerung über den
zweiten Teil: „Da sich manches unserer Erfahrungen nicht rund aussprechen und direkt mitteilen läßt, so habe ich seit langem das Mittel
gewählt, durch einander gegenübergestellte und sich gleichsam ineinander abspiegelnde Gebilde den geheimeren Sinn dem Aufmerkenden zu
offenbaren"[121]). Der geheimere Sinn erscheint also weder im isoliert Einzelnen noch in einer durchlaufenden Idee, sondern in der wechselseitigen
Spiegelung der Teile. Daraus ergeben sich fünf nur äußerlich einander
widersprechende Folgerungen, die Goethe selbst gezogen hat, erstens,
daß es in der Tat eine strenge Beziehung der Teile untereinander gibt, die
eine Wendung zum „Fragmentarischen" verhindert, ja sogar eine höhere
Einheit garantiert, als sie der erste Teil enthält, zweitens, daß der „Verstand mehr Recht daran hat" als am ersten Teil (Verstand im Sinne des
„Sichverstehens auf Miene, Wink und leise Hindeutung"[122]), drittens, daß
eine große Maxime insgeheim durchaus vorfindlich ist, ja „die Hauptintention klar" und „das Ganze deutlich" ist und „auch das Einzelne" es
sein wird, „wenn man die Teile nicht an sich betrachten und erklären,
sondern in Beziehung auf das Ganze sich verdeutlichen mag"[123]), viertens,
daß „das Ganze", da es sich „nicht rund aussprechen und direkt mitteilen
läßt", „immer inkommensurabel bleibt", während „die einzelnen Massen
bedeutend und klar"[124]) sind, und fünftens, daß das Werk — ein wichtiger
Hinweis — mehr als Dichtung für eine Gemeinschaft denn als undurch-
dringliches Bekenntnis eines Einsiedlers aufgefaßt werden muß: „Die
rechte Art, ihm beizukommen, es zu beschauen und zu genießen, ist die,
welche Du erwählt hast: es nämlich in Gesellschaft mit einem Freunde
zu betrachten. Überhaupt ist jedes gemeinsame Anschauen von der größten
Wirksamkeit; denn indem ein poetisches Werk für viele geschrieben ist,
gehören auch mehrere dazu, um es zu empfangen; da es viele Seiten hat,
sollte es auch jederzeit vielseitig angesehen werden"[125]). Die vielfachen
Möglichkeiten, die diese fünf Folgerungen nach Goethes eigenen Worten
in sich bergen, laufen zusammen in Goethes Hinweis auf das „gemeinsame Anschauen", woraus sich folgende Bestimmungen des dichterischen
Sinnes ergeben:

b) Gemeinschaftsdichtung und sinnliches Bild

Indem Goethe das „Beschauen" und „Genießen" höher stellt als das Analysieren und Suchen nach Grundideen, weist er auf die „sinnliche" Struktur des dichterischen Werkes hin, auf die „Klarheit" und „Deutlichkeit", die in der „ins Auge fallenden", den „Sinnen angemessenen" poetischen Erscheinung liegt, und stellt sein Werk zugleich außer sich auf den Boden einer Gemeinschaft, die im „vielseitigen" Anschauen dem pflanzenhaften Wuchs vieler Jahre besser „beikommt" als eine systematisch eingleisig gerichtete Untersuchung. Der sinnlich anschauliche Charakter des Werkes und seine Vielgliedrigkeit gehören zusammen. Zeichen, Symbole und Analogien enthüllen „den geheimen Sinn dem Aufmerkenden" in wechselseitiger Spiegelung nur auf Grund ihrer Sinnlichkeit, ihrer fraglos stummen Klarheit und Deutlichkeit, nicht auf Grund eines durch Reflexion und Gefühlstiefe zu erforschenden Geheimnisses. Die Frage nach der Einheit des Werkes hängt also nach Goethes Angaben ab von der Prägnanz und Bestimmtheit der „geschauten" Bilder und der Vielfalt der Standorte der Leser. Der Schlüssel zu ihrer Ergründung liegt im sinnlichen Zeichen und seinen „Bezügen". Notwendig muß daher jeder weiteren Untersuchung eine Klärung des Zeichens, Symbols und der Analogie bei Goethe vorausgehen. Denn in diesen Zeichen verbirgt sich Mitte und Peripherie, „große Maxime" und „Allereinzelnstes" in unentwirrbarer Einheit. Jedes Bild wird Durchgangspunkt vieler Strahlen und Bezüge und zugleich sinnlich klar bestimmt und umrissen. Jedes Symbol führt ins Herz der Dichtung und steht doch wieder außerhalb als entfernter Gegenstand „vielseitiger" Betrachtung. Deutliche Plastik und distanzierende „Ironie" rücken aufs engste zusammen im „Spiegeln" dieser Bilder. Atmosphäre und Sprachstil erhalten hierdurch ihre unnachahmliche Prägung. Wie schon in dem Brief zum Jahreswechsel 1831/32 sich organisches Wachsen, „tätiges Warten", Verkohlen und Vergeisten mit ironischem Abtun solch „närrischer Redensarten" unvergleichlich verbinden, so geht durch Goethes gesamtes Altersschaffen jene merkwürdige Einheit von stumm-tätigem Abwarten, toternster, fast biologisch unentrinnbarer Schicksalhaftigkeit des Gestaltens, plötzlichem, sinnlich-überdeutlichem Auskristallisieren in konkreten Zeichen und Bildern, und ironischem Abstand, in dem das Gesamtwerk zu „sehr ernsten Scherzen" sich bereits im Schaffen selbst von ihm ablöst. Nur aus solcher Überschneidung läßt sich das einzelne Bildnis wie das Gesamtwerk verstehen. Nur so wird das Rätsel berührt, warum diese Symbolik stumm ist gegenüber einer eindeutig begrifflichen Sinnfassung, warum sie schillert in tausend Wendungen und Bezügen und warum sie dennoch eine klar abgehobene Sinn- und Bedeutungseinheit in sich enthält in den „einzelnen Massen" wie in der „Hauptintention".

Die Frage, wie sich „Einzelnes" zur „großen Maxime", und die früher gestellte Frage, wie sich Ursprüngliches und Geschichtliches zueinander verhalten, hängen hiermit aufs engste zusammen und können in der Funktion des Werkes als Gemeinschaftsdichtung, als „vielseitig" sinnlich anschaubares Gewebe, geklärt werden. Denn nicht nur im Blick auf „Faust II", sondern auch bei der Deutung anderer Werke, z. B. der „Wanderjahre", spricht Goethe von einem „kollektiven Ursprung" des Werkes, dessen „Unendlichkeit" sich gerade aus den „sich voneinander absondernden Einzelheiten" erkläre[126]). Das ging soweit, daß Goethe sich z. B. eine Sammlung aller ihm bekannten Deutungsversuche des „Märchens" (aus den „Unterhaltungen deutscher Ausgewanderten") anlegte, in dem Glauben, daß erst die Vielfalt der Blickrichtungen auch ihm selber dies offenbare Geheimnis bekannter mache, das er, wie so viele seiner Werke, selbst zu entziffern sich weigerte[127]). Das „Gewebe" der Dichtung ist dem Meister, der es im Werden knüpft und bindet, selbst ein „Wunderbares", dem er fragend gegenübertritt, wie vielfache Briefe an Schiller u. a. belegen. Wie er aber am liebsten von anderen poetische Vorgänge gedeutet wissen wollte, dafür gibt er mitten in der Faust II-Dichtung einen deutlichen Wink: Als die „Allegorie der Poesie" (der Knabe Lenker) erscheint, läßt er den Herold sagen: „Aber was nicht zu begreifen, wüßt ich auch nicht zu erklären. Helfet a l l e mich belehren" (V. 5508 f.). Das „Unbegreifliche" wird durch gemeinsame Anschauung deutlich. Erklärt aber wird es durchs konkret sinnliche Bild: „Wüßte nicht, dich zu benennen; Eher könnt ich dich beschreiben" (V. 5533 f.), worauf eine sinnlich genaue Bildbeschreibung des Knaben Lenker folgt. Poesie ist zu entziffern aus der Analyse ihrer sinnlichen Bilder.

2. Die „Mitte" des Werkes und die innere Struktur des dichterischen Symbols

a) Die Überschneidung biologisch-historischer und ontologischer Elemente im dichterischen Symbolschaffen und das Problem des „Ursprünglichen"

Die innere Struktur des dichterischen Schaffens erhält durch den Hinweis Goethes auf ihre Entstehung aus einem jahrzehntelangen, pflanzenhaften Werden, Zuwachsen und Verknüpfen zwar eine äußere genetische, aber noch keine Wesensbestimmung. Das geschaffene Bild wird zwar schon „symbolisch", indem mit der Entstehung der Kunst zugleich eine Entstehung der Natur und umgekehrt mit dem chemischen Umwandeln zugleich ein Vergeisten gemeint ist, hinter jedem Bild also eine zweite, dritte und vierte Bedeutung sich verbirgt. Aber der Mittelpunkt all dieser vielen

Bezüge wird nicht sichtbar, und es könnte fast scheinen, als würde mit solchem Symbolisieren alles und nichts, Geologie, Botanik, Kunst und Geschichte und endlich auch Metaphysik — etwa im Bilde des Vergeistens oder in der Makarievision, in der Goethes Naturdenken metaphysisch sich krönt — in eine vage, beziehungsreiche, aber letztlich dunkel verschwimmende Einheit gebracht. Gerade die Möglichkeit, den zweiten Teil des Faust naturwissenschaftlich, ästhetisch, metaphysisch, ethisch und geschichtsphilosophisch zu deuten, von jeder Seite also einen unstreitig richtigen Ansatz der Deutung zu finden, macht eine genauere Begründung des Zentrums von Goethes Bilddenken und -gestalten zur Pflicht.

Zeit seines Lebens — vom Sturm und Drang bis ins höchste Alter[127a]) — rang Goethe damit, in den natürlichen, künstlerischen und geschichtlichen Vorgängen eine beharrende, unerschütterliche Ursprungsschicht zu entdecken, die ihm Mitte, Richtung und Dauer im Werden verleiht. Die Breite dieser Ursprungsvorstellungen hier zu entfalten, ist nicht möglich. Sie wird sich im Verlaufe unserer ganzen Arbeit immer wieder an den verschiedensten, oft unerwarteten Stellen auftun und erst von dieser Belegfülle aus im vollen Sinne beweiskräftig werden. Doch muß schon hier in der methodologisch vorbereitenden Einleitung auf diesen Problemkreis eingegangen werden, vor allem im Hinblick auf die Granitsymbolik, die ja den Ausgangspunkt auch für wesentliche Schichten und Vorgänge in der Faust II-Dichtung bildet. Goethes Ursprungsvorstellungen, die sich in seinen Granituntersuchungen niederschlugen, sind nämlich von Beginn an nicht nur naturwissenschaftlich, sondern auch dichterisch gelagert, wie schon aus dem Granitaufsatz von 1784 deutlich hervorgeht. Kraft eines „genauen Zusammenhangs", in dem „alle natürlichen Dinge" stehen, sagt dort Goethe, sei er „von Betrachtung und Schilderung des menschlichen Herzens, des jüngsten, mannigfaltigsten, beweglichsten, veränderlichsten, erschütterlichsten Teils der Schöpfung zu der Beobachtung des ältesten, festesten, tiefsten, unerschütterlichsten Sohnes der Natur"[128]) gelangt. Die Poesie als Darstellung des „jüngsten Teils" der Schöpfung lenkt ihn auf einen „ältesten, festesten, tiefsten" Ursprung: „Die ungeheuren Massen dieses Steines flößten Gedanken zu ungeheuren Werken den Ägyptern ein"[129]), d. h. im Granit liegt ein Ursprungsort der Kunst, jedoch nicht im Sinne einer Ableitung der Kunst aus diesem Feld des Ursprungs, sondern einer unmittelbaren Verschränktheit von Werdendem und Gewordenem, Ursprung und Erscheinung, die sich in der Struktur des Granits in Analogie zu der der Kunst findet: „Wenn wir diese Teile genau betrachten, so kommt es uns vor, als ob sie nicht, wie man es sonst von Teilen denken muß, vor dem Ganzen gewesen seien, sie scheinen nicht zusammengesetzt oder aneinander gebracht, sondern zugleich mit ihrem Ganzen, das sie ausmachen, entstanden", fügt Goethe in einer späteren Handschrift hinzu[130]). Nicht das Ganze ist aus dem Teil und auch nicht der Teil aus dem Ganzen entsprungen, sondern beide sind „zugleich" entstanden; das gilt für den Granit sowohl wie für das Kunstwerk. Die Beziehung zwischen beiden ruht auf solch „analoger" Entstehung. Warum setzt aber dann Goethe das Symbol vom Granit für derart umfassende Bedeutungen ein?

Im Granit erscheint für Goethe nicht nur der Anfang alles Gesteins, der Urkern der Gebirge, sondern das Urbild des Bildes überhaupt: Sein Ursprung ragt mitten in die Gegenwart hinein, ja er wird ununterbrochen erzeugt, „gebildet" mitten in der Zeit. Der „hohe nackte Gipfel" des Granitberges „erhebt durch seine Gegenwart die Seele" des Künstlers. Das Verhältnis des Ursprungs, der „Urwelt" zur Zeit liegt hier ungewöhnlich und anders, als es der gebräuchliche Wortsinn erwarten läßt. Der Ursprung steht nicht nur am Anfang des Seins, sondern mitten im Sein, ja außerhalb und über jeglicher Zeit, „vor allem Leben und über alles Leben"[131]), er ist ewig „gegenwärtig". Die geologisch-biologischen Neigungen Goethes werden also in sich selber von Beginn an durchkreuzt oder auch getragen von einem Wahrheits- und Ursprungsbegriff, der ihnen Mitte, Zentrum und Festigkeit gibt und zugleich eine Grenze zwischen der üblichen wissenschaftlich historisch-genetischen Methode und dem Bilddenken Goethes zieht. Nicht „Anfang", realzeitlicher Beginn eines realzeitlichen Weltlaufs, nicht der erste Ansatz zu einer evolutionistisch eines aus dem anderen folgernden Sinnentfaltung ist im granitenen Urgebirge oder im Ursprungsgrund der Dichtung oder in der „Urpflanze", dem „Urtier" usw. gesetzt, sondern eine totale Ineinsentstehung aller Teile „zugleich" mit dem Ganzen. Entwicklung (Metamorphose) und Ursprung sind derart ineinander verschränkt, daß jede Metamorphose in sich spontan ihren Ursprung trägt und jeder Ursprung schon als Metamorphose sich zeigt. Wo aber liegt der Grund dieser Verknüpfung? Im streng Naturwissenschaftlichen schwerlich: Der Granitaufsatz mündet erst in den Entschluß, sich nun eingehender auch mit der wissenschaftlichen Seite des Granits zu befassen. Ein Wort aus dem Aufsatz führt uns schon näher: „So einsam, sage ich, wird es dem Menschen zu Mute, der nur den ältesten, ersten, tiefsten Gefühlen der Wahrheit seine Seele eröffnen will"[132]). Im Einführen solcher „Wahrheit" distanziert sich Goethe entschieden von jeder realistischen Ursprungsidee und weist auf einen ontologisch-transzendentalen Grund seines Denkens und Schaffens: denn nur weil das „älteste" Sein zugleich ein „wahreres" ist, d. h. weil die physikalische Zeitqualität in eine ontologische umschlägt, und nur weil umgekehrt das „Wahrere" das Gefühl des „Ersten", „Ältesten", „Tiefsten" erregt, können Ursprung und Metamorphose ineinsfallen. Das „Älteste", Historische, Vorzeitliche kann nur so immer w i e d e r erscheinen, zum „ewig Gegenwärtigen" werden, wie alle älteste, echteste, wahrste Zeit auf einen Augenblick reinster Vergegenwärtigung zuläuft. „Vergangenheit sei hinter uns getan, O fühle dich vom höchsten Gott entsprungen, Der ersten Welt gehörst Du einzig an", in solchen scheinbar paradoxen Formulierungen (in der Helenadichtung) verrät sich die Tiefe einer Ursprungsvorstellung, die antik Uraltes erhöht und vergegenwärtigt gerade durch Eingehen in eine „erste Welt" (vgl. dazu die Einzeluntersuchung und die Bedeutung der geologischen Partien der Klassischen Walpurgisnacht für Fausts Eintritt in die Antike).

Eben weil aber Goethes Ursprungsbegriff nicht eine rein ableitende Genesis und auch nicht einen reinen, zeitlos seienden Ursprung, sondern das totale Ineinsgreifen beider bezeichnet, zielt er auf die Bedingung der Möglichkeit alles Bildens überhaupt, d. h. — um die präzise Kantische Benennung solcher „Bedingungen von Möglichkeiten" zu gebrauchen — auf das transzendentale Urschema aller Kunst, in dem Sein und Metamorphose, Beharren und Wandlung, Zeit und Überzeit schlechthin „zusammen" anschaubar sind. „Sein auszeichnender Begriff", heißt es einmal vom Granit, „ist, kein Continens und Contentum, sondern ein vollkommenes Ineinandersein, eine vollkommene Dreieinigkeit seiner Teile zu haben"[133]). Aus solch „vollkommenem Ineinandersein" von Genesis und Erscheinung, Continens und Contentum sind aber auch Goethes Bestimmungen des Wesens der Dichtung zu verstehen: „Sie spricht das Vorhandene ahnungsvoll aus, als wenn es entstünde", so definiert einmal Goethe die „Uranfänge" der Poesie[134]). Das real „Vorhandene" zugleich in spontan gegenwärtiger Geburt, als „noch entstehend" zu gestalten, dies erst verleiht dem Dichter die Macht, im Einzelnsten, Zeitverfallensten gleichsam nochmals den Anfang aller Dinge, d. h. „Totalität" zu erzeugen und, wie Goethe es einmal in den „Lehrjahren" ausdrückt, „im Rat der Götter" sitzend im eigentlichen Sinne Schöpfer zu sein.

Die Konsequenzen sind einschneidend und wichtig. Erstens ergibt sich hieraus die Paradoxie, daß Goethe in einem einzelnen sinnlichen Bild (Granit) eine „über und außer allem Leben" stehende Wahrheit sichtbar zu machen sucht, daß in solchem Bild sich transzendentale und reale Elemente fast unlöslich überschneiden und jede Entwirrung in e i n e Richtung hin den Sinn des Symbols zerstört: Eine rein ontologisch-transzendentale Auflösung würde den sinnlich-empirischen Charakter, der trotz aller Metaphysik von Goethe in seinen geologischen Studien festgehalten wird, preisgeben, eine rein naturwissenschaftliche Deutung würde den ontologischen Charakter dieser Symbolik zerstören, der in Goethes naturwissenschaftlichen Schriften immer wieder durchblickt, so wenn er z. B. einmal im hohen Alter sagt, die ganze geologische Wissenschaft habe Sinn nur, sofern sie uns fähig mache, dem Ungeheuren gewachsen[135]) zu sein. Die Geologie soll das „dämonisch" Unbedingte, Absolute, die „Idee" — nichts anderes besagt der spätgoethesche Lieblingsbegriff des „Ungeheuren"[136]) — zur Anschauung bringen und aushalten lehren. Ähnlich ist das „Licht" sowohl transzendentaler Ausgangspunkt der Farbenlehre (das Licht als „an sich" ungreifbares „Wesen", das lediglich durch die „Farben", die „Taten und Leiden des Lichts", anschaubar wird) wie auch reales Demonstrationsobjekt. Zweitens wird damit das sinnliche Zeichen zu einem ausgezeichneten Ort, in dem der zeitlich geschichtliche Ablauf sich verdichtet zum „Ewigen" und wo ständig neue „Ursprünge" mitten ins Geschichtliche eindringen. Die Kunst wird Rettung oder Ursprung der Geschichte, nicht ihr Produkt:

Nicht geht es Goethe, wie z. B. Herder, primär um eine organologische Erklärung des Geschichtslaufs, nicht um eine stammbaumartig ableitende Genesis der Kulturen aus der Genesis der Erde, sondern zugleich ringt er um das tätige Sich-Durchhalten ewig seiender, organischer Ursprungs- und Wahrheitsgehalte mitten im Ablauf der Zeit, d. h. um die zeitlos ursprüngliche Gegenwart schaffender Kunst[137]. Die Kunst als „Tat", nicht als Objekt, die Kunst als produktiv immer neu Geschichte schaffend „herrlich wie am ersten Tage", nicht als Gegenstand ableitender Sinngebung, führt Goethes Symbolschaffen in eine neue Wendung von Geschichte und Ursprung, die erst unter heutigen Voraussetzungen in ein allgemeineres Zeit- und Geschichtsbewußtsein einzudringen beginnt. In Italien bezeichnet Goethe es als ein Größtes, wenn man „die Geschichte so einer Granit-Säule erzählen könnte" von der ägyptischen bis zur italienisch-gegenwärtigen Zeit. Indem er darin eine „Gelegenheit" sieht, dem „Künstler zu zeigen, was in ihm ist", ja indem er ihm dadurch „unbekannte Harmonien aus den Tiefen der Existenz an das Tageslicht"[138]) zu fördern hofft, so sind offensichtlich hier Kunst, Geschichte und Granit unter eine einheitliche Ursprungsvorstellung gestellt, die außerordentlich nahe an den Kern des Goetheschen Schaffens überhaupt rührt. Nicht nur erhofft er von einer Geschichte der Granitsäule ein Größtes, nämlich die Möglichkeit, mitten in Trümmern und unabsehbaren Wüsten historischer Abläufe, über die er gerade damals in Italien klagt, etwas Beharrendes, Dauerndes und Gründendes sichtbar zu machen, wodurch ihm erst Geschichte wertvoll, schätzbar und sinnvoll wird, sondern zugleich werden „Tiefen der Existenz" auch im gegenwärtig lebenden „Künstler" geweckt und „unbekannte Harmonien" entdeckt; d. h. das Sichdurchhalten der Granitsäule im Wandel der Zeit ist ihm auch Gewähr für die ewige Produktivkraft der schaffenden Seele, woraus sich bereits hier eine viel tiefere Sicht auf das, was für Goethe eigentlich das normativ „Klassische" war, ergibt. Das Klassische ist das Ursprüngliche, wie vor allem unsere Analyse der Klassischen Walpurgisnacht und des Helenaaktes nachweisen wird.

Wie aber „zeigt" sich uns die „Bedeutung" des Zeichens? Wie „spricht" das Symbol Goethes zu uns? Wie vermag es in einen begrifflich wissenschaftlichen Deutungsbereich zu treten?

b) Symbol, Zeichen und Schleier

Eine innere Schwierigkeit, die Symbole Goethes deutend zu entziffern, liegt in ihrer „Stummheit". Sie sind geradezu konstituiert durch ihre stumm wirkende Kraft, durch die Opposition gegen Worte, „Töne" und „Buchstaben", die nie „den eigentlichen Sinn verlauten lassen" (Wanderjahre[139]). 1784 wird der Granit ausdrücklich abgehoben von dem vergänglich ohnmächtigen „Schutt", von den „Trümmern von Irrtümern und Meinungen"[139a]), die sich fremd und verspätet über ihn lagerten. Die „Meinung", das direkte Aussprechen der Wahrheit würde den Ursprung verfremden. Im höchsten Alter heißt es in Faust II: „Gebirgesmasse bleibt mir edelstumm, Ich frage nicht woher und nicht warum?" (V. 10095 f.). Das gilt nicht nur für die Ursprungssymbolik (Granit), sondern für jedes große, echte Phänomen. Nicht nur die Geologie Goethes ist getragen vom stummen Pathos der Felsen („Da liegt der Fels, man muß ihn liegen lassen, Zuschanden haben wir uns schon gedacht" (V. 10114 f.)), sondern ebenso stützt sich der Kampf gegen Newton in der Licht- und Farbenlehre auf das Pathos stumm zeigender „Phänomene" gegenüber den subjektivierenden „Worten und Hypothesen", die ein „abgeleitetes Phänomen" willkürlich an „die obere Stelle" setzen, anstatt sich die Phänomene durch „Anschauen offenbaren"[140]) zu lassen. Selbst das Wolken- und Schleiersymbol ist dadurch charakterisiert, daß durch Wolken und Schleier die „ewig innerliche Kraft der Natur fühlbar" wird, wogegen die „Menschen ... unter diesen großen Gegenständen der Natur ... minder merkwürdig"[141]) sind. Nicht also Folie und Bildwert der menschlichen Seele, nicht Ausdruck psychischen Gefühlslebens, sondern reinste, stumme, undurchdringlich in sich ruhende Offenbarungen der Natur selber hofft Goethe in solchen Symbolen zu fassen. Schwierigkeit und Größe des Symbols wie des gesamten Erkenntnisstrebens Goethes besteht darin, daß Goethe sich auf das Sein selbst, nicht auf die Idee vom Sein richtet, daß er, wie Plathow feststellt, die „Vermessenheit" besitzt, „das Sein selbst erkennen zu wollen" unter Ablehnung jeder psychologischen oder erkenntniskritischen Aufklärung bzw. Subjektivierung des Anschauungsvorgangs[142]). Symbole, Zeichen, ja selbst Vorgänge, Szenen und Schilderungen erhalten bei Goethe eine fast ungreifbare Rätselhaftigkeit dadurch, daß sie auf weite Strecken als schweigsam „offenbares Geheimnis" erscheinen, das sich im sinnlichsten Zeichen verbirgt (besonders stark etwa in der „Natürlichen Tochter") oder sich im reinen Geschehen behauptet: „Das Gedichtete behauptet sein Recht wie das Geschehene"[143]). Dichtung also ist kein subjektiver Phantasieakt, der sich ü b e r das Geschehene ausspinnt, sondern selber Geschehendes, das durch keine Kritik und „Meinung" ungeschehen gemacht werden kann, wie Goethe in dem betreffenden Brief weiter ausführt. Ihr unverrückbar tätiges Schweigen wird umso tiefer, je näher sie sich der „Wahrheit" befindet: „Jene sind wie eine heilige Reihe von Jungfrauen, die der Geist des Himmels in unzugänglichen Gegenden, vor unsern Augen, für sich allein, in ewiger Reinheit aufbewahrt"[144]). Schweigen ist für Goethe eine Urbedingung des dichterischen Schaffens. Ein Werk geriet ihm nur dann, wenn er es sorgfältig bis zu seiner endgültigen Vollendung verbarg, so daß er einmal sein Unvermögen, die „Natürliche Tochter" zu vollenden, damit begründet, daß er dieses Werk zu früh veröffentlicht habe, denn „einen sehr tiefen Sinn hat jener Wahn, daß man, um einen Schatz wirklich zu heben und zu ergreifen, stillschweigend verfahren müsse, kein Wort sprechen dürfe, wie viel Schreckliches und Ergötzendes auch von allen Seiten erscheinen möge. Ebenso bedeutsam ist das Märchen, man müsse, bei wunderhafter Wagefahrt nach einem kostbaren Talisman, in entlegensten Bergwildnissen, unaufhaltsam vorschreiten, sich ja nicht umsehen usw."[145]). Die außerordentliche Bedeutung, die dieses Schweigen in der Genesis der Dichtung für die Entstehung der Goetheschen Grundsymbole „Schatz", „Gold", „Höhle", in Klüften verborgenes, kostbares, verschlossenes „Kästchen" usw. hat, wird uns noch eingehend bei der Faust II-Interpretation beschäftigen müssen. Hier geht es zunächst um die Frage, wie denn solche stumme Symbolik sich uns zu entziffern vermag. Offensichtlich ist die innere Stummheit der Bilder selbst als Wesensmerkmal mit in ihre Deutung einzubeziehen und zu klären:

Denn einen Weg weist uns zunächst die Stummheit des Symbols: den Weg zur „Sache selbst". Wenn in der Seismosrevolte das Wesen politischer Umwälzungen aufleuchten soll, wenn im Granit, dem „tiefsten Ort der Erde", zugleich „die ältesten, ersten, tiefsten Gefühle der Wahrheit" wieder uns anrühren, wenn Goethe jede Theorie über die Napoleonischen Ereignisse absurd und eingebildet findet[146]), so sucht Goethe im poetischen Bild den „Gegenstand völlig zu decken und identisch mit ihm zu werden"[147]). „Das Höchste wäre: zu begreifen, daß alles Faktische schon Theorie ist ... Man suche nur nichts hinter den Phänomenen; sie selbst sind die Lehre"[148]). Die „Symbolik" Goethes will entweder mit „dem Gegenstand physisch-real-identisch" werden, wie z. B. in den „magnetischen Erscheinungen", die in der Anschauung zugleich die „Formel" enthalten „und dann als Terminologie" auch auf Geistig-Sittliches „bei den Verwandten (Wahlverwandtschaften) gebraucht"[149]) werden konnten, oder „ästhetisch-ideal-identisch" im Sinne der „guten Gleichnisse", wobei man sich aber schon „vor dem Witz zu hüten hat, welcher nicht das Verwandte aufsucht, sondern das Unverwandte scheinbar annähert"[150]).

Jedoch gerät diese Neigung, im Sinnlichen zugleich die Wahrheit, die „große produktive Naturmaxime" zu fassen, notwendig vor folgenden inneren Widerspruch, der mitspielte bei der Kompositionstechnik und dem Sinnaufbau auch der Faust II-Dichtung. Trotz aller Nähe zur Sache ist ja das vorgewiesene Bild: Granit, Vulkanausbruch, Magnet, Licht usw., keineswegs das Gemeinte, die „Wahrheit", die „Maxime", die Ursprünglichkeit und Metamorphose von Kunst, Natur und Geschichte selbst. „Wir leben innerhalb der abgeleiteten Erscheinungen und wissen keineswegs, wie wir zur Urfrage kommen sollen"[151]). „Die Menschen sind durch die unendlichen Bedingungen des Erscheinens dergestalt obruiert, daß sie das Eine Urbedingende nicht gewahren können"[152]). „Kein Phänomen erklärt sich an und aus sich selbst; nur viele zusammen überschaut, methodisch geordnet, geben zuletzt etwas, was für Theorie gelten könnte"[153]). Das Symbol ist also nicht nur stumm, weil es die Wahrheit unmittelbar in sich enthält, sondern auch, weil es diese Wahrheit nicht ganz in sich birgt, weil es doch wieder nur eine Vereinzelung, nicht das „Eine Urbedingende" selber ist. Die Schwierigkeit des Goetheschen Schaffens besteht nun aber gerade darin, trotzdem die Ganzheit des Urphänomens im Vereinzelten sichtbar machen zu wollen, unter keiner Bedingung von der gegebenen Erscheinung zu abstrahieren und sie etwa kausalmethodisch oder induktiv zurückzuführen auf zweite, dritte und letzte Ursachen außer ihr selbst: „Das Zurückführen der Wirkung auf die Ursache ist bloß ein historisches Verfahren ... Induktion habe ich mir nie selbst erlaubt"[154]). Die induktive Methode verfälsche die Wahrheit und wirke „verderblich", weil sie „einen vorgesetzten Zweck im Auge trägt und, auf denselben losarbeitend, Falsches und Wahres mit sich fortreißt"[155]). Wieder sucht Goethe das reine Phänomen zu schützen vor dem Zugriff des Denkens. „Der denkende Mensch irrt besonders, wenn er sich nach Ursach' und Wirkung erkundigt: sie beide zusammen machen das unteilbare Phänomen. Wer das zu erkennen weiß, ist auf dem rechten Wege zum Tun, zur Tat"[156]). In der Geschichtsschreibung und Biographie sind ihm universal-kausale „Erklärungen", ja schon das bloße Suchen nach „Resultaten" verdächtig, denn darüber geht die einzelne Tat sowie der einzelne Mensch verloren"[157]).

Selbst in der Kunsttheorie wendet sich Goethe scharf gegen jede „erklärende" oder systematisch verbindende Darstellungsweise. So heißt es z. B. in den „Unterhaltungen deutscher Ausgewanderten", wo Goethe in einer höchst aufschlußreichen Verbindung von Theorie und Praxis seine Novellentheorie selbst zum Gegenstand der dort erzählten Novellen macht, „daß jedes Phänomen sowie jedes Faktum in sich eigentlich das Interessante sei. Wer es erklärt, oder mit anderen Begebenheiten zusammenhängt, macht sich gewöhnlich eigentlich nur einen Spaß und hat uns zum Besten, wie z. B. der Naturforscher und Historienschreiber. Aber eine einzelne Handlung oder Begebenheit ist interessant, nicht weil sie erklärbar oder wahrscheinlich, sondern weil sie wahr ist"[158]). Wiederum schließt also das Goethesche Pathos der Wahrheit jede kausale Verbindung zwischen den einzelnen Phänomenen aus, da Goethe, wie er schon 1785 schreibt, Gott „aus den rebus singularibus" zu erkennen hofft[159]). Genau besehen liegt in solcher Ablehnung jeder „Erklärung" oder kausal verbindenden Zuordnung der Phänomene eine Aufhebung der wissenschaftlichen Denkweise überhaupt zugunsten rein sich phänomenal offenbarender Kunst. Goethe selbst hat dies empfunden und bestätigt, wenn er einmal in der Farbenlehre sagt: „Da im Wissen sowohl als in der Reflexion kein Ganzes zusammengebracht werden kann, weil jenem das Innere, diesem das Äußere fehlt; so müssen wir uns die Wissenschaft notwendig als Kunst denken, wenn wir von ihr irgendeine Art von Ganzheit erwarten. Und zwar haben wir diese nicht im Allgemeinen, im Überschwänglichen zu suchen, sondern wie die Kunst sich immer ganz in jedem einzelnen Kunstwerk darstellt, so sollte die Wissenschaft sich auch jedesmal ganz in jedem einzelnen Behandelten erweisen"[160]). Die unmittelbare Einheit von Einzelnem und Ganzem jenseits von Wissen und Reflexion wird also zugestandenermaßen der „Kunst" eingeräumt und von hier aus auf die Wissenschaft übertragen, die bei Goethe ja gerade darum hoffnungslos um Anerkennung bei der „strengen" Wissenschaft rang, weil sie sich hartnäckig zwischen Wissen und Reflexion zu halten suchte, sich weder empirisch noch rational eindeutig darstellen und formulieren ließ, d. h. sich nicht in die kategorialen Strukturen wissenschaftlichen Erkennens einzufügen vermochte. Die Problematik des „Symbols" geht also quer durch Goethes Gesamtschaffen, so daß sich ihm unmittelbar Kunst und Wissenschaft unter dem Zeichen symbolischer „Bilder" einen, wenn er einmal sagt, auch die Wissenschaft müsse wieder zu Bildern im Sinne der ägyptischen Bilderschrift zurückkehren, da mit Worten nicht viel zu erreichen sei[161]). Bild, Zeichen und „Einzelnes" geben allein die Gewähr, die Reinheit und Totalität der Phänomene vor dem „verfälschenden" Verfahren kausal-logischer oder induktiver Denkweisen zu retten: „Man sagt gehörig: das Phänomen ist eine Folge ohne Grund, eine Wirkung ohne Ursache"[162]). Das Symbol weist in sonderbarer Paradoxie wieder auf sich selber zurück: „Es ist die Sache, ohne die Sache zu sein, und doch die Sache; ein im geistigen Spiegel zusammengezogenes Bild, und doch mit dem Gegenstand identisch", so definiert Goethe in jenem bekannten Aufsatz zu Philostrats Gemälden das künstlerische Symbol und fügt bedeutsam hinzu, daß „das, worauf es ankommt, mit Worten gar nicht auszusprechen ist"[163]).

In diesen Sätzen liegt tatsächlich die eigentliche Problematik, vor die uns die Faust II-Dichtung gestellt hatte: Das einzelne Symbol will in sich selbst „die große Maxime" entfalten, „ohne doch die Sache selbst zu sein." Es „spiegelt" nur in einem „zusammengezogenen" „Zeichen" die Sache und ist „doch wieder die Sache". Angesichts der Paradoxie dieses Vorgangs muß

jede „mit Worten ausgesprochene" Deutung fragwürdig werden und um
das bloße Bild geheimnisvoll die Wahrheit sich legen. Wie tief diese
Paradoxie des „zusammengezogenen" symbolischen Bildes reicht, hat
Goethe einmal praktisch in der „Novelle" dargestellt, wo er auf dem
kleinen Raum des Marktplatzes im Tauschhandel das Ganze, nämlich die
„Summe des ganzen Staatshaushaltes" darstellen wollte unter Abweisung
des „Geldes"[164]) und jeder auf Geld basierenden Theorie der Wirtschaft,
weil diese als Truggebilde den konkreten, wirklichen und wahren Vollzug
des Handels verdecken. Im realen Tausch wird die Wahrheit der Wirtschaft unmittelbar jedem „offenbar", und dennoch bleibt sie auch hier
noch „Geheimnis", weil das Sichtbare des Marktes keineswegs die Wirtschaft selbst ist, sondern nur ein sinnliches Bild, jede Theorie aber, die es
in Begriffe umsetzte, z. B. den Tausch in geldliche Zahlenwerte verwandelte, das innerste Wesen der Wirtschaft zerstörte, weil „Wirken" und
„Tauschen" niemals in Begriffe umgesetzt werden können, ohne sich selbst
aufzuheben und zu vernichten. Die konkrete Erscheinung muß bleiben,
da ihr Sinn aber weder sich lösen kann vom Faktischen noch im Faktum zu
voller Wahrheit und Deutlichkeit aufzusteigen vermag, so bleibt er „offenbares Geheimnis".

Im wissenschaftlichen Raum ist dieses offenbare Geheimnis nur durch
unermüdlich neue „Experimente" und konkrete Phänomene zu fixieren,
woraus sich jener unendlich sich im „Empirischen" abmühende Zug der
Goetheschen Forschungen erklärt; andererseits aber schlummert in diesen
sinnlichen Anschauungen auch die Totalität der Phänomene, woraus sich
die Unergründlichkeit der „urphänomenologischen" Theorien Goethes ergibt. Im geschichtlichen und künstlerischen Raum treibt diese Haltung zur
immer wiederkehrenden „Abspiegelung" oder genauen „Nachahmung" der
Phänomene, zu jener merkwürdig spröden, stoffvergrabenen Sachtreue
seiner Biographien (Winckelmann, Hackert, Cellini), die sich sonderbar
sprunghaft mit höheren Anliegen verbindet und auch in der Tat diese
symbolischen Anliegen durchsetzt, indem sie konkrete, auf engstem Raum
„zusammengezogene" einfachste Menschenverhältnisse plötzlich als eine
„Urgeschichte" zu manifestieren sucht, die typisch immer wiederkehre.
„Nach meiner Art, die sich eine symbolische Monographie liebt"[165]), diese
Goethesche Selbstdeutung trifft genau das Verhältnis zwischen „symbolisch"
und „monographisch", das im biographischen und autobiographischen
Schaffen Goethes sichtbar wird; es wiederholt sich im praktisch Künstlerischen, wenn Goethe z. B. seinen Schauspielern am Weimarer Theater
Rollen verteilt, ohne ihnen das Ganze des Spiels zu verraten, das erst bei
der Aufführung zur überraschenden Darstellung und Gesamtwirkung
kam[166]). Goethe figurierte hier als geheimer „spiritus agens", der aus getrennten und isolierten Teilen mit innerer Spannung die spontan zündende, totalisierende Wirkung abwartete. Dasselbe wiederholt sich in

Goethes eigener Kunst, die ihrer Theorie nach wesentlich „Nachahmung"
ist, weil sie das konkret Wirkende selbst nachzeichnen will, um es andererseits so rein zu verdichten zur „Wahrheit" des Vorgangs, daß bei aller
Gesättigtheit durch sinnliche Anschauung doch immer wieder „magisch
erschreckend" etwas „transparent" „Urphänomenologisches" durchblitzt.
Durch diese Verdichtung auf stumm zeigende Symbole und Bilder wird es
möglich, daß Goethe, einer der größten Sprachschöpfer, zugleich der „größte
Sprachskeptiker der Deutschen"[167]) ist: „Diesen großen Vorteil hat der
bildende Künstler, daß er ... geistreich sein kann durch Zeichen und Symbole, wie es mit Worten nicht möglich wäre"[168]). Solche und ähnliche vielfach belegbare Äußerungen Goethes sollten uns warnen, die sprachliche
Formanalyse allzu gewichtig zu nehmen: „Die Sprache ist auch eine Erscheinung für sich, die nur ein Verhältnis zu den übrigen hat, aber sie
nicht herstellen (identisch ausdrücken) kann"[169]). „Man bedenkt niemals
genug, daß eine Sprache eigentlich nur symbolisch, nur bildlich sei und die
Gegenstände niemals unmittelbar, sondern nur im Widerscheine ausdrücke"[170]).

Damit stehen wir vor der Bestimmung des Goetheschen Bilderbegriffs.
Um dem Bild einen höheren Symbolbezug zu verschaffen, vollzieht nämlich Goethe eine merkwürdige Abstraktion und Aufspaltung — falls solche
Worte hier erlaubt sind — im Bilde selbst an Stelle einer symbolisch-
allegorischen Zuordnung des Bildes auf einen Begriff oder eine geistig
übergreifende Totalität. In seiner grundlegenden Definition des Symbols,
die auch für Weinhandls Untersuchung des Goetheschen Symbolbegriffs[171])
ausschlaggebend war, erläutert Goethe diesen Vorgang an Hand eines Gemäldes, das nach seiner Ansicht Petrus am brennenden Holzstoß in Gestalt eines Mannes vor einer kleinen Kerze darstellt: „Dieses auf einem
kleinen steinernen Untersatz brennende unbedeutende Flämmchen stellt
den frisch-flackernden Holzstoß (Lucä 22, 55) gar lakonisch vor ... Das
natürliche Feuer wird vorgestellt, nur ins Enge gezogen zu künstlerischem
Zweck, und solche Vorstellungen nennen wir mit Recht symbolisch"[172]).
Der konkrete Gegenstand also wird „lakonisch ins Enge gezogen zu künstlerischem Zweck", er wird bedeutungsvoll und „symbolisch" dadurch, daß
er als losgelöster, vom realen Gegenstand abstrahierter Gegenstand „prägnant", sinnlich und geistig ineins, „für tausend andere Fälle" einstehen
kann, woraus jene bereits genannte, an dieser Stelle bei Goethe formulierte
Paradoxie auftaucht, daß dieses symbolische Flämmchen „die Sache ist,
ohne die Sache zu sein und doch die Sache", ein „im geistigen Spiegel zusammengezogenes Bild und doch mit dem Gegenstand identisch"[173]). D. h.
die Abstraktion, die Goethe hier vollzieht — und die jede Vergeistigung
einer Sache, die auf eine höhere Symbolisierung und Sinnerweiterung hinzielt, notwendig immer vollziehen muß — ist keine Abstraktion durch
Begriffe, ist kein induktives Aufsteigen zu allgemeinen Synthesen, sondern

eine Verdichtung, die in der Sache selbst vor sich geht. Der Gegenstand „zieht sich zusammen". Mit anderen Worten: es gibt für Goethe „lakonisch" sinnliche Zeichen, die eine Unzahl von Realitäten symbolisch zu vertreten vermögen und sich im Falle des Flämmchens der ganzen Wucht des wirklichen flammenden Holzstoßes entziehen, in diesem Sinne sich also abstrahierend von der Wirklichkeit loslösen, um andererseits dennoch „mit dem Gegenstand identisch zu bleiben". Goethe war sich der Tragweite dieses Vorganges und seines transzendental von der Wirklichkeit abstrahierenden Charakters durchaus bewußt. Denn wenn sich Goethe einmal von den „Philosophen Dank" verspricht, weil er versucht habe, „die Phänomene bis zu ihren Urquellen zu verfolgen, bis dorthin, wo sie bloß erscheinen und sind, und wo sich nichts weiter an ihnen erklären läßt"[174]), so ist der äußerste Punkt seiner Problematik von ihm selber durchschaut: Die Stelle, wo die Phänomene „bloß erscheinen und sind", dieser Ort der „Urquellen" der Phänomene ist ein „philosophischer" Ort, weil er die letzte, in keine Wirklichkeit „rund" eingehende Manifestation der „Urphänomene" ist, die parallel zu den „nicht mehr weiter erklärbaren" Voraussetzungen der Philosophie höchste Abstraktionen sind, zugleich aber — dies trennt Goethe wieder von der Philosophie — sich doch mit der Wirklichkeit unmittelbar decken, weil sie „erscheinen" und „sind", d. h. nicht logisch, sondern sinnlich erschlossen und angeschaut werden.

Das Problem der „Grundsymbole" Goethes ist damit aufgehellt. Bestimmte Bildgruppen können sich bei Goethe im Inneren der Wirklichkeit von der Wirklichkeit abheben und selbständig eine Fülle von seinstragenden Bedeutungen und Sinneinheiten in sich entwickeln. Spiegel, Schleier, Granit, Licht, Höhle, Gold usw. können — wie sich noch im einzelnen bestätigen wird — wie stoff- und handlungsentbundene Leitmotive und unterirdisch bestimmende Elemente durch den gesamten Aufriß der Goetheschen Dichtung ziehen, ihm jeweils Sinneinheit, Sinntiefe und zugleich Sinnlichkeit und „Prägnanz" verleihend. Die Selbständigkeit der Bilderwelt in Faust II wäre also nichts anderes als die Herrschaft solcher bedeutungsgeladener, philosophisch gesehen unbedingter, in tiefste Gründe des Goetheschen Schaffens reichender Grundsymbole über äußere Handlung, Personencharakteristik, Idee usw., welche mehr oder weniger nur der „Zeit" oder einer zufälligen Wirklichkeit verschrieben sind. Denn da diese Grundsymbole, wie wir bereits am Symbol des Granits zeigten, transzendentale Urverhältnisse des Schaffens selber enthalten, vermögen sie sowohl die ununterbrochene ewige Spontaneität des dichterischen Prozesses als auch die unendliche Weite des Horizontes sicherzustellen. Totalität repräsentieren sie, ohne die Einzigkeit sinnlich-prägnanter, lakonischer Gestaltung preisgeben zu müssen. Ja genauer gesehen enthalten sie sogar die Urfunktionen des poetischen Schaffens überhaupt. Spiegel und Schleier sind nicht nur Träger von Bedeutungen, sondern bedeuten

Dichtung schlechthin. Vor allem rührt der S c h l e i e r, der bekanntlich
die ganze Symbolik der Helena maßgebend bestimmt, an die tiefsten
Grundlagen von Schönheit und Dichtung:

Der Schleier ist das Urbild von Goethes Metaphorik, weil in ihm die
Paradoxie des Symbols, die Doppelheit von Verhüllen und Offenbaren,
unmittelbar ansichtig wird und weil in ihm zugleich das W a h r h e i t s -
problem in die Sphäre der K u n s t tritt. Denn der Vers aus der „Zueignung": „Der Dichtung Schleier aus der Hand der Wahrheit" beruht
auf einer tiefgreifenden Auseinandersetzung Goethes zwischen Wahrheit,
Schleier und „schönem Schein", die bereits 1769 nachweisbar ist, gleichzeitig mit dem Granitaufsatz in der „Zueignung" vorläufig gelöst wird
und keineswegs, wie vielfach, z. B. von Burdach[175]), angenommen wurde,
ein Ergebnis der Einflüsse Moritz', Schillers usw. und ihrer Theorie vom
„Schein" der Wahrheit darstellt. Schon 1769 taucht die quälende Frage
auf: „Das Licht ist die Wahrheit, doch die Sonne ist nicht die Wahrheit,
von der doch das Licht quillt. Die Nacht ist Unwahrheit. Und was ist
Schönheit?"[176]) Die Scheidung der Sonne vom Licht, in der jäh schon die
transzendentale, nicht naiv-realistische Funktion des Lichts durchbricht,
führt ihn zu einer Trennung von Wahrheit und Schönheit, die von großer
Bedeutung für seine Kunstlehre ist. Hatten wir früher gezeigt, daß Goethe
seine Kunst auf Wahrheit und Ursprung aufbaute, so ist hier eine Einschränkung zu machen, die für die Frage nach dem eigensten Ursprung
der Kunst sehr wesentlich ist. „Das Licht ist Wahrheit", hieß es 1769,
„und was ist Schönheit? Sie ist nicht Licht und nicht Nacht. Dämmerung;
eine Geburt der Wahrheit und Unwahrheit. Ein Mittelding. In ihrem
Reiche liegt ein Scheideweg, so zweideutig, so schielend, ein Herkules unter
den Philosophen könnte sich vergreifen. Ich will abbrechen; wenn ich in
diese Materie komme, da werd' ich zu ausschweifend, und doch ist sie
meine Lieblings-Materie"[177]). Ein Jahr später nennt Goethe die Schönheit ein „schwimmendes glänzendes Schattenbild, dessen Umriß keine
Definition hascht"[178]).

In die Schönheit und Kunst dringt also ein drittes Element ein, das
zwischen Wahrheit und Unwahrheit unfaßbar schillernd schon den jungen
Künstler verwirrt und später den greisen Goethe veranlaßt, in geheimnisvollen Andeutungen von einer „Unaussprechlichkeit" des Symbols, das die
„Sache selbst ist, ohne die Sache zu sein", sich zu äußern. Die Kunst drückt
Wahrheiten aus, aber sie ist selbst nicht die Wahrheit. Sie „täuscht", wie
es in den „Lehrjahren" heißt, den Zuschauer durch eine „erlogene Wahrheit, die ganz allein Wirkung hervorbringt"[179]). Diese „Mittel"-stellung
der Kunst, von jeher positiv oder negativ mit dem Worte „Schein" belegt, kann in ihrem Ernst erst verstanden werden, wenn die Quelle erscheint, aus der sie stammt. Läßt man die Kunst lediglich in solcher
Mittelstellung verharren, dann wird sie entweder vom absoluten Wahr-

heitsbegriff negiert oder durch die Freude am schillernden Schein ästheti-
sierend zerfasert. Wieder führt die Lichtlehre Goethes zur Quelle und
klärt das Verhältnis von Sein und Schein im Symbol:

Vom Licht heißt es einmal: „Das Haften an eben der Gestalt unter
e i n e r Lichtsart muß notwendig den, der Auge hat, endlich in alle Geheimnisse leiten, wodurch sich das Ding ihm darstellt, wie es ist"[180]). Auch
das Licht also führt zum „Sein" der Dinge, stellt sie so dar, wie sie „sind".
Granit und Licht, Ursprung und Himmel, Fels und Stern, Urgebirge und
Wolken werden daher in zahllosen Goetheschen Gedichten, Landschafts-
darstellungen und Gleichnissen auf Grund solcher Seins- und Wahrheits-
vorstellung gern in unmittelbar polare Verbindung gebracht, wodurch sich
die Symbole in bestimmter Weise zu s c h i c h t e n beginnen. Schon 1772
spricht Goethe davon, auf dem „Felsengrund ... steile Höhen zu
zaubern"[181]). 1784 heißt es: „Hier auf dem ältesten, ewigen Altare
(Granit), der unmittelbar auf die Tiefe der Schöpfung gebaut ist, ...
sehnt sich ... meine Seele ... nach dem näheren Himmel"[182]). Was bedeutet dieser „nähere Himmel", was will die ganze Sphäre des Überirdischen, Himmlischen, Verklärenden, Unirdisch-Reinen, die eine so
weittragende Bedeutung auch für den Aufbau seiner Lyrik, Dramatik, ja
selbst Epik (Mignon, Ottilie usw.) und seiner Theaterdichtungen (Sing-
spiele, Opern) annehmen sollte und schon vom „Götz" bis zur ersten
Szene des „Faust II" kontrapunktisch zur ausweglosen Tragik dieser
Werke steht?

Die Worte: das Ding so „darstellen" wie es ist, „steile Höhen zaubern",
„Zauberstab der Beleuchtung", der den „toten Marmor rettet von seiner
Leblosigkeit"[183]) usw. zeigen, daß hier eine „höhere", „zauberische" Genesis gemeint ist, die sich über die Ursprungssymbolik erhebt: die Genesis der „zweiten Natur": Kunst und Dichtung. Über dem elementaren
Ursprungsbild des Granits, in dem die transzendentale „Dreieinigkeit"
des Werdens erschien, wölbt sich die spezifische Genesis der Kunst, die
als „Zauber" sich gibt, und zwar in folgender Weise: Die „e i n e Lichtsart", — wie überhaupt das „innere Licht"[184]) —, ist ihm gleichnishaftes
Bild der persönlichen Einzigkeit und schöpferischen Kraft des Künstlers,
dem sich alles, selbst „ein Schrank voll alten Hausrats und wunderbarer
Lumpen"[185]) unter der Hand zu einer unvergleichlich „wunderbaren"
Welt verwandelt. Die individuell einzige „Lichtsart", die im schaffenden
Künstler die Dinge so formt und „darstellt, wie sie sind", macht eben
diese Dinge durchscheinend, als blitze hinter dem Gegenstand noch etwas
anderes auf. Die Paradoxie dieser Tatsache besteht nicht darin, daß mit
dem Kunstwerk zugleich vom Künstler etwas anderes beabsichtigt, gewollt und erdacht worden sei, daß hinter dem Bild „andere", tiefere
Wahrheiten sich verbergen, die nun mühsam herauszudeuten und zu
-rätseln wären, sondern darin, daß im einzigartigen Charakter des Künst-

lers selbst, in dem, was er i s t, ein Einzigartiges durchscheint, das alles in eine „eigene", „eigenartige" Atmosphäre hineinstellt. Hier erst erhält die Goethesche Lichtmetaphysik ihre abgründige kunstästhetische Tiefe. Und hier erst tritt der geheime, unterirdisch im Gesamtschaffen Goethes immer wieder erscheinende Zusammenhang zwischen der Ursprungssymbolik und Goethes spezifischer Kunstlehre deutlich hervor: Das „Durchscheinen" des tieferen Sinns durch die „Erscheinung", das Goethe im Bild vom „Schleier der Dichtung" immer erneut zu fassen versuchte — von der Frühzeit bis zum späten Helenaakt — hat nämlich folgenden Sinn:

Der „Dichtung Schleier" ist das Korrelat zur granitenen Wahrheits- und Ursprungsidee, nicht der Verzicht auf sie: In der Frühzeit, in „Hans Sachsens poetischer Sendung", trat die Muse unmittelbar „mit ihrer Klarheit, immer kräftig wirkender Wahrheit"[186]) hervor, schleierlos wie die granitenen Felsen gewaltiger Vorzeit (Hans Sachs ist ja selbst verklärtes Bild urwüchsig deutscher Vorzeit im Sinne der Götzsphäre). Einige Jahre später, und zwar gerade zur Zeit des Granitaufsatzes, tritt die Muse ein in Nebel und Wolken, der Dichter muß ihr „holdes Licht verdecken und verschließen", bis eine n e u e Klarheit erscheint, die durchscheinende Klarheit des „Schleiers": „Es war kein Nebel mehr, Mein Auge konnt' im Tale wieder schweifen, Gen Himmel blickt' ich, er war hell und hehr. Nur sah ich sie den reinsten Schleier halten, Aus Morgenduft gewebt und Sonnenklarheit, Der Dichtung Schleier aus der Hand der Wahrheit"[187]). Im Schleiermotiv kommt also die spezifische Bedeutung des „Durchscheinens" des Höheren im Sinnlichen zum Durchbruch unter ausdrücklicher Einschränkung auf das Phänomen der Dichtung. Entscheidend und überraschend an diesem Urbild des Schleiers ist, daß seine ursprüngliche Funktion, das Verschleiern und Verhüllen, nicht mehr in erster Linie gemeint ist. Der Schleier ist aus „Morgenduft gewebt und Himmelsklarheit". Er klärt auf, erhellt, macht das Verworren-Nebulose transparent. Er ist primär nicht Verhüllung der Wahrheit, sondern ihre Erschließung im Bild und sinnlichen Schein. Nicht soll das Natürliche im poetischen Schleier verhüllt werden, wie Goethe einmal ausführt[188]), sondern das „Wahre" soll in natürlichen Bildern uns reizen es aufzusuchen. Würde das Wahre sich entschleiert uns zeigen, so sänke es ins Wirkliche bzw. Begriffliche herab. Es soll sich uns „andeuten" im Schleier des poetischen Bildes, das dadurch etwas Geheimnisvolles, Rätselhaftes erhält, oder, wie Goethe dort sagt, „uns einen stillen Reiz weiter nachzudenken hinterläßt"[189]). Der Schleier also entwickelt eine produktiv unendliche geistige Tätigkeit. Das Schleiermotiv kann unter keinen Umständen, wie es z. B. fast durchgehend die Interpreten des Anfangsmonologs in Faust II und des Helenaaktes darstellen, als resignierender Verzicht auf volle, absolute Wahrheitsergründung oder als ein Scheitern der ästhetischen Sphäre (im Zurückbleiben des Schleiers in Fausts Hand) gefaßt werden. Die Worte von der

„Göttlichkeit" des Schleiers, der über „alles Gemeine" erhebe, wider-
sprechen jeder Ausdeutung, als hebe Mephisto Helenas Schleier „mit
Hohnlachen" auf, wie Burdach schreibt[190]), oder als weise er „grinsend" auf
ihn hin, wie Kommerell angibt. Der Schleier ist eindeutig und ausschließlich das Symbol für die Wendung zu einer „höheren Sphäre", in der die
Wahrheit nicht, wie Goethe damals abschätzig gegenüber dem ersten Teil
des „Faust" urteilt, „barbarisch" nackt auf uns eindringt, sondern im
reinen, durchsichtigen Kleid das unvermischteste Weiß unserer Seele
plötzlich schreckhaft verheißungsvoll ankündigt: „So laßt mich scheinen,
bis ich werde", in diesem äußersten, auf der Schwelle zum Jenseits ge-
sprochenen Wort Mignons dringt in seltsamer Umkehrung alles Gewohnten aus dem „Schein" das „Werden" hervor; in der Hülle offenbart
sich eine Wesenheit, die in der schärfsten, blendendsten Klarheit eine Absolutheit erreicht hat, vor der der dumpfe Wahrheitsdrang des „Faust I"
wie ein schwerer Albdruck in Goethes Gedächtnis versinkt. „Zieht mir
das weiße Kleid nicht aus", in dieser Mahnung des poetischen Kindes und
in Euphorions Bitte: „Laßt meine Kleider! Sie sind ja mein" entwirrt sich
die Tiefe einer Symbolik, die in Schleier und Kleid eine letzte Reife, ein
endgültiges und unwiderrufliches Zusichselbstkommen, Zusichselbstfinden
einer „heimatlosen" Seele bezeugt, der die Geheimnisbewahrung auf Erden
„Pflicht" war, die nun aber, im „Schein", in der Sonnenklarheit des
Schleiers, zum „Werden" erwacht, zum unendlich wirkenden Tun und
„Bilden": „Seht die mächtigen Flügel doch an! seht das leichte reine Gewand! wie blinkt die goldene Binde vom Haupt ... Schaut mit den
Augen des Geistes hinan! in euch lebe die bildende Kraft, die das Schönste,
das Höchste hinauf, über die Sterne das Leben trägt!"[191]) Im Schleier gewinnen Kunst und Symbol Ende und Ziel ihrer Urmetaphorik.

Bis zu dieser Grenze muß das Problem der Metapher, müssen Bilder
wie Wolken, Felsen, Schleier usw. vorgetrieben werden, um das ganze
Feld der poetischen Ausdruckskraft zu erschließen. Mit den drei großen
Symbolen Fels, Licht und Schleier ist der Aufriß von Goethes Kunstmetaphysik grundsätzlich skizziert, wie auch in ihnen die Kreise von
Goethes naturwissenschaftlichen Interessen (Geologie, Farbenlehre, Meteorologie usw.) aufs Ganze hin[192]) abgesteckt sind. Ihre tragende Bedeutung
für den konkreten Aufbau einzelner Kunstwerke muß die Einzeluntersuchung entwickeln.

Doch weisen die Symbole schon jetzt auf die Kunstformung hin: Indem
das „Mittlere" — als das sich Schönheit und Kunst zwischen „Nacht und
Licht", „Wahrheit und Unwahrheit" beim jungen Goethe dargestellt
hatten — in Wolken und Schleiern sich klärte, begannen sich die Symbole
auch unter sich selbst zu schichten. Die „Dumpfheit" der Wolken wurde
beim Anblick eines wahren Seins zur „Sonnenklarheit" des Schleiers (Zueignung), und umgekehrt wurde der Schleier zur bedeutungsvoll seins-

richtenden Wolke in dem Augenblick, als der Schein zum Werden emporstieg (Euphorion)[192a]. In diesem Augenblick tauchte aus der Sphäre des Scheins plötzlich wieder das „Urgebirge" („steile zackige Felsengipfel") empor[192b]), auf dem sich Helenas Schleier zu Beginn des vierten Aktes in Form einer Wolke herabläßt und Faust eine rück- und vorwärtsblickende Sicht, eine grundsätzliche Besinnung über die Wahrheit seines Seins schenkt (in der Konfrontation Gretchen-Helena). Unlöslich also sind die Symbole ineinander verwoben. Ihre „Stummheit" wird zur zeigenden Sprache im Schleier, in dessen Paradoxie von Verhüllen und Öffnen das „offenbare Geheimnis" ansichtig wird. Der Punkt, auf den sie deuten, ist das „Urphänomen" von Metamorphose und Ursprung („Werden" und „Sein„), in dem die Totalität wie Transzendentalität alles Seins durchbricht. Zugleich sind die Symbole gestuft. Felsen, Licht, Wolken, Schleier sind geschichtet nach Ordnungen, die uns nunmehr beschäftigen müssen.

3. Die inhaltliche Schichtung des dichterischen Symbols und das Gesamtthema von „Faust II"

Die Überschneidung zeitlich bedingter und zeitlos ursprünglicher Elemente im dichterischen Bild trifft natürlich auch für den „Sinn" der Symbole zu. Denn gerade die Abwehr aller kausalen und induktiven „Ableitung" des Symbols will ja den ursprünglichen Charakter des Gleichnisses wahren und reines unverfälschtes Sein selbst noch im abgeleiteten Zeichen behaupten. Dies gelingt nicht ohne „Ironie". Die Ironie soll dem „Positiven ... die Eigenschaft des Problems erhalten"[193]), d. h. die „Wahrheit" kann im Einzelnen nur dann aufleuchten, wenn das Einzelne nicht in sich selbst verharrt, sondern ironisch andeutet, daß es „auch" noch etwas anderes ist. Wie fern diese Ironie von Spiel und Witz absteht, wie toternst sie auf die Wahrheit selber sich richtet, zeigt der sonderbare Ausspruch Goethes, daß Kant ein Ironiker sei: „Kant beschränkt sich mit Vorsatz in einem gewissen Kreis. Und deutet ironisch immer darüber hinaus"[194]). Ironie entsteht durch Beschränkung, durch Verzicht auf Synthese und durch das unabweisbare Wissen, daß diese Beschränkung doch keineswegs der Sache genug tut, daß dem „Positiven" trotz allem Beharren bei den „Sinnen" die „Eigenschaft des Problems erhalten" bleiben muß. Damit ist sowohl die ironische Form der Faust II-Dichtung, auf die schon Kommerell entschieden hinwies[195]), als auch ihre inhaltliche Funktion aufgedeckt. Die bloße „Anschauung" und „Gegenwärtigkeit" der Bilder erreicht noch nicht den unendlichen Aspekt ihres „Sinns": „Denn das bloße Anblicken einer Sache", heißt es im Vorwort zur Farbenlehre, „kann uns nicht fördern. Jedes Ansehen geht über in ein Betrachten, jedes Betrachten in ein Sinnen, jedes Sinnen in ein Verknüpfen, und so kann man sagen, daß wir schon bei jedem aufmerksamen Blick in die Welt theoretisieren. Dieses aber mit Bewußtsein, mit Selbstkenntnis, mit Freiheit, und um uns eines gewagten Wortes zu bedienen, mit Ironie zu tun und vorzunehmen, eine solche Gewandtheit ist nötig, wenn die Abstraktion, vor der wir uns fürchten, unschädlich und das Erfahrungsresultat, das wir hoffen, recht lebendig und nützlich werden soll"[196]). Ironie ist das Mittel, genau zwischen Empirie und Abstraktion die Mitte zu wahren, jedes Haften an der Sache wie an der Idee durch freie Selbsterkenntnis zu überwinden und die ewig gesetzte „Unergründlichkeit" der Wahrheit in jedem Augenblick der Symbolbildung mit „Heiterkeit" zu bestätigen: Die Ironie der Faust II-Dichtung richtet sich daher sowohl gegen deren sinnliche Vorgänge wie gegen ihre geistigen Hintergründe. Ironie ist Zeichen der Souveränität eines Geistes, der im Einzelnen das Höhere und im Höheren wieder das Einzelne aufzusuchen bemüht ist. D. h. Goethes Drang zur Totalität, seine Frömmigkeit dem offenbaren Geheimnis gegenüber macht diese Dichtung ironisch.

Jede inhaltliche Bestimmung ihrer Symbolwelt muß sich daher darüber klar sein, daß eine fixiert starre Belegung der Symbole mit festen Inhalten an der toternsten Ironie Goethes zerbricht, die jegliche, auch die schlichteste und erhabenste inhaltliche Auswertung des Dramas eigentümlich stillschweigend wieder zurücknimmt und eine Stilform behauptet, die weder intellektualistisch zerfasernd noch schlicht realistisch unaufhörlich Ernst, Spott, Sarkasmus und Frömmigkeit mischt. Ja, man kann sagen: die „Lebendigkeit" dieses Werkes, seine unausgesprochene Absicht, das „Werden" von Kunst, Geschichte und Welt nochmals „nachzuvollziehen", zwang zu solcher unaufhörlich ironischen Zurücknahme, die in dieser weltgläubig frommen, unendlich geistigen und zugleich sachnahen Atmosphäre in der Weltliteratur einmalig ist. „Aus dem Größten wie aus dem Kleinsten (nur durch künstlichste Mittel am Menschen zu vergegenwärtigen) geht die Metaphysik der Erscheinungen hervor; in der Mitte liegt das Besondere, unseren Sinnen Angemessene, die jene Regionen zu mir heranbringen"[197]). Die ununterbrochen ironisch zündende Wechselwirkung und Ausstrahlung von einer „Mitte" herüber zu dem „Größten und Kleinsten", den Über- und Unterwelten, die stumme Hindeutung von aller Physik zur Metaphysik und rückwärts wieder zur Physik bildet den Rahmen für alle inhaltliche Bedeutung der Goetheschen Bilder.

a) Die Lage der Kunst zwischen Natur und Geschichte

Doch dringt der ironisch-urphänomenologische Charakter seiner Bildwelt auch tief in das inhaltliche Gerüst seiner Dichtungen ein. Der Hinweis auf das über den Sinnen Liegende führt zu einer Auswechslung der

Symbole im Hinblick auf das Urphänomen, wodurch eine strenge Korrelation der Bilder entsteht. Schon in der Frühklassik wird die Natur überhöht auf eine Vorzeit hin, wo „diese Klippe … schroffer, zackiger, höher in die Wolken stand" und um sie noch „der Geist sauste", während später „die Bewohner der fernen Ufer und Inseln unter dem untreuen Boden (des nichtursprünglichen, angeschwemmten Landes) begraben werden" und die gesamte Pflanzen- und Tierwelt über einem ewig offenen Grab von Werden und Vergehen webt und wandelt[198]). In entsprechender Analogie hierzu steht ein Geschichtsbild, in dem alle „neueren Schichten", genau genommen die ganze Geschichte, sofern sie ableitbar ist und auf „Trümmern von Meinungen und Irrtümern" ruht, verworfen werden — mit ein wesentlicher Grund der vielberedeten „Geschichtsskepsis" Goethes —, während eine Geschichte, die auf Tat, Ursprünglichkeit und Größe sich stützt wie die römische Geschichte, auf Sein und Wahrheit Anspruch erhebt: „Ja, ich habe die Furca, den Gotthard bestiegen! Diese erhabenen unvergleichlichen Naturszenen werden immer vor meinem Geiste stehen; ja, ich habe die römische Geschichte gelesen, um bei der Vergleichung recht lebhaft zu fühlen, was für ein armseliger Schlucker ich bin!"[199]) Aus diesem Beispiel wird die Funktion der Analogie ganz klar: Im Bild der Furca spiegelt und klärt sich die römische Geschichte und umgekehrt. Das Naturbild dringt ins Geschichtsbild ein und das Geschichtsbild ins Naturbild auf Grund eines einheitlichen Wahrheits- und Ursprungsbegriffs. Von diesem zentralen Begriff aus entsteht ein Gleichnissystem, das parallel laufend auch das negative Natur- und Geschichtsbild einheitlich formt: Das „anhaltende Grab" der „fruchtbaren schönen Täler", Wiesen, Gräser und Menschen, die sich um den Granitberg lagern, erinnert an den Schutt der Geschichte sowie an die „Augenblicke der Erniedrigung", die der Granit in „unseren Tagen erdulden"[200]) mußte. Genau in der gleichen Weise aber stehen noch in Faust II die unerschütterlichen Granitfelsen von Oreas und den Sphinxen im symbolischen Kontrast zur nichtigen Geschichtsrevolte des Pompejus, dem Scheinwesen der Lamien und den vulkanischen Scheinrevolutionen des Anaxagoras[201]). Ähnlich liegt das Verhältnis zur Kunst. Schon der junge Goethe weiht dem Straßburger Münster, das „auf Felsen gegraben" ist, „Blumen, Blüten, Blätter, auch wohl dürres Gras und Moos und über Nacht geschoßne Schwämme … zu Ehren der Verwesung", ehe er sein „geflicktes (nicht ganzes, nicht ursprüngliches) Schiffchen wieder auf den Ozean wagt"[202]); er konfrontiert damit wieder ursprüngliches Sein und verwesend-vergängliches, in „unbedeutenden Gegenden" gefundenes nichtiges Dasein in erschütterndem Ringen um eigene Dauer und Wahrheit. Fels und Pflanzen stehen ein für Größe und Vergänglichkeit, für Sein und Nichtsein seiner Kunst.

Schon hier also rücken Natur, Geschichte und Kunst aufs engste ineinander unter dem Zeichen eines Gleichnissystems, das im Ursprung bzw.

Nichtursprung seine Mitte erhält. Die Analyse der Bildschichten in Faust II wird ergeben, daß dieses Ineinander dort wesentlich komplizierter liegt als in Goethes Frühzeit, prinzipiell aber die gleiche Mitte und Ausrichtung hat. Ein Naturbild, der geologische Prozeß der Bergentstehung in der Klassischen Walpurgisnacht, weist zugleich auf einen historischen Vorgang (Analogie des Pygmäen-Kranichen-Streites zu dem Streit zwischen Demokratie und Aristokratie, Bezug der Erderschütterung zur französischen Revolution usw.). Schnittpunkt und Bezugsort dieser Linien liegen jedoch keineswegs in diesen „Deutungen": Das Naturbild „bedeutet" nicht die französische Revolution oder die Schlacht von Pharsalus ein ewiges Natur- und Geschichtsgesetz, sondern alle diese Linien laufen zusammen in einer Mitte, in der das Problem von Revolution und Evolution, Dauer und Nichtdauer schlechthin zur Darstellung kommt. Alle Bilder wiederholen dieses e i n e Urphänomen, umkreisen es in „analogen" Reihen.

b) Der „Urteppich" und das „Kunstwerk des Kunstwerks"

Aber auch die Thematik des Ganzen: in den „unzähligen Webereien" das Gewebe des Gewebes, in dem das eine Kunstwerk die Genesis von Kunst überhaupt zu liefern, stammt aus diesem Ursprungsbegriff. Bei der Lektüre des „Agamemnon" von Äschylos schreibt einmal der greise Goethe: „So tritt doch eine solche Riesengestalt, geformt wie Ungeheuer, überraschend vor uns auf und wir müssen alle unsere Sinne zusammennehmen, um ihr einigermaßen würdig entgegenzustehen. In einem solchen Augenblick zweifelt man keineswegs hier das Kunstwerk der Kunstwerke, oder, wenn man gemäßigter sprechen will, ein höchst musterhaftes zu erblicken"[203]. In sonderbarer Weise also verknüpft Goethe hier „Muster" und „Vorbild" mit der uralten „Riesengestalt". Das Phänomen des Uralten ist wiederum keineswegs mehr nur historisch-zeitlich gemeint, sondern erweckt die Assoziation von „musterhaft", vorzüglich, ja die Assoziation einer absoluten Kunst, die alle Kunst in sich birgt. Die Urzeit ist derart seinshaft ausgezeichnet, daß ihr geschichtlich-zeitlicher Charakter als reale Vor- und Frühzeit versinkt und die Antike auch in „Faust II" nicht nur in einer „zyklopisch" riesenhaften Architektur auftaucht, sondern auch durchgehend dort ins Graniten-Urgeschichtlich-Zeitlose[203a] umgedeutet wird (übrigens analog späten Überarbeitungen der „Italienischen Reise"[204]). Die Antike wird „uralte Gegenwart"[205], und im „Gewebe dieses Urteppichs", wie weiterhin Goethe das Äschyleische Drama bezeichnet, erscheinen „Vergangenheit, Gegenwart und Zukunft so glücklich ineins geschlungen, daß man selbst zum Seher, das heißt: Gott ähnlich wird. Und das ist doch am Ende der Triumph aller Poesie im Größten und im Kleinsten"[206].

Das verhaltene Pathos solcher Stellen gewährt tiefe Einblicke in die Hintergründe des Goetheschen Schaffens im Alter. Was Goethe hier webt, was er in der „phantasmagorischen" Abspulung der „3000 Jahre" seiner Helenadichtung zusammenbindet und fügt, stimmt immer nachdenklicher angesichts solcher Worte; und manch andere Dichtung (Wanderjahre, Novelle, Dichtung und Wahrheit, Pyrmontentwurf usw.) erhält eine unverhoffte Einheit in solch gottähnlichem Weben des Urteppichs aller Kunst. Schlingen sich doch auch in ihnen die drei Zeitstufen Vergangenheit, Gegenwart und Zukunft derart ineins, daß Urwelt und Zeit, Alter und Jugend, Antike und Gegenwart nur noch Felder eines Gewebes sind, das ein gottähnlicher Seher schweigend verknüpft.

c) Die Entstehung des Gesamtthemas und der Einheit von Faust II aus der Schichtung des dichterischen Bildes

Der phantasmagorische Ablauf der Zeit (3000 Jahre) wie der Handlung in Faust II scheint also unter einem bestimmten Gesetz des Zeitlaufs, unter einem Aspekt von Ursprung und Metamorphose zu stehen, in dem ein Ineinander[206a]), nicht ein kausales Auseinander gemeint und gesucht wird. Nicht muß die Erscheinung Helenas, was heute durch Hertz fast Allgemeingut der Forschung[207]) geworden ist, aus dem biologischen Mysterium der Klassischen Walpurgisnacht, aus Goethes Monaden-, Entelechie- und Metamorphosenlehre erklärt und erschlossen werden — so viel Wahres und Einsichtiges auch eine solche Erschließung in sich bergen mag —, sondern die einzelnen Bild- und Erscheinungsformen Helenas wie ihrer Gegen- und Nebenfiguren tragen in sich selbst die Bestimmung ihres Ursprungs und ihrer Entfaltung, ihrer Dauer und Nichtdauer, ihres Seins und Scheins, aus denen sich die Zeit-, Handlungs- und Sinnfolgen ergeben. Jede Seinsart wiederholt als „Analogon alles Existierenden"[208]) das Urphänomen auf eigene Weise. Indem Goethe die drei Zeitstufen unter dem Blickpunkt von Uralt und Vorzüglich umschaltet und ineins schlingt zu einem gottähnlich seherischen Kunstwerk des Kunstwerks, wird das Drama gleichsam zum Schauplatz unaufhörlicher Wiederholungen des gleichen Urphänomens in jeweils wechselnden Bildern. „Vergangenheit sei hinter uns getan, Der ersten Welt gehörst du einzig an", in solch paradoxer Umkehrung von „Vergangenheit" und „erster Welt" auf dem Höhepunkt der Begegnung von Antike und Moderne enthüllt sich das wahre Gesicht der normativen Klassik Goethes wie seines kunsthistorischen Denkens. Antike und Mittelalter, Faust und Helena, Mephisto und die Phorkyaden sind nicht mehr Ausgangs-, sondern Schnittpunkte einer ewig gleichen Thematik. Jetzt erst kann das Eindringen nordisch-moderner Sprach- und Sinnelemente in die antiken Figuren[209]) und umgekehrt das unerwartete, rätselhafte Auftreten großer, antik pathetischer, ja religiös gesteigerter Züge im Mephistobild verstanden werden: Granitene Sphinxe und ungreifbar „morsche" Lamien, Urgebirgsentstehung in sowohl beharrend organischer wie scheinhaft chaotischer Weise (Thales und Anaxagoras) wiederholen ja immer erneut das gleiche offenbare Geheimnis und „deuten ironisch über sich hinaus", d. h. erzeugen so ihre halb pathetisch-feierliche, halb spöttisch-gesellschaftssaloppe Sprachform. Mephistos Flucht vor den Lamien auf den „Naturfels" (Oreas) und zu den „heiligen Eichen" verrät mehr über seine Verwandlung in die Phorkyasgestalt mit ihren Anklängen an die Trinitäts-lehre als alle Spekulationen und mythologisch-historischen Nachforschungen über den Sinn der Phorkyaden bei den Griechen. Seine Bezeichnung als „Ur-urälteste" im Kontrast zu den scheinhaft-schwankend „bammelnden" Mädchen des Chores läßt jedes starre Festhalten am dramatischen „Charak-ter", an durchlaufenden Personenbestimmungen nichtig erscheinen an-gesichts der Gewalt dieses Ursprungsproblems. Die Klassische Walpurgis-nacht wird unklassisch, gerade weil Goethe sie klassisch gestalten wollte, weil transzendental reinstes Sein, die Bedingung alles Bedingenden, ans Licht treten sollte: Anfang und Ende aller Geschichte sollte in der Herauf-beschwörung der Pharsalischen Schlacht in „vergossenen Blutes Wider-schein" aufleuchten, Gebirge sollten aus Wasser und Feuer entstehen, Gräser und Wälder sich über sie ziehen; es sollte das Goldgeheimnis von Greifen bewacht werden, der „künstlich" schweifende Geist des Homun-kulus an Galatees Wagen zerschellen zum „Werden"; Mephistos zeitlos gültige Skepsis, Mephistos Entlarvung alles Seins als nichtig immer Ge-wesenes und Wiederholtes („Wer kann was Dummes, wer was Kluges denken, Das nicht die Vorwelt schon gedacht?") sollte erstarren zur blei-benden Statue im griechischen Tempel[210]), zur „ur-urältesten" häßlichsten Wahrheit des Schönen[210a]), Fausts Drang zum „Unmöglichen" sollte als letztes Glied antiker Heroik erscheinen (Gespräch mit Chiron) und in der Gewinnung der Schönheit eine zeitlose Zeit sich erzeugen; kurzum, die Klassik sollte zur Klassik der Welt, des Lebens, der Geschichte, der Kunst erwachen. Sie wurde zur Klassik eines spät alles Leben nochmals webenden Dichters und darum sein unklassischstes Werk: Blitzartig verbinden sich „große produktive Maxime" und „Allereinzelnstes" in ununterbrochenen Überschneidungen und Querlinien unter der magischen Kraft eines ein-zigen, elementaren Seins-, Wahrheits- und Entwicklungsproblems, um das es Goethe leidenschaftlich und ausschließlich zeit seines Lebens in seinen Bemühungen um die Klärung geologischer, künstlerischer, biologischer, ästhetischer Grundwerte ging. Hier, in der Behauptung von Ursprung im Werden (Geologie), Sein im Schein (Ästhetik), Urpflanze in der Meta-morphose (Biologie), Ewigkeit in der Zeit (Geschichte), im immer er-neuten Ansetzen der Paradoxie dieser Urphänomenalität baut sich Glied an Glied, Reihe an Reihe, Kette an Kette, kontrastiert Zeit gegen Zeit,

Moderne gegen Antike, wiederum einzig bestimmt von der Frage nach dem „reineren" Ursprung (Antike). Erst hier, in der unaufhörlichen Beschwörung der Totalität von Ursprung und Werden gelingt dem „gottähnlichen Seher" der „Triumph aller Poesie im Größten und Kleinsten", wird der immer erneute Umschlag von Zeit in Ewigkeit mitten in der Zeit von jedem „isolierten" Ort aus vollziehbar („Ein jeder ist an seinem Platz unsterblich"), um das Gesamtwerk dann für die Ewigkeit zu „versiegeln"[211]). Ja selbst das Ende des Faust wiederholt im Ringen um einen reineren Zugang zur „Natur", frei von „Magie", das Thema des Werkes und wendet das christlich-barocke Motiv von der Rettung der Seele völlig um in einen stummen Sieg der Entelechie, eine stufenweise sich steigernde Verklärung und Reinigung mit Hilfe der Schleier- und Lichtmetaphysik („Und aus ätherischem Gewande hervortritt erste Jugendkraft"). Die innere Struktur des Goetheschen Symbols, jener „sich ineinander abspiegelnden Gebilde", erzeugt also in der Tat das Gewebe und die Einheit des Faust II-Dramas, das nunmehr in seinen einzelnen Linien, Verflechtungen und Bindungen uns beschäftigen soll.

4. Die Konsequenzen der Bildanalyse für das moderne Kunst- und Geschichtsdenken

Sinn und Ziel dieser Arbeit aber wären verfehlt, wenn nicht zuvor wenigstens ein Hinweis darauf gegeben würde, welche Folgen diese Erschließung der Goetheschen Schichten für das heutige Ringen der Kunst- und Geschichtswissenschaften zwischen fundamental-systematischer Kunstlehre und Kunstgeschichte, Ontologie und Historismus in sich trägt. Jene Überschneidung biologisch-genetischer und ontologischer Elemente in Goethes Ursprungs- und Zeitbegriff gipfelt ja in einer Spannung zwischen der organisch-stammbaumartig ableitenden Geschichtsauffassung, die seit Herder das Geschichtsdenken des 19. und 20. Jahrhunderts bis in unsere Tage auf große Strecken hin kennzeichnet, und einer Geschichtsauffassung der „Tat", der Verjüngung und der Wiedergeburt, kurzum des spontan-zeitlosen Aufbrechens von „Ursprüngen" mitten im Ablauf der Zeit, deren prinzipielle Formung und Grundlegung gleichfalls entscheidend für die jüngste Geschichtsforschung ist. Nicht ohne Grund mündet das Werk Meineckes über die Entstehung des Historismus[212]) in eine breite Analyse von Goethes Geschichtsbewußtsein[212a]). Meineckes und Kochs[213]) wertvoller Hinweis auf das „Einsgefühl von Vergangenheit und Gegenwart", auf diesen „Angelpunkt", wo sein Dichtertum mit seinem spezifischen Geschichtsgefühl zusammenhängt"[214]), zeigt schon die Richtung, in der die historisch ableitende Genese bei Goethe durchkreuzt wird durch neue und kühnere Denkformen. Meinecke sucht die Lösung dieser

Spannung jedoch nicht im Raum der Dichtungsanalyse. Das liegt außerhalb seines Forschungsbereichs. Koch deutet sie im Rahmen seiner größeren Forschungen nur an, so daß also die Analyse der Dichtung in dieser Richtung noch ausblieb. Gerade das folgende Kapitel wird zeigen, welche bedeutenden Lösungen tatsächlich Goethes Dichtung sowohl der Problemstellung des Historismus[215]) wie der Geistesgeschichte[216]) gegenüber bereit hält und wie weit sie sich über beide erhebt.

Dazu kommt die große Entwicklung, die die ontologisch orientierte Geschichtsbetrachtung durchmachte. Franz Böhms „Ontologie der Geschichte" und „Logik der Ästhetik"[217]) haben die innigen Beziehungen, die zwischen der klassischen Ästhetik der Goethezeit, vor allem Kants, und dem modernen Geschichtsdenken bestehen, systematisch deutlich gemacht, und das große Werk Alfred Bäumlers über die geistesgeschichtlichen Voraussetzungen von Kants Ästhetik[218]) vermochte schon vor Jahren den Ursprung des modernen Geschichtsbegriffs aus dem erkenntnistheoretisch-ontologischen und kunstphilosophischen Ringen des 18. Jahrhunderts zu entwickeln. Ein merkwürdiger Standortwechsel zwischen Historismus und Ontologie begann sich damit zu vollziehen: Die Ontologie tastete sich aus ihrem ursprünglich abstrakt gewonnenen Begriff der „Geschichtlichkeit"[219]) vor zu einem strengeren historischen Weltbild. Andererseits begann der Historismus ontologische Elemente nicht nur — wie stets schon — faktisch[220]), sondern auch mit Bewußtsein in sich aufzunehmen und zu verarbeiten.

Mitten in dieser Auseinandersetzung steht die deutsche Literaturwissenschaft und vor allem die Goetheforschung mit wichtigen Hilfsmitteln und Lösungsmöglichkeiten. Sie hat es in der Hand, auf Grund der Analyse des dichterischen Phänomens gerade jene geheimnisvolle Verschränkung von Geschichtlichkeit und Ursprünglichkeit, die das künstlerische Werk zu einer so ausgezeichnet historischen Wesenheit macht, zu entwirren und damit die Grundlage für die Analyse des Schöpferischen und „Verewigten" im Historischen zu legen. Die Kunst als streng geschichtliche, als abhängige und doch spontan produktive, ewige, selbst geschichtsbildende Macht, in der rätselhaft immer erneut das Phänomen der „Geschichtlichkeit" selber erzeugt wird, kann sich uns nicht durch eine Analyse ihrer Theorie (Ästhetik), sondern durch die Aufklärung ihres tatsächlichen Werdens erschließen. Wenn die Ästhetik Bäumlers in der Frage gipfelt, wo der „Transmissionsriemen" zwischen Kunst und Geschichte zu finden sei, wenn sie von dem Rätsel des „zwar nicht selbständigen, aber doch ursprünglichen Charakters"[221]) der Kunst spricht, an dessen Ergründung die zukünftige Forschung zu arbeiten habe, so wird damit der positiven Forschung ein Problem gestellt, das sie in Angriff zu nehmen nicht unterlassen darf. Einer solchen Aufgabe hatte sich die Literaturwissenschaft ja im wesentlichen nur darum entzogen, weil sie zu sehr noch unter dem

Bann der „Ausdrucks"-Ästhetik eines B. Croce[222]), Dilthey usw. stand, für die eine Dichtung Ausdruck von „Leben", Dasein, Seele oder Zeit war, d. h. auf andere, letztlich hingenommene Ursprünge reduziert wurde, nicht aber in sich selbst die Spannung von Ursprung und Zeit als integrierenden Bestandteil ihres Wesens zum Austrag brachte[223]).

Weiter muß auf Grund der oben gezeichneten wissenschaftlichen Problematik Goethes die Frage gestellt werden, ob nicht in jenem eigentümlichen Versuch des Goetheschen Denkens, in der „Sache selbst", — dort, wo die Sache nur „erscheint und ist" — eine transzendental-ontologische Strukturordnung zu entdecken, die grundlegend für eine zwischen „Wissen und Reflexion" sich vollziehende „Ganzheits"-ergründung zu sein vermöchte, mehr liegt als bloß eine außerwissenschaftliche Fiktion seines Dichtergenies, ob nicht Goethes Ringen zwischen Empirismus und Rationalismus in seinen praktischen Folgerungen eine bis heute kaum erkannte Leistung darstellt, die ihn geistesgeschichtlich unmittelbar in Parallele zur Kantischen Überwindung des englischen Sensualismus wie des kontinentalen Rationalismus stellt, indem Goethe eine fundamentale Entdeckung der Bedingungen der Möglichkeit nicht zwar der Erkenntnis (wie bei Kant), wohl aber des Schaffens und der Geschichte gelang. In der Tat wird die folgende Faust II-Analyse zeigen, daß Goethe genau zwischen dem systematischen Kunstdenken des 18. Jahrhunderts (und dessen Konzeption einer absoluten Schönheit) und dem kunstgeschichtlich orientierten Zeitbewußtsein des 19. Jahrhunderts eine völlig eigene Stellung einnimmt, die beide Richtungen ineinander verwandelt und umsetzt zu einem neuen, ungewöhnlichen und fundamentalen Aufriß der Bedingungen der Möglichkeit geschichtlicher Kunst überhaupt, ja sogar geschichtlicher „Tat". Der Aufklärung dieser bis heute fast völlig unbekannt gebliebenen Tatsache gelten entscheidende Teile vorliegender Faustanalyse. Gerade die Dringlichkeit, das Verhältnis von Biologie, Geschichte und Kunst grundsätzlich wie bis ins Einzelnste hinein zu bestimmen, nötigt uns, aus dem einzelnen Symbolbild alle nur auffindbaren Folgerungen zu ziehen und in feinster Teilarbeit wie ausgedehntester grundsätzlicher Deutung die Goetheschen Schaffensformen, die ja immer noch tief, oft ohne unser Wissen und Ahnen, in unsere eigenen Denk-, Form- und Handlungsbereiche ragen, bis in ihre letzten Konsequenzen zu verfolgen und deutlich zu machen.

II. Kapitel

Der grundsätzlich neue Strukturentwurf von „Faust II"

1. Die Aufhebung der Faust I-Struktur während der Entstehung der Anfangsszenen von „Faust II"

Die eigentlich philologisch und künstlerisch erregenden Inhalte der Goetheschen Symbolwelt zeichnen sich erst in der Tiefe der Einzelbetrachtung scharf und einprägsam ab. So leiten die vier großen Symbole, Schlaf, Lethe, Sonne und Regenbogen, die das Drama auf der Grenzscheide der zwei Teile eröffnen, zum künstlerischen Sinn des ganzen großen Neuansatzes der Faust II-Dichtung. Ruht doch auf diesen Symbolen nicht nur der Anfang der Faust II-Dichtung, sondern die ganze Last des „Übergangs" von den „Greueln"[1]) der Gretchentragödie zu der „höheren Welt"[2]) des kommenden Schauspiels. Bilden sie doch die Achse, auf der sich das Werk vom ersten Teil hinüber zum zweiten Teil dreht und die entscheidenden Vorgänge zum Verständnis des Neuen der Faust II-Dichtung sich abspielen.

Denn diese Gleichnisszene des Anfangs war keineswegs von Beginn an so konzipiert. In den ersten Entwürfen (Paralip. 63 und 100)[3]) lief die Handlung des ersten Teils vielmehr strukturell unmittelbar weiter. Der Schlaf Fausts war damals ein Schlaf der Versuchung, nicht der Wiedergeburt durch Lethe. „Geisterchöre" sollten ihm „in sichtlichen Symbolen und anmutigen Gesängen die Freuden der Ehre, des Ruhms, der Macht und Herrschaft vorspiegeln", in „schmeichelnde Worte und Melodien ihre eigentlich ironischen Anträge ... verhüllen" (Paralip. 63), Damit war die Struktur des ersten Teils „fortgesetzt": Der Eintritt Fausts in die „große Welt" des Kaisers erschien als neue Versuchung, wie Auerbachs Keller, Gretchen, Walpurgisnacht usw. einst Stationen der Versuchungen waren. Entsprechend war die nächste Szene geplant: Mephisto sollte unmittelbar zu Faust treten, „ihm eine lustige aufregende Beschreibung von dem Reichstage zu Augsburg ... machen, ... Faust in seine früheren abstrusen Spekulationen und Forderungen an sich selbst verfallen" und in der Unterredung mit dem Kaiser „auf höhere Forderungen und höhere Mittel" bei der Zauberei dringen, während der Kaiser „ihn nicht versteht" und alles auf „irdische" Dinge bezieht[4]).

Das war Geist vom Geiste des „Faust I" bis in Stil (s. Paralip. 63—83), Inhalt und Problemlage hinein. Das war jene „Fortsetzung", wie sie von dem zeitgenössischen Fortsetzer des Goetheschen Faust, dem Hofrat Schöne, ab[5]) über Eckermanns Bearbeitung[6]) der Ästhetiker Vischer und mit ihm größte Faustforscher bis in die jüngsten Tage hinein forderten und sogar in die endgültige Fassung hineinzudeuten versuchten. Noch das umfangreiche Werk des Philosophen Rickert vom Jahre 1932 beginnt seine Faust II-Darstellung mit den naiv-unbedenklichen Sätzen: „Soll das Ganze der Faustdichtung ... als Drama einheitlich sein, dann muß auch der zweite Teil von den Versuchungen handeln, in die Faust gerät ... Unter diesem Gesichtspunkt betrachten wir daher die Fortsetzung der Tragödie. Als nächste Versuchung Fausts haben wir schon früher die Griechin Helena genannt"[7]) usw. Das Verfahren Goethes belehrt uns eines anderen. Nicht nur verläßt er grundsätzlich diesen Plan, sondern streicht auch sorgfältig alle auf eine „Versuchung" hin angelegten, teilweise sogar schon reichlich ausgeführten Szenen und Stellen: die Unterredung zwischen Faust und Mephisto über den „Ruhm" der Welt, Fausts Entschluß, auf den Kaiser pädagogisch veredelnd zu wirken, Mephistos Versuche, ihn daran zu hindern usw. (Paralip. 66—83). Desgleichen streicht er die Versuchungen im zweiten Akt, wie z. B. den ursprünglich geplanten Verführungsversuch der Lamien (Paralip. 123 [1], Faust von der reinen Schönheit Helenas abzulenken; nach der endgültigen Fassung verführen sie überraschenderweise Mephisto statt Faust. Und endlich ist in diesem Zusammenhang auf den Ausfall des großen göttlichen Schlußgerichts im fünften Akt zu verweisen, in dem Schuld und Verdienst Fausts im Streit zwischen Gott und Mephisto abgewogen werden sollten.

So unendlich wichtig diese Streichungen sind, so wenig sind sie bis heute ins Bewußtsein der Forschung gedrungen, so wenig ist über die erstaunliche Tatsache nachgedacht worden, daß Goethe offenbar mit voller Überlegung gerade diese, dem natürlichen „Gang der Handlung" entsprechenden, von jedem Forscher erwünschten, teilweise leidenschaftlich geforderten und mühsam überall gesuchten Elemente herausnimmt und an ihre Stelle schon zu Beginn des Dramas zwei Szenen setzt: erstens eine rein symbolische Verjüngungs- und Wiedergeburtsszene, zweitens eine rein zeichenhaft-revueartige Staatsszene (Kaiserliche Pfalz), in der Faust noch nicht einmal auftritt, worauf die Handlung sofort zu den Maskeraden der „Mummenschanz" überspringt, die ebenso stumm-zeichenhaft — Faust sogar in unkenntlicher Verkleidung — dargestellt werden. Alle dazwischen liegenden, bereits zum Teil geschriebenen Unterredungen, Dialoge und Monologe, die eine Aufklärung über Fausts inneres Seelenleben, über seine innere Stellung zu Hof, Kaiser und Reich geben würden und bereits ge-

geben haben, sind also nicht, wie die Kritik des 19. Jahrhunderts es immer
wieder aussprach, von Goethe aus greisenhafter Schwäche unterblieben,
sondern aus klarsten Überlegungen getilgt worden, aus Überlegungen, die
selbst fortgeschrittenste Forscher nicht einbeziehen, wenn sie, wie Kurt
May in bezug auf die Klassische Walpurgisnacht, Borcherdt in bezug
auf die „Mummenschanz", ihre Deutungen immer noch auf die Versuchungsstruktur von Faust I bzw. auf das dortige metaphysisch-welt-
erneuernde und revolutionär-pädagogische Pathos Fausts stützen[7a]). Faust
kommt nicht mehr in Versuchung. Die zwei einzigen Stellen, die eine Ver-
suchungsabsicht Mephistos enthalten, sind so schwach gehalten, daß sie
kaum ins Gewicht fallen: Der Versuch Mephistos, Faust im vierten Akt
zum behaglichen Leben in Städten, Parks usw. zu verleiten, ist so unernst
und geringfügig, daß Faust mit einer lässigen Gebärde: „Schlecht und
modern, Sardanapel" darüber hinweggeht. Die zweite Versuchung, die
Verbrennung von Philemons und Baucis' Hütte, ruht, wie wir zeigen
werden, auf völlig anderen Voraussetzungen als die Versuchungen von
Faust I. Helena gar ist, wie sich ergeben wird[7b]), nicht das Mittel einer
Versuchung, sondern einer Erhöhung. Ferner ist Faust nicht mehr der
hochfliegende Idealist. Er will nicht mehr wie noch in Paralip. 68 durch
„ein reines Wort" bei der „Menschheit … schöne Taten" erregen. Vielmehr verwirft Goethe gerade dies echte Faustische Pathos schon im ersten
Entwurf als „abstruse Spekulationen und Forderungen an sich selbst" und
später durchgehend als den Ausdruck eines „subjektiven, befangeneren,
leidenschaftlicheren Individuums", von dem sich die neue, „höhere,
breitere, hellere, leidenschaftslosere Welt" von Faust II grundsätzlich
unterscheide[8]). Jede subjektive Richtung auf die Welt hin, sei es im Sinne
einer höheren Forderung an sie, sei es im Sinne einer Versuchung durch
sie, wird für Goethes Gefühl zum barbarischen „Halbdunkel"[9]) eines „be-
fangenen Individuums".

Was aber hat dann die ganze Wendung zur „großen Welt", zu Kaiser,
Reich, Helena, „Weltgeschichte" und Naturgeschichte noch für einen Sinn?
Was sind jene „anderen, herrlichen, realen und phantastischen Irrtümer, in
welche der arme Mensch sich edler, würdiger, höher als im ersten gemeinen Teile geschieht, verlieren durfte"?[10]) Worin bestehen „jene höheren
Regionen, würdigeren Verhältnisse", die Goethe ausdrücklich gegen „diejenigen" ausspielt, „welche eine Fortsetzung und Ergänzung meines
Fragmentes unternahmen", ohne „auf den so naheliegenden Gedanken
gekommen" zu sein, „man müsse bei Bearbeitung eines zweiten Teils sich
notwendig aus der bisherigen kummervollen Sphäre durchaus erheben"
(Paralip. 123)? „Durchaus erheben", sagt Goethe und scheidet damit scharf
und kompromißlos die „höhere" Welt des „Faust II" von der niederen,
„barbarischen" des „Faust I". „Cette seconde partie est complètement
différente de la première, soit pour le plan, soit pour l'exécution, soit

enfin pour le lieu de la scène, qui est placé dans des régions plus élevées ... Vous vous convaincrez vous-même, quand vous le lirez qu'il ne peut en aucune façon se rattacher à la première partie" schreibt Goethe am 4. April 1827 nach Paris[11]). Was aber ist dieses „Höhere"? Wenn jede ethische Richtung auf Kaiser und Welt, wenn jede innere Entscheidung für oder gegen Ruhm und weltliche Tat bewußt der Streichung anheimfällt, wenn nichts mehr bleibt als die stumm zeichenhafte Plutusmaske Fausts, worin ruhen dann jene „herrlichen, realen und phantastischen Irrtümer", die das Drama bewegen? Die Antwort gibt die Analyse der Bildfolgen selbst. Wenn der Held am Anfang durch Schlaf und Lethe „völlig zu paralysieren und als vernichtet zu betrachten"[12]) ist, wenn er dergestalt frei und gereinigt von jeder Erinnerung an die vorhergegangene Tragödie wie ein vollkommen neuer Mensch einer vollkommen neuen und höheren Welt entgegentritt, mehr ein subjektlos maskierter Zuschauer als ein Handelnder und Fordernder, wozu wird dann diese „höhere", große Welt selbst? Offensichtlich zum Schauplatz „objektiv" wirkender Kräfte, in die Held und Welt in gleich nebensächlicher bzw. gleich wichtiger Stellung eingefügt sind. Die Phänomene des Daseins selbst sind Helden und Spieler des Dramas, sind das „Höhere", dem das Dumpf-Subjektivere weicht. Schlaf und Lethe sind die Bedingungen, unter denen das Spiel überhaupt erst einsetzen kann, weil sie den Helden von sich selber befreien; Sonne und Iris sind die Zeichen, unter denen die neuen Phänomene in ihrer grundsätzlichen Struktur offenbar werden.

2. Die Symbolformen der Anfangsszene als Grundlagen der Goetheschen Kunst

Schlaf und Lethe als Elemente des Tragischen

Schlaf und Lethe treten bei Goethe in vielfältiger Funktion hervor: als Bestandteile des Tragischen, als Elemente der Kunstlehre („Theater", Oper, Maskenzug, Tanz), als Basis von „Zeit- und Weltwenden", als Medien für seelisch-geistige Umbrüche, als Voraussetzungen des Verjüngungs- und fiktiven Reinheits- und Naturbegriffs, der Antikeverehrung usw. und endlich als Stilmittel. Alle diese Funktionen stehen untereinander in enger Verbindung und sind wichtig für die Gesamterkenntnis der Faust II-Dichtung.

Als Bestandteile des Tragischen erweisen sich Schlaf und Lethe durch ihre furchtbare Nähe zum Schicksal und durch ihre irrational-naturhafte Lösung der Schuldfrage. „Wenn man bedenkt, welche Greuel beim Schluß ... auf Gretchen einstürmten und rückwirkend Fausts ganze Seele erschüttern mußten, so konnt' ich mir nicht anders helfen, als den Helden, wie ich's getan, völlig zu paralysieren und als vernichtet zu betrachten, und aus solchem scheinbaren Tode ein neues Leben anzuzünden. Ich mußte hierbei eine Zuflucht zu wohltätigen, mächtigen Geistern nehmen, wie sie uns in der Gestalt und im Wesen von Elfen überliefert sind. Es ist alles Mitleid und das tiefste Erbarmen. Da wird kein Gericht gehalten, und da ist keine Frage, ob er es verdient oder nicht verdient habe, wie es etwa von Menschenrichtern geschehen könnte"[12a]). „Es wird kein Gericht gehalten"; die Lösung der „Greuel" der Gretchentragödie und der Schuldfrage geschieht auf unterirdisch geheimnisvolle Weise — durch Versenken in Schlaf und Auslöschen des Bewußtseins. Und dennoch muß ja der tragische Fall solchen Schlaf innerlich fordern, soll die Tragödie nicht in sich selbst sinnwidrig zerbrechen. Um dieser sonderbaren Problematik näher zu kommen, sind zunächst die überraschenden Parallelen in anderen tragischen Vorgängen bei Goethe zu betrachten. Die Symbolik des Schlafs steht nämlich in den verschiedensten Werken an einer eigentümlich zentralen Stelle[12b]), sowohl das Dunkel-Unausweichliche des tragischen Schicksals als seine Aufklärung und Lösung bezeichnend. Zunächst ist der Schlaf Ausdruck nicht nur der Befreiung, sondern auch der äußersten Ohnmacht des Bewußtseins vor der naturgleich einbrechenden, durch keine Macht der Überlegung ablenkbaren Schicksalskatastrophe. Schon im „Egmont" erhält das undurchdringliche Antlitz des „Schicksals"[13]), das seinen „dämonischen", ahnungslos-ahnungsvollen Liebling zugleich erhebt und stürzt, seine schärfste Verdichtung im Gleichnis vom nachtwandlerischen „Schlaf" des Helden „auf dem gefährlichsten Gipfel eines Hauses": „Ist es freundschaftlich, mich beim Namen zu rufen und mich zu warnen, zu wecken und zu töten?"[14]) (II, 2). Der Schlaf bezeichnet eine äußerste Steigerung des Tragischen, weil in ihm ein Letztes geahnt und gewußt wird, dieses Letzte aber gerade eine volle Wachheit verweigert, da das Ende des Seins, ins Bewußtsein erhoben, das Bewußtsein zerschlüge. „Leise, Lieber, daß niemand erwache! daß wir uns selbst nicht wecken!" (V 3), in diesem Flüsterton Klärchens vor ihrem freiwilligen Tod verdichtet sich höchste Erkenntnis der „Wahrheit" — tragisches Wissen — zu dem rätselhaft doppelsinnigen Entschluß, dieses Wissen zugleich zu verbergen, den Sprung in den offenen Abgrund nur mit verbundenen Augen zu wagen, da reines Entsetzen wie reine Überwindung des Endes durch das siegende Bewußtsein des Geistes der Größe dieser Tragik nicht standhalten könnte. Schlaf und Lethe sind Höchstpunkte der Tragik, weil in ihnen eine Randstellung des Menschen, eine äußerste Grenze des Seins in schärfste Bewußtheit gerückt wird, ohne doch entsetzensvoll das Bewußtsein zu zerstören oder umgekehrt selbst durch die Macht des Bewußtseins bewältigt, d. h. in ihrer tragischen Unentrinnbarkeit aufgehoben zu werden. Während Schiller, wie Fricke gezeigt hat[15]), im wachen Bewußtsein des Helden das Schicksal meistert und damit die Tragik von innen her aufzehrt[16]), behauptet sich bei Goethe die Gewalt des Schicksals selbst noch im Herzen und Geiste des Helden, indem sie ihn zum Verschließen seiner selbst zwingt. Indem sich das Tragische als unausweichlich offenbart, als Vernichtung des gesamtmenschlichen Seins furchtbar, unleugbar, unabweisbar dem Betroffenen vor Augen steht, wird es im überklaren Wachschlaf ertragen und seelisch einzig s o aufgenommen und gemeistert: Die Gewalt des Existenz-Endes erzwingt wohl das wissende Verschließen der Augen, ermöglicht aber zugleich eine Zuflucht in ein untergründigeres, bergendes Sein. Der Ohnmacht der rationalen Bewußtseins- und Willensbehauptung entspricht, im genauen Gegensatz zur Struktur der Schillerschen Tragik, die Macht einer physisch-überphysischen „Natur", die auf die Drohung des Schicksals mit der Zauberkraft eines unverrückbar unendlich geborgenen Seins sowie mit plötzlich eruptiv visionärer „Tat" statt mit wägendem Willen antwortet. Die dämonisch rettende Tat ist, wie sich später aus zahllosen Belegen darstellen wird, jäher, fast unbewußt biologischer Entschluß einer im Schlaf die Grenzen alles Seins überblickenden Natur.

Damit erhält der Schlaf eine zweite Funktion: die „Lösung" der Tragödie. Die eigentümliche Mittelstellung zwischen Entlarvung und Verdeckung des Schicksals verleiht dem Schlaf im Verlauf der tragischen Kurve die Rolle einer umwendenden Macht: Indem der Held rückschauend das ganze Feld seines Schicksals überblickt, befreit er sich von sich selbst, bricht im „Vergessen" (Lethe) sein gewesenes Dasein hinter sich ab, um den „höheren Mut" (Egmont, letzte Szene) zur „beispielhaften Tat" des heroischen Endes zu finden: Dies ist der Sinn des visionär-triumphierenden Schlafs Egmonts vor seinem Tod. Er erfolgt nach der nur handlungsmäßig, nicht innerlich überflüssigen Szene mit dem „Sohne des Feindes", die in schier ungreifbar irrational jäher Offenbarung Egmont die „unbezwingliche Gewißheit" schenkt, daß er im Tode als „Stern erster Jugend" den gesamten Lauf des Lebens rein bis zu Ende ausführte und im „Überleben" sich nur selbst preisgäbe: „Du überwindest dich selbst und uns; du überstehst. Ich überlebe dich und mich selbst", spricht Albas Sohn und erweist ihm damit die „Wohltat", den „unerwarteten Trost", den Umkreis seines irdischen Seins zu vergessen und in einen Schlaf zu versinken, der der Anfang einer Tat ist: „So legt der Müde sich noch einmal vor der Pforte des Todes nieder und ruht tief aus, als ob er einen weiten Weg zu wandern hätte … Süßer Schlaf, du kommst wie ein reines Glück … und eingehüllt in gefälligen Wahnsinn versinken wir und hören auf zu sein". Die „Lösung" des Tragischen und der Vorstoß zur Vision eines beispielhaft siegenden Heldentodes gründen also im plötzlichen Überschauen der Ganzheit des Lebens bis zurück in die „Sterne der Jugend" und in die Kindheit. Das Selbstüberwinden ist bei Goethe notwendig ein Selbstvergessen, ein Vergessen im Innern der Natur, vor allem der physischrealen. Es erscheint nicht als ethischer Willensentschluß, sondern als

physisch-kreatürliche Selbstüberwindung, die tief in der Seins- und Natur-
ethik Goethes beheimatet ist: Wie schon „Werthers Leiden" im Grunde
die „Leiden" einer „unaufhaltsam hinabstürzenden Kreatur" sind, die in
ihrer gesamten, körperlich-seelischen Einheit einer naturartigen „Krankheit" verfällt, die außerhalb aller moralischen Wertungen und Hilfe-
leistungen steht[17]) und auch nur mit Hilfe von Naturwirkungen (Schlaf,
Lethe) geheilt werden kann, so versinkt bereits Wilhelm Meister, ganz
ähnlich wie Faust, gleichfalls auf einer Wende zweier Teile (zu Beginn des
zweiten Buches), nach der Katastrophe, jenem „Streich", der „sein ganzes
Dasein an der Wurzel getroffen" hat, in einen totenähnlichen Schlaf, der
ihm „die Wohltat ... die Gnade der Natur" schenkt, ihm durch „Krankheit" und Lethe („daß ihn die Sinne verlassen") „von der anderen Seite
Luft zu verschaffen", während die moralischen Heilversuche Werners die
gegenteilige Wirkung erzielen. Und auch in ihm erregt dieser Schlaf eine
neue „Art von Tätigkeit und Genuß" („Tatengenuß ... Genuß mit Bewußtsein" heißt die analoge Formel für die neue Stufe von Faust II),
ja sogar durch letheartiges „Überspringen einiger Jahre" ein Vergessen des
Alten und ein langsam biologisches Überwinden der Katastrophe, dessen
einzelne psychologische Phasen (genau wie im Faust) dem Leser bewußt
entzogen werden. Der Einschnitt ist plötzlich, jäh, dem Einschnitt zwischen
den zwei Teilen des Faust vergleichbar. Jedoch noch tiefer führen die
Fäden in das Gesamtschaffen Goethes: In den „Wahlverwandtschaften"
sieht Ottilie, nach der Katastrophe im Teich, in einem „halben Todes-
schlaf" ihre „neue Bahn vorgezeichnet". Eine neue Epoche bricht für sie
an, ein neues Gesetz, durch das sie wiederum ihre Gesamtexistenz
physisch-seelisch durch „völliges Entsagen", körperliches Fasten usw. überwinden will. Goethe selbst notiert sich vor Beginn seiner Autobiographie
im Tagebuch als tiefsten „Grund" seiner eigenen „Metamorphosen" das
„Physiologisch-Pathologische", das analog den „Übergängen" der „organischen Natur"[18]) sich offenbare. So stehen im Bereich des Tragischen
durchweg bei Goethe Schlaf und Lethe auf der Umschlagstelle von der
Vernichtung zur Überwindung. Weislingens verzweifelter Ausruf kurz vor
seinem Ende: „Könnt' ich schlafen" zeigt, daß umgekehrt das Fehlen des
Schlafs auf die innere Unmöglichkeit einer Rettung, auf den Sieg des
absolut und hoffnungslos Tragischen, des reinen Entsetzens hindeutet.
Schlaf und Lethe sind die machtvollen Gegenspieler des Schicksals, weil
dieses Schicksal selbst nicht in Intrigen und Verknotungen des Hand-
lungsgefüges sich zeigt, sondern als Naturmacht aus dem Helden selbst
bzw. der Totalität einer zwischen Anfang und Ende gehaltenen Welt
emporsteigt, wie schon Schöfflers Schrift über den „Werther" erwies[19]).

    Der Übergang von der Gretchentragödie zur Anfangsszene von Faust II
ist also strukturell schon seit Egmont, Werther, Wilhelm Meister usw. in
der tragischen Grundhaltung Goethes begründet. Im überscharf durch-

dringenden, halb schlafenden, halb wachen Wahnsinn Gretchens im Kerker erfährt die Tragödie genau wie bei Klärchen im „Egmont" ihre äußerste Verdichtung; im irrational-plötzlichen Ausstreichen der Schuld („Entfernt des Vorwurfs glühend bittre Pfeile ... Dann badet ihn im Tau aus Lethes Flut") bricht die Tragödie um zur unerwarteten Gnade des Schlafs, in dem das plötzliche, gleichfalls irrationale „Gerettet" der „Stimme von oben" nunmehr auch für Faust durch die Natur „wohltätiger, mächtiger Geister"[20]) verkündet wird. Die Jähheit des Übergangs, das Fehlen jeder Reflexion über das innere Recht solcher Streichung der Schuld sowohl in der Kerkerszene wie im ersten Faust II-Monolog ist genau wie einst in den „Lehrjahren" in der physisch-kreatürlichen Fassung des Tragischen selber begründet. „In der Wurzel des ganzen Daseins" getroffen treibt schon im „Wilhelm Meister", im „Werther" usw. das gesamtmenschliche Sein seinem Untergang zu und kann darum nur durch eine die Gesamtexistenz ergreifende Totalvernichtung bzw. -befreiung wieder erhöht werden: In Faust ist nur durch „völliges Paralysieren und Vernichten", durch einen „solchen scheinbaren Tod ein neues Leben anzuzünden", sagt ausdrücklich Goethe[21]) und öffnet damit die tatsächliche, unendlich tragische Tiefe, die sowohl in dieser Faustszene als auch in Goethes Lehre von der „Versöhnung" schlummert und seither nur allzu oft übersehen oder nicht ernst genug genommen worden ist. Im Bild von der Versöhnung „durch den Gesang wohltätiger mächtiger" Naturgeister erscheint das vielzitierte Wort Goethes: „Ich bin nicht zum tragischen Dichter geboren, da meine Natur konziliant ist ... und in dieser übrigens so äußerst platten Welt kommt mir das Unversöhnliche ganz absurd vor"[22]) in einem völlig neuartigen Licht. Gerade diese Versöhnung und Konzilianz fließt letztlich, wie die Arbeit von Sengle[23]) gezeigt hat, aus einer Unauflöslichkeit des „tragischen Falles" im handlungsmäßig ethischen Bereich — Fausts, Wilhelms, Werthers „Schuld" wird nie eigentlich „gesühnt" im realen Sinne des Wortes — und einer entsprechenden plötzlichen Lösung im Bereich einer unterirdisch bzw. überirdisch versöhnend einbrechenden „höheren" Natur. Die „Konzilianz" ist gerade Ausdruck schärfster Auswegslosigkeit im Irdischen und einer „Rettung" im Überirdisch-Visionären. Schlaf und spontan organisches „Vergessen" sind Funktionen einer Natur, die nur darum „mildert", versöhnt und „heilt", weil sie ihren „Liebling" bis zu den Grenzen des Daseins geführt hat, über die hinaus es nur Entsetzen oder — Vergessen geben kann.

Damit ist jedoch nur eine Seite der tragischen Lösung bezeichnet. Eine andere, noch wesentlichere, liegt in ihren formalen Konsequenzen:

Schlaf und Lethe als Elemente der Kunstlehre
(Oper, Theater, Maskenzug)

Das eigentümliche Schillern zwischen Natur und „Höherem" in Goethes Schlaf- und Versöhnungsprozeß erhält seinen formalen Ausdruck unter anderem im Umschlag der Tragödie zur Oper: Egmonts Schlaf ist von Musik und opernhaften Visionen begleitet, Fausts Schlaf findet statt unter „Gesang" und den Klängen von „Äolsharfen" und war rein musikalisch aufteilbar in Serenade, Notturno usw. In vielen anderen Werken erscheint das Eingehen des Bewußtseins in die übergreifende biologische Macht der Natur (Götzens Schlaf unter dem Baum usw.) zugleich als Durchbruch zu einer visionär „höheren" Sphäre in Gestalt von Verklärungen, Lichterscheinungen und musikalisch-lyrischen Apotheosen aller Art (Clavigo, Mignon, Ottilies Lichtvisionen, die Lichterscheinungen an der Bahre des scheintoten Prinzen im „Märchen" usw.). Diese Durchdringung des Biologischen mit dem Schein des Supranaturalen — vor allem mit Musik und Licht (in der ersten Faust II-Szene ist die Sonne sogar tönend) — schließt um den eisernen Ring des Tragischen einen irrational-höheren Kreis, in dem sich nicht nur eine Erlösung des Helden, sondern auch die Geburt neuer Kunstformen — Oper, visionäres, eigentliches „Theater", kurzum die Darstellung einer ausgesprochenen „Schein"-welt — abspielt, die gerade für die Beurteilung der Faust II-Dichtung und ihrer Scheinwelten von größter Wichtigkeit ist.

Eine eingehende Betrachtung von Goethes Opern-, Theater- und Maskenzuglehre zeigt nämlich, daß zwischen dem „Selbstvergessen" des tragischen Helden und der subjektlosen Kunst und Kunstform des späten Faust II-Werkes ein innerer Zusammenhang besteht, der in entschiedenen Überzeugungen und Kunstansichten Goethes gründet. Denn mit dem Selbstvergessen des Helden ist keineswegs nur ein Ausweg aus einer an sich auswegslosen Tragödie erstrebt; frühere Pläne Goethes wie auch die „Fortsetzungen" und Fortsetzungsvorstellungen aller anderen Faustdichter zeigen, daß, auch ohne dieses Vergessen, vom Stoff aus eine Fortsetzung denkbar wäre, indem z. B. einfach neue Versuchungen hinzutreten und erst am Schluß die Schuldfrage grundsätzlich aufgerollt wird. Vielmehr verbirgt sich hinter dem „völligen Paralysieren und Vernichten" des früheren „subjektiveren leidenschaftlicheren" Faust auch die andere Absicht, den Helden auf die „hellere, leidenschaftslosere" Höhe der Kunstsphäre zu erheben, d. h. im Selbstvergessen und Auslöschen des „Subjekts" lieWendung zur „rein" anschauenden Haltung des künstlerischen Menschen zu erreichen. Das zeigt schon Goethes Andeutung, daß diese „ersten Szenen des zweiten Teils von Faust ... ein frisches Licht auf „Helena" ...

zurückspiegeln"[24]). Hinter dem Lethemotiv steht die klassische Ästhetik vom „interesselosen Wohlgefallen". Jedoch — und dies macht den „Faust II" zu einer so „schwierigen" Dichtung — erscheint diese Ästhetik in einer viel elementareren, das spezifisch Ästhetische sprengenden Weise und vor allem in einer extrem Goetheschen Umdeutung auf ganz bestimmte Kunstformen hin: auf Musik, Oper, Theater, Maskenzug, ja sogar Tanz, die es nunmehr zu untersuchen gilt.

Schon im „Egmont" verrät die Terminologie der Schlafszene künstlerische Kategorien: „Ungehindert fließt der Kreis innerer Harmonien und eingehüllt in gefälligen Wahnsinn versinken wir und hören auf zu sein". Schlaf und Vernichtung des Helden gewähren den Durchbruch einer ins Absolute befreiten Musik, oder umgekehrt: die Musik vertritt symbolisch das „ungehindert" ins Absolute zurückfindende Sein. Musik löst den Menschen von sich selber und verklärt ihn ins Übergreifend-Allgemeine: „Erst als der Gesang", heißt es bei den „Exequien Mignons", „ihnen völlig verhallte, fielen die Schmerzen, die Betrachtungen, die Gedanken, die Neugierde sie mit aller Gewalt wieder an, und sehnlich wünschten sie sich in jenes Element (des Gesangs) wieder zurück"[25]). Der Übergang von der Katastrophe zum Schlaf bzw. zu der in unverweslicher Körperhülle geretteten ruhenden Schönheit Mignons ist zugleich der Übergang eines preisgegebenen irdischen Daseins zum „Schein" einer absoluten Ganzheit des Seins, der sich bei Egmont merkwürdig als „Hülle" eines „gefälligen Wahnsinns", bei Mignon als körperlich-unverweslicher „Schein des Lebens" in „Engelkleidern" — unter einem „Schleier ... wie schlafend, in der angenehmsten Stellung" liegt sie da[26]) —, später bei „Helena" als Zurückbleiben des „Schleiers" (bei Euphorion des „Kleids, Mantels und der Lyra") usw. offenbart. Indem im Anblick des Todes der Held sein physisches Dasein abstreift und eine „ungehinderte" Harmonie, eine meteorgleich plötzliche Befreiung seines Genius ins Absolute erfährt, ergreift er im Eintritt in eine solche Totalität nicht wie bei Schiller die „Idee" seines Seins, nicht wie in der Musiktragödie des Barock eine religiös übersinnliche Transzendenz, die alles Irdisch-Vergängliche als nichtigen Schein verwirft, sondern erblickt gerade in diesem „Schein des Lebens" den Abglanz und die reinste Manifestation seines Daimonion in einer eigentümlichen Verschränkung körperlicher und himmlischer Gestaltformen. „Eingehüllt in gefälligen Wahnsinn hören wir auf zu sein". Der „Wahnsinn" gibt sich „gefällig", als „Hülle". Nichts charakterisiert die Goethesche Haltung klarer als dieses Wort vom „Gefälligen" im Dämonischen, das bis ins höchste Alter zum Grundvokabular der Goetheschen Kunstsprache gehört, mag es auch in Stimmung und Inhalt ausschließlich dem 18. Jahrhundert entspringen. Im Alter heißt es einmal über das Straßburger Münster, „das Erhabene" sei dort „mit dem Gefälligen in einen Bund getreten. Soll das Ungeheure, wenn es uns als Masse entgegentritt, nicht erschrecken, soll es nicht verwirren, wenn wir sein Einzelnes zu erforschen suchen, so muß es eine unnatürliche, scheinbar unmögliche Verbindung eingehen, es muß sich das Angenehme zugesellen"[27]). Ungeheures und Gefälliges, Genie und Hülle, Chaos und Schein, Absolutes und Sinnliches verbinden sich derart, daß Goethe in der Rettung des Geistes immer auch eine Rettung des Körpers erstrebt (s. Mignons, Ottiliens Unverweslichkeit). Der Durchbruch des „Höheren" auf der Grenze des Daseins (Schlaf und Lethe) ist stets bei Goethe der Durchbruch einer sinnlichen Totalität, die — als Totalität — die Grenzen des Wirklichen sprengt und damit zum Schein, jenem Durchschimmern von Licht und Musik im Irdischen wird. Dies erst klärt die Wechselwirkung von biologischem Schlaf, physisch-kreatürlicher Tragik und visionär-irrationaler Verklärung, sowie die Kunstformen, unter denen sie steht:

Ein „Element" der Verklärung ist die Musik, in der alles Irdisch-Vergängliche „vergessen" wird. Durch die erhebende Macht des Gesangs, hieß es bei den Exequien Mignons, fielen die Schmerzen sowie alles Wünschen, Hoffen und Sehnen ab. Ferner sagt einmal Goethe, Rede, artikulierte, ausgesprochene „Bedeutung", stehe zur Musik wie das „eingeschränkte Individuum" zum „Allgemeinsten, was sich denken läßt". „Wer mir singt, soll unsichtbar sein"[28]). Gerade diese „Bemerkungen über Musik" bezeichnet Schiller als „am meisten der eigenen Natur" Goethes entsprechend[29]). Die Musik befreit den Menschen von sich selbst und versetzt ihn in jene hellere, leidenschaftslosere Welt, von der Goethe in bezug auf Faust II spricht. Jedoch in dieser sich so eng mit vielfachen Kunstlehren des 18. und 19. Jahrhunderts berührenden Anschauung von der Musik trennt sich auch Goethe wieder entscheidend von seiner Zeit, vor allem von der Romantik. So nahe diese Lethefunktion der Musik, ihre Erhebung ins Allgemeine, Überindividuelle an Wagner-Schopenhauersche und vorher schon Herdersche Bereiche rührt (erstere entstanden ja selbst durch Umwandlung aus der klassischen Kunstlehre), so scharf hebt sie sich wiederum von ihnen ab. Einmal ist bei Goethe nicht eine Auslöschung des „principium individuationis" im Lethemotiv gemeint, sondern eine Verjüngung und Wiederherstellung auf höherer Ebene. In diesem Sinne unterscheidet sich auch Goethe von Moritz' religiös-pietistisch-platonisierendem Lethebegriff, wonach die „Zerstörung des Einzelnen die Gattung in ewiger Jugend und Schönheit erhält"[30]), der Schöpfer untergeht im Opfer am Geschöpf usw. Goethe rettet gerade den Schöpfer durch das Werk in einer Wiedergeburt, die vom Werk aus auch den Schöpfer wieder verjüngt. Im Buch des Sängers (Divan) wird der „Flammentod" zur schöpferischen Zeugung des Zeugenden: „In der Liebesnächte Kühlung, die dich zeugte, wo du zeugtest" (Selige Sehnsucht). Zweitens tritt die Musik bei Goethe gleichsam nur punktweise auf. Wie sich in seiner Opern- und Singspieltheorie und -praxis immer wieder Rezitativ, gesprochenes Wort, Arie klar vonein-

ander abheben — in ausdrücklicher Opposition gegen alles „Durch-
komponieren"[31]) —, wie in seiner Liedtheorie die Zeltersche Technik ihm
darum als Vollkommenstes gilt, weil hier die Musik nur als allgemeinstes,
reines, durchsichtiges Medium in allen Strophen gleichbleibend die wechselnden Worte um so deutlicher hervortreten lasse, so erscheint ihm Musik
umso reiner, je ausdrucksloser in subjektiver Hinsicht — das ist der
Hauptinhalt seiner Ablehnung Schuberts u. a. —, je ausdrucksreicher in
„allgemein" verklärender, „erhebender" Hinsicht sie ist, je mehr — wie
z. B. in der Opera buffa der Italiener — „der Komponist gleichsam als ein
himmlisches Wesen über der irdischen Natur des Dichters schwebt"[32]).
Die erste Faust II-Szene wie die späteren Partien der Helena-Oper und
Klassischen Walpurgisnacht bieten darum „begleitende" Musik im „Geisterkreis schwebend". Die „Erhebung" Fausts in die „hellere" Welt der
Faust II-Sphäre erfolgt durch das Medium, nicht durch den Gehalt der
Musik, durch die Musik als „Element", nicht als Ausdruck.

Dazu kommt, daß Goethes Drang zur „leidenschaftsloseren" Sphäre,
zur subjektfreien Reinheit der Phänomene sich schon außerordentlich früh
mit seinem Ringen um Singspiel, Oper und sinnlich-ostentatives Theater
verband. In diesen Kunstarten, vor allem in ihren italienischen Formen,
sah er naiv-reine Naturformen der Kunst, die, gerade weil sie Sinn und
Ausdruck hintansetzten und den Gegenstand rein, ungetrübt und in voller
heiter-sinnlicher Gegenwart vorwiesen, ihn unermüdlich zur Nachahmung
reizten. Goethe hatte in Italien, wie er im Alter rückblickend glaubte,
„die Maxime ergriffen, mich so viel als möglich zu verleugnen und das
Objekt so rein als nur zu tun wäre, in mich aufzunehmen"[33]); er verband, wie die italienischen Zeugnisse in der Tat bekunden, diese Neigung
zur Entpersönlichung unmittelbar mit seinem damaligen Interesse für das
Singspiel. Denn für ihn waren die „beiden Angeln", um „die sich wahre
Musik herumdreht", „die Heiligkeit der Kirchenmusiken und das Heitere
und Neckische der Volksmelodien ... Andacht und Tanz", während eine
„Musik, die den heiligen und profanen Charakter vermischt ... gott-
los, und eine halbschürige, welche schwache, jammervolle, erbärmliche
Empfindungen auszudrücken Belieben findet, abgeschmackt ist"[34]). Welch
hohe Bedeutung diese Polarität des unvermischt „Heiligen" und „Heiteren"
für wesentliche Teile des „Faust II", für die Plutus- und Heroldgestalt,
für Euphorion usw. hat, wird uns noch später beschäftigen. Wenn die
leidenschaftlich fordernde Sprache der Seele erlischt, bieten das „Heilige"
und das „Heitere" wie Himmel und Erde dem erstaunt sich in einer
„anderen" Welt befindenden Faust zwei neue, ungeahnte Möglichkeiten
der Aussage und Darstellung an. Denn die Musik, und vor allem die
heilige und heitere Musik, steht nach Goethe, zusammen mit Farbe und
Licht, im Range der Natur- und Kunstphänomene auf „unglaublich hoher"
Stufe, ja sogar über Farben und Sprache hinaus auf „höchster" Stelle:

„Die sonoren Wirkungen ist man genötigt, beinahe ganz obenan zu stellen. Wäre die Sprache nicht unstreitig das Höchste, was wir haben, so würde ich Musik noch höher als Sprache und als ganz zuoberst setzen", heißt es in einer späten, allgemeinen Betrachtung über die Rangstufen der Natur[35]). Die eigentümlich konditional halb bejahende, halb verneinende Art, mit der Goethe hier die Musik der Sprache gegenüber erhöht und zugleich zurücksetzt, verrät den eigentlichen Sinn seiner Musiklehre: Musik ist als klingendes, sonores Naturphänomen höchste Stufe überhaupt, als Sprache des Herzens und Sinnes ist ihr das Wort überlegen. Musik erlöst ins Allgemeine und „Höchste", Sprache zieht zurück ins Besondere. Die immer mehr sich steigernde Neigung Goethes aber, in Faust II das Wort ins Klanglich-Lautmalende zu wandeln, ja es geradezu zum Klangkörper und zur „Geräuschkulisse" zu machen, wie Kurt Mays Sprachanalyse nachweisen konnte, zeigt, daß dieses Höhere, ja Höchste der „sonoren Wirkungen", die Goethe sogar über die Farbwirkungen stellte, langsam die gesamte Kunstatmosphäre von Faust II beherrscht und eine völlig neue Grundstimmung erzeugt, die es nunmehr von anderer Seite aus genauer zu definieren gilt.

Dringt nämlich hier in Vorgängen, deren Hintergründe sich noch beliebig erweitern ließen, die Kunstpraxis Goethes vor bis zu einer „höheren" Lebens- und Kunsthaltung auf der Basis von Musik, Lethe, Schlaf, so tritt neben diese Wendung zur Musik noch die viel wesentlichere zu „Theater", Maske, Tanz und stummer Bildmanifestation. Hier erst erreicht Goethes Kunstlehre ihren Gipfel:

Schon in der hochklassischen Zeit um 1800 erscheint — im Gegensatz zu Schiller — die klassische Entindividualisierungslehre bei Goethe in einer ausdrücklichen Wendung zum sinnlich-bildhaften „Theater"[36]), vor allem zur „Maske", von deren Einführung auf dem Weimarer Theater er sich den Anbruch einer neuen, höheren Kunstepoche versprach, da durch sie der „vornehmste" der „Grundsätze" erreicht sei, „welche man bei dem hiesigen Theater immer vor Augen gehabt ... der Schauspieler müsse seine Persönlichkeit verleugnen und dergestalt umbilden lernen, daß es von ihm abhänge, in gewissen Rollen seine Individualität unkenntlich zu machen"[37]). Später, um 1815, erhält dann in einer mehrfach auftretenden Polemik gegen den Grundsatz: „Erkenne dich selbst!" die Maske analog dem Schleiermotiv die Funktion der Befreiung des Subjekts von sich selbst und einer Erhebung auf ein objektiveres, wahreres, höheres Sein: „Erkenne dich! — Was soll das heißen? Es heißt: sei nur! und sei auch nicht! ... Erkenn ich mich, so muß ich gleich davon. Als wenn ich auf den Maskenball käme und gleich die Larve vom Angesicht nähme"[38]). Maske und Schleier bewahren das objektiv wahrere Sein, das sonst im subjektiven Drang der Selbstbeobachtung und -analyse „davon" müßte: In „Dichtung und Wahrheit" bekennt Goethe, er sei gern Inkognito und in

Verkleidung gereist, um seinen reineren, wahreren Wert, das, was menschlich an ihm ist, besser wirken lassen zu können[39]. Andererseits wird dort bereits eine andere Funktion der Maske angedeutet, die gerade für den späten Goethe wichtig ist: die Vervielfältigung der Masken. Bei dem Versuch, sich zu demaskieren, gerät er statt ins wahre Selbst in eine neue Maske: „Die erste Maske hat mich in die zweite getrieben"[40]. So wenig grundsätzlichen Wert diese Stelle beanspruchen kann, so deutlich weist sie gegenüber der hochklassischen Haltung auf eine neue Stufe, die außerordentlich wesentlich ist für die Technik des spätgoetheschen „Festspiels" etwa seit „Des Epimenides Erwachen", vor allem für die vervielfältigende Reihung dieser Spiele:

Die entschiedene Neigung zum Biographisch-Individuellen seit etwa 1809/10, das Interesse für das Historisch-„Lokale" und Nationale, welches schon seit etwa 1804 das klassische Entindividualisierungsprinzip stark aufgelockert hatte, rückte das Lethemotiv immer mehr ab von der geschilderten Erhebung ins musikalisch „Allgemeine" (Egmont, Lehrjahre) und ließ eine neue Kunstform entstehen. Vor allem das Theater stellte den Dichter nunmehr vor das Problem, die „symbolischen, höheren "Ansprüche mit der spiegelnden Vervielfältigung des Individuellen zu verbinden, die immer mehr das Charakteristikum Goethescher Prosa und Poesie wird bis in die konkreteste Technik der „Wanderjahre", „Dichtung und Wahrheit" usw. hinein. Die „höheren Forderungen der Poesie", sagt Goethe bezüglich „Des Epimenides Erwachen", können sich einerseits „auf dem Theater nur symbolisch oder allegorisch aussprechen", und „hierzu habe ich früher die Masken, später die spanischen Stücke gebraucht". Andererseits sei die Aufhebung der „Rollen" zu fordern, um der „Individualität der Schauspieler" und den „Kunstbemühungen, sich in mehrere Gestalten zu verwandeln"[41], freieren Raum zu verschaffen. Der Gegensatz zur Hochklassik, in der Goethe gerade das Auslöschen der Individualität der Schauspieler verlangt hatte, ist eindeutig. Eine neue Spannung, nämlich die zwischen „symbolisch-allegorisch" und vervielfältigend-individuell, tritt auf und bezeichnet die eigentliche Problematik der Goetheschen Alterskunst seit dem „Divan" und den „Festspielen": Die Individualität wird einerseits überwunden, „vergessen" und ins „Symbolische" erhöht, andererseits in tausendfältigen Spiegeln festgehalten, gebrochen, vermannigfaltigt und nur so auf „höhere" Stufen gestellt. Während einst die Verklärung durch Schlaf und Musik bei Egmont als ungreifbar plötzliche Erlösung nur am Ende aufleuchten konnte, weil sie den Helden aus sich selbst befreite ins Absolute und damit sein irdisches Dasein, sein charakteristisches Sosein aufhob, erscheint im Alter eine völlig neue Fragestellung, nämlich die, ob nicht „Symbolisch-Allegorisches" und „Höchstes" schon mitten im individuell realen Dasein aufleuchten könne. Man muß sich darüber klar sein, daß in Faust II schon rein äußerlich die Aufhebung der Individualität bereits zu Beginn, statt am Ende stattfindet. Die Frage lautet dann: Wozu wird er verwandelt? Löscht er seine Individualität aus, wie die hochklassische Forderung es will, so bleibt kein Gerüst mehr und kein Raum, in dem er handelt und lebt. Konsequent mußte daher um 1800 eine in sich auswegslose Spannung entstehen:

Da Goethe damals noch nicht — weder in seiner dichterischen Technik noch in seiner Grundhaltung — die Möglichkeit kannte, das „Höhere" und das „Individuelle" unmittelbar zu verbinden[42]), vielmehr leidenschaftlich versuchte, Typisches, Überindividuelles in reiner allgemeiner Menschlichkeit zu gestalten, so mußte er damals mit einer Heftigkeit, die später nicht mehr statthat, die ursprüngliche Faustgestalt in ihrem unendlich subjektiven Drang als „barbarisch fratzenhaft" verwerfen, ohne andererseits einen Weg zu sehen, die Faustgestalt auf jene „klassische", typische Ebene zu heben, die seinen damaligen poetischen Darstellungsbereich bezeichnet: Ausschließlich Helena mußte ihn „anziehen". Fausts Charakter blieb bewahrt, aber unter dauerndem innerem Protest des Dichters und auch der neuen Heldin Helena, die das Faustische in ihrer ersten Begegnung mit Faust — im Gegensatz zur heutigen Fassung — gleichfalls „widerwärtig" und „abscheulich"[43]) findet. Fausts Schlaf im Anfang war in den ersten Skizzen dementsprechend noch nicht Auslöschung des Ich, sondern eine neue Versuchung (Vorspiegelungen des „Ruhms" usw.). Faust stellte die alten „abstrusen Forderungen" an sich, verfiel denselben „Spekulationen" wie früher, seine psychologische Struktur blieb erhalten, aber in unaufhörlichem Widerspruch zu Goethes eigener, inzwischen gewonnener klassischen Haltung. Goethe „betrübte" es, wenn er „das Schöne in der Lage meiner Heldin", das „mich so sehr anzieht ... zunächst" (im Rahmen der Fausthandlung) „in eine Fratze verwandeln soll"[44]), mochte auch Schiller tröstend antworten, daß „das Barbarische der Behandlung, das Ihnen durch den Geist des Ganzen auferlegt ist", den „höheren Gehalt nicht zerstören und das Schöne nicht aufheben, nur es anders spezifizieren" könne. Goethe mußte notgedrungen die ganze Arbeit an Faust II abbrechen, trotz oder gerade wegen des Schillerschen Hinweises darauf, daß „der Fall", „die schönen Gestalten und Situationen ... zu verbarbarieren ... Ihnen im zweiten Teil des „Faust" noch öfters vorkommen" werde. Solange Faust noch im Sinne von Faust I konzipiert war, solange andererseits „Helena", zu der sich Goethe unwiderstehlich „gezogen" fühlte, die neue klassische Richtung vertrat, war keine Übereinstimmung möglich, und selbst der geplante künstlerische Kontrast („der Trost, den Sie mir in Ihrem Briefe geben, daß durch die Verbindung des Reinen und Abenteuerlichen ein nicht ganz verwerfliches poetisches Ungeheuer entstehen könne, hat sich durch die Erfahrung schon an mir bestätigt") konnte bei dem damaligen geringen inneren Verhältnis zur alten Faustgestalt, sowie aus anderen Gründen[45]) nicht durchgeführt werden. Die Komposition war nur dort zur Ausführung zu bringen, wo

Helena rein auf sich selbst gestellt in Erscheinung trat, d. h. in dem erhaltenen großen Helenamonolog vom Jahr 1800. Der Gedanke, Faust selbst zu verwandeln, blitzte noch nicht auf, und er konnte auch nicht aufblitzen, solange nicht die künstlerischen Medien vorhanden waren, durch die er Gestalt hätte annehmen können: Faust, verklärt im Sinne des Egmont der Schlußszene oder der ja gleichfalls ursprünglich dämonisch-disharmonisch konzipierten Mignon, hätte einen Sprung ins Absolute bedeutet ohne sinnlich greifbare Möglichkeit der Realisierung. Erst als mit der großen Wende zur Zeit des „Divan", vorbereitet schon durch die Hinneigung zum Historisch-Individuellen seit 1805/06[46]), die überindividuelle Typik der Klassik einer Vervielfältigung und unendlich sich brechenden Mannigfaltigkeit im Symbolischen selber weicht, als sich die „höhere" Welt allegorisch-symbolischer Darstellungen mit individueller und geschichtsgebundener Einzigkeit mischt, erst da taucht eine neue Form der Verwandlung auf: die Vervielfältigung seiner Persönlichkeit in einer ins Unendliche gespiegelten, gebrochenen und zurückgestrahlten Symbol- und Geschichtswelt mit Hilfe von Masken, Revuen, Aufzügen oder symbolisch-allegorischen Teilgestalten des Faustischen Wesens: Knabe Lenker, Euphorion, Homunkulus usw. Die erhabene Monumentalität der ursprünglichen Helenatragödie wird im „farbigen Abglanz" des Irissymbols in die Vielfalt von Bildern gespalten, in denen Fausts Seele unmerklich aufgehen kann, ohne einen tiefgehenden Riß in seinem Charakter zu erfahren. Faust löst seinen unendlichen Drang in die Unendlichkeit der Symbole auf, die ihm gleichfalls Totalität verleiht, ja sogar seinem „Begehren nach Unmöglichem" (V. 7488) entspricht, d. h. das „Wesen" Fausts auf höherer, symbolischer Stufe bewahrt. Die subjektive Unendlichkeit weicht der objektiven des Symbols[47]). Endlich war jene Basis gefunden, auf der das „Höhere" sich zugleich sinnlich konkret, in scharf abgehobenen Gestalten darstellen konnte, „symbolisch-allegorisch" und zugleich „deutlich"-individuell manifestierbar. Auch inhaltlich konnte Goethe einzig jetzt erst den Fauststoff wieder gestalten, weil nunmehr seine dringendsten Anliegen, seine geologischen, künstlerischen, biologischen und anderen Interessen, unmittelbar kraft der allegorisch individualisierenden neuen Technik in die große Weltfahrt Fausts eingehen konnten.

Doch kann die vorgenommene Deutung dieser Wende erst beweiskräftig werden, wenn erstens die tatsächliche Stellung Goethes zu den neuen künstlerischen Medien von Faust II — Maske, Musik, Revue, Opernform usw. — schärfer bestimmt wird und wenn zweitens das Verhältnis des „Charakters" Fausts zur neuen Kunstform, d. h. die Spannung zwischen seinem Tatengenius und der „Scheinwelt", sein Verhältnis zur Geschichte, die Wechselbeziehung zwischen dem Historisch-Individuellen auf der einen Seite und dem Typologisch-Naturgeschichtlichen auf der anderen, zwischen Maske und Person, Symbol und Inhalt usw., prägnanter untersucht sind.

Wie die künstlerischen Medien von Faust II zur inhaltlich neuen Bestimmung dieses Dramas, vor allem zum Lethemotiv stehen, davon gibt der „Berliner Theaterprolog" von 1821, der die einzelnen Gattungen — Tragödie, Schauspiel, Komödie, Oper usw. — in symbolischen Szenen auftreten läßt, ein bedeutungsvolles Beispiel. In Paralip. I zu diesem Theaterprolog bezeichnet Goethe als „höchsten Zweck der Kunst: Allgemeines Entzücken. Vergessen sein selbst und aller Verhältnisse, versenkt in die Darstellung. Erregtes Entzücken, Mitgeteiltes Entzücken. Aufgeschlossene Herzen, Unbekannte, ja Feinde umarmen sich"[48]). Das „Vergessen sein selbst", das Faust zu Beginn des zweiten Teils beglückt, ist also auch Grundlage einer Goetheschen Kunsttheorie, ja es ist „höchster Zweck aller Kunst", der merkwürdigerweise in keiner anderen Kunstform gewährleistet ist als im „Tanz", in dem der Prolog gipfelt, nicht nur aus äußeren Gründen (um der Aufführung willen), sondern auch aus einem inneren Grunde. Im „Tanz" faßt Goethe die ganze Kunstlehre zusammen, weil das reine „Versenktsein in die Darstellung" in ihm ein „magisch Überraschendes", ein „Genuß ohnegleichen" sei, der durch keine ausgesprochene Deutung — und das heißt bei Goethe immer: durch keine die höchste Kunstwirkung störende und ablenkende Zielrichtung — aufgehoben werden kann: „Der holde Tanz, er muß sich selbst verkünden. An ihm gewahrt man gleich der Muse Gunst, Das höchste Ziel, Den schönsten Lohn der Kunst. O möge den Geschwistern (allen anderen Kunstgattungen) sämtlich glücken / Solch allgemeiner Beifall, solch Entzücken! Denn das ist der Kunst Bestreben, Jeden aus sich selbst zu heben, Ihn dem Boden zu entführen; Link und recht muß er verlieren / Ohne zauderndes Entsagen; Aufwärts fühlt er sich getragen! Und in diesen höhern Sphären / Kann das Ohr viel feiner hören, Kann das Auge weiter tragen, Können Herzen freier schlagen. Und so geht's den Lieben allen / Die im Elemente wallen, Welches bildend wir beleben ... Die Kunst versöhnt der Sitten Widerstreit ... Eins wird vom andern schicklich angefaßt: Wie Masken, grell gemischt, bei Fackelglanz, Vereinigt schlingen Reih- und Wechseltanz"[49]).

Tanz, Maske, Theater, Mummenschanz sind also durchaus tiefer und anders zu fassen, als sie je von einem anderen Dichter oder Ästhetiker verstanden wurden. Weit entfernt von der verzehrenden Innerlichkeit der Theaterapotheosen des 19. Jahrhunderts, weit entfernt auch von der pompösen „Äußerlichkeit" der zwischen Vergänglichkeitstrauer, Entleerung und Auffüllung mit „Stoff" verfangenen metaphysisch-sinnlichen Theaterkunst des Barock[50]) werden Tanz, Theater, Masken usw. symbolische Mittel und Zeichen für den Eintritt in den Kreis der Urphänomene, in den Zirkel eines Kosmos, in dem „die Herzen freier schlagen", weil hier „jeder aus sich selbst gehoben" ist, „versenkt in die Darstellung". Indem beim greisen Goethe das Auslöschen des Subjektiv-Leidenschaftlichen fast identisch wird mit der Erhebung des Helden auf die stumm zeichenhafte Kunstebene von

Tanz, Theater, Bild und „Masken", die sich in „Reih- und Wechseltanz"
ineinander schlingen und „höhere Sphären", eine „freiere", heitere und
souveränere Welt offenbar machen, tritt die Theaterwelt von Faust II
plötzlich in höchster Bedeutsamkeit vor unseren Blick: Die Streichung der
ersten Skizzen zu Faust II zugunsten einer rein revuehaften Hofszene und
großen Mummenschanzdarstellung, die Technik der „Reihung", das Zurücktreten des Helden hinter der „Darstellung", die sonderbare Tatsache,
daß Faust — entgegen früheren Plänen und entgegen auch der späteren
Eckermannbearbeitung — sofort nach dem ersten Monolog völlig verschwindet und erst wieder unkenntlich maskiert als Plutus mitten in der
Mummenschanz auftaucht, ohne vorher auch nur mit einem Wort seinen
Entschluß, in die kaiserliche Welt zu gehen, auszusprechen, ist in tiefen
Kunstüberzeugungen Goethes begründet, an denen keine werkgerechte
Faust II-Deutung mehr vorbeigehen darf. Schon in der Anfangsszene des
schlafenden, sich selbst vergessenden Faust ist, so unerwartet es scheint,
faktisch die gesamte spätgoethesche Kunstlehre angeschlagen, denn wenn
gleichzeitig mit der Arbeit an Faust II im Paralip. zum Hamburger
Theaterprolog von 1827 das Theater als „eine Art letheischer Quelle und
Heilmittel"[51]) bezeichnet wird und wenn es schon 1821 als eine „Heil-
quelle" erscheint für „alle Stände, Geschlechter, Jahre ... Hilfsbedürf-
tige"[52]), so liegt unzweifelhaft bei der Überführung Fausts in die höhere,
hellere Welt des Faust II-Werkes auch der Gedanke einer Einführung in
die stumm-maskenhafte Theaterwelt im Hintergrunde verborgen. Das
Medium und „Element", in das Faust tritt, welches „bildend der Dichter
belebt", ist irgendwie auch Inhalt und Ziel des Faustischen Weges selbst,
weil „der Weg ...", der in der Kunst zurückgelegt (wird), selbst schon",
wie es einmal bei Goethe unter Ablehnung aller „didaktischen", auf ein
„Ergebnis" drängenden Endziele heißt, „als erreichter Zweck betrachtet
werden kann"[53]).

　　Daraus ergibt sich eine wichtige Folgerung: Der oft von der Forschung
empfundene Mangel an greifbaren, ethischen, sozialen oder weltanschaulich
formulierten Resultaten in Faust II ist letztlich darin begründet, daß
Goethe schon in den Kunstmitteln selbst eine Gewähr für die höhere
Stufe, auf der Faust steht, sieht. Bestimmte Kunstgattungen werden zum
Inhalt und Wesen der Faustischen Entwicklung selber, bestimmte Kunst-
medien repräsentieren bereits „magisch Überraschendes". Diese merkwürdige, erst in der Einzelanalyse voll zu würdigende und zu überschauende Tatsache, die mit formalistischem Ästhetizismus nichts zu tun
hat, wird umso wichtiger und einleuchtender, als Goethe auch umgekehrt
seine Kunsttheorien lieber in sinnlichen Theatervorgängen und Maskeraden
statt in einer begrifflich deduzierenden Ästhetik zur Darstellung brachte.
Ja, das Auffälligste ist, daß die poetischen Bilder und Zeichen, die er zur
Manifestation der Kunstgattungen und ihrer Theorie benutzt, in erstaun-

licher Parallelität auch in „Faust II" auftreten. So erscheinen etwa der Umschlag vom plutonischen Feuer zu den himmlischen Elementen in der Salamandervision des Kaisers („Lustgarten"-Szene) sowie bestimmte Bildfolgen der Klassischen Walpurgisnacht auch in der Allegorie, welche im „Berliner Theaterprolog" die Theorie der Oper sinnbildlich vorführt. Die „lyrische Stelle", die dort „die Oper nach ihren Haupteigenschaften exponiert"[54]), entwickelt als Kern der Oper einen plötzlichen Umschlag von den äußersten Schrecken „plutonischer" Nacht zum „erfreulichen" Aufleuchten der „Iris", dem Hervortreten von Sonne und Regenbogen unter der Begleitung lieblicher Geisterreigen, nämlich den Tänzen von Sylphiden und Undinen. Wie Faust von den „Greueln" der Gretchentragödie erweckt wird zum Leben durch Sonne und Iris, so exponiert Goethe die „Haupteigenschaften der Oper" unter dem gleichen Bildmaterial und in der gleichen Bildfolge:

Die Oper ist Umschlag vom tragischen Extrem gräßlichen „Feuermeers grausester Tiefe" zu überirdischstem Licht. Ferner wird sie als Ganzes scharf abgehoben von allem, was „dem Menschensinn gemäß" ist, worunter z. B. alle gesprochene, im menschlichen Raum sich vollziehende Dramatik (Tragödie, Schauspiel, Komödie) zu begreifen ist, die sich schon rein architektonisch im Gegensatz zur Oper nicht in der Natur, sondern in einem „prächtigen Saal oder einer Vorhalle in antikem Stil" (Paralip. 88[55]) abspielt. Durch etwas „Wunderbares", „Dämon"-Artiges, einen plötzlich „begeisternden" Ruf aus anderen Sphären („Die Muse tritt begeistert zurück, als wenn sie etwas aus den Lüften hörte") wird die Oper herbeigelockt und in die N a t u r gebannt: „Der Schauplatz verwandelt sich in eine Wald- und Felspartie": „Und von den niedern zu den höchsten Stufen sind Kräfte der Natur hervorgerufen" (V. 126 f.). Die Oper lebt primär in a u ß e r m e n s c h l i c h e r Natur: Sie steht unter dem Zeichen des „Elementarischen", das in „niedern und höchsten Stufen" erscheint, nämlich in den fürchterlich unterirdischen: Salamandern (Feuer), Gnomen (untere Erde), „phosphorisch glänzenden Furien", und in den erlösend-überirdischen: Sylphiden (Luft) und Undinen (Wasser), die durch „Iris" (Regenbogen) „himmlische Vermählung" mit der Erde feiern. Wie Goethe bereits in seiner Musiklehre und -praxis (musizierender Knabe in der „Novelle", Mignon u. a.) Heiligstes und Profanstes, Andacht und Tanz, Überirdisches und Unterirdisches unter Ausschluß des alles auf sich selbst beziehenden Gemüts als die Naturformen wahrster Kunst feierte, so wird die Oper Zeichen eines Kosmos, der sich vor den Augen des betrachtenden, sich selbst vergessenden Menschen großartig in Extremen entrollt. Auch dies ist ungewöhnlich und fremd und doch von Goethe immer wieder gestaltet, angedeutet und ausgeführt worden: „Und so schließen wir unseren Idyllenkreis", heißt es einmal bei Betrachtung von Tischbeins Idyllen bei einem den Umkreis der ganzen Kunst umfassenden Ausblick,

„oder vielmehr, ehe wir aus derselben herausgetreten, befreunden wir uns mit etwas Höherem, Übermenschlichen, das uns desto erfreulicher aufnimmt, als wir an der sinnigen Behandlung des Untermenschlichen, dem Künstler dankend, Freude genossen. Und an der Schwelle des Übergangs sprechen wir aus wie folgt: „... Alles habt ihr nun empfangen, Irdisch war's und in der Näh; Sehnsucht aber und Verlangen Hebt vom Boden in die Höh. An der Quelle sind's Najaden, Sind Sylphiden in der Luft, Leichter fühlt ihr euch im Baden, Leichter noch in Himmels-Duft; Und das Plätschern und das Wallen Ein und andres zieht euch an; Lasset Lied und Bild verhallen, Doch im Innern ist's gethan"[56]). Die Rettung der Kunst, wenn „Lied und Bild verhallen", vollzieht sich in den überirdischen Elementen auf der „Schwelle des Übergangs" vom „Untermenschlichen". Indem die Oper einen kosmischen Kreis von den äußersten Extremen der Unterwelt zu den äußersten Extremen der Überwelt unter A u s s c h l u ß des eigentlich formulierbar Menschlichen (gesprochenes Drama, psychologische Entwicklungen usw.) schlägt, leuchtet in ihrer sinnlichen Darstellung der Totalität des Elementarischen zugleich ein „Wunderbares" auf, das als außerhalb des menschlichen Willens stehend „dämonisch" wirkt im Sinne sowohl des Schrecklichen wie des erfreulich Heilenden. Damit schließt sich der Ring des Letheproblems: Waren schon seit je bei Goethe Schlaf und Lethe biologisch-überbiologische (verklärende) Antworten auf die physisch-kreatürliche Tragödie des Seins, so treten nun im Alter auch die Medien von Schlaf und Lethe (Natur und Musik) selbständig heraus und begründen einen originär Goetheschen Entwurf des Kunstwerks, der die Totalität der außermenschlichen „Natur" als Echo und Erwiderung auf die Totalität jeder inneren Seinsverstörung in sich begreift. Nur in diesem weiten Sinne können die schwebenden, tanzenden Natur- und Elementargeister des Anfangs den Helden erlösend und heilend auf die höhere Stufe der neuen Dichtung erheben, die zugleich eine neue Totalität und kosmische Unendlichkeit verheißt. Das Einschlafen Fausts im Schoß der Natur ist das Erwachen in der Oper.

Erst so wird das Verhältnis der „Tragödie" des ersten Teils zur „Oper" des zweiten Teils deutlich. Denn auch in der Tragödie, vor allem in der Schicksalstragödie, hat Goethe den gleichen Umschlag zwischen den Extremen vollzogen, ja, Goethe deutet geradezu die Schicksalstragödie um in die Oper. Im „Weimarer Maskenzug" von 1818, jener bedeutsamen „Poetik" seines Alters (von „nichts weniger als von einer weimarischen Poetik" spricht Goethe)[57], tritt als erste und gipfelnde Tragödie Schillers die „Braut von Messina" auf, und zwar in Gestalt von Mutter, Tochter und Aurora; vom „düstersten Punkt des Ganzen" erfolgt in der Schicksalstragödie ein Umschlag in „die höheren Regionen", und zwar genau wie im ersten Faust II-Monolog durch Sonne und Iris: „Ein Sonnenabglanz heilt und hebt mich gar" (V. 661). In schroffem Widerspruch zur tatsächlichen Schillerschen Schicksalstragödie führt Goethe mitten in das Walten des Schicksals die Hoffnung — vgl. Orphische Urworte und unsere späteren Darlegungen[58]) — und die Erlösung ein durch das Medium des „farbigen Abglanzes" und der „Friedenstaube". Und auch hier erfolgt dieser Umschlag in der Doppelheit des Elementarischen und Himmlischen: „der Himmel flammet, Seltsam geregelt, Strahl am Strahle strahlt. In Schreckenszügen Feuersworte malt" (V. 670), worauf die unlösbare Rätselfrage nach dem Verhältnis von Schicksal und Schuld die Antwort erzwingt: „Alsdann vernimmt ein so bedrängtes Flehen Religion allein von ewigen Höhen" (V. 688 f.).

Damit tritt das Problem, wie sich der „unbedingte", ins Grenzenlose strebende Charakter Fausts zur Scheinwelt der Dichtung verhalte, in den rechten Lösungsbereich: Die Oper als elementar-dämonische Kunstsphäre ist Abbild des Unbedingten im Reiche des Kosmos. Die vielumrätselte Definition, die Goethe im hohen Alter (1825) dem Dämonischen gibt, zielt ja auf „eine unglaubliche Gewalt über alle Geschöpfe, ja sogar über die Elemente", auf ein „von allen Bedingungen Losgebundenes", das sich real (im Bedingten) als „dämonischer Schein" offenbart, ferner auf ein Gegengewicht des Dämonischen gegen „das Universum", mit dem es „den Kampf begonnen", d. h. auf eine Totalität, aus der der „ungeheure Spruch entstand": „Nemo contra deum nisi deus ipse", und endlich auf ein „Unfaßliches" mitten im Faßlich-Natürlichen, vor dem man sich nur „durch Flucht hinter ein Bild retten" kann[59]). Fausts Erwachen im Schein der Oper und des farbigen Abglanzes ist, so sonderbar es klingt, nicht der Verzicht auf das Unbedingte des titanischen Kampfes — dazu ist Goethes Nähe zum Dämonischen, wie die vorhergehenden Zitate belegen, gerade im Alter viel zu innig—, sondern es schenkt die Möglichkeit, des Dämonischen überhaupt gestalthaft ansichtig zu werden, das Unbedingte im „dämonischen Schein" durchschimmern zu lassen. Denn eine doppelte „Freiheit" wird in dieser Begegnung des Titanischen mit dem rettenden „Bild" sichtbar: die Freiheit des „unbedingt" Dämonischen und des heiter erlösenden „Bildes". Der ungeheure Spruch: nemo contra deum nisi deus ipse bedeutet, im genauen Gegensatz zur spinozistischen Umdeutung R. M. Meyers[60]), nicht eine rational-universalistische Fesselung von Natur und Gott, sondern ein Infreiheitsetzen des „Unbedingten" im Phänomen des irrational kometenhaft einbrechenden „Dämonischen". Desgleichen ist das „Bild", hinter das sich Goethe „flüchtet", die frei produktive, poetisch irrationale Möglichkeit, dies „unfaßlich" Dämonische ahnungsvoll aufleuchten zu lassen, Herr über es zu werden durch verschleiertes Andeuten. Das „Bild" ist das Durchschimmern, das souveräne, künstlerisch gemilderte Walten des Dämonischen im Schein, woraus sich die ganze geschilderte Paradoxie des Goetheschen Bildes ergab; ja, unsere folgende Einzelanalyse der Mütterszene, des „Ungeheuren" in der Klassischen Walpurgisnacht usw. wird bis ins feinste Detail nachweisen können, daß für Goethe in der Tat immer wieder gerade in „Bildern", Zeichen und „Scheinwesen" ein unumschränkt „Unbedingtes" sich zu manifestieren sucht, das jeden Monismus gerade im Naturdenken des späten Goethe ausschließt und den Spruch: nemo contra deum usw. nur darum zu einem „ungeheuren" macht, weil er nahe daran streift, das Dämonisch-Unbedingte sozusagen zum selbständigen Gott zu machen, der den Kampf gegen das „Universum" und damit gegen Gott aufzunehmen wagt.

Der Eintritt in Natur und Musik, in den Geisterkreis der „Elemente" usw., der sich in noch viel höherem Maße in der Flammengaukelszene, im zweiten Akt und selbst im vierten Akt in seiner ganzen Gewalt und Bedeutung für die Faust II-Dichtung darstellen wird, garantiert also gerade eine Souveränität und Freiheit des Unbedingten, ja sogar eine „Herrschaft" über die „Elemente" (s. dazu vor allem die Flammengaukelszene), die nach Goethes tiefsten Überzeugungen im dumpf-subjektiven „Drang" des früheren Faust verlustig zu gehen drohte. Der frühere Faust ist gerade der in sich Gefesselte, Bedingte, während in „Faust II" das Unbedingte dem Tragisch-Subjektiven eine kosmisch-elementare Totalität entgegenstellt, die im unaufhörlich zündenden „Reflex" zwischen Oberstem und Unterstem, Elementarischem und Himmlischem lebt und webt. Am 16. November 1808 schreibt einmal Goethe im Tagebuch: „Betrachtungen über den Reflex von oben oder außen gegen das Untere und Innere der Dichtkunst, z. E. die Götter im Homer nur ein Reflex der Helden; so in den Religionen die anthropomorphistischen Reflexe auf unzählige Weise. Doppelte Welt, die daraus entsteht, die allein Lieblichkeit hat, wie denn auch die Liebe einen solchen Reflex bildet. Und die Nibelungen so furchtbar, weil es eine Dichtung ohne Reflex ist; und die Helden wie eherne Wesen nur durch und für sich existieren"[61]). Die assoziative Verbindung von modern, subjektiv, nordisch, furchtbar auf der einen Seite und antik, objektiv, lieblich, naturhaft, rein elementarisch auf der anderen Seite, die für Goethes Kunstlehre und sein Verhältnis zwischen nordisch und antik auch in „Faust II" so ausschlaggebend ist, findet also in der Reflexlehre und im Bild vom farbigen Abglanz ihren vielleicht tiefsten Grund. Das Eingehen des Menschlichen ins „Untere und Obere", ins Elementarische wie Göttliche, die Aufnahme in den vervielfältigenden Reflex von Natur und Übernatur ist der eigentliche Prozeß, der mit Faust vorgeht, als er in die „höhere" Welt tritt, in der er fast gänzlich in den unendlichen Spiegelungen von Natur, Himmel, Erde und Unterwelt verschwindet. Das Unbedingte der Faustischen Existenz erscheint als Durchbruch zur kosmischen Mannigfaltigkeit, während die frühere titanische Unbedingtheit des „durch und für sich Existierens" als „Befangenheit" in sich selbst längst überwunden und abgewehrt ist.

Deutlich bezeugt diese Wandlung der „Divan". Das „Umlosen" und

Umtauschen der „Persönlichkeit"[62]), das „Verkörpern" in die Fülle des Elementarischen („Aber uns ist wonnereich In den Euphrat greifen, Und im flüss'gen Element Hin und wieder schweifen"[63]) und ins „unbegrenzt" Kosmische („Dein Lied ist drehend wie das Sterngewölbe")[64]) erscheint schon dort als höchste „heiterste" Freiheit einer unbedingten „Übersicht des Weltwesens", durch welche „die entferntesten Dinge leicht aufeinander"[65]) beziehbar werden. Vor allem aber die „Pandora", die bis in einzelnste Bildschichten hinein gleichfalls eine Vorstufe von Faust II darstellt, muß hier zur Aufhellung genannt werden. Denn erst in dieser Dichtung wird der eigentliche Zentralpunkt, der dieser ganzen Symbolik Halt und Sinnfülle verleiht, in strengster Folgerichtigkeit sichtbar. Mit Recht hat die Forschung das Faustische Wort vom „farbigen Abglanz" oft auf den Ausspruch in der „Pandora" bezogen: „... bestimmt, Erleuchtetes zu sehen, nicht das Licht", ohne sich jedoch die Vorgänge ganz klar zu machen, die zu diesem Ausspruch führen. Zunächst ist auch dort „völliges Vergessen" die Voraussetzung für die „Wiederkunft Pandorens" und ihrer Büchse[66]). Und zwar ist der Prozeß hier derart streng logisch gestuft, daß er geradezu als reinstes Beispiel alles dessen, was wir bereits aus dem Lethemotiv entwickelten, einstehen kann: Auf die unstillbar verzehrende Sehnsucht des Epimetheus, dem gerade das fehlt, was später Faust zuteil wird: das Vergessen („Vergangenem nachzusinnen" ist sein Fluch [V. 10]), und auf den ruhlos blind tätigen Drang des Prometheus — d. h. auf das jeweils in sich selber subjektiv Verfangene der zwei Brüder — folgt durch den Verzweiflungssprung der Kinder Phileros und Epimelaia in die Elemente Wasser und Feuer der Einbruch in die Grenzen des Daseins und damit der Umschlag der Tragödie: Phileros steigt auf aus dem Meer als Bacchus, als Herr und zugleich Teil des Elements: „Spielen rings um ihn die Wogen ... Spielt er selbst nur mit den Wogen" (V. 101/3). Eos, die Sonne, erhebt sich in der gleichen Bedeutung des farbigen Abglanzes wie in Faust II: „Daß nicht vor Helios Pfeil erblinde mein Geschlecht, Bestimmt, Erleuchtetes zu sehen, nicht das Licht" (V. 956 ff). Musik und Licht setzen ein mit denselben Emblemen, die Goethe später der Oper verlieh: Phileros erscheint als „Dionysos mit Pantherfellen und Thyrsus" genau wie später die Oper im „Berliner Theaterprolog". „Völliges Vergessen" leitet über zur eigentlichen „Wiederkunft der Pandora" (die übrigens wiederum in vielem der Helenadarstellung gleicht)[67]) sowie zur endlichen „Verjüngung des Epimetheus" unter Mitwirkung von „Helios"[68]). Katastrophe, Lethe, Sonne, Iris, Verjüngung und Erwachen zur schöpferischen „Tat" und „Kunst" sind in der „Pandora" in genau der gleichen Aufeinanderfolge gestaltet wie im ersten Faust II-Monolog. Und in beiden Werken laufen sie auf die Geburt und Erscheinung der Kunst zu: in der „Pandora" auf „Kunst und Wissenschaft", die neben „sitzenden Dämonen" auf Erden sich realisieren[69]); in Faust II auf die „Achse" des Ganzen, die

Zitierung Helenas, auf die schon der ganze erste Akt ausgerichtet wurde, wie seine Entstehungsgeschichte zeigt.

Parallele Erscheinungen in anderen Werken ergänzen das Bild: In „Des Epimenides Erwachen" ist es der „Schlafende", welcher das Geschehende „reiner" in sich birgt und bewahrt als die im Geschehen selbst Verfangenen. Der Umschlag von der Katastrophe zur Erlösung erfolgt dort durch einen jähen Wechsel von den durch unterirdische Mächte eingestürzten Trümmern zur überirdischen Erscheinung der „Hoffnung", die magisch verwirrend aus höheren Regionen herabsteigend mit Wolken und Schleiern die negativen Dämonen blendet. Die endliche Befreiung ist ferner zugleich eine Befreiung des „Genius". In der „Zauberflöte zweiter Teil" „schläft" gleichfalls der Genius im „Kästchen"[69a]) in unterirdischen Grüften und wird durch den Gang in Feuer und Wasser befreit und in einer transparenten „Licht"-Vision erlöst. Im „Märchen" erfolgt die Rettung durch das Opfer der Schlange im Wasser und den Aufstieg des im Unterirdischen verschütteten Tempels mit einer abschließenden Sonne- und Spiegelvision. In den „Lehrjahren" wird der Harfner „verjüngt" gerade durch die „Todesnähe"[69b]) usw. Das Motiv der „Verjüngung" war Goethe so wichtig, daß er im Maskenzug von 1818 als wesentlichste Szene der ganzen Faustdichtung Fausts Verjüngung darstellte. Ferner ist zu beachten, daß in der „Pandora" als Zielpunkt der ganzen Bildfolge die Geburt von Kunst und Wissenschaft im „Tempelsitz" der „Dämonen" geplant war, daß nicht anders im „Märchen", in der „Zauberflöte zweiter Teil" usw. im „Tempel" eine höhere Kunstsphäre auftritt und daß der erste Faust II-Monolog ausdrücklich ein Licht auf den „Helenaakt zurückspiegelt", in dem das Wesen der Schönheit und Kunst selbst zur Erscheinung kommen sollte.

Sollten also Schlaf, Lethe, Sprung in die Elemente und Beherrschung des über- und unterirdischen Kosmos selbst für Goethe Voraussetzungen der Kunstschöpfung sein? Kunst und Natur träten dann in ein völlig neues Verhältnis zueinander: Das „Elementarische", das naturgleiche Niederreißen ästhetischer oder titanischer Sehnsucht durch entschlossenen Sprung in das Ende des Seins würde Voraussetzung einer neuen Schöpfung, welche den Kosmos beherrschte durch Bilder, Zeichen und „farbigen Abglanz". Kunst würde weniger Ausdruck der Seele als souveräne gewaltlose Beherrschung der Natur. Andererseits würde Natur selber nur noch Zeichen für die über die Elemente gebietende Produktivkraft des Künstlers. Indem durch Schlaf und Lethe, durch den Sprung in die bergende und heilende Macht der Natur das Subjekt aus sich heraustrat, steht nichts mehr an Stelle des Alten. In der spiegelnden Fülle der Zeichen treten unaufhörlich vertauschbar Seele und Natur ineinander über.

Das Wort vom „farbigen Abglanz", das in gleicher Weise am Ende der „Pandora" wie am rettenden Anfang von Faust II steht, scheint also Voraussetzungen in sich zu enthalten, die in weit elementarere Schichten führen, als es zunächst den Anschein hatte.

Sonne und Iris und die Symbolstruktur von Faust II

Macht man sich historisch wie grundsätzlich die Wendung klar, die der Begriff des farbigen Abglanzes anzeigt, so erscheint systematisch betrachtet ein zwiefacher Umbruch in ihr: der Umbruch vom Ästhetischen ins Elementarische und der Umbruch vom Elementarischen ins Symbolische, historisch betrachtet der Umbruch von der tragisch-ästhetischen Schwebehaltung der Hochklassik (etwa seit „Tasso") ins Elementarisch-Symbolische der „Pandora", des „Divan" usw. Selbst in den „Wahlverwandtschaften" steht kontrapunktisch zur lähmenden „Stille" und „Schwebehaltung" der Ottiliegestalt und -tragödie und den ästhetisch auf sich selbst gerichteten Menschen, „die vorwärts oder rückwärts zu greifen durch Umstände oder durch Wahn veranlaßt" sind[70]), der elementare Sprung der „wunderlichen Nachbarskinder" in den Fluß, durch den sie „sich vom Wasser zur Erde, vom Tode zum Leben, aus dem Familienkreise in eine Wildnis, aus der Verzweiflung zum Entzücken, aus der Gleichgültigkeit zur Neigung, zur Leidenschaft gefunden" haben, „alles in einem Augenblick — der Kopf wäre nicht hinreichend, das zu fassen, er würde zerspringen oder sich verwirren"[71]). Und auch hier ist diese spontane Rettung ein Eindringen in eine subjektlose „Vermummung": „Und fielen sich mit unmäßiger Leidenschaft, und doch halb lächelnd über die Vermummung, gewaltsam in die Arme"[72]).

Diese Stelle trifft genau den Punkt, wo sich Unbedingt-Dämonisches und Heiter-Symbolisches beim späten Goethe berühren. Äußerste Leidenschaft, total-plötzliche Verschränkung von „Leben und Tod" und „lächelnde" Spiegelung in außermenschlichen Hüllen verschmelzen hier zu einer inneren Einheit, die unnachahmlich Stil, Ausdruck, Atmosphäre und Gehalt der künstlerischen Spätwelt Goethes prägt. Hat doch Goethe über diese einzelne Episode hinaus die gleiche Szene in völlig analoger Weise verschiedentlich wiederholt, so z. B. im „Mann von fünfzig Jahren", wo der Sohn gleichfalls zwischen Tod und Leben nach einem jähen Eintritt aus finsterer Nacht in das hellerleuchtete Schloß gerade durch seinen blutüberströmten Anblick die Liebe in dem Mädchen erweckt und am nächsten Morgen in heiterer Vermummung vor ihr erscheint, oder in der abschließenden Liebesszene unter dem Spiegel in der Novelle: „Wer ist der Verräter?" u. a. Der Eintritt des „Ungeheuren", „Dämonischen" ist bei Goethe stets engstens verknüpft mit dem Heiteren, Subjektlosen von Hüllen, Masken, Schleiern und ihrer Beherrschung.

Damit wird das Bild vom „Flammenübermaß ewiger Gründe" und vom

„farbigen Abglanz" im ersten Faust-II-Monolog einer werkentsprechenden Deutung zugänglich. Diese Symbolik neuplatonistisch so zu verstehen, als enthalte das „Flammenübermaß" der Sonne das absolute, volle und wahre Wesen der Dinge, der farbige Abglanz nur ein realeres, niederes Abbild, widerstreitet dem Kunstschaffen und -denken Goethes. Noch 1829 wehrt sich der Dichter ausdrücklich gegen Plotin mit der Bemerkung: „Eine Form ... wird keineswegs verkürzt, wenn sie in der Erscheinung hervortritt ... Das Gezeugte ist nicht geringer als das Zeugende; ja es ist der Vorteil lebendiger Zeugung, daß das Gezeugte vortrefflicher sein kann als das Zeugende"[73]). Andererseits aber ist auch der klassische Symbolbegriff aus der Freundschaftsverbindung mit K. Ph. Moritz längst überwunden. Das sinnliche Bild oder Kunstwerk stellt keineswegs mehr unmittelbar in sich im Schein die Welttotalität dar[74]), sondern wird schon um 1810 zu einer „Art Symbolik", in der „das Bezeichnete mit dem Bezeichnenden in fast gar keinem Verhältnisse zu stehen scheint"[75]). Der „Abglanz" ist eben doch nicht — auch nicht im Schein — das „ewige Licht" selbst, obgleich er sogar „vortrefflicher" sein kann als der Ort, aus dem er stammt. Das „Bezeichnende" spricht keineswegs mehr durch sich selbst das „Bezeichnete" aus. Der idealistisch-organische Symbolbegriff, den Goethe schon Moritz gegenüber nur mit Vorbehalten geteilt hatte, ist an entscheidender Stelle durchbrochen, indem er Medien, Zwischenglieder, Zwischenelemente benötigt, welche die Brücke vom Zeichen zum Bezeichneten schlagen. In der zitierten Äußerung von 1810 ist dieses Medium die Musik. Oft ist es das Licht: Ursprünglich vereinzelte, nur als Teile gesehene Gemälde treten plötzlich durch das Medium des Lichts „überraschend" zu einem „unbekannten Ganzen"[76]) zusammen. An anderer Stelle sind es ganze Ketten von Bildern, deren Zusammenhänge im wörtlichen Sinn erraten werden müssen. Manchmal sind es Allegorien. Aber selbst die Prägung der Allegorie mit dem Signum des Begriffs entzieht sie noch nicht dem „Geheimnis" des Höheren, das auch noch dieses Zeichen ergreift und es ironisch-heiter in ein noch Bedeutenderes wendet, wie die Knabe Lenker-Allegorie, die „Hoffnungs"-Allegorese Elpores in der „Pandora" und andere Allegorien beweisen. „Denn daß ein Wort nicht einfach gelte, Das müßte sich wohl von selbst verstehn. Das Wort ist ein Fächer ... Der Fächer ist nur ein lieblicher Flor. Er verdeckt mir zwar das Gesicht, Aber das Mädchen verbirgt er nicht, Weil das Schönste, was sie besitzt, Das Auge, mir ins Auge blitzt"[77]). Wiederum taucht hier mitten in der „Verdeckung" das „Aufblitzen" höherer zentrierender Liebes- und Geistesmächte auf, wie ja durchgehend in den nur scheinbar scherzhaft leicht hingeworfenen Liebesgedichten im „Divan" nach Goethes eigener Aussage eine „Vermummung" enthalten ist, „wohinter ein höheres geistiges Leben sich schalkhaft-eigensinnig versteckt, um uns anzuziehen und in edlere Regionen aufzulocken"[78]).

Die tausendfältig irisierende Brechung des Sonnenstrahls im Wasser-
sturz verfremdet also die Zeichen ihrer einzelnen Bedeutungen. Nichts
ruht mehr auf sich selbst. Alles weist in ein anderes. Und hier wohl liegt
die tiefste Beziehung des Irisbildes zum Helden selber: Auch der Held
wird sich fremd. Auch er umspannt nicht mehr im Sturm seines Gefühls
aus Chaos und Glauben eine erschütterte Welt. Auch er steht sich selbst
gegenüber wie ein Zeichen dem anderen Zeichen, in der grenzenlosen Gewißheit aber des „Durchblitzens" höherer Geistesmacht und ungeheuren
„Flammenübermaßes". Gleichnis und Grenze des Daseins, Schleier und
Wahrheit, farbiger Abglanz und Flammenübermaß sind Pole, die in spontaner Einheit gedacht werden müssen, wie sie entstehungsgeschichtlich bei
Goethe aus dem heftigen Umschlag von Tod in Leben, vom „völligen
Paralysieren" zur „Verjüngung" immer wieder erwachsen, Preisgabe an die
Elemente und zugleich triumphierende Herrschaft über sie dokumen-
tierend. Was das für den Helden selber bedeutet, zeigt folgende Dar-
legung:

Sonne und Iris und das „andere Selbst" in Bild und Porträt

Wenn wir soeben ausführten, der Held werde sich „fremd" im Ergreifen einer höheren Symbolwelt, so mag hier auf eine sonderbare
Parallele im Übergang Wilhelm Meisters von den Lehrjahren zu den
Wanderjahren hingewiesen sein. Beim Lesen seines Lebens überfällt Wilhelm
eine „schauderhafte Empfindung", die sich zur „Krise", ja „Krankheit"
steigert, als er so „zum erstenmal sein Bild außer sich sah". Wie in Fausts
Umbruch bezeichnen Krise und Krankheit den Weg zu einem Dasein, in
dem der Held sich seiner selbst entäußert, denn Wilhelm sieht „nicht, wie
im Spiegel, ein zweites Selbst, sondern wie im Porträt ein anderes
Selbst"[79]), das keineswegs mit dem Bild übereinstimmt, das er sich von
sich selber gemacht hatte; er „bekennt sich nicht zu allen Zügen". Das
Innere rückt ab vom Äußeren und wird fremdes Bild eines „anderen
Selbst", das in die Vielheit von „Reihen" „anderer Lebensläufe" eingeht:
Wilhelms Rolle (Lehrbrief mit Lebenslauf) liegt neben zahllosen anderen,
wobei überdies noch aus dem Lebenslauf als Ergebnis die „Lehre" gezogen wird, alles in der Welt, vor allem die Kunst stumm, ohne Worte,
als reine „Handlung" zu begreifen[80]). Wenn Goethe dann später (1821)
von Wilhelm Meister schlicht sagt, er habe „so vieles schon in den Lehrjahren gelernt", daß er „auf der Wanderschaft desto mehr Fremdes an
sich vorübergehen lassen" muß[81]), so trifft auch diese Wanderung aus der
schon längst „symbolischen Welt der Lehrjahre", in „der jede Lösung eines
Problems ein neues Problem" hervorbringt, weil „überall noch etwas
anderes dahinter steckt"[82]), genau das Problem, um das es sowohl in der

subjektlosen Welt der Wanderjahre als auch in Faust II geht. Schon zu Beginn der „Wanderjahre" wird der Held so völlig aufgesogen von der Umwelt, werden die Gebäude und Bildwerke (etwa im Hause der Heiligen Familie) so schillernd symbolisch, daß sie geradezu die Personen erzeugen: Maria und Josef sind nur noch Spiegelungen der Lebensdarstellungen der uralten heiligen Familie, deren „Vergangenheit sich wieder in euch darstellt", so daß „das Gebäude eigentlich die Bewohner gemacht"[83]). Die „Vergegenständlichung" der Umwelt, von der May, Kommerell usw. bezüglich des „Faust II" sprechen, ist also im Grunde gar nicht so zu denken, daß eine reale Umwelt ein extremes Übergewicht über den Helden erhalte, sondern in dem Sinn, daß erstens die Umwelt selbst höhere Urbilder der Helden repräsentiert und bedeutungsvoll vorweist, was soweit geht, daß Goethe in seine eigene Autobiographie ständig „Urgeschichten" seiner eigenen Geschichte „einlegt"[84]), und daß zweitens dem Helden in der Anschauung solcher Urbilder höhere Bereiche seines Selbst offenbar werden. Die produktive Funktion dieses Erscheinens eines „anderen Selbst" hat einmal Goethe in dem merkwürdigen Satz formuliert, mit dem Wilhelm Meister seine zukünftige Partnerin auf seinen Wanderungen in den Lehrjahren charakterisiert. Wilhelm „beschäftigte sich, das Bild der Amazone (jene halbvisionäre Erscheinung im Wald, in der einst Wilhelm Natalie sich verklärt überhöht als „Engel" im Geiste vorgestellt hatte) mit dem Bild seiner neuen gegenwärtigen Freundin zu vergleichen. Sie wollten noch nicht miteinander zusammenfließen; jenes hatte er sich gleichsam geschaffen, und dieses schien fast i h n umschaffen zu wollen"[85]). Nichts kann inniger die Verbindung von Lethe, Erlöschen seiner selbst und Wiedergeburt, „Umgeschaffenwerden" durch das „Andere" ausdrücken als ein solches Sich-Nicht-Decken von Wunschbild und erscheinendem Bild.

Der „Abglanz" des Urbildes also ist bei Goethe nicht die Projektion eines im Helden selbst erzeugten machtvollen Absoluten, auch nicht der Widerschein realer Dinge, sondern die produktiv wechselseitige Geburt und Wiedergeburt zwischen „anderem Selbst" und Ich.

Reihung, Ironie und „farbiger Abglanz" und ihre Abgrenzung vom Ästhetizismus

Doch noch eine andere, nicht minder wichtige Kunstform hängt mit dem Dargelegten aufs engste zusammen: Reihung und Ironie. Die Verfremdung des Ich von sich selbst wird in jenem entscheidenden Brief an Eichstädt, der im Abschied von „Dichtung und Wahrheit" das schärfste Urteil über seine autobiographischen Bemühungen und zugleich den Entschluß zum Abbruch der Arbeit enthält, einmal zu folgenden Konsequenzen erweitert: Goethe ist erfreut, daß „in Geist und Gemüt der vorzüglichsten Männer der Nation", d. h. im Echo, das seine Autobiographie fand, sich sein Leben „dergestalt rein abspiegelt, daß nicht mehr von Lob und Tadel, sondern nur von physiologischen und pathologischen Bemerkungen die Rede bleibt"[86]). Der „reine Spiegel" des Ich im Leser ist gewährleistet, wenn das Ich zum Bild einer bloßen Natur wird und der Sphäre des ethischen Urteils entrückt ist. Spiegelung also im reinen und wahren Sinne ist möglich durch Verwandlung des Porträts in Natur. Eine ähnliche Erscheinung liegt in der Novelle: „Wer ist der Verräter?" vor, wo der Held vor einem Spiegel das Bild einer ganzen Naturlandschaft von einem erhöhten Gartensaal aus einfängt, sich von sich selber, den Verwirrungen seines Herzens wie der Konvention befreit und am Schluß selbst mit der Landschaft und als Teilstück der Landschaft Objekt der Spiegelung wird. Julie führt ihn dort nach dieser Spiegelung im Wagen in die „Äußerlichkeiten"[87]) der unter dem Spiegel liegenden Landschaft und erklärt auf seine Frage: „Nun gerade hier spiegeln wir uns oben in der großen Glasfläche, man sieht uns dort recht gut, wir aber können uns nicht erkennen"[88]).

Aus solch spiegelnder Objektivierung des Ich entsteht eine Reihung. Goethe wird es gerade durch dieses Abrücken des Ich in das Bereich der Natur „immer deutlicher, ... daß es nun über diese Konfession (Dichtung und Wahrheit) eine zweite, und über diese sodann wieder eine dritte, und so bis ins Unendliche bedürfe, und die höhere Kritik würde immer noch zu tun finden"[89]). Indem das Ich sich aus sich selber löst und in den Kreis der Naturphänomene eingeht, entwickelt sich eine unendliche Kette von Erkenntnis- und Bekenntnisvorgängen, weil nicht mehr eine endgültige Meinung (Lob oder Tadel), sondern ein in sich unendlicher, objektiver Daseinsprozeß zur Darstellung kommt. Die Aufspaltung der Persönlichkeit in die Fülle von Natursymbolen in Faust II ist also im Grunde ein Vorgang, der bereits im Innern der Individualität Goethes und in seiner Art, im Alter sich selbst darzustellen, vorfindlich ist. Indem sich Goethe in einem „anderen Selbst" in der Natur wiederzuerkennen sucht, beginnen sich sämtliche psychologischen Phänomene aus ihm herauszustellen und zu Naturbildern zu werden, an denen „die höhere Kritik", der es nicht um Aburteilung, sondern um Herausschälung des Wesens des Seienden geht, bis ins „Unendliche" zu „tun findet", weil erstens das Psychologische zum Gleichnisbild wird für etwas Natürliches, dies Natürliche aber zweitens wieder weiter reizt zur Entdeckung neuer Analogien im Psychologischen, woraus ein unendliches Wechselspiel zwischen Gleichnissen, fortschreitenden „Konfessionen" und kritischen Erkenntnissen entsteht ähnlich dem Ineinandergreifen chemisch naturwissenschaftlicher und psychologischer Vorgänge in den „Wahlverwandtschaften".

Ferner mischt sich „Ironie" in das Spiel. Schon 1810 notiert sich Goethe: „Unterhaltung über Biographica und Ästhetica ... Ironische Ansicht des Lebens im höheren Sinne, wodurch die Biographie sich über das Leben erhebt"[90]). Ironie wird ihm zum Mittel, „den gefährlichen Fall" jeder Konfession — „lamentabel zu werden, weil man nur das Morbose, das Sündige bekennt und niemals seine Tugenden beichten soll"[91]) — zu überwinden durch heiteren Abstand von sich selbst und durch Spiegelung und vielfältige Brechungen. Auch Ironie ist Flug ins „Höhere". Sie „erhebt über das Leben" und steht bei Goethe merkwürdig polar zu Aberglaube und Magie, welche die dünn intellektualistische Luft des Ironischen wohltätig ausgleichen und „zurücknehmen". Während Ironie über das Leben erhebt, zieht sich die Biographie „durch superstitiose Ansicht" „wieder gegen das Leben zurück". „Auf jene Weise (durch Ironie) wird dem Verstand und der Vernunft, auf diese (durch Aberglaube) der Sinnlichkeit und der Phantasie geschmeichelt; und es muß zuletzt, wohl behandelt, eine befriedigende Totalität hervortreten"[92]). Ironie und Aberglaube („Ahnungen", „höhere Winke" usw., die ja zahllos in Goethes Werken auftreten) sind also bewußte Kunstmittel Goethes, die „Totalität" hervorbringen sollen, indem sie Unterstes und Oberstes, höchste Freiheit des Geistes und tiefste Beugung unter die Gewalt übergreifender Mächte in sich vereinen. Die fast unbegreifliche Mischung von sarkastischer Ironie und Ehrfurcht vor dem „magisch Überraschenden" und „Wunderbaren" auch und gerade in Faust II entsteht nicht zuletzt aus diesem Drang Goethes nach künstlerischer „Totalität" und nach einer Weite der Dichtung, die beides, Abstand vom Leben und Wiederzurückziehen in das Leben, zu vereinen vermag.

Und endlich gelangt diese unendliche Brechung des Selbst in Natur und Übernatur vor einen Punkt, an dem sie zu tödlichem Ernste erstarrt: Indem die Selbstspiegelung nun ihrerseits Werk wird und als solches vor den Spiegelnden tritt, „läuft" in diesen „noch höheren Regionen ... Ironie zur Phrase aus"; der Spiegelnde erschrickt[93]) vor seinem verfremdeten Bild und bricht das Gebildete ab. Dieser bis in die Idolszene Helenas, bis in wichtige Schichten Ottilies, bis in entscheidende Teile der „Wanderjahre" usw. reichende Vorgang — der schon im Umschlag des Ich-Tons in den Er-Ton im vierten Teil von „Dichtung und Wahrheit" und in dem damaligen plötzlichen Abbrechen des Buches auf Grund solchen „Differenz-Punktes"[94]) erschütternd zum Ausdruck kommt — kann erst bei der Untersuchung der Schichtung der Helenaszenen voll zur Klarheit gelangen. Dennoch ist er hier schon zu nennen, weil er die letzte Folge des Lethe- und Irissymbols darstellt und die vielleicht bedeutendste Abgrenzung gegen jeden modern-intellektualistischen Ästhetizismus darstellt, die Goethe vorgenommen hat:

Der Goethesche Schein- und Spiegelbegriff ist gerade in der Selbstkonfrontation des Ich mit seinem Porträt abgrundtief geschieden von jedem „über sich selbst Reflektieren" des Künstlers. Im gleichen Kapitel von „Dichtung und Wahrheit", wo Goethe das Idyll von Sesenheim nochmals widerspiegelt in der Lektüre des „Landpriesters von Wakefield" und wo es heißt, daß die lebenden Personen „hier sich selbst in einem Spiegel" sehen und „auf der Welt eine doppelte Rolle zu spielen haben, eine wirkliche und eine ideelle"[95]), führt Goethe eine Polemik gegen den damaligen Prototyp intellektualistisch-ästhetischer Selbtspiegelung, gegen Rousseaus Pygmalion durch. In den Lesarten zu dem Buch 11 heißt es dort: „Pygmalion von Rousseau. Merkwürdige Erscheinung. Ein Künstler, der über sich selbst reflektiert, über sein Werk. Mischung der Sinnlichkeit und des Artistischen. Mischung der Prosa und der Musik. Nochmaliges Melodram. Erwachender Naturalism in der Kunst. Durch Rousseau und Diderot weiter begünstigt und vorbereitet"[96]), und in der Ausführung dazu schreibt Goethe: „Die höchste Aufgabe einer jeden Kunst ist, durch den Schein die Täuschung einer höheren Wirklichkeit zu geben. Ein falsches Bestreben aber ist, den Schein so lange zu verwirklichen, bis endlich nur ein gemeines Wirkliche übrig bleibt ... Diese wunderliche Produktion (Rousseaus Pygmalion) schwankt gleichfalls zwischen Natur und Kunst, mit dem falschen Bestreben, diese in jene aufzulösen . . . Er (Rousseau) will das Höchste, was Geist und Tat hervorgebracht, durch den gemeinsten Akt der Sinnlichkeit zerstören" (indem das Kunstwerk als real lebend vom Künstler umarmt wird)[97]).

Scharf deckt Goethe hier eine Beziehung zwischen Intellektualismus, Naturalismus und Ästhetizismus auf, deren genaue Erfassung wesentlich ist für die Bestimmung von Goethes Gegenposition: Einem Künstler, der über sich selbst und sein Werk reflektiert, der im Werk sich selbst und in sich selbst das Werk sucht, der auf Seelenergründung die Kunst und auf Kunstanalyse die Seele gründet, vermischen sich unversehens „Prosa und Musik". Musik wird prosaisch, die Prosa musikalisch durchsetzt. Nicht spricht „rein" mehr ein Höheres zu einer Seele, die verschlossen im Sein und als geschlossenes Sein auf „ewiges Sein" blickt im Ringen um Totalität, sondern Höheres nistet sich ein im Labyrinth einer Seele, die sich in sich selber vergebens sucht und das Höhere mit dem sinnlich Eigenen hoffnungslos austauscht. Indem sich der Künstler mit dem Kunstwerk seelisch verbindet, das Höhere des Werks als Teil seiner Seele entwirft und liebend umarmt, zerrinnt ihm Seele und Werk in einer unaufhörlich in sich selber kreisenden Spiegelung dessen, der „über sich selbst reflektiert". Der „Schein" wird realisiert, indem er auf den Menschen sich zuwendet, um damit in „gemeine Wirklichkeit" überzugehen. Gerade die Entfaltung von Illusion auf dem Theater, die Neigung, in Kulissen und Perspektiven das „Gefühl" zu behaupten, als sei der Zuschauer „wirklich" in die Welt des Zaubers versetzt, bringt „Naturalismus" hervor, der ja stets eng mit impressionistischem Illusionsdrang verwandt ist und dem „ideellen Lokal", das Goethe im Theater erblickt, schroff widerstreitet. „Sinnlichkeit" und „Artistik", intellektuelle Bewußtheit und sinnliches Raffinement geraten dort in engste Nähe zueinander, wo das alles zu sich heranziehende, alles ins „Gleiche", Immanente verwandelnde psychologistisch-demokratische Pathos die gesamte Sphäre des Höheren und Niederen als Schein wie als Wirklichkeit dem „Erkennbaren", Diskutierbaren und Analysierbaren zuordnet. „Wir sehen einen Künstler, der das Vollkommenste geleistet hat, und doch nicht Befriedigung darin findet, seine Idee außer sich, kunstgemäß dargestellt und ihr ein höheres Leben verliehen zu haben; nein, sie soll auch in das irdische Leben zu ihm herabgezogen werden"[98]. Klarer kann nicht die objektivierende Haltung des Schein- und Spiegelbegriffs Goethes gegen die subjektivistische Vermischung von Schein und Ich ausgedrückt werden. Die „Idee" soll „außer sich" dargestellt werden. Im Spiegel der Kunst hält Goethe ein „Äußeres" fest, das zugleich ein „Höheres" ist, weil „Urphänomene" in ihm er-scheinen. Dies allein ist die „doppelte Rolle", die „wirkliche und ideelle", die nach Goethe der Mensch auf der Welt spielt, wenn er im Kunstwerk, verwandelt, erhöht, als „anderes Selbst" sich erkennt, wenn er, wie Goethe, bei der Erinnerung an die eigene Kindheit plötzlich die Kindheit der Menschheit beschwört und „Urgeschichten" (patriarchalische Zustände) in die modernste Lebensgeschichte einflicht, nicht allegorisierend, nicht deutend, nicht unmittelbar subjektiv auf den Helden beziehend, sondern als klaren, fremden, andersartigen Spiegel, durch dessen reine Betrachtung von den verschiedensten Menschen und Zeiten aus ein gemeinsam „Höheres" durchstrahlt. Und wenn Faust nun in ähnlichem Sinn nach dem Verlust seines einstigen Selbst (Lethe) in eine „Urwelt" von Antike, Gesellschaft, Geschichte und Kunstgeschichte eintritt, so ist das „Höhere", das er ergreift, das ganz und gar „Äußere", „außer sich Dargestellte", das in die „gemeine Wirklichkeit" wie auch ins aufquellende Gefühl der Seele zu ziehen, dem Goetheschen Kunstgeist widerspricht.

Dies ist die Ursache der Faustischen „Scheinwelt", dies der Grund des personenlos ungreifbaren Nicht-Ich des Faust, dies auch der Grund des Nichtverstehens im 19. Jahrhundert. Die Vermischung von Sinnlichkeit und Artistik, „Prosa und Musik", Seele und Kunst, die breiteste Schichten der Kunst- und Kritikwelt des 19. und beginnenden 20. Jahrhunderts beherrschte, versperrte den Weg gerade zum Eigensten der Faustischen Dichtung.

Wie aber stellt sich konkret diese Dichtung uns dar? Wie verhält sich Fausts Charakter als Tatmensch zu dieser Sphäre des Höheren?

Das Verhältnis des Irissymbols zu Wille und Tat in der „Farbenlehre"
und Dichtung

Die Einwanderung des Subjekts in den Kosmos erfolgte, wie wir sahen, durch das Medium einer vielfältig sich brechenden Symbolik, die den Helden „umzuschaffen" und in höhere Regionen zu erheben vermag, gerade weil sie nicht unmittelbar aus der spontanen Fülle seines Innern entsprang. Das unendlich gebrochene Licht führt zur Totalität nicht durch unvermitteltes Eintauchen ins „Flammenübermaß ewiger Gründe", sondern durch Anerkennung des „anderen Selbst": „Und deines Geistes höchster Feuerflug Hat schon am Gleichnis, hat am Bild genug ... Du zählst nicht mehr, berechnest keine Zeit, Und jeder Schritt ist Unermeßlichkeit"[99]). Unermeßlichkeit: der farbige Abglanz schenkt dem „beschränkten" Subjekt eine Freiheit, die ihm einst im unendlichen Drange verloren zu gehen drohte. Die Analyse des „farbigen Abglanzes" in Dichtung wie Farbenlehre beweist das: In der Dichtung verleiht der Regenbogen dem Menschen die höchste Macht, die er ausüben kann, die Schöpfung im Bild: „Sie (die Morgenröte) entwickelte dem Trüben ein erklingend Farbenspiel ... Allah braucht nicht mehr zu schaffen, Wir erschaffen seine Welt"[100]). Der Regenbogen ist aber auch keineswegs dem „Naturforscher ein Symbol für die Grenzen der Naturerkenntnis", wie Burdach es unter Bezugnahme auf den Faust II-Monolog deutet[101]). Denn auch in der „Farbenlehre" erzeugt die wechselseitige Ergänzung der Farben eine Totalität, die das Subjekt aus seinen „pathologischen Affekten", in die es die ausschließliche Betrachtung einer einzigen Farbe, das dynamische Aufschwellen einer „einzigen Empfindung" versetzte, herausnimmt und „in Freiheit" erhebt: „Wurden wir vorher bei dem Beschauen einzelner Farben gewissermaßen pathologisch affiziert, indem wir (uns) zu einzelnen Empfindungen fortgerissen ... fühlten, so führt uns das Bedürfnis nach Totalität, welches unserm Organ eingeboren ist, aus dieser Beschränkung heraus; es setzt sich selbst in Freiheit, indem es den Gegensatz des ihm aufgedrungenen Einzelnen und somit eine befriedigende Ganzheit hervorbringt"[102]). Ausdrücklich wird diese totalisierende und zur „Freiheit" erhebende Wirkung der Farbenskala zur Basis einer Kunstlehre: „So wichtig ist der Wink, daß uns die Natur durch Totalität zur Freiheit heraufzuheben angelegt ist, und daß wir diesmal eine Naturerscheinung zum ästhetischen Gebrauch unmittelbar überliefert erhalten"[103]). Die Aufspaltung der Unbedingtheit und Einzigkeit des Lichts ist ja, wie die Angriffe gegen Newton verraten, gerade keine Zerteilung des Lichts in seine „Bestandteile" und Beschränkungen, sondern der „farbige Abglanz" der Irissymbolik bringt auch hier in der gleichen paradoxen

Verschränktheit von unbedingt und bedingt, die wir bereits eingehend an der Goetheschen Symbolstruktur entwickelt haben, das Wesen und die Ganzheit des Lichts aus der spontan in Freiheit versetzenden Totalität der Farben hervor. Schon die Einleitung zur „Farbenlehre" formuliert das Verhältnis von Sonne und Iris, Licht und Farben in dem Sinne, daß das „Wesen" des Lichts nicht unmittelbar, sondern aus seinen „Wirkungen", den Farben, erschlossen wird, deren „vollständige Geschichte ... wohl ... das Wesen jenes Dinges (Lichts) umfaßt"[104]). Dabei ist wiederum nicht eine summierende oder induzierende Geschichte der Wirkungen, sondern ihr irrational totales Zusammenklingen zu einer „Symbolik" und „Natursprache", einer „Mitteilung höherer Anschauungen"[105]) gemeint, die das „Wesen" des Lichts als Bild und Symbol, nicht als mathematische Formel zu bezeichnen vermag.

Ferner ist wesentlich, daß Goethe in seiner Entfaltung der Farben aus dem „uranfänglichen ungeheuren Gegensatz von Licht und Finsternis"[106]) nicht den neuplatonistischen Rückschluß vollzieht, diesen Ursprung für höher und reiner zu halten als seine „Wirkungen", sondern im Gegenteil das Erzeugte, „die sichtbare Welt aus Licht, Schatten und Farben" eine „höhere Region" nennt, gerade weil sie „mannigfaltigere Verhältnisse auszudrücken hat". In der Stufenordnung von den „Ur-Dualitäten" Magnetismus, Elektrizität usw. aufwärts schreitend, sagt Goethe von den Farben, daß sie, „obgleich unter eben den Gesetzen stehend, sich doch viel höher erheben"[107]). Davon, daß das Irissymbol die „Grenzen der Naturerkenntnis" bezeichne, kann also gar keine Rede sein. In einem polemischen Gedicht gegen Haug, der den Regenbogen als „Schein und Augentrug" gegenüber dem absoluten Licht und einer absoluten Naturerkenntnis bezeichnete, schreibt Goethe: „Doch bin ich (Regenbogen) hier in's All gestellt Als Zeugnis einer bessern Welt, Für Augen, die vom Erdenlauf Getrost sich wenden zum Himmel auf Und in der Dünste trübem Netz Erkennen Gott und sein Gesetz"[108]).

Am deutlichsten aber tritt Goethes Stellung dort hervor, wo sie sich am engsten mit den Emanationsvorstellungen des Neuplatonismus zu berühren scheint. Wenn Goethe im Anschluß an Roger Bacon in bezug auf die Farbenlehre schreibt, „daß sich ... jede Jugend, jede Kraft ... alles, dem man ein Wesen, ein Dasein zuschreiben kann, ins Unendliche vervielfältigt, und zwar dadurch, daß immerfort Gleichbilder, Gleichnisse, Abbildungen als zweite Selbstheiten von ihm ausgehen, dergestalt, daß diese Abbilder sich wieder darstellen, wirksam werden und indem sie immer fort und fort reflektieren, diese Welt der Erscheinungen ausmachen"[109]), so referiert erstens Goethe auch an dieser Stelle nur Bacons Gedankengut unter Anwendung auf eine Farbenlehre, so wie sie Bacon vermutlich geschrieben hätte[109a]), und führt zweitens dieses Gedankengut in eine Richtung weiter, die den ursprünglichen mittelalterlich-nominalistischen Voluntarismus Bacons eigentümlich ins Gegenteil kehrt. Nicht mehr tritt der Wille als Ausfall und Abfall (Emanation) des Göttlich-Einen in die Welt der Erscheinungen, deren Zurücknahme unter Preisgabe des vereinzelten Willens die Welterlösung und — wie bei jedem metaphysischen Voluntarismus — die endliche Ruhe in Gott wieder garantiert, sondern dieses „Wollen" des Lichts, seine „Intention", als Abbild, als Farbe in die „Erscheinung" zu treten, wird bei Goethe ausdrücklich zu einer „Tat", ja einem „Fortschreiten, das so gut ist als das Ziel", weil es „beides ... Ziel und Vorsatz enthält". Die Tat, das Fortschreiten, wird autonom totalisierende Leistung, die im Weg schon ihr Ziel, in der Fülle der Tat schon Dank und Ergebnis erblickt. Tat und Wille sind hier völlig konträre Begriffe, falls Wille im Sinne einer Negation des Äußeren und einer unendlichen, alles hinter sich lassenden Intention auf das „Ziel" gefaßt wird, durch welches das „Tätige", irdisch Erscheinende selber zu verminderten realisierten Ausflüssen eines Absolut-Einen herabsinkt (worauf in der Tat Bacons Meinung, daß durch „das mannigfache Wirken in dieser Welt ... Fortzeugung und Verderbnis entsteht", hinweist). Nominalistischer bzw. spätantik-christlicher „Wille" und Goethesche „Tat" heben sich wechselseitig auf. Das „Fortschreiten" Goethes im „Gleichnis", „Abbild" und „Abglanz" ist eine in sich totale und absolute Bewältigung des Kosmos auf irdischem Feld, indem das Fortschreiten schon das Ziel ist, welches nicht in eine Über- oder Außenwelt projiziert zu werden braucht.

Diese Tatsache gibt unserem vorliegenden Problem, wie denn nun Fausts „Tatengenius" in der Schein- und „Gleichniswelt" der Faust II-Dichtung sich manifestiere, eine unerwartete Wendung: Gerade nämlich die „Bedingnisse", denen das Licht wie die „Intentionen" des Menschen unterworfen sind, bilden bei Goethe die elementaren Voraussetzungen totalisierender Tat. Konsequent verfällt er bei der Demonstration s e i n e s Willens- und Intentionsbegriffs auf das Beispiel eines Menschen, der den Willen hat, sich „an allen Wänden abzuspiegeln ... Man gebe hier die Bedingung der Glätte zu, man poliere die Wand mit Gipsmörtel oder behänge sie mit Spiegeln, und die Gestalt der Persönlichkeit wird ins Tausendfältige vermehrt erscheinen"[110]). Die „Bedingnisse", denen sich Faust plötzlich gegenübersieht, als er den Blick von dem Flammenübermaß der Sonne wegwendend auf die Vielfalt des farbigen Abglanzes richtet, ermöglichen also gerade die Realisierung eines „Willens", der sich selbst überschwänglich vervielfältigt und erst dadurch unaufhörlich tätig fortschreitend ein „unbedingtes Streben" erfüllt, während der frühere Faustische Drang, jedes „Ziel" über alle Grenzen hinaus ins Unerreichbare zu projizieren, von dieser Warte aus als Nichttätigkeit, als unendliche Sehnsucht, niemals aber als schöpferische „Tat" erscheint. Die Vielfalt äußerer Bedingungen begrenzt nicht die Tat, sondern erreicht ihre spontan-absolute, „im Kleinsten das Größte" schaffende Offenbarung an jeder Stelle der Erde.

Scharf polemisiert daher Goethe gegen die Vorläufer Newtons, gegen die „Tendenz jener Zeit, den äußeren Bedingungen ihren integrierenden Anteil an der Farbenerscheinung abzusprechen und ihnen nur einen anregenden, entwickelnden Anstoß zuzuschreiben; dagegen alles im Lichte schon im Voraus zu synthesieren, zusammenzufassen, zu verstecken und zu verheimlichen, was man künftig aus ihm hervorholen und an den Tag bringen will"[111]). Das unbedingte Streben Fausts stockt nicht angesichts der vielfältig gebrochenen Welt von Bedingungen und Gleichnissen, sondern tritt erst in ihr strahlend hervor: „Von abertausend Blüten ist es ein bunter Strauß, Von englischen Gemüten ein vollbewohntes Haus; Von buntesten Gefiedern der Himmel übersät, Ein klingend Meer von Liedern geruchvoll überweht, Ist u n b e d i n g t e n S t r e b e n s geheime Doppelschrift, Die in das Mark des Lebens Wie Pfeil um Pfeile trifft"[112]). Die Unbedingtheit des Strebens wird nicht im Widerstand der „Bedingnisse" gebrochen, sondern gesteigert, im „Gleichnis" oder „Symbol" nicht verfangen, sondern entbunden: „Doch mit dem Bilde hebet euren Blick: Die Rede geht herab, denn sie beschreibt, Der Geist will aufwärts, wo er ewig bleibt"[113]). Der Regenbogen ist Bewältigung des „Ungeheuren" der „ideierten" Welttotalität, er ist die „Brücke zwischen Himmel und Erde" und damit, wie Burdach sagt, „Sinnbild der Poesie"[114]). Ungreifbar und dennoch sichtbar, im Scheine verschwebend und dennoch wirklich und wahr vertritt er das „Unmögliche" im Möglichen, das ewig Ersehnte im Gegebenen, die „Idee" im Chaos der Sinne: „Der Regenbogen erschien in seiner größten Schönheit", so heißt es in jener Schilderung des Rheinfalls von Schaffhausen, die nach Goethes eigenem Zeugnis bei der Niederschrift des ersten Faust II-Monologs in ihm mitschwang, „er stand mit seinem ruhigen Fuß in dem ungeheuren Gischt und Schaum, der, indem er ihn gewaltsam zu zerstören droht, ihn jeden Augenblick neu hervorbringen muß"[115]). Als Schein in der Wahrheit, als Ruhe im „Ungeheuren", als ewige Tat im zerstörenden Chaos vertritt er nochmals die Paradoxie der Gleichniswelt Goethes.

Damit ist jedoch das Verhältnis von Tat und Schönheit, Schein und Wahrheit, Bedingtem und Unbedingtem keineswegs restlos bestimmt. Die Welt, in die Faust nunmehr eintritt: Kaiserhof, Helena, Antike, Mittelalter, Krieg usw., wird in ihrer grundsätzlichen Struktur niemals verstanden werden, solange nicht Goethes Grundeinstellung zur Geschichte überhaupt eingehender untersucht ist und in ihrem Verhältnis zur „Gleichniswelt" Goethes durchsichtig wird. Denn nur darum mußte diese Geschichtswelt in Faust II Mißverständnissen bis heute verfallen, weil sie sofort unmittelbar der Betrachtung unterzogen wurde, anstatt die Frage zu wecken, wie denn Geschichte überhaupt an und für sich beim späten Goethe poetisch gestaltet und dargestellt wird und unter welchen Problemstellungen sie in den Bann- und Interessenkreis seiner Dichtung gerät.

3. Die Symbolformen der Anfangsszene in ihrem Verhältnis zu Tat und Geschichte

Die Bildformen der ersten Szene: Kindheit, Spiegel, Hoffnung und Tat und ihre kunstgenetischen Hintergründe

Das Befremden, das in der Faust II-Kritik der Widerspruch zwischen dem Entschluß der ersten Szene („Säume nicht, dich zu erdreisten, Wenn die Menge zaudernd schweift, Alles kann der Edle leisten, Der versteht und rasch ergreift ... Du regst und rührst ein kräftiges Beschließen, zum höchsten Dasein immerfort zu streben") und der passiv zuschauenden Rolle Fausts in allen folgenden Szenen erregte, war nur möglich auf Grund einer ungenügenden Ergründung der Voraussetzungen und inneren Zusammenhänge dieser Szene. Zu wenig hat man die dichterischen Schichten, die diesen Entschluß zur Tat aufbauen, und ihre Entstehungsgeschichte beachtet.

Die vier Phasen oder „Pausen", die im Gesang der Geister in der Tataufforderung gipfeln, wertete man durchweg als lyrische Stimmungselemente und atmosphärische Einlagen, ohne den unbewußt strengen Zusammenhang, der zwischen ihnen und einer weitverbreiteten analogen Strukturschichtung in Goethes Gesamtdichtung besteht, zu erforschen. Diese vier „Pausen" sind nämlich keineswegs nur Bilder der vier Nachtwachen oder vigiliae der Römer[116]), die den Schlaf vom Abend bis zum Morgen rein lyrisch-musikalisch (Serenade, Notturno, Matutino, Reveille) umschreiben, sondern geben vier ganz bestimmte Zustände wieder, die zu den Fundamenten Goethescher Dichtung überhaupt gehören: Rückwendung zur Kindheit, Spiegelung, Hoffnung und Tat. Der Abend „wiegt das Herz in Kindesruh", die Nacht erscheint als glitzerndes Spiegeln der Sterne im See, die „tiefsten Ruhens Glück" gewähren, der Vormorgen verkündet sich als Hoffnung („Fühl es vor, du wirst gesunden"), die in dem hier ungewöhnlichen Bilde: „Und in schwanken Silberwellen Wogt die Saat der Ernte zu" bebendes Erwarten der Reife mit einer für Goethes Hoffnungsvisionen so charakteristischen Wendung ins Überirdisch-Ungreifbare, Schwankend-Silbrig-Zarte verbindet. Das Erwachen endlich führt im Wegwerfen des Schlafs: „Schlaf ist Schale, wirf sie fort" zu einem „Verstehen" und „raschen Ergreifen" und verknüpft damit Weisheit und Tat zu einem einzigen jähen Entschluß. Der Aufstieg der Sonne erweckt dann das „kräftige Beschließen, Zum höchsten Dasein immerfort zu streben"; die Rückwendung vom Flammenübermaß zu Iris und Schein erfolgt aber merkwürdigerweise nicht unter dem Zeichen einer Reife und eines Älterwerdens, sondern einer Verjüngung, einer Bergung im „jugendlichsten Schleier".

Wie diese Vorgänge: Kindheit, Spiegel, Hoffnung, Tat, Sonne, Schleier und Verjüngung im Strukturganzen der Goetheschen Dichtung stehen und untereinander zusammenhängen, soll die folgende Darlegung zeigen, weil nur so die prinzipielle Frage nach dem Verhältnis von Tat und Schein, Helena und großer Welt, Antike und faustischer Neuzeit einer Lösung nähergebracht werden kann.

Die vier Bilder, durch die Fausts Reinigung von Schuld sich vollzieht, sind Gleichnisse, wie die ganze erste Szene ein Gleichnis ist. Das Einschläfern in Kindesruh, die Spiegelung der Sterne im See, das Zuwogen der Saat auf die Ernte, alles weist auf einen anderen Vorgang, der unsichtbar im Hintergrund durchschimmert. Unsichtbar und sichtbar zugleich klingt durch das „Wiegen in Kindesruh" eine überschwängliche Hoffnung auf einen Naturstand hindurch, der im Bilde der Kindheit nicht eine wirkliche Kindheit, sondern eine über und außer allen Zeiten beheimatete urspüngliche Reinheit offenbart, die einzig und allein jene Entlastung und Verjüngung Fausts bewältigen kann. Unsichtbar und sichtbar zugleich zittern im Spiegeln der Sterne im nächtlichen See nicht nur Lichter der Hoffnung, sondern überirdische Zeugen der Verheißung, daß Himmel und Erde, Natur und Übernatur je und je im gespiegelten Abbild sich immer wieder berühren und „tiefsten Ruhens Glück" gewähren, wenn die Grenzen des Daseins überschritten sind. Unsichtbar und sichtbar zugleich sind diese Bilder Urbilder, die das Sein jeweils als Ganzes entwerfen; sie stellen Urfunktionen der Poesie dar, Grundpfeiler, die von unten nach oben sich in Lyrik, Roman, Novelle und Drama Goethes ins Unabsehbare verzweigen, aber immer wieder unverkennbar und deutlich wiederkehren im Gesamtkosmos seines Werkes:

Kindheit ist immer wieder in den verschiedensten Phasen Basis und Richtpunkt der Dichtung. „Bisher hab ich", heißt es in Rom, die Bäume und Felsen Italiens „immer nur als fremd gefühlt; dagegen freuten mich geringe Gegenstände, die mit denen Ähnlichkeit hatten, die ich in der Jugend sah. Nun muß ich auch erst hier zu Hause werden, und doch kann ich's nie so innig sein als mit jenen ersten Gegenständen des Lebens. Ich habe verschiedenes bezüglich auf Kunst und Nachahmung bei dieser Gelegenheit gedacht"[117]). „Nachahmung", dieser für den klassischen Goethe tragende Kunstbegriff, bezieht sich also primär nicht auf reale Natur, sondern auf Urbilder, die seit der „ersten Jugend" haften. „Mein jetziges Leben sieht einem Jugendtraume völlig ähnlich", heißt es wenige Tage später[118]). Die „Wiedergeburt" in Italien ist zugleich ein Wiederfinden einer Jugend, oder genauer: im Prozeß der Wiedergeburt spielt die Fiktion eines wahreren Seins, das in der Kindheit erreicht war, eine entscheidende, gründende Rolle, wie ja Nachahmung bei Goethe mehr ein „reinigender"

Vorgang ist, ein ununterbrochen erhöhendes Reinigen der Kunst durch Natur, als eine realistische Nachbildung des Äußeren[119]). Denn nicht faktische Jugend, sondern der „Traum" einer Jugend ist immer als Vorbild geschaut, mag auch eine tatsächliche Erinnerung dabei stets mitschwingen. „Es ist ein sonderbares Ding um den ersten Eindruck, er ist immer ein Gemisch von Wahrheit und Lüge im hohen Grade; ich kann noch nicht recht herauskriegen, wie es damit ist", schreibt gleichfalls in Italien Goethe[120]) und kommt einen Tag später aus diesem Schwanken zwischen Wahrheit und Lüge beim Anblick des Kunstwerks zu der ontologischen Folgerung, die „Erstzeit", „da das Werk entstand", überhaupt aller Zeit zu entheben: Er will von jetzt ab „in dem Kunstwerk nur den Gedanken des Künstlers, die erste Ausführung, das Leben der ersten Zeit, da das Werk entstand, heraussuchen und es wieder rein in meine Seele bringen, abgeschieden von allem, was die Zeit, der alles unterworfen ist und der Wechsel der Dinge darauf gewürckt haben. Dann hab ich einen reinen bleibenden Genuß"[121]). Urzeit, Vorzeit, Kindheit sind stets gegenwärtige Mahnbilder der Dichtung und stehen darum in einer eigentümlich schillernden Einheit von Traum und Wachheit, „Wahrheit und Lüge"; das Wiedergeschaute fällt nicht ganz mit dem vorgestellten Urbild ineins, erregt aber so leidenschaftlich „wahr" die Gewißheit, hier unmittelbar vor der Urquelle und Wahrheit alles Seins und ahnungsvoll dicht vor dem Tor jenes Bereichs zu stehen, der, „aller Zeit entrückt", ein „rein Bleibendes" verheißt, daß hier eine Ontologie des Kunstschaffens emporsteigt, die über das reine „Nachahmen", Nachbilden und Ergreifen des Innersten realer Kunstwerke hinaus — wie es letztgenanntes Zitat noch enthält — zu einem Urschema aller Kunst vorstößt: Bilder, Formeln, Gestalten dieses Urschemas sind z. B. die fiktiv-realen Kindergestalten Mignon, Knabe Lenker, Euphorion usw., die einer überrealen „Heimat", Antike usw. angehören, deren Leuchtkraft umso stärker, reiner und inniger ist, je mehr sie in verfernendem Schimmer verharren. Doch selbst eine solche schwankend überreale Gestalt wie die „schöne Amazone", jenes wirklich- unwirkliche Urbild einer Schönheit — das analog der Helenaschilderung als „Gestalt aller Gestalten"[122]) zeitlos „durch keine Geographie und kein genealogisches Handbuch" auffindbar ist und die gesamte Wandlung Wilhelms und seine Entscheidungen gegenüber der Kunst, dem Theater, Mignon usw. wesentlich bestimmt — weckt „Jugendträume": „Alle seine Jugendträume knüpften sich an dieses Bild"[123]), woraus sich die Betrachtung ergibt: „Sollten nicht ... uns in der Jugend wie im Schlafe, die Bilder zukünftiger Schicksale umschweben, und unserm unbefangenen Auge ahnungsvoll sichtbar werden? Sollten die Keime dessen, was uns begegnen wird, nicht schon von der Hand des Schicksals ausgestreut, sollte nicht ein Vorgenuß der Früchte, die wir einst zu brechen hoffen, möglich sein?"[124])

In der Kindheit knüpfen sich Anfang und Ende wieder zusammen, denn sie entwirft im voraus alles Spätere des Menschen: „Ich finde meine erste Jugend bis auf Kleinigkeiten wieder, indem ich mir selbst überlassen bin, und dann trägt mich die Höhe und Würde der Gegenstände wieder so hoch und weit, als meine letzte Existenz nur reicht"[125]), so beschreibt Goethe seine „Wiedergeburt" in Italien, die deutlich die künstlerische Befreiung, den „Durchbruch" zu einer höheren Kunstform als Wiederergreifen der Kindheit und Ausschreiten bis an die „letzte Existenz" offenbart; d. h.: nicht weil in der Kindheit im Keim etwa alle späteren Daseinsformen enthalten wären, die sich langsam „entwickeln" müßten, sondern weil die Kindheit eine reinere, absolutere Sphäre bedeutet, die dann wirksam wird, wenn „ich mir selbst überlassen bin", kann sie entscheidend zum Durchbruch einer neuen Kunststufe und zu einem Aufschwung zur „letzten Existenz" beitragen. Kindheit ist hier eine ontologische, keine biographische Realität. Selbst der Durchbruch zum neuen tätigen Leben in Wilhelm, der sich analog dem ersten Faust II-Monolog übrigens auch unter dem Zeichen des Regenbogens[126]) ankündigt, weist hin auf eine „Heimat", der wir — beim Anblick des Regenbogens — „näher zu sein wähnen" und „nach der unser Bestes, Innerstes ungeduldig hinstrebt". Der Mensch ist also auf der Wanderung zu einer Heimat und Kindheit, die sowohl Vergangenheit wie letztes, erfülltestes Ziel aller Zukunft umfaßt. Kindheit und Heimat sind Grundlagen eines Wahrheitsbegriffs, der von einem Uranfang alles Seins zur eschatologischen Endzeit seinen Bogen ausspannt und alles Dazwischenliegende als „fremd" ausscheidet: „Wir fühlen (beim Anblick des Regenbogens), daß wir nicht ganz in der Fremde sind"[127]. In diesem Sinn steht dann am Ende der Lehrjahre Wilhelm vor den „marmornen Statuen und Büsten" der Antike, die einst Mignon verzweifelt ersehnte, wie vor Kindheitserinnerungen und „Jugendeindrücken", ja, er „erkannte eine Muse, die seinem Großvater gehört hatte ... Es war, als wenn er ein Märchen erlebte"[128]). In Mignons Einsargung als „Erstling der Jugend", dem „nur das Alter sich nahen darf", spannt sich darauf nochmals der Kreis von den Endpunkten des Daseins, wie in ihrer „Versenkung" in die „Tiefe des Marmors" nur darum ihre ewig „bildende Kraft"[129]) sich rettet, weil in diesem Marmor Frühestes und Spätestes, Heimat und Tod sich begegnen.

Der Verklärung der Antike liegt also eine zeitlos-ewige Natur- und Kindheitsvorstellung zugrunde, die von der „Nachahmung" der Antike in Italien bis ins höchste Alter sich hält. „Die Antike", so heißt es noch in der Spätzeit, „ist ein anmutigst-idealler Naturzustand", der „noch auf den heutigen Tag die Kraft" hat, „uns wenigstens für Augenblicke von der furchtbaren Last zu befreien, welche die Überlieferung von mehreren tausend Jahren auf uns gewälzt hat"[130]). Ein dem heutigen Geschichtsdenken sonderbar klingender Satz: Die Antike tritt aus dem Bereich der Überlieferung und Geschichte heraus in eine ewig gegenwärtige Natur, ob-

gleich sie doch selbst Geschichte und „Überlieferung" ist. Doch nicht nur
die Antike, sondern auch das Mittelalter, der Orient usw. können für den
Künstler nach Goethe „zweite Natur" werden[131]). Jedes Geschichtliche hat
die Macht, umzuschlagen in Natur, sobald es zur richtenden, bildenden,
formenden, „nachahmungs"-werten Urzeit emporsteigt, d. h. sobald es in
den ontologischen Wahrheitsentwurf — jenen Bogen, der Anfang und
Ende des Seins vollgültig faßt — eingeht.

Damit erhält Fausts Reinigungsvorgang am Anfang von Faust II eine
neue Perspektive. In ihm wird auch Fausts Eintritt in die „Antike" (und
andere Geschichtswelten) von innen her als ein Ergreifen einer höheren
Kindheit und „Natur" sichtbar, wie umgekehrt von hier aus die Antike
eine ganz bestimmte, verjüngende und seinsgründende Richtung erhält,
die für das Verständnis der drei ersten Akte sehr wesentlich ist.

Entscheidender aber als alle diese Parallelen, Anklänge und Analogien,
die bei weitem nicht ausreichen würden, eine derart systematische und
breite Begründung des ersten Faust II-Monologs zu rechtfertigen, ist die
außerordentlich früh und entschieden ausgeprägte Verbindung, die Goethe
zwischen jenem Urzeit- und Kindheitsentwurf und dem Phänomen der
Hoffnung, Spiegelung und Tat hergestellt hat.

Jugend, Hoffnung und Tat in Goethes antikisierender Tragödie

Bereits auf der Wende zur Klassik, etwa zwischen 1779 und 1784, rücken
die Phänomene Tat, Jugend und Hoffnung fast identisch ineinander und
entwickeln zusammen mit ihren kontrapunktischen Gegenbegriffen Schuld,
Alter, Schicksal eine Tragödienstruktur, auf deren antikisierenden Formen
eine völlig neuartige tragische Schichtung sich aufbaut.

Elpenor, der nach dem Vorbild der antiken Tragödie ahnungslos Verderben und Schuld („Rachegeister", V. 530 ff.) auf sich lenkt, tritt hervor
strahlend wie der junge Tag, an dem die Welt nochmals entsteht, er
„schafft ein Fest, ein ungekünsteltes, den goldenen Tagen gleich, da noch
Saturn der jungen Erde vorstand". In ihm, der fast allegorisch die „Hoffnung" verkörpert (schon im Namen), fließt die uralte stoische Utopie vom
goldenen Zeitalter ineins mit der unterirdisch immer anklingenden Naturrechtslehre des 18. Jahrhunderts zu einer völlig neuen, spezifisch Goetheschen Erscheinung plötzlich gegenwärtiger Tat, die alle Welt verwandelt
und mitten im Zeitlauf in einen reinen Urstand versetzt: Beim Anblick
des Helden gewinnt blitzartig ein vorher gespaltenes Volk seine „Einheit":
„Wut und Unsinn", die „sonst das Volk durchflammten", verschwinden.
„Du wirst die Väter sehen, die Hände auf ihrer Söhne Häupter gelegt,
mit Eifer deuten: seht, dort kommt er. Der Hohe blickt den Niedern wie
seinesgleichen an; zu seinem Herrn hebt der Knecht ein offenes freies

Aug, und der Beleidigte begegnet sanft des Widersachers Blick, und lädt ihn ein zur Reue, zum offnen, weichen Mitgenuß des Glücks". Elpenor bringt mit seiner Erscheinung einen reinsten, paradiesischen Urzustand mit, der — und das ist das Entscheidende — nicht wie in der spätantiken (stoischen bzw. epikureischen) oder modern Rousseauschen Fassung des goldenen Zeitalters rational einen „natürlichen" Status mitten im konventionellen wiederherstellen will, und zwar auf Grund eines erkenntniskritisch erfaßten, systematisch begründeten, logisch als wahr und unwiderleglich formulierten Seins- und Naturbildes. Vielmehr erscheint dieser Urzustand im einzelnen Helden selbst, der zudem noch „irren" kann, also die volle Schwere und Wucht der „Tat" auf sich lädt.

Diese Wendung weist zurück in die vorchristliche Tragik dämonischer Schicksalsbestimmung. Auch die messianische „Hoffnung", die sich ja ebenfalls im einzelnen, „kommenden" Manne kristallisiert, unterscheidet sich von der Goetheschen grundsätzlich dadurch, daß sie als volle und absolute Garantie himmlischer Wahrheit, als „Verheißung" sich gibt, die gerade das spezifisch Kühne der Tat, das Undurchdringliche der Entscheidung, die Möglichkeit des Abstürzens und Irrens, d. h. die tragische Wucht des dämonischen Heroismus ausschließt. „Der Jüngling hält die rasche Glut zurück Und wartet auf dein Auge, Wohin es Leben oder Tod gebietet. Gern irrt auch der erfahrne Mann mit dir, Und selbst der Greis entsagt der schwererworbnen Weisheit Und kehrt noch einmal in das Leben Zu dir teilnehmend rasch zurück ... und diese Brust Vergießt ihr letztes Blut, vielleicht, weil du dich irrtest" (V. 965 ff.).

Der Urzustand, den Elpenors Kommen erzeugt, ist der jähe Einschlag eines großen, überwältigenden Menschen, der „Leben und Tod", „letztes Blut" fordert, „vielleicht, weil er sich irrt". Gerade die Goethesche „Hoffnung" sprengt das rational-untragische „système de la nature" des 18. Jahrhunderts. Mit dem Bild „reiner Natur", mit seiner immer wieder auftretenden Fiktion der „goldenen Zeit" und einer patriarchalisch reinen „Idyllik" ist stets und unlöslich mitzudenken das Bild vom „Kometen", das ja auch in der Klassischen Walpurgisnacht eine wesentliche Rolle spielt (im Meteorsturz), und vom Einschlag des „Dämonisch-Höheren" ins Irdische, das nur Hingabe oder Absage, unbedingte und blinde Entscheidung kennt, da nicht eine „Weisheit", sondern eine Seinstotalität aufs Spiel gesetzt ist. Tat ist die Setzung eines totalen Anfangs mitten im Zeitlauf. In diesem Sinn ist sie Jugend, Wiedergeburt, Kindheit, goldene Zeit usw. Irrational außer aller Berechnung steht sie unter dem „Stern der Hoffnung", die visionär alle Zeiten aufhebt durch den Einbruch des „Tages, den einmal nur im Leben die Götter gewähren können": „Was alles nur der Greis von guten alten Zeiten gern erzählet, was von der Zukunft sich der Jüngling träumt, knüpft Hoffnung in den schönsten Kranz zusammen

und hält versprechend ihn übers Ziel, das deinen Tagen aufgesteckt ist"
(V. 900 ff.).

Hoffnung und Tat sind die Zeichen, unter denen sich je und je bei
Goethe Weltverjüngungen und Wiedergeburten vollziehen, nicht nur hier
im „Elpenor", sondern in gleicher Folge und Verbindung im „Märchen"
(Lilie), in der „Pandora", im „Divan" und vor allem in „Des Epimenides
Erwachen", aber auch schon in den frühen Maskenzügen, den „Vier Welt-
altern", „Amor mit Treue verbunden" usw. Diese Verbindung von Hoffnung und Tat entrollt erst den transzendental-poetischen Charakter der
beiden. Denn die scharfe Abgrenzung der „gottgewählten Stunde" (erfüllte Zeit) verjüngender Tat (des Phileros) vom irdisch geschäftigen Tun
(des Prometheus) in der „Pandora", die dort gegen Prometheus ausgesprochene Lehre, daß „vom Himmel" sich „ungeahnet" „Wort und Tat"
niedersenken (V. 1047 und 1058 ff.) entzieht die Tat allem irdischen Zugriff, stellt sie in das Zentrum einer „Gegenwart" und „Stunde", in der
Ewigkeit und Moment blitzartig sich verbinden, um dadurch allein „die
Zeiten" abzubrechen und zu „verjüngen". Desgleichen rückt die immer
wiederkehrende Belegung der „Hoffnung" mit den Emblemen des Schleiers,
Rauchs, Regenbogens (die Hoffnung ist in „Des Epimenides Erwachen"
„wandelbar wie Regenbogen" [V. 510]) die Tat nicht nur in die Nähe der
Poesie, sondern auch aus aller gewissen Gegenwart in ein „ungreifbar"
Schillerndes, das eine entscheidende Voraussetzung für das Gelingen auch
endlicher Tat ist. Nicht umsonst ist es „die Hoffnung" — nicht Glaube
und Liebe —, die in „Des Epimenides Erwachen" auf dem Gipfel der
Handlung den „Dämon der Unterdrückung" besiegt und die Bahn frei-
legt zur endlichen politischen Tat durch — „Nebel", die „deutlich, doch
undeutlich immerfort das Ungeheure ... entfalten" und den bösen Dämon
durch die Verwirrung des Wirklichen und Unwirklichen überwinden: „Die
Wirklichen, sie dringen auf mich ein. Wie kann das aber wirklich sein,
Das Webende, das immer sich entschleiert? Verschleierte Gestalten, Un-
gestalten, In ewigem Wechseltrug erneuert. Wo bin ich? Bin ich mir bewußt? Sie sind's, sie sind's auch nicht" usw. (V. 527 ff.).

Damit ist die Ausgangsfrage, wie Tat und Schein in der Faust II-Dichtung sich zueinander verhalten, gelöst. Scheinlose Tat, die sich an hoffnungslos „Wirkliches" klammert, erstarrt zur Un-Tat, die kahl ein
Höheres leugnet, um bei der Erscheinung dieses Höheren mit der Verwirrung von Sein und Schein gestraft zu werden. Schein ist Voraussetzung
zur Tat, sofern sie die Totalität (absolut-zeitlose Urzeit, goldene Zeit usw.)
in überirdisch-irdischer „Hoffnung" beschwört: „Ein Wesen regt sich leicht
und ungezügelt, Aus Wolkendecken, Nebel, Regenschauer Erhebt sie uns,
mit ihr durch sie beflügelt ... Ein Flügelschlag und hinter uns Äonen",
mit diesem orphischen Urwort zerbricht die „Hoffnung" die „höchst
widerwärtigen Grenzen" von Ananke und Tyche und gewinnt — Äonen.

Nur aus der ganzen Weite der längst von Goethe entwickelten Hoffnungs-
vorstellung heraus ist es zu erklären, daß Goethe über die vier Begriffe
seiner Vorlage Daimon, Tyche, Eros und Ananke hinaus in den „orphischen Urworten" von sich aus die „Hoffnung" hinzufügte[132]), die gerade durch das Traumhafte und Unwirkliche ihres Charakters die Unendlichkeit der Tat wie auch ununterbrochene Verjüngungen hervorlockt.
„Verweile nicht und sei dir selbst ein Traum, ... Und wie du reisest,
danke jedem Raum, Bequeme dich dem Heißen wie dem Kalten; Dir wird
die Welt, du wirst ihr nie veralten"[133]). Traumwerden und rastloses Vor-
wärtsschreiten in jedem gegenwärtigen Raum sind identisch, weil nur das
Abbrechen des wirklichen Selbst durch Vergessen und Umwandeln ins
höhere Bild das „Veralten" des Ich und der Welt, d. h. den Prozeß der
Erinnerung und damit des Altwerdens von Ich und Welt überwinden und
die ununterbrochene und ungebrochene Neuheit der Tat realisieren kann.
„Und deines Geistes höchster Feuerflug Hat schon am Gleichnis, hat am
Bild genug ... Du zählst nicht mehr, berechnest keine Zeit, Und jeder
Schritt ist Unermeßlichkeit"[134]). Tat, Traum und Verjüngung sind kor-
relative Begriffe. Selbst das „goldene Zeitalter" verwirklicht sich für
Goethe je und je im „Ergreifen des Moments"; so kann einmal Goethe
assoziativ in einer Tagebuchnotiz den Entschluß äußern, aller Kunst valet
zu sagen und ein praktisches Handwerk zu ergreifen: Auf der Heimreise
aus Italien nach Weimar notiert er sich: „Die goldene Zeit, sie war wohl
nie, wenn sie jetzt nicht ist Und war sie jetzt, so kann sie wieder seyn";
gegenüber diesen Tassoversen steht das Wort: „Ergreifen des Moments",
dessen Beziehung auf den erotischen Vorgang (Umarmung der Prinzessin
im Tasso) durch manche Forscher[135]) ohne Zweifel abwegig ist, da auf dem
gleichen Blatt der Entschluß zu einer zukünftigen realistischen Lebens-
führung breit ausgeführt wird, ferner damals auch in seinen sonstigen
Tagebuchnotizen ein Ringen zwischen den zwei Möglichkeiten des „goldenen Zeitalters", der rückwärtsgewandten des Tasso und der praktisch-
realistischen der Prinzessin (II, 1) zu verspüren ist, wenn Goethe schreibt:
„Auf dieser Reise, hoff' ich, will ich mein Gemüt über die schönen Künste
beruhigen, ihr heilig Bild mir recht in die Seele prägen und zum stillen
Genuß bewahren. Dann aber mich zu den Handwerkern wenden und,
wenn ich zurückkomme, Chemie und Mechanik studieren. Denn die Zeit
des Schönen ist vorüber, nur die Not und das strenge Bedürfnis erfordern
unsre Tage. Ich habe schon Vorgedanken und Vorgefühle über das Wieder-
aufleben der Künste in Italien, in der mittleren Zeit, und wie auch diese
Asträa wieder bald die Erde verließ und wie das alles zusammenhängt.
Wie mir die Römische Geschichte entgegensteigt! Schade, schade, meine
Geliebte! alles ein wenig spät. O daß ich nicht einen klugen Engländer
zum Vater gehabt habe, daß ich das alles allein, ganz allein habe erwerben
und erobern müssen, und noch muß"[136]).

Nichts weniger als eine Ästhetisierung der Tat liegt also dieser Fiktion der Verjüngung und des Einbruchs eines goldenen Zeitalters zugrunde. Vielmehr ist die Verwandlung der Wirklichkeit zum Bild und zum Traum, d. h. Poesie selber, nur möglich durch immer erneut entschlossenen Abbruch der „Last" überalteter Zeiten und Zustände, durch den Willen, die goldene Zeit „jetzt" zu realisieren, mögen auch „die Not und das strenge Bedürfnis unserer Tage" immer wieder quälende Zweifel an der Möglichkeit einer solchen Realisierung aufkommen lassen. Das Epimetheische Unvermögen des Gestaltens und Fixierens der Bilder (Pandora V. 802 ff.) ruht gerade in einem ästhetisierenden Festhalten und Sichfestklammern am Vergangenen, im vergeblich „sehnsüchtigen" Rückblick auf die entschwundene Herrlichkeit der Pandora. Die erlösende Tat des Phileros — und damit die Herabkunft von Wort und Tat, Tempel, Kunst und Wissenschaft — aber erfolgt durch Preisgabe des Lebens und den entschlossenen Sprung ins verjüngende „Element".

Damit wird deutlich, was Faust mit dem Entschluß zur „Tat", der sich am Ende der Symbolik von Lethe, farbigem Abglanz usw. aus ihm herausringt, eigentlich meint. Faust blickt verjüngt auf ein wahrstes „höchstes Dasein". Diese Fülle des Daseins kann sich ähnlich wie bei Elpenor nur verdichten in einem Zeitalter, das auf der urgewaltig biologisch-heroischen Totalität des Lebens aufgebaut ist. In diesem Sinn wird für Faust die Antike das Land seiner wahrsten und ursprünglichsten Tat. Denn diese Antike ist gegründet auf den „Müttern", auf dem gigantischen Durchbruch aller vier Elemente (Klassische Walpurgisnacht), auf dem dämonischen Begehren des „Unmöglichen", auf dem Sprung in die Elemente (Homunkulus)[137] usw. Hier ist Faust eigentlicher „Täter", leidenschaftlich bis ins Absolute, ins „Unbetretene" kühn vorstoßender Held, ja Nachfolger des herkulischen Geschlechts in der Begegnung mit Chiron. Und auch dieser Begegnung geht ein biologisch-vergessender Schlaf an den Gewässern des Peneios voraus. Tat ist nichts anderes als produktiv schaffender, vergessender, traumhafter Eintritt in immer neue Bereiche unter Abbruch aller lastenden Erinnerung. Die Spontaneität und Unvermitteltheit der Tat macht einen Verjüngungsakt und ein gnadenreiches Vergessen geradezu zur unabdingbaren Voraussetzung. Unter dem Blickpunkt der Tat wird „Jugend" hier im Grunde den Gesetzen des Lebens enthoben und kann immer wieder hervorgebracht werden. Jugend ist etwas „Ideelles", eine ontologische Bedingung des Schaffens: Jugendbildnisse „versetzen uns in eine Zeit, die wir, wie alles Ideelle, in und außer uns zu reproduciren alle Ursache haben", schreibt der greise Goethe noch 1827[138]). Im Bereich der Geschichte aber vertritt die Antike einen „anmutigst ideellen Naturzustand", der immer wieder n e u als tragende Bedingung alles künstlerischen Schaffens erzeugt werden muß[139]), d. h. die Antike ist nie in ihrer historischen Wirklichkeit, sondern als biologisch-ontologisches Phänomen primär von Goethe gesehen. Ihr steht als kontrapunktisches Widerspiel die Welt von Kaiser und zerfallendem Reich gegenüber, eine Welt des ewigen A l t e r n s und der tötenden Erinnerung, deren Sinn wiederum weniger im konkret Historischen als im Ontologischen liegt. Dieser Welt schaut Faust bewegungslos zu, weil sie, die scheinbar reale, als vergängliche Z e i t welt im eigentlichen Sinne Schein und Schattenspiel ist und auch so bewußt von Goethe skizziert ist[139a]). Faust ist Täter im Absoluten und Biologisch-Verjüngenden, aber passiv Zuschauender an einem von Zeit und Erinnerung belasteten Hof. Deutlich stellt das Gegengedicht zu dem „Verweile nicht und sei dir selbst ein Traum" das „Bleiben" in der Welt, das Verharren im Gegebenen als Altern der Welt, als ein „Verblühen" dar: „Verweilst du in der Welt, sie flieht als Traum, Du reisest, ein Geschick bestimmt den Raum; Nicht Hitze, Kälte nicht vermagst du fest zu halten, Und was dir blüht, sogleich wird es veralten"[140]).

Das Recht zu solcher Deutung kann nur die Einzelbetrachtung geben. Doch ist damit schon die Basis gewonnen, von der aus der Sinn der g e - s c h i c h t l i c h e n Welten in Faust II sich aufklärt. Konnten unsere seitherigen Symbolanalysen die f o r m a l e Bedeutung der Scheinwelten dieses Dramas herausarbeiten (Oper, Maske, vervielfältigende Reihung usw.), so wird aus der Analyse der Tat nunmehr ihre i n h a l t l i c h e Grundlage sichtbar: Indem gerade aus „Traum" und Hoffnung auf das „Unmögliche" die absolute, jäh allen Zeitlauf verjüngende und verewigende Tat hervorbricht, erscheint auch das, was Goethe eine w a h r e Geschichte nennt. Wahr ist nur jene Geschichtswelt, die dem Altern standhält und eine ewig junge, schöpferische Kraft mitten im Zeitlauf bewahrt. Wahr ist nur jene Antike, die aus den ewig verjüngenden Kräften von „Eros" am Schluß des zweiten Aktes zur Helenawelt des dritten Aktes emporsteigt. Wie schon in den frühklassischen Maskenzügen Goethes die Antike als goldenes Zeitalter zugleich in einem triadischen Rhythmus von ursprünglicher Reinheit, Altern und neuer Verjüngung sich zeigt[141]), so soll die Antike durchgehend eine „reinere" Welt offenbaren[142]), deren überhistorische Idealität sie allerdings mit gleicher innerer Gesetzmäßigkeit dem grob Wirklichen entzieht und einem „Schein" nähert, der ganz anders gefaßt werden muß als die Scheinwelt der Kaiserhofsphäre: „In allem Glanz und Scheine, es regt sich dort, denn es will ewig sein". Schein und ewiges „Sein" sind hier notwendig identisch, da ewiges Sein nie „wirkliches" ist, sondern i m Wirklichen noch ein zeitlos Wirklicheres aufleuchten läßt. Wie tief das bis in die konkretesten Gestalten der „schemenhaften" Helena oder der „urphänomenologischen" Spukwelt der Klassischen Walpurgisnacht hinabwirkt und wie eindeutig entstehungsgeschichtlich diese Identifizierung von Schein und Sein, „Urbild" und „Schemen" bereits im „Tasso", der „Iphigenie" usw. vorbereitet war, wird uns noch eingehend beschäftigen müssen. Prinzipiell ist schon seit der „Iphigenie" die Antike eine unsagbar hohe Sphäre der „Hoffnung", das „Unmögliche" im Möglichen sichtbar zu machen. Schon dort verliert sie weitgehend ihre eigentlich geschichtliche Realität und wird Zeichen für einen rein Goetheschen Grundriß des Seins, der sich primär um Phänomene wie „Reinigung", Wiedergeburt, Abbrechen einer überkommenen Schuld usw. dreht, die z. B. eindeutig im „Elpenor" mit dem „Alter" identifiziert wird[143]). Im „Tasso" gar fließt die Welt der a n t i k e n Heroen und Dichter, in die sich Tasso in einer Vision zurückversetzt fühlt, mit seiner platonisierenden „Urbild"-Vorstellung zusammen, in welcher der S c h e i n solcher Urbilder als wahreres, höheres Sein gegen die wirkliche Welt Antonios sich zu behaupten sucht („Es sind nicht Schatten, die der Wahn erzeugte, Ich weiß es, sie sind ewig, Denn sie sind" [V. 1098]). Auch in sonstigen, vielfach belegbaren Äußerungen Goethes ist immer wieder eine Geschichtswelt nur dann e c h t und v e r p f l i c h - t e n d, wenn sie eine reinere, höhere Naturwelt repräsentiert. Das geht soweit, daß die Antike dort, wo sie als spezifisch überlieferte, mit „Erinnerung" belastete, nur reale Geschichtswelt erscheint, von Goethe wiederholt und ausdrücklich negiert wird[144]). Die Antike ist wahr nur als Natur bzw. als „zweite Natur". Sobald andere Geschichtswelten wie Mittelalter[145]), Orient usw. gleichfalls den Charakter einer zweiten verjüngenden, urgewaltigen Natur annehmen, vermögen sie die Antike durchaus ebenbürtig zu ersetzen oder zu verdrängen (Götz, Divan, Wahlverwandtschaften, Wanderjahre[146]). Jede Geschichtswelt vermag „Urzeit" im naturhaft seinsbestimmenden Sinne zu werden in einer eigentümlichen, aufschlußreichen Mischung fiktiv-scheinhafter und realer Elemente. So wird selbst eine Fiktion wie die „Utopie" der „Pädagogischen Provinz" zur „Verwirklichung des Möglichen und Unmöglichen im Bilde", zur scheinhaft-verewigenden Realisierung „uranfänglicher Zustände"[147]).

Eine eigenartige Umdeutung der Geschichte, eine Überschneidung ideeller und historischer Faktoren wird also hier ansichtig, die erst grundsätzlich geklärt werden muß, ehe der tragende Sinn der Geschichtswelten in Faust II und besonders auch des Historisch-„Philologischen" hervortreten kann. Vor allem die sogenannte „historische Wendung" Goethes seit 1805 steht hier in der Mitte der Betrachtung.

Der Einbruch der „historischen" Welt in Goethes Urzeit- und Verjüngungsbegriff und seine Folgen für die Faust II-Komposition

Die Wendung ins spezifisch „Historische" beim späten Goethe scheint zunächst unter ähnlichen Vorzeichen zu stehen wie die gezeichnete Problematik der „Tat", der Urzeit usw. Nicht nur die Antike, nicht nur die Dämonie des „Alters" und der „Erinnerung", nicht nur verschuldete Zeitläufe, sondern geschichtliche Denkmäler aller Art werden schließlich im

Alter von Goethe durch die Kraft der Wiedergeburt zu einem verewigten
Dasein erlöst, durch Verjüngung, Schleier und Licht (also den Emblemen
des ersten Faust II-Monologs) in die Sphäre beharrender Wahrheit erhoben. Auch und gerade das universal-historische Interesse des greisen
Dichters für Kunstwerke und Seinsformen fast aller Zeiten und Völker
erhält eine bestimmte Richtung durch die Frage, wo der Punkt sei, auf
dem sich das jeweilige historische Phänomen oder Werk zu „reinstem
Dasein" erhebe. So hat die Bewahrung und Renovierung von „Waffen und
Gerätschaften" aus „nordischen Grabhügeln" in den „Wahlverwandtschaften" sowie die dortige Rettung der Grabsteine — die beide als Möglichkeiten bezeichnet werden, der „Vergangenheit entgegenzuwachsen", so daß
„man sich beinahe selbst fragen" muß, „ob man denn wirklich in der
neueren Zeit lebe, ob es nicht ein Traum sei, daß man nunmehr in ganz
andern Sitten, Gewohnheiten, Lebensweisen und Überzeugungen verweile"[148]) — vor allem die künstlerische Funktion, die Heldin Ottilie aus
der zeitgebundenen nichtigen Sphäre ihrer Umgebung in eine ihrem
Wesen, ihrer „Wahrheit" entsprechende reinere Urzeit zu versetzen, in
der sie gleichsam zu Hause ist, die ihre zweite Natur sinnlich-übersinnlich
manifestiert: Denn eben diese „altertümlichen" Monumente erwachen für
sie zum „reinsten Dasein"[149]), zu einer „Region", nach der „wohl die
meisten wie nach einem verschwundenen goldenen Zeitalter, nach einem
verlorenen Paradiese hin(blicken). Nur vielleicht Ottilie war in dem Fall,
sich unter Ihresgleichen zu fühlen"[150]). Und zwar werden diese realhistorischen Dokumente dadurch so „rein" und „wahr", daß Goethe sie
in „Urbilder"[151]) verwandelt, indem sie eine volle Lebenstotalität in
typischen, ewigen Gestalten, in „Greis, Knabe, Jüngling, Mann, verklärten
Heiligen, schwebenden Engeln" usw. repräsentieren. Analog der Tantalidenvision Orests und dem Elysischen Traum Tassos[152]) glaubt sich Ottilie
schließlich in der Kapelle mitten unter „ihren Vorfahren"[153]) sitzend „still
und in sich gekehrt, lange, lange" in einer Ewigkeit geborgen, die seltsam
zwischen Wachheit und Wahn, Täuschung und Wirklichkeit schwankt, indem sie erstens unter „farbigen Scheiben" sich zeigt, die „den Tag zur
ernsten Dämmerung machen" und ihr den Wunsch einflößen, „jemand
müßte eine ewige Lampe stiften, damit auch die Nacht nicht ganz finster
bliebe", und zweitens an anderer Stelle als ein Eintreten ins „Bild" sich
manifestiert, und zwar in das Bild von Grabmonumenten, die den Gestorbenen sinnlich verewigen, wodurch ein „zweites Leben" erzeugt werde,
„in das man nun im Bilde, in der Überschrift eintritt und länger darin
verweilt als in dem eigentlichen lebendigen Leben. Aber auch dieses Bild,
dieses zweite Dasein, verlischt früher oder später. Wie über die Menschen,
so auch über die Denkmäler läßt sich die Zeit ihr Recht nicht nehmen"[154]).

Nichts kann tiefer in das Zentralproblem treffen, um das es hier wie in
Faust II geht, als diese seltsam realistische Mystik, die einerseits das

„Ewige" faßt durch „farbige Scheiben", „ewige Lampe" und sinnliche
„Bilder", andererseits diese Ewigkeit des Gewesenen skeptisch negiert im
Hinblick auf die Zerstörbarkeit auch des „zweiten Lebens" im „Denkmal". Nichts auch trifft genauer den eigentlichen Ort, auf den diese Ewigkeit zielt: das historische Kunstwerk, die geschichtliche Kunst. Man vergleiche nur diese Ottilieszene mit dem analogen Vorgang in den Lehrjahren. Auch dort erhob sich im „Saal der Vergangenheit" die zweite
Heimat Mignons, die Antike, bei ihrer Einsargung zu einer Typologie des
Lebens (Mutter, Kind, Bräutigam, Braut usw.), in der die Totalität des
Daseins garantiert wird durch die Brechung der Zeitgrenzen („so war
alles und so wird alles sein"[155]). Aber Ottilies zweite Heimat, das Mittelalter mit seinen gleichfalls typologischen Bildern Greis, Mann, Jüngling,
Knabe usw., trägt in sich eine unendlich kompliziertere Spannung als die
Vorwelt Mignons, weil als neues Problem die Frage nach der realen Dauer
des historischen Denkmals und Kunstwerks hinzutritt. Zwar war auch
schon in den „Lehrjahren" der Tod des ungreifbar poetischen Wesens der
Mignon seltsam logisch verbunden mit dem gleichzeitigen realen Heraustreten antik-wirklicher Kunstschätze[156]), die im sichtbar Einzelnen — nicht
mehr im schillernd Allgemeinen — die Urzeit, Kindheitserinnerung usw.
beschworen, und auch schon damals trat mit der Einbalsamierung Mignons
in Wilhelm die quälende Frage nach der „Dauer lebloser Wesen"[157]) auf;
aber erst die entschlossene Goethesche Wendung ins Historische seit etwa
1805/06[158]), die sich charakteristischerweise vor allem aufs Faktisch-
Dokumentarische richtete, auf „Autogramme", „Briefe", „Porträts", biographische Details und Überreste aller Art bis in bloße Schriftzüge hinein,
verschärfte die Spannung von Urzeit und Zeit zum Problem der Rettung
des Einzelnen im sinnlich fixierten, überbleibenden Zeichen und Bild. Sie
radikalisierte die ganze Frage, indem nun im Historisch-Überkommenen
selbst, nicht nur in einer Fiktion (goldenes Zeitalter usw.) die Totalität
aufzuerstehen sich anschickt. Goethes fortlaufend bezeugter Versuch, „das
Andenken würdiger Menschen zu erhalten und zu erneuern"[159]) durch
Sammlung gerade ihrer äußerlichsten Dokumente, führte in eine völlig
neue Problemlage, ohne die entscheidende Partien der Faust II-Dichtung,
vor allem das Problem der Vervielfältigung der Historie und des „Philo-
logisch-Historischen" nicht verstanden werden können.

Diese Problemlage gilt es zunächst skizzenhaft zu beschreiben, um sie
dann genauer zu beleuchten:

1806 heißt es: „Ich habe seit einiger Zeit eine Sammlung sogenannter
Autographen angelegt, daß ich nämlich suche und wünsche, von bedeutenden Männern der gegenwärtigen und vergangenen Zeit ein eigen-
händig Geschriebenes zu erhalten und zu besitzen ... Könnten Sie mir
auch außerdem noch alte Stammbücher ... verschaffen; auch Briefe und
was sich sonst für Denkmäler der Handschriften gelehrter und bedeutender

Männer voriger Zeiten vorfinden; so geschähe mir ein besonderer Gefallen"[160]). Am 20. Juni 1806 spricht er von seiner „frommen Sammlung", ... „denn fromm ist doch wohl alles, was das Andenken würdiger Menschen zu erhalten und zu erneuern strebt. Auch bloße Couverte und Namens-Unterschriften nehme ich sehr gern auf ... Komme ich zurück (aus Jena), so lasse ich vielleicht ein kompendiöses Register meiner Sammlung drucken, um meine auswärtigen Freunde zu gefälligen Beiträgen anzuregen"[161]). All dies ist keine vorübergehende Laune, sondern hält sich fortlaufend bis 1810, 1811, 1812[162]), ja bis 1822, wenn es damals einmal heißt, er bedürfe im Alter solcher Zeugnisse (Handschrift Byrons), um den Zweifel an sich selbst zu beheben[163]). 1812 werden ihm „vorzügliche Menschen durch ihre Handschrift auf eine magische Weise vergegenwärtigt"[163a]). Im gleichen Jahr geht Goethe sogar soweit, aus dieser Autographensammlung Erkenntnisse „über die Handschriften der Nationen, der Zeiten sowie der Individuen, welche solche modifizieren"[164]) zu entwickeln, obgleich ursprünglich weniger dieses spezifisch historische Interesse als die Suche nach Beweisen für die „Dauer" und „Verewigung" des real Gewesenen zu dieser Sammlung geführt hatte. Im rein dokumentarisch überbliebenen Zeugnis (Name[165]), Porträt[166]), Schriftzeichen) müht sich Goethe mit zunehmendem Alter, ein entflohenes Leben rein zu bewahren, weil nur in ihm, nicht in einem abgezogenen, vergeistigten Bild dies Leben, „wie es an und für sich und um sein selbst willen da ist", erscheint, während alles andere, alles, was einst und jetzt über das Leben g e d a c h t worden ist, in einem Abgrund von Skepsis versinkt: „Ich glaube wohl, daß der Mönch die Chronik geschrieben hat, wovon er aber zeugt, daran glaube ich selten" (Wanderjahre)[167]). Die eigentliche Aufgabe der Kunst besteht daher für Goethe immer mehr darin, aus jenem „zweiten Leben" der Denkmäler Ewigkeiten zu entwickeln, obgleich sie ihrer irdischen Verfallenheit nach „früher oder später" verlöschen müssen. Die Beraubung, die dem Unbedingten durchs „Wirkliche" droht, die Einbuße an „Wirklichkeit", die andererseits das Denkmal durch Verklärungen und Lichtvisionen erleidet, diese Urtragik jeder Kunst, das Ewige als Schein, vielleicht auch als Trug gestalten zu müssen, der drohende Vorwurf, den notgedrungen immer erneut Metaphysik wie Wirklichkeit gegen den fiktiven Charakter des Kunstwerks bereithalten, die hoffnungslos hoffende Antwort der Kunst, im Kunstwerk den Körper als ewig, als zeitlos in ein „zweites Leben" erhoben, sichtbar dem Beschauer entgegenzuhalten, all dies wird zur schärfsten Problematik erst dort, wo das realgeschichtliche Werk selber, nicht jederzeit und überall gegebene menschliche Gestalten, sondern ein streng zeitgeschichtlich geprägtes Faktum Objekt der Kunst wird, kurzum, wo Geschichte in den Bannstrahl der Kunst rückt.

Schon die Konsequenz, mit der Goethe größte Gestalten wie Mignon und Ottilie, andere Figuren wie Mignons Mutter usw. nicht geistig, sondern körperlich verewigt als unverweslichen Leib, an dessen durchsichtiger Klarheit sich höhere Wunder ereignen[168]), die vorsichtig aufklärende Art, mit der Goethe diese Vorgänge aus der religiösen in die kunstgenetische Sphäre verweist, in den „Wahlverwandtschaften" z. B. durch das plötzliche, unerwartete Hinzutreten des Künstlers (Architekten) an die Bahre Ottiliens, das Goethe in einem aufschlußreichen Brief bedeutend[169]) nennt, sprechen deutlich für das Problem, um das Goethe hier rang und im Grunde in all seinen höchsten Gestaltungen ringen mußte: das Problem der Dauer in der Fiktion und der Fiktion in der Dauer. Die Schwere dieses Problems wird jedoch zur Last erst in Faust II: Erst hier wird ja radikal jener Versuch unternommen und zu Ende geführt, der in Ottiliens Gestalt sowie in ihren Tagebuchaufzeichnungen usw. nur rein stimmungshaft ausgeführt war und auch so nur von der Kritik aufgenommen wurde, obgleich in ihm weit mehr angelegt und tatsächlich dargestellt ist[170]): in geschichtlichen Formen eine verewigte Urgeschichte heraufzubeschwören. Erst in Faust II tritt die Fülle der geschichtlichen Welt selber ins Werk[171]) und meint sich als zeitlos ewiges Sein. Erst hier wird Dichtung hoffnungslos im ernstesten Sinne:

Nicht mehr tritt die fiktive Vision von der Urzeit lediglich lyrisch im bergenden Rahmen einer in sich sonst durchweg geschlossenen Handlung zu Tage, nicht mehr geben Licht, Schleier, farbige Fenster, Wasserspiegel im Brunnen (Tasso)[172]) und lyrische Deklamation (Iphigenie)[173]) die vereinheitlichend einsingende Melodik, die „Stimmung", die das Ungewöhnliche des Vorgangs (z. B. bei der Mignon- und Ottilieeinsargung) vergessen läßt und den Leser des Nachdenkens über den erschütternden Ernst, die abgründige Tiefe der Szenen fast bis heute enthob. Vielmehr treten erstens die Medien: Licht, Farbe, Schlaf, Lethe nun selbständig hervor, indem sie eine eigene symbolische, sogar handlungsbestimmende Rolle zu spielen beginnen, ohne doch wesentlich direkt mit der Handlung verbunden zu sein, und zweitens wird zum erstenmal die „Vergangenheit": Antike, Mittelalter usw. im konkreten Sinne geschichtlich, werden wirkliche antike Gestalten von Goethe beschworen und in zeitgeschichtliche Konfrontation zur Moderne gestellt, um zugleich doch wieder ihre Geschichtlichkeit zu verneinen und sie als geschichtlich und übergeschichtlich ineins zu dokumentieren: Antike Figuren — Sirenen, Najaden, Pygmäen, griechische Philosophen (Thales und Anaxagoras) — erscheinen und verschwinden, bekennen und verleugnen sich als antik, halb ironisch, halb ernsthaft, halb „philologisch", halb sinnlich-wahr. Das Mittelalter (Mephisto) maskiert sich antik. Neuzeit bricht genialisch-musikalisch hervor (Euphorion), um sich wieder selbst als „antik" (Hermes)[173a]) oder zeitlos zu geben: Byron steht ein für Euphorion, denn „er ist nicht antik und ist nicht romantisch, sondern er ist wie der gegenwärtige Tag selbst"[174]). Die geschichtliche „Zeit" aber — darin besteht die im Grunde auswegslose Unpopularität und Schwierigkeit des Werkes — hat größere Macht: „Über die Menschen, so auch über die Denkmäler läßt sich die Zeit ihr Recht nicht nehmen". Geschichte bleibt Geschichte, das zeitlich Geprägte zeitlich geprägt, und wo Urgeschichte durchblitzt, entzünden sich Rätsel statt unmittelbar eindringende Empfindungen oder Erkenntnisse im Leser. Der Zweifel verstummt nicht, die Verewigung verfängt sich im historischen Stoff: An Byron-Euphorion wird historisierend gerätselt statt ihn als „gegenwärtigen Tag" unschuldig zu nehmen. „Hier gilt kein künstlerisch Bemühen", in diesem Ausruf Mephistos vor Fausts Leiche steht — ähnlich wie in der Ottilie-Resignation vor der Verweslichkeit der Denkmäler — der Künstler vor der Härte des Zeitlichen still. Das Geschichtliche kann ins Ewige nicht unmittelbar eingehen, denn das zeitlich Fixierte ist schon vorgeformt, der Umschlag ins „goldene Zeitalter" aber, den die geschichtlichen Werke in Ottiliens Kapelle oder in der Kapelle der „Wanderjahre" erleben, ruhte auf der Kraft des Gefühls und der lyrischen Beschreibung der Gemälde („des Greises mit dem kahlen Scheitel, des reichgelockten Knaben, des munteren Jünglings, des ernsten Mannes, des verklärten Heiligen, des schwebenden Engels" usw.), sowie auf der Transparenz der Darstellung, nicht darauf, daß diese geschichtlichen Figuren nun — wie in Faust II — selbst handelnd und sprechend ihre höhere Bedeutung entfalten.

Dies ist die eigentliche Schwierigkeit der Faust II-Komposition (die natürlich schon längst vorbereitet war, etwa im „Divan", wo gleichfalls streng historische, durch philologische Quellenstudien erschlossene Figuren ins „Symbolische" eindringen): Die historischen Bilder treten selbst ins Drama (Faust II) und verneinen zugleich ihren historischen Ursprung, indem sie sich als ewige Typologien des Lebens geben, ohne doch tatsächlich ihre historische Prägung ganz abstreifen zu können. Es ist, wie wenn Figuren eines historischen Gemäldes nun plötzlich heausträten und in der Gegenwart handelnd erschienen mit dem Anspruch, zugleich Gegenwart und Vergangenheit ineins zu bedeuten. Und in der Tat hat Goethe auch diese Stufe entwickelt: In den „Wanderjahren" (in Partien, die etwa zur Zeit der „Wahlverwandtschaften" geschrieben sind) treten Gemälde sinnlich ins Leben und entwickeln im verwirrenden Ineinander von Bild, Wirklichkeit und Rückbezug auf eine herrliche Vorzeit jene Urformen von Kunst und Geschichte, in die Wilhelm nun eintreten soll. Durch die Gemälde der „heiligen Familie", die sich lebendig in den wirklichen Gestalten des Romans fortsetzen, fühlt Wilhelm sich „1800 Jahre zurückversetzt"[175]), wobei wiederum analog der Ottilievision das „Leblose" (historische Gebäude) als lebendig angesprochen wird im Sinne eines zweiten Lebens im Leben. Auch dies galt immer als „Rätsel". Auch hier wird die Dichtung „schwierig". Geschichtlich Bekanntes schlägt um in übersinnlich Gehofftes. Das Gehoffte wieder deckt sich nicht gänzlich mit dem gegebenen Stoff[175a]). Diese Bilder (Urbilder am antiken Sarkophag) lassen „ganz etwas anders fühlen und denken als das, was vor Augen steht", heißt es schon von den typologischen Urbildern Mutter, Kind usw. im „Saal der Vergangenheit" in den „Lehrjahren". Der Bezugspunkt muß erraten, die Symbolik erforscht werden, denn schon die reine Konfrontation historischer Bilder (z. B. Mittelalter mit Antike in „Faust II") sowie die bloße Gegenüberstellung mythologisch-historischer Gestalten will sinnlich-sichtbar-symbolisch „reinstes Dasein" aus sich herausstellen (z. B. aus der Konfrontation Helenas mit der gotischen Burg ein „Arkadien")[175b]), wodurch dieses reine Dasein, da es sichtbar-theatralisch realisiert werden muß, in eine unentwirrbare Spannung von Fiktion und Wirklichkeit gerät. Einzig und allein darum wird die Spannung von Urzeit und Fiktion in Faust II zu einem so esoterischen und schwer durchsichtigen Vorgang.

Dazu kommt ein zweites: Nicht nur die historischen Medien der Urzeit: Antike, Mittelalter, patriarchalisch-biblische Welt (in „Dichtung und Wahrheit") usw., sondern auch die Medien der Kunst verselbständigen sich. Licht, farbiger Abglanz usw. treten in „Faust II" allegorisch heraus, weisen hin auf etwas anderes, auf eine kommende Handlung, einen „Sinn", während sie früher illusionierende Medien im eigentlichen Sinne des Wortes waren. Musik, Oper, ja selbst die Geschichte der Musik werden im Helenadrama Thema der Handlung statt untermalende Begleitung. In der Wanderung Helenas von der Antike über die Völkerwanderung bis zu Euphorion (Schlacht von Missolunghi) wandert auch die Kunst mit, ja es wird dabei die gotische bzw. antike Architektur, die Entstehung der modernen Musik, Oper und Lyrik (Reimerfindung) historisch-typologisch demonstriert. Die Dichtung wird sich selber Objekt (Knabe Lenker, Euphorion usw.). Das Schicksal, das die Faust II-Dichtung traf und nach Goethes eigenen Worten unvermeidlich treffen mußte, als „seltsames Gebäu ... an den Strand getrieben, wie ein Wrack in Trümmern da(zu)liegen und von dem Dünenschutt der Stunden zunächst überschüttet (zu) werden"[176]), ist begründet unter anderem in der Spaltung zwischen historischem Stoff und Fiktion, in der Neigung, reale Geschichte sowie reale Kunstformen und -werke der Vergangenheit unmittelbar sinnlich in ihrem reinen Sosein vorzuführen.

Goethes Stellung zwischen normativem und positivistischem Geschichtsdenken und die künstlerischen Mittel der Gestaltung von Geschichte beim späten Goethe und in Faust II

Die soeben entwickelte Kunstproblematik stellt in der Tat eine extrem originelle Ausprägung des Goetheschen Geistes dar, die ihn in schroffsten Kontrast zu allem, was man gemeinhin unter Geschichtsschreibung und Geschichtsdenken versteht, brachte und bringen mußte.

An keiner Stelle wird dies deutlicher als an dem immer wiederkehrenden Wort Goethes vom Hineinragen des Vergangenen ins Gegenwärtige, von der Rettung und Verlebendigung gewesener Phänomene, die genau das Gegenteil der modernen „Einfühlung" ins Vergangene darstellen und sich unter stillschweigendem und ausgesprochenem Protest gegen die zwei Hauptströmungen des neuzeitlichen Geschichtsdenkens, den Historismus und die systematische Geschichtsschreibung Hegelscher oder späterer Richtungen vollziehen.

Diese Verlebendigung, in der sich wiederum, wie noch deutlich werden wird, die Goethesche Verjüngungs- und Wiedergeburtslehre niederschlägt, erfolgt nämlich einmal unter schärfster Einstellung auf das Faktisch-Dokumentarische und Überlieferte, in denen Goethe, eben weil dies Faktische einst Teil des Gewesenen war, einzig noch das echt und rein Lebendige sieht, während alle Verlebendigung von der Gegenwart her ihm zu Trug, Wahn, ja zur todbringenden Vernichtung des Lebendigen der Geschichte wird. „Alles wahrhaft Biographische", so heißt es — um nur ein Zeugnis unter vielen anzuführen —, „wohin die zurückgebliebenen Briefe, die Tagebücher, die Memoiren und so manches andere zu rechnen sind, bringen das vergangene Leben wieder hervor, mehr oder weniger wirklich oder im ausführlichen Bilde. Man wird nicht müde, Biographien zu lesen, so wenig als Reisebeschreibungen: denn man lebt mit Lebendigen. Die Geschichte, selbst die beste, hat immer etwas Leichenhaftes, den Geruch der Totengruft. Ja, man kann sagen, sie wird immer verdrießlicher zu lesen, je länger die Welt steht: denn jeder Nachfolgende ist genötigt, ein schärferes, ein feineres Resultat aus den Weltbegebenheiten herauszusublimieren, da denn zuletzt, was nicht als caput mortuum liegen bleibt, im Rauch aufgeht"[177]).

Damit distanziert sich Goethe entschieden von der Geschichtsschreibung weitester Strecken des 19. und 20. Jahrhunderts. Gerade jene Verlebendigung des Geschichtlichen durch Erhebung ins Geistige, jene Bewältigung des Vergangenen durch den produktiv nachschaffenden Prozeß des sich die Geschichte unterwerfenden Geistes, jene Einverleibung des Gewesenen in die Denkart der Gegenwart durch „Heraussublimierung" usw., all das, was von der Hegelschule bis zur modernen „Einfühlungs"-lehre Größe und Leiden der Geschichtsschreibung barg, fällt unter das Urteil, „etwas Leichenhaftes und den Geruch der Totengruft" zu haben, weil sich diese Geschichtsschreibung „nach Resultaten umsieht, aber darüber ... die einzelne Tat sowie der einzelne Mensch verloren" geht[178]). Die Lebensbeschreibung soll das Leben so darstellen, wie es „an und für sich und um sein selbst willen da ist"[179]). Goethes eigene Praxis, die Künstlerbiographien Cellini, Hackert, Winckelmann usw. belegen durch die großartig nüchterne Beschränkung aufs Stofflich-Faktische erneut dieses Pathos des

Dokumentarischen. Ich erinnere an immer wiederkehrende Wendungen wie: „Das Vorübergegangene kann unserm innern Aug und Sinn als gegenwärtig erscheinen durch gleichzeitige schriftliche Monumente, Annalen, Chroniken, Dokumente, Memoires, und wie das alles heißen mag. Sie überliefern ein Unmittelbares, das uns, so wie es ist, entzückt"[180]). Auch die Neigung, in seiner Dichtung Geschichte z. B. in Form von Porträtgalerien großer Männer aus dem 16. und 18. Jahrhundert[181]) darzustellen oder auf „Wanderungen durch Hallen die Weltgeschichte"[182]) bildhaft sinnlich zu offenbaren und in einzelnen, scharf gegeneinander abgehobenen Hauptepochen der Vergangenheit nahe zu bringen, in der „Einsiedelei" unter dem „Chinesischen Dach" in einem historischen Bildersaal sogar nur die „Namen trefflicher Männer aus der Urzeit", deren reales Aussehen verloren ging („denn wie sie ausgesehen, möchte schwerlich auszumitteln sein"[183]), sinnlich festzuhalten, drückt diese Scheu vor vergeistigenden „Resultaten" und den Versuch aus, im sinnlich Verbleibenden das entflohene Leben zu bergen. 1828 beim Tod des Herzogs Karl August schreibt Goethe: „Ich wünschte nämlich, daß der Name Carl August wie bisher im Kalender mit roter Farbe bezeichnet würde. Diese einzige Art, wie wir Protestanten einen Mann kanonisieren können, sollten wir nicht außer Acht lassen"[184]).

Doch nichts wäre verfehlter, als in dieser Ablehnung geistig formulierbarer, „verfeinerter" Sinndeutungen etwa eine Vorform der zweiten Linie des Geschichtsdenkens des 19. Jahrhunderts, des strengen Historismus bzw. des späteren Positivismus erblicken zu wollen. Nicht nur in dem berühmten Gespräch mit dem Historiker Luden[185]) bezweifelte Goethe die Möglichkeit exakter Geschichtsforschung überhaupt, sondern auch sonst wird wiederholt in betonter Abgrenzung von romantischen Restaurierungs- und Historisierungsversuchen die Kluft, die zwischen Vergangenheit und Gegenwart besteht, als derart unüberbrückbar bezeichnet, daß selbst die historisch-kritische Methode den Zugang zum Gewesenen mehr verstelle als öffne. In dem großen Brief an L. F. Catel vom 20. bis 22. April 1815[186]) — dessen Geheimhaltung[186a]) deutlich von dem Gefühl der Einsamkeit zeugt, das Goethe gerade in diesen Dingen empfand — begründet Goethe die Unmöglichkeit, die Gotik restaurieren zu können, mit dem Hinweis auf die völlig andersartige Sozialstruktur der spätmittelalterlichen Welt. Der Antike gegenüber versteigt er sich sogar einmal zu dem nur anscheinend völlig ungoetheschen Satz, „daß die Natur, die uns zu schaffen macht, gar keine Natur mehr ist, sondern ein ganz anderes Wesen als dasjenige, womit sich die Griechen beschäftigten"[187]). Tiefer kann der Abgrund, der die Zeiten trennt, nicht charakterisiert werden als durch diesen Satz, der sogar die ewig bleibende Natur in die Geschichtsskepsis einschließt. Zweifaches drückt sich in ihm aus: einmal die streng historische Feststellung von der Andersartigkeit und unüberbrückbaren Individualität aller Zeiten, zum anderen die Abwehr jener inneren Konsequenz bzw. Inkonsequenz des Historismus, trotz der Anerkennung des „Eigenen" des Geschichtlichen diesem Geschichtlichen beizukommen mit Hilfe einer historisch-kritischen Realmethode. Ausdrücklich verwahrte sich Goethe gerade im Alter verschiedentlich gegen eine historisch-geographische Erschließung z. B. des Homer durch Ausgrabungen, Nachforschungen der realen Lokalitäten usw., die Homers Schilderungen zugrundeliegen[188]). Eine solche historisch-kritische Ergründung der Vergangenheit erscheint ihm als ein „ans Öffentliche Zerren" als etwas allzu „Exoterisches, ... woran jedoch alle Wissenschaften in unserm communicativen Jahrhundert zu leiden haben"[189]). Das eigentliche Geheimnis der Geschichte wie der Kunst werde dadurch nicht entdeckt, obgleich andererseits die strenge Zeitgebundenheit Homers, Shakespeares usw. nicht zu leugnen sei: So „sieht man denn freilich, daß es ein Meer auszutrinken ist, und daß man Shakespearen von seinem Jahrhundert niemals wird literarisch absondern können ... Geht es ja doch mit dem Altertum auch so; der neue, in Mailand vorgefundene gebildete Homer, besonders aber dessen Scholien, werden unseren Literatoren von neuem zu tun geben"[190]).

Damit ist der Weg freigelegt zu Goethes eigener Methode der Verlebendigung des Geschichtlichen im Raume der Dichtung. Weder Vergeistigung noch realhistorisch-kritisches Eindringen in die Vergangenheit zeichnen Goethes Weg in die Geschichte vor. Souverän steht der „gegenwärtig" Schaffende vor einem gleichfalls souveränen Werk: „Trügen wir unsre Überzeugung auch nur in den Aristoteles hinein, so hätten wir schon recht, denn sie wäre ja auch ohne ihn vollkommen, richtig und probat; wer die Stelle (in der „Poetik" des Aristoteles) anders auslegt, mag sich's haben"[191]). Weder also eine normativ-dogmatische Bindung ans Altertum noch ein historisches Pathos, zu erkennen, wie denn nun die Antike „wirklich" war, stehen hinter Goethes Altersklassizismus, ihn bestimmt vielmehr die unbedenkliche Neigung, das, was auch an sich „vollkommen, richtig und probat" ist, in der Form der Antike zurückgespiegelt zu beschauen, die ja auch in sich selber irgendein „Vollkommenes" darstellt. Die Goethesche Geschichtshaltung geht vom „Gegenwärtigen" aus, jung „wie am ersten Tag", und ist von der Verjüngungs- und Wiedergeburtslehre nicht abstrahierbar, denn gerade der Drang, das Dokumentarische zu bewahren, beruhte ja auf der Sehnsucht, den „Zweifel an sich selber", der eigenen Dauer und Ewigkeit, zu verjagen und an der sinnlich sichtbaren Gegenwart des Verstorbenen im hinterlassenen Faktum sich der ewigen Gegenwärtigkeit alles Geschaffenen zu versichern. Diese Versicherung ist weder durch Bewahrung des „Geistes" des Verstorbenen — „gewöhnlich vernichtet der Geist das Wort", schrieb einmal Goethe in paradoxer Umkehrung alles Gewohnten in seiner Geschichte der Farbenlehre[192]) — noch durch Eindringen in die Zeitepochen zu gewinnen; aus diesem Grunde enthält „Faust II" bewußt keinerlei Versuche, das historisch Lokale illusionistisch zu beschwören. Die Mittel, Geschichte zu verlebendigen, liegen vielmehr auf ganz anderen Ebenen:

1829 schreibt einmal Goethe, „das Wundersamste des Altertums" sei „die Gesundheit nämlich des Moments ... Denn diese, durch das greulichste Ereignis verschütteten Bilder sind, nach beinahe zweitausend Jahren, noch eben so frisch, tüchtig und wohlhäbig als im Augenblick des Glücks und Behaglichkeit, der ihrer furchtbaren Einhüllung vorherging. Würde gefragt, was sie vorstellen? so ... möchte ich sagen: diese Gestalten geben uns das Gefühl, der Augenblick müsse prägnant und sich selbst genug sein, um ein würdiger Einschnitt in Zeit und Ewigkeit zu werden"[193]). Das einzelne Kunstwerk und historische Dokument steht also aus eigener Machtvollkommenheit mitten zwischen Zeit und Ewigkeit und schafft hier einen „Einschnitt" auf Grund der „Gesundheit des Augenblicks". Damit ist ein höchst wichtiger Vorgang beschrieben: Im „Augenblick", der „sich selbst genug ist", steckt eine Spontaneität, die „Zeit und Ewigkeit" richtet, „einschneidend" zentriert, das Älteste mit dem Modernsten verbindet (die antiken Dokumente sind ihm darum so wunderbar, weil sie „frisch", wie soeben geschaffen, aus dem Grab auferstehen)[194]) und so den Abgrund der Zeit überspringt. Die Geschichte ist ein spontaner Naturprozeß des Geistes, der auf ununterbrochener Verjüngung und Auferstehung beruht, auf einer Selbstverjüngung des Gegenwärtigen im Vergangenen und umgekehrt, ähnlich wie für Goethe im Alter auch die „Übersetzung" seiner Gedichte in einen fremden Sprachraum „sehr heilsam ist", weil hier „das Eigene ... wieder als frisch belebt erscheint", während — sonderbarer Gedanke — sonst „öfter als man denkt", „der Fall vorkommt", „daß eine Nation Saft und Kraft aus einem Werke aussaugt und in ihr eigenes inneres Leben dergestalt aufnimmt, daß sie daran keine weitere Freude haben, sich daraus keine Nahrung weiter zueignen kann. Vorzüglich begegnet dies den Deutschen, die gar zu schnell alles, was ihnen geboten wird, verarbeiten und, indem sie es durch mancherlei Wiederholungen umgestalten, es gewissermaßen vernichten"[195]). Die Übertragung ins Fremde ist eine Wiedergeburt: „Und allzusammen so gesund, als stünden sie noch auf Muttergrund", heißt es in dem betreffenden Gedicht zur Übersetzung seiner Lieder[196]).

Die künstlerischen Prinzipien, nach denen das Vergangene bewältigt werden kann, sind darum: Umschlag in Natur und „magisches" Hineintragen des Gewesenen ins noch Lebendige. Beide sind korrelativ zu verstehen. Denn wenn ein geschichtliches Werk bei Goethe Naturformen typologischer oder urphänomenologischer Art aus sich entläßt, so sind diese dennoch streng gebunden an ihr geschichtliches Sein, das — eben weil es im Grunde längst schon erloschen ist — „magisch" erscheint und auch immer wieder von Goethe als „magisch" empfunden wurde[197]). Der

Grundriß der Geschichtswelt von Faust II beginnt sich von hier aus langsam zu entziffern. Geschichte als Natur und Magie sind die Formeln, die ihn enträtseln, Magie nicht im Sinne der Faustfabel und auch Natur nicht im Sinne der Naturphilosophie Goethes allein, sondern beide im Sinne folgender, längst ausgeprägter Dichtungs- und Denkstrukturen Goethes gefaßt:

Schon in „Dichtung und Wahrheit" trug das Vergangene gerade dadurch, daß es leibhaft, frisch und unverwelkt in Jabachs Haus lebte, etwas „Gespenstermäßiges"[198]) in die Gegenwart. Durch „Handschriften ... Porträts" usw. wird ihm, auch im realen Verkehr mit seinen Freunden, ein Gewesenes „auf magische Weise vergegenwärtigt"[199]). In den „Wanderjahren" sieht sich Josef beim Anblick Marias und in Erinnerung an seine Gemälde, die eine gleiche Maria, aber in einer Urzeit, sinnlich in die Gegenwart gerückt hatten, in einen schwankenden Zustand von Traum und Erwachen[200]) versetzt, weil die vergangene Maria ihm plötzlich real im Gebirge so wiederbegegnet, wie er sie in den Bildern immer geschaut hatte. Vergangenes wird magisch scheinhaft, wo es real sichtbar erscheint, weil es ein Stück des Verlorenen ist und dennoch das Verlorene nicht mehr gänzlich enthält. Die Ahnung dessen, was alles noch in ihm verborgen schlummert, erregt „Schauder"-gefühle, Bangen und höchsten Enthusiasmus. Die magisch schwankende Haltung der gesamten Geschichtssphäre in Faust II ist daher zutiefst kein Erzeugnis der Faustfabel, sondern elementarste Basis des Geschichtsdenkens Goethes überhaupt; sie beruht auf der Ehrfurcht Goethes vor der abgründigen Einzigkeit, Unantastbarkeit und Unerschöpflichkeit alles Historischen. „Zum Schauderfeste dieser Nacht" tritt „Erichtho" am Anfang der „Klassischen Walpurgisnacht", die „ungeheure" Gestalten, d. h. absolute Urphänomene in geschichtlichen Figuren darbietet[200a]). Wenn Goethe einmal ausführt, echte „Autorität" beruhe auf dem „Unergründlichen" des „Genies" und „der Vernunft" im Gegensatz zum „Verstand", der „nur immer Seinesgleichen hervorbringt"[201]), d. h. außerhalb des einzigartig Geschichtlichen steht, so wird deutlich, warum „Magie" in der Erscheinung eines solch Unergründlichen, Einzigartigen, Geschichtlichen wohnt. Nur aus der magischen Unergründlichkeit des Historischen entspringt nicht erst bei „Helena", sondern schon längst bei Pandora die „quälende" Frage, ob dieser Gipfel der Antike, diese „Hochgestalt aus altem Dunkel", „göttlich altem Kraftgeschlecht" entstamme oder dem „Traum" (V. 562). Und nur im Hinblick auf die gleiche Unergründlichkeit geschichtlich gewesener Schönheit wird Helenas „Ursprung" real und phantastisch, historisch und traumhaft erfragt und in der Idolszene höchst schwankend gespenstisch beantwortet[201a]). Das „Magische" ist Ausdruck des Unergründlichen historisch überlieferter Schönheit.

Zugleich wirkt es verjüngend: Bereits in „Dichtung und Wahrheit" hebt

das magische Hineinragen der Vergangenheit in die Gegenwart das Entsetzen vor der Nichtvollendung des Werkes (Kölner Dom) auf und erzeugt einen außerordentlich dichterisch-positiven Überschwang in Goethes
Herzen. Die Gewißheit einer ewig produktiven Ganzheit auch im scheinbar unvollendet Stehengebliebenen geschichtlicher Werke ist durch das
magische Fortleben ihrer Dokumente und das spiegelnde „Ineinssetzen
von Vergangenheit und Gegenwart" gewährleistet.

Daneben steht eine zweite Form der Verewigung von Geschichte: ihr
Eindringen ins Reich der Natur. Immer wieder in Festspielen, Opern,
Dramen, Novellen und Romanen und selbst in Gedichten erwachen bei
Goethe besonders im Alter verfallende Denkmäler zur Dauer durch Über-
kleidung mit dem Mantel von Gras, Laub, Wald usw. In dem „ein-
geschlossenen Tal", wo Wilhelm sich — auf Grund der magischen Spiegelung der Hl. Familie in Gemälde, Wirklichkeit und Geschichte — „um
1800 Jahre zurückversetzt" fühlt, d. h. eine „Urgeschichte" anschaut, erlebt er auch eine Verewigung der „Ruine des säulenreichen Kirchen-
gebäudes" dadurch, daß „dessen hohe Giebel und Wände sich in Wind
und Wetter zu befestigen schienen, indessen sich starke Bäume von Alters
her auf den breiten Mauerrücken eingewurzelt hatten und in Gesellschaft von mancherlei Gras, Blumen und Moos kühn in der Luft hängende
Gärten vorstellten"[202]). Die Ruine wird „befestigt" und aller Zeit entzogen gerade durch die Mächte, die sie zerstören sollen, durch „Wind
und Wetter". So wird auch in der „Novelle" das „Denkmal alter Zeit",
der „wichtige Ruinenkörper", unvergänglicher Dauer zugeführt durch die
unlösliche Verbindung mit dem Urwald und den Wurzeln der Bäume[203]).
Fruchtbar für die Erkenntnis der Komposition des Faust II-Dramas wird
dieser Eintritt des Geschichtswerkes in die Natur, wenn die Zeichen, unter
denen er vor sich geht, genaustens erfaßt werden: Die Klosterruine am
Anfang der „Wanderjahre" steht nämlich in Verbindung mit den geologischen Gesprächen Montans im „ältesten Gebirge". Ein granitener
„Kreuzstein", den Fitz unter dem Altar der Ruine fand, hat eine geheimnisvoll Geologie und Geschichte bindende Bedeutung. Ohne ihn läßt sich
kein Schatz heben. Er ist ein wundersames „Gleichnis": „Man freut sich
mit Recht, wenn die leblose Natur ein Gleichnis dessen, was wir lieben
und verehren, hervorbringt. Sie erscheint uns in Gestalt einer Sibylle, die
ein Zeugnis dessen, was von Ewigkeit her beschlossen ist und erst in der
Zeit wirklich werden soll, zum voraus niederlegt. Hierauf als auf eine
wundervolle heilige Schicht hatten die Priester ihren Altar gegründet"[204]).
Am Anfang von Natur und Geschichte steht das Rätselbild vom Granit,
jener „Dreieinigkeit", die Ursprung und Metamorphose ineins faßt, wie
am Tor des „Saales der Vergangenheit" in den „Lehrjahren" Sphinxe aus
Granit liegen. Granitene Sphinxe, bewegungslos ewig „zu der Völker
Hochgericht" sitzend, ohne ihr „Gesicht zu verziehen", empfangen aber

auch die nordischen Wanderer in Faust II auf ihrer Reise in die Geschichtswelt der „Klassischen Walpurgisnacht". Die geschichtliche „Vergangenheit" hat bei Goethe meist einen von Ewigkeit her beschlossenen „Anfang", woraus sich ein kompositorischer Aufbau der Geschichtskonzeption Goethes ergibt, der durch weitere Bildschichten sich noch klarer gestaltet:

Auf das Granitbild baut sich nämlich ein zweites Bild: die Symbolik vom Geheimnis des Innern und von der späteren, spontan plötzlichen Öffnung des Urwaldes bzw. des Urgebirges zum Himmel. Eine „wundersam altertümliche (also historische) Stimmung überfiel"[205]) Wilhelm in einem „eingeschlossen Tal", entrückt allem Weltleben in „Stille und Trümmern". Die Verewigung und Rettung des Vergangenen wird in einem stillen Natureiland, abgeschlossen von aller äußeren Welt, vollzogen. Desgleichen führt zur Urwaldruine der „Novelle" nur ein „geheimer Weg"[206]) (betont von Goethe später eingeschoben); das Innere ist „durch das Zusammenstürzen des alten Thorturmes unzugänglich, seit undenklichen Jahren von niemand betreten"[207]). Im Gegensatz zur rauhen drohenden „Wildnis" des Äußeren ist es aber „geplättet". Ebenso „löst sich" nach dem schauerlichen Anblick der granitenen Sphinxe vor dem „Saal der Vergangenheit" in den „Lehrjahren" beim Eintritt ins Innere plötzlich alles „in die reinste Heiterkeit auf"[208]). Die Schlange im „Märchen" findet ihren Weg in den unterirdisch geheimen Tempel auch nur durch wildes Gestrüpp usw. Immer steht die verewigte Einheit von Natur und Geschichte in einem Geheimnis, das sich „verbirgt" und „abschließt" und eine herrliche, reine und heitere Form bewahrt gegen äußere Wildnis. Im „Pyrmont"-Entwurf „entsteht mitten in der Weltwoge eine Stadt Gottes, um deren unsichtbare Mauern das Pöbelhafte nach seiner Weise wütet und rast"[209]). „Absonderung des Heiligen vom Gemeinen durch Mauern von Alters her Tempo di Marte Kloster Mauern Papa Julia, und nicht etwa negativ nein! Inwendig war und ist die Welt", notiert sich Goethe zur zweiten italienischen Reise)[209a]). Parallele Erscheinungen in Faust II — das Tempel-, Höhlen- und Arkadienbild mitten im Kriegslärm der Geschichte usw. — werden uns noch eingehend zu beschäftigen haben. Wesentlich ist hier, daß prinzipiell Geschichte nur im „Geheimen" zur zeitlos-natürlichen Ewigkeit auferstehen kann, daß der Durchbruch zum absolut beharrenden Sein sich unter Ausschluß zerfallender Zeit in einer abgeschlossenen Natur vollzieht, und daß dadurch zugleich die polar entsprechenden Gegensymbole zum Granit: Licht und himmlische Sphären[209b]), durchdringen: „Im Schatten eines mächtigen Felsens ... an grauser bedeutender Stelle" wird Wilhelm zu Beginn der „Wanderjahre" überrascht durch die irdisch-überirdische Klarheit der Heiligen Familie und ihren fromm verschwebenden Gesang. Der Krieg, der um das abgeschlossene Tal der Heiligen Familie tobt, wird durch „diese himmlische Gestalt (Marias), wie ich sie gleichsam in der Luft schweben ... sah"[210]) inner-

lich ausgeglichen. Die Ruine in der „Novelle" wird durch einen „Baum, . . .
der sich über das Ganze wunderbar hoch in die Luft erhebt" und zweifellos das spätere musikalische Wunder des Knaben symbolisch vorweg-
nimmt, gekrönt usw.[211]). Kurzum, die Trias von Kunst, Natur und Geschichte ist bei Goethe strengstens geschichtet und aufeinander bezogen.

Grundsätzlich heißt das: Die „magische" Vergegenwärtigung des Vergangenen erfolgt unter Mitwirkung von Ursymbolen (Granit, Licht,
Höhle, Tempel usw.), die das Historische ins Zeitlos-Natürliche wandeln
und aus dem Strom des Nichtigen heben. Da hierbei jedoch das Historisch-
Faktische keineswegs im Allgemeinen aufgehoben und zum Verschwinden
gebracht wird, beginnt jenes schwierige Verhältnis von Geschichte und
Urgeschichte, das die Symbolwelt von Faust II so undurchsichtig macht.
Das Faktische bleibt erhalten; ja, je mehr es sich verhärtet und ver-
festigt, umso näher rückt die Stunde, wo es, wie die Ruine, zum Naturwerk wird, das wie aus Urzeiten je und je war, ist und sein wird. Der
Umschlag des Geschichtlichen ins Urgeschichtliche vollzieht sich mitten im
Geschichtlichen selbst, indem die faktische „Dauer" der Ruine langsam
aus der Erinnerung weicht, bis ein Punkt erreicht wird, wo es den Anschein hat, das geschichtliche Werk sei selbst ein Naturwerk geworden
und stehe außer aller Zeit. In ähnlicher Weise spricht im historischen
Bildersaal des Chinesischen Turms der Einsiedler davon, fünfzig Jahre
bleibe der Name großer Männer in der Erinnerung des Volkes, dann
werde er „märchenhaft", wie z. B. Wilhelm von Oranien für holländische
Knaben zum „Urvater aller außerordentlichen Männer und Helden"[212])
geworden sei. Ganz langsam und schrittweise gerät in diesem Sinne Geschichtliches ins Urgeschichtliche.

Eine weitere wesentliche Möglichkeit, Geschichte künstlerisch zu bewäl-
tigen, liegt in dem stets erneuten Goetheschen Versuch, „als prägnanten
Moment" eine ganz bestimmte historische Erscheinung, im Falle z. B. des
Pyrmont-Entwurfes „das Jahr 1582" zu ergreifen und „auf einen solchen
Zeitpunkt, einen solchen unvorbereiteten Zustand vorwärts und rückwärts ein Märchen" zu erbauen, „das zur Absicht hatte, . . . sowohl in der
Ferne als der Gegenwart"[213]) zu wirken. Durch eine ganz bestimmte, be-
grenzte „Lokalität" (Pyrmont) und ein bestimmtes Jahr fühlt sich Goethe
„auf Urgeschichten hingewiesen" und „wie in einem magischen Kreis be-
fangen": „Man identifiziert das Vergangene mit der Gegenwart, man beschränkt die allgemeinste Räumlichkeit auf die jedesmal nächste und fühlt
sich zuletzt in dem behaglichsten Zustande, weil man für einen Augenblick wähnt, man habe sich das Unfaßlichste zur unmittelbaren Anschauung gebracht"[214]). In diesen Sätzen von 1825 ist eine wichtige
Faust II-Problematik latent enthalten. Von der „allgemeinsten Räumlichkeit" beschränkt sich Goethe bewußt auf die konkret-einmalige, „jedesmal
nächste Räumlichkeit", auf die er ein „Märchen", eine „Urgeschichte" er-

baut, die die Totalität erzwingt, „das Unfaßlichste zur unmittelbaren Anschauung" bringt. Ganz genau so wird nämlich auch die Phantom- und
Märchenwelt der Klassischen Walpurgisnacht von einer ganz bestimmten
Räumlichkeit aus, den Pharsalischen Feldern, die Goethe genau studierte,
und von einem bestimmten „Datum" (Pharsalische Schlacht), das er bis auf
den Tag genau ausfindig zu machen suchte, aufgebaut[215]. Die Erkenntnis, sowohl bei der Faust II-Arbeit wie auch bei der Konzeption der
Pyrmontdichtung, daß solche Bemühung, die Totalität auf einem konkreten historischen Moment und Ort zu errichten, „Wahn" sei, allerdings
glücklichster Wahn „für einen Augenblick", erhellt blitzartig die ganze
Komplikation dieses Symbolschaffens, dieser „aus dem Ungewissen ins
Ungewissere verleitenden Bemühungen" (Pyrmont)[216]. Die Totalität, die
übrigens wiederum im Pyrmontentwurf gemäß seinem entstehungsgeschichtlich hochklassischen Ursprung als eine Typologie des Lebens
(„Jüngling, Mann und Greis") ansichtig werden sollte, wird in der Spätzeit aus dem einzelnsten Faktum entwickelt und bleibt damit notgedrungen virtuell, ein reines „Märchen" mitten im historischen Weltlauf. Die Symbolik tritt „überraschend", und zwar für jeden Leser
anders, je nach seiner Erfahrung und Kenntnis, zu Tage: Im Porträtsaal
der „Wanderjahre" tritt das einzelne Porträt, „der bedeutende Mensch,
den man sich sonst ohne Umgebung nicht denken kann ... einzeln abgesondert heraus und stellt sich vor uns wie vor einen Spiegel ... wir
sollen uns ausschließlich mit ihm beschäftigen". Plötzlich, während der
Betrachtung, geht dann Wilhelm „überraschend" „die Ähnlichkeit mancher
längst vorübergegangenen (Menschen im Porträt) mit lebendigen, ihm
bekannten und leibhaftig gesehenen Menschen, ja Ähnlichkeit mit ihm
selbst" auf[217]. Der Umschlag vom Einzelnen ins Allgemeine, Typische, ins
übergreifend Menschliche vollzieht sich im Alter bei Goethe „überraschend", spontan und beruht auf nicht eindeutig fixierbaren „Ähnlichkeiten". Isolierte Gestalten liefern andeutungsweise, nicht unmittelbar
eine Typologie des Daseins.

Damit tritt das Verhältnis von Geschichte und Dichtung in eine völlig
neue und wichtige Phase: Zum erstenmal wird deutlich, daß ein
historisches „Lokal" im Grund erst dadurch entsteht, daß eine geistig
fruchtbare Fiktion sich an einen im übrigen gleichgültigen Ort heftet, d. h.
daß Geschichte von der Dichtung bzw. einer geistig-geschichtlichen Intention selbst produziert wird. In unnachahmlich wissender Voraussicht der
tiefsten Hintergründe der positivistischen Goethephilologie hat Goethe
dies selbst am Beispiel der ersten Philologenwallfahrt nach Sesenheim
(1822) entwickelt: Aus einer dauernden, wechselseitig „wiederholten
Spiegelung" des „jugendlich seligen Wahnlebens" des Dichters mit dem
Niederschlag im Werk und der Ausstrahlung des Werks in die Welt entsteht eine aufschlußreiche Verwechslung von Dichtung und Wirklichkeit.

Die Dichtung wird gelesen, „als wäre sie Wirklichkeit"; „hieraus entfaltet sich ein Trieb, alles, was von Vergangenheit noch herauszuzaubern wäre, zu verwirklichen. Die Sehnsucht wächst, und um es zu verwirklichen, wird es unumgänglich nötig, an Ort und Stelle zu gelangen, um sich die Örtlichkeit wenigstens anzueignen ... Hier entsteht nun, in der gewissermaßen verödeten Lokalität, die Möglichkeit, ein Wahrhaftes wiederherzustellen; aus Trümmern von Dasein und Überlieferung sich eine zweite Gegenwart zu verschaffen und Friederiken von ehemals in ihrer ganzen Liebenswürdigkeit zu lieben"[218]). Der poetische Traum schafft sich selbst Örtlichkeit, „zweite Gegenwart" und Geschichte des Geträumten, wie Goethe in seiner eigenen Beschreibung des Idylls von Sesenheim durch Spiegelung mit dem Roman „Vicar of Wakefield" die Idee entwickelt, daß „romantisch-poetische Fiktionen die historisch-poetischen Taufnamen"[219]) erzeugen.

Tiefer kann die überraschend positive Haltung Goethes zur historischen Wiederbeschwörung des Gedichteten, schärfer aber auch nicht die Entlarvung ihrer Hintergründe formuliert werden. Die Restaurierung des Gewesenen als Reflex aus dem Werk selbst, der Trug, nun umgekehrt der „Entstehungsgeschichte" oder gar dem „Geist" des Werkes beizukommen durch unaufhörliche Reduzierung alles Poetischen auf real geschichtliche „Vorbilder", all dies, dem Generationen nach Goethe verfielen und immer wieder verfallen werden, da jedes groß gestaltete „Wahnleben" im Leser „Wirklichkeiten" heraufzaubert, wurde von keinem anderen klarer erkannt als vom Schöpfer dieses Vorganges selbst. Es wurde sogar von ihm zu einer positiven Geschichtslehre erweitert, wenn er fortfährt: „und man wird ein Symbol gewinnen dessen, was in der Geschichte der Künste und Wissenschaften, der Kirchen, auch wohl der politischen Welt sich mehrmals wiederholt hat und noch täglich wiederholt", da solche „wiederholten sittlichen Spiegelungen das Vergangene nicht allein lebendig erhalten, sondern sogar zu einem höhern Leben emporsteigern"[220]).

Die Selbsttäuschung des historisch-kritischen Denkens, das, was vom Genius bzw. einem geschichtlichen Geist überhaupt erst in den Strahl des Interesses gerückt wurde und erst kraft eines zentrierenden Geistes zum Material eines geschichtlichen Vorgangs emporstieg, nun selbst als Ursache und Basis dieses Vorgangs zu proklamieren, konnte niemals kampfloser, klarer, liebevoller und auch tiefer korrigiert werden als durch dieses Wort vom „Emporsteigern zu einem höheren Leben", das in dieser Restaurierung, Entdeckung und Wiedergeburt des historisch Lokalen auftritt. „Höheres Leben" ist der Niederschlag der Dichtung im Realen, Rettung und Bewahrung des Geistes im Sinnlich-Gewesenen und Geschaffenen. Ehrfurcht gebührt dem historischen Ort, weil er als ein ins „Höhere" gespiegelter und realisierter Schein ein im nur ideellen „Wahnleben" sich allzu leicht verflüchtigendes Bild festhält und bewahrt:

„Höchst merkwürdig ist, daß von dem menschlichen Wesen das Entgegengesetzteste übrig bleibt: Gehäus und Gerüst, worin sich der Geist hienieden genügte, sodann aber die idealen Wirkungen, die in Wort und That von ihm ausgingen"[221]). Geist und Skelett, Gerüst und Idee sind die zwei Pole, die in wechselseitiger Spiegelung ins „Höhere" weisen. Geschichte aber ist sinnlicher Niederschlag der Idee, das „Gehäus", das die Spur des Gewesenen festhält und vom Geist selber reflexartig erzeugt wurde. „Wer die Geschichte recht erkannt hat, dem wird aus tausend Beispielen klar sein, daß das Vergeistigen des Körperlichen wie das Verkörpern des Geistigen nicht einen Augenblick geruht, sondern immer unter Propheten, Religiosen, Dichtern, Rednern, Künstlern und Kunstgenossen hin und her pulsiert hat; vor- und nachzeitig immer, gleichzeitig oft"[221a]). Das „höhere Leben", in das Faust eintritt, sind — geschichtlich gesehen — die skelettartigen Relikte vielfältig gespiegelter und „gesteigerter" Geister, die, wie es in einer Skizze zu Faust II heißt, ihre „ausgegeisteten Körperlichkeiten ... zu legitimer Auferstehung" (Paralip. 123) sich wieder aneignen und die Güter der Antike erneut vor dem Blick der nordischen Luftfahrer ausbreiten wollen. Die Wiedergeburt der Antike in der Moderne ist immer auch ein Ergreifen ihres historischen Skeletts. Aber sie ist auch ein Erscheinen und Vergeistigen von Urformen von Geschichte überhaupt, die in „ungeheuren" Symbolen (granitene Sphinxe, Greife, Sirenen, riesenhafte Ameisen usw.) einen von Ewigkeit her beschlossenen Anfang alles Zeitlichen urphänomenologisch offenbaren[222]). In diesem Sinn wird Geschichte „gesteigertes" Dasein auch Fausts, wenn er vor den Sphinxen, Greifen usw., diesen „häßlichen" Ausgeburten der Antike auszurufen vermag: „Gestalten groß, groß die Erinnerungen" (V. 7190). In diesem Sinn ist sein „Erwachen" in einer „höheren" Welt Erwachen in der Geschichte.

Doch verbirgt sich noch eine zweite Erscheinung hinter dieser Entstehung historischer Orte aus dem Geiste des Gewesenen: Diese Orte lösen sich ja los vom physikalisch-realen Bereich. Das Bild tritt isoliert heraus aus dem weiter flutenden Leben, wie historische Denkmäler seltsam anachronistisch mitten im „modernen" Leben verharren. Sie werden museal. Nicht umsonst kehrt bei Goethe das Bild von der „Galerie", dem „Bildersaal" der Geschichte immer wieder. Diese Galerien setzen die Bilder vereinzelt bzw. zyklisch heraus und allegorisieren sie durch wechselseitige Bezüge oder „Aufschriften", wie vor allem die „Wanderjahre" (Pädagogische Provinz) zeigen. Gerade ihre „Sonderung", schreibt dort Goethe, führe zum „Bedeutenden", das sich absetzt gegen den unmittelbaren Lebensstrom, denn „das Leben mengt und mischt ohnehin alles durcheinander"[223]). Auch „Porträts" werden bewußt von „ihrer Umgebung" gelöst, ohne die man sie sich doch sonst im Grunde „nicht denken kann". Nicht anders in Faust II: Die Maskerade am Kaiserlichen Hof, die Spukwelt der Klassischen Walpurgisnacht und selbst die Geschichtswelt des Helenaaktes verlassen ihre jeweils zeitliche und lokale Umgebung, obgleich sie historisch-mythologisch vorgeformt und geprägt sind. Ihre Ineinanderschlingung „verwirrt", wie es in den Skizzen zur Klassischen Walpurgisnacht heißt, und läßt ununterbrochen Analogien und Ähnlichkeiten mit übergreifenden Typen herausahnen, die nie streng zu bezeichnen sind, obgleich sie andererseits, wie sich zeigen wird, genauestens nach bestimmten urphänomenologischen Vorgängen komponiert und geordnet sind. Die Komposition ist, wie Goethe immer wieder an anderen Werken rühmend hervorhebt, „so kunstgemäß-tumultuarisch, so symmetrischverworren, daß es eine Lust ist". Sie beruht auf einer „verheimlichten Symmetrie, worauf bei der Komposition alles ankommt"[224]).

Ja selbst Ironie erhält bei Goethe die Funktion, das historisch Abgetane zu retten. Eine starr dogmatische Aburteilung des Vergangenen, eine restlose Erkenntnis und Aufklärung seiner sogenannten Irrtümer zerstöre Wert und Sinn des Gewesenen. Nur durch Ironie könne es wohltätig bewahrt werden, „denn sonst wird man bei jedem geschichtlichen Rückblick konfus und ärgerlich über sich selbst" und seine früheren Fehltritte[225]). Das scheinbar unernste Spielen mit der Geschichte in Faust II, die ironische Zerstörung von Zeitbindungen (Parodie auf die Philologie usw.), die Ablösung der geschichtlichen Figuren aus ihrem historischen Zeitgrund u. a. sollen also gerade die Reinheit des Gewesenen retten und vor einer systematisierenden „Richtigkeit" schützen. Das Objekt erscheint umso reiner, je weniger belastet es ist mit konkret historischer Erinnerung, je weniger es in den Geist der Zeit gestellt wird, dem es einst wirklich zugehört hat. Am isolierten Porträt liebt Goethe gerade das Eigenste, Urwüchsigste, Lebendigste des Charakters, so wie er „an und für sich" leibt, lebt und sich gibt. Das Zeitdekorum würde hier stören. Die Bevorzugung des Vereinzelten in der Fülle soll die Unverwüstlichkeit des Lebendigsten plastisch demonstrieren, während jede illusionierende Historisierung der Phänomene sie fälscht. Nicht Antike, wie sie war, sondern wie sie „rein" war, will Goethe erfassen. In diesem Sinne „rettet" er das Leben. Die verklärend typologische Allgemeinheit des Menschen der hochklassischen Zeit (Mann, Greis, Jüngling, Mutter, Kind usw.), die Goethe an antiken Reliefs (schon in Italien) und selbst noch an mittelalterlichen Denkmälern (Wahlverwandtschaften) geliebt hatte, tritt mehr und mehr beim greisen Goethe zurück vor dem charakteristisch Lebendigen des spezifischen Falles, in dem Goethe die ewig tätige Kraft der Wiedergeburten entdeckt: „Wirst doch immer aufs neue hervorgebracht, herrlich Ebenbild Gottes", ruft Wilhelm „auf dem Wechselweg vom Orkus zum Licht" beim Anblick des nackten, verletzten und geheilten Körpers seines Sohnes am Schluß der „Wanderjahre" aus. Durch jedes einzelne Denkmal dringt das ewige Organon des Lebendigen hindurch. Aber wie hier Orkus und Licht polar auf einem Wechselweg sich begegnen, so treiben Verjüngung und Urzeit stets konträr aufeinander zu, ohne verallgemeinernd in einer ewigen Totalität zu versinken. Das ist zentral für die Symbolik des Alters: Urzeit und Jugend, Geschichte und Wiedergeburt schlingen sich nicht ineinander zu einer absolut durchschlagenden Totalität, sondern zur getrennten Einheit von Anfang und Ende: „Man bedient sich als Symbol der Ewigkeit der Schlange, die sich in einen Reif abschließt, ich betrachte dies hingegen gern als Gleichnis einer glücklichen Zeitlichkeit. Was kann der Mensch mehr wünschen, als daß ihm erlaubt sei, das Ende an den Anfang anzuschließen"[226]).

Damit ist der Sinn des Verjüngungs- und Wiedergeburtssymbols zu Beginn der Faust II-Dichtung erst restlos geklärt: Urzeit und Ewigkeit umgreifen die geschichtliche Welt von Faust II in polar spannungsgeladener „glücklicher Zeitlichkeit"; das „goldene Zeitalter", von dem in frühklassischer Zeit Elpenor, Tasso usw. kündeten, blitzt auf und verschwindet in streng abgesonderten Gestalten, die durch „überraschende" Kontraste und „Verknüpfungen" von „Anfang und Ende" jäh den Abgrund der Zeit überspringen. Das Höchste der Dichtung, ja ein „überirdischer Zustand" und ein „wahrer Triumph der Kunst" wird für den späten Goethe erreicht, indem, wie in der „Der Tänzerin Grab", die drei Zeitstufen „für einen Moment fixiert" sind, „so daß wir das Vergangene, Gegenwärtige und Zukünftige zugleich erblicken"[227]). Das ist die Totalität Goethes auch im geschichtlichen Bereich.

In unübertrefflicher Großartigkeit sprach Goethe in seinem letzten, ergreifenden, wenige Tage vor seinem Tode seltsam symbolisch Sinn und Tiefe seines gesamten verflossenen Lebens- und Schaffenswerkes zusammenfassenden Brief an seinen Freund Zelter dies aus: „Fossile Tierund Pflanzenreste versammeln sich um mich, wobei man sich notwendig nur an Raum und Platz des Fundorts halten muß (man beachte das Festklammern am Real-Faktischen!), weil man, bei fernerer Vertiefung in die Betrachtung der Zeiten wahnsinnig werden müßte. Ich möchte wirklich, zum Scherze, Dir einmal, wenn Du mit Deinen lebendigen Jünglingen lebenstätige Chöre durchprüfst, einen uralten Elefanten-Backenzahn aus unsern Kiesgruben vorlegen, damit Ihr den Kontrast recht lebhaft und mit einiger Anmut fühlen möchtet"[228]).

Die Welt, in die Faust eintritt, als er zu verjüngtem Leben erwacht, ist damit gezeichnet: Es ist Urwelt und gegenwärtigster Tag, Geschichtswelt und schwindelerregender Abgrund der Zeit, mythische Urzeit und realistische Jetztzeit, Traum und Wachen ineins. Es ist Kunstwelt (Oper, Theater, Tanz, Musik) in der Geschichtswelt, Geschichtswelt in der Kunstwelt, Erwachen und Sichselbstentdecken der Kunst in der Geschichte. „Kunst- und Menschengeschichte standen synchronistisch vor unseren Augen", heißt es in einer sehr späten Bearbeitung der „Italienischen

Reise"[229]). Die Rettung des Zeitlichen in „synchronistisch" alles spontan bindenden Ursymbolen ist der letzte Sinn der Geschichtswelt des Faust II. Seinen ewig sich verjüngenden Grund aber findet er in der je und je sich behauptenden Urmacht organischen Seins.

III. Kapitel

Die Schichtung des 1. Aktes und ihre Vorformen

1. Die ersten Skizzen und die Ursachen ihrer Änderung

Der innerste Sinn der Szenen am Kaiserhof — Mummenschanz, Helenabeschwörung usw. — ist nicht zu begreifen ohne einen Vergleich der ursprünglichen Pläne, Absichten und teilweise auch schon bruchstückhaft vorhandenen Szenen mit der ausgeführten Dichtung.

Wie die Skizze zum Anfangsmonolog, so stellten auch die ursprünglich geplanten Szenen am Kaiserhof eine „Fortsetzung" der Charakterstruktur von „Faust I" dar. Faust sollte den Versuch machen, in großen Unterredungen die Aufmerksamkeit des Kaisers auf „höhere Forderungen und höhere Mittel" zu lenken, die hinter seiner Zauberkraft verborgen sind; er verbietet deshalb Mephisto den Zutritt zum Kaiser mit der Begründung, „daß in des Kaisers Gegenwart nichts von Gaukelei und Verblendung vorkommen solle" (Paralip. 63). Das war der alte Kontrast zwischen Faust und Mephisto, Faust und der Welt: Faust sucht in der Magie mehr als Verblendung, ein Mittel, vielleicht Höchstes zu erreichen; Mephisto und der Kaiser erniedrigen sie zum Gaukelwerk. „Der Kaiser versteht ihn nicht ... das Gespräch verwirrt sich, stockt". Mephisto muß einspringen, mit gewandter Zunge die Unterredung „beleben" und Kaiser und Hof zur höchsten Entzückung durch Trug und niederen Zauber hinreißen. Ganz im Sinn von Faust I standen Tun und Treiben der Menschen satirisch beleuchtet dem einsam enttäuschten Faust gegenüber, dessen hochfliegender Charakter sich durchhielt: „Jeder Trost ist niederträchtig und Verzweiflung nur ist Pflicht" (Paralip. 83)[1]. Noch schärfer trat diese Konfrontierung zwischen oberflächlicher Gesellschaft und der Vereinsamung Fausts in der ursprünglichen Helenabeschwörung zutage. Mephisto sollte als „verkappter Faust" die Geister zitieren; es sollten dabei in der Beschwörung geschichtlich großer Männer satirische Wendungen einfließen (s. die ausgeführte Szene: „Bravo, alter Fortinbras ...", Paralip 65) und das Ganze „tumultuarisch" enden, indem „der wirkliche Faust, von drei

Lampen beleuchtet ,,, im Hintergrunde ohnmächtig" angesichts dieser
Verzerrung seiner ursprünglichen Intentionen liegen bleibt, während
Mephisto „sich aus dem Staube macht. Man ahndet etwas von dem
Doppelsein", d. h. von der Vertauschung der Faust- und Mephistorolle,
„niemanden ist wohl bei der Sache zu Mute" (Paralip. 63).

Nicht also wie heute durch die verwegene Umarmung Helenas und den
folgenden Donnerschlag wird hier Faust ohnmächtig, auch beschwört er
nicht wie in der heutigen Fassung selbst Helena durch den Gang zu den
Müttern (auch in der früh geplanten zweiten Beschwörung durch den
„magischen Ring" im alten Schloß ist Mephisto der Beschwörer: „Mephisto
unternimmts"), sondern im Raum einer negativ gezeichneten Gesellschaft
blickt er entsetzt in den verzerrten Spiegel seiner innersten Hoffnungen,
Wünsche und Forderungen, schaut er schreckhaft sich selbst in Teufels-
gestalt. Die Sphäre „leidenschaftlicher" Innerlichkeit, „verzweifelten"
Ringens um die Behauptung der höheren Idee in der „großen Welt" ist
noch nicht verlassen; die Struktur von Faust I bleibt bewahrt.

Inzwischen setzte die Arbeit an „Helena" ein. Alle geschilderten Skizzen,
selbst Paralip. 100 („Faust schlafend Geister des Ruhms" usw.), das Petsch
auf das Jahr 1825 ansetzt[2]), sind vor der Vollendung des Helenaaktes geschrieben, während die eigentliche Ausarbeitung des ersten Aktes erst
nach dem Abschluß des dritten Aktes erfolgt. Mit diesem Helenaakt jedoch hatte sich Entscheidendes vollzogen. Faust war in die künstlerische
Sphäre getreten, in der Reimerfindungsszene Helena gegenüber war er
Vertreter der modernen Poesie, sein Sohn sogar ihr Genius geworden.
Wie stand er nunmehr in Goethes Augen vor Kaiser und Hof? Die Lesarten und späteren Paralipomena geben ein Zeugnis dafür: In der Mütterbeschwörung ist ihm Faust ein „Dichter" statt „Magier" (Lesart zu
V. 6436), im Flammengaukelspiel ist gleichfalls in zwei Skizzen von dem
„Dichter" die Rede, der einzig den Zauber zu lenken und „leisten" wisse
bzw. an Fausts Stelle als dritte Person das Gaukelspiel abschließt (Paralip.
113 und 117). Erst ganz zuletzt streicht Goethe aus bestimmten, noch zu
entwickelnden Gründen diese Stellen, obgleich, wie wir noch im Einzelnen
zu beweisen vermögen, Faust faktisch im Goetheschen Sinne Dichter,
nicht Magier ist und bleibt. Denn wie auch immer die schließliche
Wiederrückwendung in die Magie begründet werden mag (als Konzession
an den Stoff usw.), schon die Tatsache überhaupt, daß Goethe nach dem
Abschluß der Helenatragödie Tun und Leiden seines Helden ins „Dichterische" zu spielen gedachte, ja daß er darüber hinaus ihm in seiner
Plutusverkleidung und in der Helenabeschwörung bis in die kleinsten
Züge seiner Gestalt und Rolle hinein alle Elemente des Poeten verlieh[2a]),
sollte uns in bezug auf die Verwandlung, die mit Fausts Charakter vor
sich ging, nachdenklich stimmen.

Auch wenn man zunächst absieht von solchen unmittelbar sichtbaren

Einfällen, auf die hier nur grundsätzlich andeutend hingewiesen werden sollte, so gibt es noch offenere Zeugnisse der Wandlungen, die Goethe vom Helenaakt aus mit den Szenen am Kaiserhof vornahm. Ausdrücklich schreibt er während der Arbeit am ersten Akt, er „möchte gar zu gern die zwei ersten Akte fertigbringen, damit Helena als dritter Akt sich ganz ungezwungen anschlösse und, genugsam vorbereitet, nicht mehr phantasmagorisch und eingeschoben, sondern in ästhetisch-vernunftgemäßer Folge sich erweisen könnte"[3]). Eine „ästhetisch vernunftgemäße Folge" auf Helena hin will Goethe in den zwei ersten Akten entwickeln. Sollte die Tatsache, daß nunmehr an Stelle der bizarr entstellenden, tumultuösen Beschwörung Helenas durch Mephisto Faust selber die „Gestalt aller Gestalten" zitiert, eine solche notwendige „Folge" sein? Und mußte nicht damit die ganze Grundproblematik ins Wanken geraten und sich alles statt auf die geplante Enttäuschung Fausts, statt auf seine „höheren Forderungen" an Kaiser und Hofwelt nunmehr auf die Erscheinung des „Schönen" konzentrieren? Nicht Faust als schmerzlich Unverstandener, sondern Helena als schmerzlich Gesuchte würde dann Inhalt und Thema der Handlung. Nicht ein „Fratzengeisterspiel", das Fausts doppelte Rolle tragisch offenbart und Helena mehr zum Mittel zu diesem Zweck denn zum Zielpunkt macht, sondern eine tiefe und echte Beschwörung bis hinab zu den Urbildern des Seins („Mütter") würde die erste Ankunft Helenas vorbereiten.

Das hieß aber, das Phänomen der Schönheit mußte grundsätzlich von innen her vorbereitet und ausgebaut werden. Erstens mußte sich Faust innerlich steigern zum Künstler (in der Plutusmaske und allen damit zusammenhängenden Problemformen: Knabe Lenker, Flammengaukelspiel usw.). Und zweitens mußte — ein nicht minder wichtiges Problem — die Hofgesellschaft auf Helena hin umgeformt werden. Tauchte vielleicht erst von hier aus, notgedrungen und unabweisbar, die Idee der Mummenschanz auf, von der ja in allen früheren Entwürfen noch gar keine Rede ist? Öffnete sich doch seit je für Goethe im Schein von Masken und Allegorien im Raum der Gesellschaft ein höheres Reich der Kunst. War doch der Maskenzug schon seit frühklassischer Zeit ein wesentlichstes Kunstmittel Goethes, die Gesellschaft in die Sphäre der Schönheit und Kunst zu erheben[4]). Sollte jetzt Faust als „Vater" des Knaben Lenker, d. h. der verkörperten Poesie, und zugleich als geheimer Inszenator und Leiter des Ganzen — genau wie Goethe selbst in seinen „Maskenzügen" — die künstlerische Sphäre vorbereiten und damit das Ganze auf Helena in „ästhetisch-vernunftgemäßer Folge" hinführen? Die Mummenschanz selbst mußte sich dann auf Poesie hin orientieren und hat sich auch in der Tat auf sie hin orientiert[5]). So entstand, wiederum als Assoziation, die vom Helenaakt herrührt, die Idee, Euphorion bereits hier im Maskenzug als Knabe Lenker auftreten zu lassen. Dabei ist die Wiederzurücknahme dieser

Idee durch die Ersetzung des Namens „Euphorion" mit der Bezeichnung „Knabe Lenker" (Lesarten) offensichtlich nur aus äußeren Rücksichten auf das Publikum erfolgt, dem es doch etwas zu viel zugemutet ist, eine Gestalt, die erst im dritten Akt geboren wird, bereits im ersten Akt vor sich zu sehen[6]). Wahrscheinlich erfolgte die Streichung des Wortes „Dichter" und die Wiedereinführung der Bezeichnung Fausts als „Magier" aus ähnlichen Überlegungen. Von den „künstlichen Blumen" der Gärtnerinnen und ihrem Ausspruch: „Denn das Naturell der Frauen ist so nah mit K u n s t verwandt" über die Euphorion-Knabe Lenker-Allegorie bis hin zum Flammengaukelspiel und zur Salamandervision im Lustgarten würden also nach dieser zunächst noch unbewiesenen These bestimmte Kunstelemente schichtweise anwachsen, um auf Helenas Erscheinung am Schluß des Aktes atmosphärisch und inhaltlich vorzubereiten.

Daraus ergäbe sich auch die innere Notwendigkeit jener oft beklagten Lücke zwischen dem Anfangsmonolog und dem unvorbereiteten geheimnisvollen Auftreten Fausts als Plutus in der Mummenschanz. Faust kann weder — wie in Eckermanns Fortsetzung des Anfangsmonologs[7]) — im erbitterten Kontrast zu Mephistos Hohn seinen Entschluß, an den Hof zu gehen, zu motivieren suchen, noch kann er — wie in den ursprünglich geplanten Gesprächen mit dem Kaiser — innere „Forderungen" an Staat und Gesellschaft entwickeln, um enttäuscht wieder in sich zurückzusinken, denn in beiden Entwürfen würde gerade das zentrale Anliegen des Dichters, den Eintritt in die Welt der Dichtung und Schönheit „ästhetisch-vernunftgemäß" bis auf Helena hin zu entfalten, durchkreuzt werden von „abstrusen Spekulationen und Forderungen an sich selbst", vor allem aber von einem Zusammenstoß zwischen Faust und der Umwelt, der das Phänomen des Poetischen beherrschend überdeckt hätte. Die Möglichkeit, an diesem Konflikt selbst die Rolle der Poesie deutlich zu machen, war für Goethe nicht mehr gegeben, da bereits seit vielen Jahrzehnten die Sturm- und Drang-Spannung zwischen Dichter und Gesellschaft einer höchst aufschlußreichen gegenseitigen Durchdringung von Gesellschaft und Kunst gewichen war, die uns noch eingehend an der Mummenschanz und ihren Vorformen beschäftigen wird und jede ausgesprochene Konfrontierung der beiden Welten ausschloß. Fausts höhere Kunstwelt und die Hofsphäre mußten ineinander verschmelzen; auf keinen Fall durfte die poetische Sphäre durch den alten Konfliktstoff in der Weise belastet werden, daß diese Sphäre nun in sich selber den Protest gegen Gesellschaft und äußere Welt ausdrücklich enthielt, da dadurch die Blickrichtung auf Helena hin von vornherein verfehlt worden wäre. Dies wäre aber die unvermeidliche Folge einer klaren Auseinandersetzung zwischen Faust und dem Kaiser bzw. Mephisto gewesen. Die Welt der Poesie hätte sich Mephistos Gaukeleien und dem Kaiser zum Trotz behauptet, oder, dem

Stoff noch weit entsprechender, sie wäre gescheitert im Kampf gegen sie. Beides war für Goethe untragbar.

Dazu kommt als gewichtigerer Grund Goethes inhaltliche Bestimmung des Phänomens der Poesie. Die Poesie als offenbares Geheimnis spricht in Bildern, nicht in „Reden" und „Meinungen". Wenn Faust in der Tat, wie wir behaupten, vom Philosophen zum Dichter wird, dann darf er, der ganzen Grundeinstellung Goethes nach, nicht so sehr reden und reflektieren, er muß vielmehr „lenken", zeigen und tun. Einzig darum tritt er in der ersten Hofszene nicht auf, überläßt Mephisto die Rolle des Redners und die Einführung in den Hof und erscheint erst im Gewühl der Mummenschanz maskiert und geheim als Leiter des Ganzen. Zwiefaches wird hierdurch verständlich: erstens die nunmehr eigentümlich zwischen hohem Wahrheitssinn, ernster Rhetorik und Teufelei schwankende neue Haltung Mephistos und zweitens die sprunghafte Kompositionsweise des Ganzen. Ersteres wird sichtbar bereits in Mephistos Auftritt am Kaiserhof, wo eben jene „höheren Forderungen und höheren Mittel", die Faust in seinen Zaubereien dem Kaiser gegenüber vorbringen sollte, nunmehr von Mephisto selbst angedeutet werden, wenn er „begabten Manns Natur- und Geisteskraft" gegen den pfäffischen Kanzler verteidigt („Was ihr nicht tastet, steht euch meilenfern" usw.), oder wenn er den wahren Goldzauber in der Arbeit statt in Gaukeleien und Verblendungen sieht: „Die Bauernarbeit macht dich groß und eine Herde goldner Kälber, Sie reißen sich vom Boden los". Ja, Mephisto appelliert sogar in hohem Goetheschem Tonfall[8]) an die echten Kräfte der Natur unter Abwehr des „Faselns" von „Alraunen" und mit der Aufforderung, dem „hohen Fund" zu vertrauen: „Ihr alle fühlt geheimes Wirken Der ewig waltenden Natur, Und aus den untersten Bezirken Schmiegt sich herauf lebend'ge Spur". Und in der Schlußrede der ganzen Szene: „Wie sich Verdienst und Glück verketten, Das fällt den Toren niemals ein; Wenn sie den Stein der Weisen hätten, Der Weise mangelte dem Stein" faßt er gar die eigene Goethesche Haltung zur Magie deutlich zusammen, ohne doch andererseits selbst ganz dem Trug und Blendwerk, besonders vor der Helenabeschwörung (Vertreiben der Warzen bei den Frauen usw., was allerdings frühester Konzeption entstammt [Paralip. 63]) zu entsagen.

Die Doppelhaltung Mephistos, die uns noch vielfach beschäftigen wird, setzt hier bereits ein. Sie entspringt, wenigstens an dieser Stelle, der Preisgabe des inneren Konfliktes Fausts mit der Welt, der Wendung Fausts zur poetischen Sphäre und der entsprechenden, rein phänomenologisch-vorweisenden Darstellung der magischen Mittel, durch die Mephisto sich und damit indirekt Faust beim Hof einführt. Nicht mehr dem Widerstreit höherer natürlicher Mittel mit scheinhaft verzerrt irdischen — dargestellt im Kampf Fausts mit Mephisto — gilt Goethes Interesse, sondern die reine Demonstration dessen, was wahre Magie eigentlich ist, leuchtet

zu Beginn auf, wie später in Fausts Maskenzug die reine Phänomenalität
der Dichtung erscheint, übrigens gleichfalls verbunden mit dem Problem
der Magie und abgehoben von ihm. Daneben steht die reine Manifestation
des Staates in der revueartigen Folge der Reden von Kanzler, Heermeister,
Schatzmeister und Marschalk, die aber — Mephistos Magie fehldeutend —
nunmehr einzig den „niedern" Gebrauch des Zaubers vertreten, so daß
also notwendig Mephistos Rolle in dem Maße an teuflisch eindeutiger
Klarheit verliert, als Faust ihm bei seinem Rückzug in die stumme Rolle
des Dichters an philosophisch-goetheschen Einsichten verleiht. Einwandfrei belegt dies das Paralip. 101, wo es von Mephisto heißt: „Der lustige
(Listige?) reduziert alles auf Naturkräfte. Wünschelrute und Persönlichkeit (s. „Glück und Verdienst" V. 5061). Andeutung auf Faust". Diese
Andeutung auf Faust, von dem unmittelbar ja in der bezeichneten Szene,
deren heutige Form dieses Paralip. sonst sehr genau wiedergibt, gar nicht
gesprochen wird, kann sich nur auf Naturkräfte, Wünschelrute (dämonisches
Glück) und Persönlichkeit, jene drei Leitsterne Goetheschen Denkens,
beziehen. In diesen verschleierten Formen lebt Faust in den Reden
Mephistos weiter. Sowohl der vielumrätselte Sprung im Charakter
Mephistos wie das wortlos maskierte Auftreten Fausts sind die Folgen
jenes Aspekts auf Helena hin, dessen ausschließliches Hervortreten immer
stärker den Dualismus zwischen Faust und Mephisto einebnete, die
Spannung zwischen Seele und äußerer Welt aufhob und die Staatswelt
selbst langsam in die Kunstwelt aufnahm oder wenigstens rein phänomenologisch eingliederte.

Die zweite Folge dieser Ausrichtung auf Helena hin war die sprunghafte Kompositionsweise des Ganzen: Da nicht mehr eine psychologische
und handlungsgebundene Auseinandersetzung zwischen Faust und der
Kaiserwelt geplant war, so waren auch keine Motivierungen, klar sich
folgende Handlungsschichten usw. im Sinne der Faust I-Handlung mehr
möglich. Stand gar eine innere Vorbereitung auf die Kunststufe des
Helenaaktes, d. h. eine schichtweise Entfaltung der Wesensstruktur des
Künstlerischen als Aufgabe vor dem Dichter, so mußte der Handlungs-
verlauf notwendig „abstrakt" in einem später noch genauer zu bezeichnenden Sinn werden[9]), abstrakt von der bloßen Empirie aus gesehen, weil
er nicht mehr zeit-räumlich kausal sich abspinnende Vorgänge, sondern
reinste Ur- und Kunstphänomene selber in ihrem zeitlosen „An Sich"
genetisch aufbauen und sinnlich-konkret nur in abgehobenen, außerzeitlichen symbolischen Akten darstellen kann (Mummenschanz, Mütter- und
Helenabeschwörung usw.). Das Abbrechen der Handlung, Fausts unmoti-
viert plötzliches Auftreten in der Mummenschanz, Mephistos ebenso
plötzliches, notdürftig mit der Scheintötung des Narren motiviertes Auftreten am Hof, all diese „Lücken", Brechungen, abrupten Übergänge
innerer und äußerer Art mußten in Kauf genommen werden, sollte Fausts

reiner, zeitenthobener Charakter gewahrt und auf Helena statt auf zwie-
spältige Spannungen mit Staat und Mephisto ausgerichtet werden. Gerade
die „ästhetisch-vernunftgemäße Folge" und Überleitung zum dritten Akt
ist die Ursache der scheinbaren Unverständlichkeit, Alogik und Schwer-
flüssigkeit, die das Faust II-Drama ja keineswegs nach den ersten, im Sinne
des Faust I-Dramas weiterlaufenden Konzeptionen und teilweise schon
ausgeführten Szenen enthalten hatte.

Der Beweis für die Richtigkeit dieser These kann dann erst erbracht
werden, wenn es sich zeigt, daß in der Tat Mummenschanz wie Helenabeschwörung in jeder einzelnen Szene aus den Elementen des Kunstdenkens und -schaffens Goethes in streng einheitlicher Weise aufgebaut
sind und ein Grundverhältnis zwischen Poesie und Gesellschaft manifestieren,
das jede dualistische Konfrontation beider im Sinne der ersten Skizzen
ausschließen mußte.

2. Gesellschaftsrevue und „Schatz"

Bereits die erste Szene am Kaiserhof („Kaiserliche Pfalz, Saal des
Thrones"), deren statische Revueform bis in die Reichstagsszene des „Urgötz" zurückreicht, hat die Forschung wiederholt vor die Frage nach
ihrem Sinn gestellt, da ihre Notwendigkeit für die Fausthandlung keineswegs erkennbar ist: Mephisto verspricht, dem Kaiser Geld zu beschaffen,
das Motiv taucht dunkel in der Mummenschanz, klar in der Papiergeldszene wieder auf, der Kaiser „vertraut" Faust und Mephisto zum Dank
die Verwaltung von „des Reiches innrem Boden" (V. 6134) mit dem Auf-
trag, Schätze zu graben, ohne daß doch dieses Auftrags irgendwann später
wieder gedacht wird. Im vierten Akt muß Faust vielmehr die Gunst des
Kaisers aufs neue durch Kriegsdienst gewinnen, wobei wiederum die wichtigste Szene, die Belehnung mit dem Meeresufer, ausfällt, während die
scheinhaften Kriegsszenen und die allgemeine revueartige Staatsämterverleihung breit ausgeführt werden.

Motivierung und Zweck der Szenen treten also im Gesamthandlungs-
verlauf von Faust II immer mehr zurück gegenüber einem rein zeigenden
Vorweis von typischen Vorgängen. Weniger der Handlungsbezug als die
Vorgänge selber interessieren den Dichter. Bereits in der ersten Szene
(Kaiserliche Pfalz) wird statt einer Diskussion zwischen Faust bzw. Mephisto
und dem Kaiser das Phänomen des staatlichen Lebens selber demonstriert
in der bereits erwähnten revueartigen Folge von Kaiser, Kanzler, Heermeister usw. Fragt man nach dem Sinn dieser Revue, so ergibt sich folgendes: Die Klagen über das Chaos des Reiches münden erstens — gemäß
der Geschichtsskepsis Goethes — in die Demonstration eines naturgleich
immer wiederkehrenden Streites der Parteien, der sich schließlich zu dem

„Welttheater"[10])-Motiv steigert: „So will sich alle Welt zerstückeln" (Lesart: „So will die Welt sich selbst zerstückeln"), und zweitens in das Gegenbild vom geheim verborgenen „Schatz", der von jedem begehrt, von keinem gesehen, nur durch „begabten Manns Natur- und Geisteskraft" zu Tage gefördert werden könne, um aller Not ein Ende zu machen. Mit anderen Worten: die ursprüngliche Konfrontation von Faust und Welt ist hier ins Urphänomenologische verwandelt, indem der Weltlauf schlechthin mit dem „begabten Mann" schlechthin kontrastiert wird; das heißt: statt eines inneren psychologischen Bezugs zwischen Fausts Seele und dem Kaiser treten zwei symbolische Erscheinungen und Vorgänge ein: Gesellschaftsrevue und Schatz. Die Hebung des Schatzes ist magisch und doch genau besehen nichts weniger als das: „Ihr alle fühlt geheimes Wirken Der ewig waltenden Natur Und aus den untersten Bezirken Schmiegt sich herauf lebend'ge Spur". Der Schatz ist sogar fast aufklärerisch reiner Ertrag fleißiger Arbeit: „Nimm Hack' und Spaten, grabe selber, Die Bauernarbeit macht dich groß, Und eine Herde goldener Kälber, Sie reißen sich vom Boden los" (V. 5039 ff.). Das Bild vom „Schatz" bezeichnet die lebendige Kraft von Natur und Geist, allen verborgen und doch jedem offenbar: „Wünschelrute und Persönlichkeit". Es ist eine Verkleidung für den Genius, für die Natur und für jegliche produktiv förderliche Arbeit, für das „offenbare Geheimnis" des Schöpferisch-Ursprünglichen: „Was ihr nicht tastet, steht euch meilenfern" usw. D. h. es ist im Grunde das, was Goethe ursprünglich unter den „höheren Forderungen und Mitteln" verstand, die Faust hinter der Magie dem Kaiser klarmachen sollte.

Da ausgerechnet Mephisto dies predigt, beginnt stilistisch das Ganze merkwürdig zu schillern und zu schwanken zwischen salopp lässigem Spiel mit modischen bzw. heiter archaisierenden Wendungen („Gesäufte" usw.) und ernsthaft pathetischen Andeutungen höherer Kräfte („Ihr alle fühlt geheimes Wirken" usw.). Ferner erhalten Mephisto und die nun folgende Mummenschanz eine völlig neue Funktion: In der Forschung wird allgemein das plötzliche Abbrechen der Szene durch Mephistos Hinweis auf den Karneval als ein Verführungsversuch des Teufels gewertet, der den Kaiser, wie Petsch sagt, „in einen Zustand des Taumels" versetzen und dadurch „das Reich in Unordnung stürzen" wolle[11]). Daß Mephisto in Wirklichkeit hier längst eine andere, Goethesche, Sprache spricht (z. B. in seiner Begründung der Schatzsymbolik) und daß er statt einer Verführung zum Taumel dem Kaiser, wie Petsch zugibt, bei dem Hinweis auf die Fastnacht eine „moralisierende Fastenpredigt" hält, ist nach Ansicht der Forschung Heuchelei und „natürlich nicht ernst zu nehmen"[12]). Verfolgt man den Vorgang genauer, so ergibt sich folgendes: Der Kaiser verlangt stürmisch nach dem Schatz: „Nur gleich, nur gleich, wie lange soll es währen", d. h. er greift gerade an dem Wesen des Schatzes vorbei, wie Mephistos abschließende Worte besagen: „Wenn sie den Stein der Weisen hätten, der Weise mangelte dem Stein". Aus diesem und keinem anderen Grunde „mäßigt" ihn Mephisto: „Herr, mäßige solch dringendes Begehren ... Erst müssen wir in Fassung uns versühnen, Das Untre durch das Obere verdienen" usw. (V. 5047 ff.). Aus dem gleichen Grund aber führt Goethe die „Mummenschanz" ein. Sie soll, statt den Kaiser in einen „Taumel" zu versetzen, ihm im Gegenteil z. B. in der flammenden Goldkiste das Wesen des „Schatzes" begreiflich und zuinnerst einsichtig machen. Nicht die Gewinnung des Geldes (die Papiergeldszene ist bekanntlich erst nachträglich an die Flammenvision der Lustgartenszene angesetzt worden), sondern die tiefere Bedeutung der Schatzsymbolik war für Goethe neben anderem ausschlaggebend bei der Konzeption der „Mummenschanz" wie auch der ersten Kaiserhofszene. Diese tiefere Bedeutung zielt aber primär auf das verborgen Schöpferische, das eben auf Grund seiner Verborgenheit nicht realistisch, sondern symbolisch dargestellt werden mußte, so daß die Manifestation des Schatzsymbols, des Schöpferischen usw. in Masken und Symbolen (Goldkiste) fast zwangsläufig der einzige formale Ausweg war, der Goethe blieb, falls er das angeschlagene Thema von Schatz und Weltlauf durchführen bzw. durchvariieren wollte.

Zwiefaches war hierfür nötig: eine Zurückführung des Staates auf seine „Elemente" und eine Zurückführung des Schöpferischen auf seine Symbolquellen. War doch schon die Staatsrevue von Kanzler, Heermeister, Schatzmeister usw. in der ersten Szene im Grunde eine Wiederaufnahme jenes „symbolischen Alphabets", von dem Goethe 1816 an Büsching im Anschluß an den „Sachsenspiegel" schreibt, es sei auffällig, wie dort in „Kaiser, Richter, Besitz, Habe pp." bestimmte „Vorstellungen immer wiederkehren"[13]). Auch jene „Geschichte a priori", die schon 1798 Goethe wiederholt in hochklassisch-stilisierter Wendung auf Grund eines schematischen Kreises festgelegter menschlicher Grundeigenschaften und empirischer Notwendigkeiten entwirft und deren Ausarbeitung er als Preisaufgabe stellt, ist hier zu nennen[14]). Und andererseits war die Schatzsymbolik selbst nichts anderes als eine bildhafte Formel für etwas unendlich Tieferes, Elementareres und Gründenderes, das nach breiterer Ausformung verlangte. Beides: die Ausformung der Geschichte a priori wie die Ausgestaltung des Genius- und Schatzmotivs aber konnte ungeahnte Möglichkeiten der Realisierung im freien symbolischen Spiel der „Mummenschanz" finden, wo eine neue Typologie des Staates[14a]) wie eine reine Symbolformung des „offenbaren Geheimnisses" sich darstellen ließ. So wird die „moralisierende Fastenpredigt" Mephistos in der Tat werkgerechte Vorbereitung auf die Mummenschanz:

3. Die Rolle der Gesellschaftsrevue zwischen Kunst und Natur

Die Bedeutung der Mummenschanz beleuchtet Goethe bereits in der Eröffnungsrede des Herolds: erstens durch die ausdrückliche Abhebung der Mummenschanz als „römischen" Karneval gegen die mittelalterlich-deutschen „Teufels-, Narren- und Totentänze" („Denkt nicht, ihr seid in deutschen Grenzen von Teufels-, Narren- und Totentänzen ... Ein heitres Fest erwartet euch. Der Herr auf seinen Römerzügen" usw.), zweitens durch das damit zusammenhängende Motiv von der Wiedergeburt: „Nun sind wir alle neugeboren", drittens durch die Andeutung des tieferen Sinnes, der unter der Narrenkappe verborgen ruhen mag: „Er ist darunter weise wie er kann", und endlich durch die Wendung des Ganzen ins „Welt-theater": „Es bleibt doch endlich nach wie vor, Mit ihren hunderttausend Possen, Die Welt ein einziger großer Tor".

Früh hatten sich diese Elemente für Goethe im Römischen Karneval konzentriert, dem ja auch die wesentlichsten äußeren Vorlagen für die einzelnen Figuren der Mummenschanz entnommen sind. Bereits 1788 ist ihm der Römische Karneval, über den er damals eigens einen ganzen Aufsatz veröffentlicht, Symbol für „die wichtigsten Szenen unseres Lebens", Zeugung, Geburt und Tod: „Wenn uns während des Laufs dieser Torheiten der rohe Pulcinell ungebührlich an die Freuden der Liebe er-innert, denen wir unser Dasein zu danken haben, wenn eine Baubo auf öffentlichem Platze die Geheimnisse der Gebärerin entweiht, wenn so viele nächtlich angezündeten Kerzen uns an die letzte Feierlichkeit erinnern (Tod), so werden wir mitten unter dem Unsinne auf die wichtigsten Szenen unseres Lebens aufmerksam gemacht"[15]). Neben dieser Symbolik der biologischen Grenzfälle und Höhepunkte des Lebens steht die Sym-bolik des „Weltlebens", das für Goethe immer als Hin- und Widerstreben zwischen Zufall und Notwendigkeit, Freiheit und Zwang, zwischen Trieb, Wille und Energie des Einzelnen (Genie) auf der einen und Gewicht und Stromkraft der Gesamtheit auf der anderen Seite erscheint: „Noch mehr erinnert uns die schmale, lange, gedrängt volle Straße an die Wege des Weltlebens, wo jeder Zuschauer und Teilnehmer mit freiem Gesicht oder unter der Maske, vom Balkon oder vom Gerüste nur einen geringen Raum vor und neben sich übersieht, in der Kutsche oder zu Fuße nur Schritt vor Schritt vorwärts kommt, mehr geschoben wird, als geht, mehr aufgehalten wird, als willig stille steht, nur eifriger dahin zu gelangen sucht, wo es besser und froher zugeht, und dann auch da wieder in die Enge kommt und zuletzt verdrängt wird". Er erinnert sich, „daß die leb-haftesten und höchsten Vergnügen, wie die vorbeifliegenden Pferde, nur einen Augenblick uns erscheinen, uns rühren, und kaum eine Spur in der

Seele zurücklassen, daß Freiheit und Gleichheit nur in dem Taumel des Wahnsinns genossen werden können"[16]) usw.

Doch erst im hohen Alter, nach 1820, d. h. etwa zur Zeit der Faust II-Bearbeitung, wird ihm rückschauend dieser Römische Karneval über das menschlich Biologische und menschlich Soziale hinaus zum höchsten Symbol in der Rangordnung der Kunst- und Natursphären überhaupt. „Ich schrieb", so heißt es 1822, „zu gleicher Zeit (Italienische Reise) einen Aufsatz über Kunst, Manier und Stil, einen andern, die Metamorphose der Pflanzen zu erklären und das Römische Carneval; sie zeigen sämtlich, was damals in meinem Innern vorging, und welche Stellung ich gegen jene drei großen Weltgegenden (Natur, Kunst, Gesellschaft) genommen hatte"[17]). Darauf interpretiert er diese Stellung zu Natur, Kunst und Gesellschaft so, daß die beiden ersteren eigenartig verbunden ineinanderfließen, als Höchstes und Drittes aber der Römische Karneval beide umschließt: Der Aufsatz über Kunst, Manier und Stil („Einfache Nachahmung der Natur, Manier und Stil") wird nämlich nunmehr im Alter so umgedeutet, als sei in ihm die Kunst aus dem natürlichen, „eigenen Nationalkreis" der Griechen entwickelt worden[18]), während ja tatsächlich in ihm eine stilisiert normativ zeitlose Ästhetik vorliegt. Neben dieser neuen, durchaus unklassizistischen Entwicklung der Gesetze der Kunst aus der Natur der jeweiligen Nation, die aufs engste mit der weltoffenen, das Eigenste jeder Nation verehrenden Haltung Goethes im Alter zusammenhängt, sieht umgekehrt Goethe seine Bemühungen um das Gesetz der Metamorphose der Pflanzen als einen Versuch an, der „Natur abzumerken, wie sie gesetzlich zu Werke gehe, um lebendiges Gebild, als Muster alles künstlichen, hervorzubringen". Die Biologie wird also Muster und Vorbild des „Künstlichen". Mit der Genese der Pflanzen meint Goethe auch die Genese der Kunst, wie er umgekehrt mit den hochklassischen Gesetzen des Stils jetzt im Alter die Natur eines Volkes, einer Nation, meint und beschreibt. Als Höchstes und Drittes aber, das beide umfaßt, erscheint ihm nunmehr „die Gesellschaft", repräsentiert im Römischen Karneval: „Das dritte, was mich beschäftigte, waren die Sitten der Völker. An ihnen zu lernen, wie aus dem Zusammentreffen von Notwendigkeit und Willkür, von Antrieb und Wollen, von Bewegung und Widerstand ein drittes hervorgeht, was weder Kunst noch Natur, sondern beides zugleich ist, notwendig und zufällig, absichtlich und blind. Ich verstehe die menschliche Gesellschaft"[19]). Gesellschaft und Karneval sind ihm beides, Kunst und Natur „zugleich", Kunst, weil sie auf Konvention, Fiktion und „Willkür", Natur, weil sie auf „Notwendigkeit" naturgesetzlicher, lebenswichtiger, unumgänglich „blinder" Art ruhen.

Damit ist eine bestimmte Sicht auf die Mummenschanz freigelegt: Gesellschaft und Karneval geben den symbolischen Rahmen, in dem sich Natur und Kunst in polarer Steigerung wechselseitig klären und erhöhen können, weil in diesem Rahmen beide von Beginn an unzertrennlich verbunden erscheinen: Von dem Wechselspiel künstlicher und natürlicher Blumen des Anfangs, vom Widerstreit zwischen „Mode" und „Rose", den zur „Dichtung" reizenden Blumen und den nützlichen Früchten bis hin zum Erscheinen des Knaben Lenker (der „Allegorie der Poesie"), dessen verstreutes Gold biologische[20]) und künstlerische Schichten ineins symbolisiert, ja bis hin zum großen Flammengaukelspiel, in dem Natur und Kunst, Elemente und Schein, Staats-[20a]) und Dichterschicksal eine höchste, kaum mehr auflösbare Verschmelzung erfahren, verläuft ein einziger, geheimnisvoll offenbarer Weg, dem es nun im einzelnen nachzugehen gilt. Daß die Fährte, der wir dabei folgen, die richtige ist, verbürgt uns der Gewährsmann Goethes, Mantegna, dessen Triumphzug bekanntlich neben Valentini und Grazzini eine Hauptquelle für die Mummenschanz war. Von seiner Art, Motive zu verwenden, zu gruppieren, Einzelheiten ernster und heiterer, ja sogar „possenhafter" Art unmittelbar aus dem Leben zu nehmen und in eine einzige große Prozession zu verwandeln, sagt Goethe, sie enthalte eine „Lehre von den Motiven", die „der Grund aller Kunst" sei, worüber er (Goethe) „nicht aufhören" werde, sich zu erklären"[21]).

Um der Auffassung, die sich in der Forschung lange und hartnäckig bis heute hielt — es handle sich bei der „Mummenschanz" lediglich um eine leichte, wenig ernst zu nehmende Konzession Goethes an das Publikum[22]), um Zugeständnisse an die Gesellschaft im Sinne seiner früheren Maskenzüge am Weimarer Hof (die übrigens ebenso wenig leicht genommen werden dürfen) —, endlich ganz den Boden zu entziehen, sei noch auf die Äußerung Goethes aus einer sehr späten Zeit hingewiesen, die sich durch parallel laufende beliebig vermehren ließe: „Es ist ein artig heiterer Zufall, daß in dem Augenblick, da wir von dem tüchtigsten, großartigsten Werk, das vielleicht je mit folgerechtem Kunstverstand auf Erden gegründet worden, dem Dom zu Köln gesprochen, wir sogleich als des leichtesten, flüchtigsten, augenblicklichst vorüberrauschenden Erzeugnisses einer frohen Laune, des Karnevals von Köln mit einigen Worten zu gedenken veranlaßt sind. Warum man aber doch von beiden zugleich reden darf, ist, daß jedes, sich selbst gleich, sich in seinem Charakter organisch abschließt, ungeheuer und winzig, wenn man will, wie Elephant und Ameise"[23]). Witkowskis Bemerkung in seinem Faustkommentar, der Maskenzug sei „ohne tiefern Sinn", eine spielerische, rein auf „sinnlichen Eindruck" abzielende Einlage, geht also gerade an dem zentralen kunstgenetischen Anliegen Goethes vorbei, das Monumentalstes und Winzigstes unter dem Gesichtspunkt organischer Gesetzlichkeit zu verbinden versucht. Der kompositorische Aufbau der Motive im Maskenzug ist, wie Goethes Urteil über Mantegna gezeigt hat, „Grund aller Kunst", aber auch höchste Nachbildung der flüchtigen Metamorphose der Natur, so daß noch kurz vor seinem Tode Goethe im Ausdruck größter Begeisterung von der leichten pompejanischen Wandmalerei zu sagen vermag, sie stehe unmittelbar mit modernen „großen theatralischen Balletten, ... Seiltänzern, Luftspringern und Kunstreitern" in Verbindung, weil sie beide „Vorhergehendes und Nachfolgendes simultan vorstellen", „hohe Abstraktion" und „Neigung, alles ans Wirkliche heranzubringen", vereinigen und „sich in genialer phantastischer Metamorphose ... den gesetzlichen Umbildungen der Natur anschließen"[24].

Es kann keinem Zweifel unterliegen, daß in solchen Äußerungen Goethe seine eigene Kompositionsweise beschreibt und unvergleichlich klar trifft: Denn wo wären höchste Abstraktion und schärfster Realismus, „simultane" Darstellung des zeitlich Verschiedenen und organisch-phantasmagorische Umbildung nach dem Vorbild der Metamorphosen der Natur je machtvoller zum Durchbruch gekommen, wenn nicht in Goethes eigenster „genialer phantastischer Metamorphose" seiner Mummenschanzszenen und Klassischen Walpurgisnacht?

4. Die Blumen- und Früchtesymbolik der ersten Mummenschanzszene

Schon die erste Gärtnerinnen- und Gärtnerszene führt in ein Zentralthema Goethescher Kunst, in das Motiv von der totalen synchronistischen Einheit der Jahreszeiten. Der einzig erhaltene Entwurf dieser Szene lautet: „Maskenzüge. Gärtnerinnen Blumen für alle Jahreszeiten bringend. Gärtner Gelegenheit für alle Pflanzen zu finden" (Paralip. 102). Unleugbar hat also Goethe dieses Motiv in erster Linie vorgeschwebt, als er von Valentinis und Grazzinis Vorlagen aus, wo die Gärtner und Gärtnerinnen noch völlig beziehungslos mitten unter anderen Masken stehen[25]), diese Gestalten zum Ausgangspunkt nahm. Die Vorgeschichte dieses Motivs enthüllt in der Tat eine großartige, tiefangelegte Kunstentwicklung Goethes, die bis in die frühesten Maskenzüge, Lehrjahre, Wahlverwandtschaften usw. hinabreicht und in einer wunderbaren Lösung des Konfikts zwischen Kunst und Gesellschaft gipfelt. „Unsere Blumen, glänzend künstlich, blühen fort das g a n z e Jahr" (V. 5089). Künstliche Seidenblumen gewährleisten eine Ganzheit des Jahreslaufs, welche die natürlichen, vergänglichen Blumen nicht zu schenken vermögen. Ihre Künstlichkeit steht ausdrücklich preisend gegen ihre natürlichen Schwestern („Denn wir halten es verdienstlich, lobenswürdig ganz und gar"). Sie zielen auf einen zeitüberwindenden Aufbau von Kunst, „Künstlichkeit", Mode und Gesellschaft über der Natur, der sich auf längst entwickelte Kunstüberzeugungen Goethes gründet. Je ungewohnter, ja ungewöhnlicher für uns heute diese Kunstlehre ist, umso eindringlichere und genauere Beachtung verdient sie:

Die künstlichen Blumen haben, das ist wichtig, in der Mummenschanz

Dauer im Wechsel der Zeit. Das Motiv von den künstlichen Blumen lediglich auf Christiane Vulpius oder gar das Frankfurter Gretchen zurückzuführen, wie es durchgehend die Kommentatoren tun, ist unfruchtbar
und abwegig. Das Motiv hat eine viel größere und geistigere Vorgeschichte.
Die künstlichen Blumen „blühen" nicht nur „das ganze Jahr", sondern
verkünden auch das geheime Gesetz aller Kunst, aus ursprünglich anorganisch zerrissenen Teilen eine plötzliche Ganzheit bilden zu können im
umgekehrten Verhältnis zur Ganzheit der Natur, die am Anfang steht
und dann durch den Ablauf der Zeit (Jahreszeiten) zerfällt und erlischt:
„Allerlei gefärbten Schnitzeln Ward symmetrisch recht getan; Mögt ihr
Stück für Stück bewitzeln, Doch das Ganze zieht euch an". Kunstweis-
heiten vom „Ganzen" und den „Teilen", klassische Lehren von den zwei
abgrundtief geschiedenen und doch auch verbundenen Reichen Kunst und
Natur leben in solch scheinbar heiter leichten Wendungen fort. Die
fruchtbare, segnende, nützliche N a t u r kämpft in dem „Olivenzweig mit
Früchten" und dem „goldenen Ährenkranz" gegen den k ü n s t l i c h e n
Blumenflor, der „wider die Natur" (ursprüngliche Lesart zu V. 5122) ist.
Die „Rosenknospen" führen einen ähnlichen Streit gegen den P h a n t a s i e -
kranz: „Mögen bunte Phantasien Für des Tages Mode blühen, Wunder-
seltsam sein gestaltet, Wie Natur sich nie entfaltet; Grüne Stiele, goldne
Glocken, Blickt hervor aus reichen Locken! Doch wir (Rosenknospen)
halten uns versteckt: Glücklich, wer uns frisch entdeckt" usw. Dieser
einen — bei Goethe, wie sich zeigen wird, niemals nur negativen, über-
natürlichen, bunt-modischen — „Phantasie"welt steht polar die sich
„versteckende", langsam knospende „Wahrheit" einer anderen, natur-
näheren Sphäre gegenüber: „Doch ihr müßt uns zugestehn, Wir sind auch
im Wahren schön"; so verteidigte die „Schönheit" der Natur sich ursprünglich in der Entgegnung der Rosenknospen mit überdeutlichen, aus
der klassischen ästhetischen Kunstsprache entnommenen Worten, die
wahrscheinlich nur gestrichen worden sind, um die kunstästhetischen, gedanklichen Hintergründe der ganzen Szene nicht allzu deutlich hervortreten zu lassen. Ich erinnere nur an die große Auseinandersetzung
zwischen dem Kunst w a h r e n und dem Natur w a h r e n, die Goethe
1797 in seinen Unterhaltungen über Theater, Oper usw. beschäftigte. Die
verborgene Weihe und Schönheit naturhaft wachsender Kunst wird hier
in den Rosenknospen mit der offenen, sichtbar sich „zeigenden" Phantasie-
schönheit der künstlichen Mode konfrontiert, die übrigens auch in einer
„Natur" gründet, im „Naturell" schöner Frauen. „Niedlich sind wir anzuschauen, Gärtnerinnen und galant, Denn das Naturell der Frauen Ist
so nah mit K u n s t verwandt". Was das bedeutet, wie wesentlich diese
Verbindung des Naturells der Frauen mit Kunst bei Goethe ist, hat die
Untersuchung der entsprechenden Vorformen in den „Lehrjahren" zu erhellen[26]). Hier in der Textdeutung sei nur auf die innige Verbindung

verwiesen, in der die drei Phänomene Mode (Gesellschaft), Kunst und
Natur verknüpft sind. Man denke, um das für uns Heutige Befremdende
solcher Verbindung konventionell modischer Elemente mit Kunst verständlich zu machen, vor allem an die z. B. von Bäumler hervorgehobene
Tatsache, wie eng das Kunstdenken des 18.. Jahrhunderts mit gesellschaft-
lich-konventionellen Formen verbunden war, wie z. B. in Kants Ästhetik
die Begriffe des „Schicklichen", „Anständigen", des „feinen Benehmens"
usw. unmittelbar in der Analyse des Schönen auftreten[27]).

Mit dem Vorweis der Früchte durch die Gärtner („Über Rosen läßt
sich dichten, In die Äpfel muß man beißen"), kommt wieder die reine
Natur zu ihrem Recht, worauf das Ganze durch eine stufenweis sich „an-
paarende" Verbindung von Blumen und Früchten endet in einer totalisierenden und synchronistischen Zusammenfassung der Szene: „Alles ist
zugleich zu finden, Knospe, Blätter, Blumen, Frucht". Das „Urphänomen"
der Pflanzen, das Ineinander aller Stufen der Metamorphose in der „Urpflanze", des Werdens im Sein, des Seins im Werden, jenes sonderbar
transzendental-fiktive Zugleich aller Schichten trotz und mitten in der
Aufteilung der Phänomene taucht bereits hier in der äußerlich anspruchs-
losesten Szene der Mummenschanz in der vollen Komplikation seiner
Schichtung auf, in der ganzen Verwebung von Wahrheit im Schein,
Kunst in der Natur, Mode in der Kunst, Natur in der Fiktion, Fiktion
in der Natur, wie wir es bereits grundsätzlich vielfach skizziert haben.
„Alle Blüten müssen vergehn, daß Früchte beglücken; Blüten und Frucht
zugleich gebet ihr Musen allein"[28]), so hat Goethe bereits 1797 die Rolle
der Kunst im Raum des Biologischen verstanden und damit deutlich die
Stelle bezeichnet, an der im Rahmen der Mummenschanz das Kunst-
problem einsetzt: Die „Muse" allein vermag die spontane Identität aller
Teile der Pflanze und Jahreszeiten zu zeigen.

Doch nicht nur dies: Kunst und Konvention fallen hier merkwürdig,
fast identisch, zusammen; d. h. die erste Mummenschanzszene enthält
keimhaft die ganze folgende Spannung von Kunst und Gesellschaft und
bereitet in „ästhetisch-vernunftgemäßer Folge" auf die Erscheinung der
absoluten Schönheit (Helena) vor, indem die Kaiserhofgesellschaft innerlich
mit Kunstschichten durchsetzt wird und umgekehrt die Kunst aus Ge-
sellschaftsschichten sich entfaltet. Das wird umso klarer, wenn man sich
fragt, warum wohl Goethe die folgende Fischer- und Vogelstellerszene, die
ursprünglich auf Grund der Quelle geplant war, nicht ausgeführt hat.
Hätte es sich um eine reine Gesellschaftsrevue, wie vielfach angenommen
wird, gehandelt, so wären diese Szenen durchaus am Platz gewesen. Goethe
greift jedoch — abgesehen von der Mutter-Tochter-Szene, die seinem Sinn
für typologische Grundverhältnisse entsprach —, nur die Konfrontierung
zwischen Holzhauern, Parasiten und Pulcinelle auf, die ihm eine neue
Wendung des Verhältnisses von Schein und Sein, Künstlichkeit und Natür-

lichkeit erlaubten. Die Fischer-Vogelstellerszene dagegen, die auf leichte
gesellschaftliche Liebes- und Fangspiele hinauslief, konnte schwer jenen
Hintergrund geben, den Goethe brauchte, um etwas — mochte es auch
noch so „heiter" gedacht sein — mit innerer Anteilnahme zu gestalten.
Zur Stützung dieser Textinterpretation müssen jedoch eingehend die
Vorformen der Goetheschen Werke herangezogen werden, die erst zu
zeigen vermögen, wie selbstverständlich und einwandfrei diese Deutung
aus dem Gesamtschaffen Goethes und seinen Formungen erwächst und wie
unumgänglich es ist, zur restlosen Deutung des Sinnzusammenhangs dieses
Aktes alle jene Probleme und Symbole nochmals zu entwickeln, aus denen
sich die Mummenschanz nur wie ein letzter, fast absterbender Spätling
abgezweigt hat.

5. Die Gesellschaft als dynamischer Jahreszeitenkreislauf beim jungen Goethe

Wie sehr die Idee des totalisierenden Jahreszeitenkreislaufes mit gesellschaftsphänomenologischen Betrachtungsweisen Goethes zusammenhängt,
zeigen bereits die frühen Gesellschafts- und Welttheaterrevuen Goethes,
die in großer Zahl kontrastierend die positive Genieverehrung und die
Gestaltung großer Helden im „Sturm und Drang" begleiten.

Im wirbelnden Kreislauf von Frühling, Sommer, Herbst und Winter
jagt damals der Dichter das zeitverfallene Dasein über seine satirische
Bühne: „Und will auf der Erde Dumm stille nichts stehn, Will alles herum
Didumi sich drehn Seiltänzer und Jungfern, Studenten, Husaren, Ge-
schwungen, gesungen, Geritten, gefahren. In Lüften, der Erde, Auf Wasser
und Eis ... Weiber und Kinder, Zöllner und Sünder, Kritaster, Poeten,
Huren, Propheten, Dal dilleri du, Da stehn sie, die Laffen und gaffen
Der Herrlichkeit zu, Dum du, dum du, Dam dim di di du, Dam dim
di di du, Huhu, Huhu"[29]). Das „große Rad der Dinge"[30]), das schrecklich
unaufhaltsam zerrinnende „Um um um! herum um um! ists nun", das
Goethe in der Sylvesternacht 1773 wie die Bilder eines Raritätenkastens
an sich vorbeilaufen sieht, „daß niemand merke, daß Vergänglichkeit
überall die Nase im Spiel hat"[31]), wird von Goethe schon damals sofort
ins Bild von den Blüten und Früchten gewandt: „Und Rosenblüt und
Rosen-Lust und Kirschen, Äpfel und Birnen voll Gejauchzt, getanzt mit
voller Brust Herbei! Herbei! Und laut und toll. Laßt sie kommen Alle!
Hier ist genug, Hier schäumt der Most Die Fässer heraus Rum rum"[32])
usw. Der dynamische Wirbel der Natur saugt Gesellschaft und Leben in
sich auf und gibt sie der Zeitlichkeit preis im Sinne der Lust am Dasein
wie im Sinne des Zerrinnens in nichtige Leere. Der Jahreskreislauf der
Natur bringt die Gesellschaft erst zur Anschauung ihrer selbst, er ent-

larvt den Abgrund der Zeit, der sie unterhöhlt. Nur darum treten Rosen und Früchte symbolisch so bedeutsam hervor: Am Geburtstage Werther-Goethes (28. August) sieht sich der Dichter genötigt, sein gesamtes Leben mit Blumen und Früchten zu vergleichen, die „nur Erscheinungen sind und vorübergehen, ohne eine Spur hinter sich zu lassen", worauf er die erschütternde Szene ausmalt, wie Werther auf dem Birnbaum sitzend eine Frucht nach der anderen Lotte in unaufhörlichem Geben und Nehmen hinabreicht[33]).

Seltsam früh erscheint daneben die Verewigung der Blumen über den Winter hinweg (ein Motiv, das später in den „Wahlverwandtschaften" eine außerordentliche Vertiefung erfuhr): „Der Frühling brächte Rosen nicht gar, ihr möchtet sie wohl lieber im Januar"[34]). Selbst das Bild von den „symmetrischen Schnitzeln" in der Gärtnerinnenszene von Faust II taucht schon hier auf: „Mit! Mit! gesprungen! gesungen! Alten und Jungen! Mit! Duru! Mit! Sind große Geister, Gestoppelte Meister, Verschnitten dazu"[35]). Der verzehrende Kreislauf der Dinge läßt die großen Geister „gestoppelt" und „verschnitten" erscheinen. Zweifellos verbirgt sich hinter diesen beiden Wendungen ein Goethesches Problem: Zeitlauf und Gesellschaft verstümmeln den großen Geist, wie später einmal Serlo Wilhelm Meister gegenüber das Theater, weil es von Lob und Tadel des Publikums abhänge, d. h. konventionellen Zufällen preisgegeben sei, ein „gestoppeltes und zerstückeltes Wesen" nennt[36]).

Doch auch die Kunst gleitet schon damals ins gefährlich Konventionelle hinüber. Im „Jahrmarktfest zu Plundersweilern", das ja gleichfalls im ewig gleich sich wiederholenden Jahreslauf die gespenstische Leere des Weltlaufs nachzeichnet, tritt schon warnend das „Verstellungs"motiv auf, das Goethe seitdem nie wieder verlassen sollte: Der „Marktschreier" ruft: „Man sagt: es könne den Charakter verderben, Wenn man Verstellung als Handwerk treibt, In fremde Seelen spricht und schreibt, Und wenn man das sehr oft getan, Nehme man auch fremde Gemütsart an"[37]). Die Kunst als Möglichkeit, eine fremde, zweite Natur anzunehmen und zur Konvention zu erstarren, ein über die „Bekenntnisse einer schönen Seele" bis in die „Wanderjahre" vielfach von Goethe erörtertes Problem[38]), dringt als Frage bereits in das frühe Kunst- und Naturdenken Goethes ein, denn „in fremden Seelen sprechen und schreiben", „Verstellung als Handwerk" treiben, überhaupt die Neigung zur Maske und zum Versteckspielen, ist ja der ewige Vorwurf, den der Dichter sich selber macht; Wilhelm erhält diesen Vorwurf z. B. von seiten Theresens, und schon in Leipzig beschäftigt sich Goethe selbst mit ihm[39]).

Die Entscheidung darüber fällt hier natürlich noch nicht. Die Fragestellung wird erst im „Wilhelm Meister" so allseitig entwickelt und gelöst, daß die Nachwirkung bis in die Wanderjahre und in die Mummenschanz der Faust II-Dichtung nachweisbar ist. Doch ist diese Lösung nicht zu verstehen ohne den formalen und inhaltlichen Wandel, den inzwischen die totalisierende Welttheaterrevue in der Wendung zur Klassik bei Goethe durchgemacht hatte:

6. Die statische Gesellschaftsrevue des klassischen Goethe und ihre Bedeutung für die Symbolwelt der ersten Mummenschanzszenen

An Stelle des dynamischen Ineinanderwirbelns aller menschlichen Zustände tritt auf dem Übergang zur Klassik eine statische Folge, gleichfalls noch im Sinne eines totalisierenden Naturkreislaufes, aber getragen von einer neuen inneren Auseinandersetzung zwischen Natur und Kunst, Unschuld und Sitte, Ursprung und Konvention. Die Maskenzüge seit etwa 1781 sind trotz verschiedenster Themenstellung fast durchweg in folgender allegorischer Kreislage aufgebaut: Am Anfang steht meist die Unschuld reiner Natur, ausgedrückt in den Symbolen Liebe, Eintracht, Gold, Sonne, Blumen usw. Dann folgt das, was der Mensch selber erschaffen hat, oder was sich als zweite, fremde Welt über die Naturwelt erhebt, in den Symbolen von Kunst, Überfluß, Silber, Mond, Reichtum, Früchten usw. Als drittes erscheint der Ehrgeiz bzw. der Geiz in der Symbolik von Eisen, Mars, Gewalt usw., die lieblos das Geschaffene festhalten wollen und sich am weitesten von der Natur entfernen, worauf zum Schluß die Unschuld bzw. Sonne usw. wieder zurückkehren und der Kreislauf von neuem anhebt[40]). Natur und Kunst offenbaren sich also in einem Wandel von der Blume zur Frucht, vom Glanz der Sonne zum Abglanz des Mondes, von der „Freude" reiner, unschuldiger Art zur „geselligen Fröhlichkeit" und „Kunst"[41]), von der „Schönheit" zur „Pracht"[42]), vom erkenntnislos reinen Naturzustand zur Herauflockung des „Tief-Verborgenen"[43]) usw. Hier taucht eine Symbolik auf, die seitdem Goethe nie wieder verlassen hat. Zum erstenmal repräsentieren Blumen und Frucht, Sonne und Mond, Tag und Nacht, Schönheit und Pracht zwei polare Welten, die ohne einander nichts sind, wechselseitig erst das „Ganze" ergeben, aber dennoch in scharfer Spannung zueinander verharrend das zentrale Problem der klassischen Kunstlehre „Natur und Kunst" formulieren und ausdrücken wollen. Dabei ist diese Bildersprache nicht statisch fixiert. Im „Aufzug der vier Weltalter" symbolisieren die „Rosen" die reine Natur, die Früchte dagegen, die von Bacchus und Apoll (den Göttern der Kunst) im „gelben und grünen Füllhorn" gebracht werden, die „Fruchtbarkeit" sowie die „Gaben des Geistes" und der „geselligen Fröhlichkeit". In Faust II vertreten gleichfalls die Rosen die Natur gegen die Kunst im gesellschaftlichen Sinne, die Früchte aber eine andere Seite von Natur, nämlich die praktisch-nützliche. Die Symbolbedeutung der Bilder ist also je nach dem Bezugspunkt bestimmt. So kann (allerdings selten) das Gold auch die „Pracht", d. h. Konvention symbolisieren; meist aber erscheint es als Kostbarstes und Edelstes, als ein sich aller Erkenntnis und Nützlichkeit entziehendes „Geheimnis" von Kunst und Natur zugleich, während das Silber niemals Natur, sondern stets Künstlichkeit, Abglanz, Schein, zweite Natur anzeigt. Auch Nacht und Tag sind derart symbolisch geschichtet. Noch im Maskenzug von 1818 vertritt die Nacht den Raum der Poesie, der Tag den Raum von Leben und praktischer Wissenschaft.

Dazu kommt das Motiv vom „Tief-Verborgenen", das Goethe in immer wiederholten Bildern geheimer Schätze, Schatztruhen, Koffer, Kästchen usw. geformt hat und das auch in der Mummenschanz im Bild der geheimnisvollen, flammenden Goldtruhe auftaucht. Bereits zur Zeit des Maskenzugs „Aufzug der vier Weltalter" hat Goethe in dem parallelen Maskenspiel: „Amor mit Treue verbunden" eine Weltkreislauflehre damit verknüpft, indem er Amor in einem Karfunkelstein, der bei Gold und Silber liegt und von keinem Eisen berührt werden kann, einsperrt und ihn erst durch „das Zusammenwirken aller Kräfte" in einer begnadeten Sternstunde wieder heraustreten läßt, um damit die Wiedergeburt und Verjüngung der ganzen Welt zu erzeugen, die durch das Verschwinden Amors einem hoffnungslosen Altern verfallen war. Auch dieser Maskenzug stellte bereits Amor in einen Gegensatz zur Gesellschaft, zu „dem leichten Wechselscherz" seiner „falschen Brüder"[44]).

Ferner ist zu beachten, daß ähnlich wie in der „Mummenschanz" schon in diesen frühen Maskenzügen nach der Blumen-, Früchte- bzw. Gold-Silbersymbolik fast regelmäßig „Reichtum" und „Geiz" folgen. Von hier aus erhält die Einführung von Faust-Plutus (Reichtum) und Mephisto-Geiz eine unerwartete Tiefe. „Reichtum" ist nämlich schon in den frühen Maskenzügen positiv als künstlerisch-prächtiger Überfluß („Und Ehr und Reichtum spenden Glück und Lohn"), als „Gabe des Geistes" gesehen, und im Maskenzug von 1798 gar tritt „Überfluß" unmittelbar zusammen mit Kunst auf wie später Plutus-Faust mit dem Knaben Lenker. Desgleichen mißbraucht der „Geiz" bereits in den damaligen Maskenzügen das Gold (Unschuld usw.) im Streit mit den übrigen Masken, um wider seinen Willen dadurch doch wieder das echte Geheimnis des Goldes im Sieg der Unschuld zur Geltung zu bringen. Ja, bereits im weltsatirischen Jugendspiel vom „ewigen Juden" ist der „Geiz" der eigentliche Widersacher Christi und Verderber alles Natürlichen, Großen, Schöpferischen[44a]).

Eine merkwürdig strenge Gesetzlichkeit des Aufbaus und der Motive scheint also durch Goethes Maskenzüge zu laufen, beherrscht von einer kosmischen Weltkreislauflehre, die in engster Verbindung mit der früher geschilderten Problematik der „goldenen Zeit", Verfremdung (Altern)[45]) und Verjüngung steht. Durchgehend[46]) hebt sich alles realzeitlich vom Menschen Geschaffene (Kunst, Gesellschaft usw.) von einem paradiesischen, unschuldigen Naturzustand ab, der es von Anfang und Schluß aus kreislaufartig umklammert. Nicht mehr versucht die Kunst — wie im Sturm und

Drang — genial die Gesellschaft verneinend alle Konvention auszulöschen und eine gesellschaftsfeindliche Natur zu proklamieren, sondern zum erstenmal seit etwa den Maskenzügen um 1782 dringt sie in die Konvention ein, indem sich „Reichtum" mit Kunst, die „Gaben des Geistes" mit Pracht und Überfluß verbinden und Kunst und Gesellschaft sich gemeinsam als „zweite Welt" über die goldene Urzeit und Unschuld der „ersten" erheben.

Die bedeutende Weiterentwicklung, die diese neue Wendung im „Tasso", in der zweiten italienischen Fassung des Singspiels „Claudine von Villa Bella" usw. fand, kann hier aus Raumgründen nicht mehr nachgezeichnet werden. Nur das sei als Ergebnis einer Einzeluntersuchung[47]) gesagt: Die sogenannte „zweite Natur" schlägt sich bereits zur Zeit der Früh- und Hochklassik in einer bestimmten Garten- und Parkvorstellung nieder, in der die Problematik der Mummenschanzszene („Gärtnerinnen" usw.) im Grunde vorweggenommen wird.

Grundsätzlich sah nämlich Goethe stets in modischen Scheinformen, vor allem in u n m i t t e l b a r e n Nachahmungen der N a t u r (künstlichen Blumen, Park usw.) eine doppelte Möglichkeit. Erstens vermögen sie eine „reine", entwirklichte Natur zu schaffen, die ins Zeitlose ragt und eine neue „Ganzheit" und „Wahrheit" hervorbringt. Im „Tasso" verschwimmt diese Natur geradezu mit dem Bild vom „goldenen Zeitalter", das in seiner arkadisch-schäferlichen Ausmalung das Parkideal der höfisch-antikisierenden Gesellschaft Europas seit Renaissance, Barock, Rokoko und Klassizismus unmittelbar weiterführt: Eine reine, sündenlose Natur in eigenartiger Verbindung religiöser Paradieses- und antiker Arkadienvorstellung stellt ein normativ „wahreres" Natur i d e a l gegen die reale Natur[48]) und entfaltet von hier aus eine neue Seite des zentralen Problems der Klassik, des Problems des Scheins. Schein ist der Park. Er beraubt die Natur vital-wirklicher Kräfte zugunsten eines fiktiven Wahrheitsbegriffs („Wo in dem Grase die gescheuchte Schlange Unschädlich sich verlor", Tasso, V. 990). Die Natur des höfischen Parkes ist nicht wirklicher, aber „wahrer" als die umliegende Natur. So mußte es schon die rational-idealistische Naturrechtslehre von Renaissance und Barock fassen. Wahrheit und Schein sind hier identisch, wie der ungeheure Drang nach Schein im 17. Jahrhundert geradezu einen Drang nach absoluter Wahrheit bedeutet[49]). So kann Goethe in der Klassik vom „Schein der Wahrheit" sprechen oder von der „höheren Wahrscheinlichkeit", die in den Fiktionen der Kunst im Gegensatz zur Natur liege. Im Park findet sich die Sphäre der Kunst im Schein einer höheren Naturstufe wieder. „Ein Märchen", das „ganz den Charakter der Elysischen Felder" hat, ein „Traum", den die „Götter dem Fürsten erlaubt haben, um sich herum zu schaffen"[50]), so sieht er in frühklassischer Zeit enthusiastisch den Potsdamer Park. Das ist ein Beweis neben zahllosen anderen[51]), daß nicht der renaissancistische Tassostoff, sondern unmittelbare Übeuzeugungen und Erlebnisse diese Blickrichtung Goethes hervorriefen.

Zweitens aber entmächtigt der Park die Natur und schafft eine ästhetisch bodenlose Schwebehaltung, die scharf von Goethe durchschaut wird. Die „Gartenliebhaberei ... verewigt die herrschende Unart der Zeit, im Ästhetischen unbedingt und gesetzlos sein zu wollen und willkürlich zu phantasieren"[52]). Die Einebnung ehrwürdig boden- und ortsgebundener Gräber zum zeit- und vergangenheitslosen Park und „schönen bunten Teppich"[53]) ist mit eine wesentliche Schuld der ins „Grenzenlose" schweifenden, ganz ihren ästhetischen Plänen hingegebenen Menschen der Wahlverwandtschaften[54]). Daher muß solche „künstliche" Natur wohltätig von der biologisch-realen Sphäre ausgeglichen werden (vgl. die Einlage von den „wunderlichen Nachbarskindern", die Luciane-Parodien usw.[55]).

Die „Gartenkunst" ist 1799 für Goethe ein „Ideales im Realen", dessen „Schaden fürs Ganze" in einem „Vorliebnehmen mit dem Scheine", einer „Vermischung von Kunst und Natur" besteht[56]), die zum „dilettantisch"-Modischen führe. D. h. im Inneren des Parks ist ein Idealbild verborgen, das sich eine Zeit von der Natur schafft. Park und Garten enthalten einen Zauber von Natur, der nirgends in der Natur selber erscheint, aber als tiefstes Traumbild wahrster Natur in der Seele des Menschen, der ihn schuf, beheimatet ist. Indem dieses Ideal sich unmittelbar „im Realen" verwirklichen will, verfängt es sich trügend in einem halb selbst geschaffenen, halb vorhandenen Naturbild und gerät dadurch unweigerlich in eine Vermischung der Sphären, in ein ausgesprochen Konventionelles, da das realisierte Gefühl Natur und doch nicht Natur, Kunst und doch nicht Kunst ist, sondern eine Zwischenform beider. D. h. im Grunde ist hier die die Entstehung von m o d i s c h e r Kunst und Z e i t s t i l ablesbar: Naiv geben sich Wunschbilder einer Zeit als „Naturbilder" aus und erheben sich daher weder zur Kunst, noch zur Natur, sondern zu einer Mischform, die u n m i t t e l b a r dem Geschmack eines Zeitalters zum Durchbruch verhelfen will, o h n e erst durch Umformungen, harte Umgestaltung und Andersschöpfung zum eigenwilligen Kunstwerk sich zu erheben. Eben diese Mischformen aber standen für Goethe zeitlebens vom Tasso bis zu den Wahlverwandtschaften im Mittelpunkt hohen Interesses. Die gesamte Spannung zwischen „Sitte" und dem Kunstgenie Tassos, höfischer Gesellschaft (mit ihren konventionellen Idealen) und innerem Daimon, kommt in einer Parkwelt zum Austrag, in der sich in schier unentwirrbarer Verschränkung positiv poetische Wunschträume und höfisch Zeremonielles begegnen[57]), wie noch in den Wahlverwandtschaften die Ehe-, Gesellschafts-, aber auch Kunstkonflikte entscheidend symbolisch von den dortigen endlosen Bemühungen um die Gestaltung des Parks bestimmt sind. Vor allem e i n Problem gibt hier den Ausschlag: die Aufhebung des schicksalsverhängten Natur- und Zeitlaufs mit Hilfe einer k ü n s t l i c h e n Nachahmung der Natur. Wie tief das in die tragischen Grundlagen der Wahlverwandtschaften reicht, wie dicht von dort aus die Linien zur

Mummenschanz ziehen, sogar unter völlig analoger Vorformung der Blumen- und Früchteallegorik, wird die entsprechende Beweisführung[58]) zeigen. Von dieser Warte aus ist der letzte und späteste Niederschlag dieser Probleme in der Gärtnerinnenszene der Mummenschanz zu verstehen: die künstlichen Blumen rufen eine übernatürliche, die Jahreszeiten überwindende Scheinwelt hervor, die gleichzeitig von den natürlichen Blumen und Früchten bestritten und ausgeglichen werden muß, um die volle Totalität am Schluß in der „Anpaarung" beider zu gewinnen (V. 5169).

Doch ist damit das eigentlich Charakteristische dieser geschilderten Vorgänge und Inhalte nicht getroffen. Nicht um eine echte Kunst und nicht um eine echte Natur, sondern um eine „modische", „künstliche", konventionelle, g e s e l l s c h a f t l i c h e Sphäre handelt es sich ja hier. Die G e s e l l s c h a f t steht im Mittelpunkt. Die Möglichkeiten, die von i h r aus zur Kunst führen bzw. n i c h t zu ihr führen, standen in dieser Welt künstlicher Blumen, modisch „galanter Gärtnerinnen" usw. als Gestaltungsaufgabe vor Goethe. Wenn unsere Grundfrage lautete, wie Goethe die höfische Umwelt des Kaisers für die Kunstatmosphäre des Helenaauftritts vorbereiten wollte und konnte, so sind vor allem diese gesellschaftlichen Formen zu berücksichtigen. In ihrer Mitte stehen die „Gärtnerinnen" mit ihrem bedeutungsvollen Wort: „Denn das Naturell der Frauen Ist so nah mit Kunst verwandt". Die F r a u e n sind die eigentlichen Medien, die den Übergang vom Gesellschaftlichen zum Künstlerischen vermitteln. Von der Prinzessin im Tasso bis zu Ottilie verbinden sie strengste „Sitte" mit einem kunstnahen, kunst v e r w a n d t e n Einfühlungsverständnis, das sich beispielsweise bei Ottilie mit tief Goethescher Klarheit dem Maler d i l e t t a n t e n, nicht einem eigentlich echten Künstler zuwendet und von Tasso gar am Schluß noch verzweifelt als höfischer Trug verflucht wird.

Doch erst d e r Roman, in dem Goethe bewußt das Thema Kunst—Gesellschaft zum Inhalt erhob, „Wilhelm Meister", hat diese latente Kunstnähe der Frau zu einer systematischen, grundlegenden und großartigen Problemlösung vorgetrieben, deren Bedeutung merkwürdigerweise bis heute fast ganz unbekannt blieb. Ihre Ergebnisse sind so unentbehrlich für das Grundverständnis der Mummenschanz, daß sie hier vorgeführt werden müssen.

7. Künstlichkeit und Natur im „Naturell der Frauen" und ihre kunstgenetischen Hintergründe im „Wilhelm Meister"

Die Frauenrollen des „Wilhelm Meister" entfalten das Grundthema des Romans, Kunst—Gesellschaft, in einer streng folgerichtigen Stufung. Philine und Mignon, die Gräfin und die Amazone (bzw. Natalie), Natalie und Therese, die sehr wesentliche Einlage der „Bekenntnisse einer schönen

Seele", von der als Stammtante im Grunde polar alle späteren Frauengestalten ausstrahlen[59]), und endlich Makarie sind solche spiralartig aufsteigenden Stufen in der Gesamtauseinandersetzung zwischen Kunst und
Gesellschaft.

Schon in Gesellschaft mit Philine, Laertes, Frau Melina usw. taucht in
Wilhelms Geist die Frage auf, wieweit Gesellschaft auf Natur, wieweit auf
„Verstellung" sich gründe, und er gibt sich selbst die für Goethe typische
Antwort, daß aus ihrem notwendig künstlichen Wesen eine „zweite
Natur", aus dem „Inkognito" und der „Maske" eine echte „Aufrichtigkeit" entwickelt werden könne und müsse: Da ohne Verstellung aus
der Gesellschaft jede „Anmut" und „Zufriedenheit" fliehe, dort aber,
wo n u r Verstellung herrsche, sie gleichfalls verschwinde, so ist es „also
nicht übel getan, wir geben uns die Verstellung gleich von Anfang zu
und sind nachher unter der Maske so aufrichtig, als wir wollen"[60]).

Laertes sagt darauf scherzhaft, die Frauen seien deshalb so angenehm,
weil sie sich „niemals in natürlicher Gestalt" sehen lassen, worauf Melina
erwidert, sie seien „nicht so eitel ... wie die Männer, welche sich einbil-
den, sie seien schon immer liebenswürdig genug, wie sie die Natur hervorgebracht hat"[61]).

In diesen leicht hingeworfenen Sätzen wird eine für Goethe wesentliche
Spannung zwischen Originalität und Konvention ansichtig. Die Originalität
der Männer wird „eitel", wie ja in der Tat gerade Wilhelms Natur-
enthusiasmus und Shakespeareverehrung sich darin äußert, daß er verkleidet, „in Nachahmung Hamlets", sozusagen als zweiter Shakespeare
herumläuft, eine „Maskerade" mit einem naturhaft offenen „antiken
Kragen" treibt, durch den er „seinen Hals von der Knechtschaft einer
Binde" befreit, „um dem natürlichen Ideal nur desto näher zu kommen",
sich die Haare schneidet usw., und so in einem „Selbstbetrug, wozu er eine
fast unüberwindliche Neigung spürte", verharrt[62]). Andererseits ist die
„Verstellung" der Frauen „Natur" und „Aufrichtigkeit" und steht entsprechend viel mehr im Zentrum des Kunstdenkens Goethes als die wider
Willen verwirrte Originalitätssucht der Jugend: Vor allem in der mannweiblichen Mignongestalt sowie in der Gestaltung der „Amazone" und
ihrer Schwester, der schönen Gräfin, wird die Wichtigkeit und Bedeutsamkeit dieses Problems klar.

Mignons „bräunliche Gesichtsfarbe", heißt es bei der ersten Begegnung
Wilhelms mit ihr, „konnte man durch die Schminke kaum erkennen".
Bald darauf reibt sie sich mit Wasser die Schminke ab und hält in ratloser
Verwirrung auch ihre echte Gesichtsröte noch für Schminke[63]). Ihr
„Zwitterwesen" zwischen Knabe und Mädchen, die dämonische Gebrochen-
heit ihrer Existenz wohnt also in viel hintergründigeren Bezirken, als es
die Deutung des 19. Jahrhunderts wollte, die in Anlehnung an eigene
Problematik in ihr lediglich den Zusammenstoß von Ideal und Leben,

die Unvereinbarkeit des Inneren mit dem Äußeren erblickte. Nicht nur, indem sie ihre Natur für Unnatur hält, sondern auch in der unaufhebbaren Verwirrung, mit der sie Schminke und Natur zu vertauschen beginnt, spiegelt sie die mannweibliche Verschränkung von Originalität und Schein wider, deren Zweieinheit erst das herausstellt, was Goethe Kunst nennt (s. dazu das Problem des „Hermaphroditischen" in Faust II bei „Knabe Lenker", „Phorkyas", „Homunkulus" usw.)[64]. Diese Verwirrung läuft letztlich auf eine grundsätzliche Auseinandersetzung zwischen Kindlichkeit und Kunst, Einfalt und Schein, Natur und genialer Phantastik hinaus. Auffällig schon im Urmeister ist ihre betont unsentimentale Haltung. Ihre Innerlichkeit ist spröde, hart, „ganz gefühllos"[65]), ohne einen Ausdruck von „Rührung oder Zärtlichkeit"[66]). In ihr „steckt" etwas „Sonderbares, Fremdes und Abenteuerliches", etwas aus der Sphäre der „Türken". Man vergleicht sie mit „einem Affen" oder „anderen fremden Tieren"[67]) usw. Zu Beginn also lebt Mignon in einer exotischen, außerzivilisatorischen Natur- und Zwischenwelt. Sie hat gerade keinen Sinn für Kunst im Sinne von „Geschmack", Form, Gesellschaft, kurzum im Sinne der zweiten, künstlichen Welt. Auf dem Theater spielt sie ihre Rollen „so trocken, so steif"[68]). Ihre Art zu singen ist kunstlos, abrupt, sprunghaft, ungeregelt und gleicht darin fast bis aufs Wort dem Gesang des Knaben in Goethes Spätwerk „Novelle", wo übrigens ja auch die jahrmarkthaft exotische Familie des schlichten Tierbändigerpaares bedeutungsvoll gegen die verfeinerte Gesellschaft vom „Schloß" steht. Mignon ist reines Naturwesen im Sinne einer außerkulturellen, fremden, ungeformt gesellschaftsabwesenden oder -feindlichen Seinsschicht.

Andererseits lebt sie in einer ununterbrochenen „phantastischen Erhebung"[69]), durch die sie jegliche natürliche Sicht auf die Umwelt verliert. Bei Rezitationen, die Wilhelm mit ihr zu üben beginnt, „war ihr Ausdruck auf gemeinen und bedeutenden Stellen gleich angespannt ... und wenn er das Natürliche von ihr verlangte, wenn er sie bat, ihm nur nachzusprechen, begriff sie niemals, was und wie er es wollte"[70]). Der Riß zwischen Körper und Seele, den Goethe besonders dann in der zweiten Fassung („Lehrjahre") betont, ist daher mehr ein Gehemmtsein der „phantastischen Erhebung" durch den Körper oder umgekehrt: „Ihr Körper war gut gebaut, nur daß ihre Glieder einen stärkeren Wuchs versprachen, oder einen zurückgehaltenen ankündigten", „der Mund" war „für ihr Alter zu sehr geschlossen"[71]) usw. Der Riß in Mignon verläuft auf der Grenzscheide zwischen spröder Natur und geformter Kultur, dort, wo die außerkulturelle Sphäre zugleich die Sphäre dämonisch genialer Begabung ist, die in der Schlußapotheose Mignons unmittelbar als geflügelter Genius[72]) aus ihr herausbricht, interessanterweise aber aufgenommen in der „Tiefe des Marmors", eben jener „Gesellschaft" im Schloß des Oheims, die Kunst und Konvention harmonisch verschmolz[73]).

Erst in der Mignongestalt kommt also Wilhelms Spannung zwischen Originalität und Maske zum Austrag, erst in ihrer Identität von Exotik und Genie, Schminke und Natur, äußerer Gefühllosigkeit und innerer seelischer Höchstspannung wird ein Gesamtkreis der Kunstphänomene umspannt, eine Polarität von Knabe und Mädchen, Genie und „anmutig"-geselligem „Reiz" gefaßt. Denn selbst die für Goethes Kunstlehre nicht unwichtige Frage, ob und wie sich das Genie der Gesellschaft zugänglich erweisen vermöge, ob das Geniale auch „anmutig" und „reizend" sein könne — eine Grundforderung der Kunst für Goethe bis ins höchste Alter hinein —, wird in den Mignonschilderungen berührt, wenn es einmal heißt: „Der Mund, ob er schon ein wenig aufgeworfen war und sie manchmal mit demselben zuckte, (war) doch noch immer treuherzig und reizend"[74]) usw.

Dennoch lag das Schwergewicht bei ihr noch entschieden zuungunsten des Geselligen auf dem männlichen Pol. Sie verlangt mit Leidenschaft, Knabe zu sein[75]). Die Diskrepanz zwischen ihrem dämonischen Drang und wirklichen Sein wird besonders in der zweiten Fassung immer stärker betont. Erst auf der „höheren" Stufe der „Amazone", bei deren langsamer Umwandlung vom Mannweiblichen bzw. vom scheinhaft Konventionellen der „schönen Gräfin" (die ja mit der Amazone in Wilhelms Phantasie ineinsfließt) zur reinen Nataliegestalt erreicht daher das Kunst-Konventionsproblem seine volle, für den späten Goethe entscheidende Darstellung. Diese Frauengestalten sind nämlich folgendermaßen polar miteinander verbunden. Die „schöne Seele" (Stammtante der ganzen Gesellschaft vom Turm) vererbt an sie die zwei Seiten ihrer Frauennatur: tief inneres „Gemüt" (an Natalie-Amazone)[76]) und Neigung zu Schmuck (an die schöne Gräfin)[77]): „Und wenn ich mir dachte, daß die Jüngste an eben demselben Tage meine Perlen und Juwelen nach Hofe tragen werde, so seh ich mit Ruhe meine Besitzungen, wie meinen Körper den Elementen wiedergegeben". Entsprechend führt Wilhelms Entwicklung stufenweise von der schönen Gräfin zu Natalie, wobei als Mischform das Traumbild der „Amazone" — unentschieden schwankend zwischen beiden Schwestern — diese Entwicklung andeutet. In der schrittweisen Klärung dieser Frauencharaktere bis zur endlichen Enthüllung der Natalie als „Genius" jenes Hauses, in dem „wahre Kunst und wahre Gesellschaft" harmonisch sich binden[78]), verläuft ein wesentlicher Erziehungsprozeß Wilhelms.

Denn Natalie und die schöne Gräfin umschließen in der Tat in ihrer Gesamtheit das Kunstphänomen im „Naturell der schönen Frauen": Die Gräfin, die in Wilhelm Neigung, ja Liebe erweckt durch ihr Interesse für sein dichterisches Talent — das sich in ihrer Sphäre in aufschlußreicher Weise vor allem in dem konventionell „allegorischen" Stück äußert, welches er zu Ehren des Prinzen schreibt und vergebens „natürlicher" zu gestalten und aufzuführen versucht — reißt ihn zur Begeisterung hin durch ihren

Schmuck, in welchem er einen höchsten Ausdruck von Kunst und Natur sieht: „Wie töricht lehnen sich doch so viele Dichter und sogenannte gefühlvolle Menschen gegen Putz und Pracht auf, und verlangen nur in einfachen, der Natur angemessenen Kleidern die Frauen alles Standes zu sehen". Ihr Schmuck habe etwas Natürliches, „ja natürlich darf ich wohl sagen! Wenn Minerva ganz gerüstet aus dem Haupte des Jupiter entsprang, so scheinet diese Göttin (Gräfin) in ihrem vollem Putze aus irgend einer Blume mit leichtem Fuße hervorgetreten zu sein"[79]). Die schwerelose, fast organische Leichtigkeit, mit der die Künstlichkeit hier wie aus der „Blume" hervorspringt und zur „Natur" wird, erinnert auffällig an jene Stelle in der „Mummenschanz": „Unsere Blumen, glänzend künstlich, Blühen fort das ganze Jahr ... Mögt ihr Stück für Stück bewitzeln, Doch das Ganze zieht euch an". Das spontan leichte Heraustreten der geputzten Gräfin aus der Blume deutet in der Tat auf eine entwicklungsgeschichtliche Basis dieser Mummenschanzszene und auf den vollen Horizontenkreis, dessen es bedarf, um die ganze Zielrichtung der Mummenschanz zu begreifen. „Ganz gerüstet" tritt die geschmückte Göttin aus dem Haupte Jupiters, und „das ganze Jahr" blühen „glänzend künstlich" die modischen Phantasieblumen der Mummenschanz. Die Künstlichkeit dieser Sphäre verheißt eine Totalität, welche die Natur nicht zu geben vermag und welche trotz der „Zerstückeltheit" des Schmuckes in plötzlicher Einheit erscheint. Die Konvention wird zum Schein der Natur und damit zum Kunstwerk. Denn diese Szene sowie die folgende Berührung Wilhelms mit dem Natalie-Abbé-Oheim-Kreis stellt den Eintritt in eine „Gesellschaft" dar, die zum natürlichen Kunstwerk geworden ist und längst die alte Sturm- und Drang-Spannung zwischen Genius und bürgerlich lähmender Welt überwunden hat: Nicht nur die religiös hochgestimmte „schöne Seele" fühlt sich im Schlosse des Oheims, in „der Pracht und Zierrat", die „mich sonst zerstreuten", überraschend „gesammelt und auf mich selbst zurückgeführt"[80]); nicht nur sie empfindet unter diesen geschmackvollen Einrichtungen alles „so natürlich", so ohne „Steifheit und leeres Zeremoniell", daß selbst ihre höchsten religiösen Erhebungen und „geistlichen Gesänge", die den Menschen „seine Gottähnlichkeit lebhaft empfinden" lassen, sich dort „wie Juwelen in dem goldenen Ringe einer gesitteten weltlichen Gesellschaft ausnahmen"[81]), sondern auch Wilhelm selbst gelangt stufenweise metamorphosenartig mit Hilfe der natürlich-künstlichen Schmuckwelt der Gräfin zu einer höhern Seinsform, in der Gesellschaft und Kunst sich wechselweise durchdringen. Denn die Gräfin ist täuschend ähnlich der „schönen Amazone", an die „sich alle seine Jugendträume knüpften", die ihm „durch eine unerklärliche Verknüpfung von Ideen" in dem Augenblick erscheint, als er den entscheidenden Theaterkontrakt unterzeichnet. Diese Amazone spielt ja in den Visionen Wilhelms deutlich in die Goethesche Schilderungsweise der Muse hinüber, mag auch die reale Natalie keineswegs identisch mit der Muse sein:

„Das Kleid fiel von ihren Schultern; ihr Gesicht, ihre Gestalt fing an zu glänzen und sie verschwand"[82]).

Ihr zurückbleibendes Gewand hält Wilhelm mit „lebhaftestem Verlangen" fest (vgl. damit das Zurückbleiben des Schleiers Helenas[83]) und die Stelle: „Der Dichtung Schleier aus der Hand der Wahrheit"). Wilhelm träumt sogar von der Rettung seines Sohnes vor dem Harfner durch Natalies „Schleier"[84]), was auf eine höhere, lichtere, über das dumpf Dämonisch-Geniale des Harfners sich erhebende Kunstsphäre weist. Noch deutlicher wird der Sinn solcher kleinen Züge, auf die Goethe ausdrücklich ein besonderes Gewicht legte[85]), in der unmittelbaren Konfrontation der beiden Schwestern: Was aber „diese sonderbare Bewegung in ihm vermehrte, war die Ähnlichkeit, die er zwischen der Gräfin und der schönen Unbekannten (Amazone, Natalie) entdeckt zu haben glaubte. Sie glichen sich, wie sich Schwestern gleichen mögen, deren keine die jüngere noch die ältere genannt werden darf, denn sie scheinen Zwillinge zu sein; ... eine Erscheinung verwandelte sich in die andere, ohne daß er imstande gewesen wäre, diese oder jene festzuhalten" ... Die wunderbare „Ähnlichkeit ihrer Handschriften", wobei aber „die freieren Züge der Unbekannten" (Amazone) durch „eine unaussprechlich fließende Harmonie" sich von den „zierlich gestellten Buchstaben der Gräfin" abheben, berührt ihn noch tiefer; „er verfiel in eine träumende Sehnsucht, und wie einstimmend mit seinen Empfindungen war das Lied, das eben in dieser Stunde Mignon und der Harfner als ein unregelmäßiges Duett mit dem herzlichsten Ausdrucke sangen: Nur wer die Sehnsucht kennt"[86]).

Es kann keinem Zweifel unterliegen: Die Gräfin und die Amazone sind in den Visionen Wilhelms, der in seiner Frühstufe noch ganz der Poesie hingegeben ist, symbolische Formen der Muse, wie schon ihre unmittelbare Verknüpfung mit der Mignonsphäre verrät. Sie vertreten in seinem Innenleben und in seiner Entwicklung eine höhere Stufe, in der Poesie und Gesellschaft sich wechselseitig durchdringen und durch die die niedere, antigesellige Stufe Mignons und des Harfners abgelöst und überwunden wird, wie ja nicht ohne symbolische Bedeutung Mignon unter der Pflege und Obhut Nataliens sich vollendet und stirbt. Ferner sind der Schmuck der Gräfin und der Schleier Nataliens die Symbole von zwei Kunstweisen, die Wilhelm nacheinander durchläuft, indem die höhere Symbolkraft des Schleiers allmählich die niedrigere des Schmucks abstreift, so wie die „unaussprechlich fließende Harmonie" und „Freiheit" der Schriftzüge der Amazone-Natalie die „zierlich gestellten Buchstaben" der Gräfin ablöst und übertrifft. Ja selbst im Wandel von der „Amazone" zu „Natalie", die ja äußerlich identisch sind, geht eine Metamorphose vor sich, indem die mannweiblichen Züge aus der Mignonsphäre langsam einer reineren Weiblichkeit weichen und damit zugleich eine völlig neue Begegnung Wilhelms mit der Kunst sich ereignet: Beim Eintritt in Nataliens Haus erblickt er

marmorne „Statuen und Büsten, ... Jugendeindrücke" aus der eigenen
dunkel poetischen Sehnsucht der Kindheit, nämlich „eine Muse, die seinem
Großvater gehört hatte" und „alte Kunstbilder der frühesten Jugend",
die ihn an die „mitleidigen Marmorbilder in Mignons Liedern" „erinnern"[87]). Das Früheste, vergeblich von Mignon und Wilhelm in unstill-
barer Sehnsucht Gesuchte, tritt plötzlich in blendender Klarheit vor ihn
hin „in dem entscheidenden Augenblick", als sich die seither nur im
Traum geschaute Natalie ihm zeigt, während zu ihren Füßen die nunmehr
todgeweihte Mignon schläft. Natalie wird — wörtlich — der „Genius"
einer völlig neuen Kunstwelt, in der die „Gesellschaft" selber Kunstwerk
wurde: „Es ist kein Haus, es ist ein Tempel und Sie (Natalie) sind die
würdige Priesterin, ja der Genius selbst"[88]). Natalie und ihre Welt sind
E r s c h e i n u n g e n dessen, was seither nur als Traum und Ahnung in
der dumpf-leidenschaftlichen Mignon-Harfner-Sphäre angelegt war. Das
Innere hat im Äußeren Form angenommen, das Äußere ist verinnerlicht,
wie in dem gleichen „entscheidenden Augenblick" nochmals die Ähnlichkeit zwischen der Handschrift der Gräfin, d. h. ihrem Förmlich-Steifen
und den von innen harmonischen Schriftzügen Natalies den Helden
frappiert[89]).

In der Gräfin und der Amazone ist also in der Tat die Spannung von
Kunst und Gesellschaft konzentriert, die das Thema des ganzen Romans
bildet. Wie der „Genius", der in Nataliens Wesen liegt, ursprünglich die
mannweibliche Rolle Mignons (die ja bis zum „Knaben Lenker" usw.
reicht), fortsetzte und aufhob (sie erreicht es, daß Mignon wieder Mäd-
chenkleider trägt, wie sie selber längst ihre männliche Amazonenkleidung
ablegte), so wurde in der modischen Gräfin das „Äußere" der Gesellschaft langsam ins Innere gewandt, indem ihre Gestalt immer mehr hin-
überglitt in die Gestalt ihrer Schwester. Kunst und Gesellschaft haben
sich hier geradezu wechselseitig geboren: die Kunst hat die Gesellschaft
aus ihrer dumpfen Realität und Trugwelt erhoben, die Gesellschaft hat
die Kunst von ihrer dämonisch verzehrenden Krankheit (s. das Bild vom
kranken Königssohn und der Prinzessin in Nataliens Haus) befreit: „Den
andern Morgen, da noch alles still und ruhig war, ging er (Wilhelm) sich
im Hause umzusehen. Es war die reinste, schönste, würdigste Baukunst,
die er gesehen hatte. Ist doch wahre Kunst, rief er aus, wie gute Gesellschaft: sie nötigt uns auf die angenehmste Weise, das Maß zu erkennen, nach dem und zu dem unser Innerstes gebildet ist"[90]).

Damit sind die entscheidenden Bild- und Problemschichten in der
Mummenschanz geklärt: Der Aufzug der „Gesellschaft" in ihr ist keineswegs, wie hartnäckig in der Forschung immer wieder gesagt wurde, nur
die blendende und verblendet spielerische Manifestation höfischer Leere,
sondern zugleich ein Aufzug der Kunst: des „Genius", der im gleichfalls mannweiblichen, „mädchenhaften" Knaben Lenker erscheint, der von

den „Mädchen das ABC lernt" (V. 5550 f.) und der — genau so wie die Gräfin auf Natalie hindeutet — von dem Zug der Gärtnerinnen insgeheim und laut deutend schon vorbereitet ist: „Denn das Naturell der Frauen ist so nah mit Kunst verwandt": „Wahre Kunst" und „gute Gesellschaft" sind das „Maß des Inneren", das Maß auch Fausts, der in ähnlich stumm betrachtender Rolle hinter dem Ganzen verschwindet wie Wilhelm.

Dieses Maß aber zwischen Innen und Außen, Maskenzug und faustischem Genius, Architektur und Seele ist dem unmittelbar betrachtenden Auge verborgen. Den Schlüssel hat Goethe immer vergraben[91]). In einem großen Brief an Schiller über die „Lehrjahre" klagt Goethe darüber, daß er in seiner Scheu vor zusammenfassenden Ergebnissen „immer gern ... das geringere Kleid vor dem bessern wähle, ... den unbedeutendern Gegenstand oder doch den weniger bedeutenden Ausdruck" vorziehe und sich in seinen Äußerungen „immer leichtsinniger betragen werde", „als ich bin"[92]). So war es möglich, daß auch in der Deutung des „Wilhelm Meister" fast durchgehend in der Folgezeit von der Forschung die rein gedanklichen, bildungspädagogischen Gehalte herausgestellt wurden, dagegen die „unbedeutenden", ja scheinbar „leichtsinnig" hingeworfenen Äußerungen und Einzelschilderungen (Gesichtszüge, Kleidung usw.) nicht in jener Symbolweite erkannt wurden, die wir soeben herauszuarbeiten suchten, getreu dem Goetheschen Wort: „Es ist keine Frage, daß die scheinbaren, von mir ausgesprochenen Resultate viel beschränkter sind als der Inhalt des Werks"[93]). Nicht nur in Faust II, sondern auch in den Lehrjahren erscheint daher das Tiefste, der Zentralpunkt des Ganzen, als „episodische Einlage": Die „Bekenntnisse einer schönen Seele", schon seit Humboldt und Schiller viel verkannt und verfehmt, enthielten nämlich in der Polarität von „schön" und „Seele", von Schein und abgründigem Genius die gesamte Stufung und innere Aufteilung des späteren Romans bis tief hinein in die „Wanderjahre", ja bis tief in das Ottilieproblem der „Wahlverwandtschaften". In der „schönen Seele" kommt die ganze geschilderte Spannung von Gesellschaft und Kunst erst zu jener vollen, auch innerlich ausgesprochenen und gezeigten Klärung, die notwendig ist, um das Verhältnis von Genius und Gesellschaft in den späteren Niederschlägen auch der „Mummenschanz" zu begreifen:

Diese Stammtante der Gesellschaft vom Turm, die nicht eindeutig auf frühgoetheschen Pietismus zurückgeführt werden darf, weil sonst gerade das entscheidende künstlerische Mittel Goethes, das Moment bewußt irreführender Einkleidung, übersehen wird, „dachte" sich bereits als Kind „in schönen Kleidern", von „Prinzen" umworben. In einem „ähnlichen Abenteuer" sieht sie sich aber auch fast mignonartig als „reizenden kleinen Engel ... in weißem Gewand und goldnen Flügeln"[94]). Ihre Liebe zum „Narziß", dem eitel selbstgefälligen Mann, steht im Gegensatz zum „geheimen Schatz" ihrer Seele[95]), d. h. zu ihrer Liebe zu einem „unsichtbaren Wesen", das — in einer für Goethes tatsächliche Umdeutung der religiösen in die künstlerische Sphäre aufschlußreichen Weise — analog dem Goetheschen Daimonbegriff[96]) als „Beistand eines treuen unsichtbaren Führers" der Seele, als unbeirrbarer und doch geheim wirkender Richt- und Orientierungspunkt angesprochen ist. Die weltliche Maske, die sie Narziß zuliebe trägt, zieht sie zwar von diesem inneren Führer ab, hat aber dennoch eine fast magisch eindringende, ihre ganze Natur durchsetzende Kraft: „Denn sobald ich mich in das Gewand der Torheit kleidete, blieb es nicht bloß bei der Maske, sondern die Narrheit durchdrang mich sogleich durch und durch"[97]) (vgl. damit die mahnende und aufscheuchende Wirkung, die Wilhelms Verkleidung als Graf auf den Grafen selber hat, der sich in Wilhelm verdoppelt glaubt und dies als Warnung höherer Mächte auffaßt und der Welt entsagt). Mit der schrittweise erlangten Überwindung des Äußeren durch die Kraft des Inneren wird ferner bei der schönen Seele das Äußere zur „Glasglocke", die sie jederzeit zerschlagen kann, um ihre wahre Natur zu gewinnen: „Ich erkannte auf einmal, daß es nur eine Glasglocke sei, die mich in den luftleeren Raum sperrte; nur noch so viel Kraft, sie entzwei zu schlagen und du bist gerettet. Gedacht, gewagt. Ich zog die Maske ab und handelte jedesmal wie mir's um's Herz war"[98]). Die ganze Spannung von Konvention und Daimon ist also in diesen „Bekenntnissen einer schönen Seele" enthalten, in denen auf eine eigenartige Weise der religiöse Durchbruch zum Glauben mit dem Problem der Weltüberwindung und zugleich der Formung des inneren Daimonion verknüpft wird: Wie Mignon im Abwerfen ihrer Hülle vom „Schein" zum „Werden" emporsteigt, wie Homunkulus im gleichen Zerschlagen des Glases „wird"[99]), so tritt in dieser „Seele", die „schön" ist, ihre unmaskierte Reinheit gerade als Rettung des Schönen zutage, als geradezu klassische Manifestation der Theorie vom Schönen als einer „Idee" in der „Erscheinung": „Die Menschen dieser Art", sagt Natalie von ihr, sind „a u ß e r uns, was die Ideale im Innern sind, Vorbilder, nicht zum Nachahmen, sondern zum Nachstreben"[100]). Sie sind Leitsterne des Genius, wenn auch nicht Leitformen, die man „nachahmen" könnte. Insofern stehen sie außerhalb der formal künstlerischen Sphäre, keineswegs aber außerhalb ihrer inhaltlichen Schichtung. Denn gerade der Durchbruch des maskenlos Inneren, den Goethe in der „schönen Seele" sowohl wie in Mignon wie in anderen „Werdeprozessen" positiv „tätiger" und „dämonischer Wesen" durch das Zerbrechen des Scheins, der Hülle, des Glases usw. (s. Homunkulusdeutung)[101]) vollziehen läßt, ist stets ein Aufleuchten des Schönen zur höchsten Verklärung, nicht ein Untergehen in metaphysisch gestaltloser Tiefe. Noch bei Mignons „Verkleidung" als „Engel" kurz vor ihrem Tode wird bewußt jede identifizierende und illusionierende Auffassung, als sei nun Mignon „wirklich" ein Engel geworden, ausdrücklich verworfen, indem Natalie den Kindern klarmacht, es handle sich nicht um einen Engel, sondern um Mignon. Das eigentümlich Stofflose, Unirdische bei den letzten Verklärungen des Schönen bedeutet niemals einen Vorstoß ins religiös oder mystisch Absolute, sondern Bewahrung der Gestalt auch noch „im Werden". Wie die zwei Pole des Erbgutes der schönen Seele, Schmuck und Gemüt, die sie ihren beiden Nichten vermacht, die Totalität von Wilhelms Erziehung zur „wahren Kunst" andeuten, so findet die „Schönheit" dieser christlichen „Seele" erst im Kunsttempel des Oheims, in dieser „höhern" und zugleich „auch ... sinnlichen Kultur" ihre reinste Ergänzung: „Nun war ich zum erstenmal durch etwas Äußerliches auf mich selbst zurückgeführt". An keiner Stelle wird das Bedürfnis Goethes, die Totalität der Schönheit von allen nur erdenklichen Seiten her aufzubauen und zu gliedern, deutlicher als gerade in dieser „religiösen" Einlage der „Bekenntnisse". Und an kaum einer anderen Stelle wird uns klarer, wie notwendig und richtig unser Weg war, die „ästhetisch-vernunftgemäße Folge" auf Helena hin (in Faust II) auf derartigen Umwegen in der ganzen Breite der vorliegenden Arbeit darzustellen. Denn jetzt erst vermögen wir die innere Konsequenz einzusehen, die von der Masken-, Schmuck- und Konventionswelt der „Mummenschanz" über den „Knaben Lenker" und über den Homunkulus zur endlichen Erscheinung des Schönen in Helena führt: Das „Schöne" ist für Goethe von Anfang an weder von der „Seele", noch aber auch von der „Maske" und dem „Schein", trennbar. D a h e r k a n n e s p h ä n o m e n o l o g i s c h n u r d u r c h d i e D a r s t e l l u n g d e r A b f o l g e d i e s e r S c h ö n h e i t s e l e m e n t e a u f g e b a u t w e r d e n. Das ist die große und bedeutende Lehre, die uns die Kompositionsweise der Lehrjahre zu schenken vermag.

So sind die in der Spätzeit Goethes entwickelten Bild- und Problemschichten in Wirklichkeit nur Weiterführungen der in der Klassik gewonnenen Position. Die Früh- und Hochklassik bot jedoch nur Grundlagen. Die Sprachformen und die Kompositionsweise der spätgoetheschen Mummenschanzwelt, d. h. aber auch ihr spezifisch Eigenes, ruhen auf anderen Voraussetzungen, die es nunmehr darzustellen gilt.

8. Die formale und sprachstilistische Entwicklung des Konventionsproblems von den „Wahlverwandtschaften" und dem „Divan" bis zu „Faust II"

Die „Wahlverwandtschaften", die, wie Goethe sagt, „den Kampf hinter die Szenen verlegen", indem „die Menschen ... sich wie vornehme Leute betragen, die bei allem inneren Zwiespalt doch das äußere Dekorum behaupten"[102]), nehmen ihrer ganzen Problemstellung nach das Konventionsproblem in einer radikalen und neuen Form auf. Zunächst tauchen schon am Anfang die bekannten Blumen- und Früchtesymbole auf, hier jedoch in einer tragisch-ironischen Wendung, indem ihre „heitere" Zierde leitmotivisch den „Wahn" und „Schein", in dem sich diese vornehme Gesellschaft wiegt, begleitet. In der heiter-traurigen Parklandschaft des Romans ist zu Beginn die Mooshütte „auf das lustigste ausgeschmückt, zwar nur mit künstlichen Blumen und Wintergrün, doch darunter so schöne Büschel natürlichen Weizens und anderer Feld- und Baumfrüchte angebracht, daß sie dem Kunstsinn der Anordnenden zur Ehre gereichten"[103]). Der „Kunstsinn" der Bewohner und die ganze Komplikation ihrer inneren Zwiespälte, die alles Künstliche natürlich, alles Natürliche künstlich darstellt, erscheint wie in anderer Weise später in der Mummenschanz als sonderbarer Widerstreit zwischen künstlichen Blumen und Früchten, als Behauptung von Natur mitten im Winter, als Schaffung einer illusionistischen Überwindung der Jahreszeitengesetze.

Das dringt tief in das tragische Gerüst des Romans ein: Wie durch die Einebnung der Gräber die Toten von ihrem Boden losgelöst werden, wie die mythisch ortsgebundene Erinnerungsstätte des Friedhofs sich in einen Park und „schönen bunten Teppich"[104]) verwandelt und damit ein aufklärerisch modischer Schein die urgewaltigen Gesetze des Lebens unterhöhlt, so geraten dort durchweg in tragischer Ironie diese feinsinnig kunstliebenden Menschen umso tiefer in Verstrickung, je mehr sie vor den Naturgewalten in ein künstlich selbstgeschaffenes, gesittetes Dasein zu fliehen versuchen[105]). Indem diese „gebildete" Welt bewußt in heftigen Debatten die „Dauer des Daseins" der Toten[106]) nicht mehr in Boden, Zeit und Ort gewährleistet sieht, sondern im freischwebenden, „unabhängigen Bild" des Künstlers (Dilettanten) zu verwirklichen trachtet — — nicht zuletzt liegt darin eine tragische Schuld —, erhält der „Begräbnisplatz, zu dessen Verzierung und Erheiterung der Architekt manchen glücklichen Vorschlag tat"[107]), in fast frevelndem Beginnen durch „Nachbildungen" „alter Grabmonumente, auch Waffen und Geräten aus nordischen Grabhügeln" eine Zierde, welche die Urzeit ihrer Größe beraubt und „diesen alten ernsten Dingen ... etwas Putzhaftes" verleiht, daß „man mit Vergnügen darauf, wie auf die Kästchen eines Modehändlers hinblickte". „Mode" und „Konvention" durchdringen tragisch unterminierend das gesamte Kunstgebäude (jene harmonisch-aufklärerische Verbindung von Kunst und Gesellschaft am Schluß der „Lehrjahre") und beginnen es gefährlich zu zersetzen. Alle künstlichen Stützen und Schutzmaßnahmen gegen die Urmächte von Schicksal, Leidenschaft, Natur zerbrechen und wenden sich ins Gegenteil, wie der „künstlich" geschaffene Teich am Schluß das Kind Charlottens verschlingt. War am Ende der Lehrjahre die Gesellschaft zum Kunstwerk geworden, so entwickelte sich jetzt im Inneren einer solchen ästhetisch geformten Gesellschaft eine tragisch-ironische Schwebehaltung und Krise, die schließlich zum Sieg des Biologisch-Ursprünglichen hintreiben mußte (s. die Einlage von den „Wunderlichen Nachbarskindern", die parallele Wendung in der „Pandora" von dem ins Ästhetische verstrickten Epimetheus zu den in die Elemente springenden Kindern und schließlich die spätere Entwicklung zum „Divan"). Die Zeichen solcher Krise erscheinen vor allem in der Sprachform, die wohl die merkwürdigste und aufschlußreichste Umwandlung des alten Konventions- und Modeproblems anzeigt: Wenn Goethe z. B. sagt, daß man auf die modisch entstellten nordischen Grabhügel „mit Vergnügen wie auf die Kästchen eines Modehändlers" hinblickte, so entsteht hier ein Sprachstil, dessen Mischung von Ernst und Ironie völlig undurchdringlich wird, weil das „Heitere" gerade durch seine selbstsichere, durch nichts gestörte, also scheinbar unironische Heiterkeit tragisch wird, die Hintergründe der Tragödie verschweigt und dadurch den tragischen Fall der Verblendung erreicht. Das bedeutet: eine Seite der unendlichen Schwierigkeit, aus dem angeblich „spielenden" Sprachstil des „greisen" Goethe den eigentlichen „Sinn" zu entziffern, liegt darin, daß im „Heiteren", vielleicht auch „Putzhaften" seiner Sprache mehr verschwiegen als ausgesagt werden soll, um die tragische Spannweite zu erhalten. Unter dem „Dekorum" eines schönen „Scheins", unter auch sprachlich „konventionellen" Formen, die ja bei steigendem Alter von Goethe mit Vorliebe in ganz bestimmten Konstellationen angewandt werden, verbirgt sich ein abgründiges Wissen um elementare und mythische Vorgänge.

So schafft sich Ottilie vorsorglich mit Blumen und Pflanzen „einen Sternenhimmel über die Erde"[108]), der ihr „ein Scheinbild des vorigen Lebens" erzeugt: „Der Schmuck an Früchten und Blumen ... ließ glauben, als wenn es der Herbst jenes ersten Frühlings wäre: die Zwischenzeit war ins Vergessen gefallen"[109]). Schmuck und Konvention werden Mittel, vortäuschend ein Trauriges vergessen zu machen. Zugleich aber sind die gleichen Dekorationsmittel Hinweise auf die eigentliche und wahre Tragödie: Der Leiche Ottiliens setzte man „einen Kranz von Asterblumen auf das Haupt, die wie traurige Gestirne ahnungsvoll glänzten". Immer stärker werden die einzelnen Zeichen und Bilder selbständige Signen des gesamtkünstlerischen Vorgangs und Sinnes, bis sie endlich in „Faust II" völlig unabhängig von äußeren logischen Handlungen eine besonders schwer entzifferbare Tragödie oder Hintergründigkeit vertreten, um deren Herausarbeitung willen die Symbolwerte der einzelnen Bilder in der vorliegenden Weise von uns untersucht werden müssen. So ist schon in den „Wahlverwandtschaften" der Jahreszeitenzirkel von natürlichen und künstlichen Blumen fast selbständig entwickelt, wenn für Ottilie es „nirgends auffallender als im Garten (ist), wie Vergängliches und Dauerndes ineinander greift". Das „Jahresmärchen" wiederholt sich im Frühling von vorn, dessen „Überschriften oder Vignetten ... Veilchen und Maiblumen"[110]) sind. Blumen halten, zur Kunst (Vignetten) überhöht, die Zeit in statisch fixiertem Wechsel der Jahreszeiten fest. Sie garantieren den Schein der Totalität aller Naturzeit. Bei der Ausmalung der Kapelle wurden „noch Blumen und Fruchtgehänge beschlossen, welche Erde und Himmel gleichsam zusammenknüpfen sollten. Hier war nun Ottilie ganz in ihrem Felde. Die Gärten lieferten die schönsten Muster"[111]). Natur wird Kunstform, die Erde und Himmel verknüpft. Der Schein künstlicher Blumen spannt in den Kosmos eine zweite Welt ein, die nicht Natur und Kunst, sondern ein Werk der Gesellschaft ist. Nicht ohne Grund ist der „Architekt", der die ganze Kunstwelt Ottiliens errichtet, „Dilettant".

Tief, aber wahr trifft daher Ottilie der Spott Lucianes, die „uneingedenk des tiefen Winters, in dem man lebte, sich zu verwundern schien, daß man (trotz aller Arbeit Ottiles in Gärten und Treibhäusern) weder Blumen noch Früchte gewahr werde"[112]). Noch tiefer führen Lucianes Parodien in die Mummenschanzsphäre. Während in Ottilie, mit der gerade „das Schickliche" selber „geboren" ist[113]), unter der Hülle von „Betragen und guter Sitte", „zartem Gefühl für das Schickliche"[114]) usw. die Flamme einer unbedingten und endlich alles verzehrenden Leidenschaft glimmt, sind die Unarten und „Unsitten" Lucianes, „ihr Lebensrausch im geselligen Strudel"[115]) „sittlich" im strengsten Sinne des Wortes, da Luciane dadurch gerade nicht eine Leidenschaft an sich heranläßt, vielmehr „die anderen in den strengsten Grenzen der Sittlichkeit gegen sich" hielt, „die sie gegen andere jeden Augenblick zu übertreten schien"[116]). Aus diesem Grunde sind auch ihre Parodien und Maskeraden ernster zu nehmen, als es den Anschein hat. Die Verhöhnung „der um ihren toten Mann klagenden Artesimia", die Parodie der ganzen Gräbermystik der „Wahlverwandtschaften" und der Kunstsphären des Architekten (bei der Nachzeichnung des Grabes des Mausoleums durch den Architekten), die Verspottung der Porträt- und Bildermystik Ottiliens[117]) durch parodistische „Affenbilder"[118]) usw. sind wichtige Vorformen des Ironie-, Narren- und Mephistoproblems in „Faust II". „Das Lächerliche entspringt aus einem sittlichen Kontrast, der auf eine unschädliche Weise für die Sinne in Verbindung gebracht wird ... Der Verständige findet fast alles lächerlich, der Vernünftige fast nichts"[119]). In diesen unfreiwilligen Geständnissen Ottiliens unmittelbar nach dem „Affenwesen" Lucianens, die in tragischer Ironie nicht nur auf Luciane, sondern auch auf sie selber weisen, entrollt sich ein völlig neuer Gesichtskreis des Konventions- und Kunstproblems, der mit steigendem Alter für Goethe an Bedeutung gewann:

Die todernste Feierlichkeit, mit der Ottilie und der Architekt mit echt Goetheschem Akzent an ihrer Bild-, Grabes- und Kunstmystik hängen, gerät nämlich für Goethe immer mehr in einem eigentümlich positiven Sinn in die Sphäre des „Absurden", „Fremden", „Sonderbaren" und „Historisch-Konventionellen". Darin schließt er eigene, ernste Betrach-

tungen durchaus ein, wie seine Spätbriefe verraten, in denen er höchste
und ernstzunehmende Reflexionen immer wieder als „abstrus"[120]) bezeichnet. Gerade nämlich Goethes unermüdliche Anstrengung im Alter, die
„Dauer" lebloser und lebendiger geistiger Werte zu retten, Absolutes
und Ewiges zu behaupten im Sturzfall der Zeit[121]), wird ihm in sich selber
im positiven Sinne „absurd" und stimmt ihn, wie alles „Ungeheure" und
jede absolute „Idee", die in Erscheinung treten will[122]), „bänglich". Z. B.
wirkt Lucianes und Ottilies täuschend gelungener Versuch, historisch überlieferte Gemälde sinnlich in gestellten lebenden Bildern nachzuahmen und
zu erneuern, „bänglich" auf die Zuschauer. Bei Lucianes Darstellung des
Belisar des van Dyk heißt es: „Die Gestalten waren so passend, die Farben
so glücklich ausgeteilt, die Beleuchtung so kunstreich, daß man fürwahr in
einer andern Welt zu sein glaubte; nur daß die Gegenwart des Wirklichen
statt des Scheins eine Art von ängstlicher Empfindung hervorbrachte"[123]).
Ottilie fühlt sich bei ihrer Darstellung Marias als lebendes Bild durch den
Hinzutritt ihres früheren Lehrers im Tiefsten beschämt usw. Die durchaus positive Einstellung Goethes zu dieser Moderichtung des beginnenden
19. Jahrhunderts überhellt also blitzartig die ganze Situation, in der
Goethes Kunstdenken damals steht: Goethe will das Absolute bzw. künstlerisch Scheinhafte ins Lebendige, „Wirkliche" zwingen im Zuge seines
damaligen Drangs, historische Kunstwerke als „dauernd" und sinnlich
konkret zu retten und ins Leben zu ziehen. Er greift zu der natura-
listischsten Form, die es überhaupt gibt, glaubt ernsthaft im gestellten
Bild eine Garantie der Bewahrung gewesener Kunst im Leben zu erlangen
und weiß dennoch sehr genau, daß diese Vertauschung von Schein und
Wirklichkeit in sich unmöglich, absurd ist und darum „eine ängstliche
Empfindung" hervorruft. So verbindet sich ihm das Konventionelle dieser
gesellschaftlichen Kunstformen mit seiner späten Sicht aufs spezifisch
Historische: 1805 heißt es zum Bild der „Historie" im „Hans Sachs":
„Eine Bewunderung des Überlieferten, das uns immer etwas bänglich
macht"[124]). Der scheinhafte Eintritt des Künstlerischen in die Gesellschaft
wird also nunmehr erstens im Historischen, „Überlieferten" angeschaut.
Zweitens wird in diesem Historischen das Einbrechen und Durchdringen
einer Idee ins Gegenwärtige erblickt, die, weil sie ans zeitlich Einmalige
und Überlieferte gefesselt ist, „sonderbar", „seltsam", „absurd", nicht allgemein typisch erscheint. Alles charakteristisch Historische ist, wie sich
vor allem bei der Analyse des „Historischen" in der Klassischen Walpurgisnacht ergeben wird, „absurd" und „ungeheuerlich" nicht im negativen
Sinne, sondern im Sinne des Bedeutungsvoll-Einmaligen, Überraschenden,
Nachdenkenswerten und Absoluten im Einzelnen. Diesem Absurden
gegenüber gibt es nun eine positiv überwindende und gewinnende Abwehr: Heiterkeit und Ironie:

Beim „Eintritt des Narren" in den Gemälden zu Hans Sachs spricht

Goethe von der „Scheu vor dem Absurden, welche sich nur durch guten Humor und Ironie überwinden läßt"[125]). „Unverträgliche, wahrhaft tragische Motive" ruhen im Alter (1831) bei Goethe gern auf dem „Absurden" und werden „am Ende durchs Absurde (im humoristischen Sinne) ins Gleichgewicht gebracht"[126]). Der „Lemurentanz" im „Grab der Tänzerin", in dessen Figuren er Anklänge an Colombine und Harlekin findet, ist ihm „ein antiker humoristischer Geniestreich", dessen Bedeutung vor allem zyklisch sich zeigt in seiner Stellung zwischen „einem menschlichen Schauspiel und einem geistigen Trauerspiel"[127]). Immer mehr beginnt Goethe in ernsthafte Werke (z. B. in die „Wanderjahre") humoristische „Possen" einzulegen, um das Gleichgewicht zu schaffen.

Ironie und Humor also ermöglichen ihm die Überwindung des Bänglich-Konventionellen; sie lösen die Fesselung der „Idee" ans historisch Spezifische und schenken ihm eine Art Befreiung gegenüber der Geschichte, Mode und absoluten Idee. Insofern ist das „Affen- und Maskenwesen" Lucianes, ihr „geselliges Treiben" usw. ernsthaft zu wertendes Gegenspiel gegen das einsam sich verzehrende Hängen am ideell tragisch sich selbst verschuldenden Kunstdenken Ottiliens und des Architekten. Die Neigung, gesellschafts- und kunstphänomenologische Probleme in heiter erlösenden Masken und Narreteien im Sinne der Überwindung des bedrängend Historisch-Überlieferten und Konventionellen zu bringen, steigert sich zunehmend im Alter. Unleugbar ist die Einlage der „Mummenschanz" in den streng historischen Raum des Kaiserhofs tiefes Bedürfnis Goethes, sich eben von dieser bänglich wirklichen historischen Welt, vor der er — wie vor allem Historischen — „Scheu" empfindet, zu befreien, ohne doch ihre Eigenheit auslöschen zu müssen. Der Einfall, die ganze Vorbereitung auf Helena hin, die ganze Beschwörung der Schönheit und Kunst im Raum der Gesellschaft, als Maskenscherz zu behandeln, entspringt der echt spätgoetheschen Scheu vor dem Unbedingten (Helena) als Wirklichkeit wie auch vor dem historisch unmittelbar Überlieferten. Im „Requiem dem frohsten Manne des Jahrhunderts" von 1815 behauptet sich der „Genius" im Kampf gegen die Lockungen der „Gesellschaft" und des „Hofs" wie gegen alles widrige Geschick durch eine „Heiterkeit", die ihn allein befähigt, „neues Leben aus dem Grab der Jahrtausende" hervorzutreiben in unmittelbar froher Identifizierung von Natur und Kultur: „Laß dich holde Bilder schaukeln, Blumen, Wälder und Palast"[128]) usw.

Vor allem aber mit dem „Divan" gelang jene Bewältigung des historisch und konventionell Absurden durch das Medium heiteren Spiels in Masken und Symbolen, durch humorvolle Einbeziehung gerade dieses bänglich Absurden in die Dichtung (s. das Abraxasmotiv u. a.).

Im „Divan" beginnt erstens die Entdämonisierung des Schmuck- und Blumenmotivs. War mit den Blumen- und Fruchtgehängen Ottiliens noch der verfängliche „Schein" eines vergangenen Lebens, die Künstlichkeit eines

zeitlosen Jahreslaufs und einer im „Bodenlosen" unheilvoll aufklärerisch
schwebenden Bilder- und Porträtmystik verknüpft, hatte sich ebenso in
der „Pandora" noch der rückwärtsgewandte, in eigenen magischen Ketten
der Sehnsucht verfangene Epimetheus vergebens bemüht, die zerstückelt
hinterlassenen Blumen Pandorens zum Kranze zusammenzuschließen, so
gelingt im „Divan" die volle, souverän-heitere Verknüpfung von Kunst
und Natur im Bilde von Früchten und Rosen. „Und Blumen sing ich
ungestört Von ihrem Shawl herunter; Sie weiß recht wohl, was ihr gehört, Und bleibt mir hold und munter. Und Blum' und Früchte weiß
ich euch Gar zierlich aufzutischen; Wollt ihr Moralien zugleich, so geb
ich von den frischen"[129]). Dazu sagt Burdach, die zwei Strophen „geben
ein doppeltes Bild: die in den Shawl der Geliebten gestickten und gewebten
Blumen singt sein (des Dichters) Lied herunter, d. h. verwandelt sie in
poetische Blumen, in Huldigungen, wie sie der Abschnitt ‚Blumen- und
Zeichenwechsel' in reiner wortloser Symbolik vorführt; den Hörern aber
gegenüber nimmt der Dichter die Gestalt des Händlers an, der Blumen
und Früchte, jedoch auch Nutzpflanzen, d. h. ergötzende und moralische
Poesie, verkauft"[130]). Wie nahe dies, atmosphärisch und im Sprachstil, der
Gärtnerinnen- und Gärtnerszene der Mummenschanz steht, wo ja gleich-
falls im Wechselspiel ergötzende und nützliche Blumen und Früchte bzw.
Poesien, zum Verkauf angeboten werden, spricht für sich selbst. Andere
Gedichte aus der Divanzeit: „Reicher Blumen goldne Ranken Sind des
Liedes würd'ge Schranken"[131]), „Seh ich Rosen, seh ich Lilien"[132]), „Ge-
heimschrift", „Abglanz"[133]), „Der vollkommenen Stickerin"[134]) (1821) usw.
vervollständigen das Bild.

Zweitens wird im „Divan" das im strengen Sinne Konventionelle,
Bängliche überwunden gerade dadurch, daß es heiter lässig eingelassen,
geduldet und symbolisch aufgelöst wird[135]). In den „Noten und Abhandlungen" zum Divan vergleicht Goethe seine Divan-Technik mit der
Sprache Jean Pauls, dem eine verbildete Welt die „seltsamsten Elemente
zu beherrschen" gebe. „Um in seiner Epoche geistreich zu sein", sei Jean
Paul gezwungen, „auf einen durch Kunst, Wissenschaft, Technik, Politik,
Kriegs- und Friedensverkehr und Verderb so unendlich verklausulierten,
zersplitterten Zustand mannigfaltigst" anzuspielen und unbekümmert alle
Wort- und Sinnschichten aus „Konversationslexika", „z. B. Barriere-Trak-
tat, Extrablätter, Kardinäle, Nebenrezeß" usw. aufzunehmen[136]). Eine Abgrenzung des Jean Paulschen „prosaischen" Verfahrens von Goethes
eigenem „poetischen" folgt allerdings dann durch Betonung der Reim- und
Verstechnik Goethes, die allein solche Kühnheiten „balancieren" könne.
Stilistisch sollte aber diese positive Einschätzung konventioneller Stil-
elemente, wie Mays Formuntersuchung gezeigt hat, gerade für die Faust
II-Dichtung von höchster Bedeutung werden. Die Häufigkeit französi-
sierender Fremdwörter („Naturell" usw.)[136a]), das lässige Umgehen mit

Modewörtern aller Art, das sich im ersten, zweiten, ja stellenweise selbst noch im dritten und sehr stark wieder im vierten Akt findet, muß im Zusammenhang mit dem Umbruch in der Divanzeit gesehen und interpretiert werden. Schon Burdach beklagt in seiner Divaninterpretation die große Häufigkeit solcher Formen, ohne zu sehen, daß im Hintergrunde dieser Erscheinung die bereits genannte, sehr wesentliche Entdämonisierung der ästhetischen Sphäre steht, d. h. sozusagen eine Umkehrung der früheren klassischen Wendung. War damals die Gesellschaft zum Kunstwerk geworden durch „Reinigung" der Gesellschaftssphäre von allen zeitgebundenen Elementen, wodurch die eigentümliche Zwischenwelt der Gesellschaft (zwischen Natur und Kunst) einen ästhetisch verpflichtenden und dadurch magisch bindenden, tragischen Charakter annehmen mußte, so öffnet sich jetzt das Kunstwerk der konkreten Gesellschaft durch ironisch-heitere Einführung ihres Wortschatzes und zugleich durch innere Überwindung ihrer Realistik im Wortspiel und „unerwarteten Reim"[137]). (So begründete z. B. Goethe Jean Pauls humoristischem Prosaismus gegenüber im „Divan" die Macht des Reims und Verses über die reale Konvention.) Diese Entdämonisierung der ästhetischen Sphäre durch unbekümmerten, frei poetischen Gebrauch realhistorisch überlieferter Formen („Gesäufte" usw.) ist selbstverständlich nicht zu denken ohne die geschilderte Wendung Goethes zum Konkret-Geschichtlichen überhaupt in den zwei ersten Jahrzehnten des 19. Jahrhunderts. Auch das „Philologische" an Faust II ist nur so zu begreifen. „Jeder Dichter muß gelehrt sein", sagt Goethe in bezug auf Pindar im Alter und lobt die „historische Lyrik" als höchste Form der Poesie überhaupt, weil schon im rein Dokumentarisch-Faktischen, im Material der Geschichte eine poetische Kraft und Bedeutsamkeit wohne[138]).

Drittens wird damit die Konvention zur Natur (nicht wie in der Hochklassik zur Kunst); sie wird vollwertige, zweite, gleichgeachtete Natur neben der ersten: „Der aus der Kindheit aufblickende Mensch findet die Natur nicht etwa rein und nackt um sich her: denn die göttliche Kraft seiner Vorfahren hat eine zweite Welt in die Welt erschaffen. Aufgenötigte Angewöhnungen, herkömmliche Gebräuche, beliebte Sitten, ehrwürdige Überlieferungen, ... herrliche Kunsterzeugnisse umzingeln den Menschen dergestalt, daß er nie zu unterscheiden weiß, was ursprünglich und was abgeleitet ist. Er bedient sich der Welt, wie er sie findet, und hat dazu ein vollkommenes Recht. Den originalen Künstler kann man also denjenigen nennen, welcher die Gegenstände um sich her nach individueller, nationaler und zunächst überlieferter Weise behandelt und zu einem gefügten Ganzen zusammenbildet ... Und so wünsch' ich den Patriotismus zu finden, zu dem jedes Reich, Land, Provinz, ja Stadt berechtigt ist"[139]). Die geschichtlich-wirkliche, nationale, räumlich-zeitlich gegebene Welt wird somit ein dem Künstler frei zur Verfügung stehendes Material, weil die normierende Sicht auf ein ästhetisches Zentrum verlassen ist und die gesamte real-irdische Wirklichkeit, vor allem die heimatlich verwurzelte Überlieferung als positiv „zweite Welt in der Welt" erscheint, die nicht mehr eine fiktiv-„ursprüngliche" Welt, etwa die Antike, verstellt, sondern selbst Natur ist. Im Umschlag des geschichtlich Überlieferten zum Natürlichen, in dem er „nie zu unterscheiden weiß, was ursprünglich und was abgeleitet ist", wird selbst das, „was man konventionell nennen könnte", vom „Genie ... respektiert", „denn was ist dieses anders, als daß die vorzüglichsten Menschen übereinkamen, das Notwendige, das Unerläßliche für das Beste zu halten und gereicht es nicht überall zum Glück?" („Wanderjahre")[140]). 1829 sagt Goethe, daß der Ort, wo „Natur oder Überlieferung" anfangen, nicht mehr auffindbar sei und man daher gut tue, die „einmal anerkannten Anfänge getrost gelten zu lassen", um nicht vergeblich sich „immer unendlich abzumüden"[141]). „Jedes gute und schlechte Kunstwerk, sobald es entstanden ist, gehört zur Natur"[142]) (vgl. damit das Ineinanderübergehen von Menschenwerk und Natur in Goethes Ruinenschilderungen im Alter).

Die gesamte Welt des vom Menschen in der Geschichte Geschaffenen, seien es kulturelle, seien es allgemeine Gemeinschaftswerte, wird ihm also im Alter „Natur". Nur so sind auch die späten Partien der „Wanderjahre" zu verstehen, wo die Kunst organisch-natürlich aus Handwerk, Überlieferung, gegebenen äußeren und inneren Bedingungen aller Art entwickelt wird, während Goethe in der hochklassischen Zeit Kunst und Handwerk scharf voneinander abgrenzt (s. Aufsatz: „Kunst und Handwerk"). Entsprechend ordnen sich zu Beginn der „Mummenschanz" die Phänomene der Kunst den Naturphänomenen der Gesellschaft (Holzhacker, Parasiten, Pulcinelle, Trunkener usw.) in heiterer Weise bei, ohne eigentliche Abgrenzung.

9. Die Funktionen und Bedeutungen der Mummenschanzallegorien bis zum Auftreten des Knaben Lenker

Der Aufbau der Gesellschaft auf Natur (nicht mehr Kunst) scheint in der Tat die folgenden Mummenschanzallegorien bis zum Auftreten des Knaben Lenker zu bestimmen. Das Feilbieten der Tochter durch die Mutter, die drei Figuren Holzhauer, Pulcinelle, Parasiten, der Trunkene, die natürliche Umgrenzung alles Geschehens durch die Parzen, die einmal den Menschen üppig leichtsinnig über die Grenzen schlagen lassen, um ihn dann, gemäß der Goetheschen Seelen- und Leidenschaftslehre, wieder strengstens im „Kreise" zu fesseln, die Reduzierung alles menschlich-sittlichen Streites auf natürliche Laster wie üble Nachrede, Eifersucht, Launen, Rachsucht durch die Furien, alles weist auf eine Naturlehre der Gesellschaft. Aus bestimmten ewigen Grunderscheinungen will Goethe den Kreis und Kreislauf der Gesellschaft umschreiben — ähnlich seiner Idee von der zyklisch ewigen Wiederkehr einer „Geschichte a priori" und menschlichen Gesellschaft auf Grund der „vor- und rückschreitenden Eigenschaften des menschlichen Geistes" und „der strebenden und sich selbst wieder retardierenden Natur"[143]).

Worauf all dies jedoch letztlich zielt, zeigt die große Furcht-Hoffnungs-Allegorese mit dem gipfelnden Auftreten der „Göttin aller Tätigkeiten" Victoria: Furcht und Hoffnung hindern die „Tätigkeit" durch Rückschau und Vorschau, bis die reine Tätigkeit siegt. Um das Phänomen des Schöpferischen geht es in der Tat Goethe. Auf seine Darstellung ist der Festzug bis zum Erscheinen Fausts (Plutus) im geheimen gerichtet: Wahre oder falsche, scheinhafte oder echte Produktivkraft demonstrieren alle diese Holzhauer, Parasiten, Pulcinelle, Trunkenen usw. Grenzen oder Störungen des Schaffens zeigen Parzen und Furien, Furcht und Hoffnung und die mephistophelisch schmähende Verkleinerung der Tätigkeit durch Zoilo-Thersites (Mephisto). Dessen über alle Anwesenden heimlich sich webendes „gespenstisches Gezücht" ist bei Goethe vielfach vorgebildet[144]).

War also zu Beginn der Mummenschanz die allgemeine Naturlage der Kunst im heiteren Wechselspiel zwischen natürlichen und künstlichen Pflanzen dargestellt worden, so beginnt Goethe nunmehr das produktive Schaffen der Kunst selbst auf seine phänomenologischen oder kunstgenetischen (nicht ästhetischen) Strukturelemente hin auseinanderzulegen. Die ganz allgemeinen, scheinbar von ganz außen zustoßenden und bestimmenden Voraussetzungen des Schaffens werden gezeigt: Leidenschaften, Hemmungen, Grenzen, Leiden und Siege des menschlichen Tuns. Die Webfäden, die die Parzen „weifen" (Reichweite und Grenzen des Menschen bezeichnend), die Bedrohungen des Tuns durch Furien und „Gespinste" innerer Feinde des Tuns, die rohen Naturkräfte des Schaffens (Holzhauer) und die parasitisch aufzehrenden einer überfeinerten Gesellschaft: alles bereitet von außen her ein Tun, Bilden und Wirken des Menschen vor, das im darauf folgenden Einbruch des ewigen Genius (Knabe Lenker) gekrönt und auf eine völlig neue, höhere Ebene erhoben wird, aber der ganzen spätgoetheschen, gesellschaftsrealistischen, aufs „Handwerkliche" dringenden Kunsthaltung Goethes entsprechend unabdingbar in den „natürlichen Rahmen" gestellt werden muß, ehe es sich zum „Genius" zu erheben vermag.

Von allen Seiten hat sich also das Bild gerundet auf die Mummenschanz hin: Vom „Welttheater"-Motiv über das zeit-ontologische Verhältnis von Unschuld und Kunst, von den Blumen und Früchten in den frühklassischen Maskenzügen, vom Park- und Frauenproblem des „Tasso" über die großartige Stufung von Kunst und Gesellschaft in den „Lehrjahren" bis tief hinein in die spätesten Formen der „Wahlverwandtschaften", des „Divan"

und der „Wanderjahre", der späten Maskenzüge und Festspiele verläuft
ein ununterbrochen fließender Strom von Symbolen, dessen vielfältige
Arme erst in ihrer verschlungenen Ganzheit das breite Bett der Faust II-
Dichtung auffüllen. Erst indem alle Elemente der Faust II-Dichtung derart auf ihren Ursprung zurückgeführt sind, zeigt sich das gesamte Strom-
land in seiner überwältigenden Größe und Pracht, die jede einlinige
Deutung verschlingt im Ansturm einer neu einströmenden Woge.

10. Die Erscheinung der Dichtung in der Gesellschaft der Mummen-schanz: der Knabe Lenker, Entstehung und Wesen

Mit dem Knaben Lenker tritt eine völlig neue Welt auf: die der „Dichtung". Der Genius selber erscheint. „Schauder" und „magisches" Licht
künden ihn an. Doch nur Bilder enträtseln sein Inneres: „Wüßte nicht,
dich zu benennen, eher könnt ich dich beschreiben". „Beschreibung" allein
enthüllt sein unergründliches Wesen. Folgende Elemente treten aus ihr
hervor:

Der Knabe ist halb Knabe, halb Mädchen („Man könnte dich ein Mädchen schelten"). Er wird groß in der Schule der Frauen („sie lehrten dich
das ABC"). Er hat etwas „Nächtliches", „Schwarzes" in Augen und
Locken. Er ist kostbar geschmückt „mit Purpursaum und Glitzertand",
seine Stirn ist „erheitert von juwelnem Band". Er streut „verschwenderisch"
seine innersten Gaben aus: „Bin der Poet, der sich vollendet, wenn er
sein eigenst Gut verschwendet" (als Allegorie der „Verschwendung" im
Kontrast zum „Geiz" hatte Goethe ihn in einer Skizze[144a]) zunächst einführen wollen). Er wirft Goldschmuck und Perlen unter die Menge, die
vergeblich danach hascht. Seine „Flämmchen" zünden dann und wann.
Endlich steht er im Sohnesverhältnis zu Faust-Plutus: „Ein wahres Wort
verkünd' ich allen: Mein lieber Sohn, an dir hab ich Gefallen ... Bist
Geist von meinem Geiste" usw.

Viele dieser Elemente sind bereits in ihren Vorformungen bei Goethe
von uns erkannt worden: Das Doppelgeschlechtliche seit Mignon und der
Amazone, der Einfluß des „Naturells der Frauen" auf Genesis und Erziehung des Dichters, die Verbindung zwischen Dichter und Reichtum
(Knabe Lenker-Plutus) als zweite Stufe gegenüber naiver Natur, das
Nächtliche der Poesie in den Maskenzügen im Gegensatz zum „Tag" der
praktisch-natürlichen Sphäre (z. B. im Maskenzug von 1818) usw.

Dennoch gilt es nun, zusammenfassend diese Elemente zu ergründen
und zu deuten.

Der Knabe Lenker hieß ursprünglich „Euphorion". Das „Verschwen-
derische", Hochstrebende, die Flämmchen, die frühe Neigung zu Mädchen

und Frauen u. a. verbinden ihn noch heute mit ihm. Die gemeinsame
Wurzel beider aber liegt in einer anderen Gestalt: in Mignon. Ursprünglich mehr als „Knabe" denn als Mädchen konzipiert (im Tagebuch von
1786 spricht Goethe noch von „dem Mignon")[145]), zeigt auch sie das rastlose „Springen" und Klettern Euphorions. Im Urmeister klettert sie „auf
der obersten Sprosse einer Leiter ... auf den Dachrinnen der Hof-
gebäude"[146]) herum; in den späteren Partien der Lehrjahre „fühlt sie ...
die Begierde, über die Gipfel der Berge wegzuspazieren" und hat den
„Trieb", „die höchsten Gipfel zu ersteigen"[147]). Sie kann, wie der schnell
wachsende Euphorion, überraschend „früh laufen und sich mit aller Ge-
schicklichkeit bewegen" (übrigens „springt"[148]), auch der kindliche „Genius"
der „Zauberflöte zweiter Teil"). Sie spielt wie Euphorion die „Cither
gleichsam von selbst", ohne Lehrer. Die Eltern leben bei ihrem Verschwinden wie Faust und Helena in Angst, daß sie vom Felsen ab-
gestürzt sei, und wie Helena sucht ihre Mutter verzweifelt ihrem toten
Körper nachzufolgen und erreicht das endlich durch Heiligung und
„Befreiung von den Banden des Körpers", weil in Mignon ihr ein höheres
Wesen vorleuchtet, das ihr in einer Vision den Weg ins Himmlische
weist[149]). In diesem Sinne „lenkt" auch der „Knabe Lenker" als
Daimonion den „Dichter" Faust. Noch enger sind die Parallelen beim
Tode der beiden. Wie Euphorion hat Mignon im Tod bei ihren Exequien
„mächtige Flügel"[150]). Euphorion wird kurz vor dem Absturz von
seinen Gewändern getragen. Flügel, Gewänder und Aureole sind Zeichen,
die ihn in die Sterne emporheben. Nicht anders bei Mignon. Dort
tröstet der Chor die Trauernden mit den Worten: „Seht die mächtigen
Flügel doch an! seht das leichte reine Gewand! wie blinkt die goldene
Binde (s. „das juwelene Band" des Knaben Lenker) vom Haupt! ... Schaut
mit den Augen des Geistes hinan! in euch lebe die bildende Kraft, die das
Schönste, das Höchste hinauf, über die Sterne das Leben trägt". Selbst
die genaue Unterscheidung Goethes, daß die Gewänder und Flügel
Euphorion nur kurze Zeit tragen und dann Mantel, Kleid und Gewand
zurückbleiben, ist in Mignons bekanntem Abschiedslied vorgebildet: „So
laßt mich scheinen, bis ich werde, Zieht mir das weiße Kleid nicht aus ...
Ich lasse dann die reine Hülle, den Gürtel und den Kranz zurück. Und
jene himmlischen Gestalten, Sie fragen nicht nach Mann und Weib. Und
keine Kleider, keine Falten Umgeben den verklärten Leib".

Eine andere parallel laufende Schicht betrifft das Moment des „Geheimen" bei beiden: „Hier ist das Rätsel", sagt Philine bedeutsam, als
Wilhelm Mignons zum erstenmal ansichtig wird. „Erfinde dir des Rätsels heitres Wort", fordert der Knabe Lenker, sich selbst geheimnisvoll
vorstellend, den Herold auf. „Heiß mich nicht reden, heiß mich schweigen,
denn mein Geheimnis ist mir Pflicht", deutet Mignon beziehungsreich an,
ein Wesensmerkmal der Goetheschen Poesie berührend.

Die innigste Analogie zwischen beiden liegt aber in ihrem Kindesverhältnis zum Helden, zu Wilhelm bzw. Faust. Auf dem Gipfel- und Endpunkt des zweiten Buches der „Lehrjahre", als Mignon in krampfhaften Zuckungen zu vergehen droht, erkennt blitzartig Wilhelm sein innerstes Verhältnis zu ihr, das er bereits vorher in seinem Entschluß, sie „an Kindesstatt seinem Herzen einzuverleiben"[151]), dunkel empfunden hatte. „Mein Kind! rief er aus, mein Kind! Du bist ja mein! ... Ihre Tränen flossen noch immer. — Endlich richtete sie sich auf. Eine weiche Heiterkeit glänzte von ihrem Gesichte. — Mein Vater, rief sie, du willst mich nicht verlassen! willst mein Vater sein! — Ich bin dein Kind! Sanft fing vor der Türe die Harfe zu klingen an; der Alte brachte seine herzlichsten Lieder dem Freunde zum Abendopfer, der, sein Kind immer fest in Armen haltend, des reinsten, unbeschreiblichsten Glückes genoß"[152]). Diese schöne, innige Szene, durch die hier die poetische Welt in der Umarmung von Genius und Dichter (Wilhelm) in ein Kind-Vaterverhältnis mündet (Wilhelm fühlt sich ja noch auf dieser Frühstufe zum Dichter berufen), greift Goethe in Faust II in einer nicht minder feierlich gehobenen, fast religiös ergriffenen Aussprache zwischen Faust-Plutus und dem Knaben Lenker wieder auf: Auf die Vertrauensfrage des Knaben: „An dich, Gebieter, wend' ich Frag' und Rede (beachte die Anrede „Gebieter", die wörtlich im Verhältnis Mignons zu Wilhelm vorgebildet ist) — Hast du mir nicht die Windesbraut Des Viergespannes anvertraut? Lenk' ich nicht glücklich, wie du leitest? Bin ich nicht da, wohin du deutest ... Wie oft ich auch für dich gefochten, Mir ist es jederzeit geglückt" usw. antwortet Faust-Plutus mit bestätigender, ja innerlich ergriffener Gefühlsneigung zum Knaben: „Wenn's nötig ist, daß ich dir Zeugnis leiste, So sag ich gern: Bist Geist von meinem Geiste. Du handelst stets nach meinem Sinn, Bist reicher als ich selber bin. Ich schätze, deinen Dienst zu lohnen, Den grünen Zweig vor allen meinen Kronen. Ein wahres Wort verkünd' ich allen: Mein lieber Sohn, an dir hab ich Gefallen". Der Knabe Lenker ist Fausts „lieber Sohn" in sonderbar erhabener Erinnerung an die höchste Sohnschaft Christi, die bei seiner Taufe durch die Stimme Gottes von oben feierlich bestätigt wird (vgl. die ähnlich feierlich ergriffene Stelle in der Lesart zu V. 5574: „Ich a b e r bin die Poesie"). Wie wesentlich Goethe selbst diese Stelle nahm, zeigen die Paralipomena, die in der ganzen Folge der Szenen vom Auftreten des Knaben Lenker bis zum Flammengaukelspiel als einzigen sprachlich ausgeführten Vers eben dieses Wort enthalten: „Und ich verkündige vor allen, Mein lieber Sohn, an dir hab ich Gefallen" (Paralip. 104). Das Vater-Sohn-Verhältnis zwischen Faust und dem Knaben, das ja bereits in der Euphorionzeugung faktisch vorgeformt war, ist also für Goethe selber ausschlaggebend gewesen. Welch erhellendes Licht dies auf Faust-Plutus selbst und seine neue Rolle wirft, wird uns noch eingehend beschäftigen. Genug, daß Faust in ihm, dem

Genius der Poesie, „Geist von seinem Geist" sieht, wie umgekehrt der Knabe ihn als „nächsten Anverwandten liebt" (V. 5698). Genug, daß die Feierlichkeit der Stunde auch Faust die Gewähr gibt, in einer „höheren" Region seines Geistes aufgenommen zu sein. Denn etwas „Höheres" repräsentiert in der Tat dieser Knabe:

Stets war für Goethe das „Knabenhafte" in seiner ahnungsvoll aufbrechenden Geistigkeit und jugendlich unschuldigen, unbewußten Verknüpfung mit dem „Mädchenhaften" ein Bild hoher Idealität. Im Aufriß der Lebenstypen Mutter-Kind usw. stellte merkwürdigerweise Goethe gerne „Freunde und Liebende" durch kleine Kinder vor, welche ganz oben, wo die Sonne aufgeht, gar „malerisch fernten"[153]). Jugendliche Geistes- und Liebeskraft in höchster Form ist ihm von allem spezifisch Sexuellen ins übergeschlechtliche Kindesalter entrückt (vgl. Faust II-Schluß). Hier in viel stärkerem Maße als in dem von der Forschung durchweg zur Deutung von Goethes doppelgeschlechtlichen Gestalten hinzugezogenen Humboldtaufsatz, der ja viel später als die Mignon- und Amazonengestalt entstand, ist die tiefere Ursache der Doppelgeschlechtlichkeit von Goethes Geniusgestalten zu suchen. Denn Doppelgeschlechtlichkeit im Sinne der bewußt mit erotischen und geistigen Verwirrungen spielenden Romantik, aber auch im Humboldtschen Sinne einer klassisch höchsten Ausgewogenheit der Polaritäten kennt Goethe vor allem in seinen konkreten dichterischen Figuren nicht. Selbst die naturwissenschaftlichen Erscheinungen von „Hermaphroditischem" und „Doppelhermaphroditischem" bei Magnet und Turmalin, chromatischen und sonoren Wirkungen, haben für Goethe nichts klassisch Ausgewogenes, sondern immer etwas „Erschreckendes"[154]) (vgl. die „Schauder"-Gefühle, die das Gespann des Knaben Lenker wie überhaupt alles Urphänomenologische bei Goethe erregen). Seine „hermaphroditischen" Wesen sind Frühformen des Geistes, radikal und unbedingt ins Ideelle spielende „Geister", so Homunkulus, Euphorion, der Knabe Lenker oder Mignon (das Hermaphroditische der Phorkyasgestalt hat ähnliche Voraussetzungen). Nie sind es biologisch vollentwickelte, ihre Geschlechtlichkeit widernatürlich ableugnende Entartungen. Die „Amazone" erscheint doppelgeschlechtlich lediglich, solange sie ein „Traumbild" Wilhelms ist. Als Natalie ist sie eindeutig weiblich, wie Mignon selbst bei ihrer endgültigen Erlösung zum „Mädchen" wird. Die Doppelformen des Geschlechts liegen bei Goethe also primär nicht im Reifezustand des Menschen, sondern im „Knabenhaften", das, wie Goethe einmal sagt, „noch alles verspricht", während das Mädchen „schon durch das, was sie ist", anzieht. Gerade daß der Genius die Knabenkleidung und überhaupt das Knabenhafte bevorzugt und sich allenfalls erst später zum Mädchen entwickelt, deutet auf dies „Versprechen", nicht auf sein „Sein", darauf, daß er erst „wird", wie Homunkulus oder Mignon noch „werden" wollen; kurz, es sind knospenhaft ideelle Frühformen des Menschen, die Goethe immer wieder in diesen Gestalten hervorlockt.

In diesem Sinne ist der Knabe Lenker das „Kind" Fausts, ist Manifestation der idealsten, reinsten Form seines Geistes: „Nur wo du klar ins holde Klare schaust, Dir angehörst und dir allein vertraust, Dorthin, wo Schönes, Gutes nur gefällt, zur Einsamkeit! — da schaffe deine Welt!" Oft fast zufällig unterlaufende Assoziationen gaben dem Bild des Knaben bei Goethe immer wieder diesen Schimmer des Ideell-Höheren, so wenn er 1821 folgende persönliche Begegnung erzählt: Unmutig über ein plötzlich einfallendes Regenwetter in eine erhöhte Ruine flüchtend, habe der Anblick eines Knaben in ihm das Gefühl einer höheren „Vorsehung" und „Leitung" erregt: „In dieser Mauerhöhle das schöne Wunderkind zu sehen, machte mich lächeln (über seinen vorherigen Unmut); ich dankte dem Genius, der mich bei dem Schopfe herangezogen hatte"[155]. 1797 notiert er im Tagebuch: „Artige Idee, daß ein Kind einem Schatzgräber eine leuchtende Schale bringt"[156]. Bis zum wunderbaren flötenspielenden, den Löwen beruhigenden Knaben der „Novelle" hat Goethe in dieser Weise Wunderwirkungen höherer Mächte im Kinde gesehen. Jugendbildnisse „versetzen uns in eine Zeit, die wir, wie alles Ideelle, in und außer uns zu reproduzieren alle Ursache haben"[157].

Als ideell überreale Frühform des Geistes ist der Knabe Genius jedoch von Beginn an geladen mit Spannung, mit einem ungenügenden Übersichselbsthinaustreiben. Euphorion stürzt ab, Mignon verzehrt sich von innen her. Homunkulus zerschellt „in herrischem Sehnen". Der Knabe Genius aus der Fortsetzung der „Zauberflöte" fliegt am Schluß aus seinem Kästchen in die Weite, der Knabe Lenker entzieht sich in offenem Protest der „allzu lästigen Schwere", dem „fratzenhaften Gebild" des irdischen Treibens usw. Letzter Grund des Zwiespaltes der zwei Geschlechter im Genius, des Dranges Euphorions zum Mädchen und zugleich der Flucht vor ihm, mag in diesem Konflikt zwischen Idee und Umwelt beheimatet sein. Der Genius vertritt die Unbedingtheit und wirkt daher wie das „Doppelhermaphroditische" in Goethes Naturlehre „erschreckend" oder wie der Knabe Lenker „schauder"-erregend, sobald er ins Wirkliche tritt. Er widerstreitet gerade dem Harmoniegedanken, der in Humboldts Zweigeschlechtertheorie lebt.

Tief in die Wurzel dieser Disharmonie führt ferner die Stummheit der Knaben, ihre klaglos sich zeigende, fast unartikulierte Furchtlosigkeit, ihre Scheu, den Sinn, die Hintergründe und Ursachen des Konfliktes zu bereden, und das rein visuell raketenhafte Aufleuchten und Erlöschen ihrer Bahn. Kindlich im ergreifenden Sinne des Wortes ist ihr Leiden, Sterben und ihre Apotheose. Das Absolute als Kind ist der erschütterndste Ausdruck, den die deutsche Klassik ihrem „Genius" ersann. Indem der offene Abgrund des Geistes, die namenlose Tragik des Unbedingten im Bedingten im rätselhaft klaren, ernst-heiteren Blick des Kindes die Augen aufschlägt, gelingt die „klassische" Lösung, an der die Romantik zerbrach (wie ihre Abwandlungen der Mignongestalt zeigen), die Lösung, den Abgrund des Geistes hinüberzuführen in die ewige Unschuld des Lebendigen, im Kindlichsten das „Ungeheure" und im schroffsten Zerwürfnis des Geistes mit sich selbst ein sprachlos stummes Geschick zu verehren in dem ununterscheidbar zwischen Abgrund und Grund schwebenden Ablauf einer Sternbahn.

11. Fausts Doppelrolle als Plutus und Dichter

Da Faust nach der symbolischen Schlaf- und Wiedergeburtsszene des Anfangs völlig verschwindet und zum erstenmal wieder in der Plutusmaske auftaucht, schier unkenntlich verkleidet, so ist offenbar diese Verkleidung höchster Aufmerksamkeit wert, da nur sie über die neue Charakteristik Fausts im zweiten Teil wirklichen Aufschluß zu verleihen vermag.

Die erste „Beschreibung", die der Herold von ihm macht — „Er scheint ein König reich und milde, Wohl dem, der seine Gunst erlangt! Er hat nichts weiter zu erstreben, Wo's irgend fehlte, späht sein Blick" usw. (V. 5555 ff.) — enthält nichts geringeres als eine völlige Umkehrung der ursprünglichen Faustcharakteristik[157a]. „Er hat nichts weiter zu erstreben", mit dieser betonten Abgrenzung vom faustischen „Streben" rückt ihn Goethe nach allem, was wir über die Entstehungsgeschichte von Faust II wissen, mit vollem Bewußtsein aus der Sphäre von Faust I in eine souverän überlegene „königliche" Höhe, die ihn befähigt, gelassen dem Welttreiben gegenüber jegliche „Fehl" zu „erspähen" und zu lindern. Wie symbolisch daher auch sein „Reichtum" ist, zeigt schon die Wendung: „Und seine Lust zu geben ist größer als Besitz und Glück", deren hintergründige Bedeutung in der ersten Lesart noch schärfer hervortrat, wo es hieß: „Ist größer als sein Glück": Die „reine Lust zu geben" steht deutlich in Beziehung zum Poeten, „der sich vollendet, wenn er sein eigenst Gut verschwendet", d. h. zum Knaben Lenker, der sich auch selbst „dem Plutus gleich" „schätzt". Die Aussage, daß diese Lust größer sei als sein Glück, verstärkt das hohe, sich selbst verschwendende, „eigenstes" Glück aufs Spiel setzende Schenken des poetischen Menschen im geistigen, nicht materiellen Sinne. „Reich" ist Plutus als Dichter, nicht als ein etwa dem Kaiser gleichender Fürst.

Dennoch kann Plutus nicht ohne weiteres mit der Poesie ineins gesetzt werden. Er ist zwar „Vater" der Dichtung („Mein lieber Sohn, an dir hab ich Gefallen"), aber nicht die Dichtung selber. Im Gegensatz zum Ideell-Knabenhaften seines Lenkers, im Gegensatz auch zu dessen geheimnisvoller „Rätsel"-Struktur ist seine „Gestalt offen": „Beschreib ihn, die

Gestalt ist offen", hieß es in der Lesart zu V. 5561. Aber dies Offene entzieht sich gerade in sonderbarer Umkehrung des Emblematisch-Allegorischen der Knabe-Lenker-Gestalt, die von jedem einzelnen äußeren Anzeichen auf ein Inneres schließen ließ, jeder zeichenhaft ins Einzelne deutenden Beschreibung auf Grund der verallgemeinernden Macht seiner „Würde". „Das Würdige beschreibt sich nicht", antwortet der Herold auf die Aufforderung des Knaben Lenker, ihn „recht genau zu beschreiben". Goethe selbst muß auf diesen Faktor größten Wert gelegt haben, da das einzige Paralip., das etwas Genaueres über Plutus enthält, lautet: „Respekt. Äußerlich. Das Würdige nicht zu beschreiben, Doch indirekt beschrieben Talar Turban Mondgesicht Behagliches" (Paralip. 104). Diese Attribute des „Würdigen": Talar, Turban, Mondgesicht usw., wie überhaupt das „Offene" seiner Gestalt, sind nicht zu verstehen ohne Kenntnis der hohen Bedeutung, die der Begriff der „Würde" für die klassische Ästhetik hat. Würde ist für Goethe nicht wie in Schillers stolzer und gestraffter Definition eine aus tiefstem Leid und Zwiespalt unendlich erhaben emporsteigende Höchstform des Geistes, sondern eine sinnlich-sittliche Beherrschtheit des Daimon, eine Erhebung ins Ausgeglichen-Allgemeine, eine hohe, über das ganze Wesen des Menschen ausgebreitete geistige Macht, die das Vereinzelt-Skurrile, das spezifisch Genialische „leitet" und erhöht zu einem ins Allgemeine geretteten heiteren Ernst. Sie entspricht atmosphärisch viel stärker der Bedeutung, die das Würdige in der allgemeinen Ästhetik des 18. Jahrhunderts, bei Baumgarten, in Kants mehr summierend zusammenfassenden Definitionen usw. hat. Wie der „würdige" Abbé der „Lehrjahre" erhöhend in die dämonische Theater- und Mignonfaszination Wilhelms eingreift, wie jeder glaubt, „diesen sonderbaren Mann schon ehemals ... gesehen"[158]) zu haben, weil jedes spezifische Merkmal in ihm erloschen und zu einem Generellen, Allgemeinen gesteigert erscheint: „Dieser Mann hat eigentlich nur das falsche Ansehen eines Bekannten, weil er aussieht wie ein Mensch und nicht wie Hans oder Kunz"[159]), so erhebt die „Würde" des Plutus-Faust den Helden ins Allgemein-Universelle, so läßt sich „das Würdige" des Plutus „nicht beschreiben", weil in ihm ein unbeschreiblich „Offenes", Universales ansichtig wird, ein „milder" Reichtum und gehobener „Anstand", eine Beherrschtheit und Ruhe, die ihn zum außerindividuellen, ins Überall und Nirgends weisenden Typus erhöht.

Wie der Abbé den Genius Wilhelms insgeheim leitet, so auch hier: „Lenk ich nicht glücklich, wie du leitest?", spricht sein geliebter Sohn ihn an. Und wenn nun Goethe den „Respekt" vor ihm bewußt ins „Äußere" wendet (Paralip. 104), wenn er ihn vom Inner-Dämonischen des Genius befreit und ihn in behaglich ironischem Anklang an Sprache und Bildschatz des „Divan" „indirekt" zu beschreiben versucht durch „Talar, Turban, Mondgesicht, Behagliches", ja ihn betont „gesund" nennt: „Doch das gesunde

Mondgesicht, Ein voller Mund, erblühte Wangen, Die unterm Schmuck des Turbans prangen, Im Faltenkleid ein reich Behagen! Was soll ich von dem Anstand sagen? Als Herrscher scheint er mir bekannt", so lebt in diesem Bildgebrauch, hinter dieser im theatralischen Maskenstil von Faust II notwendigen Kostümierung genau jenes „Allgemeine", Überindividuelle, bewußt Unplastische, Mondgesichthafte der Abbésphäre wieder auf, allerdings jetzt, nach der beschriebenen Wende ins Heiter-Ironisch-Ausgeglichene der Divanzeit von dem gedanklich-pädagogischen Ernst der „Lehrjahre" ins freischaltende Bilderspiel der Mummenschanz gewandt. Die „Würde" und Souveränität seines Geistes machen ihn zum „Gebieter" und „Vater" des Genius der Poesie, das „Äußere", Talar, Turban, freier „Anstand" usw. nicht minder, da Poesie auf dem höchsten Punkt ihrer Entfaltung bei Goethe immer „äußerlich" ist[160]). Plutus steht mit innerem Fug und Recht in regierendem Einverständnis mit der Dichtung:

In seiner berühmten Definition der Poesie in „Dichtung und Wahrheit" hat Goethe dieses innere Verhältnis folgendermaßen formuliert: „Die wahre Poesie kündet sich dadurch an, daß sie, als ein weltliches Evangelium, durch innere Heiterkeit, durch äußeres Behagen uns von den irdischen Lasten zu befreien weiß, die auf uns drücken. Wie ein Luftballon hebt sie uns mit dem Ballast, der uns anhängt, in höhere Regionen und läßt die verwirrten Irrgänge der Erde in Vogelperspektive vor uns entwickelt daliegen"[161]). Wie ein deutender Text zur Plutusgestalt liest sich diese Verbindung von „innerer Heiterkeit und äußerem Behagen", von „Weltlichkeit", „Evangelium" und „luftballonartigem" Emporsteigen in universelle Höhen des Geistes; denn selbst das Bild von der weltüberblickenden Vogelperspektive kehrt im Plutusbild wieder, wenn es dort heißt: „Wo's irgend fehlte, späht sein Blick". Als Leiter und Lenker überschaut ja Plutus-Faust das ganze Weltgetriebe der Mummenschanz, um im letzten Moment höchster „Not" beim Flammenspiel rettend einzugreifen mit „heitern" Stabs Gewalt.

Die souveräne, vom beschränkt Einzelnen gelöste Weltübersicht schafft Behagen, Freiheit des Blicks und eine Weite und Höhe des Geistes, die bei Goethe Voraussetzung der Kunst ist und darum sehr früh mit dem künstlerischen Phänomen das Bild vom „Reichtum" und „Überfluß" verbindet: Im Maskenzug von 1798 tritt der „Überfluß" allegorisch als Bedingung der „Kunst" auf: „Wenn dann die Fülle prächtig wieder kehrt, Die aller Freuden reiche Kränze trägt, Wird auch der Kunst der schönste Kranz gewährt, Daß ihr ein fühlend Herz entgegenschlägt"[162]). Die Bedeutung des Reichtums in den anderen Maskenzügen wurde schon erwähnt. In den Noten und Abhandlungen zum Divan definiert Goethe den „Unterschied zwischen Poeten und Propheten" dahin, daß „beide von Einem Gott ergriffen und befeuert" sind, „der Poet aber vergeudet die ihm verliehene Gabe im Genuß, um Genuß hervorzubringen, Ehre durch das Hervorgebrachte zu erlangen, allenfalls ein bequemes Leben. Alle übrigen Zwecke versäumt er, sucht mannigfaltig zu sein, sich in Gesinnung und Darstellung grenzenlos zu zeigen. Der Prophet hingegen sieht nur auf einen einzigen bestimmten Zweck"[163]) usw. Deutlich tritt in dieser erheiternden Definition des Poetischen der Hintergrund der „Verschwendung" des Plutus und des Knaben Lenker hervor: das „Mannigfaltig-Grenzenlose" — das der Dichter gerade für den Goethe des Divan, jenen Goethe, der Ost und West wie mit einer leichten, souverän regierenden Herrschergeste umspannt, in seinem Schaffen hervorbringen muß, um der Ganzheit teilhaftig zu werden — führt zu einer „reichen", verschwenderisch ausstreuenden Welt des Poeten. Daß der Dichter wie der Prophet von der heiligen Flamme des Höchsten entzündet, „von Einem Gott ergriffen und befeuert" wird, ist hier auf dieser späten Stufe schon selbstverständlich erstes Element. Daß er darüber hinaus aber allwaltend und schaltend seine Gaben „im Genuß vergeudet", um „Genuß hervorzubringen" und „sich grenzenlos zu zeigen", ist für den reifen Goethe eine neue, höhere und „leidenschaftslose" Stufe des Dichters, die zudem nicht gedacht werden darf ohne das tragische Gegenbild der Euphorion-Knabe Lenker-Figur. Der Sinn des Wortes „Genuß" liegt hier im Schöpferischen des „Hervorbringens" von Genuß. Zudem schwingt in ihm das klassische „delectare" des Poeten sowie der „Freude"-Begriff des 18. Jahrhunderts nach, dessen hohe Bedeutung Franz Schultz herausgestellt hat[164]). Das grenzenlos sich Verschwendende im erschütternden Sinn der Euphoriongestalt erhält sein notwendiges, heiteres Gegenbild im Reichtum des Plutus, wie schon im (früher geschriebenen) dritten Akt das heiter freie Sichwiegen Fausts mit Helena auf fürstlichem Thron und die dortige großartig Länder und Reichtümer austeilende Geste Fausts polar, aber notwendig zu Euphorion stand.

Die souveräne Herrschaft über äußere und innere Güter ist Symbol unendlicher Phantasiekraft und Dichtkunst überhaupt, deren „weltliche" Seite im Reichtum und deren geistig-göttliche Seite (Evangelium) in der gottähnlichen Vaterschaft Fausts der Poesie gegenüber liegt: „Und wenn der Gott sein Gut verschwendet", so sprach der Knabe Lenker in einer ersten Lesart zu Plutus. Nur so steht der „Reichtum" des Plutus als geistig-physische Voraussetzung für eine irdisch befreite und befreiende Poesie vor dem „Genius", und nur so kann das schöne Vater-Sohn-Verhältnis zwischen beiden tiefer erklärt werden.

Und selbst wenn man den Reichtum und die „königliche" Macht Fausts weltlich zu deuten beliebt, wie es Goethe ebenfalls zuläßt — indem Plutus' Verhältnis zur Poesie wie das eines fürstlichen Mäzens erscheint, der den Dichter zum Dank für die dichterische Verewigung seiner Taten belohnt in der Erkenntnis: „Bist reicher als ich selber bin, Ich schätze deinen

Dienst zu lohnen" usw. — so steht hier doch nur die souveräne Herrschaft des Plutus über die Güter und Gewalten der Erde symbolisch ein für die kosmische Weite und Freiheit eines Geistes, der sich ohne Scheu und Hochmut, ohne vergebliches „Streben" mit den „Höchsten der Erde" vergleicht: „Wollte, wo nicht gar ein Rabbi, Das will mir so recht nicht ein, Doch Ferdusi, Motanabbi, Allenfalls der Kaiser sein", spricht Hatem-Goethe im „Divan", und ebendort werden „Turban" und Krone um das Haupt des Dichters Hatem geschlungen: „Ein Tulbend ist's, der unsern Kaiser schmücket, Sie nennen's Krone. Name geht wohl hin! ... Und diesen hier, ganz rein und silberstreifig, Umwinde, Liebchen, um die Stirn umher. Was ist denn Hoheit? Mir ist sie geläufig! Du schaust mich an, ich bin so groß als er"[165]). Souverän ist der Dichter und als Souverän ist er wie Hatem auch König. Aus dem „Divan" also fließen wesentliche Elemente in das Plutusbild ein: „Talar, Turban, Mondgesicht", all das weist ja auf die orientalische Welt. Wie weit der türkische Einschlag der ursprünglichen Mignongestalt im „Urmeister" (ihre Neigung, „wie ein Türke mit übergeschlagenen Beinen" zu sitzen, ihre sklavische Unterwürfigkeit, Geldgier, ihr affenartiges Wesen usw.) assoziativ nachschwingt, läßt sich nicht sagen. Unabhängig von dieser Untersuchung würde jedenfalls eine Analyse der Goetheschen Vorstellungen von den Ursprungsländern der Poesie bedeutende Aufschlüsse über das geschichtsontologische Kunstdenken Goethes liefern.

Entstehungsgeschichtlich im unmittelbaren Sinne ist die „Würde" des Plutus, seine Wendung ins Allgemeine, Überindividuelle, ausgeglichen Erhabene und „Gesunde" sowie seine Befreiung von allem „Streben" zeichenhaft symbolischer Niederschlag der letzten (zeitlich früheren) Stufe des Helenadramas: Schon dort tritt er in fürstlich-heiterer Haltung vor Helena hin und demonstriert durch die Fesselung des Lynkeus symbolisch die Überwindung seiner eigenen Frühstufe (sehnsüchtige Umarmung Helenas). Schon dort beweist er höchsten höfischen „Anstand", breitet freigebig alle nur erdenklichen Schätze und Kostbarkeiten vor Helena aus und wird Herr des „Krieges", der Völker und Völkerwanderungen, weltlicher Regent im höchsten Maße und zugleich Herr der Dichtung (Reimspiel), Herr „Arkadiens" usw. Ja, selbst seine „Gesundheit" und „Behaglichkeit" ist im dritten Akt vorgezeichnet mit dem gleichen körperlichen Ausdruck: „Hier ist das Wohlbehagen erblich, Die Wange heitert wie der Mund" (vgl. damit in der Mummenschanz: „Ein voller Mund, erblühte Wangen" usw.). Die höchste gottmenschliche Stufe Arkadiens („Noch immer bleibt die Frage, obs Götter, ob es Menschen sind?") wie auch die Vaterschaft dem Genius gegenüber, alles fließt assoziativ und bildlichsymbolisch in die Plutusmaske der Mummenschanz, da ja diese Vaterschaft im ersten Akt eine ähnliche Höchststufe voraussetzt.

Daß Faust nach der Mummenschanz beim Anblick der Helena am

Schluß des ersten Aktes wieder in die Lynkeusstufe zurücksinkt, in „Sehnsucht", ja „Wahnsinn" ihr Bildnis umfaßt und betäubt wird, spricht nicht dagegen. Gerade die „Maske" des Plutus vermag ja symbolisch eine Welt vorzuzeigen, die real in Fausts Seele selbst noch nicht da ist, aber als Zielpunkt des Ganzen „ästhetisch-vernunftgemäß" vorbereitet, geistig vorentworfen und sofort beim Auftreten Fausts demonstriert werden kann. Der Umweg, den Faust noch über den ganzen ersten und zweiten Akt macht, schließt nicht den Vorentwurf dieses Endpunktes aus, der zudem nicht ohne Grund unpsychologisch, in nur halb ausgesprochener, alles nur in Bildern andeutender Maskerade, nicht als Zeichen einer inneren Seelenentwicklung Fausts vor dem Zuschauer erscheint. Die Funktion, welche die „Maske", Verhüllung, ja der Tanz und alle sinnlich-unmittelbare Theatermanifestation für die Auslöschung des Ich, für den Übergang in eine höhere, freiere Welt des Geistes im Alter für Goethe besaßen, tritt gerade in der bewußt unbestimmten, „offenen" Maske des Helden am klarsten zutage. Fausts Verkleidung als Plutus ist sozusagen in ihrer Ausschaltung alles spezifisch Einzelnen die Maske aller Masken, die „nicht zu beschreibende" Auslöschung alles Individuellen zugunsten eines arkadisch freieren, souverän höheren Glücks. Sie ist der „lethische Heilquell", in dem Fausts „Streben" zur herrschaftlichen Ruhe und „Würde" gelangt.

12. Fausts Doppelrolle als Magier und Dichter

Doch gibt es neben dieser rein zeichenhaften Beziehung zwischen Plutus und der Poesie noch viel deutlichere Belege, die Goethes hintergründige Assoziationen bei der Konzeption der Plutusgestalt hervortreten lassen: Ursprünglich (nach Paralip. 113) sollte Plutus erst nach dem Flammengaukelspiel den Stab des Herolds ergreifen, der damals an Stelle Fausts den Zauber lenkte[166]) („Der Herold ist ein heiliger Mann, Das hilft ihm, daß er hexen kann"). Faust (Paral. 104) bzw. die dritte Gestalt eines „Dichters", übernimmt erst ganz zum Schluß den Stab des Herolds und beendet die Maskerade mit den Worten: „Gib deinen Stab hier muß ich enden Die Menge weicht Und wie verscheucht Tritt alles an die Seit (es folgt fragmentarisch: „Dichter ... erdreisten ... Und nur der Dichter kann es leisten", Paralip. 113)". Vergleicht man diese Stelle mit Paralip. 104: „Faust nimmt Heroldstab Schließt die Maskerade", mit Paralip. 106: „Der Kaiser ist entdeckt (folgt „Der Dichter"), Faust den Heroldst(ab) fassend Enthüllt das Ganze" und mit Paralip. 117: „Wer schildert solchen Übermut Wenns nicht der Dichter selber tut Nun tret ich notgedrungen vor Der Dichter", so ergibt sich eindeutig, daß Goethe die „Enthüllung" des Ganzen assoziativ sowohl durch den „Dichter" wie durch „Faust-Plutus"

durchführen wollte, d. h. daß Faust und Dichter in Goethes Vorstellungs-
bild ineins zusammenfielen. Plutus-Faust war ihm identisch mit dem
souverän leitenden, mit des „Stabs Gewalt" (V. 5972) regierenden, alles
am Schluß „enthüllenden" Dichter. Sein besänftigendes Schlußwort:
„Drohen Geister uns zu schädigen, soll sich die Magie betätigen" meint
mit der Magie die Dichtung, wie auch die ursprüngliche Fassung der
Mütterszene bestätigt, wo es an Stelle der jetzigen Version („Die einen
sucht der kühne Magier auf" [V. 6436] in zwei Handschriften hieß: „Die
andern sucht getrost der Dichter auf", übrigens wiederum unter Betonung
der „reichen Spende" des Dichters: „In reicher Spende läßt er, Voll Vertrauen, Was jeder wünscht, das Wunderwürdige schauen". Die Ersetzung
des Dichters durch den Magier, die gleiche Ersetzung des „Schönen" durchs
„Wunderwürdige" (in der ersten Fassung hieß es: „Was jeder will, das
Schöne läßt er schauen") vollzog sich, wie schon dargestellt, im Gefolge
der Goethe eigentümlichen Verbergung der Grundintentionen und ihrer
Überdeckung mit den stoffgegebenen Voraussetzungen (Faust ist ja dem
Stoff nach Magier).

Dazu kommt eine weitere wichtige Abgrenzung zwischen Dichtung
und Zauberei: „Schlage h e i t e r n Stabs Gewalt" hieß es vom ursprünglichen Dichterstab. „Schlage h e i l g e n Stabs Gewalt" heißt es heute. Das
heiter „weltliche Evangelium" der Dichtung war einst an den Dichter
Faust-Plutus gebunden. Dementsprechend hatte aber damals umgekehrt
der Herold eine zauberhaft „heilige" Funktion: „Der Herold ist ein
heiliger Mann, Das hilft ihm, daß er hexen kann" (Paralip. 113). Zauberei
und Heiligkeit scheinen also hier in Verbindung zu stehen, wie die Ersetzung des „Heiteren" durchs „Heilige" im Augenblick der Verwandlung
des Dichterstabs zum Zauberstab gleichfalls bezeugt. Das führt in der Tat
tief in das innere Verhältnis zwischen Magie und Dichtung bei Goethe:

Drei Formen des Zaubers standen damals anscheinend vor seinem
geistigen Auge: erstens der mephistophelische Zauber, der interessanterweise wider Willen, gegen die satanische Natur etwas Anderes, Höheres
durchsetzt: „Er mag sich wie er will gebärden, Er muß zuletzt ein Zaubrer
werden", heißt es als Antwort auf die Verzerrung des Goldmotivs durch
Mephisto ins Possenhaft-Phallische in den frühen Skizzen (Paralip. 113).
Der „Zauber", den Goethe hier meint, steht unzweifelhaft außerhalb der
eigentlich bösen Magie. Er ist — wie die Analyse des Flammengaukelspiels zeigen wird und wie die Knetung des Goldes in eine Phallusfigur
beweist — Naturmagie[167]), „geheimes Wirken der ewig waltenden Natur".
Mephisto, der Böses will und Gutes schafft, wird unfreiwillig zum Helfer
und Diener der Naturmächte, unfreiwillig „Zauberer" („er mag sich wie
er will gebärden, er muß zuletzt ein Zaubrer werden") etwa im Sinne
metamorphosenhaft natürlicher Umbildungen. Schon seine Rolle als
„Geiz" stellt ihn in eine naturgegebene, durch die Phänomene selbst

bedingte Opposition zum „Reichtum" des Plutus, nicht aber auf eine
eigene, die Sachlage beherrschende Höhe. Genau wie in den früheren
Maskenzügen Goethes der „Geiz" im Kreislauf des Geschehens von Unschuld zur Pracht über Ehrgeiz und Geiz wieder zurück zur Unschuld
steht, so hat er als hämischer Verkleinerer (Zoilo-Thersites) rastloser
Tätigkeit, als dürr egoistischer Bewahrer der Schätze Bedeutung nur im
polaren Kontrast zur „verschwenderischen" Heiterkeit des Plutus und
des Knaben Lenker. Sein „Geiz" ist geistlos, dichtungslos, phantasie-
los im extremen Sinne; daher ist sein Zauber zunächst Blendwerk und
Posse, ans rein Oberflächenhafte gebunden. Nur darum „ahnet" er „nicht,
was uns von außen droht", wird ihm „kein Raum für seine Possen
bleiben; Gesetz ist mächtig, mächtiger ist die Not" (V. 5797 ff.). Mephisto
wird klein gegenüber der Macht einer „Not", die, wie sich zeigen wird,
in der Pan-Gestalt und im Flammenzauber die Urfesten der Erde erschüttert. Wenn er in Paralip. 113 darum „wider Willen" zum „Zauberer"
wird, so verbarg sich hinter diesem Satz die deutliche Frage Goethes, wie
sich mit dem Flammengaukelspiel innerlich die Rolle Mephistos verbinden
lasse, der ja schließlich dem Stoff nach letztlich der Inszenator des Zaubers
im Dienst Fausts sein mußte. Schon Witkowski ist — vom Stoff her —
befremdet über V. 5797, wo Mephisto konsequent ganz ausgeschaltet wird,
und findet es „unwahrscheinlich, daß Mephisto nicht mit im Geheimnis
sein soll"[168]). So mag Goethe im Widerstreit zwischen Stoff und Idee der
Gedanke gekommen sein, den Zauber auf den Herold zu lenken: Plutus
(zum Herold): „Bists unbewußt", und: „Der Herold ist ein heiliger Mann,
Das hilft ihm, daß er hexen kann".

Im Heiligen also sah Goethe eine zweite Möglichkeit des Zaubers, ja,
hier beginnt im Grunde erst Zauber im positiven Sinne für Goethe: Im
„Unbewußt"-„Heiligen", in der fraglosen Reinheit des Herzens lag ja
schon in den frühen Maskenzügen der Zauber, der die vom Geiz unter-
jochte Welt in die verjüngte Ära der Unschuld zurückführt. „Das Heilige"
und das „Heitere" waren für Goethe die „beiden Angeln", um die sich
nicht nur „wahre Musik", sondern echte Weltverwandlung im Medium
der Kunst dreht. Das Heilig-Fromme des Kindes in der „Novelle" schafft
ein zauberhaftes „Wunder" in der wilden Natur — übrigens gleichfalls
mit dem „heiter" Jahrmarkthaften und Bunten der Eltern verknüpft.
Desgleichen waren für Goethe Höchstformen des Heiligen, etwa Philipp
Neri (1808, 1810, 1829), „humoristisch" und zugleich von magischem Einfluß auf Umwelt und Natur[169]). Darum steht der „heilige" Zauberer dem
„heiteren" Dichter-Zauberer Faust positiv-polar (nicht ihn wesensmäßig
ausschließend) gegenüber. Der dritte Zauber ist die Dichtung, an die nach
Paralip. 113 der Heroldstab ganz zum Schluß übergeben wird: „Und nur
der Dichter kann es leisten".

In diesem Sinn war die kreisartig in sich zurücklaufende Dreiheit der früheren Maskenzüge (Natur, Kunst, Abfall [Geiz]) in der Mummenschanz bewahrt, und in diesem Sinn stand ursprünglich das ganze Verhältnis der Figuren vor Goethes geistigem Auge, wenn sie nach Paralip. 109 sofort beim Auftreten scharf profiliert vom Herold vorgestellt werden: „Dich Poesie den Reichtum, jenen Geiz". Die vier Personen: Herold, Poesie, Reichtum und Geiz, das waren die vier Urkräfte, die den ganzen Flammenzauber bewegten, die in vielleicht unbewußter und abwandelnder Erinnerung an die Stufungen der frühen Weimarer Maskenzüge die Mummenschanz aufbauen und abschließen sollten. Mit der Neigung zur Verdeckung des offenbaren Geheimnisses (schon dadurch, daß der Herold sie nach der heutigen Fassung nicht direkt zu „benennen", sondern nur zu „beschreiben" vermag), mit dem Festhalten am „Magier" Faust statt am „Dichter" vom Stoff her vollzog sich dann das Zurücktreten des Herolds schon zu Anfang, die Übergabe des Stabes schon zu Beginn des Flammenzaubers und die sofortige Ausschaltung Mephistos aus dem Zauber. Die Souveränität Fausts wird absolut, wenngleich damit geheimer und verschwiegener. Während die Magie Fausts im ersten Teil der Dichtung allein durch Mephisto gewährt und geleistet wird, erreicht Faust jetzt eine Freiheit, die ihn befähigt, Mephisto leichthin als „Possenreißer" zu entfernen. Nichts anderes steht hinter diesem Wandel der Magie zur Dichtung als der Wandel von der dumpf leidenschaftlichen Sphäre des „Faust I" zur heiter-poetischen des „Faust II": Magie war in Faust I der Versuch, unmittelbar ins Absolute zu stoßen. Ihre Wirkung war Rückschlag, Verzweiflung: „Du gleichst dem Geist, den du begreifst, nicht mir". Magie ist in Faust II poetische Herrschaft über Erde und Himmel durch heiter allegorisierende Akzeptierung der Unstimmigkeiten zwischen Idee und Erscheinung. Der „Dichter" dringt im „Divan" vor zu den himmlischen „Huris", — jenen Wesen, die geschaffen sind aus den Elementen Wasser, Feuer, Erde, Luft „unmittelbar" und denen „irdischer Duft ganz zuwider ist", — auf Grund seines „freien Humors"[170]). Die Brechung der leidenschaftlich ins Absolute vorstoßenden Magie durch die Dichtung bewegt in der Tat die gesamte „ästhetisch-vernunftgemäße Folge" auf Helena hin nicht nur im Flammengaukelspiel, sondern auch im Wandel der verschiedenen Helenabeschwörungen. „Der Zaubrer fordert leidenschaftlich wild Von Höll und Himmel sich Helenens Bild, Trät' er zu mir in heitern Morgenstunden, Das Liebenswürdigste wär' friedlich ihm gefunden", so hat Goethe kurz vor seinem Tode[171]) die erste leidenschaftlich-magische Helenabeschwörung von der zweiten poetisch-heiter beschwingten des dritten Aktes abgehoben. Die „heitere Morgenstunde" und die volle Gewinnung Helenas wird erst gewährt beim Reimerfindungsspiel und im harmonisch unbeschwerten Wechseltausch der Rede ähnlich dem genannten Gedicht im „Divan", wo die Huris dem deutschen Dichter seine „Knittelverse" verzeihen. Hier wie dort ist Dichtung heitere Beschwörung des Schönen und Absoluten, der „Elemente" und der „reinen Natur". Nicht ohne Grund weicht sowohl die leidenschaftliche Umarmung der Helena im ersten Akt, wie die Verzauberung Helenas im „magischen Ring" in Paralip. 63, wie auch endlich die großangelegte unmittelbare Beschwörung Helenas durch Faust direkt in der Unterwelt bei Persephone (in den Skizzen zum zweiten Akt) einer organisch sich steigernden, langsamen Beherrschung der „Elemente" Wasser, Feuer, Luft, Erde in der Klassischen Walpurgisnacht. Und nicht umsonst wird durchaus in innerer Parallele zu diesen Vorgängen in den „Wanderjahren" die unmittelbar magische[172]) Heranziehung Nataliens durch Wilhelm über den Abgrund eines Gebirges hinweg, eine der großartigsten Szenen des späten Goethe, gleichfalls gestrichen[173]). Das Ringen um Befreiung vom spezifisch „Magischen", das ja eine ausschlaggebende Rolle für die Schlußentscheidung der ganzen Faustdichtung annehmen sollte (Faust-Sorge-Szene), ist tiefer gesehen ein Ringen zwischen zwei Sphären der Goetheschen Dichtung, einer leidenschaftlich ins Unbedingte zielenden Bewegung und einer herrschaftlich im Bedingten das Unbedingte durch Bild und Gleichnis hervorlockenden, in den „Elementen" frei sich wiegenden Poesie. Die erste wird mehr und mehr zurückgedrängt, taucht aber — wie die Notwendigkeit von Streichungen bis ins höchste Alter beweist[174]) — immer wieder auf. Die zweite wird Wunschbild und Ziel. Die erste ist leidenschaftlich-monologisch form- und artikulierbar wie die große geplante Rede Fausts in der Unterwelt, die Persephone zu Tränen rühren sollte, die zweite zieht sich stumm ins Bild und Gleichnis oder in den symbolisch mit Zeichen und Andeutungen spielenden Dialog[175]) zurück. Fausts Rolle als Plutus, seine Herrschaft über den „heiter-heiligen" Stab des Herolds, seine mehr poetische als magische Lenkung des Flammengaukelspiels sind Vorformen und Elemente der endgültigen Helenastufe des dritten Aktes, nicht eigentlich Vorformen der ersten Helenaerscheinung am Kaiserhof[176]).

Fausts tiefstes Geheimnis erscheint in Bildern und Vorgängen, durch „Öffnung" jener Goldtruhe, die alles, was er als Plutus, als „Gott des Reichtums" insgeheim ist und spendet, im Grunde erst enthält und darstellt und darum nun einer eingehenden Betrachtung bedarf.

13. Goldkiste und Flammenzauber, ihre Vorformen und staatsphänomenologischen Funktionen

Die nun folgende große Szene — Aufzug des Pan, Öffnung der Goldkiste und Flammengaukelspiel — führt in einer einzigen gewaltigen Aufgipfelung die ganze Mummenschanz ihrer letzten Sinndeutung entgegen. Ihre Herleitung aus unmittelbaren Vorlagen und Quellen ist wiederum viel weniger ergiebig als ihre Erfassung aus den bereits von Goethe selbst unvergleichlich viel reicher entwickelten Symbolformen, zu denen die jeweilige Vorlage lediglich einen Anstoß liefert. Die von der Forschung aufgewiesenen Quellen sind hier zudem besonders dürftig: „Der Aufzug des großen Pan ist v i e l l e i c h t", sagt Witkowski, „inspiriert von Grazzinis Trionfi di Bacci e di Arianna, in deren Gefolge kleine Satyrn, Silen, Nymphen auftreten"[177]). Dabei ist noch zu beachten, daß ein solcher Pan-Aufzug zum bekanntesten, ständigen Requisit antikisierender Dichtungen seit der Renaissance gehört, also nicht auf eine bestimmte Darstellung zurückzugehen braucht. Weitere Anklänge an Gottfried Arnolds „Historische Chronika", wo Karl VI. von Frankreich als „wilder Mann oder Satyr" verkleidet und mit Pech oder Harz überzogen Feuer fängt, oder die Schilderung des Gewitters bei Kaiser Maximilians Maskenfest in Pfitzers Faustbuch, Anlehnungen an Hederich usw., auf die sich die Faustkommentare durchgehend beschränken, fallen gleichfalls kaum ins Gewicht gegenüber den unendlich reicheren, schon rein zahlenmäßig weit überwiegenden Symbolformen bei Goethe selbst. Es sind stoffliche Vorlagen, aber nicht sinnvolle und sinngegliederte und somit zu sinnvoller Deutung führende Vorgänge.

Auch aus der äußeren „Handlung" ist eine Sinngebung des Flammenspiels kaum zu gewinnen. Es ist das große Verdienst Borcherdts[178]), als erster gezeigt zu haben, daß die bequeme Deutung dieser Mummenschanzszenen aus dem Anerbieten Mephistos, dem Kaiser Geld zu verschaffen, und der folgenden Papiergeldszene höchst fragwürdig ist, obgleich sie ausnahmslos von der gesamten Forschung „von Loeper bis Rickert" geteilt wird. Rein entstehungsgeschichtlich spricht schon alles gegen sie: Im Frühjahr 1828 ließ Goethe in der Ausgabe letzter Hand (Band 12) die Mummenschanz ohne die Papiergeldszene veröffentlichen, wohl aber zusammen mit dem ersten Teil der „Lustgarten"-Szene, und zwar bis zu V. 6036, d. h. bis zum Abschluß der kaiserlichen Salamandervision und zu Mephistos Beziehung des Flammenspiels auf die vier Elemente, die in der Tat, wie sich zeigen wird, eine innere, notwendige und zwingende Einheit mit der Mummenschanz bilden. Erst beinahe zwei Jahre später, am 27. Dezember 1829, wird im Gespräch mit Eckermann die Papiergeldszene von Goethe in Verbindung zum Flammengaukelspiel gebracht, zweifellos aus handlungsbedingten Gründen, denn auch in sämtlichen Skizzen und Vorarbeiten zum ersten Akt fehlt auffälligerweise jede Bezugnahme auf sie: In Paralip. 105 gehen die Skizzen zum Flammenspiel und zur Salamandervision der Lustgartenszene sofort über zur Helenabeschwörung: „Kiste springt auf und flammt ... Der Kayser ist entdeckt Faust den Heroldstab fassend Entwast das Ganze Stände trennen sich Vereinigen sich fliehen, bleiben. Kreis um den Kayser (das bezieht sich auf die Salamandervision in der Lustgartenszene), Plutus anred(end) ajournirt Kayser zur Unterhaltung Geistererscheinungen Wahl. Paris und

Helena" usw. In Paralip. 107 folgt gleichfalls unmittelbar auf die breiter ausgeführte Salamandervision sofort die Zitierung der Helena: „Faust Mephistopheles Kaiserl. Hof. Beyde kniend. Verzeihung wegen des Zauberscherzes bittend. Kayser vergnügt darüber Erzählung wie ihm zu Muthe gewesen. Fürst von Salamandern Meph. Das bist du auch Elem(ent) im Feuer stürze dich ins Wasser es wird Krystall gewölbe um dich bilden Neues wünschend. Marschalck. Interesse an Geistererscheinungen. Streit zwischen Damen und Herrn. Helena und Paris" usw.

Unwiderleglich hat also gerade diese vielgeschmähte, selbst noch von Kurt May als leichtes Gaukelspiel ohne Tiefe und Bedeutung bezeichnete Flammengaukelszene[179]) mit ihrer anschließenden deutenden Klärung durch die Salamander- und Elementenvision des Kaisers für Goethe höchste Schwerkraft und Wichtigkeit besessen, der gegenüber die äußere Begründung durch die Papiergeldszene gar nicht oder kaum ins Gewicht fällt. Sie wurde nicht nur erst nachträglich angefügt, sondern hat auch gar keinen inneren Bezug zum Flammengaukelspiel. Nicht umsonst hat es die Forschung immer befremdet, daß z. B. von der kaiserlichen Unterschrift, an die der Schatzmeister später den Kaiser erinnert, in der tatsächlich ausgeführten Flammengaukelszene gar keine Rede ist, während die Szenen mit den Gnomen, dem Brand usw. breit ausgeführt wurden, ohne durch die Papiergeldszene irgend eine Aufklärung zu erfahren. Auch in allen Gesamtkonzeptionen, Skizzen und Inhaltsangaben fehlt aufschlußreicherweise gerade diese angeblich den Sinn des Flammenspiels erhellende Papiergeldszene. Die einzige Beziehung auf das Geldversprechen Mephistos steht in Paralip. 104: „Faust nimmt Heroldstab Schließt die Maskerade Hof und der Kayser Forderung der Gestalt(en?) Versprechen Meph. schwürig". Offenbar machte sich Goethe hier Gedanken über das äußere Verhältnis der Maskerade zu Mephistos Geldversprechen, ohne aber eine unmittelbare Verknüpfung anzudeuten. Das war außerordentlich schwer, weil das Überwuchern der symbolischen Vorgänge (Goldkiste, Aufzug des Pan, Verbrennung, „Entwasung", Salamander- und Elementensymbolik) bei dem ursprünglich geplanten sofortigen Übergang zur Helenabeschwörung die ganze Mummenschanzszene dem Publikum schließlich völlig unverständlich machen mußte. Indem Goethe lediglich eine innere Lösung des „Schatz"-Problems gemäß der hintergründigen Bedeutung des Schatzmotivs bereits bei dem Geldangebot des Mephisto schon in der Szene Kaiserliche Pfalz vorschwebte, führte er einerseits weitläufig die Goldkiste- und Flammengaukelszenen aus, benötigte aber später andererseits um eines äußeren Handlungsbezuges willen die Papiergeldszene, die er dann des besseren Verständnisses bzw. Mißverständnisses halber sehr viel später, nach der ersten Veröffentlichung und kurz vor Abschluß des Ganzen, hinzufügte. Auch sprachlich steht ja, wie Kurt May zeigte, die Salamandervision weit über dem Niveau der Papiergeldszene.

Wäre letztere wirklich Sinn und Grund der Maskerade, entspränge diese Maskerade lediglich Mephistos Absicht, dem Kaiser die Unterschrift unter das Papiergeld zu entlocken, so wäre, wie Borcherdt mit Recht sagt, „ein so großer Aufwand für ein so einfaches Ziel nicht nötig gewesen"[180]).

Den endgültigen Beweis für die ausschlaggebende Wichtigkeit des Flammenzaubers der Goldtruhe wie der Elementenvision liefert jedoch erst die Fülle von Vorformen, die gerade in bezug auf diese Szenen bei Goethe vorliegen:

In nicht weniger als vier großen Werken, der „Natürlichen Tochter", den „Wahlverwandtschaften", der „Pandora" und den „Wanderjahren", und in kleineren Werken wie in der „Zauberflöte zweiter Teil" spielt ein geheimnisvoller Gold- oder Schmuckkasten, ein „Kästchen", ein Koffer oder eine Büchse eine für die Handlung und die Hauptpersonen meist tragisch entscheidende bzw. eine innere Entscheidung fordernde Rolle. Oft mit elementarem Unglück verbunden, aus dem meist eine glückliche Rettung erfolgt, berührt sich ferner das Kästchensymbol vielfach mit Feuer-, Wasser- und überhaupt Elementendarstellungen. Außerdem tritt das Bild scheinbarer oder wirklicher Feuersbrunst selbständig in den „Lehrjahren", der „Novelle" usw. an bedeutenden Stellen auf, nicht ohne wertvolle Parallelen zu unserer Mummenschanzszene. Und endlich spielt das Symbol des feurig flüssigen Goldes bereits in den Fortsetzungsplänen zur „Walpurgisnacht", des ersten Teiles der Faustdichtung eine aufhellende Rolle.

Als erste wichtige Eigenschaft der Goldkiste bzw. des Goldkästchens ist das „Geheimnis" zu nennen, das Goethe stets beharrlich um sie webt. In den „Wanderjahren" „versprechen sich" Wilhelm und Felix — der „in den Höhlen und Klüften" des Riesenschlosses aus einer Spalte das „Kästchen" herausholt, das „von Gold zu sein schien", von prächtigem „alten Ansehen" war und zugleich ins Geistige hinüberschillert, indem es mit einem Buch verglichen wird (es war „nicht größer als ein Oktavband", ja es enthielt selber in einer Ecke „das Prachtbüchlein") — „beiderseits deshalb ein tiefes Geheimnis"[181]). Das Geheimnis lastet geradezu auf Felix. Er hat das Gefühl einer Schuld, als er es aus der Spalte fortnimmt, so, als forderten höhere Mächte den Schatz wieder von ihm. „Felix ... sehnte sich von dem Orte weg, wo der Schatz irdischer oder unterirdischer Wiederforderung ausgesetzt schien. Die Säulen kamen ihm schwärzer, die Höhlen tiefer vor. Ein Geheimnis war ihm aufgeladen, ein Besitz, rechtmäßig oder unrechtmäßig? sicher oder unsicher? Die Ungeduld trieb ihn von der Stelle, er glaubte die Sorge los zu werden, wenn er den Platz veränderte"[182]). Fitz gegenüber, der selber wieder mit einem „Schatzgräber" unter „einer Decke" steckt, verheimlicht Felix den Fund, kann es aber andererseits nicht unterlassen, durch Anspielungen ihn neugierig zu machen. Ähnlich heißt es in Paralip. 106 zu Faust II: „Plutus dem Geiz (der zusammen mit der Kiste von den Drachen herangetragen wird) befehlend der gern verheimlicht doch auch grosthuisch Öffnung der Kiste".

Das „Geheimnisvolle" geht in den „Wanderjahren" weiter. Wilhelm erhält die Weisung, das Kästchen, das von einem alten Manne aufbewahrt wird, der alles Wertvolle, Historische sammelt, nicht zu öffnen; der Schlüssel werde sich einmal von selbst finden. Fast ganz zu Ende des Romans wartet Hersilie, die den Schlüssel gefunden hat, mit Pein auf Wilhelm und Felix, um das Kästchen öffnen zu können, „daß es ein Ende werde, wenigstens, daß eine Deutung vorgehe, was damit gemeint sei, mit diesem wunderbaren Finden, Wiederfinden, Trennen und Vereinigen"[183]). Die Deutung des ganzen Romans, des ganzen verwirrenden Gewebes der Personen wird also symbolisch mit der Öffnung des Kästchens verbunden. Als aber Felix kommt und es öffnen will, zerbricht durch seine Leidenschaft (er will gleichzeitig Hersilie küssen) der Schlüssel. (Eine ähnliche Spannung von Leidenschaft und Entdeckung des Kästchengeheimnisses liegt in der Einlage: „Die neue Melusine" vor.) Später entdeckt man, daß beide Schlüsselteile sich, einander magnetisch ergänzend, berühren und vereinigen, aber nur dem „Eingeweihten" schließen, der das Kästchen „in einiger Entfernung" Abstand aufspringen läßt und gleich wieder zudrückt. „An solche Geheimnisse sei nicht gut rühren, meinte er"[184]).

Das Geheimnis, das zugleich das Geheimnis des Romans ist, bleibt also bis zu Ende gewahrt. Auf völlig gleicher Ebene liegt der ursprüngliche Plan zur „Mummenschanz", die Goldkiste nach der Verbrennung der kaiserlichen Maske zuschlagen und fortfliegen zu lassen (Paralip. 103, 105, 106). Auch hier sollte das Geheimnis der Kiste bewahrt bleiben, und zwar, wie das Fortfliegen zeigt, ein höheres, übersinnlich-poetisches Geheimnis analog der Esoterik der Kästchensymbolik in den „Wanderjahren". Und auch hier ist die leidenschaftliche Hast des Kaisers, zum Inhalt der Kiste zu gelangen, schuld am schließlichen Unglück. Die Öffnung der Kiste ist mit Gefahr und Verderben verbunden; und damit kommen wir zu einer zweiten Bedeutung der Kästchen- und Goldsymbolik.

Ähnlich wie in den „Wanderjahren" ist es schon in der „Natürlichen Tochter" der Heldin Eugenie verboten, die große „Schmuckkiste" zu öffnen, an die sich „unwiderruflich" das „Schicksal", das sie „trifft", knüpft. Die übereilt leidenschaftliche Öffnung wird ihr zum Verhängnis. Wie wichtig das für die Konzeption der Gesamtdichtung war, zeigt eine Äußerung Goethes: „Was jener geheimnisvolle Schrank verberge, was ich mit dem ganzen Gedichte, was ich mit dem Zurücktreten der Fürstentochter in den Privatstand bezweckte: darüber wollen wir uns in keine nähere Erklärung einlassen", und Falk, mit dem Goethe dies Gespräch führte, setzte hinzu: „Gerade von diesen Punkten aus war es ... wo

Herder eine sinnreiche Fortsetzung und Entwicklung des … Stoffes erwartete. Die Stelle besonders, wo Eugenie so unschuldig mit ihrem Schmucke spielt, indes ein ungeheures Schicksal … schon dicht hinter ihr steht, verglich Herder sehr anmutig mit einem Gedicht der „griechischen Anthologie", wo ein Kind unter einem schroff herabhängenden Felsen, der jeden Augenblick den Einsturz droht, ruhig entschlafen ist" usw.[185]). Ähnlich findet Ottilie in den „Wahlverwandtschaften" nach dem Unglück mit dem Feuerwerk zu Hause einen Koffer mit Schmuck und Kleidern (ein Geschenk Eduards) vor, der ihr zunächst „so kostbar und fremd" ist, „daß sie sichs in Gedanken nicht zuzueignen getraute"[186]). Dieser Koffer spielt dann eine bedeutsame Rolle bei ihrem Tod: sie schneidet sich aus seinem Schmuck ihr Totenkleid, „das Bedeutendste, was die Freunde" an ihr „beobachteten"[187]); ferner steht bei ihrer Leiche in der Kapelle zu Häupten der Sarg von Charlottens Kind, zu ihren Füßen das Köfferchen[188]).

Stets also ruht in geheimnisvoller Bedeutung der Sinn der Haupthandlung in den Symbolen von goldenen oder mit Schmuck gefüllten Kästen, Koffern, Schränken usw., wie ja auch in der Goldkiste der Mummenschanz „der Schmuck von Kronen, Ketten, Ringen" verhängnisvoll „schwillt und droht".

Damit nähern wir uns bereits dem „Sinn" des Geheimnisses. Zwei Motive treffen in ihm fast durchgehend aufeinander: Erstens das Motiv vom Unglück und Verhängnis (auch in den „Wanderjahren" gerät Felix nach dem Fund des Kästchens wie Eugenie in eine jähe Kluft und ein Labyrinth, das ihn einkerkert und gegen das er leidenschaftlich tobt, bis er „wie ein unbewußter Ulyß" in tiefen Schlaf sinkt), und zweitens das Motiv vom esoterisch höheren Geheimnis, das verborgen bleibt bis zum Schluß. Beide ergeben in wechselseitiger Beleuchtung den Sinn des Ganzen, dessen Inhalt nicht einzeln gedeutet werden kann etwa als „Natur", „Kunst", „Leben" usw. — so wie Borcherdt den Inhalt der Kiste als „das Leben" bezeichnet —, sondern nur durch eine funktionale Zuordnung des „Geheimnisses" zu ergründen ist. Denn die Neigung Goethes, in anscheinend ganz eindeutigen Symbolen: Schmuck, Kette, Krone usw., d. h. Symbolen des Staates, der Macht, des irdischen Reichtums (so deutet sie Borcherdt), zugleich ein höheres Geheimnis, eine „Schuld" usw. zu verbergen, ist nur zu begreifen aus jener komplizierten Möglichkeit Goethes, einen „heimlichen Schatz" gerade dann „zurück bleiben" zu lassen, wenn eine Sache „exoterisch" ausgesprochen und „esoterisch für sich behalten" wird[189]). Die Versuche einer eindeutigen Erklärung des „Geheimnisses" auf Grund einer Untersuchung des „Inhalts" der Goldkiste müssen notwendig scheitern nicht nur angesichts der Fülle der Deutungsmöglichkeiten (Staat, Schicksal, Leben, Kunst usw.), sondern auch angesichts des Wesens der Kiste selbst. Kästchen, zerbrechender Schlüssel, Zuschlagen der Kiste, Wegfliegen usw. sind Ausdrucksformen des Geheimnisses selbst, sozusagen das Geheimnis des Geheimnisses. „Was noch idealistisch an mir ist, wird in einem Schatullchen, wohlverschlossen, mitgeführt wie jenes Undenische Pygmäenweibchen" (aus der „Neuen Melusine"), schreibt einmal Goethe auf der Schweizer Reise 1797, denn „für einen Reisenden geziemt sich ein skeptischer Realism"[189a]). Das heißt, auch für Goethe selbst war alles „Idealistische", Höhere, gleichnishaft in geheimen Kästen verborgen. Er schützt sich vor dem Zugriff der Welt durch Verschließen seiner poetischen Wunderwelt in unzugänglichen Truhen, Kästen, Schatullchen usw. Völlig konsequent wehrt daher Goethe noch in „Faust II" jedes Lüften des Geheimnisses ab. Das „Innere der Kiste" öffnen hieße „plumpe Wahrheit" statt „artigen Schein" aufsuchen wollen. Die Herbeiführung der Goldkiste ist für Goethe folgerichtig und mit innerster Wahrheit ein „Wunder", etwas „Höheres", von dem aus die ironische Bemerkung des sonst so verständigen Trendelenburg, „dies Wunder" erscheine ihm selber „wunderlich"[190]), gegenstandslos wird. Nur funktional, d. h. durch genaue Untersuchung der jeweiligen Bezugslinien, nicht begrifflich inhaltlich läßt sich das „Geheimnis" der Goldkiste ergründen und die Frage lösen, unter welchen Oberbegriff sich die schillernden Bedeutungen des Schatzes einordnen lassen. Borcherdt, der das Schuldproblem dahin wendet, Faust suche mit Hilfe der flammenden Truhe pädagogisch den Kaiser zu beeinflussen und von seinen Leidenschaften zu befreien, sieht andererseits in dem flüssigen Gold der Kiste „das glühende Leben" aus Faust I (V. 507), „das in ständiger Entwicklung begriffen ist" und das in „Kronen, Ketten, Ringen staatliche Formen erhalten hat und immer in Gefahr ist, durch Revolutionen verschlungen zu werden". Er ordnet sämtliche Symbolbezüge: Staat, Ethik usw. dem „Lebens"-Begriff unter, z. B. auch die Stelle, wo der Kaiser „der Völker lange Zeilen" im Flammenspiel sich huldigend nahen sieht, und begründet dies vor allem aus der Tatsache, daß Mephisto den Goldinhalt der Truhe zur Phallusgestalt formt, was „deutlich genug auf die symbolische Bedeutung der Truhe als Sinnbild des Lebens" hinweise[191]). Wiederum wird hier von einer einzelnen inhaltlichen Bedeutung aufs Symbolganze geschlossen, um damit notwendig in einer kaum mehr bestreitbaren, aber auch entsprechend vagen Allgemeinheit der Bestimmung („Leben") zu enden. Mag die Formung des Goldes in eine Phallusfigur ein letzter Nachklang aus uralten kultischen Fastnachtssitten sein[191a]) — auch das „wilde Heer" geht ja historisch auf solche Sitten zurück — oder wollte Goethe hier in der Tat eine Symbolik des „Lebens" schaffen, die Bedeutung des Goldes ist jedenfalls bei ihm vielsinnig im höchsten Maße: Wenn Borcherdt aus dem Wort des Mephisto: „Denn dies Metall läßt sich in alles wandeln" auf die Bedeutung des Goldes als „Leben" schließt, so weist mit dem gleichen Recht der „Herold" auf die Rolle des Goldes als Kunstphänomen und ungreifbaren „Schein" hin:

„Glaubt ihr, man geb euch Gold und Wert? ... Ihr Täppischen! ein artger Schein Soll gleich die plumpe Wahrheit sein". Ja genauer besehen hat dies „Metall", das „sich in alles wandeln läßt", bei Goethe längst Funktionen und Bedeutungen entwickelt, die gerade in ihrer Doppelheit von „gefährlich" und positiv-schöpferisch aus einer allgemeinen Lebenssymbolik herausragen.

Das Gold muß vielmehr als das vielleicht zentralste Ursymbol Goethes überhaupt verstanden werden. In ihm sind sowohl alle vitalen, biologischen Kräfte des Lebens, wie alle höchsten, ideellen Kräfte des Geistes, wie auch die Elementarmächte der Geschichte noch ungeschieden verbunden. Ja es hängt sogar mit dem Ursprungssymbol des Granits zusammen. Denn es wird meist in granitenen Labyrinthen und Höhlen gefunden (Riesenschloß der Wanderjahre, Felsklüfte Euphorions und des „Märchens", das Berginnere der „Klassischen Walpurgisnacht", auch im Inneren des Brockens (Blocksberg) der „Walpurgisnacht" des ersten Teils glüht das feurigflüssige Gold usw.). Es ist der „höchste Schatz", von dem alles vitale und geistige, alles natürliche und geschichtliche Leben ausstrahlt, und zwar in folgendem Sinne:

In den Händen des Knaben Lenker und Euphorions repräsentiert das flammende Gold höchste geistige Schöpferkraft: „Ist es Goldschmuck, ist es Flamme übermächtiger Geisteskraft?", heißt es von Euphorion. Und die Goldflammen, die der Knabe Lenker ausprüht, sind „Flämmchen" genialer Produktivkraft schlechthin, aber „deuten" auch auf „atmendes Wachstum" in einer Skizze zum Knaben Lenker, d. h. sie vereinen positive geistige und natürlich-organische Wachstumskraft. Auch Faust findet den Zugang zu den Müttern nur mit Hilfe eines flammenden Schlüssels. In den Händen Mephistos aber, der in der Mummenschanz betont als „Geiz" der schenkenden „Verschwendung" des Knaben Lenker gegenübersteht, wird das gleiche Gold zur sexuellen Triebkraft im negativen Sinne egoistischer Lustgewinnung, erotischer Besitzgier. Das findet seine tiefe Aufhellung bereits in den Fortsetzungsplänen zur „Walpurgisnacht" des ersten Teils der Faustdichtung. Dort wird in der Satanshuldigung auf dem Blocksberg in immer wiederholtem Reihengesang das glühend flüssige Gold mit Phallus und Schoß in Verbindung gebracht. Der Satan, der hier bezeichnenderweise als vulkanischer Fels aus dem goldglühenden Erdinneren emporsteigt („Satan. Ist der Fels"), „zeigt euch" in diesem Symbol „die Spur des ewigen Lebens, der tiefsten Natur". D. h. der Satan verheißt dem Menschen im Goldsymbol triebhafte Sexualität, rein biologische Fortpflanzung, ewiges Leben, ewige Lust, zugleich aber auch Weltherrschaft und materiellen Besitz. Der ganze Blocksberg glüht vom feurigen Gold des „Herrn Mammon" (V. 3933). Im gierig-geizigen Besitzergreifen dieses feurig-flüssigen Goldes liegt also der Ursprung alles Bösen, aller triebhaft sexuellen Versündigungen wie auch aller irdischen

Machtkämpfe und Staatskatastrophen. Die sexuelle Versündigung Fausts an Gretchen sollte unter anderem dadurch bewußt werden, daß Faust entsetzt zuschauen muß, wie Gretchen, nackt auf dem goldglühenden Boden stehend, in einem höllischen Ritual geopfert wird, bis ihr reines Blut das dämonische Goldfeuer auslöscht. Hier, auf dem Tiefpunkt der Tragödie, sollte sich symbolisch schon die Wendung zur Erlösung andeuten. Gegenüber der rein Liebenden (Gretchen) sind die höllischen Kräfte ohnmächtig. In diesem Sinne wird später Faust von der reinen Liebeskraft des „ewig Weiblichen" gerettet. Ähnlich wird in der Mummenschanz das glühend flüssige Gold dadurch zur dämonisch vernichtenden Macht, daß der Kaiser sich ihm besitzgierig-hemmungslos nähert.

Das gleiche Gold kann aber auch zur höchsten, guten Kraft werden, wenn der Mensch ihm leidenschaftslos entgegentritt, wenn er nicht besitzen, sondern „schenken" will (wie Faust-Plutus und der Knabe Lenker), wenn er nicht, wie die Menge, danach „hascht", sondern das Gold als rein geistige Schöpferkraft, als höheren, ideellen „Schein" in sich wirken läßt oder es als still „atmendes Wachstum" der Natur verehrt. In diesem Sinne wird aus dem Goldsymbol geradezu eine Genesis des Guten und Bösen entwickelt. Es liegt als geistig-natürliche Urkraft noch vor allem Guten und Bösen, kann aber sowohl zur Quelle alles Bösen wie alles Guten werden. In ihm liegt die Ursache aller Weltkatastrophen und Versündigungen, aber auch alles organischen Wachstums wie aller ideellen, genialen Geistesmächte. So hüten auch in der Klassischen Walpurgisnacht die Greife diesen „höchsten Schatz" des Goldes. Durch einen Vulkanausbruch emporgeschleudert, entbrennt aber ein heftiger Kampf zwischen den politischen Parteien um das Gold, der zur Katastrophe führt. Das gleiche Gold wird aber in der folgenden Meeresfeier von den Sirenen (Vertretern der Poesie) „herangesungen" zum Meer, wo es in dem organischen Bildungsprozeß dieses Festes eine positive, produktive Funktion erhält („Seht! Wie wir im Hochentzücken, uns mit goldenen Ketten schmücken ... Schätze, scheiternd hier verschlungen, habt ihr uns herangesungen").

In diesem Sinne verschließt dieses Gold in der Tat in sich das Urgeheimnis alles Seins. Es kann sowohl „gefährlich" wie lebensfördernd, aufbauend wirken.

Schon in Goethes „Märchen" ist das Gold, das die „Irrlichter" ausstreuen, für die Schlange von höchstem Wert, dagegen für den Fluß gefährlich, der es orkanartig anschwellend ausspeit und Früchte statt Gold verlangt (das „gefährliche Gold" muß daher „verscharrt" werden[191b]).

Das Gold hat hier eine betont lebenszerstörende, bedrohliche Funktion. Wohl aber ist es fruchtbar, schöpferisch, ja rettend durch die Vermittlung der Schlange, die im Gegensatz zum Fluß nicht Opfer fordert, sondern sich selbst zu opfern bereit ist, wobei gleichfalls bei ihr das Gold zum rein ideellen „Schein" wird, ähnlich wie der Knabe Lenker die Menge davor warnt, das Gold dinglich real als materiellen Besitz zu begehren, statt es als höheren „Schein" rein geistig zu verstehen.

Durch das Gold erhält die Schlange einen Glanz, der „alle Bäume" zu „Smaragd" und „alle Blumen auf das Herrlichste verklärt"[192]). Beim Verzehren des Goldes fängt bei der Schlange „sichtlich ihr Schein an zu wachsen und sie leuchtete wirklich auf das herrlichste". Die Schlange ist mit den Irrlichtern, deren „Flämmchen" ebenfalls glänzender und voller werden durch dieses Metall, „von Seiten des Scheins verwandt" auf Grund des Goldes. Ausdrücklich aber heißt es: „nur" von Seiten des Scheins. Die Schlange hat außer der Funktion des Scheines auch die der Rettung, des Opfers und der Erlösung. Durch ihren in der Nacht mit Hilfe des Goldes leuchtenden Leib wird der Leichnam des Prinzen im Reich der Lilie vor Fäulnis bewahrt, als sie sich wie ein „magischer Kreis"[193]) um ihn legt (vgl. damit die Bedeutung des „magischen Rings" für die ersten Helena-Euphorionkonzeptionen). Ihre Selbstaufopferung führt den Prinzen zum Leben zurück; indem die Prinzessin die Schlange mit der linken, den Jüngling mit der rechten Hand berührt, wird der Ring zwischen beiden geschlossen, der Jüngling lebendig, die Schlange aber leitet ihre Kraft auf sie über und zerfällt selbst in zerstückelte Teile. Ihre Apotheose erfährt sie durch die Verwandlung in eine glänzende Brücke, auf welcher sich der Wechselverkehr im nächsten Jahrtausend, ja „noch heute" zwischen allen Völkern der Erde abspielt, während die Irrlichter — ähnlich dem Flämmchen und Goldstücke spendenden Knaben Lenker —, Goldstücke aus der Luft über die Menge werfen, die sich um diese Schätze streitet.

Bereits im „Märchen" also hat das Gold die Funktion einer elementar geheimnisvoll höchsten Kraft, die sich auf alle Zweige des Seins richtet: In seinem schönen Schein ersteht die klassische Ästhetik. Im Spiel und Widerspiel zwischen Kunst und Natur, die gerade zur Zeit der Entstehung des Märchens in Goethes Kunstanschauungen scharf kontrastierend durch eine fast unübersteigbare Kluft getrennt waren, spielt die goldverzehrende und brückenbildende Schlange die entscheidende Mittlerin, indem sie zwischen dem Reich der Lilie und dem diesseitigen Ufer die sehnsüchtig erwünschte Brücke wiederherstellt[193a]). In den modisch geckenhaften Irrlichtern weist das Gold ins negativ Konventionelle und Literatenhafte, aber auch ins positiv Poetische: im gleichzeitigen Maskenzug von 1796 streuen die Irrlichter „Goldblättchen und Gedichte" aus[194]) und erscheinen damit unzweifelhaft als Vorläufer des Knaben Lenker; im „Märchen" bereiten sie ferner aktiv durch ihre goldverzehrende Aushöhlung der Schlösser und Riegel des unterirdischen Tempels sowie des vierten, zusammengesetzten, herrschenden Königs die Öffnung des Tempels und damit den großen Umschwung der Zeiten im eschatologischen Anbruch des „neuen Bundes" und Jahrtausends vor. Auch in die Geschichts-

metaphysik und Staatslehre Goethes also wirkt das Gold entscheidend hin-
ein. Die Entfernung des Goldes aus dem Leib des zusammengesetzten
Königs bewirkt den Sturz seiner Herrschaft und den Beginn der neuen
Weltzeit unter den drei Königen Weisheit, Schein und Gewalt. Selbst die
Vision des Kaisers in Faust II vom goldglühenden plutonisch-unterirdischen
Felsenreich, aus dem sich in „Feuersäulen" der „Völker lange Zeile" be-
wegt, ist im „Märchen" vorentwickelt, wo hinter „ringsum verschlossenen
Felsen" tief unter der Erde die vier Könige, die Herrscher aller Zeitläufe,
wohnen. Überhaupt steht die Betonung des Unterirdischen sowie der zur
„großen Verwunderung" der Schlange mitten in den „unregelmäßigen
Naturproducten" erscheinenden „wunderbaren unterirdischen Gewölbe",
welche „die bildende Hand des Menschen verrieten"[195]), in deutlicher
Parallele zu den „dunklen Grüften" aus der Mummenschanz, wo die
„Deputation der Gnomen" „troglodytisch" ihr „Haus wölbt" (V. 5902)
und die Goldquelle, die den Pan-Kaiser zu verbrennen droht, „entdeckt".
Denn diese „Entdeckung" des Goldes durch die Gnomen ist auch in
Faust II staats- und geschichtsphänomenologisch gefaßt. Sie bringen „das
Gold zutage, Damit man stehlen und kuppeln mag, Nicht Eisen fehle
dem stolzen Mann, Der allgemeinen Mord ersann"; d. h. aus der gefährlichen, zerstörend negativen Wirkung des Goldes entwickelt Goethe
bestimmte Grundphänomene des geschichtlichen Lebens, was noch deutlicher im zweiten und vor allem im vierten Akt von Faust II in Erscheinung treten wird (bei den goldscharrenden Ameisen, mit denen bereits hier die Gnome verglichen werden („Leuchtameisen", V. 5845), und
bei dem zauberischen Kriegsspiel).

Zweitens sind die Gnome durch ihren „troglodytischen", höhlenhaft-
unterirdischen Charakter ausgezeichnet vor allen anderen Wesen; sie haben
ein tieferes und elementareres Wissen, das sozusagen beharrend im
untersten Grunde der Welt alle oberirdisch-wechselnden Erscheinungen zu
durchschauen und zu meistern vermag. „Da, wo Pygmäen", heißt es auch
in den „Wanderjahren", „angereizt durch Metalladern, den Fels durch-
wühlen, das Innere der Erde zugänglich machen und auf alle Weise die
schwersten Aufgaben zu lösen suchen, da ist der Ort, wo der wiß-
begierige Denkende seinen Platz nehmen soll"[196]). Die Gnomen und
Zwerge stehen mit Faust bei dem Flammengaukelspiel nur darum, wie
mit Verwunderung in der Forschung festgestellt wurde, „im Einverständnis" (Witkowski zu V. 5898 ff.), weil sie die „Wissenden" und „Denkenden" sind, weil sie nichts anderes repräsentieren als Erkenntnis: „Dann
im Kristall und seiner ewigen Schweignis Erblicken sie der Oberwelt Ereignis", sagt Faust von ihnen im vierten Akt (V. 10435 f.). Das Gold, das
sie fördern, ist das Urbild alles in der Oberwelt abrollenden zeitlichen
Geschicks, an dem sie schuldig-unschuldig sind wie dieses Schicksal selber:
„Doch bringen wir das Gold zutag, Damit man stehlen und kuppeln

mag ... Das alles ist nicht unsre Schuld, Drum habt so fort, wie wir, Geduld". Ihr Gold ist die Quelle alles Übels des Weltlaufs, aber auch die Quelle alles Gründenden, Zentralen der Geschichte. Nicht umsonst fühlt sich der Kaiser im plutonischen Reich in die Mitte der Welt und aller Elemente versetzt, nicht umsonst „flackerten" dort alle Flammen „in e i n[197]) Gewölb zusammen" (V. 5994) und bildete sich „zum höchsten Dome" vom „Felsengrund" bis zum Himmel das Flammenmeer. Das Gold ist ein symbolisches Bild für den Versuch Goethes, in einer Naturgeschichte der Geschichte, einer Urgeschichte aller Staats- und Geschichtsabläufe ein Zentrum des Geschehens zu fassen, dessen zeitgründender Ort notwendig die geheimnisvoll beharrende „Unterwelt" ist, weil hier im flüssig glühenden Metall ein Kern, der „sich in alles wandeln kann", ansichtig wird, wie in den „unterirdischen Gewölben" der „Zauberflöte zweiter Teil", „in der Mitte" vor dem „Altar mit dem Kästchen" die drei Wächter rufen: „Wird es Tag? Vielleicht ja. Kommt die Nacht? Sie ist da. Die Zeit vergeht. Aber wie? Schlägt die Stunde wohl? Uns nie. Vergebens bemühet Ihr euch dadroben so viel. Es rennet der Mensch, es fliehet Vor ihm das bewegliche Ziel. Er zieht und zerrt vergebens am Vorhang, der schwer auf des Lebens Geheimnis, auf Tagen und Nächten ruht"[198]) usw. In der Unterwelt herrscht die zeitlose Zeit, der beharrend-flüssige Grund und Urgrund alles Zeitlaufs. Und das Gold, das sie spendet, bildet Glück und Unglück der „Welt". „Sei stets bereit, wenn eure Tageswelt, Wie's oft geschieht, mit widerlichst mißfällt", antwortet der Kaiser entzückt über die Elementenvision und den Flammenzauber, der ihn in den „Mittelpunkt" der Welt gestellt hatte. Wahres Sein, „großen Schein" hatte der Kaiser in dieser Vision geschaut und sinkt nun ungern zurück in die widerliche Tageswelt des realen Weltlaufs. Das ist eine der sinnvollen Bedeutungen des stets allzu leicht beurteilten Flammenzaubers, eine Bedeutung, die umso größer wird, je mehr man sich klar macht, wie innig in der Tat das Gold- und Kästchensymbol mit dem Ringen Goethes um eine Naturgeschichte des Staates von Beginn an verbunden war:

Denn aus innersten poetischen Antrieben heraus konzentrierte sich Goethes stärkste dichterische Auseinandersetzung mit der französischen Revolution, die „Natürliche Tochter", im Gold- und Schmuckkastenmotiv. Bereits 1793 hatte sich in dem politischen Drama „Die Aufgeregten" das entscheidende Geschehen in einer Landschaft abgespielt, die symbolisch auf eine Urlandschaft hinzielt: „Rauhe, steile Felsenbänke, auf denen ein verfallenes Schloß. Natur und Mauerwerk ineinander verschränkt: Die Ruine sowie die Felsen mit Bäumen und Büschen bewachsen. Eine dunkle Kluft deutet auf Höhlen, wo nicht gar unterirdische Gänge"[199]). In ähnlichem Sinne war in den „Reisen der Söhne Megaprazons", jener allegorischen Romanskizze, die das Problem der französischen Revolution zum Thema hatte, bei der Schilderung der „Residenz"

„zweifelhaft", ob sie „auf Mauern oder auf Felsen stand"[200]). Beidesmal wird der Verfall von Staat und Gesellschaft symbolisch auf einen Verfall von Bauwerken und ihr Zurücksinken in Naturwerke bezogen und eine „Verschränkung" von Natur und Geschichte dadurch erzielt. In den „Reisen der Söhne Megaprazons" kämpften ferner, wie später in der „Klassischen Walpurgisnacht", Kraniche (Aristokraten), die „durch den Genuß des sogenannten eßbaren Goldes umso vollkommener" geworden waren, mit den Pygmäen (Demokraten), die dieses Gold zu Tage fördern. Auch dort droht ein „unterirdisches Feuer" die „glücklichste Insel der Welt", den Naturstaat, zu zertrümmern[201]). Die unmittelbare Übernahme dieses Kampfes aus dem Roman in den zweiten Akt von Faust II ist höchst wahrscheinlich, da die betreffende Handschrift gerade beim Streit zwischen Kranichen und Pygmäen von Eckermann mit dem Stift überlesen ist[202]). Auch die „Gnomen" und die Goldsymbolik der Mummenschanz hängen selbstverständlich, wie sich noch zeigen wird, mit den Ameisen und Greifen in der „Klassischen Walpurgisnacht" und damit auch mit den entsprechenden Vorstufen zusammen; die Gnomen heißen einmal direkt „Leucht-Ameisen" (V. 5845) und repräsentieren in ihrer Goldförderung und Bedeutung für den Ausbruch des Feuers aus der Kiste symbolisch eine Urphänomenalität staatlichen Lebens.

Nicht ohne Grund ist ferner die Gold- und die eschatologische Zeitenwendensymbolik des „Märchens" an das Ende der „Unterhaltungen deutscher Ausgewanderten" gestellt, die ja um das Phänomen der Auflösung staatlicher Ordnungen kreisen und den Versuch einer Rettung des Poetischen im Politischen ausdrücklich vornehmen. Endlich aber verdichteten sich alle diese Ansätze zu einer naturgeschichtlich-symbolischen Bewältigung politischer Fragen in der ausgewogensten politischen Dichtung Goethes, in der „Natürlichen Tochter", zu einem Gleichnissystem von Bildern und Zuständen, die sich um zwei Grundphänomene bewegen: erstens um die Flucht vor der „ungestümen Welt" in das „Bollwerk der Natur"[203]), das abwechselnd als „dichter Wald" (V. 22), als „Park" (Schluß des ersten Aktes und V. 1569 ff.), als Hafenplatz, als Versuch, ins Kloster zu gehen oder in der bürgerlichen Ehe Zuflucht zu finden, erscheint; zweitens um die „Gefahr" und das „Labyrinth" der Welt, das als „glatter Marmorboden" (V. 324) gezeichnet wird, im dritten Akt symbolisch als „prächtiges modernes Vorzimmer" des Herzogs vom Urwald des ersten Aktes sich abhebt, vor allem aber in dem symbolischen Schmuckkasten Eugenies konzentriert ist. Flucht ins Idyll, in eine abgeschlossene, einsame, weltentlegene Sphäre, und gefährlich blendender Schmuck der „Welt" sind die zwei inneren Schwerpunkte des Dramas. Bereits im ersten Akt sind schöne Kleider und Schmuck die Lockmittel, die das neue künftige Leben Eugenies am Hof vorbereiten, die ihre Pläne, selbst im politischen Spiel der Kräfte mitzuwirken, verhängnisvoll auslösen und die sich zur Ge-

walt eines „Schicksals" erheben, als Eugenie das Verbot ihres Vater übertritt, die Schmucktruhe zu öffnen: „O meine Liebe! Was bedeutend
schmückt, Es ist durchaus gefährlich. Laß auch mir das Mutgefühl, was
mir begegnen kann, So prächtig ausgerüstet zu erwarten. Unwiderruflich,
Freundin, bleibt mein Glück. (Hofmeisterin, bei Seite:) Das Schicksal, das
dich trifft, unwiderruflich"[204]). Die „auf Gold gestickten Blumen" ihres
Kleides, der Inhalt der ganzen geheimnisvollen Truhe stehen symbolisch
geradezu ein für Krieg, Staat, politisches Leben: „Was reizt das Auge
mehr als jenes Kleid, Das kriegerische lange Reihen zeichnet? Und dieses
Kleid und seine Farben sind Sie nicht ein Sinnbild ewiger Gefahr? Die
Schärpe deutet Krieg, womit sich stolz Auf seine Kraft ein edler Mann
umgürtet"[205]) usw. Wie der symbolische Absturz der allzu übermütigen
Eugenie im Wald, so gibt diese Schmuckszene die „Folie des Glücks"
(s. V. 1093), das verlockend und vernichtend zugleich das weltab geheim
verborgene und behütete Gut des Vaters, die „natürliche" Tochter, bedroht. Das „Gefährliche" des Schmucks also ist doppelt geschichtet. Es ist
erstens die Lust an Glanz, Pracht und einer Welt, die sich wider Erwarten
als „labyrinthische" und „troglodytisch" unterminierte Welt entlarvt. (So
sprach Goethe gern von den „unterirdischen Gängen", die die menschliche Gesellschaft unterminieren[206]), und führt in „Des Epimenides Erwachen" später diese Unterminierung sogar sinnlich-symbolisch vor.)
Zweitens ruht dies Gefährliche im eigenen „Mut", im Überschwang des
Daimon, der den Helden ahnungslos ins Verderben zieht und unterirdisch
wieder mit dem spezifisch Innerpoetischen, dem Höheren in der Brust des
Helden, zusammenhängt. So verbindet sich unmittelbar mit dieser
Schmuckallegorie bei Eugenie das Verbergen eines selbstgeschriebenen Gedichtes in einem Geheimfach, das bezeugtermaßen eine bedeutende Rolle
für die Fortsetzung des Dramas spielen sollte. Ähnlich hat einmal Goethe
in einem wunderbar freiwillig-unfreiwilligen Bekenntnis dies Verhältnis
von Schmuck, Kästchen, Dichtung, Geheimnis, Weltlauf in der „Italienischen
Reise" folgendermaßen beschrieben. Er träumte von einer Landung auf
einer reichen Insel mit herrlichen Fasanen, Pfauen mit „farbig beaugten
Schweifen" usw., mit denen er sein ganzes Schiff überfüllte, um seinen
Freunden diese „bunten Schätze" zu bringen. In einem großen Hafen aber
verliert er sich zwischen ungeheuer bemasteten Schiffen in einem Labyrinth,
„wo ich von Verdeck auf Verdeck stieg, um meinem kleinen Kahn einen
sichern Landungsplatz zu suchen. An solchen Wahnbildern ergötzen wir
uns, die, weil sie aus uns selbst entspringen, wohl Analogie mit unserm
übrigen Leben und Schicksalen haben müssen"[207]). Im Wirrsal großer
Schiffe, im Treiben der Welt verliert Goethe seine Schätze und rettet nur
noch den kleinen Kahn, der ihm bis zuletzt verbleibt. Tragisch bedeut-
samer konnte diese Symbolik nicht auf sein „eigenes Leben und Schicksal" bezogen werden.

Die verschränkt hochbedeutsame Symbolik des Flammengaukelspiels der „Mummenschanz" mit ihrer Verlockung und Bedrohung für den Kaiser wird damit langsam immer mehr einem inneren Verständnis entgegengeführt: „Zunächst der Schmuck von Kronen, Ketten, Ringen, Es schwillt und droht ihn schmelzend zu verschlingen" (V. 5713 f.). Neben dem staatlich Äußeren ist es auch der Daimon des eigenen Innern, der in der Flammenglut den Kaiser erschreckt und ergreift: „O Jugend, Jugend, wirst du nie Der Freude reines Maß bezirken? O Hoheit, Hoheit, wirst du nie Vernünftig wie allmächtig wirken?" (V. 5958 ff.)[208]). Das steht auf einer Ebene mit dem übereilten Öffnen des Schmuckkästchens durch die natürliche Tochter und der zerstörenden Wirkung der Leidenschaft beim Öffnen des Kästchens durch Felix in den „Wanderjahren". Die „Gefahr" der Goldkiste ruht also auf einer bestimmten Spannung von Außen und Innen, Schicksal und Schuld: Einerseits fesselt der Schmuck wie ein heimliches labyrinthisches Netz den Menschen an das vernichtende Weltschicksal. Von Gretchens Verlockung durch Mephistos Schmuck bis zur Fesselung sogar der „Liebe" durch das „goldene Netz" der Tyrannei in dem politischen Festspiel „Des Epimenides Erwachen" verläuft eine Linie. Selbst in den Maskenzügen von 1782 ketten Geiz und Ehrgeiz mit „goldenen Fesseln" Unschuld und Freude (die „natürliche Tochter" ist ja gleichfalls Symbol reiner Natur); desgleichen wird dort Amor in einen Karfunkelstein, der bei Gold und Silber liegt, eingekerkert, ganz zu schweigen von dem verhänignisvollen Schmuckgewand des Proserpina-Monodramas (vor allem in der zweiten Opernbearbeitung) und der Pandora. Andererseits zeigt sich die innerste Struktur des Weltlaufs selber in ihm, indem nicht nur ein „Verhängnis", sondern die rätselhafte Doppelheit von Gut und Böse, sozusagen die unschuldige Schuld des Schicksals, aus ihm heraustritt: „Wir sind der guten Menschen Freund. Doch bringen wir das Gold zutag, Damit man stehlen und kuppeln mag ... Und wer die drei Gebot' veracht, Sich auch nichts aus den andern macht. Das alles ist nicht unsre Schuld; Drum habt sofort wie wir Geduld". Gnomen und Gold sind unterirdisch „Freund" und „Feind", schuldlos schuldige Zeichen des über Staat und Geschichte verhängten Geschicks. Ihnen mit „Mut" zu begegnen, ist Größe und Leiden des Helden. Fühlt sich schon die natürliche Tochter gerade durch die Schmuck-Embleme begeistert zu Gefahr, Kampf und Krieg, und war das „Labyrinth" der Welt für dieses fernab von aller irdischen Gesellschaft aufwachsende Naturwesen höchste Verlockung und Anreiz, so ist dem im Staatsleben verstrickten Pan-Kaiser die Goldkiste erwünschtes Ziel seiner Hoffnung, aber auch durchaus positives Urbild aller Regentschaft überhaupt. Er sieht sich selber „in glühnder Sphäre, Es schien mir fast als ob ich Pluto wäre ... der Völker lange Zeilen, sie drängten sich im weiten Kreis heran Und huldigten, wie sie es stets getan. Von meinem Hof erkannt' ich ein und andern. Ich schien ein

Fürst von tausend Salamandern" (V. 5989 ff.). Gold, Feuer, Unterwelt sind elementare Zeichen des Staatslebens. Wenn der Kaiser Herr der „Elemente" wird, Fürst von tausend Salamandern — die Salamander sind ja alchimistische Zeichen für das Feuerelement —, so wird er der „Mittelpunkt" alles geschichtlichen Lebens. Das ist der tiefere Sinn dieser Szene: Im Flammengaukelspiel wird der Kaiser der „widerlichen Tageswelt" entrückt und in die Urgeschichte seiner eigenen Geschichte versetzt. Selbst das „Mut"-Motiv aus der „Natürlichen Tochter" schlägt wieder an, wenn der Kaiser im vierten Akt rückblickend auf das Flammenspiel ausruft: „Selbständig fühlt' ich meine Brust besiegt, Als ich mich dort im Feuerreich bespiegelt, Das Element drang gräßlich auf mich los, Es war nur Schein, allein der Schein war groß. Von Sieg und Ruhm hab ich verwirrt geträumt, Ich bringe nach, was frevelhaft versäumt" (V. 10417 ff.). Der „Schein" ist hier wieder Sichtbarwerdung eines „Elementaren", das zu bestehen „Mut" erfordert. „Ich kenne dich, vermummter Pan, hast einen k ü h n e n Schritt getan", heißt es in einer Lesart zu V. 5478 ff., und das Paralip. 117 lautet: „Wer schildert solchen Übermut Wenn's nicht der Dichter selber tut".

Die von vielen Deutern angenommene pädagogische „Mahnung und Warnung" Fausts an den Kaiser durch das Flammengaukelspiel ist also, genau gesehen, nichts anderes als der Versuch einer Transponierung des kaiserlichen Hofes in den plutonischen Urhof, in die Urherrschaft aller Herrschaft, die auf Gefahr, Mut und doppelgesichtiges „Schicksal" sich gründet. Das echte Sein des Kaisers ruht gerade auf diesem angeblich spielerischen, unernsten „Schein", der in Wahrheit eine mutige Aufsichnahme des Schicksals erfordert, während die „widerliche Tageswelt" auch nach Goethes Überzeugung eine schwache, Zufällen, nicht Schicksalen preisgegebene Welt ist, die sich in der entsprechend lässigen, ja feigen, Ausflüchte und Kompromisse suchenden Haltung des Kaisers ausdrückt. Der Beweis, daß mit der Herrschaft über die Elemente in der Tat die Herrschaft aller Herrschaft gemeint ist, bringen analoge Symbolformen Goethes:

In der Löwenstuhlballade von 1813, um deren Gestaltung als Oper Goethe bekanntlich viele Jahre gerungen hat, wird das Problem der echten Regentschaft, des „Adels, der sich nicht lernt" und sich im vermummten königlichen Bettler verkörpert, verdichtet zu dem Satz: „Ich löse die Siegel der Schätze ... Euch künd ich die milden Gesetze. Erhole dich, Sohn! Es entwickelt sich gut, Heut einen sich selige Sterne"[209]). Dieser Bezug zwischen „Schätzen" und „Regierung" war — wie die Skizzen zur Oper zeigen, wo Schmuck und Waffen in der „Schatz- und Rüstkammer" des zweiten Aktes und das „Eindringen der Meubles, Teppiche usw." in die „Leere" des Schlosses zu Beginn des ersten Aktes eine symbolisch hochbedeutsame Rolle spielen — für Goethe zentralstes Anliegen des Werkes.

Auch das „Elementarische" wird früh von Goethe mit dem Staatsleben verbunden. 1810 wird Napoleons Herrschaft als Umschlag vom Kleinlich-Zeitlichen ins Groß-Elementare im positiven Sinne gesehen: „Worüber trüb Jahrhunderte gesonnen, Er übersieht's in hellstem Geisteslicht, Das Kleinliche ist alles weggeronnen, Nur Meer und Erde haben hier Gewicht"[210]). Das „Elementarische" und die Herrschaft über die Elemente Feuer, Wasser, Erde, Luft, die der Kaiser symbolisch in der Lustgartenvision erlebt, sind also Repräsentationen einer geschichtlichen Urherrschaft, die nur größten Regenten vergönnt ist und daher nur visionär und als Wunschbild vor dem schwachen Kaiser der Mummenschanz auftaucht. Entsprechend verwandelt Goethe 1814 das gesamte Napoleonische Zeitgeschehen in „Des Epimenides Erwachen" in einen elementaren Naturvorgang. Napoleon wird zum „Dämon des Krieges", dessen Farben bezeichnenderweise „gelb und gelbrot, schwarz und gold sind, und was sonst noch Gewaltsames der Art in Glanz und Farbe aufzubringen, das durch den roten Schein noch erhöht würde"[211]). Es sind dieselben plutonischen Salamanderfarben, die der Kaiser als Fürst der Unterwelt trägt. Die Wirkung Napoleons beschreibt Goethe als Einsturz des „tempelartigen Wohngebäudes", „doch so, daß die ehernen Pforten jetzt eine Felsenhöhle zu schließen scheinen"[212]). Der Einbruch des Urgeschichtlichen ins Geschichtliche erscheint also auch hier als Verwandlung der Tempelgebäude in Höhlen, genau wie in der Mummenschanz der plutonische höhlenhafte „Felsengrund" das elementarische Reich des Staatslebens bezeichnet. In „Des Epimenides Erwachen" bemerkt Goethe ferner, „daß nicht das mindeste Grün auf dem ganzen Theater erscheine". Des „uralten Waldes majestätische Kronen", die in genauer Analogie zur „Natürlichen Tochter" als „Bollwerk der Natur" zu Beginn des napoleonischen Festspiels neben der „Säulen Pracht" aufgebaut werden, verschwinden angesichts der elementaren Wucht „kometenhaft" einbrechender Gewalten. Bei seiner späten Überarbeitung der „Italienischen Reise" schreibt Goethe gelegentlich der Schilderung des Kampfes zwischen Feuer und Pflanzen beim Ausbruch des Vesuvs: „Und so wird man zwischen Natur- und Völkerereignissen hin und wider getrieben"[213]). Das Verhältnis von Feuer und Pflanzen steht symbolisch ein für Geschichte und Natur; die eigentümliche Verbindung des Vulkanismus mit politischen Urphänomenen in der „Klassischen Walpurgisnacht" wird das noch schärfer hervortreten lassen.

Eine weitere merkwürdige Parallele zwischen der Mummenschanz und den Symbolformen in „Des Epimenides Erwachen" liegt in der Pan-Verkleidung des Kaisers vor. In der Mummenschanz wird die Szene vom schlafenden Pan ausgemalt, in dem „das All der Welt vorgestellt" wird. In „Des Epimenides Erwachen" sinkt gleichfalls der Held in Schlaf, um „das All kennen" zu lernen (V. 84/85). Sollte in beiden Szenen mit der Einführung des Helden in die Urelemente des Daseins ein Zusammenhang

zwischen dem unbewußt ahnungslosen Schlaf und dem Urphänomenologischen des Vorgangs bestehen? Die Ahnungslosigkeit, mit der beide,
Kaiser wie Epimenides, dem Ausbruch der Elemente entgegengeführt
werden („Sie wissen nicht, wohin sie schreiten, Sie haben sich nicht vorgesehn", heißt es vom Zuge des Pan-Kaisers), und die scheinbare äußere
Passivität, mit der sie auf die Vorgänge reagieren, läßt auf Ähnliches
schließen. Ich erinnere nur daran, daß in der „Novelle" gleichfalls kurz
vor Einbruch der Feuersbrunst in der Landschaft eine Stille herrscht,
als schlafe „Pan"[214]). Wie dem auch sei, jedenfalls dringt mit der Pan-
Allegorese in die Gestalt des Kaisers ein großartig überzeitlicher Zug ein,
der in Parallele zum Umschlag der zufälligen, zeitbedingten Nöte seines
Reichs in die Gewalt des „Schicksals" verläuft:

Auf die spielerische „Posse" Mephistos den Weibern gegenüber kündigt
Faust den Zug des Pan an mit den feierlichen Worten: „Er ahnet nicht,
was uns von außen droht ... Ihm wird kein Raum für seine Possen
bleiben; Gesetz ist mächtig, mächtiger ist die Not". Die „Not", die schon in
der „Natürlichen Tochter" den Blick von der Zeitlichkeit hinweg zu höheren
„Schicksalen" lenkte[215]), bricht mit dem „wilden Heer" Pans gesetzlos
und doch großartig schicksalhaft ein. Auch dieser Zug des „wilden Heeres"
— das ja, wie neuerdings nachgewiesen wurde, überhaupt einen historischen
Ausgangspunkt für die Fastnachtssitten bildet[215a]) — ist also mehr als
Spiel. Er repräsentiert eine Naturform, die hinter dem „Gesetz", hinter
allem geschriebenen und verbrieften Recht eine gewaltigere, elementarere
Kraft, die „Not", durchsichtig macht, von der alle Revolutionen und
Evolutionen der Geschichte ausgehen. Nicht umsonst heißt es in Paralip. 105
bei der „Entwasung", das heißt Enthüllung der ganzen Flammengaukelszene durch Plutus-Faust: „Stände trennen sich Vereinigen sich fliehen,
bleiben Kreis um den Kayser". Der „wilde Kreis" der „Faune", „Satyrn",
„Gnomen", „Riesen" usw. des Pan-Aufzugs steht also in Beziehung
zu den „Ständen", deren naturstaatliche Rolle gerade in diesem
Paralip. 105, das den ersten Ansatz zur Salamandervision des Kaisers darstellt, besonders klar hervortritt. Auch die Umkreisung der Goldkiste
durch das wilde Heer und die Entrückung der Kiste durch Zuschlagen
und Davonfliegen (nach der Version des Paralip. 105) hat ja schon einen
Niederschlag in dem Streit der Stände um Pandorens Büchse gefunden.

Das wilde Heer ist ferner eine Mischung von Naturwesen und modischen
Gesellschaftswesen, deren Einzelcharakteristik höchst aufschlußreich für
die staats- und gesellschaftsphänomenologischen Hintergründe der Szene
ist: „Geputztes Volk du, Flitterschau! Sie kommen roh, sie kommen
rauh ... Im krausen Haar, Ein feines zugespitztes Ohr Dringt an dem
Lockenkopf hervor" usw. Der Satyr „verhöhnt" in Anlehnung an das
frühgoethesche Spiel „Satyros oder der vergötterte Waldteufel" „in Frei-
heitsluft ... auf Bergeshöhn ... Kind und Weib und Mann, Die tief in

Tales Dampf und Rauch Behaglich meinen sie lebten auch". Mischungen von Mode und Natur also sind die Gestalten des wilden Heeres in einem eigentümlichen Doppelverhältnis von gesellschaftssatirischen und gesellschaftspositiven Elementen; denn im Grunde sind für Goethe hier beide Elemente — die gesellschaftsrevolutionierend einbrechenden Naturwesen (Satyr) wie die modischen Zwitterwesen (Faune usw.) — satirisch bzw. neutral phänomenologisch reduziert auf eine allgemein elementare „Not" naturhafter Art, die bei Goethe dem Bild vom „wilden Heer" stets die Bedeutung urgeschichtlicher Unruhen, Wirren und Verwirrungen verlieh, aus denen er der „Zeiten Geist" schlechthin ablas: „Und wie des wilden Jägers braust von oben Des Zeiten-Geists gewaltig freches Toben", heißt es im „Abschied" zu Faust (aus dem Nachlaß). „Der Weltkreis ruht von Ungeheuern trächtig, Und der Geburten zahlenlose Plage Droht jeden Tag als mit dem jüngsten Tage". So hatte schon in „Des Epimenides Erwachen" Goethe die napoleonischen Kriege in naturdämonische Wesen verwandelt, die in ihrem ewig gebärenden und verschlingenden Drang Urformen aller Umwälzungen sind.

Die eigentliche Bedeutung dieses „wilden Heeres" und Pan-Aufzugs enthüllt sich aber erst im Brand selber, wo dieser Mythos seine Höhe erreicht. Dieser Brand wird mit feierlichst gehobenen Worten von Goethe vorverkündet und ins Tragisch-Große gesteigert: Dreimal umhüllt Goethe nach dem großen Wort von der „Not", die „mächtiger" sei als das „Gesetz", den Vorgang mit einem ahnungsvoll schweren Geheimnis: Beim Herannahen des Pan-Zugs an den „Zauberkreis", den Plutus-Faust um die Goldkiste zog, heißt es nämlich dreifach warnend: „Sie wissen doch, was keiner weiß, Und drängen in den leeren Kreis", „Ich weiß recht gut, was nicht ein jeder weiß, Und öffne schuldig diesen engen Kreis" ... „Sie wissen nicht, wohin sie schreiten, Sie haben sich nicht vorgesehn". Dieses dreifache Schillern zwischen Wissen und Nichtwissen hat sehr wichtige entstehungsgeschichtliche Hintergründe. Anscheinend war es ursprünglich auf die Vermummung des Kaisers bezogen, da es in einer Lesart hieß: „Ich kenne dich du großer Pan ... Schon weiß ich was nicht jeder weiß" usw. (Lesart zu 5807 ff., H[33]). Dann aber wird es in mehrfachen, immer erneuten Ansätzen, die ein wirkliches inneres Ringen Goethes um diese Stellen offenbaren, schließlich bewußt ins Geheimnisvolle erhoben, indem Goethe in einer Handschrift über den Vers 5805 „Sie wissen doch, was keiner weiß" das Wort „geheimnisvoll" setzt und jeden direkten Bezug auf den Kaiser auslöscht, der erst beim wirklichen Brand sich demaskiert. Aber selbst wenn der Bezug zum Kaiser bewahrt bliebe, würde das drohend Wunderbare, Besondere, ja Ungeheure des Vorgangs nur umso größer, denn die Lesart: „Wir brechen durch den Zauberkreis Wir wissen was das keiner weiß" (H[39]) kennt sogar ein blind tragisches Verhängnis, einen taumelnd bewußtlosen Entschluß des wilden Heeres, trotz des angeblichen „Wissens" von Dingen, die „keiner weiß" (daß hinter Pan kein geringerer als der Kaiser steckt bzw. worum es sich bei der Goldkiste handelt), sich dem Feuer zu überantworten. Etwas geheimnisvoll tragisch Bedeutsames also wollte Goethe offensichtlich mit der ganzen Szene verbinden, wie vor allem Fausts eigene Worte unmittelbar vor dem Brand beweisen: „Wir müssen uns im hohen Sinne fassen Und was geschieht getrost geschehen lassen, Du bist ja sonst des stärksten Mutes voll. Nun wird sich gleich ein Greulichstes eräugnen, Hartnäckig wird es Welt und Nachwelt läugnen: Du schreib es treulich in dein Protokoll".

Was diese rätselhaften Worte, was ferner das dreifach dunkel angedeutete „Wissen" angesichts der glühenden Goldkiste zu bedeuten habe, ist schwer aus der Handlung zu erraten, unschwer aber aus dem Bild und Vorgange selbst: Hält man sich nämlich genau an die szenische Folge, an das aus „tiefstem Schlund" emporsteigende Feuer und an die anschließende heilig-heitere „Entwasung" mit Regendämpfen und Wasser, so ergibt sich die Struktur einer Schicksals- und Elementenlehre, aus der sich sowohl die Bedeutung des tief unterirdisch geheimnisvollen „Wissens" als auch die Bedeutung des Protestes der „Mit- und Nachwelt" gegen dies Geheimnis, ihr „hartnäckiges Leugnen" dieser Urelemente und urgeschichtlichen Prozesse ergibt.

Wenige Jahre zuvor, 1821, hatte Goethe im Berliner Theaterprolog die Gewalt des Schicksals in seiner Phänomenologie der Oper folgendermaßen geschildert: „Ein roter Schein überzieht das Theater. Erdschlünde tun sich auf, ein Feuerqualm /... versengt der Bäume lieblich Blütenreich; ... Und aus den Grüften hebt sich leis heran Das Gnomen-Volk und wittert alles an Und wittert alles aus und spürt den Platz, Und forscht und gräbt, da glitzert mancher Schatz. Das alt-verborgene Gold bringt keinem Heil, Der Finsternis Genosse will sein Teil. Im Innern siedets, schäumt und schleudert wilder Durchs Feuermeer furchtbare Schreckensbilder; Wie Salamander lebt es in der Glut, und streitet häßlich mit vulkanischer Wut ... Sie bersten, sie stürzen, sie öffnen mir schon Der grausesten Tiefe Plutonischen Thron"[216]). Bild für Bild stimmt diese Szene mit unserem Flammengaukelspiel überein: Die Gnomen, die den Kaiser zur verhängnisvollen Goldquelle führen, wissend alles „auswittern" (in Faust II sind sie „mit im Geheimnis" des ganzen Zaubers), und die das unheilvolle Gold zutage fördern, die Salamander, der plutonische Thron, ja selbst die spätere Aufhellung der Szene sind vorgebildet: Im Berliner Theaterprolog „verwandelt sich plötzlich" in höchster Not das Theater „in einen hellen erfreulichen Ziergarten", in Faust II gleichfalls in einen „Lustgarten". Im Berliner Theaterprolog folgt auf das plutonische Reich ein „Tanz von Sylphen und Undinen", d. h. von Wasser- und Luftgeistern; in Faust II folgt die Löschung des Zaubers durch Nebeldünste und Wölkchen (also durch Wasser und Luft), und ebenda wird in der Lustgartenvision die

Herrschaft des Kaisers über die Elemente des Wassers und der Luft ausgemalt durch die herrliche Schilderung seiner Wanderung durchs „Meer" und seiner Erhebung auf den „Sitz des Olymps".

In der Feuersbrunst und der Goldgefahr steckt also noch mehr als die dämonische Verlockung der „Welt". Die Berührung mit den symbolischen Urquellen des „Schicksals" — mit Gold, Feuer, unterirdischen Labyrinthen, plutonischem Schrecken usw. — versengt und verbrennt nicht nur die Maske des Kaisers, sondern zieht ihn auch in den Kreis der Urphänomene, deren dichterische Symbole überlieferungsgemäß bei Goethe die vier Elemente sind. Das glühende Gold, jenes immer wiederkehrende Bild für das Geheimnis des Geheimnisses, trägt in sich die Voraussetzung zum Untergang, zur Verstrickung in Welt, in gleicher Weise aber auch zur Herrschaft über sie, zur Beherrschung aller Elemente. Denn diese Elemente vertreten das Sein gegenüber dem Schein der Oberwelt. Nicht ohne Grund ließ Goethe in dem durchgehend von den Kommentatoren und Deutern[216a] mißverstandenen vierten Akt die gesamte dortige Staats- und Kriegshandlung unter bewußter Wiedererinnerung an das Flammengaukelspiel (durch den Kaiser) von „Berggeistern" und „Undinen" leiten, denn „das Bergvolk denkt und simuliert, Ist in Natur- und Felsenschrift studiert ... Sie wirken still durch labyrinthische Klüfte ... Ihr einziger Trieb ist Neues zu erfinden. Mit leisem Finger geistiger Gewalten Erbauen sie durchsichtige Gestalten; Dann im Kristall und seiner ewigen Schweignis Erblicken sie der Oberwelt Ereignis" (V. 10425 ff.). Gnomen und Goldsucher sind die „wissenden" und zugleich schweigend beharrenden Entdecker alles dessen, was in Natur und Geschichte an Revolten, Umbrüchen und Kriegswirren vor sich geht. Die Herrschaft über sie und ihre Salamander ist die Herrschaft über den irdisch schicksalhaft abrollenden Weltlauf und über seine in Feuersbrünsten drohende Urgewalt. Desgleichen die „Undinen": „Durch Weiberkünste, schwer zu kennen, Verstehen sie vom Sein den Schein zu trennen, Und jeder schwört, das sei das Sein" (V. 10714 ff.). Solche Verkehrung von Schein und Sein, Unter- und Oberwelt, Element und Oberfläche mag letztlich die Ursache sein, daß gerade die „elementarsten" der Goetheschen Szenen — Flammengaukelspiel, Lustgartenvision, Kriegszauber (vierter Akt) — bis heute allgemein als Spiel und leerer Schein gelten, die Oberflächenszenen dagegen — Papiergeldszene, Staatsämterverleihung des vierten Aktes usw. — als die Kernpunkte der Handlung angesehen werden, während es tatsächlich genau umgekehrt ist.

Die Parallele zum Berliner Theaterprolog lehrt uns aber noch mehr. Diese Szenen sollten — in der Phänomenologie der Oper des Berliner Theaterprologs — den Umkreis alles außerindividuellen, kosmisch-elementaren Schicksals beschreiben und dem Einzelnen wieder den Zugang zu einer welthaltigen Ge m e i n s c h a f t geben in der unmittelbar darauf folgenden Vereinigung aller Stände und Gruppen im mythisch gemeinschaftsbildenden Tanz und Theater"[217]) — was in Parallele steht zum Eintreten der Volksgruppen in der „Pandora" nach dem Sprung des Phileros und der Epimelaia in die Elemente Wasser und Feuer und nach der Herrschaft über sie. Analog dazu wird in Faust II die Lösung des Zaubers zugleich als eine Versammlung der Stände und Völker um den Kaiser geschildert, der nunmehr im Zentrum der Welt und ihrer Elemente steht. Wie Goethe zu dieser Umwendung vom Einzelnen zur überindividuellen Gemeinschaft in seiner Elementensymbolik kam, zeigen folgende Vorformen:

Schon 1768 heißt es in einem Brief an Oeser über sein Ringen um eine höhere, freiere Stufe der Kunst: „Ich weiß wohl, es war mir wie Prinz Biribinckern nach dem Flammenbade, ich sah ganz anders, ich sah mehr als sonst"[218]). In den „Lehrjahren" folgt auf der entscheidenden Umbruchstelle des Ganzen — nach der Hamletaufführung und nach der warnenden Aufforderung des Geistes an Wilhelm, die Kunst (d. h. vor allem die gesellschaftsfeindlich-individuelle Kunst) zu „fliehen" — jene Feuersbrunst, in der das poetisch-lyrische Instrument des Harfners und beinahe auch Wilhelms Sohn verbrennen. Diese Feuersbrunst wird zum Zeichen eines Umbruchs von der dämonisch verinnerlichten und individualistischen Kunstübung des Harfners zur Gemeinschaftskunst der Gesellschaft vom Turm, in der die endliche Heilung des Harfners aus seinem phantastischen Wahn — übrigens durch fiktive Todesnähe (Gift) — sowie das Ende Mignons sich vollziehen. Fast leitmotivisch wiederholt sich das gleiche im Traum Wilhelms: Beim mehrfachen Anblick des Schleiers des Geistes, auf dem die Worte gestickt sind: „Flieh, Jüngling, flieh", welche von Wilhelm verzweifelt fehlgedeutet werden als Aufforderung: „Kehre in dich selbst zurück", schaut er an der Wand ein Bild, das ein strandendes Schiff mit einem Vater und zwei Töchtern darstellt, die den Tod erwarten und ihn an die Amazone erinnern; kurz darauf träumt er, daß sein Sohn Felix von dem Harfenspieler weg in den Teich läuft: „Wilhelm eilte ihm nach, aber zu spät, das Kind lag im Wasser! Wilhelm stand wie eingewurzelt. Nun sah er die schöne Amazone an der andern Seite des Teichs, sie streckte ihre rechte Hand gegen das Kind aus, ... das Kind durchstrich das Wasser in gerader Richtung auf den Finger zu, und ... sie ... zog es aus dem Teiche ... das Kind brannte über und über, und es fielen feurige Tropfen von ihm herab. Wilhelm war noch besorgter, doch die Amazone nahm schnell einen weißen Schleier vom Haupte und bedeckte das Kind damit. Das Feuer war sogleich gelöscht"[219]). Die Elemente Wasser und Feuer, die hier unmittelbar verknüpft sind, erscheinen also als mahnende Hinweise, das Liebste und Neue, das Wilhelm zu erobern befähigt wird — die Amazone (im Bild vom strandenden Schiff) und sein Kind Felix — zu retten und zu erlösen vom Dämonischen der individuell vereinsamten Harfnersphäre. Die Löschung des Feuers durch den Schleier, durch dieses Sinnbild höherer Kunst und überindividueller Wesenheiten[220]), steht in unmittelbarer Parallele zur Löschung des Brandes in Faust II durch den Heroldstab des „Dichters" Faust, wie dessen Ausruf: „O Jugend, Jugend, wirst du nie der Freude reines Maß bezirken, O Hoheit, Hoheit, wirst du nie Vernünftig, wie allmächtig wirken?" ohne Zweifel die echt Goethesche Problematik des Niederringens des inneren Daimonions wieder aufnimmt. Ähnlich steht es mit dem Unglück beim Feuerwerk am Teich in den „Wahlverwandtschaften", das ja auch einer Maßlosigkeit Eduards entspringt. Der Wechsel vom Feuer zum rettenden Wasser und vom Sprung ins Wasser zum Aufstieg aus ihm, die Befreiung des Helden von inneren Krisen durch das Bad des Feuers und die Eroberung der Sicherheit über Welt und Elemente, all dies hängt natürlich aufs engste mit jener Verjüngung durch die Elemente zusammen, die wir früher beschrieben. Auch der Pan-Kaiser wird durch die Schrecken des Feuers zur „Wohnung ewiger Frische" des Meeres (Lesart zu V. 6023) geführt, d. h. in ein verjüngendes Element gestellt ähnlich der späteren Homunkuluswiedergeburt im aufflammenden Wasser. Ferner weist die Art, wie bei dem Eintauchen des Kaisers ins Meer sich dort, „wo es am wildsten tobt", sofort Gestalten um ihn kristallisieren, sich „ein herrlich Rund" um ihn bildet, Paläste mit ihm wandeln usw., auf den schöpferischen Bildungs- und Kristallisierungsprozeß im Natürlichen wie Künstlerischen hin, der oft bei Goethe als eine Folge der Elementenbeherrschung erscheint[221]).

Diese Grundbedeutung von Feuer und Wasser erhält aber vor allem im Alter noch eine weitere Basis. In den „Wanderjahren" wird der Entschluß Wilhelms, Arzt zu werden, durch ein elementares Höchsterlebnis aus der Kindheit begründet, das ihm das erste, überwältigende Gefühl der Liebe zugleich mit dem Erschrecken vor dem Tod (Ertrinken von fünf Knaben) an einem Tage bescherte gemäß der Goetheschen Altersneigung, unvermittelt die Lebensgegensätze aufeinanderprallen zu lassen[222]). Entsprechend ist im Flammengaukelspiel in „Faust II" der Eintritt des Kaisers in die Elemente zugleich eine Berührung mit der polaren Spannung von Leben und Tod: Die plutonische Unterwelt droht ihn zu verschlingen und erhebt ihn zugleich auf den Gipfel des Daseins. Im Meer „spielen farbig goldbeschuppte Drachen, Der Haifisch klafft, Du lachst ihm in den Rachen" usw. Das dortige Farbenspiel im Meer zwischen Purpur und Grün (V. 6009 f.) wird überraschenderweise schon 1823 in Paralip. CXVI zur Farbenlehre folgendermaßen beschrieben: „Diese Farbenerscheinungen kann man die apparentesten nennen, denn sie manifestieren sich nur zwischen dem Erscheinen und Verschwinden, weshalb denn auch nachfolgende Zitate hier am rechten Ort stehen, wo eine die Augen bezaubernde Erscheinung zwischen Leben und Tod sich hervortut"[223]) (diese „Zitate" beziehen sich auf das „Farbenspiel der sterbenden Fische").

Bei der engen Verbindung, die zwischen Farbenlehre und Dichtung stets bei Goethe bestand, schwebte unzweifelhaft in der Schilderung der Meeresfarben in der Lustgartenvision dieses „zwischen Tod und Leben", „Erscheinen und Verschwinden" sich offenbarende grün-purpurne Farbenspiel Goethe vor; die unfaßbare Einheit der Kontraste des Daseins war von Goethe bei dem „greulichsten Ereignis", dem gegenüber es sich „in hohem Sinne zu fassen" galt, mit Sicherheit mitgedacht und mitentworfen. Im Flammengaukelspiel sollte nicht nur die schicksalhafte, schuldlos schuldige Verstrickung alles Weltlichen, sondern auch die Spannweite des Daseins schlechthin großartig total durchsichtig werden, was folgender Vers vom 27. Dezember 1827 unterstreicht, der auf einer Handschrift zu dieser Faustszene steht: „Wasserstrahlen reichsten Schwalles Drohn den Himmel zu erreichen, Sammel-Quellen raschen Falles Nur vermögen so zu steigen, Also muß die Feuerquelle Sich im Abgrund erst entzünden, Und die Niederfahrt zur Hölle Soll die Himmelfahrt verkünden"[224]). D. h., auch jener Antrag Mephistos an den Kaiser, sich auf den „Sitz" des „Olymps" zu schwingen (nachdem die Herrschaft über Feuer und Wasser geschildert worden war), ist alles andere als ein „Verführungs"-Versuch oder gar ein teuflisches Ablenkungsmanöver, wie es die meisten Forscher[224a]) darstellen: es ist die volle Konsequenz aus den Elementen- und Schicksalsstrukturen der Goetheschen Dichtung.

Die Rätselworte vom „Greulichsten", das „hartnäckig Mit- und Nachwelt" leugnet, und vom dreifachen geheimnisvollen „Wissen" beziehen sich nach allem, was uns die Vorformen und Vorgeschichte der Feuerszene sagen, auf ein Urschicksal, das jedem bewußt ist und doch von keinem offen anerkannt wird, das sich geheim im Untergrund alles Seins abspielt, aber als „Schein" stets von Mit- und Nachwelt, von der „Oberfläche" des Lebendigen, verworfen wird.

Doch gibt den letzten Ausschlag für die Erkenntnis der tatsächlichen inneren Bedeutung des Flammengaukelspiels die zeitlich dem „Faust II"-Drama am nächsten stehende Dichtung, die „Novelle". Diese Dichtung, die in unvergleichlicher Ausgewogenheit fast alle Elemente des spätgoetheschen Denkens enthält und die verschiedenartigsten Seinsgebiete, Kunst, Natur, Gesellschaft, Musik, Religion, den inneren Kampf zwischen Entsagung und Daimon usw. in wenigen großen Symbolen konzentriert, entwickelt beim Ritt der Fürstin durch den Marktplatz auf kleinem Raum ein Bild des gesamten menschlichen Handels und Verkehrs, eine „Summe des ganzen Staatshaushalts sowie der kleinsten häuslichen Wirtschaft". Mitten in diesem symbolischen Naturbild der Gesellschaft[225]) taucht plötzlich die Vision von der Feuersbrunst auf. Dem Fürsten „flammt ... das ungeheure Unglück wieder in die Einbildungskraft, das sich mir gleichsam in die Augen eingebrannt, als ich eine solche Güter- und Warenbreite in Feuer aufgehen sah"[226]). Als er weitererzählen will, unterbricht ihn die Fürstin, und bald lenkt sich die Aufmerksamkeit auf Löwen und Tiger, deren Gebrüll „in dem friedlichen Wesen und Wirken der gebildeten Welt ... sich ... furchtbar verkündigte". Das Element des Feuers und das der wilden Natur (vgl. damit das „wilde Heer" Pans) stehen kontrastierend zur Gesellschaft, jedoch nicht nach der Weise des Gegensatzes, sondern im Sinne einer unterirdisch mit dem Kontrastbild verbundenen Folie: der Fürst fühlt sich in der Marktstadt wie in einem verwirrenden Labyrinth: „Bei jedem Schritt ist man gehindert und aufgehalten, und dann flammt mir das ungeheure Unglück wieder in die Einbildungskraft", das heißt assoziativ wird das Unglück mit dem hemmenden Wirrwarr der menschlichen Gesellschaft und „gebildeten" Welt verknüpft. Desgleichen entspringt der Schrecken, den die Löwen und Tiger durch ihre Schaustellung auslösen, geradezu einem Bedürfnis und einer inneren Notwendigkeit des „friedlichen Staatsbürgers": „Zur Bude näher gelangt, durften sie die bunten kolossalen Gemälde nicht übersehen, die mit heftigen Farben und kräftigen Bildern jene fremden Tiere darstellten, welche der friedliche Staatsbürger zu schauen unüberwindliche Lust empfinden sollte"[227]).

Diese für den späten Goethe charakteristische Verbindung von Natur- und Konventionselementen, die ähnlich auch im „wilden Heer" des Pan-Kaisers nachweisbar war und später in der naiv-exotischen Löwenwärterfamilie, in Mutter, Vater und flötenspielendem Knaben, rührend, ja tiefsinnig zum Ausdruck kommt, liefert den notwendigen Hintergrund für die Feuersbrunstszene. Der „Marktplatz" ist positiv ein Urbild von Handel und Gesellschaft, negativ eine die freie Bewegung hemmende und störende, labyrinthisch unnatürliche, aus Willkür und Zufall menschlichen Zusammenseins entspringende künstliche Schöpfung (vgl. die immer wiederkehrenden Ausfälle Goethes gegen das „widerwärtige" Menschentreiben besonders auf großen Marktplätzen, z. B. auch im vierten Akt von „Faust II", V. 10136 ff.). So wird der Marktplatz — wie die menschliche Gesellschaft überhaupt — zum Schauplatz eines „Unglücks" und einer labyrinthischen Fesselung an das irdisch vergängliche Treiben und Tun. Die Gesellschaft birgt in sich selbst schon Feuer und Untiere, die erst spät, am Ende der „Novelle", durch die Macht der Kunst, der Musik und durch die schlicht-heilige Natürlichkeit des Knaben erhöht und gebändigt werden, ohne dabei an Kraft zu verlieren. Konsequent folgt daher auf die Marktszene die Befreiung vom Labyrinth der Gesellschaft: „Friedlicher Eindruck. Betrachtung des reinen Überblicks. Im Gegensatz des bürgerlichen Wesens", heißt es sehr deutlich in einer Skizze dazu[228]). Diesen „reinen Überblick" gewährt die „Lieblichkeit der Natur", und zwar „die heitere Stille, wie es am Mittag zu sein pflegt, wo die Alten sagten, Pan schlafe und alle Natur halte den Atem an, um ihn nicht aufzuschrecken". Es sei hierbei an das erinnert, was wir vom Schlaf des Epimenides, der „das All" erkennen wollte und dem großen Unglück entrückt wird, sowie von der Panallegorese des Kaisers gesagt hatten, an unsere Vermutung, daß dieser scheinbar passive Schlaf nichts anderes symbolisiere als die ruhige Warte, von der aus Gesellschaft und Unglück, Wirren und Zufälle ins rechte Blickfeld geraten: „Es ist nicht das erstemal, sagte die Fürstin, daß ich auf so hoher weitumschauender Stelle die Betrachtung mache, wie doch die klare Natur so reinlich und friedlich aussieht, und den Eindruck verleiht, als wenn gar nichts Widerwärtiges in der Welt sein könnte; und wenn man dann wieder in die Menschenwohnung zurückkehrt, sie sei hoch oder niedrig, weit oder eng, so gibts immer etwas zu kämpfen, zu streiten, zu schlichten und zurecht zu legen". Das labyrinthisch Verstrickende der Gesellschaft wird in dem Augenblick überschaut und erkannt, wo der Mensch in „heiterer Stille" wie Pan in der Natur steht (das ist vielleicht der innerste Grund, weshalb der „Seher" und rein alles historische Geschehen überschauende Epimenides „schläft", während die napoleonischen Kriege abrollen). In diesem ruhigsten Augenblick erblickt nämlich Honorio in der „Novelle" durchs Fernrohr den wirklichen Brand in der Stadt, der übrigens in eigenartiger Parallele zu Fausts Flammengaukelspiel ursprünglich ebenfalls als Fiktion gedacht war: „Sie glaubte wirklich, dergleichen zu sehen und es ist keine Frage, daß ein feuriges Auge sich die Gegenstände zum Schein entzünden und als flammend vor sich schauen könne"[229]). In streng innerer Verbindung zu dieser Feuersbrunst folgt dann das Unglück mit Tiger und Löwe, deren Ausbrechen eine ähnliche „Not" hervorruft wie das Ausbrechen des „wilden Heers" des Kaisers und das Aufflammen des Feuers in der Goldkiste: „Seltsame Schicksale bedrohen uns heut; unten das grimmige Feuer, das wir löschen, oben das grimmige Tier, das wir schonen sollen" (Lesart H[9])[230]). Gekrönt aber wird diese Parallelität zur Mummenschanz durch das „wunderbare Schauspiel" der „bunt und wunderlich gekleideten" Wärterfamilie. Nicht nur ist hier, wie schon Beutler[231]) feststellt, der Knabe eine unmittelbare Fortsetzung der Mignon- und Knabe Genius-Gestalt (in seiner gebrochenen Naturmelodik: „Tonfolge ohne Gesetz" usw.), nicht nur hat die Mutter eine ähnliche mignonartige „natürliche Sprache, kurz und abgebrochen ... eindringlich und rührend" (auch im exotischen Äußeren bestehen Parallelen), sondern vor allem der Vater wendet dort das ganze Geschehen mit „dem Ausdruck eines natürlichen Enthusiasmus" in eine mythische Natursymbolik, die unvergleichlich schön die gleiche Umdeutung des Unglücks ins Elementarische, Naturhafte bringt, die Goethe in der Lustgartenvision mit dem Flammengaukelspiel vornimmt: „Gott hat dem Fürsten Weisheit gegeben, und zugleich die Erkenntnis, daß alle Gotteswerke weise sind", so beginnt er seine Bemühung, das Unglück des Ausbruchs des Löwen ins Positiv-Natürliche zu deuten und den Löwen zu retten, „Seht den Felsen, wie er fest steht und sich nicht rührt, der Witterung trotzt und dem Sonnenschein; uralte Bäume zieren sein Haupt, und so gekrönt schaut er weit umher; stürzt aber ein Teil herunter, so will es nicht bleiben, was es war, es fällt zertrümmert in viele Stücke und bedeckt die Seite des Hanges. Aber auch da wollen sie nicht verharren, mutwillig springen sie tief hinab, der Bach nimmt sie auf, zum Flusse trägt er sie ... endlich zum Ozean, wo die Riesen in Scharen daher ziehen und in der Tiefe die Zwerge wimmeln"[232]).

Hatten zu Beginn Feuer und wilde Tiere Verderben und Unglück gestiftet ähnlich dem Flammenspiel und dem wilden Heer des Pan in Faust II, so folgt hier wie dort die Herrschaft über ihre elementaren Gewalten mit Hilfe der Poesie (Heroldstab des „Dichters" Plutus, Flöte und Gesang des Knaben) und mit Hilfe eines Umschlags ins Mythisch-Elementare: Der Ausbruch des Löwen wird vom Vater durch den Einsturz des Felsens und durch seine triumphale Einfahrt in den Ozean symbolisiert, wo in Riesen und Zwergen der Kreislauf von Unterwelt und Oberwelt, Berg und Meer sich schließt (denn die Zwerge und Riesen sind ja bei Goethe typische Bergbewohner). Nicht nur auf den Aufzug des Pan, der, ebenfalls von „Riesen" und Zwergen begleitet, das Flammenspiel anschaut, sondern auch auf die Grundsymbolik der Mummenschanz werfen diese auffälligen Parallelen ein Licht. Denn sogar die souveräne Herrschaft des Kaisers über die Elemente ist in der Novelle konsequent weiterentwickelt: „Über Meere herrscht sein Blick; Löwen sollen Lämmer werden, Und die Welle schwankt zurück, Blankes Schwert erstarrt im Hiebe" usw. Das steht auf genau der gleichen Stufe wie die Stelle in der Lustgartenvision: „Der Haifisch klafft, du lachst ihm in den Rachen (V. 6018) ... weil jedes Element die Majestät als unbedingt erkennt" (V. 6003 f.). Die scheinbar religiös eschatologische Heiligung der Natur in der Novelle durch die Macht der Musik, die Umkehrung alles Wilden ins Gebändigt-Kraftvolle entspringt genauer besehen einem tief inneren Kompositionsgesetz der spätgoetheschen Dichtung, die durchgehend, von der „Pandora" bis zu „Faust II", auf einen Ausbruch der Leidenschaft und auf ein Preisgegebensein an die elementaren Gewalten der Natur eine Bändigung, Erhöhung, Verklärung und Beherrschung der Natur, eine wunderbar siegende Herrschaft über das Elementare folgen läßt — in der Novelle mit religiös-hymnischem, in der Lustgartenvision mit staatsphänomenologischem Akzent, beidesmal aber strukturell völlig gleich als hohe, heiter gelassene, ja „lachende" Herrschaft über den Kosmos gestaltet.

Der Umkreis der Mummenschanzsymbolik ist damit umschrieben. Genau wie in der Novelle Gesellschaft, Marktplatz, Kunst, Natur und endlich auch der innere Daimon — in Honorio, der ähnlich dem Pan-Kaiser „sich selbst überwinden muß"[233]) — ihr Unglück, ihre „wilde Natur" in sich selber trugen und zum erlösenden Endpunkt des Elementarischen führten, so entfalteten sich in der Mummenschanz allmählich sämtliche Schichten des Wechselverhältnisses von Gesellschaft und Kunst: Indem ihre Allegorik heiter leicht mit dem Kampf zwischen Konvention und Natur, „künstlichen" und „natürlichen" Blumen begann (vgl. damit die Kontrastierung des modernen Schlosses mit der urgewaltigen Bergruine zu Beginn der Novelle, ihren Reflex in den Zeichnungen des Künstlers und in der Natur der schönen Frau, der Fürstin), indem sie sich weiterhin zur gesellschaftsjenseitigen Verklärung des Genius (Knabe Lenker) erhob, entwickelte sie ihre letzte, gewaltige, mythische Kraft im Ausbruch und in der Beherrschung der Elemente, die sämtliche Grundschichten des Daseins — Staat, Gesellschaft, Geschichte, Genius, Daimon, Kunst und Natur — im geheimnisvollen Medium des flammenden Goldes umfassen und krönen. Die Ankündigung der Mummenschanz durch Mephisto, den verheißenen Schatz erst „durch das Obere zu verdienen" — „Wer Gutes will, der sei erst gut; Wer Freude will, besänftige sein Blut; Wer Wein verlangt, der keltre reife Trauben; Wer Wunder hofft, der stärke seinen Glauben" — war also mehr als eine heuchlerisch moralisierende Ablenkung des Kaisers auf Spiel, Tanz und Maskerade. Die Mummenschanz selber enthielt in sich die Möglichkeit, den „Schatz" von innen heraus zu „verdienen", ohne daß hier Aschermittwoch zu Hilfe gerufen werden mußte[234]. Für Faust aber ist diese Mummenschanz der erste entscheidende Vorstoß nicht zwar in die zeitliche Realität der „großen Welt", wohl aber in ihre eherne Urphänomenalität. Nichts geringeres als der Gang zu den „Müttern", zu den Urphänomenen und Urbildern Helenas ist mit diesem Vorstoß bereits innerlich vorbereitet und gewährleistet.

14. Mütterszene und Helenabeschwörung

Die Helenabeschwörung und Fausts Gang zu den „Müttern" hat begreiflicherweise eine umfangreiche Literatur hervorgerufen, die sich vor allem der philosophisch-gedanklichen Auslegung und Deutung bemächtigte[234a]. Der raum- und zeitlose Charakter des Wohnsitzes der Mütter, der „umschwebt von Bildern aller Kreatur" in „Schemen" alles, „was einmal war", also auch Helena und Paris, in sich bewahrt und wieder hervorbringen kann, hat immer wieder Anlaß zu spekulativen Versuchen gegeben, die Szene mit dem Neuplatonismus, ja sogar mit Kants „Ding an sich"[235] u. a. in Beziehung zu setzen und von hier aus zu klären. Die äußerst einschränkende Angabe Goethes, er habe „beim Plutarch gefunden, daß im griechischen Altertume von Müttern, als Gottheiten, die Rede gewesen. Dies ist alles, was ich der Überlieferung verdanke, das Übrige ist meine eigene Erfindung"[236]), führte statt zu einer vorsichtigen Untersuchung darüber, was nun eigentlich Goethes „eigene Erfindung" war, zu einer ausgedehnten Quellen- und Vorlagenuntersuchung mit einer Aufrollung der ganzen spätantiken philosophischen Tradition bis zu Augustin[237]) einschließlich der antiken und vorantiken Mütterkulte, wodurch die ganze Szene in ein Modell für eine philosophisch vorgegebene Vorstellungswelt verwandelt wurde. Goethes eigene, stets zurückhaltend schwankende, halb ablehnende, halb bejahende Haltung zum Neuplatonismus, seine Ausfälle vor allem im Alter gegen alles „Mystagogische" auch neuplatonischer Herkunft[238]), seine halb negative, halb positive Stellung zu Plutarch — 1809 nennt er sogar einmal den ihm verhaßten Newton den „englischen Plutarch"[239]), während er andererseits besonders im Alter mit Vorliebe Plutarch liest — wurden dabei selten oder kaum berücksichtigt, obgleich sie nicht ohne Einwirkung auf den doppelsinnig schillernden Charakter auch dieser Szene blieben: „Du sprichst als erster aller Mystagogen, Die treue Neophyten je betrogen" usw. antwortet z. B. Faust nicht ohne eine innere Goethesche Absicht auf die erhabene Schilderung des ungreifbar transzendenten Wohnorts der Mütter.

Will man jedoch die „eigene Erfindung" Goethes herausarbeiten, so sind die überlieferten Einflüsse, die unzweifelhaft nachweisbar sind und dank weitschichtiger Untersuchungen genügend nachgewiesen wurden[239a]), unter der Perspektive der Goetheschen Vorstellungs-, Gefühls- und Dichtungswelt zu betrachten. Dabei ist zunächst auf die Entstehungsgeschichte der Szene Rücksicht zu nehmen, und zwar im Zusammenhang mit den Umformungen der Helenabeschwörung. Im ersten Plan zur Helenabeschwörung (Paralip. 63) fehlt die Mütterszene bekanntlich. Damals f o l g t e auf die erste Helenaerscheinung Fausts leidenschaftliches Verlangen nach Helena. Desgleichen unterläßt Goethe von dem großen Plan von 1826 zum zweiten Akt die praktische Ausführung der Stelle: „Faust aus einer schweren, langen Schlafsucht (nach der Katastrophe bei der ersten Helena-Umarmung) ... ins Leben zurückgerufen, tritt exaltiert hervor und fordert ... den Besitz (der Helena) heftig von Mephistopheles. Dieser ... bedient sich seines früheren probaten Mittels seinen Gebieter nach allen Seiten hin und her zu sprengen" (Paralip. 123, 1). Deutlich also tritt Goethes neue Absicht zutage, alles „Leidenschaftliche", Drängende, von der zweiten Helenabeschwörung in die erste zu verlegen und schon in ihr selbst zum vernichtenden Ende zu führen. Damit — das ist entscheidend für die Erkenntnis der Mütterzitierung — tauchte erst die Notwendigkeit auf, dies Leidenschaftliche in seiner für den s p ä t e n Goethe konstitutiven Tiefe zu erschließen, nämlich den Helden ins autonom und unbedingt „Ungeheure", Absolute und Transzendente zu treiben in dem Sinne, wie es der greise Goethe faßte: die Leidenschaft der Beschwörung, die in der katastrophalen Umarmung gipfelt, offenbart sich im entschlossenen Sprung zu den im Zeit- und Raumlosen wohnenden Müttern.

So kühn diese Schlußfolgerung ist, so einsichtig wird sie bei genauerer Betrachtung:

War für den späten Goethe die „subjektive", leidenschaftliche Haltung des Faust I nicht mehr tragbar, so kannte der Dichter sehr wohl, wie die Spätnovellen, die Wahlverwandtschaften, die letzten Partien von Dichtung und Wahrheit und die Wanderjahre zeigen, den Begriff einer absoluten, unbedingten Leidenschaft bis ins höchste Alter hinein: Goethe entzog diesem Begriff das Klagend-„Lamentable", das „verzweifelt" Unbeherrschte der Frühzeit, aber füllte ihn mit einem neuen, tiefgreifenden und vor allem auch gedanklich und künstlerisch bestimmt durchgeformten Inhalt. Besonders die Vorstellung vom .„Dämonischen", die ja erst im Alter von Goethe gedanklich bewältigt wird, sowie der Begriff des „Schauders", den jede „Idee", jedes „Urphänomen", welches unvermittelt hervortrete, erzeuge, sind hier zu nennen. Während in der Frühklassik und Klassik Goethe noch daran glaubte, das „Urphänomen" in der Erscheinung selbst wahrnehmen und an ihr demonstrieren zu können, weisen seine späten Äußerungen immer mehr auf das „Unmögliche" des Urphänomens in den Erscheinungen und damit zusammenhängend auf den „Schauder" hin, den es bei unerwartet plötzlichem Hervorbrechen dann auslöse. Entsprechend wird andererseits echte große Leidenschaft bei ihm zum Einbruch des „Unbedingten" in die Erscheinung, wie die großen Gestalten unbedingter Leidenschaft in seinen Alterswerken — Eduard, Ottilie, die vielen leidenschaftlich und unbedingt Liebenden, vor allem der eingelegten Novellen in den „Wanderjahren" — meist vor ein „Ungeheures", außer allem Gewöhnlichen gestellt sind, ja schließlich selbst ein solch Ungeheures manifestieren, so daß z. B. Ottilie wörtlich als etwas „Ungeheures"[240]) aus allen Relationen irdischer Wesen heraustritt und ein Absolutes in sich offenbart, leise vorgedeutet schon in ihrem Auftreten als lebendes Gemälde — das bei Goethe stets angst- und schaudererregender Durchbruch der Idee in der Erscheinung ist — und vollendet schließlich in ihrem transparent unsterblichen Leib, an dem sich Wunder und Zeichen ereignen. Dies Verschwinden unmittelbar ausbrechender Gefühlsleidenschaft im äußerlich ruhigen Bild einer ungeheuren, verklärten und doch erschreckenden, unfaßbaren „Idee" — Goethe gebraucht im Alter das Wort „Idee" in diesem urphänomenologischen Sinne — ist der künstlerische Ausdruck spätgoethescher, gemeisterter Leidenschaftsformen und ist zugleich die Basis für ihre konkret dichterische Gestaltung: Die Personen werden „Schemen" dem Irdischen gegenüber, dagegen Bilder der „Wahrheit" der Idee gegenüber. Zwischen Schein und Sein stellen sie Urformen des Absoluten wie auch des Geschichtlichen dar, sofern es ins „Ewige" eintreten will. Vergleiche der Mütterszene mit diesen künstlerischen Vorgängen ergeben in der Tat die enge Verbindung dieser nur dem Schein nach philosophischsten Szene in Faust II mit längst entwickelten dichterischen Formen Goethes: Wenn z. B. durch die Kraft des Schlüssels hinter einem „dunstigen Nebel" (V. 6440) aus dem Reich der Mütter alles, „was einmal war, in allem Glanz und Schein" (V. 6431), wieder hervortritt, so erinnert das bis in einzelne Bildformen hinein (Nebel, absolut weltentrückter Raum, Schemenhaftigkeit) an die Tantalidenvision Orests, an den elysischen Traum Tassos, an Ottiliens traumhaften Aufenthalt bei ihren verstorbenen Ahnen in der Kapelle usw., das heißt an Szenen, die wohl in der antiken Tradition, etwa in Platos Höhlenbild, ihre Vorbilder haben, dennoch aber in bestimmten Goetheschen Entwicklungsstufen wurzeln und sich von ihnen aus wieder entschieden von der Antike abgrenzen. Denn wenn z. B. Tassos platonisierende „Urbild"-Vision (V. 1098) — mit den Worten: „Es sind nicht Schatten, die der Wahn erzeugte, Ich weiß es, sie sind ewig, denn sie sind" — die „Ewigkeit" der Urbilder aus ihrem „Sein" entwickelt und wenn in der Mütterszene mit ähnlichen Worten — „Was einmal war, in allem Glanz und Schein, es regt sich dort, denn es will ewig sein" (V. 6431 f.) — die Urbilder beschworen werden, so bezeugen doch gerade diese zwei Stellen eine innere Wandlung Goethes. Behauptete sich im „Tasso" das ewige Sein der Schatten unter Protest gegen die höfische Welt, stand es als Beharrendes, als „Sein" gegen die Fluktuation der „Welt", so taucht umgekehrt in der „Mütterszene" das neue Problem auf, die „Wandlung" des Seins zu bezeichnen, und zwar in einer meta- morphosenhaften Verbindung zwischen „Leben" und „Schönheit", nicht in einer hochklassischen Konfrontierung. Am auffälligsten belegt das ein Vergleich mit den Lesarten: Die ursprüngliche, streng platonisierende Stelle: „Was war, was ist, was kommt", „unwandelbar", „es will ewig sein" (Lesart zu V. 6431 f.), kannte noch eine statische Unwandelbarkeit der Bilder, eine völlige Zeitentrücktheit, und schloß sich damit eng an die antike Tradition und Plutarchstelle an. Bei Plutarch heißt es: „In demselben (Feld der Wahrheit im Triangel) liegen die Gründe, Gestalten und Urbilder aller der Dinge, die je existiert haben und noch existieren werden, unbeweglich. Diese umgibt die Ewigkeit, von welcher die Zeit wie ein Ausfluß in die Welten hinübergeht"[241]). Die „Bilder des Lebens", die die Mütter umschweben, umfassen danach die Urbilder sämtlicher gewesener, seiender und zukünftiger Wesen, d. h. die Gesamtheit alles Seienden, in „unbeweglicher Ruhe". Dann aber unterläuft Goethe in der Handschrift der bedeutende, erregende Satz: „Und doch verschwindet's". Das hätte an sich noch in der platonischen Dialektik Raum, bedeutet aber schon einen Vorstoß in die typisch spätgoethesche Fragerichtung nach der Dauer und Ewigkeit des Gewesenen. Das quälende Problem des „Ver- schwindens" der Bilder, das seit Ottiliens Porträt- und Bildermystik Goethe zuinnerst beschäftigt[242]), steht hier unter einer bestimmten Konstellation: Es geht Goethe auf, daß die Rettung und „Ewigkeit" der

Bilder ja erst garantiert ist, wenn real einst Gewesenes der Vergänglichkeit standhält[243]); in der Bergung und Bewahrung des Historisch-Konkreten (Helenas) erweist sich die „Ewigkeit" für den späten Goethe, weniger in dem einfach idealistischen Hinweis auf „unbeweglich" immer seiende Bilder. Der Entfaltungs-, Werde- und Beharrungsprozeß des Seins, kurzum der P r o z e ß des Werdens ist ihm wichtiger als die statische Unwandelbarkeit des platonischen Urbildes, so daß sich der Satz formt: „Es wogt einher, als wollt es ewig sein", bis die endgültige Fassung lautet: „Was einmal w a r, in allem Glanz und Schein, es r e g t sich dort, denn es will ewig sein". In dem „war" und in dem „Sich-Regen" der Schemen zeigt sich die spezifisch spätgoethesche Haltung, die ihn vom strengen Platonismus trennt: Die Behauptung des transzendentalen Seins im Schein und die gleichzeitige Wandelbarkeit und Regsamkeit der Gestalten, d. h. die genetisch-ontologische (nicht präexistent-ontologische) Fassung des „Urbildes" ermöglicht das immer wiederholte und sich wandelnde Weiterleben des Gestorbenen. Keine idealistische Setzung metaphysisch vorgegebener Urbilder, sondern eine metamorphosenhaft sich wandelnde und dennoch auch zeitlos ewige, irreal-schemenhafte Erhebung ins Urphänomenologische konstituiert hier den Begriff des „ewigen Seins". Geschichtlich-morphologisches Denken und ontologisch-transzendentales vereinigen sich zu einer geistesgeschichtlich kaum sonst erreichten Verbindung[244]). Auch grundsätzlich steht ja, wie Platow[245]) gezeigt hat, Goethes Weltanschauung in ausdrücklichem Gegensatz zu jeder Präformations- und Evolutionshypothese wie zu jeder Epigenesis. Eine eigentümlich originelle Mittellage hebt sie aus allen üblichen Denkweisen heraus.

Andere Gestaltformen vervollständigen das Bild. Es ist nicht zu vergessen, daß die Beschwörung vergangener Schönheit — die ja dem Stoff wie dem tieferen Gehalt nach zugleich eine Beschwörung des absolut Schönen ist, also kunstgeschichtliche und systematisch ästhetische Elemente[246]) unmittelbar zu verknüpfen versucht — nach den Lesarten durch den „Dichter" geschieht: Der „glühnde Schlüssel" (Paralip. 120) zum Reich der Mütter „leuchtet, blitzt" genau wie das flüssige Gold aus dem Flammenzauber, ja er „wächst" (V. 6261) wie die „Flämmchen" des Knaben Lenker, von denen es in einer Skizze heißt: „Knabe Flämmchen. Deutet atmendes Wachstum derselben" (Paralip. 104). Der Schlüssel weist also auf einen genetisch produktiven Wachstums- und Werdevorgang hin, der in enger Verbindung mit kunstgenetischen Schichten steht. Ferner erinnert die „reiche Spende" des „Dichters" Faust an die Plutusgestalt. Selbst die „Weihrauchs"-Nebel (Lesart zu V. 6437) und sich verschränkenden Wolkenarten, aus denen „Musik" in „luftigen Tönen" emporsteigt und den „Tempel" in lauter Melodie verwandelt, bis „aus dem leichten Flor" Paris und Helena hervortreten, sind Ausdrucksformen einer rein poetischen Magie.

Denn nur so klärt sich die vielumstrittene Stelle: „Und ihr verteilt es, allgewaltige Mächte, Zum Zelt des Tages, zum Gewölb der Nächte. Die einen faßt des Lebens holder Lauf, Die andern sucht der kühne Magier auf (Lesart: ‚sucht getrost der Dichter auf')". Frederking[247]) ging soweit, den offenkundigen Bezug zwischen „Zelt des Tages" und „Leben" auf der einen, „Gewölb der Nächte" und „Magier" bzw. „Dichter", auf der anderen Seite zu leugnen, weil erstens nur der Magier, nicht aber der Dichter dem Gewölb der Nächte verhaftet sei[248]) und zweitens nicht eine tatsächliche magische Beschwörung von Helenas Urbild bei den Müttern durch Faust, sondern nur die Entführung des geheimnisvollen Dreifußes hinter der Szene im Reich der Mütter stattgefunden haben könne, da sonst Faust beim Anblick Helenas während ihrer Erscheinung am Hof nicht nochmals in Staunen und Entzücken gerate. Denn, so führt Frederking aus: „Was wir in V. 6436 lesen („Die andern sucht der kühne Magier auf"), dürfen wir nicht ganz wörtlich nehmen; dem widerspräche alles, was wir sonst über Fausts Besuch bei den Müttern und der Geisterszene erfahren"[249]). Solche bereits in der Fragestellung eigenartig amusisch berührende Deutungsweise wird allein schon durch ein Dokument entkräftet, das sehr wohl den innigen Zusammenhang zwischen Nacht und Poesie bei Goethe belegt. Im Weimarer Maskenzug von 1818, jener von Goethe als „Poetik" bezeichneten Darstellung der gesamten Weimarer klassischen Werke, erscheint ausdrücklich die „Nacht" als Zeitraum der Poesie im Gegensatz zum „Tag", der die Leistungen von Wissenschaft, Technik usw. dokumentiert und „über das lange Verweilen der Nacht, über zudringliche Darstellung allzu vieler poetischer Erzeugnisse gleichsam ungeduldig ... herein"tritt[250]). Auch an das „Nächtliche" des Knaben Lenker ist zu erinnern. Wenn entsprechend in Faust II „des Lebens Bilder, regsam, ohne Leben", die die Mütter umschweben, „zum Zelt des Tages, zum Gewölb der Nächte" von „allgewaltigen Mächten" „verteilt" werden, so mag zwar die strenge Zweiteilung in Leben und Poesie (Magie) immer noch zweifelhaft sein, nicht zweifelhaft aber ist die Grundüberzeugung Goethes, daß durch die totalisierende Zweiheit beider sich zeitliches Sein rettet, vollendet und verewigt. „Und wenn mich am Tag die Ferne luftiger Berge sehnlich zieht, Nachts das Übermaß der Sterne prächtig mir zu Häupten glüht, Alle Tag' und alle Nächte Rühm ich so des Menschen Los; Denkt er ewig sich ins Rechte, Ist er ewig schön und groß"[251]), so huldigt Goethe 1826 dem „schwebenden Genius über der Erdkugel, mit der einen Hand nach unten, mit der andern nach oben deutend". „Ewig schön und groß" wird die Welt durch totale Umfassung von Tag und Nacht, oben und unten. Die Beschwörung der Helena, das „reiche Spenden" des „Schönen" durch den „Dichter" bzw. „Magier" liegt in der

Verewigungskraft, die der polaren Verschmelzung von Leben und Kunst entspringt.

Nur eine solche ununterbrochen aufrechterhaltene Verbindung mit der Gesamtdichtung Goethes vermag uns vor noch abwegigeren Deutungen zu bewahren, wie sie z. B. Hertz gab, der des „Lebens holden Lauf" auf Homunkulus bezieht, in dem er eine Manifestation von Helenas Entelechie sieht: „Nachdem der Dichter … uns darüber belehrt hat, daß sie (Helenas Entelechie) nicht nur im Zauberspiegel, sondern auch von des Lebens holdem Lauf erfaßt in die Erscheinung treten könne, zeigt er uns symbolisch am Beispiel des Homunkulus, auf welche Weise die Verkörperlichung und darauf die Menschwerdung der Entelechie zu denken sei"[252]. Das „Zelt des Tages" deutet nach Hertz auf die Wiedergeburt Helenas durch Homunkulus, die Nachtbeschwörung durch den „kühnen Magier" aber ist nach ihm eine „falsche" Beschwörung, deren Spuren in dem getilgten Gang Fausts in die Unterwelt noch auffindbar seien[253]. Nirgends wird deutlicher, wie weit eine rein auf den konstruktiven Aufriß des Werkes und auf eine bestimmte — hier naturphilosophische — These gerichtete Deutung gehen kann: Durch das Bemühen, jede einzelne Stelle in einen logisch-gedanklichen Zusammenhang mit späteren oder früheren Handlungsschichten zu bringen, wird aus dem Faust II-Werk ein Gedankensystem, in dem das eigentlich Dichterische, u n m i t t e l b a r aus der Fülle der Goetheschen Vorstellungen Entspringende, preisgegeben wird. Schon die Behauptung, die „kühne Magie" sei eine „falsche" Magie (gemeint ist von Hertz Fausts Gang in den Orkus), verengt die dichterische Konzeption Goethes und übersieht die große Bedeutung magisch unmittelbaren Heranziehens des Vergangenen, welche Goethe immer wieder der Poesie zuschrieb. Sie vergißt das Stück echter Magie im Dichterischen bei Goethe, das die Ersetzung des Wortes „Dichter" durch „Magier" nicht nur vom Stoff her, sondern auch von innen rechtfertigt. Vergegenwärtigung des Vergangenen durch die „nächtliche" Zauberkraft des Dichters bedeutete ja für Goethe eine „unheimliche" und zugleich überwältigend beglückende Steigerung aller seiner Produktivkräfte[254]. Nicht nur Helena, sondern auch konkrete antike Bauformen (V. 6405/14) werden in aufschlußreicher Verbindung mit einem Absoluten hier „vergegenwärtigt", ein „Doppelreich" darstellend, „so fern" und doch „näher", als Helena jemals in ihrer Wirklichkeit war. Weder eine reale Zitierung von Vergangenem noch auch eine allgemeine ideelle Erscheinung zeitloser Schönheit findet in dieser magischen Hervorrufung Helenas statt, sondern ein höchst merkwürdiger und wichtiger Austausch von „Urbild" und „Gegenwart", der durch analoge Vorgänge in anderen Spätwerken Goethes erst voll einsichtig wird:

So wird zu Beginn der „Wanderjahre" der moderne Josef in die historische Vorwelt der heiligen Familie versetzt gerade dadurch, daß ihm

in einer gegenwärtig im Gebirge erscheinenden Maria plötzlich das heilige
Urbild Marias entgegentritt und ihn in einen „Traum" versetzt[255]), weil
die Vorwelt sozusagen in ihr magisch wiederersteht: Indem die Gegenwart selbst ins Urphänomenale eintritt, wird sie „traumhaft", um zugleich dennoch eine greifbare „nahe" Gegenwärtigkeit zu repräsentieren,
so daß es Josef „gleich wieder" ist, „als ob" er „aus einem Traume erwachte" und sich die „Bilder in der Kapelle" als „Traum" erwiesen, die
nunmehr sich „in eine schöne Wirklichkeit auflösten"[256]). Ganz entsprechend wird für Faust bei Helenas Erscheinung ihre schemenhafte
Traumhaftigkeit zur eigentlichen Wirklichkeit („Hier faß ich Fuß! Hier
sind es Wirklichkeiten"), während die reale Kaiserwelt ins Unwirkliche
versinkt. Die „Vergegenwärtigung des Vergangenen" ist im Grunde ein
Durchbruch ins Urphänomenale, der jederzeit stattfinden kann und auf
keine reale, sondern auf eine ontologisch-produktive Beschwörung des
Gewesenen abzielt (darum auch spezifisch „dichterisch" ist). Die Frage, die
Goethe im Alter immer wieder bewegte: Wie kann Historisch-Vergangenes,
das einmal „groß" war, wieder auferstehen? ist entsprechend in der
Helenadichtung gelöst und gestaltet: Nicht eine wirkliche Antike erscheint
in Helena einfach wieder, sondern das urphänomenal Schöne tritt auf als
„Doppelreich" von Wahrheit und Fiktion, Traum und Wachheit, Idee und
Erscheinung und enthüllt erst dadurch eine w a h r e Wirklichkeit. Dieser
Begriff der Wahrheit erhält aber seine Klärung im „Schlüssel" Fausts:

Merkwürdigerweise darf Faust mit dem Schlüssel die Mütter magisch
„anziehen", aber nicht „berühren" (Paralip. 121), wie auch der Boden, auf
den Faust tritt, ihm „unbewußt" bleibt. Auch dies trennt Goethe von
Plato und Plotin. Nicht Erkenntnis der Urbilder, sondern ihre Zitierung
im weiterhin verhüllenden Schein, nicht volle rationale bzw. überrational-
ekstatische Anschauung statisch ewiger Ideen, sondern ein Verharren im
„Unbewußten", dessen Formen Schleier, Masken, Schemen, Wolken, d. h.
mythologisch-transzendentale Zwischenschichten auf der Grenze zwischen
dem Absoluten und dem Empirischen sind, bezeichnet die Goethesche Ur-
bildbeschwörung. Die ganze Masken-, Larven- und Scheinwelt in Faust II,
dieses vielfältig komplizierte Spiel zwischen Urgeschichte und Geschichte,
irrealer und realer Darstellung ist der wahre Ausdruck des Goetheschen
Grundverhältnisses der Poesie zum Absoluten: Gerade der „Schlüssel",
sonst höchstes Bild eindringender philosophischer Erkenntnis, schließt
nicht. In den „Wanderjahren" zerbricht er und wird magnetisch nur für
„Eingeweihte" wieder verbunden. In Faust II „zieht" er die Mütter nur
„an": „Der glühnde Schlüssel rührt die Schale kaum, Ein dunstiger Nebel
deckt sogleich den Raum" (V. 6439 f.). Der glühende Schlüssel gewährt zwar
in Analogie zum Goldgeheimnis den Zugang zum letzten „Sinn", keineswegs aber seine begriffliche oder anschauungsmäßige Klärung und Artikulierung. Er ermöglicht den radikalen, entschlossenen Vorstoß ins Bereich

des Transzendenten, wie die ganze Mütterszene die am weitesten trans-
zendierende Szene ist, die Goethe gewagt hat (abgesehen von bestimmten
Mignon- und Ottiliepartien); aber er verbleibt noch im Raum der Dichtung, öffnet sich nicht zum Begriff, weder im rationalen noch mystischen
Sinn. Darüber hinaus aber bleibt alles Gefühl: Die starke Wirkung, die
diese Szene auslöst, verdankt sie weniger der überlieferten Welt der Gedanken als dem „Schauder" und dem „Ungeheuren", durch das Faust wie
durch einen „Schlag" schon beim Klang des Wortes „Mütter" „auf-
geschreckt" (V. 6217) wird: „Das Schaudern ist der Menschheit bestes
Teil; Wie auch die Welt ihm das Gefühl verteure, Ergriffen fühlt er tief
das Ungeheure" (V. 6272 ff.). Auch dies hat vielfache Vorformen. Beim
Abschied von Rom, wo nach einem späten Ausspruch Goethes „einen das
Ungeheure überall umgibt"[257]), fühlt Goethe — nach einer gleichfalls
späten dichterischen Überarbeitung der „Italienischen Reise" — einen
tiefen Schauder wie vor dem Innersten der Antike: „Als ich aber den erhabenen Resten des Kolosseums mich näherte und in dessen verschlossenes
Innere durchs Gitter hineinsah, darf ich nicht leugnen, daß mich ein
Schauer überfiel und meine Rückkehr beschleunigte, ... und in solchen
Umgängen zog ich gleichsam ein unübersehbares Summa Summarum
meines ganzen Aufenthaltes"[258]). Das „verschlossene Innere" und die
„Summa Summarum" seiner Berührung mit der Antike hängen derart
zusammen, daß hier eine ungewöhnliche Symbolik entsteht, die außer-
ordentlich wertvolle Einblicke in die Hintergründe der spätgoetheschen
Antikeverehrung gewährt: Das Kapitol wird ihm nämlich zu einem
„Feenpalast der Wüste" (vgl. die grenzenlose „Wüste" und Öde des Ortes
der Mütter); Goethe hat das Gefühl, „daß er etwas Ungewöhnliches unter-
nehme"[259]). In der Schlußszene der ganzen „Italienischen Reise", dort, wo
Goethe ein Fazit aus seiner Beschäftigung mit der Antike zu ziehen versucht, verwandelt er aufschlußreicherweise die antiken Architekturen ins
„Ungeheure" von „Wüsten" und in ein „verschlossenes", schauder-
erregendes „Innere", in das er kaum hineinzublicken wagt. Der Durchbruch der vollen Antike, ihre „Summa Summarum", ist gleichbedeutend
mit einem Zurücksinken der oberflächenhaft gegebenen Erscheinungen
(der realen Antike) ins Nichtmehrerscheinende, Wildwüstenhafte, Grenz-
los-Einsame. Mond und „vereinfachende große Lichtmassen" vervollständigen diesen „Zustand wie von einer anderen, einfacheren, größeren
Welt"[260]), die in lautloser Stille und in einem unheimlich verschlossenen
Inneren den Urgrund einer versunkenen Größe ahnungsvoll schreckhaft
verbirgt. Wüste, Höhlen, einsame Felsen, Mondschein und große Lichtmassen — viel mehr als eine eigentlich mystische Philosophie — sind die
Elemente, durch welche das Absolute der Antike aus der im Realen geborgenen Erscheinung heraustritt ins grenzenlos Absolute (um von hier
aus wieder rückwirkend die reale Erscheinung zu bezwingen und zu

gliedern). „Ruhig Wasser, grause Höhle, Bergeshöh und ernstes Licht, Seltsam wie es unsrer Seele Schauderhafte Laute spricht. So erweist sich wohl Natur, Künstlerblick vernimmt es nur"[261]). Wie zu Beginn der „Klassischen Walpurgisnacht" „Erichtho" zum „Schauderfeste dieser Nacht" tritt, in der „hellenischer Sage Legion" magisch vergegenwärtigt „um alle Feuer unsicher schwankend" sich versammelt, wie Faust selbst nach einem ursprünglichen Plan schaudernd ins Reich der Persephone einzudringen versucht, so steigt in der Mütterbeschwörung ein Urlaut der Antike hervor, dessen seelischer Umfang weit über das geschichtliche Maß der Antike hinausreicht und nur noch aus untersten und geheimsten Bereichen Goethescher Seele und Kunst enträtselt werden kann. Die Mütter, die „aufschreckend" die Vision äußerster Öde erzeugen, stehen szenisch in Verbindung mit einem Parallelvorgang, der sich innerhalb der von Faust beschworenen antiken Architektur abspielt. Denn auch diese „Tempel", die bei der Helenabeschwörung magisch emportauchen, haben nichts mehr von antiker Harmonie, Einfalt und stiller Größe, sondern zeigen ungeheure, dem „Atlas" gleichende (V. 6405), zyklopenhaft sich auftürmende, „Felsenlast" tragende Säulen, die durch magischen Lichtschein sich enthüllen: „Die Tepp'che schwinden, wie gerollt vom Brand; Die Mauer spaltet sich, sie kehrt sich um, Ein tief Theater scheint sich aufzustellen, Geheimnisvoll ein Schein uns zu erhellen ... Durch Wunderkraft erscheint allhier zur Schau, Massiv genug, ein alter Tempelbau. Dem Atlas gleich der einst den Himmel trug Stehn reihenweis, der Säulen hier genug. Sie mögen wohl der Felsenlast genügen, Da zweie schon ein groß Gebäude trügen" usw.

Die Schönheit also erwächst aus dem grenzlos Ungeheuren. Diese merkwürdige, unklassizistische Konsequenz bestätigt sich, wenn man Goethes tatsächliches Verhältnis zu „Schönheit" und „Idee" berücksichtigt: „Monströse Exemplare" von Granitformen, aber auch von Pflanzen und Tieren aller Art „gewähren ... dem Beschauer diesen Vorteil, daß man daran wie an allen monströsen Ausgeburten der Natur, das Eintreten der ideellen Gestalt in die Wirklichkeit, das sich uns bei regelmäßigen, vollendeten, abgeschlossenen Formen geheimnisvoll verbirgt, wo nicht mit Augen sehen, doch mit dem Sinn und der Einbildungskraft einigermaßen erreichen kann"[262]). Das Monströs-Ungeheure erleichtert die Offenbarung der „ideellen Gestalt" für „Sinn" und „Einbildungskraft", das „Schöne", Regelmäßige dagegen verhüllt sie. Diese tief in das Problem der monströsen Erscheinungen der Klassischen Walpurgisnacht führende Theorie Goethes klärt wie keine andere die inneren Intentionen seiner zwei Helenabeschwörungen. Die absolute „Idee" der Natur wird nur sichtbar in den ungeheuren Entwürfen und Ausbrüchen ihrer Urelemente, die sich im unmittelbar Schönen verbergen. Nicht nur die Phorkyasgestalt, nicht nur die Ungeheuer der Klassischen Walpurgisnacht, sondern

auch die grenzlose Sphäre der Mütter, in die Faust leidenschaftlich eindrang, bilden den abgründigen Urboden, auf dem allein wahre Schönheit
sich behauptet. Die Zitierung Helenas mit Hilfe des „Ungeheuren", mit
Hilfe „schaudernden" Eindringens ins Letzte alles Letzten offenbart den
furchtbaren Ernst, der einzig dem Schönen ewige Größe verleiht, weil
nur in solchem Durchbruch der „Idee" das rein sinnlich Erscheinende
geistig unendliche Weite zu erhalten vermag und einem Absinken ins
intentionslos bloß Schöne entgeht[263]). Auch äußerlich war das Idealbild,
das Goethe im Begriff antiker Vollendung vorschwebte, niemals das von
„Symmetrie", wie seine Haltung zum französischen Klassizismus verrät;
vielmehr betrachtet er ein „Abweichen von einer strengen Symmetrie als
von der größten Wichtigkeit"[264]) und sieht echte Schönheit in der
„lebendigen Gegenwart des Unerforschlichen und Unglaublichen ..., was
uns hier so gewaltsam erfreulich anzieht"[265]), d. h. in dem polaren Ineinander von gewaltsam und erfreulich, gefällig und groß, schön und
monströs. Schönheit, selbst in ihrer sinnlichen Form, währt ferner für
Goethe nur einen Moment, vollendet sich nur im gipfelnden Nu einer
„Blüte", die das spontan plötzliche und wunderbare Ergebnis aus vielen
biologischen Prozessen und z. T. abwegigen und monströsen Vorformen
ist[266]). Entsprechend ist der ganze erste Akt, vom Monolog des Anfangs
über die Mummenschanz und Mütterszene, eine einzige, langsam aus-
reifende und anschwellende Entwicklung auf die kurze Helenaszene hin,
ja im Grunde sind die zwei ersten Akte nichts anderes als weiträumige,
genetische Vorbereitungen des Erscheinens der Schönheit, die nur in einem
traumhaften Gipfel sich zeigt.

Auf diesem Gipfel ist sie, wie alles Ideelle, unberührbar, vor allem
dort, wo sie noch nicht, wie hier am Schluß des ersten Aktes, biologisch
entfaltet und dadurch von innen her von Faust angeeignet wurde. Die
Unberührbarkeit des Schönen, deren Hintergründe bereits entwickelt
wurden, entspricht dem Gesetz des beschworenen Scheins: als Schemen,
d. h. als Wesen, durch die etwas Ideelles hindurch scheint, entzieht sich
die Schönheit notwendig dem Zugriff der Sehnsucht. Versucht Wilhelm
Meister mit dem magischen Fernrohr die Geliebte über den Abgrund
hinweg in seine Nähe zu rücken, so trifft ihn Schauder, Untergang, Verzweiflung, wovor ihn nur eine höhere Hand zu bewahren vermag. Vermögen umgekehrt Liebende sich spiegelnd in die Ferne zu rücken, so wird
Liebe und Nähe glücklichst gewährt. „Lassen Sie mich noch einmal in der
Ferne sehen, was so nah, so nächst mir angehören soll", sagt Lucidor zu
Lucinde bei ihrer Umarmung vor dem Spiegel über dem Sofa[267]). Die
erstere Heranrückung des Fernen ist Fausts Unglück bei seiner Beschwörung der Schönheit im ersten Akt, die zweite spiegelnde, leidenschaftslose Entfernung des Nahen ist sein Glück bei der erneuten Begegnung mit Helena in Arkadien. Der niederschmetternde Schlag, der

Faust bei der Umarmung trifft, ist die Antwort auf den verwegenen Entschluß, unmittelbar aus dem „ungeheuren" Bereich der Idee ohne Stufen der Reifung, Entwicklung und Ausformung die Blüte der Schönheit über den Abgrund der Zeiten hinweg zu ergreifen. Dieser Entschluß mag als Rückfall gelten gegenüber der geschilderten „heiter"-souveränen Haltung Fausts als Plutus. Wie fehl jedoch Maßstäbe psychologisch entwickelnder Art in Faust II sind, haben schon Kommerell, May u. a. gezeigt. Wenn von „Entwicklung" und Aufbau im ersten Akt gesprochen werden kann, so nur von der symphonischen Setzung mehrerer Themen (Gesellschaft, Konvention, Kunst, Natur, Genius, Poesie usw.), von ihrer vielfältigen Ineinanderverwebung, Wiederholung, Variierung und Steigerung, nicht aber von einer langsam linear aufsteigenden Umwandlung eines Themas ins andere. Die Endstufe Fausts im dritten Akt (Arkadien) leuchtet auf in Plutus, sie verschwindet, um dem leidenschaftlichen Faust wieder Raum zu verschaffen, dessen Unbedingtheit jedoch im Gegensatz zu Faust I der grenzenlos entschlossene Mut eines gealterten, dem „Ungeheuren" ruhig ins Auge blickenden Faust ist, der in Umkehrung etwa der Erdgeistszene im „Unbegreiflichen" nichts ihm selber „Gleichendes" verzweifelnd zu ertrotzen versucht und entsprechend zurückgewiesen wird, sondern den Urbildern sich gewachsen zeigt auf Grund seiner subjektlosen Weltoffenheit. Der fast stumme Mut Fausts, die kompositorische Klugheit, mit der Goethe die Schilderung des grenzenlosen Raums der Mütter — wie schon vorher die ähnlich großartige Ausmalung der Meeres- und Elementenvision des Kaisers (Lustgarten) — auf Mephisto überträgt, statt, wie es durchaus möglich gewesen wäre, Faust unmittelbar analog der Erdgeistbeschwörung (in „Faust I") vor das Reich der Urbilder zu stellen und die ganze Deutung und Schilderung ihm selber monologartig zu überlassen, steht mit der klaglos unbedingten, alles persönliche Gefühl zurückdrängenden Haltung auch anderer Helden Goethes in den Spätdichtungen im Zusammenhang. Ich erinnere nur an die „unbedingte Leidenschaft" Eduards in den „Wahlverwandtschaften", dieses nur äußerlich schwachen Mannes, dem sich alles Gefühl in ahnungsvoll stumme „Zeichen" und Symbole, in die stille Betrachtung des Ungeheuren seines Schicksals verwandelt.

Auch die Mephistogestalt, die fast im gleichen Atemzug vom Possenhaften zum Erhabenen springt, steht unter keinem Entwicklungsgesetz. Das Rätsel ihrer fast religiös gesteigerten Höhe findet eine Aufklärung in dem genannten Verstummen Fausts, im zeichenhaft-symbolischen Hervortreten der Urphänomene selber. Eine andere, wesentlichere Aufklärung liefert die Phorkyasverwandlung, die ja entstehungsgeschichtlich der ursprünglichsten Konzeption der Mephistofigur in Faust II entstammt und uns im zweiten und dritten Akt beschäftigen wird. Das possenhafte Element aber ist wie die ursprüngliche Helenabeschwörung selber aus dem Bezug zur Gesellschaft zu erklären. Der satirische Reflex, der von der Gesellschaft zu Helena und von Helena zur Gesellschaft, sowie von Mephisto zum Hof mitten im Ernst der Mütterszene hin und wider spielt, entspringt der ersten Grundintention des ganzen Aktes. Er ist als fast einziges Reststück aus der Skizze der Urgestalt (Paralip. 63) beibehalten worden. Ihre Erhaltung verdanken diese Szenen (Mephisto als „physicien de la cour", die Spottreden zwischen Damen und Herren über Paris und Helena usw.) erstens dem kompositorischen Willen Goethes, das Ungeheure und radikal Ideelle (der Mütterszene usw.) „erträglich" zu machen durchs Heitere, Unterhaltsame und „Gefällige"; so werden z. B. bewußt in den „Wanderjahren" die pädagogisch ernsten Partien der Schlußteile durch kontrapunktisch heitere, ja schrittweise bis zum Possenhaften sich steigernde Einlagen, Anekdoten usw. ausgeglichen. Daneben aber weisen diese komischen Faust II-Szenen auch auf ein tatsächliches Verhältnis des Schönen zur Gesellschaft des Hofes. Denn durch die Vertiefung, die Goethe später dem Kunst- und Gesellschaftsproblem in der „Mummenschanz" gab, wurden zwar die Kunstphänomene mit der Gesellschaft verbunden, im gesellschaftsfliehenden Knaben Lenker diametral mit ihr konfrontiert und im Flammengaukelspiel sogar auf das gleiche „Element" reduziert. Aber im Grunde erschienen Schönheit und Kunst noch blitzartig wie aufstrahlende und versinkende Meteore, deren Bahn nicht bestimmt ist von einem organisch-biologischen Gesetz der Genese, sondern sich rein phänomenal hin und wider zuckend orientiert an der Schattenfläche eines in sich selbst grundlosen Hofes, der im Überall und Nirgends maskenhaft wohnt und eine allgemein zeitlose Folie menschlicher Gesellschaft überhaupt liefert, bei der selbst die geschichtliche Bindung an die kaiserliche Hofwelt des 16. Jahrhunderts völlig gleichgültig ist und verwischt wird. Entsprechend stieß die Schönheit als etwas „Fremdes" auf diesen Hof. Ihre Beschwörung erfolgte nur durch kühnen Sprung ins Absolute, Zeitlose, nicht durch biologisch-organische oder geschichtliche Ausbreitung ihrer Aufbau- und Gestaltelemente. Ihre Erscheinung in der Welt bleibt daher weltlos fremd und muß scheiternd wieder verschwinden gerade da, wo sie gewaltsam ergriffen werden soll. Helenas Schönheit, die blendend die Männer entzückt und die Frauen zum Spott herausfordert, ist noch nicht Schönheit der Kunst, sondern verwirrte Ahnung derselben, eine unvermittelte Vermischung von Seele, Gefühl, Sehnsucht, Wirklichkeit und Fiktion, die immer wieder einer gesellschaftsorientierten Kunst unterläuft, wenn sie, wie Goethe in bezug auf Rousseaus Pygmalion ausführte, ihr eigenes Wunschbild in der Schönheit zu umarmen begehrt und diese Schönheit, falls sie nicht mit dem Wunschbild übereinstimmt, verspottet. Der Drang, das Schöne ins „Wirkliche" zu ziehen, es real zu umarmen, ist eine naturalistische bzw. idealistische Verwirrung des Schönen, die Goethe immer wieder an seiner

Zeit — auch der romantischen — tadelt. Das Verschwinden des Schemens der Schönheit ist nicht nur die Folge von Fausts erotischer Leidenschaft, sondern auch die Folge der Stellung, die die Schönheit im Raum der Gesellschaft einnimmt. Schönheit und Kunst erscheinen im ersten Akt in ununterbrochenem Bezug zur Außenwelt, die z. B. das Gold des Knaben Lenker real nimmt, sich entsprechend am Gold der Kiste verbrennt usw. Auch in diesem Sinne ist die Schlußkatastrophe der Helena-Umarmung durch die vorhergehenden symbolischen Vorgänge vorgebildet und entfaltet. Die Verwechslung von Schein und Sein, der Drang, das „Geheimnis" der Kiste gewaltsam zu öffnen usw., sind Vorstufen dessen, was sich am Schluß des ganzen Aktes ereignet. Sie deuten auf eine Kunstlehre Goethes, die für ihn so wesentlich war, daß sie sich in allen Formen seines Altersschaffens niederschlug: in seiner Entsagungslehre der Wanderjahre, in der Novelle usw. Sie enthalten aber etwas Entscheidendes nicht: eine organisch-biologische bzw. geschichts-evolutionistische Entfaltung des Schönen. Erst im 2. und 3. Akt rückt ein innerer organischer Prozeß des Schönen, ja auch eine „Geschichte" des Schönen in den Blickpunkt des Dramas. Erst hier werden Schönheit und Kunst biologisch-kunstgeschichtlich und genetisch-ontologisch aus ureigenen Gesetzen von innen her schrittweise, unendlich langsam reifend und sich herausschälend entfaltet und zur Blüte gebracht. Vom Geologischen, Biologischen, Mythologischen bis zum welthistorischen Abriß des dritten Aktes entwickeln sich stufenweise Formen, Inhalte, Gesetze, Bilder der Schönheit und Kunst, die erst die volle Einverleibung des Schönen in Faust, seine Vermählung mit Helena ermöglichen und erreichen.

IV. Kapitel

Die Schichtung des 2. Aktes und ihre Vorformen

1. Die Entstehung des zweiten Aktes und seine inneren Voraussetzungen

Wenn die biologisch-geschichtliche Genesis der Schönheit, wenn Vorgeschichte, Urgeschichte, Erd-, Kunst-, Geistes- und Lebens-, ja selbst Göttergeschichte unter kunstgenetischem Blickpunkt Sinn und Umfang des zweiten Aktes wirklich umschreiben, so muß die Ursache, aus der solche Geschichte des Schönen erwuchs, ihre innere Notwendigkeit und Gesetzlichkeit, zunächst auf Grund text- und entstehungsgeschichtlicher Forschung freigelegt werden, ehe an eine Einzeldeutung herangegangen werden kann. Gerade weil im zweiten Akt eine Fülle von mythologischen, historischen und zeitgeschichtlichen Anspielungen mitunterläuft, weil jede einzelne Stelle zu einer isolierenden Betrachtung und Deutung aus vorgegebenen historisch-mythologischen Materialien herausfordert, ist die Entwicklungsgeschichte des Textes genau zu beachten. Denn nur aus ihr lassen sich begründete Schlußfolgerungen ziehen, wie sich in Goethe selbst im Laufe der Zeit Idee, Form und Inhalt dieses Aktes gebildet haben und unter welchen Gesichtspunkten die einzelnen Szenen konzipiert wurden.

Da Goethe diesen Akt als Vorgeschichte Helenas, als „Antezedentien ...", welche der angekündigten ‚Helena', einem klassisch-romantisch-phantasmagorischen Zwischenspiel zu ‚Faust' als vorausgehend genau gekannt und gründlich überdacht werden sollten" (Paralip. 123 [1]), von Beginn an geplant hat, sozusagen als Vorspiel zum „Zwischenspiel", so muß diese wuchernde Überhandnahme zunächst aus dem Problemkreis der „Helena" selbst entstehungsgeschichtlich zu erschließen sein. Wie war es möglich, daß die bloße Erscheinung eines Wesens, das nur einen einzigen Akt beherrscht (dritter Akt), einen ganzen vorhergehenden Akt, ja im Grunde sogar die vollen zwei ersten Akte, also fast das Doppelte der eigenen Darstellung benötigt, nur, um sein Auftreten zu motivieren und glaubhaft zu machen? Was bewog Goethe, für einen an sich stofflich so knapp

zu bewältigenden Vorgang wie eine Geisterbeschwörung derart umfassende
Vorbereitungen zu treffen, ja schließlich nach all diesen Vorbereitungen
die Beschwörung selbst (im Hades) ausfallen zu lassen? Ist dieser Akt, vor
allem die Klassische Walpurgisnacht, wirklich, wie Petsch sagt, nur „ungebührlich ausgedehnt"[1]) worden, oder liegen ihm bestimmte, innerlich
notwendige Gestaltungsgesetze zugrunde? Wenn ja, wo sind sie zu finden?
Unter welchen Gesichtspunkten sind z. B. die stofflich-mythologischen Vorlagen, diese „philologischsten" Teile des Werkes so und nicht anders gewählt und derart eigenmächtig umgeformt worden, daß die Forschung
vielfach in ihr mehr Willkür als Gesetz zu erblicken vermochte? Kurzum,
wo ist im „Symmetrisch-Verworrenen" dieser Komposition die „ver-
heimlichte Symmetrie"? Solche und ähnliche Fragen kann nur die Einzeluntersuchung der verschiedenen Entstehungsstadien des Aktes, d. h. die
Textgeschichte, beantworten.

Die ersten Helenaskizzen und der Wandel von der normativen Hochklassik zur historischen Haltung der Spätklassik

Die ersten Auseinandersetzungen Goethes mit dem Faust II- und
Helena-Thema enthalten auffälligerweise noch keine Ansätze zu
„Antezedentien" Helenas. Helena wird selbst noch in dem großen Plan,
der zum Abdruck in „Dichtung und Wahrheit" bestimmt war (Paralip 63),
ohne historisch-mythologische Vorstufen sofort „durch einen magischen
Ring" in die „Körperlichkeit" zurückgerufen. Statt dessen tritt der
Kontrast „höchster Schönheit" zur mittelalterlichen Umgebung schärfstens
heraus im „Krieg" Fausts gegen die „Mönche" wie auch in der Charakteristik Fausts selbst, der als „deutscher Ritter sehr wunderbar gegen die
antike Heldengestalt steht" und von Helena „abscheulich" befunden wird.
Älteste Skizzen zur „Helena" enthüllen den tieferen Grund dieser
schroffen Abhebung höchster Schönheit gegen das verwerfliche „Mittelalter". Die „Helena" war als „Satyrdrama" (in der Lesart sogar ‚Satyrisches
Drama') „Helena im Mittelalter" geplant, während im späteren Titel
„Klassisch-romantische Phantasmagorie" sich eine auch gleichzeitig brief-
lich belegbare, vermittelnde, historisch zwischen den zwei Welten ver-
söhnende Haltung ausdrückt. In den Frühskizzen werden in einer eigenartigen dualistischen Geschichtskonstruktion scharf profilierend Antike
und Mittelalter räumlich gegeneinandergestellt, ohne sie wie später zeit-
perspektivisch „phantasmagorisch" ineinanderzuschieben und metamorphosenartig abrollen zu lassen. Die Antike, die um 1800 begreiflicherweise
Goethe am meisten fesselte, tritt damals noch in eigener normgebender
Herrlichkeit aus dem Stoff heraus, so daß es den Dichter „betrübt", daß
er „das Schöne in der Lage meiner Heldin … in eine Fratze verwandeln

soll"[2]), d. h. im Rahmen des „barbarischen" Fauststoffes überhaupt auftreten lassen muß. Er „fühlt nicht geringe Lust, eine ernsthafte Tragödie
auf das Angefangene zu gründen", d. h. Helena selbständig zu machen.
Im Konflikt zwischen seiner Neigung zu Helena und der Gebundenheit
an den nordischen Fauststoff innerlich aufgerichtet und „getröstet" durch
Schillers so wahren wie energischen Hinweis darauf, daß der „höhere
Gehalt" der Helenadichtung durch das Nordische der Faustdichtung nur
gewinnen statt verlieren werde, taucht dann der Entschluß auf, die
kühnste und tiefsinnigste Konzeption vielleicht der ganzen Faust II-Dichtung, die Mephisto-Phorkyas-Gestalt und ihre Kontrastierung mit Helena,
ohne Scheu in Angriff zu nehmen: „Der Trost, den Sie mir in Ihrem
Briefe geben, daß durch die Verbindung des Reinen und Abenteuerlichen
ein nicht ganz verwerfliches poetisches Ungeheuer entstehen könne, hat
sich durch die Erfahrung schon an mir bestätigt, indem aus dieser Amal-
gamation seltsame Erscheinungen, an denen ich selbst einiges Gefallen
habe, hervortreten ... Leider haben diese Erscheinungen eine so große
Breite als Tiefe, und sie würden mich eigentlich glücklich machen, wenn
ich ein ruhiges halbes Jahr vor mir sehen könnte"[3]). Goethe ist plötzlich
fasziniert von der „so großen Breite als Tiefe" der Gegenwelt Helenas
bzw. des Gegeneinanders beider, von dem „nicht ganz verwerflichen
poetischen Ungeheuer", das sich aus dem Ganzen herausschält. Die
Skizzen, die damals entstehen, sind in der Tat Zeugen dafür, wie nunmehr in zwei Brennpunkten (dem „Reinen" und „Abenteuerlichen") der
gesamte Lichtkreis der klassisch-ästhetischen Dogmatik jener Zeit aufgefangen wird, in die Polarität zweier geschichtlicher Welten, der mittelalterlich-modernen und der antiken, eingeht und damit der für die gesamte Faust II-Dichtung entscheidende Schritt getan wird, die Mephisto-
bzw. Faustgestalt einerseits und Helena andererseits in einer nie da-
gewesenen Weise sowohl dogmatisch-konstitutiv wie historisch-dualistisch
und satirisch auszurichten und von Grund auf neu zu bestimmen:

Erstens wird Mephisto zum Gegenbild Helenas, nicht mehr Fausts. Er
wird „häßlich": „Wie häßlich neben Schönheit ist die Häßlichkeit", heißt
es in einer der ältesten Skizzen (Paralip. 84), und zwar wird er zur häßlichen „Frau", zu Helenas Schaffnerin, die in einer für das damalige
Denken Goethes höchst aufschlußreichen Weise alles Antiklassische in sich
vereint: bizarr exotisch „Ägyptisches", demokratisch Revolutionäres und
Christliches, d. h. die Welt v o r der Antike und n a c h der Antike, also
alles Nicht-Antike. Als „Ägypterin", die wie eine Zigeunerin Karten schlägt
und „aus den Händen deutet", vertritt sie ferner die Welt des „fratzenhaft"
Mystifizierenden, Dunklen, über die Goethe von der Klassik bis ins höchste
Alter hinein stets seinen Spott ergossen hat. „Man wittert wohl Mysterien,
vielleicht wohl gar Mystifikationen, Indisches und auch Ägyptisches, und
wer das recht zusammenkneipt, zusammenbraut, ethymologisch hin und her

sich zu bewegen Lust hat, ist der rechte Mann", hieß es noch in Paralip. 176 zu Euphorions Geburt unter einem bestimmten Aspekt, der uns später beschäftigen wird[4]). Ferner ist Mephisto „modern". Im mittelalterlichen „Rheintal", in das Helena versetzt ist, verweigert Phorkyas-Mephisto als ägyptische Dienerin ihrer Herrin mit folgenden Worten den Gehorsam: „Und das heilige Menschenrecht Gilt dem Herrn wie dem Knecht, Brauch nichts mehr nach euch zu fragen, Darf der Frau ein Schnippchen schlagen, Bin dir längst nicht mehr verkauft, Ich bin Christin, bin getauft" (Paralip. 84). Mephisto wird „Christin" und demokratische Menschenrechtlerin. Das „Satyrdrama Helena im Mittelalter" stellt der antiken Welt die gesamte christlich-europäische Welt der Goetheschen Moderne gegenüber. Dadurch aber verwandelt sich Mephisto entscheidend. Er ist nicht mehr primär teuflisch-negierendes Widerspiel Fausts, sondern moralisierend-christliches Gegenbild Helenas. Der vielumrätselte Charakter Mephistos in Faust II beginnt sich von hier aus langsam zu klären: Nicht nur dies kleine Paralip. 84, sondern auch das große ausgeführte „Helena"-fragment von 1800 macht ihn zur moralisierenden Predigerin, zur christlich sittenstrengen und prüden Anklägerin gegen die antik-heidnische Sinnenfreude und den leichten Lebenswandel Helenas: „Alt ist das Wort, doch bleibet wahr und hoch der Sinn, daß Scham und Schönheit nie zusammen, Hand in Hand, Den Weg verfolgen auf des Menschen Lebenspfad"[5]) usw. (vgl. dazu die Untersuchungen zum dritten Akt[6]). Aus dem Gesamtraum einer christlich-modernen, antiklassischen Welthaltung wird die Phorkyasgestalt geboren, deren Züge dann konsequent auch in die moralisierende Haltung Mephistos im ersten Akt[7]) und in wesentliche Teile der Mephistorolle des zweiten Aktes eindrangen: in seine prüd-ironischen Ausfälle gegen die „unanständig" nackte Antike, die man „mannigfaltig-modisch überkleistern" und „mit neustem Sinn bemeistern" müsse usw., worin sich immer wieder jene eigenartig konstruierende Zusammenschau von „modern", „neu", „prüde", „moralisch", „modisch", mittelalterlich-„christlich" offenbart, die nur aus der dualistischen Ästhetik der Klassik verständlich ist.

Doch liegt auch „Erhabenes" in der Phorkyasgestalt. Die Sprache der Phorkyas kontrastiert mit der Antike nicht im Sinne eines Stilbruches, sondern eines anderen Inhalts. Ihr Ethos ist sprachlich genau so hoch gespannt wie das der Helena. „Schönes mit dem Abgeschmackten durchs Erhabene vermittelt", heißt die Formel, durch die Goethe Helena mit Mephisto ästhetisch verknüpfen wollte[8]). Mit dem „Erhabenen", nicht wie später mit dem „Heiteren" bzw. „Humoristischen" (im Sinne des Divan) will damals Goethe die Kontraste überbrücken. In diesem Sinne mag das Element des „Erhabenen" in Mephistos Sprache bis in die späteren Partien (Mütterszene usw.) aufgefaßt werden, wenngleich noch, wie sich zeigen wird, andere Dinge mit hineinspielen.

Nicht anders als dualistisch-erhaben wird auch die Fausthandlung selber gesponnen: Faust steht noch in Paralip. 63, das in seiner ganzen Struktur und auch nach Auffassung der Forschung noch stark von den Plänen um 1800 bestimmt ist, als „deutscher Ritter sehr wunderbar gegen die antike Heldengestalt" Helenas, die ihn „abscheulich" findet und sich erst durch seine „Schmeicheleien" an ihn gewöhnt. Er wechselt durch sie hinüber zur antiken Sphäre, „wird" — in seiner Liebe zu ihr — „der Nachfolger so mancher Heroen und Halbgötter" und gelangt so auf eine höhere Stufe: „Der leichte Geist riß mich aus dieser Enge, Die Schönheit aus der Barbarei", hieß es in Paralip. 89. Dadurch gerät er in Konflikt mit den „Mönchen", gegen die er „Krieg führt", um den „Tod seines Sohnes Euphorion", der damals noch im wesentlichen in Anlehnung an den Sohn Achills und Helenas konzipiert ist und von einem „geweihten Schwert" erschlagen wird, zu „rächen". Die Verbindung sogar Mephistos mit der Mönchswelt klingt selbst noch in dem ersten Plan zur Klassischen Walpurgisnacht (Paralip. 123) nach, wo Mephisto gegen Homunkulus die Theorie der Benediktiner über den Zeitpunkt der Pharsalischen Schlacht verteidigt. Die ganze Helena-Faust-Euphorion-Handlung schwingt also in diesen frühsten Skizzen in dem Problem Christentum — Schönheit (bis in die Räumlichkeit hinein [„altes Schloß, dessen Besitzer in Palästina Krieg führt, während der Castellan ein Zauberer ist"]). Der Norm der Antike steht die moralisierend christliche bzw. auflösend-demokratische Norm der Moderne gegenüber. Diese Normen sind geschichtlich chiffriert, aber als Normen stehen sie außerhalb einer konkret sich darstellenden Geschichte. Weder eine „Vorgeschichte" Helenas noch eine genetische Entfaltungsgeschichte der Neuzeit ist hier notwendig und erwünscht. Euphorion ist nicht, wie später, Gipfel und Ende einer dreitausendjährigen „phantasmagorisch" sich abspulenden „Geschichte" von „Trojas Untergang" über die Völkerwanderung bis hin zu Byron und zur „Einnahme von Missolunghi"[9]), sondern Opfer eines „geweihten Schwertes" beim Übergang seiner zaubergebannten Existenz in die tatsächlich ihn umgebende mittelalterliche Welt. Er ist ferner noch viel mehr antik als in der späteren Fassung. Mit seinem Tanzen, Singen, Fechten und Laufen macht er vor allem „der Mutter" viel Freude (später „Vater und Mutter"). Durchgehend werden die zwei Zeitalter viel schroffer räumlich gegeneinander gestellt als in der Spätfassung. Die klassische Norm erschien im Spiel und Widerspiel zweier Kontrastsphären und schloß genetische „Antezedentien" im Sinne der Klassischen Walpurgisnacht aus; ja selbst eine Beschwörung der wirklich gewesenen Helena im Hades war in diesem Raume nicht nötig. Die bloße Zitierung genügte, da nicht die Entstehung und Wiedererscheinung des Schönen, sondern die Norm des Schönen an und für sich im Mittelpunkt stand. Warum aber brach Goethe das Helenadrama ab? Weshalb konnte er es nicht schon 1800 vollenden?

Wie bereits ausführlich dargelegt wurde, lag ein entscheidender Grund des Abbruchs gerade in diesem unhistorisch-normativen Charakter eines im Grunde historisch geprägten Stoffes, d. h. darin, daß Goethe nicht die künstlerischen Medien kannte, die eine Erhebung der Faustgestalt ins Hellenische, Typische, zugleich mit einer individuell konkreten Gestaltung zu verbinden vermochten[10]), weshalb gerade die Faustfigur fast in allen konkreten dichterischen Ansätzen offen blieb und ganz hinter Helena und Phorkyas zurücktrat. Das kritisch-satirische Verhältnis zur „barbarischen" Gegenwelt der Antike duldete keine Brücke, auf der Faust von der einen zur anderen Welt hätte gelangen können, da Goethe selbst noch nicht seine künstlerischen Gedanken und Ziele in einer historisch neutralen Form ausdrücken konnte. Deutlich empfand dies Goethe, als er kurz nach Vollendung des Helena-Aktes 1826 schrieb: „Es ist eine meiner ältesten Konzeptionen ... Ich habe von Zeit zu Zeit daran fortgearbeitet, aber abgeschlossen konnte das Stück nicht werden, als in der Fülle der Zeiten, da es denn jetzt seine vollen 3000 Jahre spielt, von Trojas Untergang bis zur Einnahme von Missolunghi. Dieses kann man also auch für eine Zeiteinheit rechnen im höheren Sinne"[11]). Die Wendung zur „Fülle der Zeiten" (die sich ihm in der Eroberung von Missolunghi ausdrückt), zum historisch phantasmagorischen Ablauf der Zeiten, der gekrönt wird von einer Wiedereroberung Griechenlands durch den Norden, zur „Zeiteinheit im höheren Sinne", in der „Zeit" und Norm, Geschichte und Schönheit eigentümlich verschmelzen, erscheint ihm als die eigentliche Ursache der Vollendung der Helenadichtung. Damit nähern wir uns dem entscheidenden Ansatz zur Konzeption der „Antezedentien" Helenas, d. h. dem Keim der „Klassischen Walpurgisnacht":

Viel wesentlicher als der Kontrast von antik und modern wird für den späten Goethe die Frage, wie sich Antikes behauptet im Zeitlauf, wie es in die moderne, eigene, Goethesche Welt eindringt, was wiederum die Frage hervorruft, wie es entstand und wie es je und je wieder zu entstehen vermag. Der Akt der Beschwörung Helenas rückt immer mehr aus einem rein stoffüberlieferten, schnell abgetanen Zauberkunststück in die kunstgenetische und geschichtsphilosophische Problemlage: Wie kann eine Norm, eine Höchstform von Schönheit und Kunst, die einst geschichtlich erschien, wieder erscheinen? Dies ist die den späten Klassiker und Historiker Goethe zuinnerst bewegende Frage. Ihren Niederschlag fand sie sofort bei der Wiederaufnahme des Helenastoffes in der Idolszene: Stand in der Fassung von 1800 Phorkyas lediglich beleidigend als „unsäglicher Augenschmerz" vor den „Schönheitsliebenden" der Antike, verblaßten vor ihrer Häßlichkeit selbst die historischen Schrecken des Trojanischen Krieges (V. 8697)[12]), so ist Phorkyas nun nicht mehr

„modern", christlich, ägyptisch usw., sondern „Ururälteste (V. 8950 f.), die mit dem Chor heftig um das Alter der verschiedenen „Stammbäume" zankt und ihre moralischen Vorwürfe gegen Helena weniger auf eine absolute, antiästhetische Ethik als auf „Geschichte" bezieht: „Geschichtlich ist es, ist ein Vorwurf keineswegs" (V. 8984). Vor allem aber Helena beginnt sich historisch selbst zu begegnen. In einer späten Einlage in das frühere Fragment (V. 8604/8609) taucht ihre Kindheit vor ihr auf, und nach einer Aufrollung der vergangenen trojanischen Kriegszeiten durch Phorkyas spricht sie entsetzt jene bangen und schwerwiegenden Fragen aus: „Ist's wohl Gedächtnis? War es Wahn, der mich ergreift? War ich das alles? Bin ich's? Werd' ich's künftig sein, Das Traum- und Schreckbild jener Städteverwüstenden?" Helena schaut in ihre eigene Geschichte, deren abgründige Tiefe darin ruht, daß sie „Gedächtnis" und „Wahn" ineins ist, daß konkrete Erinnerungen an wirklich Gewesenes und Chimärisches ineinander übergehen und daß sich aus diesem Ineinander ein Mittelpunkt der ganzen Fragekonstellation herausschält, nämlich ein Ringen um das „Sein" in den drei Zeitstufen: „War ich das alles, bin ichs, werd ichs künftig sein?" Helenas „Sein" dokumentiert sich als eine Verschränkung von Wahn und Gedächtnis, die ihren klassischen Ausdruck in der unmittelbar folgenden Aufspaltung Helenas in ein „doppelhaft Gebild", in ein „Idol" und in ein wirkliches Wesen, findet. Helenas Ohnmacht vor sich selbst — „Ich schwinde hin und werde selbst mir ein Idol" — ist die bis zum Äußersten geführte Folgerung aus dem spätklassischen Versuch, Realgeschichtliches und Normativ-Idolhaftes im antiken Phänomen zu verbinden und so in die Gegenwart überzuführen[13]). In dieser Szene schwingt die „Achse" des ganzen Helenadramas einschließlich seiner „Antezedentien" (zweiter Akt). Denn in ihr ruht keimhaft sowohl der Ursprung des „phantasmagorischen" Ablaufs der 3000 Jahre des dritten Aktes, jener real-phantastischen Synthese von geschichtlichen und zeitlos klassischen Kunstphänomenen, in der Helena vor Faust schließlich „verlebt und doch so neu" (V. 9414) erscheint, wie auch der Ursprung der mythischen Urwelt der Klassischen Walpurgisnacht und ihrer Verknüpfung geschichtsmythologischer, genetischer und zeitlos kunstphänomenologischer Schichten. Das entscheidende geschichts- und kunstphilosophische Problem der späteren Helenadichtung, wie kann eine geschichtliche Welt zugleich eine normativ-klassische sein, wie kann Kunst übergeschichtlich sein im Raum der Geschichte, dieser Problemkreis, an dem das Geschichtsdenken der Romantik und des 19. Jahrhunderts vorbeigehen mußte, weil eine Norm im klassischen Sinne nicht mehr für dies relativierende Denken existierte[14]), war in der Tat der Ausgangspunkt der Klassischen Walpurgisnacht und aller „Antezedentien" Helenas. Das beweisen vor allem die Vorstufen zum zweiten Akt selber.

Die ersten Entwürfe zum zweiten Akt und das Verhältnis zwischen Geschichte
und biologischer Wiedergeburt im Wandel der Homunkulusmythe und Helena-
beschwörung

Langsam und schrittweise, aber in überraschend logischer Folge hat sich
die Gesamtkonzeption des zweiten Aktes in Goethe gebildet. Wenn die
Frage des Helenaaktes, wie kann eine künstlerische Höchstform geschichtlich
wiedererstehen, zu der zweiten Frage führte, wie erstehen überhaupt künstlerische Höchstformen geschichtlich, d. h. das Problem der „Antezedentien",
der Vorgeschichte Helenas, hervorrief, und damit sich wirklich die Notwendigkeit eines vorhergehenden zweiten Aktes erweisen sollte, so mußte
als erstes dringendes Anliegen vor Goethe die Aufgabe auftauchen, das
Gesetz, wonach Geschichte und Vorgeschichte wieder erscheinen, zu bestimmen. Denn nicht nur sollte ja Geschichte an sich wiederholt werden,
nicht nur sollte diese Geschichte vor Fausts Augen einfach abrollen, sondern Faust selbst sollte in die Vorgeschichte Helenas eindringen, um gleichsam von Helenas Ursprung her ihre Schönheit erneut beschwören, sie sich
wirklich von innen her aneignen zu können. Die Frage also lautete: wie
kann Vergangenes in Gegenwärtiges hinübergezogen werden und sich als
„groß" auf gegenwärtigem, deutsch-klassischem Boden neu erzeugen, eine
echt Goethesche Frage und eine Frage zugleich, die das Problem echter
„Magie" bei Goethe berührt. Denn aus dieser Blickrichtung entstand die
erste Konzeption der Homunkulusfigur:

Homunkulus ist in den ersten Plänen noch keine „Entelechie", sondern
„von seinen Eigenschaften" hebt Goethe als einzige und „besondere" hervor, „daß in ihm ein allgemeiner historischer Weltkalender enthalten sei,
er wisse nämlich in jedem Augenblick anzugeben, was seit Adams Bildung bei gleicher Sonn-, Mond-, Erd- und Planetenstellung unter Menschen
vorgegangen sei. Wie er denn auch zur Probe sogleich verkündet, daß
die gegenwärtige Nacht gerade mit der Stunde zusammentreffe, wo die
pharsalische Schlacht vorbereitet worden". Dieses große Paralip. 123 vom
17. Dezember 1826 entstand zeitlich wahrscheinlich nur etwa einen Monat
nach dem Paralip. 99, das von Petsch[15] und Pniower[16] mit einleuchtenden
Gründen auf den 9. oder 10. November 1826 angesetzt wird und die erste
flüchtige Erwähnung des Homunkulus enthält[17]. Beide Skizzen sind unmittelbar im Zusammenhang mit der Fertigstellung des Helenaaktes entstanden
und auch sachlich von ihm aus zu verstehen. Homunkulus also hat nach
diesen ersten Skizzen zunächst die Fähigkeit, Geschichtliches von zeitloser
Warte aus zu überschauen, das Gesetz zu erraten, nach dem Vergangenes
— bei gleicher Konstellation — magisch wiedererwacht. Als „Probe seines
tiefen historisch-mythischen Naturells" beweist er, „daß zu gleicher Zeit
das Fest der klassischen Walpurgisnacht hereintrete, das seit Anbeginn der

mythischen Welt immer in Thessalien gehalten worden und, nach dem gründlichen durch Epochen bestimmten Zusammenhang der Weltgeschichte, eigentlich Ursach an jenem Unglück (Pharsalische Schlacht) gewesen. Alle vier entschließen sich, dorthin zu wandern" (Paralip. 123).

Nicht das erst sehr viel später[18] auftauchende Homunkulusproblem der „Entstehung" des Lebens durch Verschmelzung der künstlich-außerkörperlichen Entelechie mit dem Wasserelement, nicht das Problem der Entwicklung dieser Wasserlebewesen zum „Menschen" aufwärts ist hier gestellt, denn im Gegensatz zur späteren Fassung „zersprengt" Homunkulus sofort den Glaskolben und „tritt als bewegliches, wohlgebildetes Zwerglein auf". Nicht muß er erst in langen Wanderungen — eingeschlossen im leuchtenden Glaskolben — erfragen, wie er „werden" könne, sondern der erste und ausschlaggebende Grund für die Konzeption der Homunkulusgestalt bestand in seinem „historisch-mythischen Naturell" — in der ersten Lesart heißt es sogar nur „historisches Naturell" —, in seiner Möglichkeit, den „Zusammenhang der Weltgeschichte" zu überblicken, das Gesetz der Konstellation zu bezeichnen, durch das Helenas Vorwelt magisch wieder zu erscheinen vermag. Die Idee, hierfür einen künstlich zeitlosen Menschen zu wählen, lag nahe. Mag der Gedanke an Homunkulus unmittelbar von Paracelsus oder, wie Beutler[19] annimmt, nur auf dem Umweg über Prätorius Goethe zugeflossen sein, in beiden Vorbildern lagen bestimmte Elemente, die Goethe anziehen mußten: Bei Paracelsus heißt es, daß die Homunkuli „alle heimliche und verborgene Dinge wissen, die allen Menschen sonst nicht möglich seyn zu wissen"[20]. Bei Prätorius steht sogar die Angabe, ein solcher Homunkulus werde der allerweiseste sein, der „ungelernet alle Künste" weiß, weil er nämlich aufs allerkünstlichste gemacht ist[21]. Diese Beschreibung, die nach Witkowski in erster Linie Goethe zur Übernahme der Homunkulusgestalt bewogen hat, stimmt überein mit der Stelle bei Paracelsus: „Denn durch Kunst überkommen sie Leib, Fleisch, Bein und Blut, durch Kunst werden sie geboren: darumb so wirt jhnen die Kunst eyngeleybt und angeboren, und dörffen es von niemandts lehrnen, sondern man muß von jhnen lehrnen"[22]. Es ist klar, daß diese Bemerkung von der „Kunst", die in Homunkulus schon „eingeboren" ist und keiner „Lehre" von außen bedarf — trotz des völlig verschiedenen Inhalts, den das Wort „Kunst" bei Paracelsus-Prätorius und bei Goethe hat — den Reiz für Goethe erhöht haben muß, für diese zeitlos-geistige Übersicht über eine so eminent künstlerische Geschichtsschau[23] wie die Klassische Walpurgisnacht ein solches „Kunst"-wesen zu wählen, besonders wenn man sich die Lehre vom transzendental-überzeitlichen, „eingeborenen" Charakter der Kunst vielerorts sonst bei Goethe vergegenwärtigt[24]. Daß der Anstoß zur Homunkuluskonzeption im Rahmen der Fausthandlung, wie Witkowski vermutet, von der Simon Magus-Legende ausging, nach der Helena mit Simon Magus einen Homunkulus durch

Elementaranalyse hervorbrachte[25]), ist möglich, wenn auch nicht sicher. Wichtiger ist eine andere schon erwähnte Eigenheit der ersten Homunkulusfassung: das sofortige Zersprengen des Glases im Gegensatz zur späteren Formung, wo Homunkulus im Glase verharrt, das erst ganz zuletzt am Wagen Galatees zerschellt. Bereits in den „Lehrjahren" wird nämlich das Heraustreten aus aller bindenden Zeit in eine freie körperlos klare Übersicht über Vergangenheit und Zukunft mit solchem Zersprengen des Glases verglichen: „Ich erkannte auf einmal, daß es nur eine Glasglocke sei, die mich in den luftleeren Raum sperrte; nur noch so viel Kraft, sie entzwei zu schlagen, und du bist gerettet[26]) ... Es war, als wenn meine Seele ohne Gesellschaft des Körpers dächte; sie sah den Körper selbst als ein ihr fremdes Wesen an, wie man etwa ein Kleid ansieht. Sie stellte sich mit einer außerordentlichen Lebhaftigkeit die vergangenen Zeiten und Begebenheiten vor, und fühlte daraus, was folgen werde. Alle diese Zeiten sind dahin; was folgt, wird auch dahin gehen"[27]); so schildert Goethe die Zustände der „schönen Seele", die ja gleichfalls — wie Goethe später von Homunkulus sagt — die „Tendenz zum Schönen" mit „förderlicher Tätigkeit" verbindet (zu Eckermann über Homunkulus)[28]). Kurzum, aus welchen bewußten und unbewußten Anklängen, Einfällen und Quellen auch die Homunkulusgestalt entstanden sein mag, jedenfalls enthielt sie von Beginn an das Element hochgeistig-zeitloser, zeitrichtender und zeitbestimmender Übersicht über den Geschichtslauf „seit Adams Bildung".

Eine genaue Betrachtung der Struktur dieser Geschichtsübersicht erweist außerdem, daß die von der gesamten Forschung bis Hertz, Kommerell, Witkowski usw. vertretene Ansicht, es handele sich bei dieser ersten Konzeption lediglich um eine „Gelehrtensatire" (Kommerell)[29]), um eine „episodische Satire auf das Alexandrinertum einer rein antiquarisch gerichteten Geschichtswissenschaft" (Hertz)[30]), um einen Schlag gegen „Vielwisserei" (Witkowski)[31]) usw., in solch einfacher Fassung falsch ist. Diese Satire gehört vielmehr derart zum Wesen des Goetheschen Geschichtsbegriffes selber, daß sie nicht etwa als bloß „episodisches" „Zufallsmotiv"[32]) — wie etwa die satirischen Ausfälle gegen Nicolai in der „Walpurgisnacht" von Faust I — erscheint, sondern eine ganz genau bestimmbare, außerordentlich weittragende Bedeutung für den Gesamtverlauf der damals geplanten Helenabeschwörung aus sich entwickelt: Das „grenzenlose Geschwirre geographisch historischer Notizen", das, „aus dem Munde des eingesackten Männleins" kommend, bei der Fahrt durch die Luft unterwegs keinen „zu sich selbst kommen" läßt, steht nämlich in einem deutlichen und unleugbaren Zusammenhang mit einer bestimmten Geschichtskonzeption, von der in der Endfassung fast alle Spuren getilgt sind: Bei dem entscheidenden Gang Fausts in die Unterwelt zur Beschwörung Helenas begegnet ihm ein „Gorgonenhaupt", „seit Jahrhunderten immer größer und breiter werdend". „Hätte Faust darauf geblicket, so wär er gleich vernichtet worden, so daß weder von Leib noch Geist im Universum jemals wieder etwas von ihm wäre zu finden gewesen". Schon Obenauer[33]) wies darauf hin, daß hier nichts anderes als der von Jahrhunderten zu Jahrhunderten schrecklich anschwellende Leib von Geschichte, Überlieferung, Trümmern, „Unsinn" und „Meinungen" gemeint sein kann, die Goethe zeit seines Lebens ängstlich bekämpft hat[34]) und die hier ein großartigstes Symbol finden. Der Zugang zu Helena ist nicht ohne Überwindung und Wegräumung dieser Fremdschicht, dieses realhistorischen, wider-„natürlichen" Schutts von Geschichte zu beschreiten. Daß sein Anblick aber derart vernichtend wirkt, daß „weder von Leib noch Geist im Universum jemals wieder etwas ... zu finden gewesen wäre", erhält eine Aufklärung in folgender Homunkulusstelle desselben Entwurfes: „Das chemische Menschlein, an der Erde hinschleichend, klaubt aus dem Humus eine Menge phosphoreszierender Atome auf ... zweifelnd jedoch, ob daraus künftig ein chemisch Weiblein zu bilden sey. Als aber Wagner ... sie stark schüttelt erscheinen, zu Kohorten gedrängt, Pompejaner und Cäsareaner (die Goetheschen Urgegensätze historischer Mächte wie Guelfen und Ghibellinen[35]), um zu legitimer Auferstehung sich die Bestandteile ihrer Individualitäten stürmisch vielleicht wieder zuzueignen. Beinahe gelänge es ihnen sich dieser ausgegeisteten Körperlichkeiten zu bemächtigen, doch nehmen die vier Winde, welche diese Nacht unablässig gegen einander wehen, den gegenwärtigen Besitzer in Schutz und die Gespenster müssen sich gefallen lassen von allen Seiten her zu vernehmen: daß die Bestandteile ihres römischen Großtums längst durch alle Lüfte zerstoben, durch Millionen Bildungsfolgen aufgenommen und verarbeitet worden" (Paralip. 123). Es kann keinem Zweifel unterliegen, daß hiermit das Problem der Möglichkeit einer Auferstehung von Geschichte eine entscheidende Klärung erfuhr. Im Zusammenhang mit der Wiedererstehung Helenas fragt sich damals Goethe, wie überhaupt die „Bestandteile" einer historischen „Individualität" bzw. eines klassisch „römischen Großtums" „legitim" aufzuerstehen und ihre „ausgegeisteten Körperlichkeiten" wieder an sich zu ziehen vermögen. Denn dieses Problem tauchte ja gleichzeitig bei der Beendigung des Helenaaktes auf, wo der Chor in die Elemente der Natur sich auflöst, Panthalis und Helena aber ihre „Namen" und ihre „Person" im Hades bewahren. Entstehungsgeschichtlich liegen beide Szenen, der Plan zum zweiten Akt und der Abschluß des Helenadramas, ungefähr gleichzeitig. Eine doppelte Geschichtlichkeit unterschied in ihnen Goethe, die des beharrenden Namens, der Persönlichkeit (s. die Rettung des „Porträts", real zurückbleibender geformter Dokumente usw. im Alter bei Goethe)[36]), und die des bloßen physischen Stoffes, des in die Elemente zerfallend Charakterlos-Ungeformten, Unindividuellen, die mit einer bestimmten Geschichtsfeindschaft Goethes im Zusammenhang steht. Denn daß gerade die „Cäsareaner und Pompejaner" vergeblich ihre „Individua-

litäten" sich wieder aneignen wollen, hängt damit zusammen, daß für
Goethe der Kampf der Parteien, der Streit zwischen Monarchie und Demokratie usw. ein dualistischer Urkampf ist, der sich überall wiederholt, z. B.
auch im Kampf zwischen Kranichen und Pygmäen sich ausdrückt, jo sogar
in literarische Fehden hinüberspielt, so wenn Goethe einmal den Streit
zwischen Romantik und Klassik einen ewigen Kampf zwischen Guelfen
und Ghibellinen nennt[37]). Dieser Parteikampf ist für ihn prinzipiell sinnlos und „widerwärtig", weil er zu keiner dauernden Formung gelangt,
sondern — sich ewig wiederholend — in seine „Elemente" zerstiebt (nicht
ohne Grund schüttelt sie der pedantische W a g n e r wieder aus den
Atomen heraus). Geschichtliches Leben in diesem Gebrauch ist für Goethe
sinnlose Wiederholung des Gleichen und darum dem Kreislauf der Elemente
verfallen. Aus diesem Grunde steht aber der Kampf zwischen Cäsareanern
und Pompejanern zugleich am Anfang der „Nacht", die die Auseinandersetzung zwischen zwei ähnlichen historischen Parteien, den Klassikern und
Romantikern, bringen sollte. Für Goethes neutrale Haltung im Alter auch
diesem literarischen Streit gegenüber[38]) war die Pharsalische Schlacht der
symbolisch gerechtfertigte Ausgangspunkt, in dem sich ein ewiger Ablauf
geschichtlicher Parteienkämpfe typisch dokumentiert. Nichts anderes sollte
auch das „Geschwirre geographisch-historischer Notizen" aus dem Munde
des Homunkulus besagen, nicht anders war diese keineswegs „zufällige"
„Satire" gemeint. Das „Gorgonenhaupt", vor dem Faust selbst fast für
alle Zeiten in die Elemente des Universums versprengt worden wäre, ist
das „seit Jahrhunderten immer größer werdende" Haupt sinnlos sich an-
häufender und dennoch nichtig sich wiederholender Geschichte, wie ja die
innere Nichtigkeit des schwankend „bammelnden" Chors der Helena, auf
dessen Zerfall in die Elemente Goethe besonderen Wert legte, einen
Triumph der Natur über die Geschichte am Ende des „phantasmagorischen"
Ablaufs der 3000 Jahre darstellt, eine kreislaufartige Rückkehr des Geschichtlichen ins Natürliche („Denn um neuen Most zu bergen, leert man
rasch den alten Schlauch!")

Entsprechend war die Klassische Walpurgisnacht selber geplant. Sie enthielt in weit stärkerem Maße als die Endfassung bewußt das Motiv der
„Verwirrung", des „Zwiespaltes" zwischen „Verstand und Sinnen". An
Stelle der späteren, klar voneinander abgesetzten, auch in ihren Funktionen deutlich geschiedenen Gruppen der mythologischen Gestalten sollten
diese „sämtlichen Ungetüme des Altertums, — Chimären, Tragelaphe,
Gryllen, dazwischen vielköpfige Schlangen in Unzahl" — genau besehen
nichts anderes darstellen als die verwirrende Fülle des historischen Schein-
und Zwitterdaseins überhaupt. „Harpyen flattern und schwanken fledermausartig in unsichern Kreisen". Bewußt wird die Zahl der Erscheinungen
ins Unendliche vermehrt: „Nun erscheinen unzählbar vermehrt Sphinxe,
Greife und Ameisen, sich gleichsam aus sich selbst entwickelnd ... der

Drache Python selbst erscheint im Plural" usw. Die Sphinxe haben noch
in viel höherem Maße die Funktion des „Rätselhaften" als später, wo sie
mehr das Graniten-Beharrende anzeigen. Durch sie werden die „abstrusesten Fragen durch gleich rätselhafte Antworten ins Unendliche gespielt". Das Motiv hoffnungslos verwirrender Verwandlung wird ferner
breit entsponnen in der Gestalt Empuses. Die „Lamien" sollen noch Faust
und nicht Mephisto verführen. Sie stehen bewußt im Kontrast zu Helena,
„so daß wenn Faust nicht das höchste Gebild der Schönheit in sich selbst
aufgenommen hätte er notwendig verführt werden müßte". Kurzum,
im Grunde ist die ganze Klassische Walpurgisnacht damals eine Demonstration des fürchterlichen „Gorgonenhauptes" selbst, durch das Faust ins
Universum zersprengt zu werden droht bzw. des „Geschwirrs geographisch-
historischer Notizen", die bereits auf der Fahrt nach Thessalien aus dem
Munde des Homunkulus die Luftfahrer nicht mehr „zu sich selber
kommen" lassen; d. h. sie ist die Demonstration einer Geschichte, trotz
der Helena erscheint, oder genauer, von der sie notwendig, wie alles zeitlich Erscheinende, umrahmt und eingegrenzt ist. Schon die Mitnahme
Wagners auf den Weg nach der Pharsalischen Ebene, die später ausdrücklich von Homunkulus verweigert wird, spricht für diese Deutung. Auch
der Streit Mephistos mit Homunkulus über das Datum der Schlacht von
Pharsalus nimmt das Motiv von der „mönchisch"-negativ-modern-bar-
barischen Absurdität vielleicht alles historischen Forschens, aller „chrono-
logischen Kontrovers" wieder auf: „Man macht ihm die Einwendung, der
Teufel dürfe sich nicht auf Mönche berufen" usw., d. h. das Geschichts-
satirische wird mit dem Modern-Christlichen, Nichtantiken verknüpft.

Dennoch taucht gerade in dieser nur scheinbaren Gelehrtensatire auch
ein positiver Geschichtsbegriff auf, von dem aus damals die Klassische
Walpurgisnacht gleichfalls konzipiert wurde: Merkwürdigerweise schrieb
nämlich Goethe etwa am gleichen Tag der Niederschrift dieses Entwurfes
an Riemer: „Sollte das Datum der pharsalischen Schlacht auszumitteln
sein?"[39]) Nicht nur dieses Interesse, sondern auch andere Anzeichen — die
dieses Interesse klären werden — sprechen dafür, daß neben dem negativ-
geschichtsskeptischen Sinn der Walpurgisnacht noch etwas Anderes, Bedeutenderes bei ihrer Konzeption mitgespielt haben muß: Fausts Gang in
die Unterwelt, auf den damals noch die ganze Walpurgisnacht zentriert
ist, seine Bitte an Persephone um Herausgabe Helenas, gipfelt in der Entscheidung der „drei Richter, ... in deren ehernes Gedächtnis sich alles
einsenkt, was in dem Lethestrome zu ihren Füßen vorüberrollend zu verschwinden scheint". Diese drei Richter sprechen das letzte Machtwort über
die Rückkunft Helenas ins Leben aus, weil sie alles Geschehene in sich
versenkt für immer bewahren. Das echt Goethesche Altersproblem der
„Bewahrung" vergangenen Lebens, der „Rettung" historischer Werke,
„Namen", Schriftzeichen, Daten, Dokumente usw. taucht hier mit aller

Entschiedenheit wieder auf. Helena ist im Gegensatz zu den „Cäsareanern und Pompejanern" im Hades auf immer gerettet durch das „eherne Gedächtnis" dieser drei Richter, das dem alles in sich bergenden Weltkalender des Homunkulus vergleichbar ist (vgl. dessen Fähigkeit, „aus dem Humus" die Atome zu gewinnen, aus denen sich wenigstens ein Scheinbild vergangener Zeiten wieder zu bilden vermag). Die damalige, unmittelbar an das Ende des Helenaaktes anknüpfende doppelte Konzeption (Rettung der „Person" Helenas einerseits und Zerfall des nichtigen Chors an die Naturelemente, an Erde. Wasser, Feuer usw. andererseits) dringt also tatsächlich in den Entwurf des zweiten Aktes ein, sowohl was das Eingehen der Geschichte in den „Humus" und in die „Millionen Bildungsfolgen" als auch, was die Bewahrung des Vergangenen im ehernen Gedächtnis betrifft. Daß ein solch innerer Zusammenhang zwischen beiden Akten bestand, zeigt noch die späte Skizze Paralip. 157 (1830), wo in der Unterwelt, als die Wiederbelebung Helenas und die Möglichkeiten ihres Wiedererscheinens auf Erden erörtert werden sollen, ausdrücklich „Ehre den Antezedentien" gezollt wird. In der verwirrenden Welt der Klassischen Walpurgisnacht liegen also nach Goethes Auffassung bestimmte Voraussetzungen zur Wiedererzeugung vergangener Wesen, und zwar in doppelter Weise. Erstens steckt diese historisch-mythologische Fülle und Anhäufung sich unablässig vermehrender Wesen den negativ historischen Rahmen ab, in den alles Seiende, also auch das Schöne, nach Goethes geschichtsskeptischer Haltung gestellt ist. Im Streit zwischen Pygmäen und Kranichen, Vulkanismus und Neptunismus, in dem die Naturseite des geschichtlichen Kampfes zwischen Cäsareanern und Pompejanern, ja auch, wie sich zeigen wird, rein politische Kämpfe dargestellt werden, erscheint sozusagen ein Urgesetz ewig sich wiederholenden geschichtlichen Lebens überhaupt, das insofern auch in die ästhetische Sphäre hineinspielt, als der kulturgeschichtliche Kampf zwischen Klassikern und Romantikern strukturell und phänomenologisch die gleichen Züge aufweist. Zweitens liegt aber auch in dieser verwirrenden Walpurgiswelt ein ruhender Pol, der durch das „Datum" und den „Ort" der Pharsalischen Schlacht gekennzeichnet ist und kompositorisch und inhaltlich für den Charakter der ganzen Klassischen Walpurgisnacht von höchster Wichtigkeit war. Denn die Konzentrierung auf eine bestimmte „Lokalität" und einen bestimmten Zeitpunkt führte nach Goethe zu einer ausgezeichneten und besonderen Möglichkeit, der Geschichte Herr zu werden, sie sich „magisch zu vergegenwärtigen", Vergangenes poetisch wiederzubeleben:

Ein Jahr nur zuvor, 1825, hatte Goethe in Äußerungen zum „Pyrmont"-Entwurf die kompositorische Bedeutung von Ort und Zeitpunkt folgendermaßen beschrieben: Die Beschränkung auf einen fest umrissenen Raum erlaube es, einen „magischen Kreis" zu ziehen, in dem man „das Vergangene mit der Gegenwart" identifiziert; „man beschränkt die allgemeinste Räumlichkeit auf die jedesmal nächste und fühlt sich zuletzt in dem behaglichsten Zustande, weil man für einen Augenblick wähnt, man habe sich das Unfaßlichste zur unmittelbaren Anschauung gebracht"[40]). Die große Wichtigkeit, die Goethe bekanntlich gerade der Örtlichkeit der pharsalischen Felder beimaß, die er eingehend studierte, liegt also vor allem darin, daß auf einem solchen geschichtlich reichen Ort auf engstem Raume versammelt sozusagen die verschiedensten Zeiten sich begegnen und das Gefühl ihrer unmittelbaren „Identität" „magisch" erregend hervorrufen. Die Lokalität hat die Bedeutung einer magischen Einsammlung verschiedenster Zeiträume und erlaubt, Geschichte von einem einzigen Raume aus zu übersehen und zu gestalten. Bereits in der „Italienischen Reise" taucht die Neigung auf, von Rom oder von Sizilien aus die ganze Weltgeschichte wie von einem ausstrahlenden Mittelpunkt her zu begreifen. „Das Gefühl, der Begriff, die Anschauung dessen, was man im höchsten Sinne die Gegenwart des klassischen Bodens nennen dürfte", ermöglichen es Goethe, „Kunst- und Menschengeschichte" auf einmal „synchronistisch" zu überschauen[41]). Er will den „klassischen Boden ..., die Gegend ... so wie sie daliegt ... real nehmen" und durch einen genauen „geologischen und landschaftlichen Blick" ein „freies klares Anschauen der Lokalität" gewinnen, woran sich „dann auf eine wundersame Weise die Geschichte lebendig" anschließt[42]). Goethes Zugang zur Geschichte ist also wesentlich vom Raum, von der Landschaft, vom Geologischen her bestimmt, ja das „Klassische" eines „Bodens" besteht nicht zuletzt darin, daß sich Erde, geographische Lage, geologische Struktur zu einer inneren symbolischen Einheit verbinden und daß erst von dieser natürlichen Grundlage aus das spezifisch antik Geschichtliche einsichtig wird und als gesetzlich typisches Phänomen sich „lebendig" anschließen kann.

Jedoch auch von einem genauen Zeitpunkt aus komponiert Goethe Geschichte. Im gleichen Bekenntnis zum „Pyrmont"-Entwurf heißt es unmittelbar weiter: „Das Jahr 1582, wo auf einmal ein wundersamer Zug aus allen Weltgegenden nach Pyrmont hinströmte, ... ward als prägnanter Moment ergriffen und auf einen solchen Zeitpunkt, einen solchen unvorbereiteten Zustand vorwärts und rückwärts ein Märchen erbaut, das zur Absicht hatte ... sowohl in der Ferne als der Gegenwart eine unterhaltende Belehrung zu gewähren"[43]). Ein bestimmtes geschichtliches Datum ist der „prägnante Moment", auf dem Goethe ein „Märchen vorwärts und rückwärts" erbaut. Erst in diesem Zusammenhang wird der Ernst seiner Frage an Riemer nach dem tatsächlichen Datum der pharsalischen Schlacht wie auch der keineswegs nur „satirische" Streit zwischen Mephisto und Homunkulus über das richtige Datum begreiflich. Das genaue Datum ist für ihn der notwendige Ausgangspunkt, auf dem er das „Märchen", die „Phantasmagorie" der Klassischen Walpurgisnacht „rückwärts" in die prähistorisch-mythischen Ungeheuer der Antike und „vorwärts" in die

Moderne Fausts und Mephistos „erbaut", um „sowohl in der Ferne als in der Gegenwart unterhaltende Belehrung zu gewähren". In diesem Sinne werden ihm bestimmte historische Phänomene „alt und neu" zugleich. „Und oben liegt Pharsalus alt und neu" (V. 6955), in solch doppelzeitlicher, synchronistischer Bezeichnung, deren unmittelbare Beziehung auf das reale Alt- und Neupharsalus bei Dodwell bzw. Strabo selbst Trendelenburg[44]) für „gleichgültig" hält, weil die dortige Scheidung an sich unwesentlich sei, wird Goethes tatsächliche, grundsätzliche Geschichtshaltung wie auch seine künstlerische Kompositionsweise deutlich. Daß es sich ferner in der Stelle zum „Pyrmont"-Entwurf um „einen unvorbereiteten Zustand", eine plötzlich fast schreckhaft turbulent ausbrechende Massenwanderung nach Pyrmont handelt, führt in noch tiefere Schichten dieser Geschichtspoesie. Bedeutsame, „prägnante Momente" entstehen immer dort, wo lange labil ruhende Schichten und unterirdisch stille Entwicklungen plötzlich spontan hervorbrechend einen ganzen, weiten Umkreis sichtbar werden lassen und dadurch besonders symbolkräftig werden. Nicht ohne Grund steht im Mittelpunkt der Klassischen Walpurgisnacht ein Vulkanausbruch, der nach allen nur erdenklichen Seiten symbolisch schillernd naturphilosophische, politische und künstlerische Elemente in Bewegung versetzt und in die Handlung hineinwirft. Lang ruhende, hellenische Vergangenheit bricht eruptiv wie ein Naturphänomen aus — nicht nur in diesem Vulkan, sondern in der ganzen Symbolwelt, die sich rings um ihn schart und bewegt; denn die Walpurgisnacht ist ja im Grunde selbst nur eine solche spontane Entladung von höchster Symbolkraft, die nach allen Seiten bedeutende und deutende Lavaströme schickt, angefangen mit den ersten Sphinxen, die „zu der Völker Hochgericht" sitzen, bis hin zur Mondsturzvision des Anaxagoras und bis zum triumphalen Ausbruch schöpferisch genetischer Mächte im Aufzug der Galatee, deren Nereiden und Tritone eben jene Goldschätze rettend auffangen, um die vorher in der vulkanischen Seismosrevolte der Streit getobt hatte.

Daraus wird deutlich, warum diese antiken mythologischen Wesen „häßlich" sind. Es sind, wie die Einzelinterpretation noch schärfer herausstellen wird, die Ausbrüche des „Ungeheuren", des „Monströsen", des Innersten und Absoluten der Antike, ihrer „Idee" (im Goetheschen Sinne), die sich in Helenas Schönheit „verschleiert", in ihren „Antezedentien" aber radikal offenbart und daher nach Goethes später Naturlehre[45]) ähnlich wie die Vorstufen der Blüte oder wie die prähistorische Tierwelt formlos direkt und ungestalt, aber immer „wunderbar" (s. V. 7181 ff.) dem überrascht staunenden Auge sich darstellt. Häßlich sind diese Gestalten nicht nur als Ausdrucksformen der Geschichte, die für Goethe primär „absurd" sind und auf Grund ihrer magischen Wiederholbarkeit ins Erschreckend-Grauenhafte weisen, weil sie das „Sinnlose" ständig

wieder darstellen, sondern häßlich sind sie — vor allem in der Schluß-
fassung — auch im positiven Sinne des unmittelbaren Erscheinens der
urphänomenologischen Aufbauelemente des Schönen, die im Schönen
selber verdeckt sind. Diese ihre doppelte Funktion wurde entsprechend,
wie sich zeigen wird, auf zwei getrennte Symbol- und Gestaltreihen
verteilt[45a]).

Damit nähern wir uns der Endfassung der Klassischen Walpurgisnacht:
Der ursprünglich geschichtliche oder geschichtsphänomenologische Charakter der „Antezedentien", der sich schon sofort im „historischen Naturell"
(Lesart) des Homunkulus ausdrückte, weicht bei ernsthafterer, gründ-
licherer Beschäftigung Goethes mit dem Stoff einer Phänomenologie des
Schönen, die ihm ja unendlich mehr am Herzen lag als eine allgemeine
Darstellung dessen, wie Geschichtliches überhaupt an und für sich wieder
zu erstehen vermag. Das „Geschichtliche" wird zunehmend gestrichen:
der Kampf zwischen Cäsareanern und Pompejanern und ihr Versuch, ihre
„ausgegeisteten Körperlichkeiten" wieder zu erlangen, fällt aus, die
Pharsalische Schlacht wird zwar erwähnt und von Erichtho als „Nachgesicht" bezeichnet, aber selbst nicht mehr dargestellt. Der „jüngere
Pompejus", der sogar noch in dem „Schema" vom 6. Februar 1830 auftreten sollte — der Sage nach befragt er Erichtho nach der Zukunft
(Lucan, Pharsalia VI) — fällt ganz weg. Homunkulus verliert sein
„historisches Naturell" und wird zum Träger einer natur- und kunstgenetischen Lehre. Die Walpurgisnacht selbst verliert an verwirrender
Fülle; Goethe beginnt ihre Gestalten nach bestimmten Gesichtspunkten
zu wählen, auszuscheiden und kompositorisch zu straffen. Vor allem
aber bleibt — ein vielumrätselter Vorgang — der Gipfel und Sinnpunkt
des Ganzen — der Gang Fausts in die Unterwelt und die Losbittung
Helenas von Proserpina — unausgeführt. Diese letztere Streichung ist
die schwerwiegendste Neuerung, die auch ein bestimmtes Licht auf den
Gesamtwandel vom Geschichtlichen zum naturphilosophisch Biologischen
wirft. Mit ihr fiel die Begegnung mit dem Gorgonenhaupt wie auch der
Urteilsspruch der drei Richter weg, in deren ehernem Gedächtnis alles
Vergangene festgehalten wird. Wichtiger noch: die Tragik der „verhüllten
Proserpina"[46]), die durch Fausts Rede „bis zu Tränen gerührt"[47]) wird
und deren verzweifelte Sehnsucht, wieder an die Oberwelt zurück-
zukehren, von Goethe bereits zweimal im Monodrama „Proserpina"
fragmentarisch behandelt worden war, blieb unausgeführt. Geht man den
inneren Ursachen nach, so zeigt sich, daß sie im Wesen der geplanten
Szenen selbst liegen:

Schon die Spätbearbeitung des Proserpina-Monodramas hatte nämlich
mit der magischen Fesselung der Königin an den Hades unser entscheidendes Doppelproblem verbunden: das der Dauer historischer „Per-
sönlichkeiten" und das der Verwandlung ins allgemein biologisch Typo-

logische. „Überreste alter Gebäude, zerstörte Burgen, zerbrochene Aquä-
dukte, verfallende Brücken, Fels, Wald und Busch völlig der Natur" überlassen, „alles Menschenwerk der Natur wiedergegeben", so beschreibt
Goethe einen Teil der Dekoration. „Die Schatten der Heroen, Herrscher
und Völker" sollen „an dem Verfall ihrer größten Werke das Vergeb-
liche menschlicher Bemühungen erblicken ... lassen". Ja, ihr Fluch liegt
darin, daß sie „eigentlich am Individuellen kleben", während auf der
anderen Seite die „Seligkeit" der biologischen Typen Mutter-Kind, Jüng-
ling-Mädchen dargestellt wird[48]). Das Proserpinaproblem hängt also im
Alter bei Goethe mit einer bestimmten Spannung zwischen Geschichte und
Natur, „Individualität" und biologischem Typus zusammen. Das spezifisch
Historische — Individualität und geschaffenes Werk — ist verflucht, ja
ein „Laster", falls es sich dem Zugriff der Zeit und Natur zu entwinden
versucht. Sieger ist die Natur: „Alles Menschenwerk wird der Natur übergeben". „Seligkeit" ist nur dem biologischen Typus verheißen. Schon im
Helenadrama hat das letzte Wort über den phantasmagorischen Ge-
schichtsablauf der 3000 Jahre die Natur, nicht nur im Rückfall des Chors
an sie, sondern auch in der Gestalt des Genius Euphorion, dem Wiedergeburt und Ewigkeit nur die ewig zeugende Kraft des „Bodens" gewährt:
„Denn der Boden zeugt sie wieder, Wie von je er sie gezeugt". Die
trotzige Behauptung des konkret Geschaffenen dagegen ist tragisch und
macht tief unglücklich (vgl. die Rückkehr Helenas in den Hades). Die
Losbittung — Fausts Versuch, eine konkret geschichtliche Gestalt wie
Helena, die im Gedächtnis der drei ehernen Richter tief eingegraben ist,
wieder zu erwecken — weicht also möglicherweise aus diesem inneren
Grund der biologisch-kosmischen Wiedergeburtslehre der heutigen Wal-
purgisnacht-Schlußszene, die keine spezifisch-historische Wiedererstehung,
sondern eine allgemein biologische Wiedergeburt alles Lebendigen im
Reiche des Eros und der Elemente verkündet.

Doch bleibt es auffällig, wie hartnäckig Goethe an dem Plan dieser
Losbittungsszene festhielt, wie sehr sie ihm bis in späteste Tage am
Herzen lag, wie begeistert er sie Eckermann schildert. Rührte sie doch
an eine echt tragische Schicht seines Schaffens, die uns noch bis zur Faust-
Sorge-Szene beschäftigen wird. Goethe spricht von den „Tränen", die
Fausts Rede Proserpina entlockt, und von ihrer „Rührung". Zur Klärung
dessen, was in dieser Rührung letztlich anklingen mochte, sei auf folgende
Szene in den „Wahlverwandtschaften" verwiesen: Als Charlotte ihren
Gemahl über den eingeebneten Friedhof zu den „alten Denkmälern" und
Grabsteinen führt, die sie vom Boden gelöst an der Mauer nebeneinander,
die Kirche „verzierend", aufgereiht hatte, „fühlte sich Eduard sonderbar
überrascht ... und im Auge stand ihm eine Träne", „die schnell wieder
verscheucht" wird[49]). Indem sich die Reste vergangener Zeiten aus ihrem
Ursprungsboden gelöst vor den Augen einer ordnenden und hegenden,

aufgeklärten Spätzeit versammeln, indem diese Spätzeit die geschichtliche Gefügtheit aufhebt und alles auf einer „höheren", heiter überschaubaren Ebene nebeneinander ausbreitet, bricht aus dem Auge des Betrachters eine Träne hervor. Die tiefste dichterische Funktion der Goetheschen „Rührung" wird hier deutlich: Das Wiederschauen eines real Verlorenen in der Vorstellung erregt Sehnsucht und Schmerz, das Wiederschauen des Verlorenen im abgelösten B i l d dagegen Rührung. Denn der Anblick des Gestorbenen in einem verfremdeten, aus Ursprung und Boden gelösten Schein, der das Gewesene zugleich erhöht und vereinsamt, erzeugt Scham, Tränen und, wie es in den „Wahlverwandtschaften" heißt, „sonderbare Überraschung". Das Wirkliche als unwirklich (Kunst) und dennoch unleugbar tatsächlich uns anschauend erregt eine Verwirrung, die „verscheucht" werden muß und sich wie aller ästhetische Schein in Trost, Verklärung und in jenen „heiteren Ernst" auflöst, der in Eduard bei Betrachtung seines tragisch-symbolischen Lebensganges zurückbleibt und traurig und rührend noch unendlich in uns nachhallt. Nichts kann ergreifender das Verhältnis zwischen Porträt und Kunst, Gewesenem und Schein ausdrücken als solche Rührung, und nirgends vielleicht ist das Problem des Hades bei Goethe tiefer geschaut worden als hier. Aus solchen Empfindungen heraus mag Proserpina, eingedenk ihrer eigenen tragischen Fesselung, in Tränen ausbrechen bei der inständigen Bitte Fausts, ihm ein längst abgeschiedenes Wesen wieder zu schenken und magisch losgelöst von Heimat und Ursprung in eine Spätwelt zu stellen. Flößt doch solch scheinhafte Aufhebung des Unaufhebbaren, solch traumhaftes Einhalten des Zeitlaufs und „Begehren von Unmöglichem" erst recht das tragische Wissen um ein ewig verhängtes Zeitschicksal ein, das unentrinnbare Bewußtsein, für immer der einstigen Jugend am Lichte der Erde verlustig zu sein und durch keinen „Schein" einer Rückgabe die Macht des Hades und des wirklichen Zeitlaufs brechen zu können. Die tragische Rührung Proserpinas also, die Goethe an dieser poetisch wundervollen Szene zu innerst anzog, in der Proserpina hinter Schleiern „melodisch vernehmlich", aber für Faust „unartikuliert" ihre Schmerzen erschüttert verbergen sollte, hätte die Tragik des Unrettbaren im Geschichtlichen und Künstlerischen gestreift. Ja mehr noch, sie hätte eine Schuldfrage berührt: Denn die Versammlung gewesener Gestalten im Hades und ihre Losbittung war eine Goethe bewegende Vorstellung, die in immer erneuten Ansätzen bei ihm auftritt, in „Tasso", im Proserpina-Monodrama, in der „Iphigenie", im Aufsatz „Das Grab der Tänzerin", in den „Wahlverwandtschaften" und endlich hier in Faust II. Sie mündet letztlich in die Frage, ob Kunst der Geschichte gegenüber schuldig wird, indem sie Gewesenes aus ihrem Ursprung löst und im Schein vor uns aufrichtet. „Schuld" war es ja, die Charlotte auf sich lud, indem sie verblendet mit dem „dilettantischen" Künstlerarchitekten das Vergangene seines Ursprungs entmächtigte und

als „Zierde" verwandte. Schuld war es, die Proserpina für immer kraft
der Magie des Granatapfels und des Schmucks ihrer Gewänder an den
Totenort bannte, und extrem schuldig ist Helena, indem sie als „Idol"
alle Männer, alle Sinne und Zeiten verwirrt[49a]). Das Ästhetische als Schuld
vor der Geschichte[49b]), dies war eine entscheidende Problemlage Goethes
schon in der Hochklassik, wenn damals etwa im „Märchen" durch die
„Lilie" der Prinz getötet wird, alle Zeiten in ihrem Reiche erstarren, alles
Lebendige tot und alles Tote lebendig wird. War also eine Freisprechung
Helenas aus der Bannzone gestorbener Geschichte von innen heraus
möglich? Das ist die bedenkenerregende Frage, vor die uns die geplante
Losbittungsszene im Hades stellt; und im Grunde rührt diese Frage be-
reits an das Verhältnis, in dem Geschichte und Biologie in der Klassischen
Walpurgisnacht zueinander stehen:

Erinnern wir uns, daß die Lösung der ästhetischen Schuld im „Märchen"
durch das Opfer der Schlange (ihre Auflösung im Fluß), in der „Pandora"
durch den Sprung in die Elemente erfolgte, und vergegenwärtigen wir
uns, daß die heutige Schlußszene der Klassischen Walpurgisnacht gleichfalls mit einem Sprung des Homunkulus ins feuergerötete Meer und in
einem bachantischen Preis auf Eros und die vier Elemente endet, wonach
sofort im folgenden Akt Helena selber auftritt. Goethe scheint also nach
einem inneren Gesetz seines Schaffens gehandelt zu haben, als er die
heutige biologische Schlußszene an die Stelle der Losbittungsszene setzte
bzw. diese Losbittungsszene nicht mehr folgen ließ. Auf einen biologischen
Erlösungs- und Rettungsmythos wäre, nach allem, was wir über sein
Schaffen, Bilden und Denken bis jetzt herausgestellt haben — sowie nach
der folgenden Einzelinterpretation dieses Mythos — eine nochmalige
magische Beschwörung nicht möglich gewesen, weil Magie und Kunst nicht
das, was das Leben bereits gewährt, nochmals hervorzaubern können. Da
das Leben immer nur dann eingreift, wenn Magie und Sehnsucht versagen
(Pandora), niemals aber umgekehrt durch Magie und Sehnsucht ersetzt
werden kann, so mußte von innen her die Losbittungsszene fallen. Denn
genau der gleiche Vorgang hat sich auch in dem parallelen Spätwerk
Goethes, in den „Wanderjahren", abgespielt. Auch dort mußte eine der
herrlichsten, bereits sprachlich groß ausgeführten Szenen, nämlich die
magisch-sehnsüchtige Heranziehung Natalies durch Wilhelm mit dem
Fernrohr über den Abgrund hinweg, der Streichung zum Opfer fallen
und statt dessen eine biologische Vision und Wiedergeburtsszene den
Roman abschließen: die Rettung des Sohnes aus dem Fluß und die große
Zuversicht, daß das „Ebenbild Gottes", der menschliche Körper, von der
Natur „immer aufs neue hervorgebracht" wird[50]). Goethe scheint also mit
voller Überlegung die Hadesszene gestrichen zu haben, mit Gründen, die
zu erraten bei der überraschenden Parallele mit den „Wanderjahren" nicht
schwer sein kann: Magisch-unmittelbare, auf „Sehnsucht", „Rührung",

Tränen usw. sich gründende Beschwörungen geliebter Wesen weichen aus inneren künstlerischen Prinzipien der biologisch-kosmischen Gewährung eines ewigen Lebens. Das heißt der Wandel von den ersten großen Skizzen des zweiten Aktes zur späteren Ausführung ist ein Wandel von einer geschichtlich-individuellen Beschwörung zu einer biologischen Opfer- und Wiedergeburtshandlung. Das Vergangene ist rettbar nicht durch unmittelbares Hineinziehen ins Gegenwärtige — so leidenschaftlich ergriffen Goethe auch immer wieder durch solch ein Beginnen ist — sondern durch biologische Metamorphose. Aus diesem Grund weicht die Pharsalische Schlachthandlung, der Versuch der Kohorten, „ihr römisches Großtum" sich wieder anzueignen durch Wiedergewinnung ihrer „Individualität", einer allgemeinen naturphänomenologischen Darstellung des Krieges[51]); und aus dem gleichen Grund wird aus dem „historischen Naturell" des Geschichtskalendermannes Homunkulus eine biologische „Werde"-Mythe.

Keineswegs aber handelt es sich bei diesem Wandel, wie Hertz glaubt, um ein langsames „Verblassen" des „ästhetischen Weltbildes", das im Zuge des Alterns Goethes, „mit dem mählich schwindenden Reiz der Sinnenwelt"[52]), erfolgt sei und die „Losbittungsszene" mit all dem „Glanz des mythischen Bereiches der Helena ins Wesenlose"[53]) versenkt habe. Nichts in den Skizzen weist auf eine solche Abwendung vom Ästhetischen ins Biologische hin, die, wenn sie schon aus Goethes Leben entwickelt werden soll, auf ein viel früheres Datum, auf die Zeit der „Pandora" etwa und den damaligen Wandel vom spezifisch Ästhetisch-Tragischen zum biologisch bzw. historisch Realen anzusetzen wäre. Durch nichts kann ferner einsichtig gemacht werden, daß in einer so kurzen Zeit von vier Jahren, unmittelbar nach der freudigsten und ausgiebigsten Arbeit an dem „mythischen Bereich der Helena" selber, ein solches von Goethes Altern abhängig gemachtes Verblassen sich derart hätte auswirken sollen, während der rasche Wechsel vom Historischen ins Biologische durchaus erklärlich ist aus der Spannung von Plan und Ausführung: Geplant war ein geschichtlicher Vorgang, ausgeführt werden konnte auf Grund des Goetheschen Denkens nur ein biologischer, d. h. eine Umwandlung des Geschichtlichen ins Naturgeschichtliche. Eine innere grundsätzliche Gesamtwandlung Goethes etwa von einem geschichtlichen Denken in ein biologisches ist damit nicht gemeint. Vielmehr klären sich lediglich die Goethe eigenen naturgegebenen Komponenten — Geschichte, Natur und Kunst — im Verlauf ihrer praktischen Durchformung. Denn durchweg scheint Goethe im Alter solch magisch-unmittelbare Beschwörung des Schönen, an denen er bis zuletzt leidenschaftlich hängt, mitten im Arbeitsprozeß zu unterdrücken. Neben der Fernrohrszene in den Wanderjahren bleibt eine im Zusammenhang mit „Helena" sehr spät auftauchende Idee zu einem neugriechischen Drama mit Charon, d. h. mit der Hadessphäre, als Thema, unausgeführt. In der inneren Struktur dieser Szenen selbst scheint für

Goethe ein Hemmnis für ihre Ausführung zu liegen, trotz der immer wiederkehrenden tiefen Faszination durch „magische Spiegelungen". Wie Goethe in den „Wanderjahren" mit jenem berühmten Wort, alle „Sehnsucht" müsse „im Tun und Wirken verschwinden"[54]), den Versuch abwehrt, am Gardasee durch Sehnsucht und rührend poetische Wiederbelebung Mignons Vergangenheit in der Wirklichkeit bzw. im Gemälde wieder auferstehen zu lassen, so triumphiert immer wieder im Alter bei Goethe Leben, Tun, Wirken, Natur über die gefühlsmäßig poetischmagische, unmittelbare Beseelung und Hervorlockung des Schönen.

Damit sind die Voraussetzungen zur Neuformung der Klassischen Walpurgisnacht und zur neuen Konzeption der Homunkulusgestalt entstehungsgeschichtlich bestimmt. Der zweite Akt erscheint jetzt als eine Wiedergeburt Helenas auf biologisch-natürlicher Grundlage. Doch kann diese Beweisführung schlüssig erst werden auf Grund der tatsächlichen Formung der Endfassung selber; tritt doch erst hier die Dreiheit von Kunst, Natur und Geschichte, die nun einmal mit dem Stoff selber gesetzt ist, in ihrer wirklichen inneren Bedeutung und Sinnfülle zutage. Denn wenn hier kurzfassend von einem Wandel vom magisch Poetischen bzw. vom magisch Geschichtlichen zum Biologischen gesprochen wurde, so ist die Vielschichtigkeit und innere Lagerung dieses Vorgangs doch noch keineswegs erkannt, vor allem was den Bezug zur „Antike" betrifft. Weshalb für Goethe die Antike selbst ein Teil von „Natur" ist, wie sich das Geschichtliche, das mit dem Antiken als einer historischen Welt untrennbar verknüpft ist, mit dieser Natur synthetisch verbindet, wie es, als Geschichtliches an und für sich, bizarr und absurd ist gemäß der Goetheschen skeptischen Grundhaltung zur Geschichte, als antik aber zur Schönheit hinweist, wie ferner aus der Paradoxie dieses Verhältnisses die Spannung von häßlich und schön sich erklärt, wie, um es noch schärfer zu bezeichnen, — eben weil nicht nur das Problem antiker Geschichte, sondern auch das der Wiederbelebung von Geschichte schlechthin urphänomenologisch von Goethe gestellt ist — jene unendlich komplizierte Vermischung von Urgeschichte (Granit, Sphinxe) und Scheingeschichte (Welttheater, Lamien u. a.), von echter Naturgeschichte (Thales) und scheinhafter Naturgeschichte (Anaxagoras) entsteht und wie endlich auch die kunstgenetische Seite der Klassik sich zeitlos geheimnisvoll in „Höhlen" geborgen durchhält, nein systematisch schrittweise aufbaut von den Sirenen und dem umkämpften Gold im Gebirge bis zu den Kabiren und künstlerischen Götterstatuen der Telchinen von Rhodus — über dies alles kann nur die Analyse der ausgeführten Endfassung belehren.

2. Studierstube und Ledavision und die kunst- und geschichts- ontologischen Hintergründe ihrer Konfrontation

Wie zu Beginn des ersten Aktes, so liegt auch am Anfang des zweiten Aktes Faust in tiefem Schlaf auf der Bühne. Beidemal ging eine Katastrophe voraus und beidemal ist entstehungsgeschichtlich der gleiche Vorgang zu beobachten: Während in den frühen Skizzen zum zweiten Akt Faust nach der Katastrophe der Helenabeschwörung „leidenschaftlich" fordernd vor Mephisto tritt und sein Inneres dem Zuschauer offenbart, verstummt er zusehends mit den späteren Entwürfen[55]):

Bis zu seinem Erscheinen in der Klassischen Walpurgisnacht wacht er nicht auf und spricht kein Wort, genau wie er nach dem Monolog des ersten Aktes erst wieder völlig maskiert und verwandelt in der Mummenschanz vor den Zuschauer tritt. Der Schlaf wird auch im zweiten Akt zu einem Tiefschlaf, aus dem kein Wort innerer Entscheidung oder handlungsmäßiger Entschlüsse aus der Seele des Helden hervorbricht. Statt dessen gehen aber tiefgreifende Wandlungen mit Homunkulus, Wagner, Mephisto und vor allem mit Fausts U m w e l t vor sich. Wie vielfach im Alter von Goethe die Verlegung innerer Bedeutungsvorgänge in die äußere Umwelt als Zeichen höchster künstlerischer Meisterschaft — z. B. an Tizian — gerühmt wurde[56]), so erhält die gesamte dramatische Personen- und Handlungsaufteilung in der Endfassung eine besondere Tiefe durch den Einfall, Faust in seiner eigenen Vorwelt, in seiner erstarrt stehengebliebenen Vergangenheit (aus Faust I) schlafend niederzulegen und diese schreckhaft im Raume beharrende, vergilbte Faust I-Welt unterirdisch mit der kommenden Vorwelt der Antike (durch Homunkulus) in kontrapunktischen Zusammenhang zu bringen. Denn wie diese Schlafszene — in der Traumdeutung des hell aufleuchtenden Homunkulus gipfelnd — das Klassisch-Antike normativ strahlend über den „Wust von Rittertum und Pfäfferei", über „das Düstere", über ein „verbräunt Gestein, bemodert, widrig, spitzbögig, schnörkelhaftest, niedrig" (V. 6925 ff.), erhebt, so entwickelt sie als Ganzes aus der geschichtlichen Konfrontation von Gotik und Antike, Faust und Helena (Ledavision des Homunkulus) ein höheres, bedeutenderes Schaffensproblem: das der Verjüngung und des „Neuen" in der Geschichte: „Die Last des Alten war (ist) zu groß, Lebendiges (Das Neue) windet sich nicht los. In diesen hohlen Schädels Augenhöhle, In staubigen Scherben alter Töpfe ... (soweit Lesart zu V. 6610 ff.) ... Muß es für ewig Grillen geben" (V. 6615). Um die „Last des Alten" also und um die Geburt des „Neuen" ging es hier Goethe, um das viel gestaltete und umkämpfte Verjüngungsproblem, das nirgends brennender wird als beim Anblick einer konservativ „ewigen" Geschichte, vor der im Hohn des geschichts-skeptischen Mephisto („Wer kann was Dummes, wer was Kluges denken, Das nicht die Vorwelt schon gedacht?") die Züge echt Goethescher Schwermut aufsteigen. Daß nichts Neues unter der Sonne geschehe, diese konservativ-klassische Lehre, die niemand mit mehr innerem Einverständnis unterschrieb als Goethe, steht kontrapunktisch zum Problem des „Sichloswindens" des „Lebendigen" und „Neuen" aus „dieses hohlen Schädels Augenhöhlen", das heißt zum Wiedergeburts- und Verjüngungsmotiv, das gleichfalls von niemandem energischer und leidenschaftlicher verteidigt worden ist als von Goethe. Beides ist in der Mephisto-Baccalaureus-Szene unvergleichlich ineinander verschränkt: Das schreckhaft „Unveränderte", Stehengebliebene, im Zeitlauf düster Verharrende und Erstarrte der Faustischen Vergangenheit (s. V. 6570 ff.), das Goethe im Unterschied zu anfänglichen Plänen und Skizzen[57]) immer stärker betonte, wird gerade durch die beschränkt zeitverfallene Scheinjugend des Baccalaureus erhöht, der selber nur ein Erinnerungsstück aus Fausts Frühzeit ist, während umgekehrt Mephisto — obgleich Garant und Lobsänger des urewig Alten — wie ein Fönsturm und „wetterleuchtend Wittern" in das morsche „Kalk- und Schutt"-Geriesel der wankenden Wände einbricht, durch „Wunderkraft" die „fest verriegelte Tür entsiegelt" und durch den unheimlich alles erschütternden Klang seiner Glocke wie die Fanfare des jüngsten Gerichts „die Hallen erbeben" und die Türen „aufspringen" läßt. Der „Alte" Mephisto, der sich schon vorher in Goethes Phorkyaskonzeption des Helenaaktes zum „Ururältesten" gesteigert hatte, ist als Vertreter des „ewig" Alten auch der „Entsiegler" der Zeit, der Aufbrecher und Entdecker ihres Sinnes und Nichtsinnes („Bedenkt: der Teufel, der ist alt, So werdet alt, ihn zu verstehen!"). Nur aus dieser gesamtszenischen Sicht läßt sich das Emporsteigen der Antike in Homunkulus-Fausts Ledavision deuten:

Die klassisch-konstruktive Aufteilung der Geschichte in zwei sich ausschließende Hälften (vgl. V. 6923 ff.) enthielt ja, wenn man hinter die innersten Bedürfnisse zu schauen versucht, aus denen sie entstand, nicht eine einseitige Kontrastierung zweier Zeiten allein. Sie entsprang der viel elementareren Suche nach einem echten Urgrund großer Schöpfung. Sie erwuchs aus der Frage, wieweit eine Geburt und Wiedergeburt der Kunst verstellt wird durch „Geschichte" — darin liegt ein Hauptgrund des erbitterten Angriffs gegen „Gotik" und erstarrte historische „Erinnerungen" (auch eigener Lebensbereiche Goethes) —, und wieweit Geschichte als „reine" Natur wieder erscheint, etwa durch die Wiederkunft der Antike. Unaufhaltsam trieb von Beginn an die deutsche Klassik dieser Problemlage entgegen, in deren Lösung das Geheimnis ihrer tatsächlichen Größe und ewigen Jugend liegt: Vermag das „Originalgenie" spontan eine reine „Natur" im schlimmen Zeitlauf zu erzeugen? So lautete ihre Ausgangsfrage in der Jugend. Gibt es im Schaffensbereich des menschlichen Geistes einen Bezirk, der reine Natur über Jahrtausende bewahrt, so lautete die besinnlichere Frage eines gereiften Dichters, der erfuhr, daß es außergeschichtliche, d. h. außermenschliche Natur im Schaffen nicht gibt und daß Nachahmung und Wiedererzeugung von Natur nur eine aufs höchste gesteigerte menschliche Fähigkeit ist, eine „zweite Natur" i n der Geschichte zu erzeugen, die ja instinktiv schon beim frühsten Goethe naturhafte Züge annahm: in seiner Verherrlichung des 16. Jahrhunderts (Götz) oder des Straßburger Münsters, das ihm als Naturwerk, als ein „Baum Gottes" erschien. Ob für Goethe die deutsche Vorzeit, ob die Antike oder später der Orient vorbildlich werden, immer leuchtet hinter ihnen eine zur Natur gewandelte Geschichte auf. Die „klassische" Haltung Goethes, das, wenn man will, Kunstdoktrinäre seiner Antikeverehrung, entspringt letztlich einem unüberwindlichen, s c h a f f e n s notwendigen Bedürfnis, sich im Zeitlauf zu verjüngen und eine „neue" Natur-Welt zu schaffen. Die Antike, die er als konkreten Orientierungspunkt umkreist, birgt in sich eine zeitlose „Natur", enthält zugleich aber auch Fingerzeige, Hinweise, Schöpfungsmerkmale menschlichen Schaffens, ohne die keine entschieden gestaltende schöpferische Kraft auskommen kann. In diesem Sinne ist die extrem normative Geschichtsmetaphysik Goethes notwendiger Ausdruck seines Kunstschaffens: Große klassische Kunst orientiert sich an einem kanonisch geheiligten Bezirk aus dem elementaren, schon mit dem Kunstschaffen selbst gesetzten Bedürfnis heraus, zwar nicht in „Regeln" des Schaffens, wohl aber in Urformen des menschlichen Produktionsprozesses selbst einzudringen, die die eigenste Natur des Künstlers fördern und daher für ihn gleichwertig mit dem Naturprozeß selber werden. Goethe selbst hatte im Alter bekanntlich die Weitsicht, andere Geschichtsnaturen als die ihn selbst verpflichtende als echte und volle Kunstnaturen anzuerkennen. In diesem Sinne sprach er im positiv lobenden Tone wiederholt zu romantischen Malern und Künstlern vom Mittelalter als von ihrer wesenseigenen, fördernden und schaffensbestimmenden „zweiten Natur", ohne die keine Leistung bei ihnen erwartet werden könne. In Goethe selber also lebte das deutliche Bewußtsein davon, daß die ganze Spannung zwischen Antike und Mittelalter im Grunde auf elementaren kunstgenetischen Voraussetzungen beruht, die mit wirklicher Geschichte, mit wirklicher Antike und wirklichem Mittelalter, kaum etwas, sehr viel aber mit dem unmittelbaren Produktionsprozeß des Künstlers zu tun haben. Um eine Suche nach Natur im Bereich des Zufälligen, um den Zugang zu einem produktiv unendlichen Lebensquell mitten im Künstlichen, Menschlichen, Geschichtlichen ging es immer wieder. Einzig hieraus ist die neue H o m u n k u l u s rolle zu verstehen, die auf eine sehr bezeichnende Weise eine produktiv naturgenetische Urfunktion mit einer überirdisch geistigen Schau in die Antike verknüpft und alles bizarr, absurd und „nordisch" „Historische" und Pseudogelehrte, das den ersten Homunkulus-

skizzen anhaftete, wie in einer guten, befreienden Tat von sich abstreift
und auf die dumpf erstarrte, verschollene Studierstube Fausts überträgt.
Die Wandlungen des Homunkulusbildes spiegeln zeichenhaft die geistigen
Wege, auf denen sich Goethes Gesamtintentionen von Faust nach Hellas
bewegen. Hatten sich anfänglich nur „gleichsam im Vorbeigehen auf dem
Wege zum Ziel", mehr auf Grund eines „probaten Mittels" Mephistos,
Faust abzulenken und „nach allen Seiten hin und her zu sprengen", die
Homunkulusgestalt und der „Besuch" in Wagners Laboratorium ergeben
(Paralip. 123 von 1826), so wird nunmehr in der Ausführung die Er-
zeugung dieses kleinen Männleins zum Ursprung einer leuchtenden
Flamme, die aus der „modrigen" Enge der Faust I-Sphäre den Helden zu
den biologisch-künstlerischen Zeugungskräften der Antike führt und an
der Geburt des Neuen, Schönen und Ewigen teilnimmt. Homunkulus
wird „p o s i t i v"[58], weil die gesamte Sicht Goethes auf das Verhältnis
zwischen nordisch und antik sich in der Frage nach dem W e r d e n und
Wiederwerden geistiger und körperlicher Kräfte überhaupt konzentriert.
Er repräsentiert das eigentlich Neue und Produktive, das sich aus dem
Zusammenprall zwischen der erstarrten gotischen Frühwelt Fausts und
den Träumen von Leda und Antike ergab. S e i n e Fähigkeit, das Innere
Fausts zu erschließen (in seiner Deutung des Ledatraums) und weg-
weisend die Fahrt nach Hellas zu beleuchten, entspringt einer „Tendenz
zum Schönen und förderlich Tätigen"[59]. Von dem Weltkalendermännchen, das kaleidoskopartig den Ablauf der Weltgeschichte repetiert, bis
zu einem solch förderlich Tätigen war ein weiter Schritt, der sich jedoch
folgerichtig aus dem inneren produktiven Verhältnis Goethes zu Antike
und Gotik, Jugend und Alter ergab[60].

3. Die neue Homunkuluskonzeption und ihre Vorformen

Was also ist nunmehr Homunkulus? Goethe selbst gab wiederholt
Hinweise: „Solche geistige Wesen wie der Homunkulus, die durch eine
vollkommene Menschwerdung noch nicht verdüstert und beschränkt
worden, zählte man zu den Dämonen"[61]. Unter „dämonisch" verstand
Goethe hier, wie auch aus seinen sonstigen Schilderungen des Homunkulus
sowie aus anderen damaligen Gesprächen mit Eckermann hervorgeht[62],
in erster Linie sofortiges, energisches, positives Tun und Handeln auf
Grund einer durch nichts beschränkten, „überirdischen" und „geistigen
Klarheit": „Der Homunkulus erscheint in der Flasche als leuchtendes
Wesen und ist sogleich tätig. Wagners Fragen über unbegreifliche Dinge
lehnt er ab, das Raisonieren ist nicht seine Sache; er will h a n d e l n[63],
und da ist ihm das Nächste unser Held Faust, der in seinem paralysierten
Zustande einer höhern Hülfe bedarf. Als ein Wesen, dem die Gegenwart

durchaus klar und durchsichtig ist (man beachte die Betonung des tätig
Gegenwärtigen, die eine echt Goethesche Wendung gegen das Verfangen-
sein durch Vergangenheit und Erinnerung und damit eine völlige Umkehrung der Homunkuluskonzeption anzeigt), sieht der Homunkulus das
Innere des schlafenden Faust, den ein schöner Traum von der Leda beglückt" usw.[64]. Homunkulus ist der Tätige, Handelnde, er wird zum
Symbol einer Produktivkraft, die dem Helden „höhere Hülfe" gewährt
und durch ihre unablässig aufs Gegenwärtige gerichtete dämonische Klarheit und Bereitschaft zum Wirken für Goethe unendlich positiver wird
als früher. Immer wiederkehrende Geständnisse Goethes von den
„Dämonen", die ihn glücklich „leiten", ihm plötzlich weite Strecken erhellen und ihn in ununterbrochener Tätigkeit munter erhalten, beweisen,
wie entschieden diese Homunkuluskonzeption in Goethes eigenen Schaffens-
erfahrungen wurzelt: „Das Dämonische", so definiert Goethe wenige Zeit
später Eckermann gegenüber, der das Dämonische in üblicher Weise mit
dem „negativ" teuflisch „Mephistophelischen" verwechselte, „äußert sich
in einer durchaus positiven Tatkraft"[65]. Was also Goethe mit der neuen
Homunkuluskonzeption plante, war der Gedanke, dem Helden Faust in
diesem Männlein eine „hilfreiche", übernormal geniale Produktivkraft, frei
von aller „paralytischen" leidenschaftlichen Trübung auf dem Weg nach
Hellas zur Seite zu stellen. Alle äußeren Gestaltformen, die er nunmehr
dem chemischen Männlein verleiht, bestätigen das:

Trat er im ersten Entwurf sofort nach dem Zerschlagen des Glases real
als wirkliches Menschlein hervor, „als bewegliches, wohlgebildetes Zwerglein" gemäß der Paracelsus-Tradition, so verhindert Goethe später gerade
diese volle, sofortige, künstliche Menschwerdung und schenkt ihm statt
dessen frei von jeder Homunkulusüberlieferung nunmehr eine „Flamme",
jenes immer wieder bei Goethe auftauchende Symbol genial überirdischer
Kräfte, das uns bereits beim „Knaben Lenker" eingehend beschäftigte und
auch bereits dort auf „atmendes Wachstum deutet" (Paralip. 104), d. h.
ein biologisches Werden in sich einschloß. Homunkulus wird zur „menschen-
ähnlichen Flamme" (V. 8104), die beim ersten Wort Fausts: „Wo ist sie?"
(Helena) ihm „von Flamm' zu Flamme spürend, ... dröhnend ... und
gewaltig leuchtend" den Weg durch die Walpurgisnacht weist. Das „gewaltige Leuchten" des Homunkulus ist, wie der Goethesche Tonfall anzeigt, Ausdruck einer mächtig dämonischen Geisteskraft ähnlich der
„Flamme übermächtiger Geisteskraft" des Euphorion, der ja die Aus-
gangsgestalt des Knaben Lenker ist. Von Euphorion über den Knaben
Lenker zum Homunkulus scheint hier entstehungsgeschichtlich e i n e Linie
zu führen. Homunkulus ist nicht mehr nur „Zwerg", sondern „aller-
liebster Knabe" (V. 6903). Unverkennbar schwingt hier die leicht spielerische
Charakteristik des „Knaben Lenker" als „Sponsierer", „von Haus aus
ein Verführer" usw. nach. Wie der Knabe Lenker mit seinen Flämmchen

geisterhaft unvermittelt neben Faust-Plutus auftritt und seinen Wagen-
zug „lenkt", so leitet die Homunkulusflamme Faust durch die Walpurgis-
nacht, und wie der Knabe Lenker plötzlich erscheint, ehe er, wie es
Goethe tatsächlich ursprünglich plante, von Faust selber gezeugt und von
Helena geboren wird, so steht das Nichtgeworden-Knabenhafte des
Homunkulus in unleugbarer Parallele zur klassischen Geniusallegorese
Goethes — deren innere Beziehung zum Phänomen des knabenhaft Ungewordenen wir bereits eingehend aufgedeckt haben. Ja mehr noch:
Homunkulus ist nicht nur „Knabe", sondern auch „Hermaphrodit":
„Auch scheint es mir von andrer Seite kritisch, Er ist, mich dünkt,
hermaphroditisch". Erstaunlich also nähert sich die neue Homunkuluskonzeption der Linie, die von der Mignonfigur ausgeht. Hier wie dort
verbindet sich das Schwanken zwischen den Geschlechtern, das von
Mignon bis zum Knaben Lenker charakteristisch für Goethes Genius-
und Musenallegorie ist, mit dem knabenhaft Unerfahrenen, aber auch
überirdisch Reinen des „Jungfernsohnes", das die Idealität des Genialen
bezeichnet und zur höchsten, alles überschauenden Klarheit befähigt. Wie
ferner Euphorion sofort zur Tat übergeht und in spontan unfaßbarer
Raschheit das „Schöne" und „Poetische" zum heroisch Kriegerischen
steigert, so charakterisiert Goethe seinen Homunkulus primär durch Tat
und sofortiges „Handeln" auf Grund einer „Tendenz zum Schönen". Bis
in die Geburt der beiden wirkt die Parallele hinein: Auch Euphorion
wird durch geheime Mitwirkung Mephistos geboren, auch er erhebt sich
wie Homunkulus schnell über seine Erzeuger Faust und Helena. Mephisto
bzw. — wie Beutler annimmt[66]) — Wagner werden „am Ende" von ihrer
„Kreatur" Homunkulus „abhängig". Der Genius entwickelt sich rasch
über seine leiblichen Schöpfer. In diesem Sinne werden Homunkulus und
der Knabe Lenker Führer und Leiter Fausts, obgleich der letztere Fausts
„Sohn" ist und der erstere die „Kreatur" Mephistos (bzw. Wagners).

Eine weitere wichtige Parallele zwischen Homunkulus, Euphorion und
selbst Mignon liegt in der unnatürlichen, anorganischen, künstlichen Art
ihrer Geburt. Homunkulus wird in der Retorte erzeugt mit der nicht nur
ironischen Begründung: „So muß der Mensch mit seinen großen Gaben
Doch künftig höhern, höhern Ursprung haben. Es leuchtet! seht!"
(V. 6846 ff). Euphorion entsteht durch die Verbindung Fausts mit dem
Scheinwesen Helena auf unnatürlich rasche, über alle organischen Gesetze
spottende Weise. Mignon wird in Blutschande vom „Harfner" und einer
„Heiligen" geboren. Alle drei haben kein „Gewicht" im realen, organischen
Sinne. Sie sind Halbwesen, die erst „werden" müssen: „Laßt mich scheinen,
bis ich werde", fleht Mignon. „Denn nichts Geringes haben wir zu flehn:
Der Knabe da wünscht weislich zu entstehn" (V. 8132), sagt Thales von
Homunkulus. Euphorion findet keinen Boden mehr unter den Füßen
und fliegt leicht wie ein Ball in die Luft. Homunkulus „fehlt es nicht an

geistigen Eigenschaften, Doch gar zu sehr am Greiflich Tüchtighaften. Bis
jetzt gibt ihm allein das Glas Gewicht". Mignon verzehrt sich in der
Diskrepanz von Körper und Geist, bis sie die „Hülle" des Körpers zerbricht. Ihre geistige Befreiung erleben alle drei durch ein Vernichten oder
Abstreifen ihres Kleides. Homunkulus zerbricht sein Glas durch „die
Symptome herrischen Sehnens, ... das Ächzen beängsteten Dröhnens"
und geht ein in die Elemente; Mignon läßt ihre Hülle zurück in
„Sehnsucht" nach ihrer wahren, höheren Heimat; Euphorion steigt in
unbändigem Drang als „Komet" in die Luft und streift „Kleid, Mantel
und Lyra" ab beim „Verschwinden des Körperlichen". Die Erlösung ist
bei allen mit Katastrophen und Lichtsymbolen verbunden. So verschieden
je nach ihrer Stellung im Gesamtwerk die Begründung dieser Erlösung
auch ist — bei Homunkulus als Eingehen in die Elemente, aber auch,
wie sich zeigen wird, in die Kunstsphäre (Wagen der Galatee), bei Mignon
und Euphorion ins Höhere, Himmlische — so gleichgerichtet ist ihre
Grundkonzeption. Als „künstliche" Wesen sind sie alle drei von „Geheimnis" umhüllt. Mignon verbirgt das Geheimnis ihrer Herkunft,
Euphorions Geburt findet im tief „Verborgenen" statt, fern vom Chor,
der „glaubhafter Wunder Lösung endlich anzuschauen" sich sehnt; des
Homunkulus Entstehung ist „offenbares Geheimnis": „Denn das Geheimnis liegt am Tage" (V. 6876). Er lebt — in sonderbarem Gegensatz zu
seinem Entschluß: „Dieweil ich bin, muß ich auch tätig sein" — in einer
gläsernen Hülle: „Natürlichem genügt das Weltall kaum, Was künstlich
ist, verlangt geschlossnen Raum" (V. 6883 f.). Die Kontrapunktik des
Genie- und Schöpfungsproblems Goethes erreicht hier ihre Höhe. Das
Tätige im künstlerischen Sinne ist zugleich das Weltabgeschlossene. So war
es schon in „Des Epimenides Erwachen", in der Stellungnahme der
Pandora gegen Prometheus und in anderen Werken. Ja schon in der Zeit
des Sturm und Drang hatte Goethe die Kunstproduktion nicht nur der
Natur, sondern auch der „Künstlichkeit" abgeschlossener Räume über-
antwortet: Er wollte „alle zerstreute Schönheit und Glückseligkeit ... in
eine gläserne Mauer bannen ... die Zirkulation aller seiner (des Menschen)
wahr- und gemachten Bedürfnisse in einen Palast einschließen ... die
Kunst ... vor den tausendfachen Übeln" der erbarmungslosen Natur
„scheiden" und „verwahren", um dadurch überhaupt erst ihre Existenz
zu sichern und möglich zu machen. So stand es bereits 1772 in einer
Rezension der „Frankfurter Gelehrten Anzeigen"[67]), deren Verfasserschaft
allerdings immer noch kontrovers ist[68]). Auch sonst verbirgt sich durchgehend der Genius bei Goethe in abgeschlossenen Räumen, Tempeln,
Kristallen, Schreinen usw.[68a]). Die Homunkuluszeugung im Glas ist nicht
nur ein Einfall, der dem Dichter von der Paracelsus- und Prätoriusquelle
her kam, sondern entstammt kunstgenetischen Überzeugungen Goethes.
Ferner beweist die Änderung gegenüber der Quelle, Homunkulus nicht

sofort aus der Retorte auf chemischem Wege ins Leben springen zu lassen, sondern ihn den ganzen zweiten Akt hindurch als Flamme im Glas zu belassen, daß in dieser Homunkuluszeugung weit mehr als eine naturwissenschaftliche Darstellung organischer Elemente — im Sinne der Harnstoffdarstellung Wöhlers von 1828, auf die Hertz[69]) verweist — gemeint war. Die Reinheit der Idee, die „geistige Klarheit" dieser Daimongestalt verlangte die gläserne Mauer, verlangte ein „noch nicht durch eine vollkommene Menschwerdung verdüstertes und beschränktes" Dasein. Homunkulus ist wie Euphorion und Mignon reine geniale Möglichkeit ohne Verwirklichung, woraus bei allen dreien ihre „Flamme", ihre ungestillte „Sehnsucht", Doppelgeschlechtlichkeit (die gerade nicht, wie Hertz annimmt, „klassische Totalität" im Sinne Humboldts bedeutet)[70]) und ihre Schwerelosigkeit entspringen. Die Künstlichkeit des geschlossenen Raums gar „sozial aufzufassen" wie Witkowski, als „enge Gebundenheit und Empfindlichkeit der Gesellschaft"[71]), ist völlig abwegig.

Damit ist aber auch die verbreitetste Auffasung vom rein naturphilosophisch-biologischen Charakter des Homunkulus zu revidieren. Zwar strebt er vom gläsernen Raum ins biologisch Lebendige und Elementare hinein, zwar beginnt er die Schöpfung der Lebewesen nochmals „von unten" und steht damit unlöslich mit dem biologisch-naturphilosophischen Denken Goethes in Verbindung. Aber die Einzelanalyse der Schlußapotheose auf dem Meer, auf die hier vorwegnehmend hingewiesen sei, beweist, daß nicht ein organisches Emporsteigen vom primitiven Meereswesen zum Menschen das Ziel seines Werdens ist, sondern daß eine kosmische, ja göttliche Totalität[72]) jeglicher produktiver Schöpfung in diesem Eintauchen ins Wasser dargestellt wird — in unendlich fein verästelter und durchkomponierter Berührung mit allen nur erdenklichen Schichten künstlerischer, geschichtlicher, biologischer, ja theogenetischer Art. Schon Goethes Wort von seiner „Tendenz zum Schönen" zeigt, daß über das rein Naturphilosophische hinaus in Goethes Vorstellung mit diesem Wesen etwas viel Umfassenderes geplant war, daß Künstlerisches u n d Biologisches sich hier untrennbar vereinen. Homunkulus ist ebenso sehr ein Ausfluß eines künstlerischen Werdens, eines Mignonwerdens aus dem „Schein", wie ein Ausdruck neptunistischer Naturtheoreme. Denn wenn er als „unerwartet Meteor" (V. 7034) zu Beginn der Klassischen Walpurgisnacht über dem Haupte Erichthos erscheint, wenn das „gewaltige Dröhnen und Leuchten" seines Geistes den Helden Faust in die Klassische Nacht und zu Helena führt (V. 7055/7079), wenn er in der düsteren Studierstube Fausts die „Flamme" von Hellas, das Traumbild von Helenas Schwanenerzeugung aufleuchten läßt, so lebt hier weniger eine evolutionistische Naturphilosophie als die alte Kometensymbolik Goethes, seine Lieblingsvorstellung vom „Einschlag" des Dämons in den „Zettel" der Empirie und sein Glaube an den überirdischen Beruf des Dichters, der, im „Rat der Götter" sitzend, mit den Höchsten der Welt „sich beredet, Menschen zu bilden". Gerade diese letztere Vorstellung gemahnt in vielen Zügen an Homunkulus. Die „Vorempfindung der Welt", die den Dichter befähigt, „ohne die Gegenstände jemals in der Natur erblickt zu haben", die „Wahrheit" vorwegnehmend visionär „im Bild" zu erkennen[73]), hat vieles mit der überempirischen Geistigkeit dieses flammenden Genius gemein. Man vergleiche die zitierte Stelle nur mit Prätorius und Paracelsus, wo von der „angeborenen", durch nichts Äußeres belehrten Weisheit und Kunst des Homunkulus die Rede ist, und man nehme endlich jenes Gespräch mit Riemer hinzu, wo Goethe „auf die Frage, was er unter dem Homunkulus gedacht" habe, antwortete, daß er „damit die reine Entelechie habe darstellen wollen, den Verstand, den Geist des Menschen, wie er vor aller Erfahrung ins Leben tritt; denn der Geist des Menschen komme schon höchst begabt an, und wir lernten keineswegs alles, wir brächten schon mit"[74]). „Gespräche über den Homunkulus. Entelechie und Unsterblichkeit", notiert sich Eckermann am 6. Januar 1830, und am 13. Januar 1830: „Die Sehnsucht, ein Verderb der Entelechie und Unsterblichkeit"[75]). In der Vielfalt seines Wesens muß also Homunkulus verstanden werden, als reine Geistigkeit, die im „Werden" sehnsüchtig nach Körperlichkeit ihre Unsterblichkeit opfert, um andererseits durch dieses Opfer gleichzeitig eine über- und unterirdische Totalität und Schöpfungskraft zu entfalten, die im Augenblick des Untertauchens im verkörperlichten „Element" nicht etwa nur eine allmähliche Menschwerdung, sondern die Gesamtheit schöpferischer Kräfte hervorruft. Weder ein bloß „biologischer Mythos von der Erschaffung des Menschen" erschöpft die „Geschichte des kleinen Menschen"[76]), noch die Vorstellung von seiner körperlosen Intellektualität. Weit entfernt von der kausalbetrachtenden, naturwissenschaftlichen Denkweise des 19. Jahrhunderts vollzieht sich sein Eintauchen ins Wasserelement als „dreifach merkwürdiger Geisterschritt" (V. 8274), in dem sämtliche Schichten des triadischen Denkens Goethes erscheinen[77]).

Dazu kommt die mehrfach wiederkehrende Bedeutung, die der „Stern der Stunde" (V. 6832, V. 6667, V. 7126 ff.) für die Entstehung des Homunkulus, für die Klassische Walpurgisnacht und die große Schlußapotheose auf dem Meer hat (wo „der Mond im Zenith verharrt"). Auch dieser Begriff der „Konstellation" kann genau erst aus der Einzeluntersuchung erkannt werden. Aber schon hier sei daran erinnert, wie wichtig für Goethe auch sonst stets die uralte Vorstellung von der besonderen, sich unter bestimmten günstigen Zeichen je und je wieder einstellenden Sternstunde war, ohne die keine bedeutende Schöpfung gelinge. Große umwälzende Bildungen und Neubildungen stehen im „Märchen", im Maskenzug „Amor mit Treue verbunden", in der „Pandora" u. a. immer unter einem höheren Gesetz der Konstellation, das weniger einem Aberglauben als einer dichtungsgenetischen Erfahrung entspringt. Das wird deutlich schon in „Dichtung und Wahrheit", am schönsten aber vielleicht im „Neuen Paris", in jenem merkwürdigen, längst nicht genügend gewürdigten Märchen vom Eintritt eines Knaben und „Lieblings der Götter" (Genius) in das Reich der Kunst, die allegorisch von den vier Mädchen, der „Erhabenen", der „Anmutig-Heiteren", der „Rührenden" und der „Tänzerin" vertreten wird und die nur Zulaß gewährt, wenn eine bestimmte Konstellation an der Mauer, eine genaue Entsprechung zwischen uralten Nußbäumen, einer steinernen Tafel und einem Brunnen hergestellt ist.

Das Erscheinen des Homunkulus über dem völlig verstummten, schlafenden Faust am Beginn des Weges zu Helena ist also der Eintritt einer „höheren Hülfe", die dem biologisch stillen Schlaf der Seele eine neue produktiv „fördernde" und „dämonisch" gesegnete Wachheit verleiht und Faust von dem „Wust" des Zeitlaufs und den Leidenschaften erlöst. Daimon, Genius, Entelechie, stilles Reifen und Wachsen und Sternstunde, sämtlich Möglichkeiten, die zur lebendigen Kunst und zu Helena führen, sind prägnant in dieser Homunkulusgestalt vereint.

4. Die Klassische Walpurgisnacht

Die Eingangsszene und das „Klassische" der Situation

Es ist von besonderer Bedeutung, daß Faust sein erstes, zweimal wie im Traum aus ihm hervorbrechendes Wort: „Wo ist sie?" erst spricht, als er den „Boden" der Pharsalischen Felder „berührt". Hier erst „kehrt ihm das Leben wieder, Denn er sucht's im Fabelreich" (V. 7054 f.). Und ebenso wichtig ist es, daß dieser Boden erst betreten wird, als das gespenstische „Nachgesicht" der „immer fort ins Ewige sich wiederholenden" Parteienkämpfe (zwischen Cäsareanern und Pompejanern) verschwindet und der „Mond" aufgeht. Der echte Zugang zur Antike, zu ihrer ewig lebendigen Ursprünglichkeit, liegt in der Ursprungsgewalt des „Bodens" und im großartig vereinfachenden, monumentalisierenden Licht des „Mondes".

Mit voller Überlegung hat Goethe die Pharsalische Schlacht in „Finsternis" gestellt. Der Mondschein vertreibt geradezu ihre Gestalten und läßt „der Zelten Trug verschwinden". Das geschah mit Absicht. Noch in der Lesart sollten ursprünglich „Mond und sternhelle Nacht" auch den Anfang der Szene beleuchten. Das Mondlicht ist nämlich ein poetisches Mittel, das „Innere" der Antike, ihre ewige Lebendigkeit groß und gewaltig zur Darstellung zu bringen. Ihm widerstreitet die Trugwelt rein zeitverfallener Parteienkämpfe (die nur durch den meteorgleichen Einbruch großer geschichtlicher Helden [Cäsar, s. V. 7018 u. a.] überwindbar ist). Parteien-

kämpfe stehen nicht in der Ursprungsnähe zu Boden und Licht. Wie sich
später großartig im Parteienkampf zwischen Pygmäen und Kranichen,
Anaxagoras und Thales die Zerrüttungen von Boden und Mondlicht (Erdbeben und wahnhafter Mondsturz) als die eigentlichen Katastrophen geschichtlichen Lebens ungeheuerlich abheben von der lebendigen, biologisch
ursprünglichen Antike — die ausdrücklich unter dem Zeichen eines
Mondes hervortritt, der „im Zenit verharrt" —, so zeichnet sich auch
bereits hier am Anfang dieser Klassischen Nacht zunächst eine düster geschichtliche Parteienwelt ab — Urformen politischen Daseins umschreibend,
ohne die auch das organische Dasein nicht zu bestehen vermag, aber über
die sich dann das eigentlich Große der Antike erhebt, getragen vom
„Boden" und verklärt vom „Mondglanz". „Zum Schauderfeste dieser
Nacht, wie öfter schon Tret ich einher, Erichtho, ich die düstere", so hebt
auf feierlichem Kothurn diese Nacht an. Schauder und Mondglanz rühren
beide an geheime Gefühlshintergründe des Goetheschen Antikebildes[78]).
„Besonders ist die Fülle der Mondscheinbilder über alle Begriffe, wo das
einzeln Unterhaltende, vielleicht störend zu Nennende durchaus zurücktritt und nur die großen Massen von Licht und Schatten ungeheuer anmutige, symmetrisch harmonische Riesenkörper dem Auge entgegen-
tragen"[79]), solche vor allem in der Überarbeitung von 1828/29 in der
„Italienischen Reise" immer wieder belegbaren Äußerungen oder Bemerkungen wie die, daß die antiken Plastiken erst bei nächtlicher Fackel-
beleuchtung schön erscheinen[80]), vor allem aber die bereits analysierte
Schlußszene der „Italienischen Reise"[81]) zeigen, daß Goethe über das rein
stofflich Gegebene dieser pharsalischen Mondnacht hinaus im vereinfachenden, alles Einzelne, „Störende" aufhebenden Licht des Mondes ein
besonders günstiges Medium zum Eintritt ins Antike erblickte. Bereits
Hertz wies auf eine Stelle in Faust I hin, „wo der Vorwelt silberne Gestalten" durch den „reinen Mond" beschworen werden, und leitete das
aus den römischen Erlebnissen Goethes ab[82]). Das steigert sich schließlich
im Alter bei Goethe zu dem ungeheuren Zusatz zur „Italienischen Reise":
„Und so haben Sonne und Mond eben wie der Menschengeist hier ein
ganz anderes Geschäft als anderer Orten, hier, wo ihrem Blick ungeheure
und doch gebildete Massen entgegenstehn"[83]). Daß Sonne, Mond und
Mensch in Rom „ein anderes Geschäft haben als anderer Orten", weil
ihrem Blick Formen „ungeheurer und doch gebildeter" Art entgegen-
treten, verlegt die Frage nach dem tatsächlich historisch-antiken Charakter der Goetheschen Dichtung in die weitere Frage, warum sich von
Rom aus die ganze Weltgeschichte wie von einem maßgebenden Zentrum
aus „reiht" und in eine absolute Kunstform eingeht, warum sich, um den
letzten Sinn dieser Stelle zu erschöpfen, „Menschengeist" und Kosmos
(Sonne, Mond) hier zum Gipfel ihres Seins, zur Kulmination und Höchstform der Einheit von „ungeheuer und gebildet", von Idee und Form er-

heben, sozusagen zur Klassik der Klassik, in der nicht nur die Kunst, sondern der Gesamtbereich von Natur, Landschaft, Boden, Volk, Himmel und Erde sich zu einem ewig erhabnen, erfüllten Dasein erhöhen. Diese Frage ist keine kunstgeschichtliche bzw. kunstdogmatisch-klassizistische Frage, auch keine geschichtsphilosophische, sondern eine schöpfungs-genetische, die auf die Bedingungen weist, unter denen sich alles Vor-zügliche, Große und außergewöhnlich Produktive nach Goethes Über-zeugungen bildet. Das „Antike" also wird Vorzeichen, Name für gänzlich andere Goethesche Inhalte. Es bietet Relikte von Gewesenem, mythologisch-historische Gestalten und Anklänge, deren eigenmächtig-produktive Aus-höhlung und Umformung durch Goethe soweit geht, daß erstens nur noch die Stimmung — z. B. jenes schwebend „schaudernde" Geheimnis der Antike — zurückbleibt und daß zweitens die mythologischen Gestalten ihren eigentlich historischen Hintergrund vollends verlieren und gänzlich in die ureigene Goethesche Symbolwelt eingehen: Die Sphinxe werden zum Symbol des Granits mit allen entsprechenden bildungsgenetischen Hintergründen, die Lamien zum Symbol des „Welttheaters", die Ameisen und Greife zu Symbolen des „Goldgeheimnisses" usw. „Klassisch" ist also diese Nacht weniger auf Grund ihrer Orientierung an Hellas, — wie schon das Häßliche ihrer Gestalten und das Widerantike ihrer Sprach-gebung bezeugt, — als vielmehr auf Grund einer totalen Entfaltung alles dessen, was „vorzüglich", „groß", „bedeutend", „ungeheuer" in Goethes Altersbewußtsein ist. Im „Fabelreich" dieser Antike spielen sich elemen-tare, ewig gegenwärtige „Wirklichkeiten" geologischer, biologischer, ge-schichtlicher und künstlerischer Zeugungsvorgänge ab.

Selbst die Schlacht von Pharsalus, die ihm doch nur als Wiederholung eines immer Gleichen erschien, erreicht hier eine gipfelnde Höhe: „Hier aber ward ein großes Beispiel durchgekämpft: Wie sich Gewalt Gewal-tigerem entgegenstellt". Der politisch-reale Kampf zwischen Cäsar und Pompejus ist zu einem ewig sich wiederholenden Naturkampf zwischen Gewalt und Gewaltigerem geworden, dessen klassischer Höhepunkt in der Antike liegt. Das tatsächlich Historische, das selbst noch in den letzten Skizzen geplant war im Auftreten des „jüngeren Pompejus", verwandelt sich in ein symbolisches Naturphänomen, das Goethe allein darstellungs-wert schien und tatsächlich dann auch breit im Kampf zwischen Pygmäen und Kranichen von ihm dargestellt wurde. Die fast fragmentarische Kürze dieses Erichthomonologs ist das Zeugnis für den Sieg des naturphänomeno-logisch Klassischen über das Historische der Frühkonzeption. Nicht minder konsequent ist die Beschwörung des Vergangenen in diesem Monolog. Da sie rein geschichtlich Gewesenes in seiner sinnlosen Wiederholung — nicht biologisch ewig Wiederkehrendes — heraufruft, bleibt sie schattenhaft magisch. Daß „Großes" überhaupt, und sei es nur schemenhaft, weiter zu leben vermag, wird tröstlich hier zu Anfang versichert, kann real aber erst im biologisch-kunstgenetischen Mythos des Schlußteils demonstriert werden. Da ferner Magie — auch bei Goethe — phänomenologisch nichts anderes ist als Zitierung gewesener Dinge, so ist, dem Stoff wie dem Sinn nach, Erichtho konsequent die Bewohnerin von Gräbern und Totengrüften, die Lebendiges nicht zu ertragen vermag und bei dem Auftauchen der lebendigen Flamme des Homunkulus entflieht: „Ich wittre Leben. Da geziemen will mir's nicht". Dagegen pflog sie in der ersten historischen Konzeption mit den Ankömmlingen absurd etymologisch-historische Unterredungen, woraus nochmals die Hintergründe der verschiedenen Fassungen klar hervortreten: Der Geschichtsabriß, den der Weltkalendermann Homunkulus vorführte, wurde ursprünglich im Gespräch mit Erichtho weiter beredet. Heute vertreibt die Flamme des Homunkulus gerade das Spukgesicht der Pharsalischen Schlacht und leitet hinüber zu reinen Naturformen des Seins, die im gleichzeitig aufgehenden Mondschein sich nunmehr offenbaren. „Magie" ist prinzipiell auf konkret geschichtlich Gewesenes gerichtet, „verblaßt" dem biologisch-genialen Wesen gegenüber und flieht zurück in Moder und Gruft. Das ist der eigentliche Sinn der veränderten Anfangsszene der Klassischen Walpurgisnacht.

So legt also der schaudererregende Anfang der Szene, der übrigens kompositorisch in interessanter Parallele zum Anfang der „Wanderjahre" steht — wo „Wilhelm an grauser, bedeutender Stelle" im Hochgebirge sitzt und Felix das „Katzengold" findet, das im Kontrast dazu eine scheinhaft nichtige und überall verstreute Spätschicht symbolisiert — den Weg zur Antike frei sowohl durch Abräumen einer magisch-scheinhaft sich wiederholenden, die reine Natur negativ überlagernden, düsteren Geschichtslandschaft als auch durch Aufdeckung jener „anderen, einfacheren, größeren Welt", die im Mondschein geisterhaft großartig erscheint und den „Boden" bereitet, auf dem Faust wie ein „Antäus an Gemüte" sofort wieder „Leben" und Wachheit gewinnt. Schauder, Mond und Geschichte sind die Vorformen einer Antike, deren Tiefe mehr im „Großen" an sich, im „Ungeheuren" und außergewöhnlich „Gebildeten" ruht, als im klassizistisch formstrengen Ideal edler Einfalt und stiller Größe.

Allgemeine und formale Voraussetzungen der „Ungeheuer" der Klassischen Walpurgisnacht

Die mythologischen Ungeheuer der ersten Walpurgisnachtszenen wurden von Goethe als eine „wichtige Vorwelt" Helenas konzipiert, die zwar „noch nicht an sie" und ihr „gebildeteres Zeitalter heranreicht" (Paralip. 157), aber im „Widerwärtigen große tüchtige Züge" (V. 7182) offenbart, ja sogar die „Ahnung" eines „günstigen Geschicks" erregt (V. 7183). Die halb tierischen, halb menschlichen Gestalten „reichen nicht hinauf zu ihren Tagen, Die letztesten hat Herkules erschlagen" (V. 7197 f.). Sie verweisen daher Faust bei seiner Suche nach Helena auf eine spätere Stufe, auf der — wie Goethe einmal als „Hauptzweck aller Plastik" bezeichnet — „die Würde des Menschen innerhalb der menschlichen Gestalt dargestellt"[84]) wird. Erst in den Schlußpartien der Walpurgisnacht können „die Telchinen" als „erste" „die Götterwelt aufstellen in würdiger Menschengestalt". Dennoch sind die früheren Ungeheuer als Vorstufen wichtig. Das „Würdige", darin liegt eine außerordentlich wichtige Bestimmung des spätgoetheschen Schönheitsbegriffs, kann innerhalb der menschlichen Gestalt erst erfaßt werden, wenn es vorher sich außen naturphänomenologisch gezeigt und strukturell auseinandergelegt hat. Reine Schönheit auf ihrem vollendeten Gipfel verhüllt ihre Tiefe und Aufbauelemente[85]). Sie würde zum bloßen Schemen, zur klassizistisch nichtssagenden Marmorstatue erstarren, bliebe sie stumm auf ihr reines Sosein gestellt und an es gefesselt. Ihre in sprachloser Schönheit verschlossene Tiefe muß die Dichtung enthüllen durch Offenbarung ihrer Idee, d. h. durch Aufweis aller Schichten, die das Schöne innerlich aufbauen und ihm erst Größe und Würde verleihen: „Frauenschönheit will nichts heißen, Ist gar zu oft ein starres Bild; Nur solch ein Wesen kann ich preisen, Das froh und lebenslustig quillt. Die Schöne bleibt sich selber selig; Die Anmut macht unwiderstehlich Wie Helena, da ich sie trug". Mit diesen Worten weist Chiron entwaffnend klar das „starre" Helenabild hochklassischer oder gar klassizistischer Prägung ab, das „in sich selber selig" noch wesentliche Teile der früheren Helenadichtung bestimmt hatte: „Dir schien sie reizend, mir erscheint sie schön", so wollte Goethe noch in einer Lesart die „Schönheit" gegen „Anmut" und „Reiz" stellen, um sich dann besinnend zu schreiben: „So schön wie reizend, wie ersehnt so schön" (V. 7441). Die rein auf sich selbst gestellte Schönheit weicht der Schönheit, die, etwas Inneres ausstrahlend, Inneres auch im Anschauenden weckt. Helena, dies ist eine unzweifelhafte Absicht Goethes, ist schön erst, wenn sie seelisch erregende Bedeutungen hervorbringt, d. h. wenn sich ihre Schönheit sinnlich-geistig b i l d e t und langsam aus der lebendigen Ganzheit von Natur und Kunst emporsteigt. Das beweisen die vielen, bereits erwähnten Vergleiche der Schönheit mit der Rose, die erst nach vielen Vorformen selbst monströser Art als Gipfel der Pflanze im Zug unendlicher Verwandlungen erscheint. Das Häßliche, Formlos-Ungeheure ist in diesem Sinne Voraussetzung des Schönen: „Im Widerwärtigen" entdeckt Faust „große tüchtige Züge". Phorkyas bildet, wie sich zeigen wird, in dieser Spätfassung ein notwendiges und aufhellendes Kontrastbild zu Helena, das gleichfalls unter das Gesetz des Werdens gestellt ist, so überraschend und ungewöhnlich dies auch auf den ersten Blick scheint. Die formgebenden, formspendenden Kräfte alles Schönen bieten sich uns in den ersten Szenen der Walpurgisnacht in chaotisch-mythischer Ungeformtheit dar; wie alle „Urphänome" Goethes niemals voll und rein in die „Empirie" eintreten können, wie Goethe sich qualvoll mühte, sie „rund" und „ganz" zur Darstellung zu bringen, so sind die Bausteine des Schönen schwere, ungehobelte Quadern, die „tüchtige Züge" „ahnungsvoll" offenbaren, in ihrer eigenen Manifestation aber „widerwärtig" und abschreckend wirken, da sie sich selbst nicht zur Vollendung gebracht haben. Indem sie die „Idee" unmittelbar in die Erscheinung zwingen wollen, entgleiten sie allen normalen Maßstäben, geraten sie ins „Absurde" und Formlose („Absurd ists hier, absurd im Norden", V. 7792), werden geheimnisvoll und „mythisch" in einem von Goethe selbst leicht ironisch behandelten Sinne, um zugleich dennoch das Urphänomenale klarer und deutlicher zur Anschauung zu bringen, als es in der normal gegliederten Daseinswelt möglich gewesen wäre[85a]).

Auch der Sinn des „Mythischen" klärt sich hieraus. Sphinxe, Greife, Ameisen, Sirenen, Lamien usw. sind bei Goethe Ausgeburten einer parodistisch behandelten Mythologie, die durch leicht hingeworfene spöttische Redensarten jeden mythischen „Tiefsinn" verliert, weil hier nicht romantisch ehrfürchtig in die Urzeit und Sagenwelt zurückgeschaut wird und die Heiligkeit archaischer Mythen gewahrt oder gar wiedergeboren werden soll wie in maßgebenden Dichtungsbezirken des 19. Jahrhunderts, sondern weil ewig „gegenwärtige" „Urphänomene" erscheinen, die sich ununterbrochen selbst aufzuheben streben, sobald die Verwechslung unterläuft, das Urphänomen sei identisch mit dem historisch-mythologischen Stoff. Gerade weil das Urphänomen nie „rund" heraustritt und über alles Gegebene hinausweist, muß es maskiert und spöttisch sich zeigen, d. h. seine eigene Stoffwelt parodieren (wobei diese Parodie sich wiederum nicht auf den historischen Stoff selbst, etwa dessen Heiligkeit antastend, richtet, sondern nur dem geschilderten Mißverhältnis im Symbolschaffen Goethes selber entspringt). So erklärt sich jene leicht hingeworfene, alles „Mystagogische" und „Philologische" persiflierende Sprache, die in ihrer Mischung modisch-salopper Wendungen mit antiken Reminiszenzen und Sprachelementen aus allen beliebigen Zeit- und Bildungsstufen bewußt im Keime jeden Versuch unterbindet, ernsthaft etwa die Tiefe und philosophisch-mythische Bedeutung der antiken Sagenwelt wieder aus den gegebenen Gestalten herauslesen zu wollen. Die sorglos ironische Art, mit der Goethe den Mythos abändert, ihm Eigenes unterstellt, Neues anklingen läßt, ist die große Mahnung an alles historisch strenge „Philologentum", aber auch an allen mythologischen Universalismus Creuzerscher oder Görresscher Prägung, die Maske niemals zum Sinn werden zu lassen. Denn ernsthaft und ureigenst goethesch ist mitten in aller Satire die unerschütterliche Treue zum eigenen Symbolbild und der allen Angriffen und Klagen über Unverständlichkeit und Breite der

Darstellung zum Trotz entschlossene Wille, die ihm wichtig erscheinenden Antezedentien und Symbolstrukturen samt und sonders in vollem Umfang darzustellen, mag auch das Gesamtwerk dadurch „ins Grenzenlose auslaufen".

Sphinxe, Greife, Arimaspen und Sirenen, ihre Vorformen und Bedeutungsgehalte

Charakteristisch für die innere Planung der Klassischen Walpurgisnacht ist schon die Ausscheidung von mythologischen Figuren, die Goethe dem ersten Entwurf gegenüber vornahm. Von den „sämtlichen Ungetümen des Altertums" streicht er „Chimären, Tragelaphe, Gryllen, dazwischen vielköpfige Schlangen in Unzahl, Harpyen", die „fledermausartig in unsicheren Kreisen flattern und schwanken", den „Drachen Python", der „selbst im Plural erscheint" usw. Goethe schaltet also das ursprüngliche Thema der „Verwirrung des Verstandes und der Sinne" mit all seinen Hintergründen[86]) aus und konzentriert alles auf die Sphinxe, Greife, Ameisen, Lamien usw., die wiederum nicht mehr „unzählbar vermehrt … sich gleichsam aus sich selbst entwickelnd" erscheinen oder „die abstrusesten Fragen durch gleich rätselhafte Antworten ins Unendliche spielen", sondern mit klar abgesetzten Aufgaben und Bedeutungen versehen sind. Wie Goethe Eckermann gegenüber betont, war es bei der Ausarbeitung dieser Szenen sein Bestreben, „alles in scharf umrissenen Individualitäten" zu gestalten, „sich bei so großer Fülle mäßig zu halten und alle solche Figuren abzulehnen, die nicht durchaus zu meiner Intention paßten. So habe ich zum Beispiel vom Minotaurus, den Harpyen und einigen anderen Ungeheuern keinen Gebrauch gemacht"[87]).

Auf diese „Intention" Goethes kommt also alles an. Sie läßt sich aus den geschaffenen Figuren unschwer erraten. Denn schon in den vier Hauptgestalten des Anfangs, in denen Faust „große tüchtige Züge", ja die „Ahnung" eines „günstigen Geschicks" (V. 7181 ff.) erblickt, begegnen uns die Vertreter altbekannter Goethescher Vorstellungskreise:

a) Die Sphinxe

Was Goethe mit den Sphinxen gedacht, gewollt und dargestellt hat, das sprechen sie selber aus ohne jedes verwirrende Dunkel: „Sitzen vor den Pyramiden, Zu der Völker Hochgericht; Überschwemmung, Krieg und Frieden — Und verziehen kein Gesicht". Sie, die „längst gewohnt" sind, „daß unsereins in tausend Jahre thront" (V. 7241), wohnen beharrlich unveränderlich an zeitlosem Ort, allem Wechsel trotzend, ein stummes „Hochgericht" der „Völker" bildend — ohne das Gesicht zu verziehen. Den Wirbel der Geschichte halten sie unerschütterlich aus. Mit der gleich ironisch überlegenen Ruhe blicken sie dem vulkanischen Ausbruch des Seismos zu, jener scheinhaften Bergentstehung, die nach Goethes Überzeugung aus sekundär fremdüberlagerndem Lava- und Basaltgestein, d. h. zweitrangig verspäteten, nicht ursprünglichen Schichten zustandekam. Gegenüber solchem „widerwärtig Zittern, Häßlich grausenhaftem Wittern ... Schwanken ... Beben, Schaukelnd Hin- und Widerstreben" „ändern" die Sphinxe „nicht die Stelle, Bräche los die ganze Hölle" (V. 7523 ff.). Sie also stehen im Ursprung; sie sind Vertreter jenes großen Symbolkreises, den Goethe um das Phänomen des Granits schon seit frühklassischer Zeit — nicht nur in naturwissenschaftlichem, sondern auch in künstlerischem und geschichtsontologischem Sinne — zog. Sie berichtigen die Verwechslung des Verspäteten, Fremdüberlagernden, mit dem Ursprünglichen, indem sie den Revolten des Seismos Einhalt gebieten („Weiter aber soll's nicht kommen, Sphinxe haben Platz genommen") und den scheinhaften, nicht ursprünglichen Charakter des Vulkangesteins aufdecken: „Uralt, müßte man gestehen, Sei das hier Emporgebürgte, Hätten wir nicht selbst gesehen, Wie sich's aus dem Boden würgte ... Ein Sphinx wird sich daran nicht kehren; Wir lassen uns im heiligen Sitz nicht stören" (V. 7574 ff.).

Wie eng in der Tat die Sphinxvorstellung mit dem Granit in Goethes Denken seit je im Zusammenhang steht, zeigen viele Vorformen. Schon im Granitaufsatz von 1784 spricht Goethe davon, daß bereits die Ägypter dieses Gestein auf die höchste Stufe seiner künstlerischen Entfaltung gebracht haben, worauf es eine lange Zeit des Niedergangs und der Verkennung habe erdulden müssen: „Die ungeheuren Massen dieses Steins flößten Gedanken zu ungeheuren Werken den Ägyptern ein ... Noch sind die Sphinxe, die Memnonsbilder ... die Bewunderung der Reisenden, und noch am heutigen Tage hebt der ohnmächtige Herr von Rom die Trümmer eines alten Obelisken in die Höhe, die seine allgewaltigen Vorfahren aus einem fremden Weltteile ganz herüberbrachten"[88]). Selbst die Stelle aus der Klassischen Walpurgisnacht, wonach die Sphinxe Zeit und Sonnenlauf messen („Und respektiert nur unsre Lage, So regeln wir die Mond- und Sonnentage") klingt bereits im Granitaufsatz an, wenn es dort heißt: „Ihre (der Ägypter) Könige errichteten der Sonne zu Ehren Spitzsäulen aus ihm (dem Granit), und von seiner rotgesprengten Farbe erhielt er in der Folge den Namen des Feurigbunten"[89]). Trendelenburg wies in seinem Kommentar zu „Faust II" nach, daß sich diese Vorstellung auch in Goethes Italienischer Reise verfolgen läßt, wo Goethe „wieder in die ägyptischen Sachen gekommen"[90]) war und sich mit dem Obelisken des Sesostris, der „als Zeiger der großen Sonnenuhr" auf dem Marsfeld stand, viel beschäftigte der darauf befindlichen Bilder wegen. Unter den Bildern, die er abformen ließ, befand sich auch „eine Sphinx der Spitze";

sie mag ihm, wie Trendelenburg vermutet, „den Gedanken eingegeben haben, daß die Sphinxe als Zeitmesser für die Mond- und Sonnenjahre verwandt wurden"[91]).

Geht man diesen Ideenassoziationen Goethes weiter nach, so findet man im „Märchen" einen analogen Vorgang in der Verwandlung des „über die Brücke taumelnden" und „daselbst große Unordnung" stiftenden Riesen in eine „kolossale mächtige Bildsäule von rötlich glänzenden Steinen", deren „Schatten die Stunden zeige ... nicht in Zahlen, sondern in edlen und bedeutenden Bildern". Die für Goethes Symbolschaffen bezeichnende Idee, daß „bedeutende Bilder" und nicht Zahlen die Zeit angeben, weist deutlich auf den Obelisken auf dem Marsfeld mit seinen Bildern hin. Ferner stimmt die Schilderung der Bildsäule des Riesen genau mit dem Granitaufsatz überein. Denn die „rötlich glänzenden Steine", aus denen die Sonnenuhrsäule besteht, tauchen bereits dort auf, wenn es heißt: „Ihre Könige errichteten der Sonne zu Ehren Spitzsäulen aus ihm (dem Granit), und von seiner rotgesprengten Farbe erhielt er in der Folge den Namen des Feurigbunten. Noch sind die Sphinxe" usw. Die Sonnenuhr des Riesen ist also ebenso ein granitenes Ursprungssymbol wie die Sphinxe in „Faust II". Die Verwandlung des „Unordnung" stiftenden Riesen, der von sämtlichen Deutungsversuchen der Forschung und Leserschaft immer mit blindem Aufruhr, französischer Revolution, mit Dummheit, Fanatismus, Krieg oder Tod zusammengebracht wurde[92]), in die zeitregelnde, rotglänzende, granitene Sonnenuhr erfolgt ja unter dem Zeichen einer großen Wende aller Zeiten: eines Zerbrechens des Reichs des zusammengestückelten Königs und des Anbruchs eines neuen tausendjährigen Reiches; d. h. die Überwindung trümmerhaft sinnloser Geschichte und Zeit durch graniten beharrende Zeitregelung und künstlerisch „edle und bedeutende Bilder" ist in dieser Verwandlung enthalten, und nichts anderes stellen die Sphinxe in der Klassischen Walpurgisnacht dar:

Bereits in den „Lehrjahren" stehen am Eingang zum klassisch lichtvollen, „mit herrlichen Bildern geschmückten" Saal der Vergangenheit ... „zwei Sphinxe von Granit ... Die Türe selbst war auf ägyptische Weise oben ein wenig enger als unten, und ihre ehernen Flügel bereiteten zu einem ernsthaften, ja zu einem schauerlichen Anblick vor ..., als diese Erwartung sich in die reinste Heiterkeit auflöste, indem man in einen Saal trat, in welchem Kunst und Leben jede Erinnerung an Tod und Grab aufhoben"[93]). Granitene Sphinxe also stehen am Anfang des Weges zur klassischen „Vergangenheit" und Schönheit, ja selbst zur biologischen Wiedergeburt und Überwindung des Todes, hier in den „Lehrjahren" sowohl wie später in der Klassischen Walpurgisnacht.

Ferner sind sie das Gegensymbol zum Welttheatermotiv, das in der Klassischen Walpurgisnacht in den „Lamien" erscheint. In der heutigen Fassung folgt auf die erste Erwähnung der Lamien — jenes scheinhaft sich in alles wandelnden, „frechen" Zwittervolkes, das mit „Maskenzügen" und „Mummenschanz" (V. 7795/97) verglichen wird — die Stelle von der granitenen Zeitregelung und -beherrschung der Sphinxe. In anderen Lesarten stand noch deutlicher diese Stelle unmittelbar bei der Flucht Mephistos vor den „Maskenzügen" der Lamien als kontrapunktisch klarstellendes Gegenmotiv: Als Mephisto im Entsetzen vor den Lamien, die „nach und nach die Masken fahren" lassen und ihr „Wesen bloßgeben", seine Verführung durch sie bereut, stößt er auf die Sphinxe: „Ihr seid noch hier? Sphinxe: Das ist nun unsre Lage, So gleichen wir die Mond und Sonnentage, Sitzen vor den Pyramiden ... Sehr eilig hast du dich benommen und bist wohl übel angekommen Mephisto: Ich ging — Ihr laßt euch nicht belügen Mich ein Momentchen zu vergnügen. Doch hinter holden Maskenzügen Sah ich Gesichter, daß michs schauerte. Gar gerne ließ ich mich belügen, Wenn es nur länger dauerte" usw. In der heutigen Fassung fragt er bei dieser Stelle nur kurz nach den Sphinxen: „Wo find ich meine Sphinxe wieder?" und steigt dann sofort auf den „Naturfelsen" der Oreas, der „in ursprünglicher Gestalt" Rettung vor allem Scheine verbürgt. In beiden Szenen ist die Symbolik völlig dieselbe. Ob die Sphinxe oder Oreas hier rettend eingreifen, immer steht ein beharrendes Natur- und Felsenwesen gegen eine scheinhaft im Nichtigen zerflatternde vergängliche Mummenschanzwelt bzw. gegen eine sekundäre, Wahrheit in Schein verkehrende Revolte. Denn auch Oreas verachtet wie die Sphinxe die vulkanische Bergentstehung als ein „Gebild des Wahns", das „schon beim Krähn des Hahns verschwindet", und auch die flüchtig sich wiederholenden Revolten der Geschichte werden von Oreas graniten überdauert: „Schon stand ich unerschüttert so, Als über mich Pompejus floh" (V. 7815 f.). In welcher Fassung auch die Szene von Goethe gestaltet wurde — die Vorverlegung des Wortes der Sphinxe: „Sitzen vor den Pyramiden" usw. an den Schluß des ersten Teils („Pharsalische Felder") erfolgte im Zusammenhang mit der aufreihenden, jede einzelne mythische Gestalt knapp mit den wichtigsten Eigenschaften bezeichnenden Kompositionstechnik dieses ersten Teils[94]) —, immer bleibt sich ihr Sinn gleich: Sphinxe und Naturfels repräsentieren den beharrenden, zeitregelnden Ursprung, Lamien, vulkanische Bergentstehung und Pompejus das scheinhaft wechselnde, nichtige Welttheater. „Gespenster hier wie dort vertrackt, Volk und Poeten abgeschmackt. Ist eben hier eine Mummenschanz, Wie überall ein Sinnentanz", heißt es von den Lamien. Die zwei großen Pole seines Schaffens, Ursprung und Verfremdung, die im Grunde schon in gleicher Schärfe und Unversöhnlichkeit im Götzdrama (Götz-Weislingen), in den Jahrmarktsspielen seiner Jugend u. a. erscheinen, hat Goethe also hier in Sphinxen und Lamien konzentriert.

Andere stofflich überlieferte Elemente der Sphinxmythologie: doppelsinnige Rätselhaftigkeit, halb tierische, halb menschliche Körpergestalt usw. fallen demgegenüber fast ganz aus. Das Rätselraten spielt nur zu Anfang Mephisto gegenüber eine bestimmte Rolle, die erst aus der Mephisto-Analyse geklärt werden kann. Aufs Ganze gesehen bleiben die Sphinxe dem Granitsymbole verhaftet.

b) Greife und Ameisen

Neben der Sphinx-Lamien-Konfrontation erscheint als zweiter großer Symbolkreis die Welt der Greife und Arimaspen. Wiederum taucht hier eine uns längst bekannte Bedeutungswelt auf: das Gold und seine Geheimnisbewahrung in Fels, Höhle und Berg: „Ihr sprecht von Gold, wir hatten viel gesammelt, In Fels — und Höhlen heimlich eingerammelt", so lauten die ersten Worte der Ameisen. „Von solchen ward der höchste Schatz gespart (auf Ameisen bezüglich), Von diesen (auf Greife bezüglich) treu und ohne Fehl bewahrt" (V. 7187 ff.), so redet ohne Besinnen Faust sie sofort an. Daß von der ganzen unendlich reichen antiken Sagenwelt Goethe ausgerechnet dieses entlegene Motiv von den Greifen und Arimaspen derart aufgriff und in den Mittelpunkt stellte, ist höchst charakteristisch. Denn was konnte ihn an der antiken Überlieferung von den schatzhütenden, unberührbare Räume bewachenden Greifen[95]) und von den goldschaufelnden, in unterirdischen Wohnungen hausenden Ameisen[96]) fesseln? Ohne Zweifel die bereits im Flammengaukelspiel angedeutete Möglichkeit, den ganzen „klassischen Boden" in Bewegung zu bringen durch Ausbruch der in ihm schlummernden schöpferischen „Geheimnisse", die abermals doppelt orientiert sind: einmal auf ein Kostbarstes, Vorzüglichstes, einen höchsten Schatz, und zweitens auf staatlich-geschichtliche Urphänomene.

Wie schon im Flammengaukelspiel das Hervorbrechen des flüssigen Goldes die gesamte Kaiserhofwelt auf ihre elementare, naturhafte Basis zu reduzieren vermochte, indem die „plutonische" Unterwelt das Urbild jeder Herrschaft überhaupt wurde, so stehen hier Greife und Ameisen in innerer Verbindung zur vulkanischen Revolte des Seismos, der das Gold emporschleudert, auf das sich dann Greife, Ameisen, Pygmäen usw. stürzen. Eine Umwälzung in der Natur steht hier ein für eine politische Revolution, wie der folgende Streit zwischen Pygmäen und Kranichen bereits in den „Reisen der Söhne Megaprazons" die französische Revolution allegorisierte; d. h. der unterdrückte, unmittelbar politische Kampf der Pharsalischen Schlacht wird gleichsam erst hier durch das Medium des Goldes und des Vulkanausbruchs ausgelöst und zu einem urgeschichtlich-mythischen Naturkampf. Das zeigen die Pygmäen, die in der Klassischen Walpurgisnacht geradezu eine Art „Gemeindeordnung" und Parlament[97]) bilden und ihre demokratisch-kosmopolitische Haltung dadurch offenbaren, daß sie bodenlos schwebend „nicht wissen, woher wir kamen" und „sich ein jedes Land zu des Lebens lustigem Sitze" aneignen, um dann unbekümmert die Daktylen und Imsen zu unterdrücken und als Arbeitssklaven auszunutzen. Auch die ursprüngliche Idee, Pygmäen und Kraniche in Kampfspielen den entstehenden Berg überziehen zu lassen (Paralip. 123), hat naturstaatliche Hintergründe, wie in einer ähnlichen Stelle der „Italienischen Reise" Goethe im Kampf zwischen Feuer und Pflanzen beim Ausbruch des Vesuvs sich „zwischen Natur und Völkerereignissen hin und wider getrieben" fühlt[98]).

Bis in Einzelheiten gehen die Parallelen zum Flammengaukelspiel: Wie die „Deputation der Gnomen" im Gold die Quelle aller Diebstähle, Kriege usw. erblickte, so verkünden sofort zu Beginn die Greife: „Man greife nun nach Mädchen, Kronen, Gold, Dem Greifenden ist meist Fortuna hold" (V. 7102 f.), worauf bereits ein Streit zwischen Ameisen und Arimaspen um das Gold angekündigt wird (V. 7104/11), bis dann die Pygmäen analog den Gnomen die „heimliche", alles unterminierende „Flamme" (V. 7642) tatsächlich schüren. Und genau wie das Flammengaukelspiel auf einen Umschlag des Sozial- und Staatspolitischen ins Naturgeschichtliche hinausläuft (im Kreisen der „Stände" um das Element), genau wie dort die Bedrohung des Kaisers durch die Flammen des Goldes zur Herrschaft über Feuer, Wasser, Luft und Erde führt, so mündet der Krieg zwischen Pygmäen und Kranichen in die Auseinandersetzung zwischen Feuer und Wasser, Neptunismus und Vulkanismus, wobei es gleichfalls um die Herrschaft geht: Homunkulus soll König der Pygmäen werden, so fordert Anaxagoras, der Vertreter des Feuers, ihn auf; den Kranichen und dem Wasser sich zu widmen, beschwört ihn Thales. Die neutralere Haltung des Homunkulus, der immerhin „solche Künste" lobt, die „s c h ö p f e r i s c h i n e i n e r Nacht, Zugleich von unten und von oben Dies Berggebäu zustand gebracht" (V. 7942 ff.), d. h. dem Vulkanismus sein gutes Recht zugesteht[99]), erreicht dann im Schlußteil des Ganzen eine Verschmelzung von Feuer und Wasser („Welch feuriges Wunder verklärt uns die Wellen", V. 8475), die zur triumphalen Herrschaft über alle vier Elemente führt in noch hymnischerer und sprachgewaltigerer Form als in der Lustgartenvision.

Die Hintergründe des Goldmotivs für das Staats-, Kunst- und Naturdenken Goethes hier nochmals auseinanderzulegen, erübrigt sich also. Entscheidend ist der Nachweis, daß Goethe das Goldmotiv unmittelbar neben seine Ursprungs- und Verfremdungsmotive, unmittelbar neben das Granit- und Welttheatermotiv setzt und damit diesen Motiven erst ihre geistige Bedeutsamkeit und Weite verleiht. Denn das Gold schafft als „höchster" Wert den übrigen Symbolen erst die innere Ausrichtung und Aktivierung sowohl im Sinne einer Ergreifung höchster Geheimnisse und

Kostbarkeiten als auch im Sinne eines verhängnisvoll tragischen Schicksals. Schon in dem vielleicht gedrängtesten und symbolisch reichsten Werk Goethes, im „Märchen", waren vier Weltreiche, ein ästhetisches Reich (Lilie) und ein Tempel in ihren Wandlungen und Umwälzungen ausschließlich vom „Gold" her bestimmt, das am Schluß neben der granitenen Sonnenuhr des Riesen unter die Menge zerstreut wird. Darum bleibt auch in der Klassischen Walpurgisnacht das Gold keineswegs allein an den Greifen, Ameisen und am Staatsphänomenologischen haften. Bis in die letzten Schlußhymnen greift es hinüber, wenn mitten im Lobpreis auf Galatee und das Meer die Nereiden singen: „Seht, wie wir im Hochentzücken Uns mit goldenen Ketten schmücken, Auch zu Kron' und Edelsteinen Spang' und Gürtelschmuck vereinen! Alles das ist eure (der Sirenen) Frucht. Schätze, scheiternd hier verschlungen, Habt ihr uns herangesungen, Ihr Dämonen unsrer Bucht" (V. 8050 ff.). Die Schätze, die sie hier finden, sind dieselben, die auf der Flucht vor dem vulkanischen Erdbeben des Seismos in die „stillsten Gründe" des Meeres versenkt wurden. Ja, das Gold wird nach dem Aufruhr der Erde von den Sirenen „herangesungen"; es steht unterirdisch auch im Bereich des Gesangs und der Poesie wie schon in der Plutus- und Knabe-Lenker-Symbolik. Denn was diese letzte, endgültige Bergung des Goldes im Meeresgrunde besagen mag, hat Goethe einmal wunderbar in einem Brief an Frau von Stein ausgedrückt: „Wenn Sie wieder kommen, müssen wir doch einmal einige Politika traktieren. Die Erde bebt immerfort. Auf Candia sind viele Orte versunken. Wir aber auf dem uralten Meeresgrund wollen unbeweglich bleiben wie der Meeresgrund"[100]). Die stille, unbewegliche Tiefe des Meeres nimmt dieselben kostbaren Schätze in sich auf, die die brausende Gärung der Revolten und Katastrophen entfesselt hatten. Die innere Dialektik des Goldes ist zur Ruhe gelangt.

Die Welt aber der Greife, Sphinxe, Arimaspen ist damit ins Hochbedeutsame, ja „Wunderbare" getreten. Ihre monströsen Gestalten verkünden Wahrheiten, die weit über sie hinausweisen. „Ach was wollt ihr euch verwöhnen In dem Häßlich-Wunderbaren" (V. 7156 f.). Das „Wunderbare" im „Häßlichen", die „großen tüchtigen Züge", die Faust im „Widerwärtigen" sieht, sind nun erst geklärt.

c) Die Sirenen

Als dritte Symbolwelt stehen neben Sphinxen, Greifen und Ameisen die „Sirenen". Sie lassen mitten „in dem Häßlich-Wunderbaren ... wohlgestimmte Töne" erklingen. Schon das weist auf eine bestimmte doppelsinnige Funktion:

Zunächst werden sie von den Sphinxen und Mephisto gerade wegen

dieses Wohlklangs „verspottet": die Sphinxe weisen höhnisch auf ihre
„Habichtskrallen", die sie hinter ihrem Gesange verbergen (V. 7161 ff.),
und Mephisto erkennt ihren Gesang eindeutig als neu und modern: „Das
sind die saubern Neuigkeiten, Wo aus der Kehle, von den Saiten Ein Ton
sich um den andern flicht. Das Trallern ist bei mir verloren: Es krabbelt
wohl mir um die Ohren, Allein zum Herzen dringt es nicht" (V. 7172 ff.).
Was diese Szene in der klassisch-romantischen Walpurgisnacht zu suchen
hat, ist klar: Goethe wies oft darauf hin, daß der Gegensatz zwischen
dem Klassischen und dem Modernen quer durch die Walpurgisnacht laufe
und sich langsam bis zum dritten Akt steigere. Erinnert man sich daran,
daß im zuerst geschriebenen Helenaakt die Entstehung der modernen
Musik aus der Antike[101]) bzw. im Gegensatz zu ihr wesentlich thematisch
mitunterlief, indem schon dort „des Geklimpers vielverworrner Töne
Rausch" der modernen Musik in der Euphorionoper von Panthalis geschmäht wird (V. 9964), so ist der Spott der Sphinxe gegen die Sirenen
begreiflich. Auch Mephistos Rolle wird klar: Bereits als Phorkyas bezeichnet er die neue Musik als den Einbruch einer neuen Gefühlswelt, die „von
Herzen" geht (V. 9685). Das „Vomherzengehen" ist nach der klassischen
Kunstlehre erstes Charakteristikum der Neuzeit. Daß die Musik im
zweiten Akt dem Teufel „nicht zum Herzen" dringt, im dritten Akt dagegen die Phorkyasgestalt ihrem „Schmeichelton" so „geneigt" ist, daß
ihr Beispiel dem antiken Chor Tränen entlockt, hängt mit der Wandlung
Mephistos zu Phorkyas zusammen, auf die wir noch eingehen werden.
Mephistos Hauptfunktion, extremer Verfechter der Moderne zu sein, ist
in beiden Fällen bewahrt. Im Helenaakt ist er Entdecker und Verkünder
der modernen Musik, hier im zweiten Akt aber nicht minder, denn er
und kein anderer entdeckt „die saubern Neuigkeiten, wo aus der Kehle,
von den Saiten Ein Ton sich um den andern flicht". Und auch er weiß
sehr genau, daß diese Neuigkeiten grundsätzlich zum „Herzen" gehen
müssen, während die granitenen Sphinxe objektivierend abwehren:
„Sprich nicht vom Herzen, das ist eitel!"

Schon hieraus wird Mephistos komplizierte Stellung erklärlich, die uns
noch eingehendere Betrachtung abnötigt. Er ist im Raum der modern-
romantisch-christlichen Welt der einzig Herzlose („Ein lederner ver-
schrumpfter Beutel, Das paßt dir eher zu Gesicht"), durchschaut aber vielleicht gerade dadurch den herzlichen Charakter ihrer Musik. Er ist Verneiner und Verkünder der christlich-romantischen Welt ineins. Nur auf
ihn wirkt diese Musik nicht: „Das Trallern ist bei mir verloren". Grundsätzlich aber sind ihm diese „Neuigkeiten" bekannt. Im Gegensatz dazu
halten die graniten-antiken Sphinxe diese Musik für „verderblich": „Sie
(die Sirenen) verbergen in den Zweigen Ihre garstigen Habichtskrallen,
Euch verderblich anzufallen, wenn ihr euer Ohr verleiht" (V. 7162 ff.).
Zwar stammt dieses Motiv von den verborgenen Habichtskrallen der

Sirenen aus dem antiken Stoff selbst[101a]). Merkwürdig aber ist die Tatsache, die schon das Erstaunen z. B. Trendelenburgs erregt hat, daß dieses stoffgegebene Motiv im weiteren Verlauf der Handlung völlig wegfällt und die Sirenen schließlich zu rein positiven, lebens- und kunstfördernden „Dämonen unsrer Bucht" werden.

Genauer besehen vollzieht sich nämlich mit den Sirenen ein Strukturwandel, der mit der Gesamthandlung aufs engste verknüpft ist: Indem sich im Verlauf des Geschehens immer mehr die kunst- und lebensgenetischen Elemente des Daseins positiv produktiv herausschälen, werden die „Sängerinnen" bejaht, ja sie erhalten durchweg die Macht, das Geschehen zu deuten, zu klären und zu fördern, aus dem einfachen Grund, weil sie die Vertreter des Gesangs und der Poesie sind, d. h. eine darstellende und bewußtmachende Funktion haben. Bei allen neuauftretenden Gestalten des hymnischen Schlußteils verkünden, deuten und besingen sie ähnlich wie etwa der Herold in der Mummenschanz das Geschehende. Mit anderen Worten: Auch hier ist der Gegensatz zwischen Antike und Moderne keine streng kunstdogmatische Frage, die sich in bestimmten Personen eindeutig verkörpert, sondern eine Frage der Genesis und produktiven Entfaltung. Denn der „moderne" Charakter ihres Gesangs wird am Anfang ausschließlich im Hinblick auf die Mephisto- und Faustrolle betont:

Den Sphinxen gegenüber hatte sich Mephisto in der Rätselscharade als christlicher Teufel entlarvt: „Dem frommen Manne nötig wie dem bösen, dem ein Plastron, aszetisch zu rapieren" usw., d. h. es war Mephisto jene gleiche Doppelrolle zum Christentum zugefallen wie zur modernen Musik: er ist selber durch und durch christlich, indem er dem „frommen Manne" zur „Askese" „nötig" ist, indem er moralisierend das „Nackte" der Antike „mit neustem Sinn bemeistern" will usw. Er ist Verkünder und Verneiner des Christentums ineins. Und darum steht er radikal außerhalb der Antike: „Der Garstige gehöret nicht hierher", schnarren die Greife erbost. Die Sirenen aber stehen wie die Poesie selber sozusagen außerhalb und erhaben-„heiter" über diesem Streit: „Weg! das Hassen, weg! das Neiden; Sammeln wir die klarsten Freuden Unterm Himmel ausgestreut! Auf dem Wasser, auf der Erde, Sei's die heiterste Gebärde, Die man dem Willkommnen beut" (V. 7166 ff.). Sie bieten Mephisto ein „Willkommen" und werden erst daraufhin von ihm als modern erkannt. Sie bieten aber auch Faust ein Willkommen, ja sie fordern ihn sogar unter dem Protest der Sphinxe auf, sich „ans grüne Meer" (V. 7208) zu begeben, wo ja tatsächlich die triumphale Schlußfeier stattfindet. Die Sirenen also haben die nächste und innerste Beziehung zu den nordischen Wanderern auf Grund ihres „Gesangs". Darum werden ihre „Habichtskrallen" von den Sphinxen gerügt und sie selbst als „Verführer" gebrandmarkt, als für Faust schädlich, weil sie schon allzu modern sind. In der Tat aber sind sie den Sphinxen und Greifen gegenüber diejenigen, die „Himmel, Wasser und Erde" „heiter" verbinden, d. h. die schweren Akzente von Granit und Goldgeheimnis in eine höhere Totalität poetisch auflösen. Alles spricht für diese Deutung:

Sie sind es, die zur Flucht vor dem rebellisch sinnwidrigen „Erdbeben" des Seismos auffordern, die dazu mahnen, „Lied um Lieder anzustimmen" und sich dem „Wasser" als dem wahrhaft lebensspendenden Element hingeben: „Fort, ihr edlen frohen Gäste Zu dem seeisch heitern Feste, Blinkend, wo die Zitterwellen, Ufernetzend, leise schwellen ... Dort ein freibewegtes Leben, Hier ein ängstlich Erdebeben" (V. 7509 ff.) ... „Ohne Wasser ist kein Heil" (V. 7499). Sie sind es, die im Tumult der Zeit das ewig Lebendige, Hegende, das Schützende und Wachstumsfördernde des Wassers begreifen und verehren und damit in unzweifelhafter Parallele zum Ledatraum Fausts und zu seinem Eintritt in das Schilfgewässer des untern Peneios stehen, wo aus „Pappelzitterzweigen Unterbrochne Träume" emporsteigen, wo aus dem „Wallestrom und Ruh" (V. 7252 ff.) nochmals in Faust die Vision der Schönheit und ihrer Geburt geweckt wird und damit das biologische Wachstumsgesetz alles Schönen verkündet und erkannt ist. In dem Reigen von Greifen, Arimaspen, Sphinxen und Lamien vertreten die Sirenen das organisch still Wachsende, Reifende, das ewig lebendige Gesetz alles Wirkens und Schaffens. Die große Schlußapotheose des Wasserfestes und Triumphs aller vier Elemente leiten sie ein mit dem Gesang an den im Zenit verharrenden, das „mildeblitzend Glanzgewimmel" der Wogen lieblich beleuchtenden Mond — in deutlicher Absage an den phantastisch sich in der Einbildung des Anaxagoras abspielenden Mondsturz. Ihr „holder Sang" zieht das „Volk der Tiefe", das vor „des Sturmes grausen Schlünden" zu „stillstem Grunde" floh, wieder zu neuem Werke „heran". Sie, die vorher — in Anlehnung an ihren modernen Charakter — negativ bezeichnet waren als mit Habichtskrallen versehen, verlieren diesen Zug und werden zu positiven Dämonen der Bucht. Sie verkünden beim Erscheinen der Nereiden und Tritone deren Geheimnis: „Doch ihr festlich regen Scharen, Heute möchten wir erfahren, Daß ihr mehr als Fische seid", d. h. sie durchschauen das hinter den mythologischen Tiergestalten verborgene produktive Geheimnis. Nicht anders ist ihre Blickrichtung auf die Kabiren gemeint, jene Gebilde, welche die Entstehung der Götter und des Göttlichen demonstrieren. Ob dieser Aufzug der götterzeugenden Kabiren, ob die Erscheinung der kunstschaffenden, die erste Errichtung plastischer Götterbilder in menschlicher Gestalt verkündenden Telchinen von Rhodos, ob das Herannahen der kunstschützenden, in Zyperns „Höhlen" den weltgeschichtlichen Stürmen von Rom, Venedig, Halbmond und Christentum trotzenden, die ewige Schönheit hegenden Psyllen und Marsen oder ob das blendende Hervortreten dieser Schönheit in Galatee selber sich vor den Augen der staunenden Meeresbewohner abspielt, immer sind die Sirenen die ankündigenden, erklärenden, deutenden und preisenden Sängerinnen, die endlich auch den triumphierenden Schlußhymnus auf Eros und die vier Elemente anstimmen. Sie sind die beherrschende, aufhellende, „heiter" alles verbindende und einigende Mitte des ganzen großen Schlußteils der Klassischen Walpurgisnacht. Unzweideutig hat Goethe in ihnen gezeigt, was das Ganze sollte und soll: eine Demonstration der Wiedergeburt von Schönheit und Kunst. Als Sängerinnen stehen die Sirenen im Bereich der Poesie, als singende, deutende, klärende und hymnisch beschwingte Verkünderinnen der Schönheit weisen sie unausgesetzt auf das Thema der ganzen Walpurgisnacht.

Die revueartige Aufreihung von Sphinxen, Greifen, Arimaspen und Sirenen zu Beginn der Klassischen Walpurgisnacht (vor allem vor Faust in V. 7181/89) ist also ein Aufweis von Grundelementen aller schaffenden und geschaffenen Schönheit: der graniten beharrenden Urwelt, des Geheimnisses und höchsten Schatzes (Gold) und der heiter verführenden, aber auch deutenden, klärenden und hymnisch erhebenden, „dämonischen" Macht des Gesanges.

Mephistos Rolle und seine Verwandlung in die Phorkyasgestalt

Die zu Beginn in Sphinxen, Greifen usw. bereit gehaltenen Strukturelemente der Klassischen Walpurgisnacht geraten in Aktion und zur Sinnerschließung erst durch den Aufprall der drei nordischen Luftfahrer Faust, Mephisto und Homunkulus auf sie. Der Weg, den diese drei durch die Klassische Walpurgisnacht nehmen, bezeichnet nicht nur den äußeren Gang des Geschehens, sondern auch eine innere Problemstellung: Konnten wir schon in Homunkulus eine Symbolik des Genius entdecken, d. h. den Versuch Goethes, die geistig geniale, außerirdische Potenz, das „tätig Fördernde", positiv „Dämonische" und „Schönheitliebende" als selbständige Kraft in die biologischen, künstlerischen und geologisch-historischen Prozesse des Daseins eindringen zu lassen, so stellt uns die Faust- und vor allem die Mephistogestalt vor eine nicht weniger überraschende, aber konsequente Vertiefung ihrer ursprünglich gegebenen Inhalte.

Mephisto und Faust werden nämlich im zweiten Akt entscheidend neu voneinander abgegrenzt und differenziert. Ein Vergleich der Endfassung mit dem ersten großen Plan von 1826 zeigt, daß wesentliche Teile der Faustrolle im Laufe der Abänderungen auf Mephisto übergehen, so z. B. die Gespräche mit den Sphinxen und Greifen und die Verführung durch die Lamien. Ferner wird die Faustrolle auch in sich selber unverhältnismäßig gekürzt. Eine „lange Prozession von Sibyllen, an Zahl weit mehr als zwölf" bei Fausts Begegnung mit Chiron und Manto fällt aus. An ihre

Stelle tritt ein kurzer Dialog mit Manto; auch an die Streichung der großen Szene Faust im Hades und ihre bereits erörterten Ursachen ist zu denken. Forscht man nach den Hintergründen dieser Verlagerung des Handlungsgewichts von Faust auf Mephisto, so ergeben sich folgende Ursachen:

Die Verführung durch die Lamien war ursprünglich als eine Art Probe auf Fausts Schönheitsempfinden geplant: Er sollte unterscheiden zwischen erotisch wirkender Schönheit und Helena: „Reizendes aller Art, blond, braun, groß, klein, zierlich und stark von Gliedern, jedes spricht oder singt, schreitet oder tanzt, eilt oder gestikuliert, so daß, wenn Faust nicht das höchste Gebild der Schönheit in sich aufgenommen hätte, er notwendig verführt werden müßte". In dem Maße jedoch, in dem das Verführungsmotiv durchweg in „Faust II" schwindet, setzt für Goethe eine andere Interessensphäre ein: Der antiken Schönheit Helenas war hier eine andere entgegengesetzt worden. Folglich ergab sich für Goethe die Frage, was ernsthaft ihr entgegengesetzt werden könne. Die Art, wie Goethe sie beantwortet, klärt das Problem antik-nordisch von einer neuen Seite: Die Lamien werden zu modisch-maskenhaften Schein- und Zwitterwesen, sie sind nicht mehr wie in der früheren echten Verführung „zierlich und stark von Gliedern", sondern „geschnürten Leibs, geschminkten Angesichts" (V. 7795), d. h. sie werden modisch-konventionell. Und von hier aus zieht Goethe eine Verwandtschaft zum Modern-Nordischen: „Absurd ists hier, absurd im Norden, Gespenster hier wie dort vertrackt, Volk und Poeten abgeschmackt, Ist eben hier eine Mummenschanz, Wie überall ein Sinnentanz. Ich griff nach holden Maskenzügen Und faßte Wesen, daß michs schauerte" (V. 7792 ff.). In ihnen und der Empuse findet Mephisto lauter „Nahverwandte. Es ist ein altes Buch zu blättern: Vom Harz bis Hellas immer Vettern" (V. 7741 f.). Die Gegenwelt der Schönheit ist nicht mehr das Häßliche oder „reizend" Verführende wie früher, sondern das Scheinhaft-Verschwindende, das, was keinen Bestand hat.

Eine völlig neuartige Blickrichtung ist damit gewonnen. Das Schöne wird aufs Ursprüngliche, sei es aufs Granitene, sei es aufs organisch Biologische, gestellt, das Nichtschöne aufs „modisch Absurde", auf Schein, Welttheater, Mummenschanz, während in der Hochklassik — in einem allerdings anderen Sinne — Schönheit und Schein fast ineins fielen. Indem aber das Nordische als Gegenwelt des Antiken im Zusammenhang mit Goethes Kampf gegen die modisch-sentimentale Zeitströmung der christlichen Romantik ins Bereich des „Modischen" rückt, wird die einfache Kontrastierung von antik und modern fast illusorisch und von einer anderen Problemlage durchsetzt. Mit den Worten antik und nordisch wird nunmehr das genetische Problem von Ursprung und Schein verknüpft, woraus sich langsam die Mephistogestalt zu entschleiern beginnt: Daß er und nicht Faust von den Lamien verführt wird, daß er auf der Flucht

vor ihnen zu den Sphinxen und zu dem beharrenden Naturfelsen sich
rettet, daß er in der Antike eine „grandiose Häßlichkeit" entdeckt, deren
„hohe Ahnen" und „bedeutender Einfluß" ihm Achtung abnötigt und zur
Phorkyasverwandlung bewegt, daß er als Ganzes viel stärker in den
Mittelpunkt rückt als Faust, ist das Zeichen eines völlig neuen und
ungewohnten Weges Goethes zur Antike: des Weges in einen „Ursprung",
eine urälteste Welt, deren „grandiose Häßlichkeit" keineswegs ihren
antiken Charakter verleugnet, sondern bestätigt. Ursprung ist das primäre
Zeichen von Antike, nicht Schönheit. Im „Ungeheuren" antiker Vorwelt,
dem Goethe erschauernd in Rom huldigte, lag das Faszinierende, das
Goethe in der Wandlung der Mephistofigur zur Phorkyasgestalt zu
meistern versucht hat. Denn auf Mephisto ruhte das Schwergewicht der
Auseinandersetzung zwischen antik und modern schon seit der Konfrontation zwischen Helena und Phorkyas um 1800. Faust geht den schlichten,
biologisch-traumhaften Weg zur „Schönheit". Sein Eintritt in die hellenische
Welt ist abermals mit einer Aufforderung zum Schlafen verbunden: „Am
besten geschäh dir, Du legtest dich nieder, Erholtest im Kühlen Ermüdete
Glieder, Genössest der immer dich meidenden Ruh; Wir säuseln, wir
rieseln, wir flüstern dir zu". So beginnt am unteren Peneios der traum-
haft-unbewußt-organische Weg Fausts zu Helena, der wie fast alle
Etappen Fausts in „Faust II" stumm-zeichenhaft, ohne innere weltanschau-
lich-dialektische Auseinandersetzung verläuft. Die Stille der Faustfigur aber
macht die Breite und rhetorische Vielfältigkeit der Mephisto- und Phorkyasgestalt notwendig. Was der nordische Faust stumm handelnd verschweigt, spricht sein beredter Begleiter in mannigfachen Vorgängen entfaltet vielsagend aus. Der Sinn des Gesagten ist bei beiden jedoch fast
identisch. Denn ob nun Faust in seinen zwei Führern und Geleitern Chiron
und Manto der „kreisenden Zeit" und der „beharrenden" Zeitlosigkeit
begegnet, ob er bei Chirons Verspottung des Streites über Helenas Alter
begreift, daß sie jenseits von alt und jung „außer aller Zeit" (V. 7436)
steht, analog dem „Dichter", den „keine Zeit bindet" (V. 7433), oder ob
Mephisto, im Wirbel der Walpurgisnacht zwischen Lamien und Sphinxen,
zeitverfallenen „Metamorphosen" und beharrend zeitlosem Urgestein hin
und her geworfen, seine Erfahrungen sammelt, bis er reif wird zur
Phorkyasverwandlung, das bleibt sich im Ausgangsproblem gleich, blieb
sich auch für Goethe ursprünglich gleich, als er noch seinen Helden Faust
dieses Hin und Wider zwischen Sphinxen, Lamien, Chiron usw. erleben
lassen wollte. Denn in beiden Fällen ging es und geht es Goethe um Ursprung und Zeit, Beharrung und Vergänglichkeit, um die Frage, ob und
wie Schönheit sich hält im Sturze der Zeit, nicht um das Problem Schönheit und Häßlichkeit, reale Antike und reale Moderne.

  Dann aber begann eine Artikulierung und Differenzierung zwischen
Faust und Mephisto, die Faust von Beginn an aller zeitlich-nordischen

Sphäre entrückt und ihn jenseits von antik und modern im stillen Werden und Wachsen auf Helena selber ausrichtet. Faust wird rein gehalten von aller zeitgeschichtlichen Problematik, dagegen auf Mephisto und einzig auf ihn die gesamte geschichtsphilosophische Wucht der Auseinandersetzung zwischen modern und antik gerichtet; er wird der Angelpunkt, auf den sich die entscheidende Frage konzentriert, ob überhaupt und unter welchen Bedingungen die christlich-moderne Welt in die Antike einzudringen und sie sich anzueignen vermag. Die Wahrheit dieser These, der Beweis für diese vorläufig aufgestellte Behauptung, ist in den entstandenen Szenen selber zu finden:

Die früher für Faust angesetzte große Unterredung zu Anfang mit den Sphinxen, Greifen und Ameisen, die das Rätselhafte, bewußt Verwirrende gemäß der überlieferten Bedeutung der Sphinxe herausstellen sollte — „Faust hat sich ins Gespräch mit einer auf den Hinterfüßen ruhenden Sphinx eingelassen, wo die abstrusesten Fragen durch gleich rätselhafte Antworten ins Unendliche gespielt werden. Ein daneben in gleicher Stellung aufpassender Greif, der goldhütenden einer, spricht dazwischen, ohne das Mindeste deshalb aufzuklären. Eine kolossale, gleichfalls goldscharrende Ameise, welche sich hinzugesellt, macht die Unterhaltung noch verwirrter" — wird bei der Ausführung der Szene von Goethe auf ein ganz klares, keineswegs wirres Rätsel konzentriert, auf das Rätsel: Wer ist Mephisto? „Versuch einmal, dich innigst aufzulösen", mit dieser Aufforderung treten die Sphinxe an ihn heran. Diese „Auflösung" des Rätsels hatte Goethe schon vorbereitet, indem er den Teufel als moralisierenden Verfechter des „Anstandes" und der „Mode" gegen das „schamlos Nackte" der Antike einführte: „Doch das Antike find ich zu lebendig; Das müßte man mit neustem Sinn bemeistern Und mannigfaltig modisch überkleistern ... Ein widrig Volk" usw. Die übliche Auffassung (Trendelenburg, Kommerell u. a.), Mephisto sei hier ein lüsternes Geschlechtswesen, trifft gerade an dem entscheidenden Punkte vorbei: Die „Nacktheit" ist ihm „widrig", weil sie außerchristlich, jenseits aller „Sünden" (vergleiche V. 7973 f.), mithin außer seinem Machtbereich steht. Entsprechend wird sein Charakter in der „Scharade" der Sphinx „aufgelöst" und als extrem christlicher Typus erkannt und gedeutet: „Dem frommen Manne nötig wie dem bösen, Dem ein Plastron, aszetisch zu rapieren, Kumpan dem andern, Tolles zu vollführen, Und beides nur, um Zeus zu amüsieren"; damit erscheint Mephisto als eine untrennbar polar mit dem Christentum verbundene Macht, deren widerantike Funktion von den schnarrenden, höhere Schätze behütenden Greifen entschieden empfunden und abgewehrt wird: „Den mag icht nicht! Was will uns der? Der Garstige gehöret nicht hierher!" Mehr noch: er trägt nicht nur die christliche, sondern auch die romantisch-poetische, ja die romantisch-historistische Welt in sich aus. Was anders soll sein merkwürdiger Einfall besagen, sich selbst als Old Iniquity

im frühenglischen Drama — der Geburtsstätte des modernen, d. h. für
Goethe typisch nordisch-romantischen Dramas! — auszugeben unter deutlicher Anspielung auf die historistisch-romantische Reisewut der Goetheschen Zeit: „Sind Briten hier? Sie reisen sonst so viel, Schlachtfeldern
nachzuspüren, Wasserfällen, Gestürzten Mauern, klassisch dumpfen Stellen;
Das wäre hier für sie ein würdig Ziel". Romantik, Christentum, Historismus, Moralismus, modische Prüderie, alle diese für Goethes Spätdenken
auf einer Linie stehenden Elemente versammeln sich in der Mephistofigur. Um 1800 war Mephisto (in seiner Rolle als ägyptische Dienerin)
noch modern als christliche Demokratin und Menschenrechtlerin, weil
damals der Goethesche Kampf gegen die Moderne der französischen Revolution galt. Jetzt, um 1830, stand Goethe im Kampf gegen die christliche Romantik. Selbst die nur scheinbar spielerische Ablehnung des „Grau,
grämlich, griesgram, greulich, Gräber, grimmig" durch die Greife enthält
eine Verspottung historistischer Etymologie und der Gräberromantik, die
ähnlich schon in der Mummenschanz des ersten Aktes auftaucht. Möglicherweise ist der ganze Passus angeregt durch die stoffliche Vorlage, wonach die Greife nicht nur Paläste und Schätze, sondern vor allem
auch unberührbare Räume und Gräber bewachen. Zu beachten ist
ferner, daß formal in dieser Rede der Greife gleichzeitig mit der Verwerfung der historisch gerichteten Etymologie eine positive Demonstration
dessen, was Goethe unter „symbolisch" verstand, nachweisbar ist. In
seinem „Symbolik"-Aufsatz spricht Goethe einmal von der inneren Verwandtschaft gleichklingender Wörter wie z. B. mein, dein, sein und sieht
darin ernsthaft symbolische Elemente. Wortklänge enthalten für Goethe
analogiebildende „Bezüge", die selbst sprachgeschichtlich Entferntes oder
anorganisch Zufälliges durch heiteres Spiel und vor allem durch den
bindenden und formenden Vers, Reim und Gleichklang zu einer neuen
überraschenden Bedeutung erheben[102]). Solche Sprachtechnik lebt zweifellos auch in diesen schier undurchsichtig ironischen Reden, die in schillernden Wortspielen und Einfällen Entferntestes, für Goethe jedoch durchaus
auf einer Linie Liegendes, sprunghaft vereinigen und in der Sprachtechnik
zugleich assoziativ alogisch sämtliche Sinnbezüge, z. B. der Mephistogestalt, aufrollen.

Die erste Wandlung, die Mephisto also durchmacht, verläuft vom bös-
artig verführenden, hohnvoll überlegenen, weltklugen Teufel aus „Faust I"
zum Vertreter der antiantiken modernen Welt mit all ihren Schwächen
und Stärken. Er wird christlich, romantisch, moralisierend, prüde und
„modisch", um 1800 sogar demokratisch menschenrechtlerisch. Dies einzig
ist der Grund seines in der Forschung vielbeachteten „Absinkens", seiner
Schwäche und Haltlosigkeit, seiner geringen Macht über Faust — er macht
ja noch nicht einmal den Versuch, Macht über ihn zu gewinnen, da es
um diese Frage Goethe längst nicht mehr ging. Indem Goethe der Antike

eine moderne Gegenwelt entgegensetzt, die er aus begreiflichen Gründen nicht Faust übertragen wollte, wurde Mephisto nicht mehr Fausts, sondern Helenas Gegenspieler; er gewann damit handlungsmäßig an Breite und sogar, wie sich zeigen wird, an Problemtiefe, verlor aber an unmittelbar imponierender Größe, weil er nicht mehr führt, sondern geführt wird, weil er notwendig blind in eine ihm „fremde" Welt tappt, wo ihm „Verwandtschaften" nur unter Lamien, Empusa usw. begegnen, nicht aber unter Greifen, Sphinxen, Arimaspen, den grundlegend beharrenden Fundamenten des spätgoetheschen Antikebildes. Faust gewinnt in dem Maße, in dem er äußerlich zurücktritt, an Beherrschtheit und innerer Größe und nähert sich der „Antike". Mephisto aber verliert in dem Maße, in dem er sich breit entfaltet, an Sicherheit, Größe und selbst Weltklugheit, er wird scheinhaft modern und läßt sich narren vom Maskentanz wesenloser Lamien.

Dennoch ist dies nur die erste Stufe von Mephistos Verwandlung. Auf der Flucht vor den Lamien, nach der grundlosen Bergrevolte und dem politischen Kampf zwischen Pygmäen und Kranichen, trifft ihn mitten auf der Suche nach Höllenpech und Schwefel im antiken Gebirge das sonderbar aufschreckende Wort: „In deinem Lande sei einheimisch klug, Im fremden bist du nicht gewandt genug. Du solltest nicht den Sinn zur Heimat kehren, Der heiligen Eichen Würde hier verehren" (V. 7959). Mephisto soll, seinen Sinn von der nordischen Heimat abkehrend, einen Ursprung, der „heiligen Eichen Würde", in der Antike selber aufsuchen. Das ist der eindeutige Sinn dieser Worte. Auch Mephisto, nicht nur Faust und Homunkulus, dringt ernsthaft in die Antike ein, auch er gewinnt einen neuen, tragenden, gründenden Ursprung, das ist der klare, auch aus allen Lesarten sprechende Befund dieser Szene. Denn wenn die Bergnymphe Oreas vom „Naturfelsen" ihn anruft: „Herauf hier! Mein Gebirg ist alt, Steht in ursprünglicher Gestalt" und Mephisto ihr antwortet: „Sei Ehre dir, ehrwürdiges Haupt, Von hoher Eichenkraft umlaubt" — worauf nach den ersten Lesarten Mephisto sofort die Phorkyaden erblickt, d. h. die entscheidende Umwandlung Mephistos beginnt — und wenn Goethe nicht ohne Absicht später die Homunkulus-Thales-Anaxagoras-Szene einschob — die die „Entstehung" alles Lebens erörtert — und daraufhin Mephistos Verehrung der Eichen verstärkte durch die zitierte Stelle der Baumnymphe Dryas, so spricht aus all dem die unleugbare Absicht, eine neue Wandlung Mephistos, nämlich die zur Phorkyasgestalt, innerlich vorzubereiten. Denn mit der Phorkyasfigur war ja, wie Goethe bereits im dritten Akt ausgeführt hatte, Mephisto „Ururälteste" geworden, vor der der Chor der Mädchen „gleich gemähtem Wiesengras" in scheinhafter Nichtigkeit „welkt". Er vertrat gerade nicht mehr Maskerade, Mummenschanz und Schein wie in der Jagd nach den Lamien, sondern beharrliche und beharrende, furchtbare Größe einer alles

durchschauenden und durchdringenden, zeitlos regierenden, über Schönheit und Häßlichkeit gleicherweise befehlenden, sie auch gleicherweise verehrenden Allmacht: „Tritt hervor aus flüchtigen Wolken, hohe Sonne
dieses Tags, Die verschleiert schon entzückte, blendend nun im Glanze
herrscht ... Schelten sie mich auch für häßlich, kenn' ich doch das
Schöne wohl ... Stehst du nun in deiner Großheit, deiner Schöne vor
uns da, Sagt dein Blick, daß du befiehlest, was befiehlst du? sprich es aus"
(V. 8909 ff.); so beugt sich Phorkyas verehrend vor Helenas „Großheit"
und „Schöne".

Hintergründigste Zusammenhänge vielleicht der ganzen Faust II-Dichtung tun sich hier auf, die auf außerordentlich frühe Überlegungen und
Gestaltschichten Goethes zurückführen. War doch schon um 1800 in
Goethe, bei seinem Bemühen, das Eindringen der Moderne in die Antike
und die Erscheinung antiker Kunstelemente in der deutschen Sprach- und
Gefühlswelt der Faustdichtung innerlich möglich und sinnvoll zu gestalten, die Idee aufgetaucht, „das Schöne mit dem Abgeschmackten durch's
Erhabene zu vermitteln"[103], d. h. Mephisto als Phorkyas auf hohen
antiken Kothurn gestellt mit Helena zu verbinden. In Mephisto sollte
„Erhabenes" anklingen und so das Abgeschmackte mit dem Schönen „vermittelt" werden. Die Frage war nunmehr, ob dies Erhabene, wie zweifellos ursprünglich geplant und auch ausgeführt war, in antik-tragischen
Formen oder in modern-tragischen, etwa Shakespeareschen bizarr-geist-
reichen und grandiosen Sprachformen darzustellen sei. Goethe versuchte
beides. Letzteres in einer frühen Skizze zur ersten Helenabeschwörung:
„Bravo, alter Fortinbras" usw. (Paralip. 65), ersteres im Helenafragment
von 1800, wählte aber dann, nachdem auch der große Versuch, Mephisto
auf antikem Kothurn zu halten, Bruchstück geblieben war, einen völlig
anderen Weg:

Er versetzt Mephisto in eine „ursprüngliche" Natur, aus der er sowohl
Antikes wie Modernes entfaltet: In der Fortsetzung des Helenabruch-
stückes wird Mephisto, wie erwähnt, „Ururälteste", die sich sogar vor
der Schönheit beugt und auf ihre Urahnen pocht. Hier in der Klassischen
Walpurgisnacht tritt er zu den „heiligen Eichen", die sowohl in der
Antike wie im Norden „verehrt" werden können. Von diesem Ansatz-
punkt aus entsteht dann jene sonderbar befremdende Verbindung von
antik und häßlich, von „alt", „erhaben" und „abgeschmackt", die Goethe
so früh in der Phorkyasgestalt vorgeschwebt hatte. Die „grandiose Häßlichkeit" der „Enyo"-Phorkyade, von der Goethe schon in der Skizze
von 1826 mit deutlicher Bewunderung spricht, streift dicht ans Erhabene.
Ihre „hohen Ahnen", ihre uralte Herkunft weisen auf Ursprünglichkeit.
Das Ungeheure ihrer Erscheinung steht jenseits aller modisch modernen
Scheinhaftigkeit im Bereich echter Größe, d. h. aber für die normativ
klassische Kunstbildung im „Antiken". Antik ist — auch und gerade für

den späten Goethe — alles, was groß, ungeheuer, ursprünglich und in diesem Sinne auch schön ist. „Hier wurzelts in der Schönheit Land, das wird mit Ruhm antik genannt", ruft Mephisto keineswegs nur ironisch-polemisch vor den Phorkyaden aus, denn nach einer Lesart heißt es, Mephisto habe vor ihrer „antiken Häßlichkeit allen Respekt"[104]). Diese Häßlichkeit ist im betonten Sinne „antik". Die antike Größe des Häß-lichen wird ausdrücklich damit begründet, daß die „urverworfnen Sünden" christlicher Welt nichts seien gegen sie, daß die „grauenvollsten unsrer Höllen" sie von „ihrer Schwelle verweisen" müssen (V. 7973). Die Häß-lichkeit der Phorkyaden steht prinzipiell im außerchristlichen, außer-moralischen Bereich erhaben antiker „Natur". Aus diesem Grund ist sie „grandios", ursprünglich, von unabsehbar hohem Alter und unerschüt-terlicher Dauer.

Wie aber kam Goethe überhaupt auf die Vorstellung, eine dergleichen „häßliche" Antike in der Phorkyas-Mephisto-Gestalt Helena entgegen-setzen zu müssen? Mit dieser Frage stehen wir vor der Auflösung des ganzen Verhältnisses zwischen antik und modern. Um 1800 durch innige Berührungen mit Schiller belehrt, daß die moderne Dichtung seit Shake-speare, sich primär auf „Würde" und „Erhabenheit" stützend, der „naiven" Antike an vergeistigter Größe mindestens ebenbürtig sei, belehrt ferner, daß er selbst, Goethe, keineswegs so antik sei, wie er angenommen hatte, muß in Goethe bei der Inangriffnahme der Helenadichtung wie eine über-wältigende, Sinn, Fühlen und Dichten erregende Vorstellung der Ge-danke aufgeleuchtet sein, eben diese positive „Würde" der Moderne, diese Größe sozusagen des Nichtschönen, Nichtnaiven, Nichtanmutigen, kurzum „Häßlichen" und „Abgeschmackten" moderner Dichtung in die Mephisto-gestalt zu verlegen und mit dem „Schönen", dessen „Verwandlung in eine Fratze" ihn so „betrübt" hatte, in „Vermittlung" zu setzen durchs „Er-habene". Erhaben war die Moderne, erhaben aber auch die Antike. Um die sprachliche Einheit des Werkes nicht zu zerstören, konnte das Nicht-schöne, Häßliche, darum in erhaben feierlichen, antik tragischen Versen geformt werden und in diesem Sinne ins Antike gewandt vor Helena erscheinen. Mephisto-Phorkyas war schon 1800, nicht inhaltlich, aber formal, antik und modern ineins. Die Frage, was an ihm antik, was modern sei, fiel fort vor dem schwerer wiegenden künstlerischen Problem, durch das „Erhabene" zwischen beiden Welten zu „vermitteln". So an-gesehen war also und ist bis zu ihrem Abschluß die Helenadichtung eine Vermittlung zwischen antiker und moderner Poesie, eine synthetische Ver-knüpfung und Entstehung der zwei Welten. Genau wie aus der ägyp-tischen Mephisto-Zigeunerin, aus diesem Monstrum von „Christin" und revolutionär demokratischer Menschenrechtlerin, diesem nun wirklich durch und durch „Abgeschmackten" und „Fratzenhaften", das Goethe an seinen allerersten Plänen so „betrübte", plötzlich in der Ausführung ein

grandios erhabenes Wesen werden konnte, als „grause Nachtgeburt"
(V. 8695) und „Unbewegliche" (V. 8681) „gebietrisch ... in hagrer Größe"
(V. 8688) vor Helena sich emporreckend, so wird aus der modern scheinhaften, den Lamien verfallenden, von Christentum, Historismus, Romantik
geprägten Mephistogestalt zu Beginn der Klassischen Walpurgisnacht durch
Mithilfe von „Naturfels" und „heiligen Eichen" eine erhabene Urform des
Seins, die in die antike Vorzeit eindringend positive Vorzeichen erhält und
sich als jenseits von antik und modern, im „Grandiosen" beheimatet bis
zum Schlusse erweist.

Zunächst „schmeichelt" sich Mephisto bei den Phorkyaden „ein" mit
der Berufung auf sein eigenes hohes Alter, das ihm eine „weitläufige Ver-
wandtschaft" verbürgt: „Altwürdige Götter hab ich schon erblickt, Vor
Ops und Rhea tiefstens mich gebückt; Die Parzen selbst, des Chaos, eure
Schwestern, ich sah sie gestern — oder ehegestern" (V. 7988 ff.). Die
frühere Fremdheit der hellenischen Sagenwelt gegenüber weicht also einer
ursprünglichen Nähe kraft gemeinsam hohen Alters. Die Mahnung der
Dryas: „Du solltest nicht den Sinn zur Heimat kehren, Der heiligen Eichen
Würde hier verehren" ist wörtlich befolgt; die „Würde", jener einst von
Schiller der Moderne eingeräumte Begriff, wird auf die Phorkyaden übertragen: „Doch so ein würdiges so ein von Grund aus ... graues hab ich nie
erblickt" (Lesart zu V. 7992). Eine weitere „Verwandtschaft" liegt im
„Chaos", der ungeschieden vor allen Zeiten schlummernden Nacht, begründet: „Mephisto (als Phorkyas im Profil): Da steh ich schon, Des
Chaos vielgeliebter Sohn! Phorkyaden: Des Chaos Töchter sind wir un-
bestritten". Der christliche Teufel und die antike Häßlichkeit entstammen
einer gemeinsamen Wurzel, die durch höchstes Alter, Ungeformtheit und
erhabenes Chaos gekennzeichnet ist.

Das „Chaos" als Geburtsstätte des Häßlichen ist aber auch — und
das ist das überraschendste und wichtigste Ergebnis der ganzen Phorkyasverwandlung — eine Geburtsstätte des Schönen. Die Phorkyaden, die in
„der Schönheit Land wurzeln", werden von Mephisto zunächst spöttisch-
schmeichlerisch auf Poesie und bildende Kunst bezogen. Mephisto wundert
sich, daß noch kein Dichter und kein „Meißel" ihre Gestalt zu erfassen
und darzustellen versuchte: „Da müßtet ihr an solchen Orten wohnen,
Wo Pracht und Kunst auf gleichem Sitze thronen, Wo jeden Tag behend,
im Doppelschritt, Ein Marmorblock als Held ins Leben tritt" (V. 8004 ff.).
Worauf dies zielt, geht aus dem Handlungszusammenhang hervor: Mephisto
wünscht ihr „Bild" (V. 8017 und V. 7997), um als Phorkyasmaske auf
dem tragischen Kothurn des dritten Aktes erscheinen zu können. Daher
spielt er auf die Möglichkeit an, sie überhaupt als Bildnis fixieren zu
können. Eine Lesart, die erst nach der heutigen Endfassung als gipfelnder
Schluß verfaßt und dann wieder wahrscheinlich aus zeitgeschichtlichen
Rücksichten (wegen einer Anspielung auf den neuesten „Meißel") ver-

worfen wurde, hält dies noch deutlicher fest. Nach ihr sollte Mephisto nach der Gewinnung der Phorkyasmaske sich einreihen in den Kanon antik-plastischer Tempelstatuen: „Ich eile nun und such im vollen Lauf Der neusten Tage kühnsten Meißel auf Mit Gott und Göttin laßt uns dann gefallen Gesellt zu stehn in heiligen Tempelhallen". Der vom „Chaos" geborene Mephisto und die vom gleichen Vater stammenden Phorkyaden treten ein in die Welt antiker Tempel und Götter, in die Sphäre heiligster, höchst entwickelter Kunst. Vielfältiges schwingt in dieser Idee mit: die Überzeugung, daß Schönheit ohne Chaos, ohne Formung und Meißelung „weltentrückter" (V. 8003), urältester, nächtlicher Mächte starr tote, klassizistische Plastik, aber nicht Kunst im lebendig klassischen Sinne ist; ferner die immer wieder bei Goethe hervorbrechende Achtung vor dem „Ungeheuren", alle Formgrenzen Sprengenden zeitlos dämonischer Kräfte. Der Schönheit liegt als ontologisch unabdingbare Bedingung ihrer Entstehung das Chaos zugrunde. Denn daß Goethe mit Chaos in der Tat auch den Begriff des Genialen und Dämonischen mitdenkt, beweist die plötzlich auftauchende Verbindung mit dem „Hermaphroditischen". „Man schilt mich nun, o Schmach, Hermaphroditen" (V. 8029), sagt Mephisto im Augenblick seiner Verwandlung in die Phorkyasgestalt, und zwar im Augenblick der Entdeckung seiner und der Phorkyaden gemeinsamen Herkunft aus dem „Chaos". Das „Hermaphroditische", das bei Goethe stets mit dem genialisch Dämonischen, alle Formen Zersprengenden (Euphorion, Mignon) verknüpft war und schon seit Mignon die Dissonanz zwischen innerem Drang und äußerer Erscheinung, Chaos und Suche nach Formwerdung enthielt — nicht ohne Grund heißt Mignons Vater gleich zu Anfang „der Teufel" —, taucht bei Mephisto in dem Augenblick auf, als eine unbildsam chaotische, in ewige Nacht versenkte Gestaltlosigkeit nach Bildwerdung plastischer Art Umschau hält, als das extrem Moderne, Romantische, in die Antike einzutreten oder zum mindesten in ihr möglich zu werden begehrt, kurzum als das Problem der Kunstwerdung auch für Mephisto einsetzt. Das Chaos im erstarrten Kleid des „Bildes", in dieser paradoxen Fassung braust die Lebendigkeit einer Kunsthaltung, die in der Schönheit das mächtig Bewegte und im Chaos das Geformte zu ergreifen versucht und die das Nordisch-Moderne in antiken Tempeln aufstellen will, um das Problem „modern" („der neusten Tage kühnsten Meißel") und „antik" erneut zu artikulieren. Auch in diesem Sinne setzt Mephisto-Phorkyas die Spannung von antik und modern fort, die in Mignons verzehrender Sehnsucht nach klassischen Tempeln und Säulen („Und Marmorbilder stehn und sehn mich an") und in ihrer tragischen Unmöglichkeit, sie zu ergreifen („Was hat man dir, du armes Kind, getan?"), angelegt war und ihre dissonierende Doppelgeschlechtlichkeit erzeugte. Als Hermaphrodit ragt Mephisto ferner ins Bereich dämonischer Kräfte in hochgeistig genialischem Sinne. Ich erinnere nur an seinen positiven, geheimen Beistand bei der Euphoriongeburt in der Höhle, wo „kundig aller Wirksamkeiten" von „Wurzeln, Moos und Rinden" er „hochgeehrt", frei von allem Blendwerk und falscher Magie (V. 9593), die Geburt des Genius und sein geistiges Wachstum mit Worten beschreibt, wie sie Faust nicht erhabener zu finden vermöchte. Ich erinnere ferner an seine Verehrung der Schönheit Helenas, an seine plötzliche Ergriffenheit beim Anhören der Musik, die ihm nunmehr, im Gegensatz zum Dialog mit den Sirenen, zu „Herzen" geht und deren geschichtsphänomenologische Herkunft er als einziger überblickt, an seinen Hinweis auf „das Göttliche" des Schleiers Helenas, kurzum an seine ganze, durchweg im dritten Akt nachweisbare Fähigkeit, künstlerische Vorgänge in tiefster und erhabenster Sprachgewalt zu deuten und zu klären, die Ausdrucksformen genialisch-moderner Kunst (Euphorion, Musik usw.) zu begreifen und in ihrem Wechselverhältnis zum Antiken schärfstens zu bezeichnen (z. B. Euphorions Ablösung vom antiken Hermeskult und die entsprechende Überwindung der antiken „Mythologie" und „Götterwelt" durch die moderne Innerlichkeit)[105]. Auch Helenas „Schleier" bei der Verwandlung von der „Göttin" zum „Göttlichen"[106]) gehört in diesen Wechsel von antik und überantik. Die Phorkyasmaskierung ermöglicht es ihm, im wörtlichen Sinn „mit Gott und Göttin" im antiken Kunsttempel zu stehen und dennoch durch seinen „hermaphroditischen" Charakter geheim das Moderne zu bewahren. Aus diesen und keinen anderen Hintergründen ist auch das oft überraschend „Religiöse", ans Erhabene Streifende im ersten Akt (Mütterbeschwörung, Lustgartenvision usw.) zu begreifen. Vom zuerst konzipierten und geschriebenen dritten Akt flossen diese Elemente zurück in den ersten Akt (der ja als Vorbereitung zum dritten Akt gedacht war); dabei gerieten die possenhaften und erhaben religiösen Züge in unmittelbar sprunghafte Verbindung, während Mephisto als „Phorkyas" eindeutig und durchgehend „erhaben" sich gibt in Sprachgebung wie Haltung, selbst in seinen Schimpfreden gegen Helenas Chor. Der Versuch, das „Erhabene" vermittelnd zwischen das Schöne und Abgeschmackte einzuschalten, mündete in die Wandlung Mephistos vom christlichen Teufel zum kunstkennenden und -einschätzenden doppelgeschlechtlichen Dämon, dessen Zugehörigkeit zur nordischen bzw. antiken Sphäre folgendermaßen schillert: Auf „Antikes" bezogen ist sein Weg zum Ursprung der Antike, zum „Naturfelsen", unter deutlicher Absage an seine eigene höllische „Heimat", sowie sein Standort unter den Götterstandbildern antiker Tempel. Modern aber war schon der „Meißel", der ihn schuf. „Der neusten Tage kühnsten Meißel" sucht Mephisto auf — die Phorkyasmaske über seinem Antlitz. Das Häßliche, Chaosgeborene unter die antiken Götter zu versetzen, das vermag nur — man beachte die satirische Spitze dieses Wortes, die möglicherweise die Streichung der Stelle verursachte — der „neusten Tage kühnster Meißel". Trotz allen antiken Einschlags ist stets in der Phorkyasgestalt das Moderne bewahrt. Selbst die Geburt der modernen Musik wird von Panthalis auf Phorkyas, auf „der altthessalischen Vettel wüsten Geisteszwang" zurückgeführt.

Christlich-modern ist ferner die Anspielung auf das Trinitätsdogma beim Austausch der Maske mit den Phorkyaden: „In zwei die Wesenheit der drei zu fassen, Der dritten Bildnis mir zu überlassen" usw. (V. 8016 f.). Bei der Wendung ins erhaben Göttliche, ganz gleich, ob antik („altwürdige Götter hab ich schon erblickt" usw.), ob christlich gefaßt, bedient sich Goethe jedes halb verheimlichenden, halb offenbarenden Mittels, um nur die tatsächliche polare Komplikation des Vorgangs in allen Farben schillern zu lassen. Selbst das Schlußwort: „Vor allen Augen muß ich mich verstecken, Im Höllenpfuhl die Teufel zu erschrecken" stellt einerseits das ursprünglich Teuflische Mephistos wieder heraus in unzweifelhaft bewußter künstlerischer Verdeckung des allzu Ungewöhnlichen der ganzen Szene (wofür die an der gleichen Stelle erfolgte Streichung der Aufnahme in die antiken Tempelhallen spricht); andererseits nimmt es das Teuflische genau so bewußt wieder zurück im Aufweis des Unteuflischen, des die Teufel „Erschreckenden" der Phorkyasmaskerade. „Du schärfe deiner Augen Licht, In diesen Gauen scheints zu blöde, Von Teufeln ist die Frage nicht, Von Göttern ist allhier die Rede", lautet ein aufschlußreiches Paralipomenon (Nr. 140), das eine antike Figur zu Mephisto spricht, als er sich den Phorkyaden nähert.

Die gesamte Konstellation von antik und modern ist also hier so meisterhaft versteckt und versponnen, daß sie fast als unwesentlich abzutun ist, wenigstens dann, wenn sie naiv aufs historisch Antike bzw. historisch Moderne bezogen wird. Nicht ums Antike oder Moderne, sondern um den Zugang zur Kunst überhaupt — sei es vom „Chaos" und „Hermaphroditischen" aus, sei es vom Ursprünglichen oder „erhaben" Göttlichen — geht es hier einzig. Daß Schönheit nicht ohne Häßlichkeit, nicht ohne Chaos, nicht ohne ungeheure Vorzeit, Musik, vergeistigte Würde, Erhabenheit und das heißt für das klassische Denken nicht ohne Moderne und Romantik mehr sein kann, ist die Lehre, die Goethe in der Phorkyasverwandlung für sich selber und sein lebenslanges Ringen zwischen antik und nordisch darstellen und aufzeichnen wollte. Daß Mephisto und nicht Faust diese Lehre verkörpert, verwandelte ihn fast in sein eigenes Widerspiel, in einen Götter verehrenden, aufs Göttliche weisenden Geist. Mephisto beugt sich der Kunst. Dies ist der tiefste Sinn seiner Rolle, der es wahrscheinlich auch verhinderte, daß er zum Schluß des ganzen komplizierten Spiels (am Ende des dritten Aktes) in irgend einem Sinne hohnvoll demaskierend „im Epilog das Stück kommentiert".

Das Kunstphänomen aber als Zielpunkt und Inhalt der gesamten Helenahandlung einschließlich ihrer Antezedentien ist mit dem Element des chaotisch Hermaphroditischen und Erhabenen längst nicht erschöpft.

Sein Zentrales, Inniges, sein wahrstes Entstehungsgesetz leuchtet erst auf im Zusammenprall des positiv schaffenden, „tätigen" Genius mit der geschichtlichen und natürlichen Welt: Dies ist der Weg des kleinen Homunkulus. Erst die Flammenbahn dieses noch ungewordenen Genius, erst sein „Werden" ist das wahre Werden der Kunst. Auf welche Elemente er stößt, in welche Elemente er taucht, unter welchen Bedingungen er „wird", sollen die folgenden Abschnitte erweisen.

Die politischen und künstlerischen Hintergründe der Seismosrevolte, des Parteikampfes zwischen Pygmäen und Kranichen und des einbrechenden Meteors

Die Erscheinung der Schönheit und das Werden des Genius gipfeln in einem triumphalen Preis der vier Elemente beim großen Wasserfeste im Ägäischen Meer. Dabei ist eine Voraussetzung entscheidend: Die Zeit steht still. Der Mond verharrt im Zenit: „Haben sonst bei nächtigem Grauen Dich thessalische Zauberfrauen Frevelhaft herabgezogen, Blicke ruhig von dem Bogen Deiner Nacht auf Zitterwogen", mit diesem Rückblick auf die Mondbeschwörung des Anaxagoras, den Aufruhr des Seismos, den Sturz des Meteors usw. wird eindeutig die Welt der Umbrüche, Zeitverwandlungen, Revolten als störend abgewehrt. Der Weltlauf steht still, die Zeit hält ihren Atem an, um dem „mildeblitzend Glanzgewimmel", dem ewig „ruhigen Blick" des Mondes zu weichen, auf „daß es nächtig verbleibe, uns der Tag nicht vertreibe" (V. 8080 f.). Die geschichtliche Welt, der „Tag", verstummt, um dem natürlichen Sein, dem biologischen Weben und Werden Raum zu verschaffen. Dennoch ist diese geschichtliche Welt wesentlicher Hintergrund, ein nur für einen Moment angehaltenes, ewig vorhandenes und unabänderliches Geschick. Ihre Darstellung war wichtig, ihre mythische Gestaltung in Seismos, Anaxagoras, Pygmäen und Kranichen, im Sturz des Meteors für Goethe und seine Homunkulusdarstellung von großer Bedeutung.

Denn wie das Festhalten des Mondlaufs eine Fiktion ist, die sozusagen etwas ausschaltet, was nie auszuschalten ist, um das Biologisch-Künstlerische möglichst rein und unvermischt herausstellen zu können, wie die ganze hymnisch gehobene Meeresfeier einem Traum gleicht, unwirklicher, aber wahrer als alle Realität, so erlaubt der unbestechliche Sinn Goethes für die tatsächlich äußere und innere Bedingtheit aller Kunst nicht ein Ausweichen vor ihrer geschichtlich-zeitlichen Schwere: Homunkulus muß erst durch Anaxagoras versucht werden, ehe er reif wird für Thales. Dem mythischen Bereich von Kunst und Biologie ist das mythische Reich der Geschichte als gewaltig umgreifende und ewig gesetzte Seinswelt verbunden. Die Breite der Seismosrevolte und aller damit zusammenhängenden Vorgänge zeigt, daß Goethe hinter und neben seinem biologisch-künstlerischen Weltbild die Macht der Geschichte begriff und zu bewältigen suchte. Den Ernst dieser Szenen verstehen heißt sie zunächst aus ihrer verdeckenden Hülle zu lösen, die durch das Wort „Vulkanismus" gekennzeichnet ist:

Denn es geht nicht mehr an, hinter diesen umfassenden Szenen nur einen zeitbedingten Gelehrtenstreit um eine geologische These sehen zu wollen. Nicht um die Wernersche oder sonstige Theorie der Gebirgsentstehung, nicht um die Frage, wie und aus welchen Materialien die Erdformen entstanden, ging es hier Goethe primär, sondern um die gesamte Sphäre des prinzipiell Neuen, Umwälzenden, Revolutionären, kurz, um das Problem der geschichtlichen Dynamik, deren Macht umso schärfer heraustritt, je mehr sie in mythischen, nicht zeitgebundenen Formen sich gibt. Wie Goethe bereits in seinem Revolutionsroman „Die Reise der Söhne Megaprazons" die geschichtliche Umwälzung der französischen Revolution umformt in den mythischen Kampf zwischen Pygmäen und Kranichen, ja hier gleichfalls einen geologischen Vorgang symbolisch verwendet, indem ein plötzlich auftauchender Vulkan die Insel in drei sozial und landschaftlich geschiedene Teile aufspaltet, so steht hinter der geologischen „Episode" der Klassischen Walpurgisnacht weit über alles Naturwissenschaftliche hinaus eine politische These. Goethe will in ihr einmal das Phänomen des Neuen, eruptiv Umwälzenden, zum anderen das Problem des anorganisch vom Menschen, nicht durch Natur Geschaffenen, d. h. das Problem der durch Meinungen und Theorien entstandenen Satzung und „zweiten Natur" bewältigen. Und endlich steht drittens das Bild vom „Meteor", wie aus zahllosen Dichtungen und Aufsätzen Goethes hervorgeht, in eigentümlich verbindender Weise zwischen politischrevolutionären und künstlerisch-dämonischen Kräften. Von ihm aus lassen sich daher auch die zwei erstgenannten Möglichkeiten aufklären.

Die „großen Männer", die nach verschiedenen Äußerungen Goethes in seiner Wissenschafts- und Kunstlehre die Nacht des Gelehrtenstreites und aller auf Meinungen und Rechthaberei fußenden politischen Parteikämpfe überleuchten und die einzigen Glücksfälle sind, die für Jahrhunderte „bleicher Geisterscharen" (V. 8337) entschädigen, erscheinen wie Fanale ungeheurer Eruptivkräfte, mit denen Goethe durchaus Sympathie und innerste, nächste Verwandtschaft empfindet. „Doch muß ich solche Künste loben, Die schöpferisch in einer Nacht Zugleich von unten und von oben Dies Berggebäu zustand gebracht", mit diesem „Lob" der Seismosrevolte (von unten) und des Einschlags des Meteors (von oben) stellt sich Homunkulus, dieser positiv tätige Daimon, durchaus in einen Gegensatz zu Thales, aber auch auf eine Ebene mit Goethe. Denn die übliche Auffassung, als widerstrebe Goethe von Grund auf alles Gewaltsam-Revolutionäre, als sei in der Klassischen Walpurgisnacht nichts anderes als der Sieg des organisch langsamen Reifens und Werdens über das eruptiv Dynamische verkörpert, erkennt nur eine Seite des tatsächlichen Problems. Das Verhältnis des Eruptiven zum Biologischen liegt vielmehr folgendermaßen:

Betrachtet man Dichtungen wie „Des Epimenides Erwachen" und andere gleichfalls vom Politischen her konzipierte Werke, die das Motiv vom Meteor und organischen Wachsen ausdrücklich gestalten, so fällt etwas auf, was sich bei Goethe fast regelmäßig bis in Faust II hinein wiederholt. Der napoleonische Meteor, zu dem Goethe bekanntlich aus den geschilderten Gründen ursprünglich positiv stand, fährt in eine organisch entfaltete, gegliederte Pflanzen- und Kulturwelt, zerstört sie und verschwindet, um der grundsätzlich unverändert sich wiederherstellenden organischen Welt den alten Platz einzuräumen. Der Meteor erscheint hier wie eine traumhafte staunenerregende, aber prinzipiell nichts verwandelnde Macht. Die Natur bleibt sich in ihren ewigen Gesetzen gleich. Der höchste Dämon ist daher nicht der rein negativ eruptiv ausbrechende, sondern der die natürlichen Gesetze wiederherstellende oder ihnen zum Durchbruch verhelfende Genius. 1823 und erneut wieder 1826, also im Jahr der Niederschrift des großen Planes zur Klassischen Walpurgisnacht, lobt Goethe am „Phaeton" des Euripides, daß er nicht wie bei Ovid und Nonnus das ganze Universum durch den Absturz des Phaeton „zerrütte" und in Wirrwarr bringen lasse: „Wir denken uns das Phänomen, als wenn mit Donnergepolter ein Meteorstein herabstürzte, in die Erde schlüge und sodann alles gleich vorbei wäre"[107]). Genau so bleibt in „Faust II" der vulkanische Ausbruch des Seismos nur ein „Gebild des Wahns, Verschwindet schon beim Krähn des Hahns". Dennoch bleibt die magischgroßartige Wucht des Meteorsturzes in der Rede des Anaxagoras auch sprachlich durchaus erhalten. Nur wendet sie Goethe ins Unschädliche. Das Feuer, die Flamme, die in ihm dämonisch aufleuchten, haben für Goethe und Homunkulus etwas positiv Faszinierendes gerade wegen der ungeregelt planlos irrationalen Bahn, die Goethe am echt Dämonischen großer Männer immer bewundert. Sie vermögen aber das große ruhige Atmen der Natur nicht zu zerstören und bleiben ohne gründende, aufbauende Wirkung. Der größere, tiefere Genius ist in „Des Epimenides Erwachen" nicht der gewaltsam einbrechende Napoleon, obgleich Goethe seine heroische Größe stets bewundert hat, sondern der „Schlafende", derjenige, der das Gesetz des Organischen hinüberrettet und kraft der Erinnerung wiederherstellt. Aus genau dem gleichen Grunde „schläft" Faust, dieser tätige, rebellierende, aufrührerische, aktivste aller Helden Goethes, der das „Wort" durch die „Tat" verdrängte, er schläft am Gestade des „unteren Peneios", während die Revolte des Seismos sich um ihn vollzieht: „Am besten geschäh dir, Du legtest dich nieder". Der Weg zu Helena führt über Schlaf und geschichtslose, die Zeit plötzlich traumhaft anhaltende „Natur", ja er ist ein Wiederfinden „unterbrochner Träume" (V. 7253). Als eine „Unterbrechung" des „Traumes" von Helena

erscheint also letztlich die mythische Geschichtswelt der Klassischen Walpurgisnacht. Dennoch weist ihr eigentümlich doppelsinniger Inhalt auf
eine tiefe Notwendigkeit ihrer Gestaltung. Am „Phaeton" des Euripides
lobt Goethe 1826, daß im Sturz des Sonnenjünglings, in dem Goethe per-
sönlich eine Symbolisierung des Phänomens der Meteorsteine glaubte entdecken zu können, dieser symbolische Bezug nicht offen herausgestellt,
sondern verheimlicht wird: „Höchst willkommen muß dem hochgebildeten
Dichter dieses Zweideutige gewesen sein, um seine Naturweisheit hier
eingreifen zu lassen. Dieses Ereignis war von großem theatralischem Effekt
und doch nicht abweichend von dem, wie es in der Welt herzugehen
pflegt"[108]). Hinter dem Wunderbaren des Vorganges sieht Goethe ein
alltägliches Weltgesetz, das aber um des „theatralischen Effekts" willen
nicht in seiner alltäglichen Realität herausgestellt werden darf. Diese
Stelle ist von aufschlußreichster Bedeutung. Denn in der Tat sind ja im
Faust II-Drama, das bewußt auf theatralische Effekte abgestimmt wurde,
diese wunderbaren vulkanischen Ereignisse und Meteorstürze nur zweideutige Zeichen für Dinge, die in nichts „abweichen von dem, wie es in
der Welt herzugehen pflegt", z. B. für Revolutionen, Umwälzungen, Parteienkämpfe. Das Zweideutige bezieht sich dabei nicht nur auf die Möglichkeit, diese Vorgänge sowohl naturwissenschaftlich wie staatsphänomeno-
logisch zu deuten, sondern auch auf die politischen Inhalte selbst: Der
Streit zwischen Pygmäen und Kranichen, der deutlich als Kampf zwischen
Demokraten und Aristokraten erscheint[109]), ist negativ, weil er die natur-
gesetzte Ganzheit der Nation in zwei Hälften zerreißt, ohne je zu einer
sinnvollen Lösung zu gelangen. Ähnlich wie in der „Reise der Söhne
Megaprazons" (wo der Pygmäen-Kranichen-Streit in der Handschrift von
Eckermann wahrscheinlich für Faust II überlesen ist)[110]) der Vulkanausbruch (französische Revolution) plötzlich das Staatswesen in drei zer-
sprengte, ständisch voneinander isolierte Teile zerspaltet, so führt hier in
der Klassischen Walpurgisnacht die Vulkanrevolte des Seismos plötzlich
zu einem verderblichen Parteienstreit. Positiv aber im Sinne einer dämonisch
in dies widerliche Gezänk einbrechenden, es mit einem Schlag vernichtenden historischen Persönlichkeit ist der Meteor, der am Schluß „so
Freund als Feind ... ohne nachzufragen" zermalmt. Hier klingt das Gefühl echter Dynamik geschichtlichen Lebens, echter Heroenverehrung
an[110a]), die aufs engste mit Goethes Vorstellungen vom „Dämonischen"
zusammenhängt, das irrational in die Geschichte einbricht und von Goethe
als „Elementarkraft" (z. B. in bezug auf Napoleon) bewundert wurde. Ja,
genau besehen sind sogar beide Revolten, die vulkanische und die
meteorische, positiv, sofern sie eine produktive Kraft anzeigen, die sich
als unausweichliches Schicksal alles mit sich reißend behauptet und ein
unentrinnbar über Fassungs- und Denkvermögen des Einzelnen hinaus
ins groß Geschichtliche greifendes Gesetz der Völkerbewegungen offen-

bart: „Doch muß ich solche Künste loben, Die schöpferisch, in einer Nacht Zugleich von unten und von oben Dies Berggebäu zustand gebracht". Die Dynamik des Seismos und des Meteors ist „schöpferisch". Die Revolutionen „von unten" und „von oben", vom Volk her und von großen Männern sind produktiv und positiv; negativ ist nur der Streit der Parteien, der sich der Seismosrevolte sekundär anschließt, die Flucht des Pompejus usw. (V. 7816).

Das „Werden" des Genius Homunkulus, den ja Anaxagoras sogar auffordert, König der Pygmäen zu werden, wie auch die ganze nach dem Willen des antivulkanistischen Gegenspielers Thales verlaufende Genesis von Leben und Kunst in den Schlußteilen erfolgt also zunächst unter Klärung des Verhältnisses zum Geschichtlichen, ohne die nicht jene Konstellation erreicht und verliehen werden kann: „Mond im Zenit verharrend". Der Atem der Zeit kann erst dann angehalten werden, wenn er sich völlig ausgegeben hat und das rein Biologische und rein Künstlerische aus „unterbrochnen Träumen" wieder hervortreten läßt.

Die Schichten der hymnischen Schlußfeier und ihre kunstgenetischen Grundlagen

Der Hintergrund, den das Geschichtlich-Vulkanische zu dem Meeresfest bildet, wirft auch ein Licht auf die hymnischen Schlußszenen. Vor allem vermag er die Gestalt des Homunkulus erneut zu klären und den bis heute vorwaltenden Irrtum zu widerlegen, als habe Goethe mit dem Werden des Homunkulus die Entstehung des Menschen zu gestalten beabsichtigt. So wenig in der Seismos- und Meteorszene die Entstehung der Erde oder Gebirge wirklicher Ausgangs- und Zielpunkt war, so wenig war es Goethes Ziel, im Homunkulus, jenem förderlich-tätigen Daimon, die Entstehung des Menschen zu zeigen.

Man beachte zunächst die Ausfälle, die gerade in den Partien, welche des Homunkulus künftiges Werden betreffen, gegen den „Menschen" geführt werden: „Sind's Menschenstimmen, die mein Ohr vernimmt? Wie es mir gleich im tiefsten Herzen grimmt! Gebilde, strebsam, Götter zu erreichen, Und doch verdammt, sich immer selbst zu gleichen" (V. 8094 ff.), sagt Nereus, und Proteus warnt kritisch: „Komm geistig mit in feuchte Weite ... Nur strebe nicht nach höheren Orden; Denn bist du erst ein Mensch geworden, Dann ist es völlig aus mit dir" (V. 8327 f.). Diese ironischen Sentenzen scheinen wenig Gewicht zu besitzen wegen ihrer mehr geistreichen als ernsten Pointierung. Eine genauere Betrachtung aber zeigt ihre innere Verbindung mit den seither geschilderten geschichtlichen Vorgängen. Was Nereus am Menschen beklagt, ist sein unbelehrbarer, sich „immer selbst gleichender", im endlos unvernünftigen Kreislauf sich stets wiederholender Charakter: „Was Rat! Hat Rat bei Menschen je gegolten? ... Bleibt doch das Volk selbstwillig wie zuvor (V. 8106 ff.) ... Und schaut' ich dann zuletzt vollbrachte Taten, So war es ganz, als hätt ich nicht geraten" (V. 8100). Der Mensch vermag sich eben nicht nach „Höherem" zu entwickeln, obgleich der Drang zum Höhern ihm eingeboren ist. Lediglich der große „wackre Mann" entschädigt, wie Proteus Thales gegenüber zugibt, für die „bleichen Geisterscharen" von Jahrhunderten.

Damit steht folgendes fest: Nicht der Mensch im real naturwissenschaftlichen Sinne ist Ziel des Homunkulus, sondern das „Höhere", „Göttliche": die Entfaltung des Genius bzw. das freie „Sichregen" in „Läng" und „Breite" im „Element" (V. 8328 f.), das „geistig" — nicht darwinistisch körperlich — „in feuchte Weite" Sich-Ergehen[111]), Wenn Witkowski die Stelle: „Nur strebe nicht nach höheren Orden: Denn bist du erst ein Mensch geworden, Dann ist es völlig aus mit dir" folgendermaßen deutet: „Der Mensch steht am Schluß der Reihe, also hört mit seiner Form die Befriedigung des Bildungstriebes auf"[112]), so widerspricht dies offenkundig dem Wortlaut wie dem Sinn der Szene. Eine solche Erklärung überhört erstens die satirische Pointe und zweitens das tatsächlich Gemeinte: Nach Nereus und unzweifelhaft auch Goethe sind die Menschen ja gerade „Gebilde, strebsam, Götter zu erreichen. Und doch verdammt, sich immer selbst zu gleichen". Nicht ihr „Bildungstrieb" ist „befriedigt", weil sie „am Schluß der Reihe" stehn; er ist im Gegenteil nie zu befriedigen. Menschsein ist ein Unglück, weil ein Drang zum Göttlichen sich ewig verfängt in der Kette des „Immergleichen". Das „Element" des Wassers dagegen ist Freiheit: „Komm geistig mit in feuchte Weite, Da lebst du gleich in Läng' und Breite, Beliebig regest du dich hier". Auch das Göttliche ist Freiheit. Und zwischen „Elementen" und „Göttern" (Kabiren) schwingt in der Tat diese Schlußszene der Klassischen Walpurgisnacht. Um die Geburt des Göttlichen und um den Sprung in die Eros entzündenden, alles befreienden Elemente geht es, nicht um die gradlinige Entstehung des Menschen aus den Anfängen des Lebens. Denn „Elemente" bedeuten für Goethe nicht niedere Formen des Daseins, sondern Befreiungen und Rettungen, ja göttliche Formen des Geistes. „Wir sind aus den Elementen geschaffen, Aus Wasser, Feuer, Erd und Luft Unmittelbar, und irdischer Duft Ist unserm Wesen ganz zuwider. Wir steigen nie zu euch hernieder", so verkünden im „Divan" die Huris des Paradieses und setzen damit Göttliches und Elementares in eine überraschende Identität unter Ausschluß alles Menschlichen, Irdischen, Niederen. Das Elementare ist das Höhere, und zwar im Sinne einer Freiheit und behaglichen Schrankenlosigkeit geistiger Phantasiekraft: „Wir haben Grillen und haben Launen ... Ein jeder denkt, er sei zu Hause ... Du aber bist von freiem Humor, Ich komme dir paradiesisch vor". Die behagliche Freiheit des Humors im Divan steht sprachlich wie inhaltlich in vollem Einklang zum „beliebig

sich Regen" des Homunkulus im Wasser: „Und weiter hin wirds viel be-
häglicher ... Der Dunstkreis noch unsäglicher" usw. (V. 8268). Das
„Wasser" ist vor allem seit dem Divan und vielen anderen Vorfomen bei
Goethe Symbole einer Wiedergeburt lange brachliegender oder in allzu-
strengen Formen gebannter Phantasiekräfte, einer Entfesselung, Steigerung
und Befreiung geistig-dichterischer und lebendiger Kräfte, was jeden
eng darwinistischen Standpunkt ad absurdum führt. Das „Element" ist
genau so eine Erlösung des „hermaphroditisch" erst halb gewordenen,
hermetisch vom Weltlauf abgeschnittenen Homunkulusdämon, wie das
„Himmlische" für die drangvoll zweigeschlechtliche Mignon, für Euphorion,
den Knaben Lenker usw., weil Elementares und Himmlisches, wie die
erlösende Schlußapotheose der „Pandora" schon zeigte, unmittelbar in
Wechselbeziehungen stehen. Wie Mignon und Euphorion ihr Erdenkleid,
ihr Menschsein, abstreifen, um im Himmlisch-Göttlichen zu verschwinden,
wie Mignon erst „wird", wenn sie ihr Kleid ablegt, so „entsteht" erst
Homunkulus durch Zerschellen seiner gläsernen Wand, um in das befreiende Element einzugehen, das selbst schon, wie der triumphale Schlußhymnus zeigt, höchstes Ziel des Werdens ist. „Und bis zum Menschen hast
du Zeit". Wohl mag er „unter tausend abertausend Formen" auch einmal
„Mensch" werden, aber eben diese tausend Formen, diese freie Buntheit,
Mannigfaltigkeit, erlöste Fülle und Weite des Daseins, dies ist — wie im
„Divan" — der eigentliche, strukturell und dichterisch innerste Sinn der
ganzen Verwandlung. Element, Wasser, Eros bedeuten für Goethe immer
Möglichkeiten der Lösung, Erfüllung, Gestaltung und Reifwerdung
„gläsern" gehemmter Produktivkräfte, Medien schrankenlos „geistiger"
Ausdehnung. Zwar belegen viele Zeugnisse die Tatsache, daß Goethe oft
an einen Übergang vom Tierischen zum Menschlichen und vom Mensch-
lichen zum Göttlichen dachte und glaubte, so wenn es z. B. in einem
Paralipomenon zu „Myrons Kuh" heißt: „Erhebung des Tiers zum Menschen, wodurch die Erhebung des Menschen zum Gott möglich wird"[113]).
Aber auch da, sagt Goethe, sei es das Bestreben der Griechen gewesen,
„den Menschen zu vergöttern, nicht die Gottheit zu vermenschen"[114]).
Die Tierformen seien geschaffen worden, um „das Zusammentreffen von
Göttern und Menschen zu vermitteln"[115]). Die unteren, elementaren,
tierischen Formen des Daseins sind Vermittlungsstadien zum Göttlichen,
nicht zum Menschlichen, wie Goethe in der gesamten griechischen Götter-
lehre und Mythologie nicht einen „Anthropomorphismus", sondern einen
„Theomorphismus"[116]) sieht. Um die Ausweitung des Menschen ins Göttliche durch „Vermittlungen" des Tierischen bzw. Elementaren geht es
durchweg Goethe, nicht um eine evolutionistische Naturlehre.

Ferner ist diese Ausweitung zugleich eine Ausdehnung der poetischen
Phantasiekraft. Die Welt von Göttern und Tieren ist ihm Ausdruck
einer dichterisch ungemessenen Darstellungsweite. 1828 rühmt Goethe

an den „poetischen Metamorphosen", daß sie „produktiv ... Felsen und Ströme ... von Halbgöttern" beleben lassen; „Untergötter endigen unterwärts in Tiere: Pan, Faune, Tritone. Götter nehmen Tiergestalt an, ihre Absichten zu erfüllen". All dies sei Ausdruck „lebhafter, tüchtiger Sinnlichkeit ... sich zur Phantasie erhebend"[117]). Dieses „unmittelbare" Ineinanderübergehen von Göttern und Tieren, vom Himmlischen und Elementaren, das die „Huris" schon rühmten, läßt den tatsächlichen Aufbau des großen Schlußteils der Klassischen Walpurgisnacht durchsichtig und verständlich erscheinen: Überraschend klar konfrontiert nämlich Goethe sofort zu Beginn die zwei Pole, um die es ihm offensichtlich hier ging: Die Nereiden und Tritone, vom „Gesang" der Sirenen aus „stillsten Grüften" gelockt, geschmückt mit jenem „Gold", das die kunsttreibenden „Dämonen der Bucht" ihnen „herangesungen" haben — man beachte die immer wiederkehrende Einheit von Kunst, Goldgeheimnis, Höhle („stillste Gründe") —, gehen heut auf „Reise zum vollgültigsten Beweise, daß wir mehr als Fische sind" (V. 8068). Die Bewohner des Meeres behaupten — in zweimal von Goethe betont herausgestellter, refrainartiger Wiederholung —, daß sie nicht „Fische" sind, sondern „mehr", was ihre Reise beweisen und dokumentieren solle. Wohin diese Reise führt, sprechen sofort die Sirenen klar aus: nach Samothrace, zu den Kabiren, in denen nach Schelling der Beginn der Götterentstehung, nach Creuzer der Ausgangspunkt der ganzen griechischen Mythologie zu suchen ist. „Sind Götter! Wundersam eigen, Die sich immerfort selbst erzeugen" usw. Kurz darauf, nach der Thales-Nereus-Homunkulus-Szene, „bringen" in der Tat die Nereiden und Tritone die „Götter" heran. „Sind Götter, die wir bringen, Müßt hohe Lieder singen ... Klein von Gestalt, groß von Gewalt, Der Scheiternden Retter, Uralt verehrte Götter". Die Tiere also bringen die Götter herbei. Sie, die im Element des Wassers spielen, sind Wegbereiter und Träger nicht des Menschlichen, sondern des Göttlichen; ja sie erscheinen bei ihrer Ankunft wie „verklärte Meeresfrauen", d. h. ihr „Ideelles" bricht aus ihnen heraus mit dem Göttlichen, das sie herbeiführen. Wie Goethe in einem Nachsatz zu seiner Skizze „Myrons Kuh" es als „hohes philosophisches Ziel" ansieht, „das göttlich Belebende im Menschen mit dem tierisch Belebten auf das unschuldigste" zu verbinden[118]), wie er die „ideellen Tiergestalten" der Antike bewundert[119]) und in ihnen Zugänge zum Göttlichen sieht, so enthalten diese Nereiden und Tritone in ihren Fischleibern etwas, was „mehr als Fisch" ist, ein Höheres, das als „Verklärung" unmittelbar durchbricht. Das Göttliche mitten im Element, das Elementar-Tierische als Träger des Göttlichen, das ist, auf eine kurze Formel gebracht, der Gegenstand dieser Anfangsszene der großen hymnischen Schlußfeier. Nicht langsam evolutionistisch, sondern unmittelbar und sofort führt Goethe den Ursprung alles Göttlichen herauf. Die Fische „sind" mehr als Fische, schon in ihrem Fischsein blitzt

die Intention eines Göttlichen, nicht Menschlichen, auf. Die zwei äußersten
Pole, zwischen denen sich durchgehend bei Goethe echte Kunstschöpfung
abspielt, das Göttliche und das Elementare, werden sofort zu Beginn gesetzt, um sich dann im folgenden mit konkreterem Inhalt zu füllen. An
dieser kompositorisch von höchstem Kunstverstand zeugenden Tatsache
ändert auch der ironisch schillernde Inhalt grundsätzlich nichts.

Denn wenn auch Goethe auf Grund seiner Distanz zur spekulativen
Romantik diese Götterentstehung der Kabiren aus „sich selber" verspottet („Die sich immerfort selbst erzeugen Und niemals wissen, was sie
sind"), wenn er die konstruktiv-romantische Selbstentfaltung des Geistes
aus einer urgesetzten Natur-Geist-Indentität im Schellingschen Sinne ablehnt und die damit zusammenhängenden Zahlenspekulationen satirisch
verwirft, so wird doch das Phänomen des Göttlichen an sich und seiner
Genesis keineswegs davon grundsätzlich berührt. „Wir sind gewohnt, Wo
es auch thront, In Sonn und Mond Hinzubeten; es lohnt", diese nicht
ohne Absicht später hinzugefügte Aufforderung der „Sirenen" setzt die
Verehrung der Götter, gleichgültig, „wo sie wohnen", als notwendig fest.
Dazu kommt als wesentlichstes dies: Wollte Goethe, wie er es hier be-
absichtigte, den U r s p r u n g der antiken Götter darstellen, so bot sich
ihm die Creuzer-Schellingsche These von den Kabiren, die damals maßgeblich, wenn auch umkämpft war, als Nächstliegendes an. Etwa den antik
mythologischen Stammbaum der Götter konkret zu entfalten, hätte in
die Walpurgisnacht in gar keiner Weise gepaßt, während die Kabiren-
theorie Schellings eine Genesis der Götter mit Figuren verband, die mit
Stil und Gestaltenkreis dieser Nacht durchaus harmonierten, ja auch von
i n n e n her dem organisch-biologischen Denken Goethes entgegenkamen.
Denn gerade Schellings Ablehnung der Götterentstehung aus einem
obersten rationalen Prinzip, seine Behauptung, daß in der „Kabirenlehre"
kein „Emanationssystem im ägyptischen Sinne enthalten ist", sondern sich
hier „die Götter in aufsteigender Linie" von einer untersten, „zu Grunde
liegenden Kraft" zur „einen höchsten Persönlichkeit verklären" und so
„die ganze Kabiren-Reihe eine das Tiefste und Höchste verbindende
Zauberkette bildet"[119a]), traf ja im innersten Kern mit Goethes Metamorphosenlehre und seiner Vorstellung von der Verknüpfung zwischen dem
Tiefsten und Höchsten überein. Wie alles, was ihm von außen zufloß,
verwandte Goethe auch dies ohne Zögern und Bedenken zu seinem
poetischen Zweck in schier undurchdringlicher Einheit von hintergründigem
Ernst und vordergründig zeitsatirischem Spott. Ernst ist — wie das hohe
Interesse vor allem im Alter für die unmittelbare Verbindung des Tierischen
und Göttlichen, Elementaren und Himmlischen bezeugt — der genetische
Grundkern der Szene. Spott und Satire ist die konkret reale Anwendung
auf die Kabiren von Samothrace, die Demonstrierung an einem überlieferten Mythos, dessen historisch-kritische Ernsthaftigkeit Goethe wie

alles historisch Kritische spaßhaft und unwichtig fand, was köstlich schon in der Rede des Thales vom „Rost" zum Ausdruck kommt, der erst diese Topfgötter den Gelehrten wichtig und rätselhaft mache.

Eine weitere wesentliche Deutung ermöglicht die Form. Die Szene ist als Opernlibretto gedichtet. Der Preis der Sirenen auf die Gewinnung der Kabiren durch die Nereiden und Tritone ist als Arie mit folgendem zweistimmig refrainartig abschließendem „Allgesang" niedergeschrieben: „Wenn sie das goldne Vlies erlangt, Wir (— Ihr —) die Kabiren". Die Sirenen selber sollen durchgehend „flöten und singen" (V. 8034), ihre Verse sind ariös-liedhaft gedichtet, teilweise (z. B. V. 8474/79) als Rezitativ, teilweise als halb gesungene, halb rezitierte Arie gestaltet. Nur die Unterhaltungen des Homunkulus mit Thales usw. sind als gesprochen zu denken.

Wie bereits ausführlich dargelegt wurde, fußte aber die Oper im Alter bei Goethe strukturell auf der außermenschlichen Spannung zwischen dem Unterirdischen und Überirdischen, dem Elementaren und dem Göttlichen, so daß sich also in überraschender Weise hier Inhalt und Form zu decken scheinen. Ja auch aufs Ganze gesehen, schwingt diese hymnische Schlußfeier in einem bewußt außermenschlichen Raum, dem nicht mehr Rede, sondern Gesang ziemt, weil nicht das Seelenleben des Menschen und auch nicht mehr historisch real Greifbares, sondern Natur und Himmel, Wasser und Götter sich selber ein Spiel geben, aus dem ähnlich wie in der „Pandora" durch die Begegnung beider „das ewig Gute, ewig Schöne" erwächst. Denn auch das Pandora-Festspiel endete in einem bachantisch zwischen Himmel und Wasser schwingenden Fest als opernhafter Hymnus. „Spielen rings um ihn die Wogen Morgendlich und kurz beweget, Spielt er selbst nur mit den Wogen Tragend ihn, die schöne Last" usw. Und wie diese Schlußszene auf nichts anderes vorbereiten sollte als auf Pandorens Rückkehr, so ist auch das große Fest am Schluß der Walpurgisnacht Vorbereitung auf Helenas Erscheinung. Das Eintauchen des Homunkulus ins Meer, sein aufflammendes Zerschellen am Wagen der Schönheit, hat grundsätzlich die gleiche Funktion wie das Eingehen des Phileros ins Wasser (man beachte den im Namen liegenden verräterischen Bezug auf „Eros" bei letzterem und den Schlußhymnus auf „Eros" in Faust II). Bei beiden ist ihr katastrophenartiges Ende zugleich ihre Rettung und Befreiung und — wichtiger noch — ein Durchbruch der Kunst. Denn der kosmische Zirkel auch der Klassischen Walpurgisnacht füllt sich mit den Symbolen der Kunst, um deren Entstehung und Darstellung es letztlich in der ganzen Synthese von Göttern und Elementen geht. Waren vorher im Granit-, Gold- und Welttheatermotiv die Voraussetzungen, Untergründe und der Rahmen des Kunstschaffens bedingend, begrenzend und gründend erschienen, so umkreist nun die Symbolik genauer die spezifischen Bezirke der Kunst in den Aufzügen der Telchinen von Rhodos, der Psyllen und Marsen und endlich im Triumphzug Galatees:

„Wir ersten, wir warens, die Göttergewalt aufstellten in würdiger Menschengestalt", so führen die Telchinen von Rhodos sich ein als „erste", die Götterbilder plastisch in Menschengestalt formten. Diese zum erstenmal unmittelbar auftretende Bezugnahme auf die Entstehung von Kunstwerken entfaltet sich wiederum aus der Spannung zwischen Wasser und Himmel, unten und oben. Bevor nämlich die Telchinen ihre Formung der Götter in künstlerischen Statuen preisen, beschreiben sie ihre Fähigkeit, den Dreizack Neptuns zu schmieden, folgendermaßen: „Entfaltet der Donnrer die Wolken, die vollen, Entgegnet Neptunus dem greulichen Rollen; Und wie auch von oben es zackig erblitzt, Wird Woge nach Woge von unten gespritzt; Und was auch dazwischen in Ängsten gerungen, Wird, lange geschleudert, vom Tiefsten verschlungen" (V. 8277 ff.; laut Lesart sind diese Verse des „Chors" den Telchinen zugedacht gewesen). Dann erst folgt ihr Preis auf Helios und Apoll, jenem kunstfördernden Gott, der sich selbst „in hundert Gebilden" in Rhodos durch die Statuen verewigt sieht. Die Zeugung der Plastik geht gleichsam von außen nach innen, vom Kosmos zur Menschengestalt, von der Polarität zwischen Über- und Unterwelt zur Gestaltung des Göttlichen im Menschenleib vor sich. In einer späten Bearbeitung der „Italienischen Reise" sagt einmal Goethe, daß die Griechen bei ihrem Versuch, „aus der menschlichen Gestalt den Kreis göttlicher Bildung zu entwickeln ... nach eben den Gesetzen verfuhren, nach welchen die Natur verfährt und denen ich auf der Spur bin"[120]). Den höchsten Punkt der klassischen Bildung, das Göttliche in Menschengestalt, erreicht Goethe nicht klassizistisch-humanistisch von der Form des Menschenbildes her, sondern aus der „Natur", und zwar aus einer polaren Mittellage zwischen Unterwelt und Oberwelt, die Goethe im Griechischen zu entdecken glaubte, wo im Gegensatz zu den unnatürlichen „Fratzen", z. B. der indischen Götter, das Ungeheure, Überdimensionale des Göttlichen sich mit dem Elementaren und Natürlichen zu einer heiter überlegenen Menschengestalt harmonisch vereinigt und im Schleier anmutiger Schönheit verbirgt und bewahrt. Der Sinn der bizarr außermenschlichen Gestalten, der Sphinxe, Greife, Ameisen usw., die von Goethe ausdrücklich als Vorformen Helenas bezeichnet werden, sowie der Sinn der geologisch-biologischen Vorgänge wird auch von dieser Seite nun klar: Wie Radien einer ungeheuren Naturschöpfung laufen sie alle auf den Gipfel und Endpunkt der Natur, auf die „Schönheit" des in Menschengestalt sich verbergenden Göttlichen, zu. „Alles hat nicht an sie (Helena) herangereicht Deutet auf eine wichtige Vorwelt Sie aber tritt in ein gebildetes Zeitalter Göttlichen (nicht menschlichen!) Ursprungs" (Skizze zu V. 7271 ff.). So hat Goethe selbst den Zusammenhang gesehen und unzweideutig in durchaus unhumanistischer Weise den göttlichen, nicht immanent menschlichen Ursprung dieses „gebildeten" Zeitalters Helenas herausgestellt.

Ferner wird hier schon der Sinn des Eingehens der Flamme des Homunkulus ins Meer vordeutend entwickelt. Wenn die überirdisch-dämonische Geisteskraft des Homunkulus in die Elemente strömt, so vermählen sich zwei größte Extreme, Übergeist und Element, um im „Eros" eine unendlich „schöpferische" Kraft zu entfesseln, die gerade den humanistisch-klassizistischen Weg von dem horizontal gemäßigten Fassungskreis des Menschen aus preisgibt, die bloß immanente Plastizität menschlicher Gestalt durch eine vertikal zwischen Natur und Übernatur schwingende spontane Genesis aufhebt bzw. erst begründet und schafft, um ein „ewiges Wirken" (Lesart zu V. 8323) in der Verschmelzung des Dämonischen mit dem Elementaren zu gewährleisten. Ewiges Wirken, nicht eine auf sich selbst gestellte, rein immanent in sich selbst Genüge findende Plastik ist das produktive Ziel der Goetheschen Altersklassik im Gegensatz zum Klassizismus humanistischer Prägung: „Laß du sie singen, laß sie prahlen! Der Sonne heiligen Lebestrahlen Sind tote Werke nur ein Spaß ... Dem Leben frommt die Welle besser; Dich trägt ins ewige Gewässer Proteus-Delphin", das ist die Antwort des ewig sich verwandelnden Proteus auf den Triumph der Plastik, den die Telchinen anstimmten, und Thales fährt fort: „Gib nach dem löblichen Verlangen, Von vorn die Schöpfung anzufangen, zu raschem Wirken (Lesart: Zum ewigen Wirken) sei bereit". Das „von vorn" die Schöpfung Anfangen ist also (das wird selten berücksichtigt) die Antwort auf das „prahlerische" Sichfixieren und Erstarren der Kunstwerke. Der Sprung ins Element erfolgt, um eine „Schöpfung", ein „ewiges Wirken" zu gewährleisten, welches die fertigen „toten Werke" nicht zu entbinden vermögen. Die alte Goethesche Sorge um die „Rettung" fixierter Kunst schwingt hier nach: „Die Götterbilder standen groß, — Zerstörte sie ein Erdestoß; Längst sind sie wieder eingeschmolzen". Aus der Angst vor dem Vergänglichen des Kunstwerkes erfolgt erst die Aufforderung und tröstliche Gewißheit, durch den Zugang zu den „Elementen" ein ewiges Wirken zu erringen. Homunkulus ist die Antwort auf die Frage Goethes nach der Dauer der Kunst, wie die Auflösung des Chors Helenas in die Natur die Antwort auf Helenas und Euphorions Abscheiden und auf die Klage über das Erlöschen der „Lieder" Euphorions ist: „Steht nicht länger tiefgebeugt, Denn der Boden zeugt sie wieder, Wie von je er sie gezeugt". Kompositorisch, motivisch und problemgeschichtlich ist keine andere Deutung möglich (s. auch den Parallelvorgang in der „Pandora", wo das verzweifelte Bemühen des Epimetheus um das entschwindende Kunstgebild Pandorens erst durch des Phileros Sprung ins Wasser erlösend zur Wiederzeugung und Herabkunft Pandorens geführt wird). Der scheinbar darwinistisch-naturphilosophische Ansatz des Homunkulus führt in Wirklichkeit in ein elementar kunstgenetisches Problem. Weitere Bildzeichen bestätigen das:

Unmittelbar nach dieser Szene erscheinen die Tauben oder auch —

Goethe läßt dies schillernd offen — „eines Mondscheins Lufterscheinung" als Vorboten Galatees, wiederum — denn es handelt sich hier um eine „freie Erfindung" Goethes[121]) — offensichtlich, um den Kreis der Elemente ins Himmlische zu erweitern, um beim Aufzug der Schönheit den „Najaden" die „Sylphiden", den Wassergeistern die Luftgeister zuzugesellen, analog dem spätgoetheschen Gedicht: „An der Quelle sinds Najaden, Sind Sylphiden in der Luft, Leichter fühlt ihr euch im Baden. Leichter noch in Himmels-Duft; Und das Plätschern und das Wallen Ein und andres zieht euch an; Lasset Lied und Bild verhallen, Doch im Innern ists getan"[122]).

Die Erscheinung Galatees selbst faßt beinahe alle bereits entwickelten Motive zusammen: „Psyllen und Marsen" verkünden ihre Geheimnisbewahrung in „Cyperns rauhen Höhlegrüften". Galatee wurde in der Höhle bewahrt. Das Motiv von der Geburt der Schönheit in der Höhle[122a]) klingt wieder an, verbunden mit dem Motiv ihrer Beharrung im Sturm von Zeit und Geschichte: „Vom Meergott nicht verschüttet, von Seismos nicht zerrüttet, Umweht von ewigen Lüften ... Bewahren wir Cypriens Wagen". Die Identität von „Seismos" und „Geschichte" geht hieraus besonders deutlich hervor, wenn es weiter heißt: „Wir leise Geschäftigen scheuen Weder Adler noch geflügelten Leuen, Weder Kreuz noch Mond, Wie es oben wohnt und thront, Sich wechselnd wegt und regt, Sich vertreibt und totschlägt, Saaten und Städte niederlegt, Wir, so fortan, Bringen die lieblichste Herrin heran" (V. 8370 ff.). Damit treibt die Gesamtproblematik von Kunst und Geschichte ihrem Höhepunkt zu: Der Wechsel von Rom, Venedig, Christentum, Mohammed, die Katastrophen von Seismos und Neptun, all das ist wirbelnder Sturm „oben" auf der Erde, während die Göttin der Schönheit und Liebe in der Höhle „umweht von ewigen Lüften, ... unsichtbar dem neuen Geschlechte ... wie in den ältesten Tagen" ihre Ewigkeit rettet.

Wie rücksichtslos Goethes Phantasiekraft die überlieferten Mythen in diesem seinem Sinne gebraucht, beweist gerade die Einführung der Psyllen und Marsen, die nach der Vorlage Goethes unmittelbar miteinander nur auf Grund des Gegengiftes, das beide im Körper gegen Schlangenbisse tragen, verknüpft sind[123]). Da dieses Gegengiftes aber im Text nirgends gedacht wird, vielmehr die Funktion der Psyllen und Marsen lediglich eine gemeinsame Abwehr gegen die Revolten der Geschichte und eine Bewahrung der Göttin im Schoße der Höhle ist, so wäre es denkbar, daß Goethe assoziativ ihre giftabwehrende Kraft auf diese Abwehr und schützende Hilfe in der Höhle übertrug. Denn selbst wenn Goethe, was gleichfalls möglich erscheint, lediglich auf Grund der Pliniusstelle (XXVII, 3, 16), wonach beide (Psyllen und Marsen) auf die Insel Zypern versetzt sind, sie gemeinsam gewählt haben mag oder sie auf Grund ihrer Zauberkräfte mit den gleichfalls zauberfähigen Telchinen (Schelling[123a]) verbunden haben sollte, so bleibt inhaltlich gesehen kaum eine andere Deutung möglich, es sei denn, man verzichtet überhaupt auf eine Erklärung ihrer Funktion und nimmt an, Goethe habe irgend beliebige mythologische Gestalten, nur weil sie auch auf Zypern gewohnt haben sollen, für gänzlich andere, ihm gerade am Herzen liegende Inhalte benutzt. Dann aber ist wiederum die Analyse dieser Inhalte wichtiger als die mythologische Quelle.

Diese Inhalte treten am Schluß der Klassischen Walpurgisnacht immer schärfer heraus. Die kompositorisch reizvolle Verknüpfung der Homunkulusszenen mit einer ewig jungen, ewig alten Schönheitsbewahrung in Höhlen und Grüften zeigt nämlich, worauf das Ganze hinaus will. In Galatees „Bild: Ernst, den Göttern gleich zu schauen, Würdiger Unsterblichkeit, Doch wie holde Menschenfrauen Lockender Anmutigkeit" (V. 8386 ff.) vermählt sich abermals Göttliches mit fließend „Anmutigem". Der Drang zum „Göttlichen" und der Drang der „unsterblichen" Homunkulus-„Entelechie" zum Biologisch-Elementaren, zur „Verkörperung" im irdischen Gewässer, treffen sich sozusagen in Galatee: „Vom Schönen, Wahren durchdrungen, Alles ist aus dem Wasser entsprungen"; in dieser knappen Formel, die an die Schlußworte der Pandora gemahnt, verbindet Thales beim Anblick Galatees die Sphäre des künstlerisch und gestalthaft Schönen und Höchsten mit dem produktiv Elementaren des Wassers. Wie eng in der Tat sich beides in Goethes Vorstellungswelt eint, zeigt folgende Äußerung Goethes: „Wenn es eine ahndungsvolle Betrachtung ist, daß der Sonnenstaub, den ein Gewitterregen aus der Atmosphäre niederschlägt, sogleich lebt und belebt, wie der grunelnde Geruch erquicklich andeutet; so ist es andererseits ebenso wichtig zu schauen, wie ein höheres Leben sich nicht sogleich aufgeben kann, ja lieber in geringerer Eigenschaft und Erscheinung fortwirkt, als daß es dem Tode sich entschieden überließe"; in dieser Briefstelle (an Nees von Esenbeck)[124]) tritt deutlich die Polarität zwischen Homunkulus und der Göttin Galatee hervor, zwischen dem flammenden Übergeist, der genau wie der „Sonnenstaub," welcher durch Regen niedergeschlagen ist, sogleich lebt und belebt und sich im „Grunelnden" wohlfühlt („Hier weht gar eine weiche Luft, Es grunelt so, und mir behagt der Duft", V. 8265 f.), und dem „höheren Leben" der Göttin, die sich „nicht sogleich aufgeben kann", sondern verborgen in Höhlen und Klüften in Ewigkeit „fortwirkt", bis in der Verschmelzung beider durch das Zerschellen des Glases des kleinen Hermaphroditen am Muschelwagen der Göttin der ganze zweite Akt sich krönt und die gottmenschliche Einheit Helenas aus der spontanen Vermählung von Wasser und Himmel nunmehr genetisch hervortreten kann.

Zwei weitere, mit dieser biologisch-künstlerischen Polarität zusammenhängende Motive ergänzen und vollenden den synthetischen Abschluß: das Motiv von den geretteten Jünglingen und das Motiv von der Entsagung und Fernliebe. Die Darstellung der im Wasser untergehenden und triumphal wieder im Schoß der Wellen „an ewiger Jugendbrust" geborgenen und geretteten Jünglinge entspricht einem Lieblingsbild Goethes. In der „Pandora" (im Absturz und in der Wiedergeburt des Phileros), in der novellistischen Einlage zu den „Wahlverwandtschaften" (die „wunderlichen Nachbarskinder"), am Schluß der „Wanderjahre": immer wieder war Goethe von diesem Motiv ergriffen. Seine Bedeutung haben wir bereits vielfach umschrieben. Die äußerste Spannung zwischen Leben und Tod, Vernichtung und Verklärung, Untergang und „Unsterblichkeit" (V. 8406) gelangt in ihm zur Entladung und Lösung. Das Phänomen des „Ewigen" im biologischen und metaphysischen Bereich kreuzt sich hier mit dem Motiv der „Bewahrung" des Ewigen, das die Psyllen und Marsen anschlugen. Ewigkeit ist nicht nur in Schutz und Abwehr, sondern primär auch im Wagnis, im Sprung ins Nichts, ins Elementarische garantiert. Wie Wilhelm Meister und sein ins Wasser stürzender und geretteter Sohn sich ganz am Schluß des Romans „fest umschlungen, wie Kastor und Pollux, Brüder, die sich auf dem Wechselwege vom Orkus zum Licht begegnen", umarmen und die Ewigkeit alles Zeitlichen ansichtig machen — „Wirst du doch immer aufs neue hervorgebracht, herrlich Ebenbild Gottes" — so leuchtet auch durch den schroffsten Kontrast von Tod und Leben am Schluß der Klassischen Walpurgisnacht, gleichfalls auf einem Wechselweg zwischen Orkus und Licht eine neue Ewigkeit auf. Die bewundernswerte Kühnheit und kompositorische Dichte, mit der Goethe sämtliche wesentlichen Schichten jener paradox überrealen Einheit von Zeit und Ewigkeit im Aufbau jeder großen Schöpfung biologischer, künstlerischer oder heroisch-geschichtlicher Art hier im zweiten Akt dichterisch zur Darstellung bringt — vom ersten Entstehen des Homunkulus in der Retorte über die Sphinx-, Gold- und geschichtssymbolischen Motive bis zu diesen Schlußszenen — erfährt ihre höchste, knappste und schärfste Formung in solchem fast unmerklichen Ineinanderübergehen und Verschmelzen aller möglichen, nur scheinbar getrennten Motive. Kaum ist die Rettung und Verewigung der Jünglinge von den Doriden erfleht, kaum wird diese Einheit von Sturz und Erhöhung, Tod und Leben verkündet, da hebt schon ein neues, kunstgenetisch nicht minder wichtiges Motiv an: das der Entsagung.

Nereus gewährt nicht seinen Töchtern den dauernden Liebesbesitz der geretteten Jünglinge; die Verleihung ihrer Unsterblichkeit stellt er allein dem höchsten Gott Zeus anheim. Abschied und Trennung zwischen den Töchtern des Meeres und den kaum geretteten Jünglingen erregen Trauer und Leid, um nur eine noch tiefere und schmerzlichere Entsagung des Nereus selbst vorzubereiten: Von ferne den Wagen seiner göttlichen Tochter erblickend, höchstes Glück in innigster Nähe, sieht er voll Weh die Schönheit sofort wieder entschwinden: „Vorüber schon, sie ziehen

vorüber In kreisenden Schwunges Bewegung: („In Kreisen ewiger Be-
wegung", lautet eine Lesart) Was kümmert sie die innre herzliche Regung!
Ach, nähmen sie mich mit hinüber! Doch ein einziger Blick ergetzt, Daß
er das ganze Jahr ersetzt". Nur ein „Nu" ist der Gipfel des Glückes.
Nur in blitzend ungreifbarer, beglückendster, deutlichster und herrlichster
Ferne zeigt sich die höchste gottmenschliche Einheit des Schönen. Sein
Besitz würde zerstören, weil jede greifbar erscheinende, restlos ihrem
Schöpfer sich offenbarende Schönheit das Gesetz ihres eigenen Seins unter-
grübe, das auf Werden, Wandeln und Unendlichkeit zielt. Endliche Schön-
heit verliert den Schimmer ewiger Kunst und zerfällt zum bloßen Besitz.
Jede Besitznahme des Schönen hebt seine Unendlichkeit auf, vernichtet
sein inneres, unsterbliches Leben.

Aus diesem Grund dürfen die Doriden die geretteten Jünglinge nicht auf
ewig besitzen. Aus diesem Grunde ruht lebendiger „Eros" nicht nur auf
Wagnis, Opfer und wunderbar beglückender Rettung, sondern in gleicher
Weise auf Distanz, Geheimnisbewahrung und Verzicht auf Nähe und
Dauerbesitz. Das spätgoethesche Entsagungsmotiv ist ein Kernpunkt
weniger des Goetheschen Lebens als seines Schaffens. „Lebendig" können
schöpferische Kräfte nur bleiben durch Verwandlung des Seienden und
Entrückung in einen im Unendlichen kreisenden „Stern", dessen funkelnde
Ferne erst innigste Wahrheit und Nähe verheißt: „Aber Galateas Muschel-
thron Seh ich schon und aber schon, Er glänzt wie ein Stern durch die
Menge. Geliebtes leuchtet durchs Gedränge, Auch noch so fern Schimmerts
hell und klar, Immer nah und wahr" (V. 8450 ff.). Die „Nähe" des Geliebten, Goethes Liebe zum „Gegenwärtigen" und reinen glücklichen Da-
Sein ist nur möglich auf Grund einer Entsagung, die das Gegenwärtigste
als das Fernste, Unendlichste anschaut und anbetet und nur so sich seiner
„Wahrheit" versichert.

Bildhaft und kompositorisch ist diese Entsagung des Nereus angesichts
des Meereswagens seiner Tochter schon in den „Wanderjahren" gestaltet,
wo in der Mignonschen Landschaft auf dem italienischen See der „Sänger"
(später auch die Männer) auf einem Schiff in streng eingehaltenem Abstand
vor den Frauen am Ufer hin und her kreist und von Mignon singt, so
daß von allen Personen die Schmerzen der Entsagung erduldet werden
müssen, bis nach einem „erschütternden, leidenschaftlich über alle Grenzen
gerissenen" Ausbruch der Mignonsehnsucht alles Sehnen „im Tun und
Wirken verschwindet". Bis ins Einzelne kehrt diese Szene in der Nereus-
Galatee-Begegnung wieder: im Kreisen des Bootes vor den sehnsüchtigen
Augen des am Ufer harrenden Vaters, im Sichnähern und Entfernen, in
der erschütternden Sehnsucht des Mannes und dem endlichen getrosten
Verzicht. Und beidemal weist der Gegenstand ihrer Sehnsucht, Mignon
und Galatee, auf das zuinnerst Gemeinte: auf das Rätsel der Kunst. Mit
der Entsagung ist der menschlich nächste und leidvollste Zugang zum

Kunstschaffen erreicht. Neben der Ursprungsidee, der Bewahrung des Schatzes, der Spannung zu Zeit und Geschichte, der Totalität im Kreis von Göttern und Elementen ist die Entsagung die unmittelbare Stufe zur Erscheinung einer Schönheit, die durch ihre ewige Ferne „immer nah und wahr" wird. „Ich fühle mich so fern und doch so nah Und sage nur zu gern: Da bin ich, da", so spricht Helena im höchsten, innigsten Augenblick ihrer Begegnung mit Faust, mit einem Faust, der selber entsagend nicht Besitz, wie in der ersten Beschwörung, fordert, sondern heiter gelassene Wechselrede, freiste Wechselgabe im unendlich zwischen „ungreifbarem" Traum und Wirklichkeit schwingenden Spiel. Die paradoxe Totalität von Nähe und Ferne ist ebenso notwendige Voraussetzung der Unendlichkeit und Ewigkeit des Schönen wie die Totalität von Zeit und Zeitlosigkeit. Helena rückt nur auf Grund von Traum und Ferne ins unmittelbar mögliche Dasein. „Da bin ich! Da!", das kann sie nunmehr bald sprechen, nachdem alle „Antezedentien", alle Vorstufen und Aufbauelemente ihres Erscheinens dargestellt sind. Ihre Genesis ist zu Ende. Ihre Erscheinung setzt ein.

Als Genesis war der zweite Akt konzipiert. Unter dem Zeichen einer Genese sind seine Gestalten geschaffen: Homunkulus, Proteus, die Nereiden und Tritone, selbst Mephistos Phorkyasverwandlung und Fausts Ledavision. Auch die Helena nächste Gestalt, Galatee, bleibt noch im Werden. Sie ist Götte der Liebe — als Nachfolgerin der Venus in Zypern — und der Schönheit in einem. In der Berührung mit ihr tritt „Eros" hervor, der zeugende Gott. So hilft Galatee Helena vorbereiten, ohne selbst Helena zu sein. Durch sie wird Homunkulus „von Pulsen der Liebe gerührt". Eros aber als Gipfel und Ende des Aktes der Genese ist Eros der vier Elemente, Eros, der aus dem Zusammenprall von Feuer und Wasser, Geistigstem und Elementarstem, entsteht. Zwischen „mildgewognen Lüften" und „geheimnisreichen Grüften" sich magisch bewegend fließen im Eros noch einmal Unterstes und Oberstes, Göttlichstes und Elementarstes, Geheimnis und Offenbarung unendlich ineins, im „Eros", der selber nichts anderes darstellt als die ungeheure, irrationale Gewalt einer Schöpfung, die im kosmischen, nicht menschlich erzwingbaren Bereich ihre Ewigkeit birgt.

Daß nach einem solchen hymnischen Gipfel, nach dieser innersten Offenbarung der Bildungsgesetze des Schönen eine nochmalige äußere Beschwörung der Schönheit im Hades poetisch nicht mehr tragbar war, geht fraglos aus dem Bewegungsgesetz dieses Aktes hervor[125]): Weder eine Steigerung noch eine neu einsetzende Kontrastszene war hier dichterisch möglich oder motivisch notwendig. Helena mußte sofort sichtbar erscheinen, nachdem sämtliche Schichten, Elemente, Voraussetzungen und Seinsformen des Schönen sich in einem einzigen, „ungeheuren", dichtungsgeschichtlich einmaligen Werdeprozeß dargestellt hatten.

V. Kapitel

Die Schichtung des 3. Aktes und ihre Vorformen

1. Die Sonderstellung des Goetheschen Schönheitsbegriffs in der Auseinandersetzung zwischen dem „ästhetischen" Denken des 18. und dem „kunstgeschichtlichen" Denken des 19. Jahrhunderts

Mit dem uralten Plane, in Helena die Schönheit selbst in Erscheinung zu bringen, verband sich von Beginn an eine Problemstellung, die aus den seither gezeigten Voraussetzungen noch nicht entwickelt werden konnte. Da nicht mehr eine Genese der Schönheit, nicht mehr eine allmähliche Entfaltung ihrer Ursprungselemente, sondern sie selbst als erscheinende Einheit ins Blickfeld gerückt ist, so ergab sich die schwierige Frage, wie eine Schönheit, die als unmittelbare Einheit nur in der bildenden Kunst darstellbar ist, sich strukturell im Nacheinander der Dichtung erschöpfen und auswirken könne.

Nichts Geringeres als der Urkonflikt zwischen Goethes dichterischer und malerischer Begabung sowie der Kampf des Klassizismus überhaupt um die „Grenzen der Malerei und Dichtung", der weit über Lessing hinaus für das kunsttheoretische Denken, aber auch für die Dichtung des gesamten 18. Jahrhunderts so entscheidend und maßgebend war, wie die Arbeit von August Langen[1]) gezeigt hat, verbirgt sich hinter solcher Frage. Tiefer gesehen war mit ihr die Kantische Frage, ob Schönheit „an sich" entzifferbar sei, in die Debatte geworfen. Denn was anders soll das immer erneute Bemühen des 18. Jahrhunderts um analytisch-synthetische Ergründung des Schönen, um seine Erschließung im „Nebeneinander" bzw. „Nacheinander" seiner Teile und um die entsprechende Abgrenzung der Künste voneinander bedeuten als einen Versuch, die Schönheit als ein „An Sich" zu konstituieren, das von jeweils verschiedenen technischen und gestaltgebenden Voraussetzungen aus angegangen und geformt werden könne? Wie anders ist jenes uns heute fast ganz fremd gewordene Ringen um die Wesenheit „des Schönen" erklärlich als damit, daß alles, was wir heute als Größe, Tiefe, Gehalt und Wahrheit der „Kunst" (als einer konkret geschichtlichen Erscheinung) verstehen, damals als ablösbar vom einzelnen Kunstwerk, als seiend, fixierbar und gesetzgebend in einem „An

Sich" geschaut werden sollte und — weil es nicht im menschlichen Bereich des Geschaffenen, sondern im ewigen der Idee lebt — weniger mit dem Merkmal „Kunst" als mit der Bezeichnung „schön" versehen worden war. Die Bezeichnung „schöne" Künste, ja das Wort vom „Schönen" an und für sich, das seit Plato auf vielen Umwegen und Abwandlungen im Kampf mit realistischeren, empiristischen Kunstströmungen bis in die Kunstlehre des 18. Jahrhunderts, ja in die Kunstlehre jeder kunstmetaphysisch und -ontologisch ausgerichteten Epoche eindrang, erzeugte jene „Ästhetiken", die sich weniger wie heute um die konkreten Stil-, Form- und Gehaltsprobleme historisch vorliegender Werke als um „das Schöne" mühten, auf das ein überzeitliches „System" aller Künste aufgebaut werden konnte. Weniger in der „rationalen" Struktur dieser Zeit, die vielmehr selbst in tieferen Voraussetzungen ruht, als in ihrer Überzeugung vom außerzeitlichen Sinncharakter einer Sphäre, die von Kant — parallel laufend mit seiner Überwindung dinglich metaphysischer Vorstellungen — in eine transzendental-synthetisch anschauende „Einbildungskraft" verlegt worden war, prinzipiell aber ihren überzeitlichen Charakter aufrecht erhielt, ist der Grund dieser Ästhetiken zu suchen. Der Orientierungspunkt aller (selbst empirisch naturalistisch eingestellten) Kunst lag damals theoretisch im „Schönen", um dessen Definition und Analyse es vordringlich ging.

Goethe, der, wie in vielen Punkten so auch hier, Kants eigentümlich zwischen empiristischen und idealistisch-metaphysischen Elementen „transzendental" vermittelnde, den großen Kampf zwischen Empirismus und Rationalismus überwindende und aufhebende Haltung geteilt oder sie vielmehr autonom und unabhängig von Kant auf völlig eigenem Boden produktiv entwickelt und ausgeformt hat, führte die analytisch-synthetische Aufspaltung des „Schönen" bis zu einem Punkt, der, weit über dem 18. wie dem 19. Jahrhundert liegend, auf eine höchst merkwürdige und eigenwillige Weise die systematisch transzendentale Schönheitsmetaphysik des Klassizismus mit der organologisch-genetischen „Kunstgeschichte" des 19. Jahrhunderts dergestalt einheitlich bindet, daß kaum mehr in dieser radikalsten aller dichterischen Demonstrationen einer Kunstlehre das Theoretische vom Praktischen, das Transzendentale vom Empirischen trennbar erscheint. Und doch ist es unsere Pflicht, jenen tiefverschlungenen Verbindungen zwischen höchster kunsttheoretischer Anspannung und dichterischem Ausdruck nachzugehen, die in Goethes „Helena" vorliegen, um endlich jene innere Nähe sehen zu lernen, die zwischen Goethes kunstontologischen Elementen und Kants kritisch-transzendentaler Ästhetik besteht, eine Nähe, die durch Schillers großartig ethisch-gedankliche Zugänge zu Kant notwendig überdeckt und verstellt werden mußte, da sie sich im Gegensatz zu Schiller nicht in der philosophischen Form- und Ausdruckssprache Kants erkennen zu geben vermochte, sondern im Bereich des Dichterischen selber beheimatet ist. Goethes Weg zum Schönen verläuft autonom und äußerlich unabhängig, ja im Gegensatz zu Kant. Seine Gestaltung des Schönen ist jedoch — dichterisch gesehen — nicht minder „abstrakt", radikal und „philosophisch" aufs unbedingt Letzte, auf die transzendentale Bedingung der Möglichkeit von Schönheit überhaupt gerichtet wie die Kants. Sie leistet nicht minder eine systematische Fundamentalanalyse des Schönen. Ja sie übertrifft Kants Kritik der Urteilskraft an Weite der Problemstellung dadurch, daß sie ein neuzeitliches, dem 19. und 20. Jahrhundert angehörendes Problem, das der „Geschichte" des Schönen transzendental-systematisch (nicht gegenständlich empirisch) zu ergründen versucht.

Goethe, einerseits der entschiedenste Wegbereiter des modernen, organologisch-genetischen Denkens, einer der wesentlichsten Begründer des „Historismus" und Gestalter des unvergleichlich „Einzigen", des Prinzips: „Individuum est ineffabile", unternahm es andererseits, eben dieses spezifisch Einzige und im strengsten Sinne „Geschichtliche" nicht nur genetisch-organologisch, sondern auch systematisch-transzendental im Kantischen Sinne, so, als handele es sich um überzeitliche und kategorial faßbare Gebilde, zu bestimmen. Seine genau zwischen „Schönheit" und „Kunstgeschichte" sich aufbauende „Helenadichtung" bezeichnet die Höhe eines Standortes, der zwischen scheinbar unüberwindlich getrennten Welten, zwischen Kant und dem Historismus, zwischen dem ontologisch-systematischen Kunstdenken des 18. Jahrhunderts und der in Zeitstilen denkenden, geschichtlich-organologisch orientierten Kunstforschung des 19. und 20. Jahrhunderts mit einer Leichtigkeit Brücken schlägt, als seien hier nicht Abgründe zu überspringen, sondern natürlichste, vorgegebene Einheiten anzuschauen. Denn indem er einerseits Geschichte „phantasmagorisch" auflöst und im Mittelpunkt einer „schönen" Erscheinung zentriert, entwirft er eine „Geschichte a priori" — dieses Wortgebilde ist Goetheschen Ursprungs[2]) —, aus der eine transzendental ewige Geschichte der Kunst sich entwickelt. Indem er andererseits die „Schönheit" vom streng Normativen ins Geschichtliche wendet, nicht nur durch die besonders im Alter neutrale Konfrontation von klassisch und romantisch, sondern vor allem durch das Eindringen spezifisch geschichtsbildender Phänomene wie „Erinnerung", organisch-geschichtliche Metamorphose, zeitontologische Aufteilung in Urbild und Bild, reales und ewiges Sein (Idolszene), deren Bedeutung für das Wesen von Geschichtlichkeit gerade die heutigen Geschichtsontologien angeht[3]), treibt er in die klassisch normativ entworfene Idee des Schönen einen fundamentalontologisch das „System" sprengenden Keil, dessen werkbildend dichterische Kraft allerdings unendlich höher anzuschlagen ist als seine revolutionierend in Neuland weisende Wirkung. Denn einsam wie der alternde Dichter überhaupt ruhte diese Tat auf sich selbst, ohne Echo, Nachhall oder gar einsichtiges

Verständnis zu finden. Was hier einzigartig und einmalig geschehen war: eine synthetisch so nie wieder realisierte und realisierbare Durchdringung von zeitloser Systematik und Geschichtlichkeit im Bereiche konkreten Kunstschaffens, das hätte, in die Begriffssprache des Denkens übersetzt, eine Wende bedeutet, die das gesamte „geistesgeschichtlich" orientierte Ringen des 19. Jahrhunderts von Hegel bis Dilthey, das ja in sich hoffnungslos um die Bindung dieser zwei Pole kreist, wahrscheinlich in eine völlig andere Richtung zu drängen vermocht hätte. Daß Goethe dies selbst nicht unternahm und daß der einzige schöpferische Deuter der Klassik, Schiller, lediglich in der ethisch-sittlichen Synthese von Sinnlichkeit und Freiheit Kants Leistung aufs Schöne übertrug, während sowohl die transzendental-ontologischen Anliegen Kants wie auch die entscheidend selbständige Goethesche Fassung des Schönen a priori ihm anlagegemäß unerschlossen blieb, hatte unentrinnbar zeitgeschichtliche Ursachen. Sowohl der genetische Aufriß der Goetheschen Kunst wie auch der Aufbau des Schönen an sich gründete bei Goethe in elementar vorgegebenen Seinsstrukturen, zu deren philosophischer Artikulierung das kategorial-begriffliche Denken des 18. und beginnenden 19. Jahrhunderts noch keinerlei Handhabe bot, nicht wegen des irrationalen Charakters dieser Strukturen — denn die gedankliche Durchdringung des Irrationalen setzte ja bereits damals selbst schon bei Kant außerordentlich tiefgreifend ein[4]) —, sondern wegen der eigentümlichen Spannung von Abstraktion und Sinnlichkeit, die in Goethes Vorstellung vom „Urphänomen" lag. Indem Goethe jede „Erscheinung" durchsichtig macht auf eine „Urerscheinung" hin, ohne jedoch diese Urerscheinung begrifflich logisch (deduktiv oder induktiv) bzw. entwicklungsgeschichtlich entfalten zu können — jegliche von Erscheinung zu Erscheinung entwickelnde Ableitung, sei es im logischen, sei es im phänomenal beschreibenden Sinne, zerstört gerade die Urphänomenalität der Erscheinung —, so vollzieht er faktisch mitten in der Erscheinung selbst eine Abstraktion, zu deren Verständnis kein begrifflicher und kein sinnlich demonstrierender Weg führt. Goethes Kunst- und Naturdenken ruht außerhalb jeglicher Begriffs-, aber auch außerhalb jeder naiv hinnehmenden Bildersprache in einer Seinsphänomenalität, die zugleich konkret und abstrakt ist. Mitten im Sein leben alle diese Gestalten außerhalb alles Seins in einer Durchsichtigkeit, die weder ein eindeutiges Bild noch eine eindeutige Idee, auf welche hin sie durchsichtig wäre, einfangen läßt. Dies Schillern zwischen Sein und Nichtsein, sich selber Meinen und doch auch wieder nicht Meinen trifft genau in die Mitte des Problems der Schönheit wie auch der Geschichte a priori:

Wie kann Schönheit, die unteilbar ewige Göttin der Kunst, zugleich in den drei Zeitformen sein? Wie kann Zeitliches — schärfer gesagt: individuell, unwiderruflich, einmalig und charakteristisch Zeitliches — zugleich zeitlos apriorisch sich kundtun? In diesen zwei Fragen ruht das

Problem aller systematischen „Ästhetik" und aller „Geschichte der Kunst".
Daß Goethe sie beide gleich quälend empfand, stellt ihn auf die Scheide
zweier Jahrhunderte, vielleicht zweier Welten. Indem die Ehrfurcht vor
dem Eigensten, dem Individuellen der Kunst, es verbot, eine Ausweitung
ins Generelle zu vollziehen, verharrt Goethe treu in der „Erscheinung"
und wird Verkünder des Unvergleichlichen jeglichen Seins. Indem gleichzeitig die „Schönheit" als metaphysisch unteilbare, zeitlose Macht ihren
Zauber noch keineswegs eingebüßt hat, steht dieser gleiche Dichter unter
dem Gesetz eines zeitlosen Wesens, dessen ewige Strukturen ihn ebenso
leidenschaftlich fesseln wie seine philosophischen Vorfahren von Plato bis
Shaftesbury, Baumgarten und Kant, ja im Grunde noch leidenschaftlicher,
weil seine Vorstellung vom Schönen nicht mehr Teil eines Weltbildes,
nicht wie bei Kant, Schelling u. a. dritter und krönender Abschluß eines
triadisch sich auftürmenden Gesamtwerkes ist oder gar schließlich wie von
Plato bis zum späten Schelling der ethisch-religiösen Sphäre geopfert wird,
sondern in sich selber die volle und unteilbare Gesamtheit seines Weltbildes verkörpert. Der tiefste Grund der Systemlosigkeit und andererseits
Abgründigkeit und „rätselhaften" „Grundlosigkeiten" der Goetheschen
Kunstlehre, die Schiller schon vor „Wilhelm Meister" ergriffen und zu-
rückschreckten[5]), liegt in der Tatsache, daß bei Goethe Kunst und Schönheit nicht Teile einer Vorstellungswelt sind, sondern selbst als Gesamtheit ins Sein gestellt, verworfen oder gerettet werden und in jedem Augenblick ihrer Erscheinung einstehen müssen fürs Ganze. Die Irrationalität,
die jegliches philosophische System eingestandenermaßen wie ein unendliches Meer umspült, sobald es auf Totalität dringt, bricht bei Goethe jäh
aus jeder Erscheinung hervor, weil jede Erscheinung die Totalität wiederholt, grundsätzlich niemals Teil ist. Nur darum ist Schönheit nicht
deduzierbar und induzierbar bei Goethe, schillert das „Urphänomen"
unfaßbar im unmittelbar aufzeigenden „Phänomen" und ist die Schönheit a priori zugleich das Geschichtlichste a priori, und das Geschichtlichste, Zeitverfallenste, Anfang und Ende alles in Ewigkeit Schönen.
Die Kunstwelt der Dichtung und die Ideenwelt der „Ästhetik" treffen
bei Goethe unmittelbar zusammen, weil die Absolutheit des Schönen zugleich die Absolutheit eines unableitbar einzigartig Geschichtlichen ist, das
in sich die Phänomenalität des Einzigen jeglicher Totalität offenbart.
Indem Goethe am Einzigen die kühnste aller Abstraktionen vornimmt, es
aus allen umklammernden, relativierenden Bestimmungen löst und als
Totalität absolut setzt, gelingt ihm der Sprung vom poetisch Besonderen
zur Universalität des Werkes. Damit gelingt ihm aber auch die Verbindung vom einzeln Schönen zur transzendentalen Bestimmung aller
Schönheit. Die Transparenz der schönen Gestalten bei Goethe, die selbst
der flüchtigsten Betrachtung immer wieder auffällt, ist der Ausdruck einer
Abstraktion innerhalb der sinnlichen Gestalt, die in der Geschichte der

Dichtung nicht ihresgleichen hat. Das einzeln Schöne steht ein für die Schönheit schlechthin, bei deren Entfaltung im poetischen Nacheinander nicht etwa eine „Handlung" oder ein sinnlicher Vorgang entwickelt, sondern die phänomenologische Struktur der Schönheit selber schrittweise aufgebaut wird. Nicht nur wird Dichtung in der „Helena" selber Gegenstand der Dichtung, sondern jegliches Schöne wie jegliche Kunstgattung — Poesie, Musik, Plastik, Architektur usw. — treten in eine urphänomenologische Konstellation zwischen historisch bedingte und transzendental unbedingte Aufbauelemente; d. h. die Abstraktion erstreckt sich über die Transparenz der sinnlich erscheinenden Schönheit hinaus in den Aufbau des gesamten Helenaaktes, dessen phantasmagorischer Abriß jeden konkreten Handlungsbezug auflöst in die Demonstration reiner Schönheit und reiner Kunstgeschichte „an sich". Im gleichen Maße, wie Helena selber schwankender, fahler, ungewisser, abstrakter erscheint (was keineswegs aus dem Stoff sich erklärt, da andere Gestalten der Schönheit, wie die Lilie im „Märchen", die Prinzessin in „Tasso", Pandora, die Amazone in den „Lehrjahren" usw. die gleiche schwankend-verschwebende, ungreifbare Erscheinung aufweisen), in dem Maße, wie Helena schaudernd vor sich selbst „sich selber Idol" wird und beim Anblick ihrer magisch verdoppelten Gestalt dem Chor ohnmächtig in die Arme sinkt, sich von sich selbst abstrahierend Objekt ihrer selbst wird und ins Über- und Außerzeitliche emporwächst, im gleichen Maße beginnt ihre Umwelt phantasmagorisch von ihr ausstrahlend eine „Weltgeschichte" zu entwickeln, die gleichfalls abstrahierend eine Geschichte jeglicher Geschichte im Wechsel von Zeit und Zeitlosigkeit, Völkerwanderung, Arkadien, Krieg, Totenreich und Rückkehr in die Natur traumartig unwirklich-wirklich beschwört.

Keineswegs war diese Überhöhung und Abstrahierung des Schönen im analytisch-synthetisch totalisierenden Sinne von Beginn an geplant. Frühesten Plänen zufolge stand das Schöne der Helenagestaltung noch im lediglich polar-dualistisch bedingten Kontrast zum „Barbarischen" der Mephistogestalt und der gesamten „nordischen" Faustsphäre. Dennoch ist bei dem stets an rein vorganghaft Sinnliches sich haltenden Charakter von Goethes Skizzen und Entwürfen nicht zu erweisen, wieweit nicht der damals viel schroffere Kontrast zur nordischen Sphäre doch schon autonom schönheitsanalytische und -synthetische Elemente enthielt. Denn die Neigung, im Aufbau eines Kunstwerks zugleich die Urstruktur dieses Kunstwerks an und für sich sofort mit zu gestalten, war damals genau so wie später schon von Goethe entwickelt. Nicht nur das „Märchen", sondern die gesamten „Unterhaltungen deutscher Ausgewanderten" demonstrieren z. B. im Aufbau ihrer Erzählungen ununterbrochen zwischen Theorie und Praxis hin und her kreisend das Wesen alles Erzählens überhaupt. Wer wollte sagen, wieweit in den frühen Helenaplänen nicht Ähnliches vorgesehen war? Eines aber läßt sich mit Bestimmtheit auf Grund dieser Entwürfe und eines Vergleichs des großen Helenafragmentes von 1800 mit der späteren Fortführung feststellen: die innere Ursache des Abbruchs der Helenaarbeit und ihre Bedeutung für die Gesamtentstehungsgeschichte des großen Schönheits- und Kunsterschließungsversuchs des Helenaaktes.

Verfolgt man nämlich den Grund der in der Forschung vielfach begegnenden Ratlosigkeit dem Charakter dieser Helena gegenüber, die bald als echt antike Heroine, bald als „Rokoko-Kurtisane des 18. Jahrhunderts"[6]) in antiker Maske, immer aber als sonderbar zweideutig schillernd zwischen Größe und Nichtigkeit, Würde und Würdelosigkeit empfunden wurde, so nähert man sich einem spezifisch hochklassisch tragischen Schönheitsbegriff, dessen schwierige Schichtung es zunächst aufzudecken gilt, ehe der Weg zur endgültigen „Helena" beschritten werden kann.

2. Die tragisch-ästhetische Haltung des Helenafragments von 1800 und die Gründe seiner Nichtvollendung

„Denn Ruf und Schicksal gaben die Unsterblichen Zweideutig mir, der Schönheit zu bedenklichen Begleitern die mir an der Schwelle des Pallasts, mit ihrer düstern Gegenwart, zur Seite stehn" (erste Fassung von V. 8531 ff.). Ruf und Schicksal stehen um 1800 „zweideutig" neben der Schönheit. Auf der verhängnisvollen mehr als auf der positiv erhöhenden Wirkung der Schönheit liegt damals der Schwerpunkt unter deutlicher Weiterführung der seit dem „Tasso", dem „Märchen" u. a. nicht mehr abklingenden, todbringenden Rolle des Schönen. Vieles spielt in diese Darstellung hinein: Die hochklassische Abgrenzung, ja Isolierung der Kunst von der Natur („Die ewige Lüge von Verbindung der Natur und Kunst macht alle Menschen irre", heißt es 1796)[7]), ferner die schroff dualistische Aufteilung des Seins in „zwei Reiche", zwischen denen vorerst keine „Brücke" gebaut ist, und die daraus entstehende Tragik des Schönen, unschuldig-schuldig todbringend das „Leben" zu vernichten, um es erst auf einer späteren Stufe durch Opfer und Wende der Zeit wiederbelebt in die Arme zu schließen. Im Helenastoff bot sich als Ausdruck dieser tödlich verhängnisvollen Wirkung der Schönheit Helenas „männermordende", völkervernichtende Rolle im Trojanischen Krieg. Goethe benutzt sie so gründlich, daß zu Beginn fast nichts als dies ihr Verhängnis erscheint, und zwar ähnlich wie in der „Natürlichen Tochter" in doppeltem Sinn, einmal als Verhängnis eines äußeren Geschicks, vor dem die Heldin wie vor fruchtbaren „Wellen" in eine Zufluchtstätte zu bergen sich müht: „Laßt mich hinein! und alles bleibe hinter mir, Was mich bisher und andere verworren hat". So sucht sie in der charakteristischer-

weise mit einer Landung nach langer Irrfahrt einsetzenden ersten Szene
ähnlich wie die fast gleichzeitig geschriebene „Natürliche Tochter" ihr
Kostbarstes, Innerstes zu schützen vor Welt, Krieg, Woge und Verwirrung.
Zum andern erscheint dieses Verhängnis als ein in ihr selbst ruhendes
Schicksal. Nicht nur rüstet sie ahnungslos auf Menelaos' bzw. Mephistos
Befehl ihre eigene Hinrichtung zu, sondern beim plötzlichen Entgegen-
treten des „Entsetzens", das „dem Schoß der alten Nacht von Urbeginn
entsteigend" in Phorkyas sie bedroht, hält ihr eine gräßliche Widerwelt
ihr Schuldbuch entgegen. Phorkyas weist sie — das ist wichtig — vom
Ehegemach und dem „Schatzzimmer", „gebieterisch" ihr „den Weg ver-
tretend", hinweg, weil „Scham und Schönheit nie zusammen Hand in
Hand Den Weg verfolgen auf des Menschen Lebenspfad" (erste Fassung).
Das Schatz- und Schmuckmotiv — seit je, vor allem in hochklassischer
Zeit, von Goethe mit dem Zauber eines innern schuldbringenden Verhängnis versehen — enthüllt den tragisch-magischen Schuldcharakter des
Schönen, der vor allem in der „Natürlichen Tochter", in der „Pandora"
usw. nochmals groß anklingen sollte. Der Vorwurf der „Schamlosigkeit",
der immoralistischen Haltung des Schönen, der seit je die ästhetische
Sphäre belastet, schlägt nicht nur aus der modern-christlichen Welt
Mephistos der Schönheit entgegen, sondern ruht im Kern einer Schön-
heitsverehrung, die von dem Chor soweit getrieben wird, daß nach ihm
sogar die Schrecken des Trojanischen Krieges verblassen vor dem bloßen
„Augenschmerz", den das „Häßliche", Urverwerfliche in den Seelen
„Schönheitsliebenden rege macht"[8]).

Der innere Grund der Schuld des Schönen vor dem Forum des ethischen
„Rufs" wie des todbringenden, zweideutigen „Schicksals" liegt also in
der Unbedingtheit einer ästhetischen Haltung, die selbst die geschichtlichen Schrecken vor einem „Augenschmerz" außer Kraft setzt. „Sah
ichs? oder bildete Mir der angstumschlungene Geist solches Verworrene?
Sagen kann ichs nicht", heißt es dem Trojanischen Krieg gegenüber, „aber
daß ich dieses Gräßliche (Phorkyas) hier Mit Augen sehe Weiß ich".
Gewiß wird alles Ästhetische, ungewiß das Geschichtliche. Die schroff
hochklassische Ausstoßung der Natur und der Geschichte aus dem Bereiche der Kunst, der alles Reale entsinkt, alles sinnlich ästhetisch Erscheinende, aller „Augenschmerz" Wirklichkeit ist, erzeugt eine Tragik
im Bereich des Ästhetischen selbst, an der Goethes hochklassische Kunstwerke zuinnerst zerbrachen. Denn nicht nur die Schönheit wird verhängnisvoll und scheinhaft-ästhetisch, sondern auch das Kunstwerk selbst, das
sie trägt: Das „Schicksal", das die Goetheschen Kunstwerke dieser Zeit
meinen, ausformen und aushalten wollen, entsteigt einem geschichtslosen,
ja selbst naturlosen Grund, der damit aufhört, Grund noch zu sein. Wenn
Goethe 1797 an Schiller bekennt: „Die Poesie, wie wir sie seit einiger Zeit
treiben, ist eine gar zu ernsthafte Beschäftigung" und mitteilt, er habe

sich daher einer „kritisch-historisch-poetischen Arbeit" zugewandt, um
„spaßen und spielen" zu können (es handelt sich um seinen Aufsatz über
Moses' Zug durch die Wüste, den er als eine Spielerei, als scherzhafte
Behandlung ernster historischer Forschungsarbeit auffaßt)[9]), so verrät dies
den kritischen Punkt, auf dem Goethes hochklassische Produktion gerade
um die Jahrhundertwende stand. Die Kunst ist ihm eine „allzu ernsthafte", allzu unbedingte Frage geworden, nicht wie später wieder „heiteres"
Spiel. Die Geschichte und alles Faktische dagegen wurde ihm zum „Spaß".
Die Überbetonung des Ästhetisch-Poetischen, die Verwerfung des Historisch-
Konkreten, ja selbst der „Natur" als außerpoetischer Mächte beginnt sich
insofern zu rächen, als sie jene auffällige Starrheit des klassischen Pathos
und Ernstes erzeugt, die sich z. B. in den Stichomythien der „Natürlichen Tochter" u. a. ausdrückt und das Werk von innen her gefährdet,
indem sie ihm die „Leichtigkeit" raubt, die für Goethes Schaffen nun einmal Grundbedingung war. Nicht umsonst bleiben mit größtem Enthusiasmus begonnene Werke wie die „Achilleis" und „Helena" — also gerade
antike Stoffe — schon in Ansätzen liegen.

Vor allem die „Achilleis" vermag auch auf das Helenafragment ein
klärendes Licht zu werfen, denn sie war gleichfalls auf einem rein inneren
Schicksalsbegriff aufgebaut. Das Schicksal zeigt sich hier in der Vorweg-
nahme der ästhetisch gesehenen Grabstätte Achills, im Streit zwischen
Thetis und Hera, die ein geradezu fast mathematisch austauschbares Verhältnis zwischen dem Fall Trojas und dem Tod Achills aufstellen, und
endlich in der Dialektik von Tod und Liebe im Innern des Helden, der
„in seiner Tollheit"[10]) über der Liebe seine verhängte Todesbestimmung
vergißt. Achills Tod wird sozusagen schon vorweggespielt; aber im Gegensatz zur großen Epik, der Goethe diese Technik entnahm, verlagert sich
die Spannung ins Innere des Helden, in die Ausschließlichkeit, mit der
sein eigenes Schicksal sich unbedingt abhebt von aller äußeren Not.
Ähnlich wie Helenas drohender Tod bei der Heimkehr keineswegs sich
aus ihrer real-geschichtlichen Schuld, aus Trojas und der Griechen Not
ergibt, sondern einzig aus ihrer Schönheit emporsteigt, so sinkt auch in
der „Achilleis" der Trojanische Krieg faktisch ins Nichtige gegenüber dem
Innern des Helden, wodurch sich das Werk — vor allem vom Epischen
her gesehen — allzu früh schon erschöpft. Gerade weil Goethe das Schicksal von innen her konzipierte, statt wie die Antike von den Gesetzen der
Blutrache oder des Staates, und weil er andererseits auch nicht wie Schiller
eine sittliche innere Entscheidung verlangt, sondern den Daimon des Helden
in Spannung zur Außenwelt setzt, verliert sein Werk in dem Augenblick
an Schwerkraft, wo der Daimon sich auf sich selbst statt auf den tragischen
Konflikt mit der Umwelt zu konzentrieren beginnt. Dies aber ist die
Situation des spezifisch „ästhetischen" Helden. Die heroisch-politische
Thematik der „Achilleis" wird im Keime gebrochen, indem das Haupt-

gewicht auf die Art und Weise des Todes (Grabstätte usw.), auf Liebe und
Tod, verlegt wird statt — wie selbst noch in „Hermann und Dorothea" —
auf die gesamte reale Welt der Schicksalsverflechtung des Daimon. Sogar
die „Natürliche Tochter" blieb letztlich in dieser Epoche Fragment, weil
sie trotz ihrer politisch-aktuellen Hintergründigkeit, die dem Ganzen
einen weitergespannten Atem ermöglichte, allzu sehr die Handlung auf
die stumm innere Abwehr des Schicksals, auf eine unaufhörliche Flucht
der Heldin vor den Verhängnissen der Staatsgewalt (die selbst nie erscheinen, sondern sich symbolisch in „Zeichen" verdichten) beschränkte,
d. h. den Daimon in etwas ästhetisch „Wertvollstes", „Kostbarstes" verwandelte, das geschützt und behütet werden muß und schon in sich selbst
eine Todesgefahr birgt, symbolisiert im Absturz Eugenies zu Anfang.
Das „Verhängnis" der Heldin besteht letztlich in ihrem eigenen, höchsten
ästhetischen Wert. Das macht die Handlung statisch im Sinne kreisartig
wiederkehrender Zustände.

In der „Helena" liegt das grundsätzlich nicht anders, aber noch wesentlich komplizierter: Genau wie in der „Natürlichen Tochter" war in ihr
ursprünglich als Gegenwelt die schönheitvernichtend „fratzenhafte" Welt
einer demokratisch-revolutionären Phorkyas geplant. Ferner sollten
„Mönche" und Kreuzritter den Genius Euphorion vernichten. Die „Häßlichkeit" kannte also einen geschichtlichen Ort, an den sie gebunden war.
Aber eben weil dieser Ort nur häßlich, nur nichtig war, weil er, wie es
damals — in einer nicht ohne tieferen Grund später gestrichenen Stelle
des Chors — hieß, nur als „Ausgeburt des Zufalls" in Phorkyas erschien
und keine Notwendigkeit kannte, weil solche „grausen Nachtgeburten ...
der Schönheitsfreund ... hinweg in Höhlen" zu „drängen" oder zu „bändigen" suchte, enthielt dieser Ort selber kein Schicksal. Phorkyas ist
fratzenhaft-nichtige Gegenwelt, die ähnlich wie in der „Natürlichen Tochter" „verdrängt" oder „gebändigt" wird, während die Schönheit selbst in
einer unirdisch überhöhten Götterwelt lebt: „Denn das Häßliche Sieht er
(Phöbus) nicht, Wie sein heiliges Aug Niemals den Schatten sieht".
Zwischen göttlich schattenloser Schönheit und irdisch „traurigem Geschick" spielt die dramatische Polemik dieser frühen „Helena" analog
der gesamtästhetischen Problematik der Klassik, wie sie in anderen
Wendungen und Grundverhältnissen ähnlich auch bei Schiller und Hölderlin in bestimmten Epochen ihres Schaffens vorliegt. Da das „Schicksal"
der Schönheit also im Grunde nichts anderes ist als die innere Unmöglichkeit des Göttlichen auf Erden, da ihr tödliches, todbringendes und tod-
erleidendes Geschick in nichts anderem besteht als in ihrem tragischen
Anderssein, ihrem tragisch am „anderen Ufer" Wohnen, wie es Goethe
wenige Jahre vorher im „Märchen" dargestellt hatte, so kann sich ihr
Schicksal zwar traurig vollstrecken im Banne des Häßlichen, aber ihr wirkliches Wesen, das, was sie als Besonderstes, Eigenstes von aller Welt trennt,

verbirgt sich. Das Schöne bleibt überirdisch fremd vor einem verworfen Häßlichen stehen, es erleidet die ihm gesetzte, aus eigener unschuldiger Schuld entspringende Buße ihrer Lebensentfremdung, entzieht sich aber prinzipiell jeder Enthüllung. Selbst „Pandora", die in einer entscheidenden Wende von der Hochklassik zur Spätklassik konzipiert ist, „erscheint" erst, als der Sprung von der Isolierung (des Epimetheus) in die „Elemente" gewagt ist. Die schroff dualistische Tragik zwischen Leben und Kunst, häßlich und schön verhindert die Offenbarung gerade jenes Objekts, um das alles Ringen dieser Dichtungswelt kreist: des Schönen. Im Augenblick, als Helena nach der schroffen Kontrastierung mit Phorkyas sich tatsächlich zeigen, mit Faust und der mittelalterlichen Welt sich wirklich vermählen soll, bricht das Werk ab. Weder zur nordischen Sphäre hatte Goethe den ruhigen Abstand, noch zur Schönheit die nötige Leichtigkeit und „Spiel"-Freude, um sie aus ihrer Isolierschicht und dem leidenden, sich selbst verstellenden Pathos des Fremdseins zu erlösen.

So merkwürdig es klingt: die strukturelle Erschließung und Aufklärung der Schönheit war nicht in der Hochklassik, sondern nur in der Spätklassik möglich durch einen neuen Umbruch, eine grundsätzliche Wiederentdeckung von Natur und Geschichte, in der auch der hochklassische Schicksalsbegriff untergeht: „Gegen allen Geschicks Beschluß" (V. 8878) tritt das „Idol", das zweite verewigte Bild Helenas in der späten Fortsetzung nach einer sich überstürzenden Wiederholung der Vorgeschichte Helenas aus ihr heraus, eine Fixierung und Objektivierung des Schönen mitten im Geschichtlichen, nicht außerhalb seiner dokumentierend. Deutlicher gesprochen: nur durch die Aufhellung des Problems des Fremdseins des Schönen vor sich selbst, d. h. durch die Aufhebung der tragischbannenden Tod- und Schicksalsverfallenheit des ästhetischen Reichs konnte das Schöne in den aufklärenden Kreis analytisch-synthetischer Darstellung kommen.

3. Helenas Idolwerdung, ihre Bedeutung für den Eintritt in die „Geschichte" der Kunst und ihre Vorformen

Tatsächlich setzte die Neuaufnahme der „Helena" in den 20er Jahren hier ein: Phorkyas-Mephisto erhielt die Funktion, Helenas Vorgeschichte zu beschwören, in ihr eine Ahnung über ihr wirkliches Verhältnis zur „Zeit" (Hades usw.) zu wecken. Eine völlig neue Problemebene ist damit betreten:

Zunächst fällt von Phorkyas das Prädikat „häßlich" ab: „Phorkyas schmeichelt sich ein, Erscheint nicht so häßlich Übergang ins magische Unheimliches Ring ... Gefühl des Orkus Chor fühlt's mit", heißt es in den entsprechenden Skizzen (Paralip. 162), die laut Erich Schmidt „nicht etwa alt"[11]) sind. Der „Übergang ins Magisch-Unheimliche", d. h. das Erschrecken vor der Zeitwirklichkeit (Hades) ist verbunden mit einem Verschwinden des hochklassischen Dualismus zwischen schön und häßlich. Goethe schwankte, ob er die Stelle: „Wie häßlich neben Schönheit zeigt sich Häßlichkeit. Wie unverständig neben Klugheit Unverstand" (V. 8810/11) nicht besser streichen solle. In einer Handschrift (H[12]) ist sie gestrichen. Ferner setzte er das Helenafragment unmittelbar fort mit einem Lob Mephistos auf Helenas Schönheit (V. 8808), wodurch Phorkyas an eindeutiger, schönheitsschmähender Häßlichkeit verliert. Das Interesse an der tragisch-ästhetischen Konfrontation von häßlich und schön, Leben und Kunst verblaßte. Statt dessen schreibt Goethe folgende wichtige Szene:

Während Phorkyas und der Chor sich wechselseitig ihren Ursprung vorwerfen, dämmert in Helena die Ahnung ihres tatsächlichen Seins auf: „Ihr habt in sittelosem Zorn Unsel'ger Bilder Schreckgestalten hergebannt, Die mich umdrängen, daß ich selbst zum Orkus mich Gerissen fühle, vaterländ'scher Flur zum Trutz" (V. 8834 ff.). Die Aufscheuchung des „Ursprungs" weckt die Ahnung des verstrichenen Zeitlaufs in ihr, die Ahnung, daß sie bereits längst dem „Orkus" verschrieben ist; und nun folgen die inhaltsschweren, schon einmal in anderm Zusammenhang untersuchten Fragen: „Ist's wohl Gedächtnis? War es Wahn, der mich ergreift? War ich das alles? Bin ichs? Werd' ichs künftig sein, Das Traum- und Schreckbild jener Städteverwüstenden? Die Mädchen schaudern, aber du, die Älteste, Du stehst gelassen; rede mir verständig Wort" (V. 8837 ff.). „Werd' ichs künftig sein?", sonderbar rückschläglich und kaum aus der Handlung erklärbar wirft diese Frage in den Ablauf eines wirklich verfließenden Lebens die Goethesche Urfrage nach der Ewigkeit alles Gewesenen. Kann Schönheit bleiben in den drei Zeitformen oder nicht, das ist das überragende Problem, das nunmehr den Helenaakt leitmotivisch überschattet. „Ist's wohl Gedächtnis? War es Wahn?" Haftet Erinnerung oder Traum am Schönen? So lautete schon der parallele Streit zwischen Epimetheus und Prometheus um Pandora: „Auch du erwähnest solchen Ursprungs Fabelwahn? Aus göttlich altem Kraftgeschlechte stammt sie her" (Pandora, V. 561 f.). Der „Ursprung" des Schönen wird für Goethe nun wichtig, und zwar in der Überschneidung von „Gedächtnis" und „Wahn". Aus dem gleichen Grund wird Phorkyas-Mephisto die „Älteste" statt die Häßlichste. „Die Mädchen schaudern, aber du, die Älteste, Du stehst gelassen; rede mir verständig Wort". Mephisto wird ruhender Pol in der Phantasmagorie dieser Schönheitsentfaltung und daher mit positiven Akzenten versehen: „Mir aber deucht, der Ältesten", sagt Panthalis, „heiliger Pflicht gemäß, Mit dir das Wort zu wechseln, Ur-urälteste, Du bist erfahren, weise, scheinst uns gut gesinnt" (V. 8949). Alle diese Bezeichnungen belegen nur die Richtigkeit unserer früheren Deutung der

Phorkyasverwandlung. Im Kontrast zwischen Mephisto und dem Chor
taucht sogar die alte Spannung von Granit und welkendem Gras wieder
auf: „Die Mädchen welken gleich gemähtem Wiesengras; Mir aber deucht,
der Ältesten" usw. Mephistos Flucht auf den „Naturfels" und seine Mas-
kierung als Phorkyas war nicht umsonst die Demonstration einer Verwandlung Mephistos vom scheinhaft nichtigen Wesen, das dem Sinnentanz der Lamien erliegt, zur granitenen Beharrung, zum Eintritt als Statue
in den Tempel der Kunst. Der Chor Helenas aber ist entsprechend nunmehr Mephisto gegenüber statt wie in der Antike ruhige, objektive
Repräsentation des Volkes und der öffentlichen Meinung bzw. einer überzeitlichen Norm eine seelenlos „erobert', marktverkauft', vertauschte
Ware", ein rein stofflich unformbares, ungeformtes, schwankendes Naturmaterial, das am Schluß erinnerungslos wieder in die ewig alles um-
formende und wiederzeugende Natur zurücksinkt. Die neue, graniten
ursprunghafte, „ururälteste" Rolle Mephistos verleiht dem Chor die entsprechende Gegenrolle im Zusammenhang mit anderen naturphilosophischen
Vorstellungen Goethes. Helena und Mephisto stehen nunmehr wie Schönheit und Ursprung in einem schwankenden, wogenden Meer von Gräsern
und bloßem Naturmaterial. Da aber Mephisto nun nicht mehr häßliche
„Ausgeburt des Zufalls" ist, sondern Ururälteste, vermag er erstens die
Schönheit zu „kennen" („Kenn ich doch das Schöne wohl") und zweitens,
was noch entscheidender ist, schrittweise und mit fast sokratischer
Pädagogik ihr Wesen aus ihr hervorzulocken und sichtbar zu machen: Auf
Helenas Frage nach sich selbst: „War ich das alles, Bin ichs?" usw. beginnt nämlich Phorkyas mit einer Rekapitulation ihrer Geschichte, die,
formal beispiellos, inhaltlich unheimlich sich steigernd, in einer restlosen
Selbstmanifestation Helenas gipfelt:
    Formal stellt diese Rekapitulation der Vorgeschichte Helenas eine über-
raschende Neuerung der späten Helenadichtung dar: Helena und Phorkyas
verhandeln hier nämlich nicht mehr dialogisch-statisch, jeder auf sich
selbst gestellt, ein Thema wie früher, sondern beide, Phorkyas und Helena,
nehmen sich gegenseitig das Wort aus dem Mund, wie geblendet von der
Gewalt ihres Themas, sich ergänzend und überstürzend an Erinnerungen,
ohne irgend einen Gegensatz untereinander — etwa zwischen Schönheit
und Moral — aufleuchten zu lassen: „Phorkyas: Schon Theseus haschte
früh dich, gierig aufgeregt, Wie Herakles stark, ein herrlich schön geformter Mann. Helena: Entführte mich, ein zehenjährig schlankes Reh,
Und mich umschloß Aphidnus' Burg in Attika. Phorkyas: Durch Kastor
und durch Pollux aber bald befreit" usw. (V. 8848 ff.). Phorkyas und
Helena sind im Grunde nichts mehr als treibende und getriebene Werk-
zeuge und Beschwörer des Vergangenen, das unheimlich sich steigernd
schließlich das Urverhältnis von „Wahn" und „Gedächtnis", Traum und
Geschichte klärend heraufführt in den Schlußsätzen des Dialogs: „Phor-

kyas: Doch sagt man, Du erschienst ein doppelhaft Gebild, In Ilias gesehen und in Ägypten auch. Helena: Verwirre wüsten Sinnes Aberwitz
nicht gar. Selbst jetzo, welche denn ich sei, ich weiß es nicht"; darauf folgt
die Ohnmacht Helenas vor ihrem eigenen „Idol": „Ich als Idol ihm dem
Idol verband ich mich. Es war ein Traum, so sagen ja die Worte selbst.
Ich schwinde hin und werde selbst mir ein Idol".

Die Vorgeschichte Helenas treibt auf eine Verdoppelung zu, ja sie steht
nur da um dieser Verdoppelung willen: Geschichte und Vorgeschichte
locken aus dem Schönen ihr Wesen heraus (wie nach Goethes Überzeugung
die wahre Geschichte einer Sache nichts anderes als ihr „Wesen" selbst
ist)[12]:

Wie Goethe diese Verdoppelung erreicht, ist eine künstlerische Leistung
ohnegleichen. In einem atemberaubend sich steigernden Dialog, dessen
wirkliche Form gerade nicht ein dualistisches Prinzip, sondern ein gleich-
stimmig die Partner aufeinander einstellendes, ihre Gedanken auf-
greifendes und fortführendes Formgesetz darstellt, vergleichbar nur dem
musikalischen Duett, rollt phantasmagorisch kaleidoskopartig eine Vergangenheit ab, bis der Faden auf dem Gipfel der Selbstverdoppelung in
einer Ohnmacht abreißt. Äußerst bewußt hat Goethe so und nicht anders
diese Dialogform gestaltet. Eine bereits fertige Skizze (Paralip. 173), die
noch die alte dualistisch-schroffe Konfrontation zwischen Phorkyas und
Helena im Sinne wechselseitiger Vorwürfe und Drohungen brachte, fiel
ihr zum Opfer. Je knapper, treibender, dramatischer der Dialog wurde,
umso einstimmiger, monologischer, musikalischer kam er zum Ausdruck,
während die monologisch-pathetische Form des früheren Anfangs der
„Helena" einer scharf dualistisch die Personen voneinander abgrenzenden
Haltung entsprach. D. h. die große monologische Form der früheren
„Helena" ist bei Goethe Ausdruck eines dualistischen, der Dialog der
späteren dagegen der Ausdruck eines gleichstimmigen, die Partner ineinander verwebenden musikalischen Vorgangs, dessen inhaltlich für die
Thematik des Gesamtwerks außerordentlich hohe Bedeutung vor allem
bei der Begegnung zwischen Helena und Faust zum Durchbruch gelangt,
wo die Geburt der Musik und des „gleichklingenden" Reims zum „Einklang" führt (Paralip. 166). Die hinreißende Kraft dieses Dialogs aber
regiert einen magischen Zeitlauf, aus dem die Elemente der Schönheit:
Idol, Musik, Reim, Harmonie usw. sich schrittweise entfalten. Schon einzelne Textvergleichungen zwischen der Fassung von 1800 und den späteren
Einschüben belegen diese innere Absicht des Dichters: Fast alle Durch-
brechungen der monologisch-hochklassischen Partien des Anfangs in Gestalt von späteren Zugaben — vor allem von neugeschaffenen chorischen
Einlagen —, sowie auch die Änderungen im Text selbst beziehen sich auf
das Rätsel des Zeitlaufs: Hieß es um 1800, daß von Helena seit ihrem
Raub durch Paris „der Fabel seltenste den Ursprung nahm" (V. 8515), so

spricht Goethe später von einer „Sage", die „wachsend sich zum Märchen spann", d. h. von einer magischen Ausdehnung der Zeit. Statt des „Seltsamen", Ungewöhnlichen, Kostbaren der Fabel, die dem hochgespannten Ästhetizismus um 1800 entspricht, setzt Goethe ein sich abspinnendes „Märchen" in deutlicher Analogie zu der im Pyrmontentwurf ausgesprochenen Grundüberzeugung, daß Dichtung ein Sichselbstentspinnen eines Märchens über einem historisch bestimmten Ort und Zeitpunkt ist. Eine andere große Einlage gar (V. 8604/8637) stellt schon lange, ehe die Idolszene einsetzt, Helena vor ihre eigene Kindheit mit seltsamen Ahnungen. Im Gefühl eines „Ich weiß nicht wie" (V. 8607) blickt sie in ihre Kindheit zurück: „Die Füße tragen mich so mutig nicht empor Die hohen Stufen, die ich kindisch übersprang" (V. 8608 ff.). Dem Bangen beim Anblick einer einstmals gelebten Kindheit entsteigt ein tiefer Gewissensvergleich, der in plötzlich überheller Erkenntnis das jetzige Sein von dem einstigen, gründenden Sein aus zu betrachten beginnt, wobei der Chor in seiner Freude über die Heimkehr ahnungslos das Quälende und Beunruhigende des Zustandes nur verstärkt. Die Schönheit erhält durch Rückblick auf ein ursprünglichstes Sein Aufschluß über sich selbst. Goethe hat hier schon die Spaltung der Schönheit in ein doppelhaftes Gebilde vorzubereiten versucht; das beweist die Skizze: „Ich kehre wieder ich erkenne mich allzu wohl An diese Pforte, diese Angeln mächtiglich An dieser Säulen riesenhaften festen Bau Wie Tyndareus mein Vater ich war ein Kind" (Paralip. 174). Dieses Paralipomenon steht nämlich mitten in der Skizze zur Idolszene, die damit unmittelbar das Kindheits- und Ursprungsmotiv mit der Verdoppelung des Wesens Helenas verbindet. Nicht um ein neutral historisches Interesse, nicht, wie es durchgehend gefaßt wird, um den einfachen Aufweis, daß Helena ein Gespenst und keine Wirklichkeit ist, d. h. um eine „Störung" der Illusion, wie es Kommerell nennt[13]), handelt es sich hier, sondern um den Zugang Helenas zu sich selber, zum wahren, ursprünglichen, reineren Sein einer in bloßer Gegenwart sich selbst nicht klaren Schönheit. Die Idolszene hat keinen anderen Sinn, als den Prozeß schrittweiser Ablösung eines überirdisch zeitlosen Bildes von seinem zeitlichen Sein zu beschreiben und damit das Phänomen des Schönen ästhetisch wie geschichtlich überhaupt erst zu konstituieren. Das Verhältnis von Urbild und Abbild, die für Goethes Kunstlehre grundlegende Spiegelproblematik, sein immer wieder betonter Hinweis auf die Verwandlung realen Seins in ein irreal-poetisches Bild, die alle große Kunst charakterisiere, all das taucht hier in einer ganz besonderen Konstellation auf, die durch die Goethesche Überzeugung gekennzeichnet ist, daß „die Schönheit nie über sich selbst deutlich werden kann"[14]). Die Schönheit wird vor ihrem eigenen Anblick „ohnmächtig". Wie die folgende Untersuchung zeigt, stammt diese Szene keineswegs aus dem Helenastoff, sondern ist längst von Goethe bei Ottilie und in den „Wanderjahren" vorgebildet. Es handelt sich jedesmal um das plötzliche Erlöschen eines real gegebenen irdischen Daseins beim Anblick eines ins Ewige entrückten zweiten Bildes. Goethe spricht bei Helena von einem „Nichtigkeitsgefühl" (Paralip. 163), bei Ottilie von einem Gefühl, „als wenn sie wäre und nicht wäre, als wenn sie sich empfände und nicht empfände, als wenn dies alles vor ihr, sie vor sich selbst verschwinden sollte"[15]). Offensichtlich liegt hier eine Spaltung im „Sein" vor. Das Sein selbst ist und ist nicht. Die Selbstbegegnung und Objektivierung des Schönen vollzieht sich mitten im Schönen selbst, nicht im Denken und Vorstellen. Denn „die Schönheit kann nie über sich selbst deutlich werden".

Was dieser außerordentliche Vorgang bedeutet, klärt wie kaum eine andere Szene die Streichung einer Version, die eine Versuchung enthielt, der jeder andere Dichter erlegen wäre. Aus dem Rückblick in das unaufhaltsam entronnene Leben ergab sich die Möglichkeit, das Ganze in eine vage, traumhaft süße Lebensmelancholie von großem impressionistischem Reiz zu verwandeln: „Siehst du zurück, nur unbegreifliches tritt hervor Undenkbar, unvereinbar, alles rätselhaft, So Schmerz als Freude (Kommen, Scheiden) Fliehen oder Wiederkehr" (Paralip 173)[16]). Die Streichung dieser stimmungshaft schönen Stelle war nur möglich auf Grund eines höchst entwickelten Kunstgeschmacks Goethes, der jede poetisch noch so ergreifende „Stimmung" opfert, sobald sie, wie hier, den exakt-traumhaften Vorgang der Schönheitsverdoppelung ins vag Traumhafte einer allgemein verschwebenden Lebenssymbolik verflüchtigen würde. Denn nicht das Leben in seiner entrinnenden Folge von „Fliehen oder Wiederkehr" und nicht eine vage Vermischung von Traum und Wirklichkeit konnte hier gemeint sein, sondern die Erhebung des Lebens zum Idol. Es ist möglich, daß auch darum jene Erwiderung der Phorkyasgestalt auf Helenas Erschrecken vor ihrem verdoppelten Bild: „Wenn Wahres Traum ist, kann der Traum das Wahre sein. Du träumest hier"[17]) fallen mußte, obgleich gerade in ihr das tatsächliche Verhältnis von Wahrheit und Traum klargestellt war. Denn offensichtlich besagt diese Stelle: Wenn das Wahre, d. h. die wirkliche, historisch gewesene Welt Helenas, Traum wurde, wenn alles, was sich hier abspielt, eine Fiktion ist und es auf gar keine Tatsächlichkeit mehr ankommt, so kann die Wahrheit eine neue, ganz andere, unendlich höhere Heimat in jenem Traum- und Idolbild erobern, das aus aller Wirklichkeit ausbrach und plötzlich magisch die Szene beherrscht. Wahrheit gründet auf traumhaftem Schein, dem ewigen Bild einer Schönheit, die sich selber, sich in Ohnmacht verlierend, erst restlos ergreift; so „kann der Traum das Wahre sein". Schlichter gesagt: der erste Schritt zur Entfaltung des Schönen geht über die Klärung des Verhältnisses von Wahrheit und Traum, von Vorgeschichte und „wahrer" Geschichte, realem Bild und Idol. Das Wesen des Schönen entschleiert sich nicht eher, als bis sich die reale Vorgeschichte Helenas in einem „Traum", einem „Idol" aufgelöst hat, von dem aus sich eine neue „Wahrheit", die phantasmagorisch traumhafte, erinnerungslose Geschichte des ganzen folgenden Helenaaktes abspinnen kann: Erst nachdem Helena sich selbst, ihre reale Vorgeschichte, ihr wirkliches einst gewesenes Sein von sich abstreift, indem sie es zum „Idol" erhöht, wird sie frei und offen für die Hochzeit mit Faust, für das heiter phantasmagorische Spiel, das nun folgt. Denn erst als Helena von ihrer Ohnmacht nach der Idolszene erwacht, tritt ihre „Schönheit" wirklich und makellos aus ihr hervor: Jetzt erst kann Mephisto ausrufen: „Stehst du nun in deiner Großheit, deiner Schöne vor uns da" (V. 8917), jetzt erst beginnt die inhaltlich bestimmte und artikulierte Durchstrukturierung der Schönheit als K u n s t im geschichtlichen und ewigen Sinne, weil alle Schwere der Erinnerung und Schuld, aller Rückblick auf Troja, Menelaos und ihre „männermordende" Schönheit dahinsank durch die klare Loslösung des Höheren, des Idols vom Realen. „Denn was wäre das Künftige? Löste sich nicht der Vergangenheit Kreisend in Schuld und Unglück, Rollende Jahresbewegung Leise glücklich auf eben wieder In dem bewegten, unschuldigen Tag", so lautete eine Stelle, welche, die Ohnmacht Helenas deutend, den moralisierenden Anklagen Mephistos gegenüber die endgültige Befreiung von Schuld ausdrücken sollte. Der „unschuldige Tag" hebt den Strom des Vergangenen auf und bereitet der Zukunft und ewigen Freiheit des Schönen den Weg. „Lethe" (V. 8896) und schöpferische Überwindung aller zeit- und schuldverfallenen Welt im „Hoffnungslicht" verjüngender Zukunft, also echt Goethesche Urbedingungen des Kunstschaffens, tauchen erneut — auch im endgültigen Text (V. 8895 ff.) — wieder auf, verbunden mit der zeitontologischen Goetheschen Lehre vom ewig gegenwärtigen Charakter des Schönen: „Schweige, schweige! Daß der Königin Seele, Schon zu entfliehen bereit, Sich noch halte, festhalte Die Gestalt aller Gestalten, Welche die Sonne jemals beschien" (V. 8903 ff.). Die Idolszene ist also Niederschlag eines sehr wichtigen Vorgangs: Indem Phorkyas „aller Vergangenheit Bösestes" „aufregt" (V. 8897), überwindet gleichzeitig Helena diese Vergangenheit durch Idolbildung und „Lethe" (V. 8896) und tritt in eine geistig befreite höhere Welt ein. Schönheit wird rein und zeitlos nur durch spiegelnde, sich selbst in einem „Nichtigkeitsgefühl" auflösende Überwindung des Wirklichen und durch Abspaltung des „Idols".

Doch ließe sich fragen, ob solche Deutung nicht etwas nachweist, was gar nicht aus grundsätzlichen Kunstschichten Goethes, sondern aus dem Helenastoff selbst stammt, aus der Tatsache, daß ein lebloses Scheinwesen des Hades wohl Grund haben mag, bei ihrer Wiederkehr auf die Erde sich „verdoppelt" zu empfinden. Erst wenn sich zeigt, daß Goethe zu genau den gleichen Vorgängen unter völlig anderen werk- und stoffbedingten Voraussetzungen kam, ist die grundlegende Bedeutung der Idolszene für die Kunstwelt Goethes erwiesen.

Unter den mannigfachen Vorformen der Ohnmacht Helenas vor ihrem eigenen Idol ist die auffälligste eine Szene in den „Wahlverwandtschaften": Ottilie tritt eines Abends in die Kapelle, die der Architekt mit Engelsbildern ausgeschmückt hat, welche alle unter seinen Händen unversehens in Ottiliens Gesichtszüge hinüberspielten, „so daß es schien, als wenn Ottilie selbst aus den himmlischen Räumen heruntersähe"[18]). Im Anblick ihres vervielfältigten Abbildes und unter dem sonderbar magischen Eindruck des durch die „farbigen Gläser" einfallenden „ernsten bunten Lichtes"[19]) überfällt sie das Gefühl eines „Verschwindens" ihres Seins, aus dem sie erst spät wie aus einer Ohnmacht „erwacht": „Es schien ihr, indem sie auf- und umherblickte, als wenn sie wäre und nicht wäre, als wenn sie sich empfände und nicht empfände, als wenn dies alles vor ihr, sie vor sich selbst verschwinden sollte, und nur als die Sonne das bisher sehr lebhaft beschienene Fenster verließ, erwachte Ottilie vor sich selbst und eilte nach dem Schlosse"[20]). Diese wechselseitige Aufhebung des Seins von Ottilie und des Seins ihrer Umgebung bzw. ihrer eigenen, sie aus himmlischer Höhe anblickenden Abbilder taucht in völliger Übereinstimmung wieder in der Helenaszene auf, wo es nach einer Skizze bei der Selbstanschauung Helenas als „Geist" in „Ägypten" und bei „Achillleus" heißt: „Nichtigkeitsgefühl Vermehrt" (Paralip. 163)[21]). Daß Ottiliens Bilder und Umgebung „vor ihr" und sie „vor sich selbst" verschwinden, ja daß sie wiederum „vor sich selbst" erwacht, stellt die eigentümliche Verdoppelung und Aufspaltung Ottliliens noch schärfer ans Licht. Untersucht man die Zusammenhänge, die in den „Wahlverwandtschaften" zu dieser Seinsverwirrung Ottiliens vor sich selbst geführt haben, so trifft man auf jene Bilder- und Porträtmystik Ottiliens, deren Bedeutung für Goethes Gesamtdenken wir bereits grundsätzlich gestreift haben. Denn unmittelbar vor der Szene in der Kapelle wird diese Porträtmystik entwickelt[22]). Ottilie träumt von einem „zweiten Leben" nach dem Tode, „in das man nun im Bilde, in der Überschrift eintrat und länger darin verweilt als in dem eigentlichen lebendigen Leben"[23]). Die Abspaltung des „Bildes" vom „Leben" ist auch hier das Thema der Szene, und auch hier spielt eine Rückwendung zu einer seinsgründenden Vorzeit und Vergangenheit eine voraussetzungsgebende Rolle: Die Nachbildung alter Grabmonumente aus nordischer Zeit wie die Restaurierungs- und Nachahmungsversuche des Architekten, durch welche „die Kirche täglich ... gleichsam der Vergangenheit entgegen wuchs"[24]), weckten die Sehnsucht „wie nach einem verschwundenen goldenen Zeitalter, nach einem verlorenen Paradiese", in dem „nur vielleicht Ottilie ... in dem Falle" war, „sich unter Ihresgleichen zu fühlen"[25]). Ottilie steht genau wie in Helenas Kindheitsbeschwörung im Banne einer Vorzeit, die seinsgründende, nicht lediglich historische Bedeutung für sie hat. Im Traum tritt sie wie zu ihren Ahnen in sie ein. Daß hier aber auch gar nichts von einem Bezug zur christlich vergangen-

heitssüchtigen Romantik, sondern ursprünglichste Goethesche Schichten
anklingen, beweist die bereits analysierte Szene im „Tasso", jene Selbst-
betrachtung des gekrönten Dichters im Wasserspiegel des Brunnens und
seine Vision, unter die Ahnen und Heroen der Vorzeit und in eine goldene Zeit nunmehr auf ewig entrückt zu sein. Eine objektivierende Selbst-
überhöhung des Poeten, die Anschauung des eigenen Idols liegt auch dieser
Szene zugrunde, die genau so in der „Iphigenie", in „Dichtung und Wahrheit", in den „Wanderjahren", ja selbst in „Hermann und Dorothea" in
der Brunnenszene, wo die Liebenden im Wasserspiegel wechselseitig sich
grüßen, immer wieder begegnet. Eindeutig zeigt sich in all diesen Fällen,
daß Verewigung und Verdoppelung, Spiegelung und Idolwerdung des
Schönen unlöslich verknüpft sind mit einem Parallelvorgang im Bereich
der Zeit, einem Heraustreten einer überzeitlich-zeitlichen Urzeit (goldenen
Zeit) aus der verfließenden Zeit und damit einer magischen Identifizierung
und totalisierenden Ineinanderschlingung aller drei Zeitformen in einem
einzigen Augenblick blitzartig sich vollziehender Selbstbegegnung. Nur so
entsteht das Gefühl in Ottilie, als „wenn sie wäre und nicht wäre". Weil
„die Zeit", wie es einmal in einem schönen Wort Goethes heißt, „selbst
ein Element ist"[26]), tritt sie sichtbar in den Dichtungsablauf ein. Daß aber
Ottilie ist und zugleich nicht ist, daß sich ihr alles Jetztsein entzieht, als
wäre es nichts, und sie „vor sich selbst zu verschwinden" beginnt im Anblick einer vergangenen Urzeit, wie umgekehrt diese Urzeiten und Bilder
zu nichts werden vor ihrer (Ottiliens) unvertilgbaren Jetztzeit, füllt dieses
ohnmächtige „Nu", diesen vielumstrittenen Goetheschen „Augenblick",
in dem alles Wirkliche und Unwirkliche seine letzte Apotheose erfährt,
mit einer Spannung des Seins, deren Auflösung das Kompositions- und
Sinngeheimnis größter Werke dieses Dichters entschleiert:

Da alles, was schön ist und lebendig, Unendliches erregend in Wirkliches nicht vollends eingeht, in diesem Sinne also nicht ist, ein Schönes
aber und brausend Lebendiges (selbst Ottilie enthält ja im Inneren einen
„Wirbel") nur als erscheinendes Sein „schön" und „lebendig" sich zeigt,
so entstand seit je in Goethes Gipfelgestalten des Schönen und im höchsten
Sinne „Ideellen" eine Spannung und Bedeutungstransparenz der Gestaltung, die erstens das magische „Nichtigkeitsgefühl" in ihnen auslöst und
zweitens in merkwürdig paralleler Stufung ihre Apotheose nicht in einem
Verschweben in geistig-übersinnliche Bereiche manifestiert, sondern im
„Festhalten" der Schönheit in einer körperlichen Erscheinung, die weder
wirklich noch unwirklich, sondern seiend und nichtseiend zugleich in der
paradoxen Erscheinung einer unverweslichen Leiche ihre letzte, endgültige Formung erfährt: „Schweige, schweige, Daß der Königin Seele, Schon
zu entfliehen bereit, Sich noch halte, festhalte Die Gestalt aller Gestalten,
Welche die Sonne jemals beschien". Diese Zurückrufung der Schönheit in
die körperliche Hülle entspricht genau der gleichen Einschließung des

Schönen und unendlich Beseelten in die unverwesliche Leiche Ottiliens und Mignons. Denn genau wie Mignon im „Saal der Vergangenheit" der Marmortiefe einer ewig beharrenden Kunstwelt als herrlich aufgebahrte Leiche anheimfällt, genau wie Ottilie durch die Beschwörung des „Vergangenen" den Zugang zu sich selber (sie fühlt sich unter „ihresgleichen"), zur Idolbildung und Abstreifung ihrer Hülle erhält und doch auch wieder zur Rettung ihrer Schönheit in dieser Hülle durchdringt, so lockt Phorkyas die Schönheit als schleierlos glänzende Sonne hervor (V. 8909 ff.), der alle Welt sich plötzlich anbietet zum Dienst (V. 8911 ff.), um sie damit zugleich dem Tod „anständig würdig" (V. 8946) zu überliefern. Die volle schleierlose Offenbarung der Schönheit ist Tod: „Tret' ich schwankend aus der Öde, die im Schwindel mich umgab, Pflegt' ich gern der Ruhe wieder, denn so müd ist mein Gebein" (V. 8913). Genauerem Einblick offenbart sich der ganze Einfall Goethes, durch das Erschrecken vor dem Tod und die vermeintliche Opferung durch Menelaos Helena für Faust zu gewinnen (was ja nicht notwendig im Stoff lag), als die Goethe unzweifelhaft kaum bewußte Möglichkeit, der Gewalt einer für ihn durchweg entscheidenden Problemlage auch hier Raum zu verschaffen: „Damit sie würdig knieend Opfer königlich Und eingewickelt auch als Leiche noch geehrt" (Lesart zu V. 8946), so malt nach der Idolszene Phorkyas Helenas Ende vor uns aus in betonter Abgrenzung vom Tode des Chors, der keinerlei „Ehrung" als Leiche entgegenzusehen sich herausnehmen darf, sondern „gespenstergleich" wie nichtiges, welkendes Gras einer traurigen Auflösung entgegentreibt: „Sie stirbt einen edlen Tod; Doch am hohen Balken drinnen, der des Daches Giebel trägt, Wie im Vogelfang die Drosseln, zappelt ihr der Reihe nach" (V. 8927 ff.). Das „Dastehn" Helenas „in Großheit und Schöne" und die letzte Aufbahrung als würdige „Leiche" geraten assoziativ in Verbindung und bezeichnen bei Goethe — etwa im Ende Mignons und Ottiliens — einen Gipfel der Vollendung: „Am Ende des Lebens (beim Tod auf dem Schafott) gehen dem gefaßten Geiste Gedanken auf, bisher undenkbare; sie sind wie selige Dämonen, die sich auf den Gipfeln der Vergangenheit glänzend niederlassen", heißt es einmal in den „Maximen und Reflexionen" aus der Zeit von 1824/25[27]). Idolszene und „Ende des Lebens" hängen so innig zusammen, daß erst sie Helena frei machen zur Begegnung mit Faust, zu jener dämonischen Seligkeit, die nicht mehr zwischen Zeiträumen und geistig geographischen Welten wie Nord und Süd unterscheidet.

Doch die Sinn- und Kompositionsparallelen zwischen Helena, Ottilie, Mignon usw. gehen noch weiter. Helenas Kind Euphorion erleidet den Tod und zieht die Auflösung und Apotheose seiner Mutter (als Schleier und Wolke) nach sich. Ottilie wird schuldig an dem Tode des Kindes ihres Geliebten und entschließt sich in dem darauf folgenden Wachschlaf an der Leiche des Kindes, ihm selbst in den Tod zu folgen. Ihre Heiligung zieht selbst wieder den Tod eines anderen Kindes nach sich, das ihr „nach-folgen" will. Mignons Mutter folgt gleichfalls ihrem totgeglaubten Kind nach, als es ihm in einer Vision erscheint, in der es, „den Schleier ab-werfend", zur „Schönheit verklärt", wie Euphorion über dem Boden „schwebend", sich zeigt.

Das Kind (Genius) zieht also die Mutter stets nach sich, und zwar kraft eines Durchbruchs zu einer „verklärten Schönheit". Der Tod ist bei Goethe auch hier primär der Zugang zum letzten höchsten Stadium des Schönen. In diesem Sinn ist die Idolbildung, das Heraustreten eines „höheren" Bildes, mit „Ohnmacht" verbunden, einer symbolischen Vor-wegnahme des Todes, auf den schon die ängstlichen Worte des Chores ein-deutig hinweisen.

Ferner erscheint diese Ohnmacht bzw. dieser Tod, als Fixierung des „Bildes" oder einer unverweslichen Leiche. Helena bewahrt bei ihrem Tod „Namen" und „Person" und erscheint schon in der Todesdrohung des Phorkyas-Mephisto als „königlich geehrte Leiche" streng unterschieden vom Tode des Chors. Damit hängt eine weitere Bestimmung der Schön-heit zusammen: Sie kehrt nicht zurück in den Schoß der Natur und steht hilflos vor den „Elementen". Ottilie „schwebt abgesondert auf dem treu-losen unzugänglichen Element" des Wassers beim Tod des Kindes, das sie vergebens an ihre Brust drückt, „die an Weiße und leider auch an Kälte dem Marmor gleicht"[28]). Desgleichen sieht Helena hilflos dem Tod Euphorions zu. Ja im Grunde ist sogar das Kind stets von der ästhetischen Sphäre bedroht. Der Harfner will Wilhelms Kind töten. Ottilie tötet fahr-lässig Charlottens Kind, als sie ein Buch liest. Dagegen können die Elemente rettend eingreifen; so schützt z. B. Natalie in Wilhelms Traum seinen Sohn mit Hilfe von Feuer und Wasser. Die Rettung ist der ästhetisch-irrealen Sphäre versagt, der biologisch-kosmischen verliehen. Die Idolszene bedeutet daher zugleich eine Trennung bzw. ein Heraus-treten aus dem biologisch-kosmischen Kreislauf, der z. B. in dem Chor repräsentiert wird. Wie Pandora solange in luftigen Bereichen unfaßbar schwebt, ehe Phileros und Epimelaia durch Eintauchen in Wasser und Feuer die Götter und Dämonen von dem Himmel auf die Erde herab-ziehen, so steht letztlich auch trotz der Klassischen Walpurgisnacht Helena in der elementenlos unglücklichen, dem Tode des Kindes ratlos und ohn-mächtig zuschauenden Sphäre überirdisch als Idol verschwebender bzw. als „Name" und „Person" sich vom Naturkreislauf lösender Schönheit. Obgleich Schönheit genetisch nur möglich ist durch die kosmische Polarität zwischen Elementen und Göttern, steht sie als fertige „Gestalt aller Ge-stalten" in einem elementenlos statischen Raum, von dessen Wänden nur das Porträt ihrer selber (Ottilie) ihr entgegenstarrt.

Am Spiel und Widerspiel von Schönheit und Idol aber entzündet sich eine andere schöpferische Macht, die das „Leben" nicht kennt: die Macht, gerade im „Verschwinden" des Bildes „vor sich selbst" dieses Bild auf ewig zu bewahren. Gerade weil Ottilie bei ihrer Ohnmacht zugleich „ist und nicht ist", weil sogar die Bilder verschwinden „vor ihr", dringt in das Schöne die Ahnung höherer Kräfte ein, die mitten im Schönen beheimatet eine außerordentliche Spannweite, ja „wirbelnde" Tiefe erzeugen. In Ottilie kreist bei äußerlicher Ruhe und Schönheit ein magnetisch unaufhörlich rotierender Wirbel, desgleichen in Mignon (Eiertanz[28a]), die ja nicht nur „Genius", sondern auch, am Ende im Saal der Vergangenheit, fixierte Schönheit ist — wie schon die zitierte Vision der Mutter beweist — (vgl. auch Tassos Prinzessin)[28b]). Die kosmische Spannweite zwischen Himmel und Erde hat sich sozusagen in die Gestalt der Schönheit lautlos versenkt. Aber sie ist noch vorhanden und erzeugt jene gratartige Wanderung zwischen „Sein und Nichtsein", zwischen Ohnmacht und Erwachen, Leben und Tod, Unendlichkeit und Endlichkeit, die Goethes klassischste und marmornste Gestalten so abgründig macht. Die Idolszene, das verdoppelnde Heraustreten des „Bildes" aus Helena, ist notwendiger und konsequenter Versuch Goethes, die im Innern schlummernden Kräfte der Schönheit, die „über sich selbst" nie klar werden kann, restlos zur Offenbarung zu bringen.

Andere Vorformen der Idolszene, Anklänge, Analogien, Parallelformen aus den verschiedensten Werken: — das Heraustreten der „schönen Seele" aus sich selbst in den „Lehrjahren", ihre plötzliche Übersicht über alles Zeitliche und ihre hohe Selbstbefreiung eben dadurch, das sonderbare Schwanken zwischen dem vergötterten Idealbild der „schönen Amazone" und der wirklichen Natalie in dem gleichen Werk, das geisterhafte Schillern Mignons als antike Mänade hinter dem „Schleier des Geistes", der alle Schauspieler wie „eine königliche Familie im Geisterreiche" in „Dampf des süßesten Räucherwerks hüllt"[29]), das Unbehagen, das Wilhelm im Anblick seines „anderen Selbst" bei der Lektüre seiner Lebensgeschichte überfällt, in den „Wanderjahren" die wiederholten Spiegelungen zwischen gelebtem Leben und gemalten Bildern bereits in der Anfangsszene (der „heiligen Familie"), das Schweben zwischen „Traum" und „Erwachen" beim Anblick der „gleichsam in der Luft schwebenden" lebenden Maria, die mit den Kunstbildern in der Kapelle magisch verfließt, so daß der junge Josef — genau wie Ottilie und Helena — nicht mehr zu unterscheiden vermag, ob die lebende Maria nur ein „Traum" sei, „der durch jene Bilder in der Kapelle sich in meiner Seele erzeugte" oder ob umgekehrt „jene Bilder nur Träume gewesen" seien, „die sich hier in eine schöne Wirklichkeit auflösten"[30]), die Spiegelung der Liebenden in der Einlage „Wer ist der Verräter" auf dem Sofa unter dem Spiegel im offenen Gartensaal, wodurch das „vergangene Dasein mit dem gegenwärtigen" in „greulicher" Weise zu kämpfen beginnt, ähnlich wie Helenas Idolohnmacht mitten im Kampf zwischen schuldbeladener Vergangenheit

und neuer Faustischer Gegenwart steht, die parallele Art, wie dort genau
wie in der Idolszene diese Spiegelung abgegrenzt wird von rational-
analytischer Selbsterkenntnis und sich ins Objektive erhebt: „Hier spiegeln
wir uns oben in der großen Glasfläche, man sieht uns dort recht gut,
wir aber können uns nicht erkennen"[31]), in „Dichtung und Wahrheit" das
Heraustreten eines Bildes von Ostade in die wirkliche Häuslichkeit des
Dresdener Schusters (nach Goethe das „erste" Zeugnis der „Gabe" des
Dichters, die Wirklichkeit so umdeutend zu sehen)[32]), die ähnlich künstlerisch erhöhende wechselseitige Spiegelung des „Vikar of Wakefield" im
Idyll von Sesenheim, wodurch man aus einer „fingierten Welt in eine
ähnliche wirkliche" versetzt wird[33]) und den Menschen die „doppelte
Rolle", die sie „zu spielen haben, eine wirkliche und eine ideelle", be-
wußt wird[34] im „Versuche", „sich etwas Höheres anzubilden, sich einem
Höheren gleichzustellen"[35]), die ähnlich steigernde Deutung der Frankfurter Gretchenaffäre durch die geplante Einlage von Prevots „Manon
Lescaut", andere Zeugnisse wie die Verdoppelung Goethes selbst beim
Ausritt aus Sesenheim, die schon geschilderte „gespenstermäßig" magische
„Empfindung der Vergangenheit und Gegenwart ineins" in Jabachs Haus,
die eine „Seite" in Goethe anschlug, „die nach dem Himmlischen deutete"
und durch die sonderbare Erscheinung des idolhaft im „kunstreichen Ab-
bilde" Überbliebenen einstmals lebendiger Gestalten in Goethe „den
tiefsten Grund meiner menschlichen Anlagen und dichterischen Fähig-
keiten ... durch die unendliche Herzensbewegung" aufdeckt[36]), ähnliche
Vorgänge in anderen Werken wie die plötzliche Erstarrung Proserpinas in
der späten Theaterbearbeitung des Proserpinamonodramas zum lebenden
Bild —: alle diese vielfältig bei Goethe anklingenden, in jeder anderen
Werkkonstellation anders gewandten Symbolisierungen des Goetheschen
Problems der Idolbildung und Herausstellung eines zweiten, verewigten
Bildes aus einem ersten, irdischen Zustand haben doch durchgehend ein
gemeinsames Merkmal: die Erschaffung eines „zweiten" höheren „Bildes"
oder genauer das überraschende, sich wechselseitig steigernde plötzliche
Auftauchen der Kunst im Leben und des Lebens in der Kunst. D. h. nichts
Geringeres wird hier bewältigt als die große kunsttheoretische und kunstgeschichtliche Frage: Wie kann die zeitlich vergängliche Welt s e l b e r
eine höhere, ewige Sphäre hervorbringen, ohne ins abstrakt Unbildliche,
Außerkünstlerisch-Vergeistigte zu versinken? Das Phänomen der V e r -
d o p p e l u n g der wirklichen Welt offenbart die äußerste Zuspitzung
eines Problems, das sich als extrem k ü n s t l e r i s c h e s von allen anderen
Verewigungsmöglichkeiten des menschlichen Geistes abhebt. Die unaus-
weichliche Antinomie des künstlerischen Falles, auf der einen Seite über
das Einzelne, Zeitliche, Vergängliche hinausgehen zu müssen, andererseits
aber doch wieder an das E i n z e l n e a l s Einzelnes in seinem sinnlichen
D a - S e i n unentrinnbar gebunden zu sein, d. h. nur i n und m i t diesem

Einzelnen ins Ewige eingehen zu können, erzeugte die immer wiederkehrende Verdoppelung der Wirklichkeit bei Goethe. D u r c h solche Verdoppelung aber vollzog sich folgende entscheidende Klärung: Der „Rückblick" Helenas auf „Kindheit" und Vorzeit, der stereotyp bei Goethe auftauchende peinvolle Anblick einst gewesener Zustände löst sich in fast
allen genannten Fällen in ein „Höheres", „Befreiteres" und „Ideelleres"
auf und rettet den Menschen in eine unendlich reine, beschwingte, glück-
selige Lichtsphäre des Daseins. Indem die wirkliche, schuldbeladene Helena
der Homerischen Welt gerade durch plötzliche Beschwörung dieser ihrer
verschollenen Zeit u n t e r g e h t und in „Ohnmacht" versinkt, verwandelt
sie sich in ihr Idol, wird zur f r e i e n, befreiten und e w i g e n Helena,
die nun offen und rein a l l e n Zeiten der Geschichte gegenübertreten
kann. Helena wird frei für a l l e Geschichte, indem sie i h r e Geschichte
preisgibt: „Vergangenheit sei hinter uns getan! O fühle dich vom höchsten
G o t t entsprungen!", das vermag ihr nunmehr Faust auf einem Gipfel
zuzurufen, auf dem sich alle Zeiten — Mittelalter, Neuzeit, Antike —
begegnen. Die Abschüttelung der vereinzelten Geschichte ermöglicht es,
die Geschichte als G a n z e s zu überblicken und vor eine g a n z e, zeit-
gelöste, verewigte K u n s t und S c h ö n h e i t (Helena) zu stellen. Das ist
der letzte Sinn der Selbstbegegnung Helenas: die Idolszene bereitet sie vor
auf die Begegnung mit Faust und auf den großen kunstgeschichtlichen Abriß der folgenden Teile. Denn nur s o wird es möglich, das strukturelle,
gesetzmäßige Verhältnis zwischen zeitloser Kunst und Geschichte, Schönheit und Zeit, Helena und Mephisto-Faust zu bestimmen. Die Idolwerdung Helenas ist die Voraussetzung zur wechselseitigen Spiegelung
zwischen Antike und Moderne, zeitloser Schönheit und Geschichte, d. h.
zur welt- und kunstgeschichtlichen Phantasmagorie der kommenden Hochzeit mit Faust. Wie dieses Idol erwuchs aus einem Rückblick auf Kindheit
und Vorgeschichte, so weist es nunmehr auch vorwärts auf eine neue, von
Schuld und Erinnerung befreite, zeitlos-zeitlich groß abrollende Welt. Mit
der Aufhebung der wirklichen Helena im „Nichtigkeitsgefühl" ihrer Ohnmacht, mit dem Drohbild ihres Todes und der Ehrung als „Leiche" gerät
Helena in den Bannkreis jeweils möglicher Geschichte und Kunst, d. h. in
die Fragestellung, wie denn nun dieses herausgetretene Idol sich zum
ganzen Zeit- und Geschichtsverlauf an und für sich verhält, oder, deutlicher, Goethescher, ausgedrückt, wie sich k l a s s i s c h e Schönheit im
Strom der Zeit zu bewahren und zu rechtfertigen vermag. Der große Ablauf der Zeiten von Hellas bis Lord Byron stellt die nunmehr g e -
r e t t e t e, e w i g b e h a r r e n d e Schönheit vor die Probe, ihr Bild als
zugleich ewig und geschichtlich zu behaupten und die aufgezeigte Spannung
zwischen absoluter Schönheit und geschichtlicher Kunst ein und für allemal zu meistern.

4. Das Nordische und Antike und ihre Hintergründe

Die drei Einheiten im Aufriß des Helenadramas

Der Eintritt Helenas ins Mittelalter und die daraus entstehenden wechselseitigen Spiegelungen zwischen antik und romantisch zeichnen sich in mehreren parallel laufenden oder sich überschneidenden Vorgängen ab: erstens im Eindringen geschichtlicher Kunstformen als selbständig bewegender Faktoren in die Helenahandlung. So greifen Architektur, Reim, Musik usw. selbst in Sprache, Versmaß, ja sogar in die dramatischen Vorgänge unmittelbar ein, wodurch die Dichtungselemente gleichsam sich selbst zum Gegenstand der Handlungen erheben, d. h. der Vorgang der Idolbildung sich auf einer kunstgeschichtlichen Warte wiederholt. Indem nämlich auf dem Gipfel des Ganzen, der Hochzeit zwischen Helena und Faust, die Handlung stillsteht in einer Feier des „Augenblicks", vollzieht sich zugleich eine Selbstanschauung der Dichtung in der Geburt des Reims und des poetischen Genius (Euphorion), mit dessen Entstehung Poesie, Gesang, Musik und Oper mitentstehen und eine neue Kurve der Idolbildung beschreiben. Zweitens treten spezifisch geschichtliche Vorgänge in die Handlung ein, nämlich die Übernahme der antiken Welt durch den germanischen Norden in den verschiedensten Epochen: Völkerwanderung, Eroberung des Peloponnes durch fränkische Ritter im vierten Kreuzzug (1205), die Verteilung des Landes als Lehen an sie bis hin zum modernen Kampf um Hellas in der Schlacht von Missolunghi[37]). Und endlich verläuft quer zu dem Ganzen eine ewige Thematik von Liebe, Tod, Verklärung und Rückkehr in Natur und Hades in innerer Verbindung mit dem Durchbruch Fausts aus seiner geschichtlich-nordischen Welt in die „erste Welt" arkadisch zeitlosen Glücks.

Diese drei Schichten, verwirrend oft, aber immer kunstvoll ineinander verknüpft, so daß fast jede eindeutige Orientierung schwindet und der Eindruck einer kaum mehr entzifferbaren Vertauschung von Zeit, Ort, Handlung und Vorgang entsteht, werden zudem noch umklammert von einer Theorie der „drei Einheiten", die — paradoxester aller kompositorischen Einfälle — ausgerechnet hier nach Goethes Willen und Absicht sich verwirklichen und dem Ganzen formgesetzlich sich aufprägen sollte. Indem Goethe die „3000 Jahre ... von Trojas Untergang bis zur Einnahme von Missolunghi" als „Zeiteinheit im höheren Sinne"[38]) versteht und die Einheit der Handlung und des Ortes „auch im gewöhnlichen Sinne aufs genaueste beobachtet"[39]) zu haben glaubt, ja diese formale Absicht wiederholt nicht nur in Briefen[40]), sondern auch in einer für ihn selbst bestimmten Kompositionsskizze[41]) ausdrückt, bekundet er die zum Verständnis dieses Aktes entscheidende Tatsache, daß diese ungeheuren, über alle Maße hinausgehenden Zeiträume sowie die Vielschichtigkeit der Vorgänge, Bezüge, Anklänge und Verwandlungen auch der Räumlichkeiten in Wirklichkeit von einer „Einheit" getragen sind, deren Strenge den schärfsten Bedingungen tragisch antiker Kunst standhalten sollte. Goethe wollte also in diesem Akte keineswegs eine Vielheit historischer, örtlicher und handlungsmäßiger Vorgänge, sondern einen einzigen Vorgang darstellen, eine einzige „Handlung" entwickeln: Helenas „Raub" durch die nordische Welt. Vor diesem Thema — Urthema jeder abendländischen Klassik — stehen die 3000 Jahre wie eine stille, fast räumlich greifbare und gestaltbare, wie an einem einzigen Tag überschaubare und erlebbare Wirklichkeit vor Goethes Augen, die „Einheit der Handlung", die ja auch „im gewöhnlichen Sinne" gewahrt ist, bestätigend, formend, als „Element" tragend und bestimmend gemäß dem Goetheschen Wort, daß die Zeit „selbst ein Element" sei. Die 3000 Jahre verschlingen nicht Handlung und Ort im Abgrund eines mathematisch unendlichen oder geschichtlich unwiederbringlichen Zeitsturzes, sondern sind gesammelt in einem einzigen Vorgang: der Entstehung und Wesensbestimmung europäisch-germanischer Kunst auf ihrem klassischen Gipfel. Seine Anfangs- und Endpunkte heißen: antike Klassik, deutsche Klassik. Zwischen ihnen wölbt sich als Bogen der gesamte abendländische Raum, endlich und einheitlich nach bestimmten Gesichtspunkten geformt, auf bestimmten, für Goethe unverrückbaren Fundamenten errichtet, an grundlegenden, das gesamte Abendland nach Goethes Vorstellungswelt prägenden Voraussetzungen orientiert, die im außereuropäischen Raum nicht statthaben und nicht gelten. Die Geschichte der 3000 Jahre antik-deutscher Entfaltung ist in diesem Sinne die Geschichte eines einzigen Tages, der Raum, auf dem sie spielt, unverrückbar der gleiche, die Handlung, die sie abwickelt, die immer wiederholt selbe. „Nichtinsel, ... mit leichter Hügelkette Europens letztem Bergast angeknüpft", „Mitte" zugleich, in der Faust „standhält", wenn alles tobend um uns streitet (V. 9509 ff.): das ist Fausts Hellas, als „Nichtinsel" nicht inselhaft abgesprengt von „Europa", sondern mit ihm, dem gesamtabendländischen Kulturkreis, verknüpft, als „Mitte" ihn sogar gründend und prägend. Die „Einheit des Raums" ist somit im höheren und „gewöhnlichen" Sinne gewahrt. Doch mehr noch: „Dies Land, allein zu dir gekehret, Entbietet seinen höchsten Flor; Dem Erdkreis, der dir angehöret, Dein Vaterland, o! zieh es vor" (V. 9522 ff.). Die kosmische Universalität der Schönheit im „Erdkreis" tritt plötzlich zurück vor dem „Vaterland", weil das Schöne auf dem Gipfel seiner Darstellung sich konkret im hellenischen Volk offenbart und eine ebenso konkrete Verbindung mit dem Deutschen eingeht. Goethes spätklassische Ansicht, daß sogar „die begünstigte griechische Nation ... die höchste Kunst im eigenen Nationalkreise zu entwickeln"[42]) hatte, enthält die

Einsicht, daß die „höchste Kunst", d. h. eine Kunst von klassisch zeit-
überlegener Weltgeltung, sich doch nur „im eignen Nationalkreise zu
entwickeln" vermag, die spezifische Eigenart eines Volkes ausprägt,
Repräsentant dieses Volkes bleibt. In der Begegnung zwischen Faust und
Helena begegnen sich zugleich zwei Völker, Deutsche und Griechen,
Völker von extrem entgegengesetzter polarer Struktur, die dennoch, auf
Grund solcher „Polarität", untrennbar einander verwandt und zugewandt sind und durch ihre Begegnung eine „Steigerung" (im Goetheschen Sinne) erfahren, eine höhere Einheit gewinnen. Deutschtum und
Antike feiern Hochzeit in einer triadischen Einheit von Raum, Zeit und
Geschehen, jeweils ihre unverlierbare Eigenheit bewahrend und doch auf-
gebend im Anderen. Wie diese Begegnung zwischen dem Nordischen und
Antiken, dem Romantischen und dem hellenisch Klassischen sich abspielt
und zu welchen kunsttheoretischen und -geschichtlichen Konsequenzen
sie führt, zeigen die folgenden Szenen.

Fausts gotische Burg im kunsttheoretischen Grundriß des Ganzen

Zunächst lockt Phorkyas-Mephisto Helena hinüber zur gotischen Welt
durch eine doppelte, tiefsinnige List. Erstens wirft Phorkyas ihr den
„Frevel" vor, die „heilige Richte", die Schwelle des Hauses, leichtfertig
verlassen und sich der uferlos brandenden Welt preisgegeben zu haben.
Statt den „edlen Schatz" zu Hause zu verwahren, habe sie sich einem
planlosen Schweifen überlassen und stehe nunmehr haltlos und innerlich
verschuldet vor der „zerstörten" Weihe ihrer Heimat. Diese Loslösung
vom hellenisch-heimatlichen Grund wird ferner als eine „geschichtliche",
nicht moralische Schuld bezeichnet: „Geschichtlich ist es, ist ein Vorwurf
keineswegs". In Helena selbst also liegt schon eine Neigung zur Ablösung von sich selbst. Helena kann nicht mehr Wurzel in ihrem Heimat-
land fassen. Sie steht vor veröteten Tempeln, Hallen und „Schätzen".
Ihr Schicksal ist, ähnlich wie das der Natürlichen Tochter, unausweichlich
bestimmt durch das frevelnde Heraustreten aus angestammtem Ursprung,
aus Heimat, Natur und bergendem Boden. Wie wichtig das ist, wie entscheidend diese Trennung vom eigenen tragenden Heimatgrund der
Antike das Urverhältnis Goethes zu Antike und Moderne bestimmt,
zeigt die tatsächliche Schilderung der gotischen Welt, deren „lüsterne Beschreibung" (Paralip. 165) das zweite Mittel Mephistos ist, Helena zu
Faust hinüberzuziehen.

Diese Schilderung stellt nämlich bewußt nunmehr die Gotik auf Grund
einer gleichen Ursprungslosigkeit und frevelhaften Entfernung von
Grund und Heimat in hellstes Licht, während umgekehrt die Antike
wegen ihrer bodenwüchsigen Archaik geschmäht wird. Nicht mehr stehen

wie sonst antike Schönheit, Harmonie, Symmetrie und Ausgewogenheit gegen gotisch düstere, ins unendlich Erhabene gesteigerte Formlosigkeit, sondern wilder Ursprung gegen modisch reizvolle, anziehende Glätte. Die antike Architektur ist „plumpes Mauerwerk, Das eure Väter, mir nichts dir nichts, aufgewälzt, Zyklopisch wie Zyklopen, rohen Stein sogleich Auf rohe Steine stürzend" (V. 9018 ff.). In der Gotik „hingegen, dort Ist alles senk- und wagerecht und regelhaft. Von außen schaut sie! himmelan sie strebt empor, So starr, so wohl in Fugen, spiegelglatt wie Stahl. Zu klettern hier — ja selbst der Gedanke gleitet ab" (V. 9021 ff.).

Das überrascht. Denn genauer besehen liegt in dieser modischen Glätte der Gotik auch ein Lob, in dieser „lüsternen Beschreibung", die den Chor Helenas zu ihr hinüberziehen soll, auch eine positive Charakteristik der Neuzeit, nicht nur eine indirekte Satire auf das „Spiegelglatte", „Regelhafte", nichtig Ursprungslose des Modernen. Eine Lesart nämlich lautet: „Ist alles nett und stark zugleich und groß An solchen Wänden Steilig Auch der Gedanke gleitet ab. Und innerlich So würdig als ergötzlich Hofmann Galan Säulen Knäufe Bogen" usw. Vergleicht man diese Stelle mit einer gänzlich anderen Aufzeichnung, einer allgemeinen Skizze zum ganzen dritten Akt, besonders zu seinem Schlußteil: „Polytheismus und Heroismus ganz edel Mytholog(isch) Anklang vom Wunderlichen Wunderbaren Märchenhaften Folge Rittertum Galanterie natürlich rührendes natürlich schabl(onenhaft? schalkhaft?) Ideale Rettung, Fassung (?) in der Mythologie. Pantheismus" (Paralip. 170), so schließt sich der Kreis der Bedeutungen. Denn in dieser Schilderung, die in ihrem vollen Sinn erst am Schluß unserer Helena-Analyse aufgehellt wird, stehen Gotik und Rittertum ganz allgemein in assoziativ symbolischem Bezug zu „Galanterie" und höfischer Welt sowie in einem Wechselverhältnis von „natürlich" und „rührend" bzw. „natürlich und schablonenhaft" (falls letzteres Wort tatsächlich in der Handschrift gemeint ist). Ferner ist das „Nette" und „Glatte" an der Gotik (in der angegebenen Lesart) zugleich „groß und stark", das „Würdige" zugleich „ergötzlich", ja der „Hofmann und Galan" wohnt in „Sälen, grenzenlosen wie die Welt so weit", in einem „Labyrinth Der wundersam aus vielen einsgewordnen Burg" (noch deutlicher in der Lesart: „Der zerstückelt-einsgewordnen Burg", zu V. 9145 f.). Endlich, um noch eine weiterlaufende Beziehung hier anzufügen, geschieht auffälligerweise Euphorions klassisch-romantische Geburt in Höhlen, die „ganze Weltenräume" enthalten, und zwar in sonderbar doppelter Weise, einmal „Wald und Wiese, Bäche, Seen", und zum anderen „Saal an Sälen, Hof an Höfen" (V. 9594 ff.). „Reiche phantastische Gebäude des Mittelalters", so charakterisiert Goethe zusammenfassend die ganze gotische Szenerie, die man begrifflich etwa mit dem Wort künstliche Unendlichkeit formulieren könnte.

Wie Goethe zu dieser merkwürdigen, dem heutigen Empfinden fast unverständlichen Charakterisierung der Gotik gelangte, mögen kurz folgende Vorformen zeigen. Wiederholt tritt bei Goethe die gotische Sphäre in der Dichtung symbolisch ein für die „Welt" im Sinne von Weltlichkeit, Tand, Schmuck, Verstrickung in Politik, Schicksal und Verhängnis; so in der „Natürlichen Tochter", wo der zweite Akt, der das Verfallen Eugenies an Schicksal, „Schärpe", höfische Welt und Verderb bringt, in deutlicher Abhebung gegen die „Urwald"szenerie des ersten Aktes (die als „Bollwerk" der Natur bezeichnet wird) in einem Zimmer „in gotischem Stil" spielt[43]). Die künstliche Welt identifiziert Goethe gern mit der mittelalterlich-modernen Hofsphäre, wie in „Des Epimenides Erwachen" die „Dämonen der List" an Staats- und Hofleute des 16. Jahrhunderts, Pfaffen, Juristen, Diplomaten und Damen erinnern[44]). Die „Säle, grenzenlose wie die Welt so weit" dokumentieren nicht nur die Grenzenlosigkeit des gotisch-romantischen Bezirks überhaupt, sondern das Verfallensein an „Welt" schlechthin, der gegenüber Goethe in der Antike die „reine Natur", „Arkadien" usw. bereithält. Im Grunde stimmt also die moralisierende Warnung der Phorkyas an Helena, nicht „frevelhaft" die „heilige Richte" des Hauses zu verlassen, sowie der aus diesem Frevel folgende Übertritt Helenas in die mittelalterliche Welt genau mit fundamentalen Vorstellungen Goethes überein. Das Verlassen ihres bergenden Ursprungs bedeutet — wie in der „Natürlichen Tochter", die Goethe bekanntlich nach dem Abschluß von „Faust II" in einer plötzlichen Eingebung zu vollenden gedachte, — den Eintritt in die „Welt": „Sie führten mich im Irren her und hin. Einfach die Welt verwirrt' ich, doppelt mehr, Nun dreifach, vierfach bring' ich Not auf Not" (V. 9253 f.), so beklagt Helena Faust gegenüber ihre Irrwege nach Troja usw. seit ihrem Abschied von der Heimat. Das künstlich Modische der Gotik, das „Spiegelglatte" und „Starre" deckt sich mit der außernatürlichen, verstrickenden Welt überhaupt, und wenn Euphorions Geburt in „Weltenräumen" sich vollzieht, die gleichzeitig „Wald und Wiese, Bäche, Seen" wie auch „Saal an Sälen, Hof an Höfen" darstellen, so ist auch hier die Verschmelzung von antik und modern, natürlich und schablonenhaft, die Verbindung von Natur und „Weltgeschichte" manifestiert, die seinen heroisch-schicksalhaften Absturz wesentlich innerlich mit bestimmen hilft.

Doch führen Wendungen wie „wundersam aus vielen einsgewordne Burg", „zerstückelt-einsgewordne Burg" (V. 9146 und Lesart) noch in andere Schichten: Die Künstlichkeit der galanten höfischen Welt besagt nicht, daß sie bar aller Kunst sei. „Wundersam" gerinnt sie vielmehr plötzlich aus „Stücken" zur „Einheit". Der tiefste Kern des Goetheschen Ringens um die Rettung der neueren Kunst — im Grunde seiner eigenen — schimmert hier durch: Wie kann das, was nicht mehr „naiv" ist, wie kann das einer Spätzeit angehörende Sentimentale, Unendliche, „Rührende" und „innerlich Würdige" (Lesarten zu V. 9022 ff.) eine neue

Einheit erringen? Der Einbruch der alles Gegenständliche verzehrenden Vergeistigung und „Grenzenlosigkeit" der Neuzeit ins Antike ist ja ein Problem, das gerade den späten Goethe seit langem beschäftigte und in ihm bestimmte Kunstbegriffe und -vorstellungen erzeugte, die in der „Helena" seltsam hervortreten und zuerst gekannt sein müssen, soll das ganze Verhältnis, in dem hier Antike und Gotik zueinander stehen, aufgeklärt werden:

Die Schillersche Spannung von naiv und sentimental, anmutig und würdig usw. tritt bei Goethe lange nach Schiller noch in besonderer Goethescher Umdeutung schon rein terminologisch des öfteren hervor, so in den Aufsätzen „Shakespeare und kein Ende", „Moderne Guelfen und Ghibellinen" sowie in vielen Bemerkungen über Calderon und die Neuzeit in ihrem Verhältnis zur Antike. Aus ihr ist die merkwürdige Skizze zum Helenaakt entstanden: „Polytheismus und Heroismus ... Anklang vom Wunderlichen, Wunderbaren ... Rittertum Galanterie natürlich rührendes natürlich schabl(onenhaft) Ideale Rettung" usw. Um sie zu deuten, sind folgende Voraussetzungen wichtig. Bereits 1797 hält es Goethe für notwendig, daß in der neueren Kunst „die Welt der Phantasien, Ahnungen, Erscheinungen, Zufälle und S c h i c k s a l e[45]) ... an die sinnliche herangebracht werde; wobei denn für die Moderne eine besondere Schwierigkeit entsteht, weil wir für die Wundergeschöpfe, Götter, Wahrsager und Orakel der Alten, so sehr es zu wünschen wäre, nicht leicht Ersatz finden"[46]). Goethe, für den „Ahnungen, Erscheinungen, Zufälle und Schicksale" durchweg in seinen Dichtungen überhaupt erst den Weg ins „Höhere", kosmisch Weltweite öffnen und der Dichtung ihre Bedeutungsfülle schenken, sah also im „Polytheismus" und in der „Mythologie" der Alten einen naturgegebenen, naiv-sinnlichen Grund, der ihm selbst versagt war. Für ihn muß er „Ersatz" suchen. Dieser Ersatz lautet: „Bei uns muß die Rührung statt des Wunders eintreten"[47]). Im Shakespeareaufsatz von 1813/15 wird gleichfalls das moderne „Drama", das auf „Wollen", „Freiheit", „Sentiment" ruhe, durch den Begriff der „Rührung" entscheidend vom „Sollen", der „Notwendigkeit" und dem „Schicksal" der antiken Tragödie abgegrenzt: Das „sogenannte Drama" (der Moderne) sei „entstanden, indem man das ungeheure Sollen durch ein Wollen auflöste; aber eben weil dieses unserer Schwachheit zu Hülfe kommt, so fühlen wir uns gerührt, wenn wir nach peinlicher Erwartung zuletzt noch kümmerlich getröstet werden"[48]). Rührung ist bis in die späteste Umdeutung der aristotelischen „Katharsis" durch Goethe 1827 die „aussöhnende Abrundung"[49]) des modernen Dramas im Gegensatz zum unwiderruflich harten Richterspruch, den in der Antike Schicksal und Götter über die Handelnden fällen. Sie setzt jene späte, unerwartete, trostreich „wundersame" Einswerdung des Zerstückelten in der Gotik durch, von der Phorkyas spricht. Sie schuf in den eigenen Dramen

Goethes jene musikalisch nachhallende Apotheose, die unmittelbar als Oper und Gefühlseinbruch der Musik schließlich im Helenaakt Wirklichkeit wird und das Schicksal aufhebt und „versöhnt", indem „Wir im eigenen Herzen finden, Was die ganze Welt versagt" (V. 9693), — wie gerührt und zu „Tränenlust erweicht" (V. 9690) der Chor eingesteht bei dem Durchbruch der Oper. Unendliche Innerlichkeit des Gefühls rettet das seiner Natur entlaufene und verfremdete Geschöpf der „Moderne". „Rittertum Galanterie natürlich rührendes natürlich schabl. Ideale Rettung", nunmehr gewinnen diese Zeilen Sinn und Fülle. Denn in ihnen tritt im Grunde der innere Aufbau der gesamten Helena-Phantasmagorie zutage: Die Worte „Polytheismus und Heroismus ganz edel Mythol." stehen unmittelbar nach der Skizze zur Euphoriongeburt. An dieser Stelle versucht der Chor nämlich diese Geburt „edel" antikmythologisch und „polytheistisch" durch Bezugnahme und Zurückführung auf die heroisch-dämonische Geburt des Hermes zu begründen. Während Phorkyas ein modernes Wunder verkündet („Erstaunen soll das junge Volk ... Glaubhafter Wunder Lösung endlich anzuschauen"), leugnet der antike Chor hartnäckig diese Deutung: „Nennst du ein Wunder dies, Kretas Erzeugte? Dichtend belehrendem Wort Hast du gelauscht wohl nimmer? Niemals noch gehört Joniens, Nie vernommen auch Hellas' Urväterlicher Sagen Göttlich-heldenhaften Reichtum? Alles was je geschieht Heutigen Tages Trauriger Nachklang ist's Herrlicher Ahnherrntage; Nicht vergleicht sich dein Erzählen Dem, was liebliche Lüge Glaubhaftiger als Wahrheit Von dem Sohne sang der Maja" (V. 9629 ff.). Auf diese Leugnung des neuen Wunders durch den antiken Chor muß Goethe großes Gewicht gelegt haben, denn in seinen sparsamen, abgerissenen Skizzen wird diese Stelle wörtlich zitiert: „Nachricht der Entbindung Nennst du ein Wunder das?" (Paralip. 166). Aus „urväterlicher Sagen göttlich-heldenhaftem Reichtum" wollen die Mädchen des Chors die Geburt deuten und in die Antike verlegen. „Polytheismus und Heroismus, ganz edel Mythol." klingt in ihrer Hermesverehrung antik sich behauptend glanzvoll und klagend zugleich auf: „Trauriger Nachklang ists". Aber das „Wunder" der Phorkyas, d. h. jener „Anklang vom Wunderlichen Wunderbaren Märchenhaften", den die Euphoriongeburt in sich enthält, setzt sich doch durch und erzeugt, wie es weiterhin heißt, als „Folge Rittertum Galanterie natürlich rührendes". „Höret allerliebste Klänge, Macht euch schnell von Fabeln frei! Euer Götter alt Gemenge, Laßt es hin, es ist vorbei". Die „Götter" des „Polytheismus" weichen dem „Wunderlichen Wunderbaren Märchenhaften" der Moderne, dessen „Folge" „Rittertum und Galanterie" ist. Das Wunderlich-Wunderbar-Märchenhafte ist nichts anderes als das, was Goethe stets als „Ersatz" des antiken Polytheismus bezeichnete: Rührung und musikalische Verklärung: Im Augenblick der Verwerfung der „urväterlichen Sagen" durch

Phorkyas tönt „reizendes, reinmelodisches Saitenspiel aus der Höhle . . .
Alle merken auf und scheinen bald innig gerührt". Musik, „ideale
Rettung" in der Apotheose des Gefühls sind die Zeichen jenes „Wunders",
das der Chor zu leugnen versucht hatte und das nunmehr den Polytheismus verdrängt.

Die kunstgeschichtlichen Bezüge des Helenadramas sind damit im
wesentlichen geklärt. Die letzten Worte jener aufschlußreichen Skizze:
„Fassung (?) in der Mythologie, Pantheismus" mögen sich auf die Schlußszene des Ganzen, Helenas Rückkehr in den Hades und die Auflösung
des Chors in die allewige Natur beziehen.

Für das Verständnis der Gesamteinstellung Helenas bzw. des Chors
zur Neuzeit sind aber damit bedeutende Einsichten gewonnen: Das
„innerlich Würdige" und „Ergötzliche" der gotischen Architektur, das
zugleich „Nette" und „Starke", grenzenlos Künstliche der Burg Fausts
hat sich als ein wesentliches Charakteristikum jeder neuen Kunst im
Sinne Goethes erwiesen, demgegenüber die Antike das ursprünglich
Zyklopische bzw. „edel Mythologische" bewahrt. Helena und der Chor
stehen zwiespältig zwischen beiden, zuerst staunend und fremd vor der
Moderne, dann fasziniert von ihr: der Chor ist durch die neue Musik
zu „Tränen gerührt", Helena vom Reim entzückt. Bei der Rückkehr in
den Hades bricht jedoch wieder ihre antike Natur in ihnen durch. Panthalis
schmäht das „vielverworrene Geklimper" der modernen Musik usw.

Noch tiefer leuchtet in Helenas Stellung zur Moderne die merkwürdige
und in der Forschung fast durchgehend übersehene Tatsache, daß zu
Beginn von Helenas Übertritt in die Neuzeit Helena im Grunde gar
nicht die innere Einwilligung zum Eintritt in Fausts Burg gibt. „Endliche Einstimmung der Helena mitzugehen" heißt es hier zwar, aber mit
der Einschränkung: „Versagen des ja" (Paralip. 165), um das Phorkyas
ausdrücklich gebeten hatte: „Du sprichst das letzte, sagst mit Ernst vernehmlich Ja! Sogleich umgeb ich dich mit jener Burg" (V. 9049 f.).
Helena spricht auch in der Endfassung nicht dieses „Ja", vielmehr setzt
Goethe statt dessen jene „dunkle, bisher nicht überzeugend erklärte
Stelle" (Trendelenburg)[50]: „Vor allem aber folgen will ich dir zur Burg;
Das andre weiß ich; was die Königin dabei Im tiefen Busen geheimnisvoll
verbergen mag, Sei jedem unzugänglich. Alte! geh voran" (V. 9074 ff.).
Nach allem seither Dargelegten kann die „Dunkelheit" dieser Stelle nicht
mehr ganz unaufhellbar sein. Was Helena „tief im Busen geheimnisvoll
verbirgt", scheint das unverrückbare Bewußtsein von der Unablöslichkeit
zu sein, mit der sie der Antike verhaftet bleibt bis zum Schluß. Zwar
geraubt und durch Todesschrecken gezwungen, aber nicht von innen her
ist sie für die Neuzeit gewonnen. Die letzten Worte der Skizze: „Fassung
in der Mythologie" weisen auf solche Beharrung im antiken Raum und
die Rückkehr zu ihm hin. Möglicherweise klingt aber noch etwas spezifisch

Goethesches mit: die Trauer darüber, daß alles Späte nur „trauriger Nachklang" ist, das bittere Bewußtsein, das Goethe „jedem unzugänglich geheim" hielt, daß er, Goethe, der Antike gegenüber vor etwas Unerreichtem stand, das auf immer und ewig verloren in Helenas Busen verborgen sich zurückzieht. „Daß die Natur, die uns zu schaffen macht, gar keine Natur mehr ist, sondern ein ganz anderes Wesen als dasjenige, womit sich die Griechen beschäftigten"[51]), mit solchen, gerade aus Goethes Munde tief schmerzlich klingenden Sätzen bekundete Goethe auch ganz allgemein jenes unwiderrufliche „Vorbei" der Antike, das Phorkyas der heroisch-polytheistischen Hermesfeier des Chors gegenüber ausspricht: „Eurer Götter alt Gemenge, Laßt es hin, es ist vorbei" (V. 9681). Die „sonderbare Lage", in der sich Goethe wiederholt rückerinnernd selbst befand, „die alte Herrlichkeit immer mehr verschwinden" zu sehen und es doch „begreiflich" zu finden, „wie man sich von diesem scheidenden Meteor (der Antike) nicht wegwenden mag"[52]), trifft genau die geheime Trauer, die hinter dem Helenabild und hinter dem Versuch Goethes durchklingt, Helena hinüber in die Neuzeit zu ziehen, ohne sich doch zu getrauen, ihr ein endgültiges „Ja" zu dieser Neuzeit in den Mund zu legen.

Klar ist aber damit die Spiegelung zwischen antik und modern charakterisiert: Die Antike steht archaisch-ursprungsnah am Anfang der Dinge. „Zyklopisch" aufgewälzt, „rohen Stein sogleich auf rohe Steine stürzend", ragen ihre Werke urgewaltig empor. Als „uralte Riesengestalt, geformt wie Ungeheuer", als „Kunstwerke des Kunstwerks", vor denen alles Neuere zu verblassen scheint, empfand der späte Goethe selbst des Äschylos Dramen. Die Antike ist Natur, ja sie ist ihm im Alter Natur der Natur, die „natürlichste Natur"[53]), die darum die Macht hat, selbst die Gotik wieder rückwärts in ein fiktiv-zeitloses „Arkadien" zu verwandeln, aus dessen Gefilden in Verschmelzung antik-moderner Welten ein ewiger „Genius" emporsteigt, Hermes zugleich und doch auch wieder romantischer Byron-Genius. Die Neuzeit dagegen — Mittelalter, Romantik, Gegenwart — ist eine primär späte, künstliche, vielgestaltig „phantastische", eine wie Mignon und Euphorion auf „unnatürlicher" Zeugung beruhende Welt, die erst am Ende durch wundersame Rührung und Verklärung aus der „Zerstückelung" zur „Einswerdung" gelangt. Die Moderne rettet sich im Ende. Das ist die kunstontologisch und -geschichtlich entscheidende These des Helenaaktes. Wenn Goethe für Euphorion eine „ideale Rettung" verkündet, so nimmt er, wie bei Mignon, Ottilie und anderen „modernen" Gestalten, die Versöhnung ins „Ideelle", nicht in die Wirklichkeit auf, ähnlich wie Goethe noch bis ins späte Alter das Gegensatzpaar antik-modern mit dem Gegensatzpaar real-ideal parallel setzt[54]). Die Rettung im Ende aber hebt nicht nur die moderne ideale bzw. idealisierende Kunst von der realen der Antike ab, sondern in einem eigenartigen und anderen Sinne Kunst überhaupt von Geschichte, weil nur die Kunst, nicht die in einer endlosen Zeit verlaufende Geschichte auf „Rettung", Abschluß, Versöhnung sinnt. Wenn Franz Böhm in seiner „Ontologie der Geschichte"[55]) für die Geschichte strukturell im Gegensatz zum naturwissenschaftlichen Zeitbegriff jeweils einen ontologischen „Anfang", aber kein „Ende" nachweist, so hätte seine „Ontologie der Ästhetik" dieses „Ende" in der Kunst aufbauen können. Daß er es nicht tat, entspringt der Ungeklärtheit des modernen ästhetischen Denkens überhaupt, das auch und gerade im „ontologischen" Bereich mit außerkünstlerischen, rein allgemein philosophisch gewonnenen Begriffen statt mit tatsächlichen Kunstphänomenen arbeitet. Faktisch entwirft jede Kunst nicht nur einen Anfang, sondern auch ein Ende im realen wie transzendental-ontologischen Sinne. Das zeigt gerade Goethes Kunstschaffen und -denken, das hinter der ganzen vordergründigen Spannung zwischen antik und modern einen Entwurf des Seinsanfangs und -endes verbirgt und unter dem Schein geschichtlicher Vorzeichen (antik-modern usw.) letztlich nur einer ontologischen Welttotalität, eines Anfangs und Endes habhaft zu werden versucht. Goethe projiziert einen Anfang in die Antike hinein, genau wie er einst umgekehrt im Sturm und Drang eine granitene Urwelt ins gotische Zeitalter und 16. Jahrhundert hineinzudeuten versuchte. Antike und Gotik sind vermeintliche historische Erscheinungen einer im Grunde ontologisch bedingten Kunstkonstruktion, die in kühnem Wurf einen Totalaufbau von Ursprung, verhängnisvollem Weltlauf und sich „ideal" rettendem „Ende" immer erneut auftürmt. Konstitutiv ist die Antike weniger als historische Macht denn als „Natur" und Seinsgrund alles Geschaffenen und zu Schaffenden. Fragwürdig ist die modern-gotische Welt ebenfalls weniger als historische Macht — genauere Einsichten in die gotische Baukunst, die ihm Boisserée vermittelte, nötigten ihm höchste Bewunderung ab —, denn als Abfall vom Ursprung und als entschlossen geniales Zulaufen auf ein ideell und musikalisch „rettendes" Ende. Beide, Antike und Moderne, sind daher wechselseitig polar voneinander abhängige Korrelationen einer Kunstmetaphysik Goethes, die ohne weiteres sogar diese ihre historischen Komponenten wechseln und austauschen könnte. 16. Jahrhundert und Gotik können genau so „zweite Natur" und Ursprungslandschaft werden wie die Antike, und umgekehrt kann die Antike zur starr entleerten Konvention herabsinken, „deren Götter zur Phrase werden", wenn die „Klassiker" sie bis ins „Nichtige" rekonstruieren[56]). 1830 wandte Goethe sogar die Antike ins Modisch-Moderne, als er in den Pompejanischen Gemälden eine „geniale phantastische Metamorphose" und modisch balletthafte Wirkungen entdeckte — mochte dies auch für ihn noch nicht genug Schwergewicht haben, um hieraus folgerichtig „eine Revolution der Kunst"[57]) zu entwickeln.

Dazu kommt etwas anderes. Die moderne Poesie, nicht die antike hat

die Macht — auf Grund ihrer ursprungslos aufs E n d e gerichteten Unendlichkeit — zwischen den Zeiten zu vermitteln. Der „Reim" lockt die
„Wechselrede" heraus. Die „Frage nach dem Reim" soll „Einklang,
Nationalität, Anklang der Entfernung von Ort und Zeit" (Paralip. 166)
wecken. Den „Einklang" schafft der moderne, vermittelnde Reim, nicht
die monologisch in sich selbst ruhende antike Kunst. „Und hat ein Wort
zum Ohre sich gesellt, Ein andres kommt, dem ersten liebzukosen". Gerade das unendlich alles verschmelzende Gefühl der Moderne („es muß
von Herzen gehn. Und wenn die Brust von Sehnsucht überfließt" usw.)
führt zur vollen Vereinigung von Faust und Helena: „Nun schaut der
Geist nicht vorwärts, nicht zurück" usw. Merkwürdig unmittelbar verband Goethe damit das Wort „Nationalität". Was er dabei dachte oder
empfand, läßt sich nicht mehr bestimmen. Keine Stelle, auch nicht Rück-
beziehungen etwa auf die parallele Reimerfindungsszene im Divan:
„Behrangur, sagt man, hat den Reim erfunden" geben darüber Aufschluß.
Ob das Verschiedene der deutschen und griechischen Nationalität, das,
was das Deutsche vom Griechischen trennt, — wofür das folgende Wort:
„Anklang der Entfernung von Ort und Zeit" spräche — durch den Reim
überwunden war, oder ob gar im Reim ein Charakteristikum des
modernen Nationalbewußtseins, das ja für Goethe mit der Epoche der
deutschen, aufs national Altdeutsche gerichteten Romantik ineinsfiel,
dargestellt werden sollte, wissen wir nicht. Genug, daß sowohl der „Einklang", also die Aufhebung der Spannung zwischen antik und deutsch,
als auch der „Anklang der Entfernung von Ort und Zeit" in ihm auftaucht, d. h. grundsätzlich das Spannungsverhältnis zwischen den zwei
Welten überhaupt durchsichtig wird.

Wie tief kompliziert nämlich das ganze Verhältnis in der Tat in
Goethes Seelenstruktur lag, zeigt eine Stelle in „Dichtung und Wahrheit": „Wenn wir unsere Bildung von fremden Literaturen zu erlangen
suchen, so fragen wir nicht, wie alt die Werke sind, sondern wir nehmen
an, daß sie vortrefflich seien und suchen, so entfernt auch die Zeiten, so
fremd auch die Zustände sein mögen, sie uns, und uns ihnen zu assimi-
lieren. Was eine Bildung betrifft, die wir aus vaterländischer Literatur
nehmen, verhält es sich ganz anders. Der Knabe nimmt seine Bildung
aus Schriften, die ohngefähr gleiches Alter mit ihm haben, der Jüngling aus gleichzeitigen, ältere bleiben entweder auf dem Punkt stehen,
wo sie in ihrer Jugend gestanden, andere gehn mit dem Zeitalter fort,
andere, die dem Zeitalter vorgeschritten, halten zuletzt gleichfalls an und
sehen sich um, wie die übrigen nachkommen. Die alte Literatur der
eigenen Nation ist immer als eine fremde anzusehen. Diese Bemerkungen
werden uns bei dem Fortschritt sowohl meiner eigenen Geschichte, als
der deutschen Literaturgeschichte überhaupt zum Leitfaden dienen
können"[58]). Objektivierung und Assimilierung des Fremden, das „vor-

bildlich" wird, Historisierung und Abstandhalten vom Eigenen, das fremd wird, in dieser Spannung schwingt das Verhältnis zwischen dem Antiken und Deutschen bei Goethe. Die Antike ist das von Natur aus fremde, nichtgelebte Wunschbild, das „angeeignet" wird und das als „Vorbild" in seiner Seele sich zeitlos erhebt. Es ist daher faktisch nicht mehr dem historisch-biologischen Werden und Vergehen verfallen, weil es als „Anderes" außerhalb jedes unmittelbar gelebten und miterlebten Schöpfungsvorgangs steht. Dagegen ist das Eigene, Deutsche, tief ins Biologische versenkt. Es ist identisch mit dem Strebenden, sich Entwickelnden, sich selbst noch nicht Kennenden, mit dem ureigensten Leben, das noch w i r d und daher abgestoßen werden muß, gerade weil es das sich entwickelnde Selbst mitaufbauen hilft. Wie wäre sonst die zwischen höchster Verehrung und Schmähung des Nordischen ununterbrochen schwankende Haltung Goethes anders begreiflich? Wie stünde sonst seine innerste Nähe zur „Sehnsucht", die überfließend Wohlklang, Reim, Musik, Rührung und Verklärung erzeugt, jene tief anti-antike, dem Deutschen verschworene „Seelen"-stärke und -weite, die elementar seine Dichtung begründet, jemals in Gefahr, verworfen und abgeleugnet zu werden, empfände er sie nicht als in ihm selbst immer und immer gegenwärtige Gefahr, gegen welche die Antike ein Korrektiv ist, wiederum von ihm selbst erzeugt? Denn nichts Geringeres als Sein und Nichtsein seiner Dichtung stand auf dem Spiel, wäre die vergeistigt übersinnliche Welt christlich-moderner Religiosität und Seelenhaftigkeit, die wiederholt in ihn eindrang, endgültig zur Herrschaft gelangt. Was die Antike versprach, was ihm deren „Mythologie" so „edel" machte, war die Plastizität auch ihrer Göttergestalten, die Möglichkeit, überirdisch Kosmisches, ja Absolutes in irdischen Formen zu gestalten. Darum ist „Polytheismus und Heroismus" der Antike das A und O der Goetheschen Kunsttheorie, das vielumkämpfte, vielgeliebte Ideal, für das er „kümmerlichen Ersatz" in zeichenhaften Andeutungen, Ahnungen, „Winken" und Fingerzeigen „höherer" Mächte, in Rührung und musikalisch-visueller Verklärung suchte. Von der Dichtung her, nicht von Goethes Denken, Handeln und Weltanschauung ist die Antike eine wahrere Natur als jeder spätere Mythus. Als „Dichter" ist Goethe, wie er einmal sagte, „Polytheist". Einzig so ist der Klagegesang um „urväterlicher Sagen göttlich-heldenhaften Reichtum" aus einer inneren, schöpferischen Not Goethes zu verstehen. Während die Antike eine stolze, geformte Welt plastischer Götter- und Heroengestalten aufstellen konnte, ist die moderne Welt auf Grund ihres „leidigen Transzendierens" „leer". Immer wieder taucht dieser Tadel bei Goethe auf. „Als Rittersfrau Leere", so spricht eine Skizze von Helenas Übergang in Fausts Burg. Beim Eintritt in die „reichen phantastischen Gebäude des Mittelalters" hat der Chor das Gefühl, in einen „unerfreulichen, grautagenden, ungreifbarer Gebilde vollen, Überfüllten, ewig leeren Hades" eintreten zu müssen (V. 9119 ff.). Goethes Kritik an der Moderne, vor allem an der Romantik, zielt meist auf den Vorwurf der Überfüllung, Überreizung, künstlichen Steigerung und zugleich inneren „Leere"[59]). Die „Vorherrschaft des Gefühls", über die Goethe oft klagt, zerstört ihm nicht nur die Plastik und Wahrheit der Gestalten, sondern auch ihren inneren Gehalt. Die „Grenzenlosigkeit" der „Säle", „wie die Welt so weit", macht — das ist eine echt poetische Weisheit — die Welt zugleich voll und leer.

Dennoch wußte Goethe genau, daß es hier ein Entrinnen, ein Zurück in die Antike nicht gab. Die lernende und vergleichende Rückschau auf die Antike ist zwar nach seiner bis ins höchste Alter unerschütterlichen Überzeugung bitterst notwendige Bedingung jedes wirklichen Aufschwungs neuer Poesie. Aber die elementare Substanz seiner Dichtung, das empfand er wie kein anderer, liegt im „Norden". Mit seinen „Ahnherrn", zu denen er die „oberdeutsche Kunst"[60]) wie auch den wunderbaren Shakespeare, dieses staunenswerte „Mickmack von Uraltem und Modernstem"[61]), wie auch den „an der Schwelle der Überkultur" stehenden Calderon[62]) u. a., also den gesamten außerantik europäischen Kulturraum rechnete, will er endlich „ins Reine kommen"[63]). „Wohl findet sich bei den Griechen so wie bei manchen Römern eine sehr geschmackvolle Sonderung und Läuterung der verschiedenen Dichtarten, aber uns Nordländer kann man auf jene Muster nicht ausschließlich hinweisen. Wir haben uns anderer Voreltern zu rühmen und haben manch anderes Vorbild im Auge. Wäre nicht durch die romantische Wendung ungebildeter Jahrhunderte das Ungeheure mit dem Abgeschmackten in Berührung gekommen, woher hätten wir einen Hamlet, einen Lear, eine Anbetung des Kreuzes, einen standhaften Prinzen. Uns auf der Höhe dieser barbarischen Avantagen, da wir die antiken Vorteile wohl niemals erreichen werden, mit Mut zu erhalten, ist unsere Pflicht, zugleich aber auch Pflicht, dasjenige, was andere denken, urteilen und glauben, was sie hervorbringen und leisten, wohl zu kennen und treulich zu schätzen", so schreibt Goethe bereits 1805[64]), in jenem Jahr der Wende, in dessen Gefolge die positive Einstellung zur Volkspoesie (Wunderhorn), die „Pandora" und die entscheidende Wandlung zur „historischen" Richtung des späten Goethe liegt. Nicht die antike Norm wird gebrochen, aber die fast biologische Abhängigkeit von den großen Meistern der „neuen" Welt positiv als Aufforderung zur „mutigen" Weitergestaltung ihrer „barbarischen Avantagen" empfunden und als „verpflichtendes" Erbe erkannt.

Die „Berührung" des „Ungeheuren mit dem Abgeschmackten", des Barbarischen mit dem „Konventionellen" und Verfeinerten, das er an Calderon schätzt, und jenes „Mickmack von Uraltem und Modernstem", das ihn noch 1825 an Shakespeare beeindruckt und fesselt, beleuchten zugleich die innerste Schichtung, die Goethe in der Moderne wahrzunehmen glaubt und entwickelt. Konventionell und zugleich alles zersprengend-genial, gesellschaftsgebunden und groß, „glatt" und „stark" ineins steigt diese „wundersam aus vielen einsgewordene Burg" aus „cimmerischer", oder (nach einer Lesart) „chimärischer Nacht" vor dem staunenden Auge Helenas empor, aus einem ungeheuren Abfall von der Natur eine grenzenlose Nichtnatur entwickelnd, um in plötzlich spontaner Verklärung in die herrliche Abendglut eines segnenden Himmels ihre Zinnen zu tauchen.

5. Krieg und Arkadien und das Verhältnis des Heroisch-Dämonischen zum Idyllischen bei Goethe

Die Berührung zwischen der Antike und Neuzeit erfolgt im Helenaakt noch unter einer anderen wesentlichen Spannung: der zwischen Krieg und Idyll. Es ist auffallend, daß Goethe mitten im Kriegslärm ein Arkadien errichtet und daß er umgekehrt mitten in der traumhaften Entrückung aus „Tag und Ort" (Helena-Faust-Liebe), mitten im glückhaften Einssein von „fern und nah" plötzlich „Signale, Explosionen von den Türmen, Trompeten und Zinken, kriegerische Musik, Durchmarsch gewaltiger Heereskraft" in opernhaft knapper, nicht aus einem Geflecht von Handlung und Gegenhandlung entsponnener Weise einbrechen läßt, um sie ebenso schnell wieder nach einer lapidaren Aufteilung Griechenlands an die germanischen Stämme preiszugeben und „Arkadien" Platz zu machen.

Diesem Aufeinanderprallen von Krieg und Idyll liegt in der Tat mehr ein inneres als äußeres Gesetz der Dichtung zugrunde. Mephistos „verwegene Störung" des Liebesglücks der beiden (V. 9435) und die darauf folgende Kriegshandlung begründet Goethe in einem Paralipomenon folgendermaßen: „Aus der großen Leere", d. h. dem Stillstand der Zeit bei der Helena-Faust-Feier des verewigten „Daseins", erfolgt „Bedürfnis des Eingreifens" (Paralip. 166). Der Krieg entsteht also aus einem „Bedürfnis", das aus der Idyllik erwächst. Auch in anderen Werken Goethes, die eine Kunstentstehung selbst thematisch zum Vorwurf nehmen, wie z. B. in der „Pandora", stehen im Kampf um die „Büchse" die „Krieger" in dualistischer Ergänzung zu den „Hirten", und zwar in der Weise, daß sich hieraus geradezu ein fast naturgesetzlich sich wiederholender Kreislauf von Rettung und Bedrohung der Büchse ergibt, ein „Zertrümmern, Zerstücken, Verderben da Capo", um schließlich durch ein „Paralysieren der Gewaltsamen" dem endlichen Sieg der „Winzer, Fischer, Feldleute, Hirten", die „auf ihrer (Pandorens) Seite" stehen, zum Durchbruch zu verhelfen (Schema der Forts. der „Pandora"). Die Spannung zwischen

„Arkadien" und kriegerischer Völkerwanderung in „Faust II", die in der Euphoriongestalt gleichfalls wiederholte Verbindung von Poesie und heroischem Krieg entspringt in der Tat einer bestimmten Goetheschen Darstellungsform von Poesie überhaupt. Poesie steht in einem ewigen Kreislauf von Bedrohung und Rettung, von „Zerstückeln" und „wundersamer Einswerdung". Idyll und heroische Preisgabe des Lebens, zeitlosglückselige Stille und Krieg sind unlöslich verbundene Glieder, wie das Bruderpaar Epimetheus und Prometheus sich in der „Pandora" mehr polar ergänzt als wechselseitig aufhebt.

Nur aus dieser Perspektive kann die rechte Einstellung zu Goethes vielberufener „Idyllik" und angeblicher Flucht vor dem Tragisch-Heroischen gewonnen werden. Das Phänomen des Heroischen erhält nämlich bei Goethe durch seine Verbindung mit dem Dämonischen eine sehr aufschlußreiche Umdeutung des eigentlich antik Heroischen. Folgendermaßen bezeichnet einmal Goethe das Verhältnis: „Daß nichts Heroisches ohne Mitwirkung hoher Dämonen geschehe", ist Goethes Überzeugung. Weiter heißt es an der gleichen Stelle: „Durch dämonische und heroische Gegenwart" werden „Bergeshöhen zum friedlichen Paradies", und schließlich: „Die Heroine des Bergs, maskenhaft starr blickt sie vor sich hin, nach Dämonenweise unteilnehmend an allem Zufälligen. Der Blumenkranz ihres Hauptes deutet auf die fröhlichen Wiesen der Landschaft, Trauben und Granatäpfel des Fruchtkorbes auf die Gartenfülle der Hügel"[65]). In diesen drei Sätzen erschließt sich das Problem des Heroischen und Idyllischen bei Goethe. Dämonisch ist bei ihm die „Unteilnahme allem Zufälligen" gegenüber, das gerade Zulaufen auf das dem Helden vorgeschriebene Schicksal nach innerem Gesetz. Der seinem Daimon Verschriebene gerät außerhalb alles gewöhnlichen Weltlaufs und damit in die Bahn des heroischen Todes. Poesie und Heroismus reichen sich auf ihrem höchsten Gipfel die Hand: „Heilige Poesie, Himmelan steige sie!" wird demselben dämonischen Genius und Helden gesungen, dem „frei unbegrenzten Muts, Verschwenderisch eignen Bluts ... Tod Gebot" ist, der „in Waffen" zum „Ruhm die Bahn" läuft, „gesellt zu Starken, Freien, Kühnen", und den „wie im Harnisch, wie zum Siegen, Wie von Erz und Stahl der Schein" leuchtend umglänzt. Dieser Genius, wie Byron nach Goethes Aussage „nicht antik ... und nicht romantisch, sondern ... wie der gegenwärtige Tag selbst"[66]), manifestiert die unvergängliche Apotheose einer „vom Boden" je und je „wieder gezeugten" (V. 9937 f.) ursprünglichsten Kraft. Aus diesem Grund ist er nicht dem zufälligen Zeitlauf, sondern der unverwelklich sich immer erneuernden Natur verschrieben und nähert sich einer „Idyllik", deren tiefster Sinn ja gleichfalls nicht Ruhe und Ausspannen ist, sondern die spontan je und je mitten im Zeitlauf emporsteigende verewigende Kraft einer zeitlos unendlich fruchtbaren Landschaft, die über das animalisch

Biologische hinaus die „staunende Frage" erregt, „obs Götter, ob es Menschen sind". Die Idyllik Goethes, die Verwandlung der „Bergeshöhen zum friedlichen Paradies durch heroisch-dämonische Gegenwart", die plötzliche „Verwandlung" der „Thronen zur Laube" bei der Hochzeit zwischen dem dämonisch das „Unmögliche" begehrenden Faust und der antiken „Heroine" Helena, all dies symbolisiert kein „Verweilen", sondern ein schöpferisches Freiwerden „göttlich" übermenschlicher Zeugungskräfte, entbunden durchs Heroisch-Dämonische selbst. Infolgedessen wächst auch der Krieg und die zeitlich kaum bestimmte germanische Eroberung Griechenlands ins Geschichtslos-Zeitlose zum Symbol jedes Ergreifens der Antike durch den Germanen, und aus dem gleichen Grund wird genau zwischen die glückliche Stille (V. 9382 ff., 9411/9418) und den Eintritt in „Arkadien" der Krieg eingeflochten: „Wer die Schönste für sich begehrt, Tüchtig vor allen Dingen Seh er nach Waffen weise sich um". Das Heroisch-Kriegerische und das Idyllisch-Paradiesische sind beides Manifestationen des „Göttlichen" im Menschen selbst und darum untrennbar bei Goethe verknüpft. Es sind Möglichkeiten, sich des übermenschlichen „Anfangs" und des verklärten „Endes" des Seins zu bemächtigen: „O fühle dich vom höchsten Gott entsprungen, Der ersten Welt gehörst du einzig an", damit tritt Faust mit dem gleichen, göttlich erhabenen Recht in das idyllisch goldene Zeitalter Arkadiens ein wie Euphorion mit seinem heroischen Absturz und Opfer als „Komet" mit „Aureole" und Lichtschweif in die vergötterte Ewigkeit aufsteigt und die Verheißung empfängt, „vom Boden" je und je wieder erzeugt aufzuerstehen, d. h. in einem Kreislauf auch wieder den „Anfang" alles Seins zu erwirken. Mit anderen Worten: der vielfach von uns aufgewiesene triadische Grundrhythmus Goethes von Ursprung, Weltlauf und Verklärung greift über die Spaltung von antik und modern derart hinaus, daß ununterbrochen im Zeichen von Idyllik, Krieg und heroischem Ende wechselweise Antikes in Modernes und umgekehrt eindringt, wobei alle drei Stadien: Idyllik, Krieg und heroisches Ende als unablösbar einander verhaftet und zugeordnet erkannt werden müssen. Das Heroische ist nichts ohne seinen ewigen Naturhintergrund, der im Idyllischen liegt, das Idyllische nichts ohne die heroisch-vergötternde Kurve des Genius, der aus ihm aufsteigt. Von dieser Warte aus beginnen sich die Linien von antik und modern nochmals zu überkreuzen: Die Idyllik des antiken Arkadien bricht plötzlich nochmals, nachdem die gotische Burg längst aufgestiegen war, als zeitlos ewige Naturmacht mitten in die Gotik ein. Die Gotik dagegen wird — im Zeichen von Krieg und Aufteilung der Antike an die germanischen Völker — Symbol des heroischen Sichaneignens, Erkämpfens und Bewahrens der Antike, wie der modern romantische Byron-Genius Euphorion als Abbild des antiken Heros und „Dämons" (V. 9665) Hermes geboren wird, um, gleichzeitig auch diese

Deutung abstreifend, ins „Wunderbar-Märchenhafte" der Romantik überzuspringen und durch die neue Musik den Chor zu „Tränen" und „Rührung" zu berücken. Als springender Dämon scheint er wie Mignon die gebrochen idealistische, ins Unendliche reichende Poesie manifestieren zu wollen, um — genau wie Mignon, deren „Heimat" bekanntlich in den „Marmorsäulen" der Antike schlummert, — doch wieder als antiker Hermes-Heros, dem seine „Mutter" Helena nachklagt, im Kampf für Hellas (Missolunghi) zu sterben. Schier unentwirrbar sind die Fäden zwischen antik und modern gesponnen, so daß es ratsamer scheint, auf die elementaren Goetheschen Urphänomene wie Ursprung (Idyllik), Zeitlauf (Krieg) und Ende (Heroik) als auf die Formeln antik und modern Rückgriff zu nehmen.

6. Der erfüllte „Augenblick" und die Wette zwischen Faust und Mephisto

Daneben vollzieht sich die Gipfelszene der Begegnung Fausts mit Helena unter ähnlichen Voraussetzungen. In immer wiederholter Polarität von Zeit und Zeitlosigkeit, Krieg und Idyllik, unendlichem Drang und Schönheit, „Thron und Laube" ist ja der ganze dritte Akt nun gestaltet, wobei unsere seitherigen breiten Symbol- und Bildanalysen ohne weiteres den hintergründigen Sinn all dieser Szenen aufleuchten lassen, ohne daß noch einzelne Teilinterpretationen notwendig wären. Wenn der Turmwärter Lynkeus, jener schuldlos-schuldig vom Strahl der Schönheit Getroffene, in dem Goethe wahrscheinlich, wie auch die Forschung es durchweg deutet, einen früheren, jugendlich leidenschaftlichen Zustand des Faust, etwa aus dem ersten Akt, symbolisch erwecken und als innerlich überwunden darstellen wollte, seine Schönheitsverehrung damit begründet, daß er, im Gegensatz zu den realen Kampfzielen seiner germanischen Mitbrüder, „das Seltenste, was man gesehen, zu erspähen liebte ...", wenn dieses „Seltenste" „Schätze" sind, „Gold, Edelstein, Smaragd", die er, genau wie Plutus, in einer „Kiste" herbeischleppt, und wenn, gleichfalls wie bei Plutus, in dieser Geste „Verstand, Reichtum, Gewalt Sich vor der einzigen Gestalt" huldigend „beugen", so steigt in diesen Vorgängen und Bildern nichts anderes auf als die bereits breit beschriebene und analysierte Schatz- und Reichtumssymbolik und ihre geheime Verbindung mit der Schönheit und Kunstwelt. Wenn ferner nun in der Gipfelszene des Aktes, der Vermählung Fausts und Helenas, im Symbol des gleichklingenden Reims die Wechselrede zwischen beiden zu einer Aufhebung der zeitlichen Grenzen, ja zum Stillstand von Zeit überhaupt führt: „Nun schaut mein Geist nicht vorwärts, nicht zurück, Die Gegenwart allein — ist unser Glück ... Ich fühle mich so fern und doch so nah Und sage nur zu gern: Da bin ich! Da!", so schwingt in dieser verstummenden, völlig sich selbst und den anderen einmal und für immer ergreifenden, liebenden Gegenwart jene magische Ineinsfassung alles Seienden auf, die wir in den verschiedensten Vorformen bis zur Idolszene nachwiesen. Genau wie dort wird alles ein „Traum, verschwunden Tag und Ort", genau wie dort ist der Erlebende einem Verstummen, ja einer Ohnmacht nahe: „Ich atme kaum, mir zittert, stockt das Wort"; und wie immer bei Goethe „Vergangenheit und Gegenwart" magisch „ineins" fließen, so „scheine ich mir verlebt und doch so neu". Die Dichtung hat hier einen jener Höhepunkte erreicht, die für Goethes Drang zur plastisch-sinnlichen Vergegenwärtigung alles zeitlich Geschiedenen so außerordentlich kennzeichnend sind und eine Grenze seiner Dichtung bedeuten: „Ich atme kaum, mir zittert, stockt das Wort". Auf dem Gipfel der Goetheschen Kunst stockt die Dichtung, verstummt das Wort. Hier hört jede weitere Enträtselung und Offenbarung auf, weil schon alles „übermütiges", hochgemutetes und freigestimmtes „Offenbarsein" ist. „Und sage nur zu gern: Da bin ich! Da!" Alles Gesuchte und Gefragte ist nun „da". Helenas endlose Antezedentien, Vorstufen, Nebenentwicklungen, Analogien, Bedeutungsvariationen, alles erlischt vor dieser reinen Gegenwart, in welcher Zukunft und Vorwelt wie niemals gewesen und niemals kommend verschwinden.

Nichts aber wäre widergoethescher, als diese Feier des „Augenblicks" mit Fausts Wette in Verbindung bringen zu wollen und wie fast durchweg die Forschung — Rickert, Petsch, Witkowski, Kommerell u. a. — eine bedenkliche Nähe Fausts zu jenem „Augenblick" zu verzeichnen, den er einstmals verdammte und dessen Ergreifen ihn in Mephistos Arme triebe. Träte nunmehr Mephisto hervor und hielte ihm diese Wette vor Augen, tauchte auch nur von entfernt eine aufscheuchende und drohende Erinnerung an diese Faust I-Sphäre auf, alles an Sinn, Aufbau, Struktur und tatsächlicher Bedeutung des Ganzen wäre vernichtet. Denn nicht Genuß des Moments, nicht Genüge am real-irdischen Da-Sein, sondern totalisierend geniale Ineinssetzung alles Gewesenen und jemals Werdenden, Bewältigung und Beherrschung des Seins ist hier erreicht. Nicht ohne Grund ist Faust hier im wörtlichen Sinn „Herrscher" und König geworden, nicht ohne bedeutungsvolle Vorbereitungen hat er sich auf die höchste Stufe von Freiheit „sich über sich selber hinauszumuten" versucht[67]), Unmögliches begehrend und erzwingend als — Künstler. Doch nicht nur solche Überlegungen und Hinweise auf die gesamte aufsteigende Kurve des Dramas von der herrlich-souveränen Faust-Plutus-Gestalt, von dem Rückschlag in die Ohnmacht des ersten Aktes über die großen geschichts- und kunstgenetischen Entfaltungen des zweiten Aktes lassen diese Szene einzig so deuten und sehen, sondern der Text selbst zwingt zum Nachdenken: „In dich verwebt, dem Unbekannten treu". Treu ist

Helena nicht einem für immer erkannten, in nüchtern für immer geborgener Wirklichkeit vor ihr stehenden Manne, sondern einem rätselhaft „Unbekannten", der stets noch über sich hinausweist. Das „Da-Sein", das „Ferne" und „Nähe" in sich vereint, ist nicht sinnlich-irdisch beharrender Zeitpunkt, sondern unendlich transzendental-urbildliche Erscheinung des absoluten Seins selbst, das sich aller Benennung und Besitznahme entzieht: „Es stockt das Wort". „Unbekannt" ist der, dem sie „Treue" verspricht. Es ist merkwürdig, wie lebendig damals dies Wort von der „Treue zum Unbekannten" in der Zeitdichtung war. Bei Eichendorff z. B. findet es sich, die ewige Treue zum Unbekannten des „Sanges", der Dichtung, bezeichnend: „Unbekannt zieht ewige Treue mich hinunter zu dem Sange"[68]). Bei Goethe selber bestand seit langem eine bedeutungsvolle Spannung zwischen Untreue und Treue im Phänomen des Schönen. So entlockt schon Pandorens scheinbar treuloses Entschwinden in Prometheus den Vorwurf: „Nicht lange wohl blieb wankelmütig sie dir getreu?" (V. 580). Und schon damals folgt aufklärend die echt Goethesche Antwort des Epimetheus: „Treu blieb ihr Bild; noch immer steht es gegen mir" (V. 581). Treu ist die Schönheit im „Bild", nicht im Leben. Merkwürdig parallel die Gestaltung der „Helena": Treulos verwirrend, jedem Mann sich entziehend, ruhlos, den Vorwürfen und Flüchen kriegsbedrohter Reiche verfallen, spricht sie nun plötzlich in der idolgleichen Verdichtung aller Zeiten zum Da-Sein das Wort von der „Treue" aus. Durch Treue zum „Unbekannten" aber wirft sie in dieses vergegenwärtigte Da-Sein eine Unendlichkeit, die das abgründig „Poetische" dieses Vorgangs unvergleichlich bezeichnet. Liegt doch in nichts anderem als in der Paradoxie solcher Treue das Schöpferische begründet: Beharrlich „treu" einer poetischen „Richtung" folgend und dennoch nie solche Richtung ins restlos „Bekannte" auflösend verläuft ja jede große, von tief geheimem Instinkt geleitete dichterische Schöpfung.

Eine weitere Abgrenzung gegen die Wette aus „Faust I" erlaubt das Faustische Wort: „Durchgrüble nicht das einzigste Geschick! Dasein ist Pflicht und wär's ein Augenblick". Das Da-Sein als „Pflicht" entrückt es jedem Verdacht eines „Verweilens" (das ja in der „Wette" Bedingung des Verfallens an Mephisto ist). Es wendet diesen Augenblick in eine Tat, deren absolut zweckfreie Spontaneität („Nichtgrübeln") ja bei Goethe immer auf einer Ebene mit der traumhaft schöpferischen Spontaneität künstlerischen Schaffens steht, wie eingehend gezeigt werden konnte. Tat ist die Losung selbst dieser erfülltesten, glücklichsten Sekunde der Faust-Helena-Begegnung, aus deren sprachlos „großer Leere" nach Goethes Absicht organisch das „Bedürfnis des Eingreifens" entsteht (Paralip. 166). Mephistos sofortiges „heftiges Eintreten": „Buchstabiert in Liebesfibeln, Tändelnd grübelt nur am Liebeln" und seine Aufforderung zum Kampf entspricht einem innerkompositorischen Gesetz, nicht einer auf die Faustwette zielenden Absicht Mephistos. Denn bei einer Erprobung dieser Wette müßte Mephisto Faust gerade tiefer in den Genuß dieses Augenblicks führen, statt ihn mit „verwegener Störung" zur Tat zu ermuntern. Wäre, wie es noch Rickert und andere Forscher fassen, Helena nur eine „Versuchung" für Faust, so müßte Mephisto die ästhetische Sphäre festhalten und dürfte sie nicht bewußt zerstören. Die Aufforderung zur Tat entspringt — schon in der rein opernhaft kontrastierenden „Erschütterung der Luft" mit „Signalen, Explosionen ... Durchmarsch gewaltiger Heereskraft", die selbst überhaupt nicht innerlich mitspielen oder eine wesentliche Rolle erhielten — lediglich der „Stockung" der Dichtung. Sie ist die Antwort auf jenes Anhalten des Atems, jenes Verstummen der Dichtung vor sich selbst, die in der Reimerzeugung ihr eigenes Objekt geworden war. Da hier kein Weg mehr tiefer ins Rätsel des Schönen führte, da Helena (das absolut Schöne) „übermütig offenbar" vor Faust stand, war für ein weiteres „Grübeln" um sie „keine Zeit mehr", wie Phorkyas mit innerer Wahrheit und in voller sprachlicher Deckung mit dem Vorgang es ausspricht: „Tändelnd grübelt nur am Lieben, Müßig liebelt fort im Grübeln": die wechselseitig satirische Spiegelung der Sprachformen dieses Wortspiels trifft genau die in sich schwingende, auswegslose Pause, die in der Dichtung eintrat und auf die es nur ein Erwachen in aufscheuchender Tat gibt. Indem alle Zeit im traumhaften Da-Sein versank, gilt es wieder eine „Zeit" zu erzeugen, die Phorkyas — wiederum mit voller innerer Wahrheit — als „dumpfes Wettern" anmeldet. Auf die radikale Ästhetik, auf die verstummende Selbstbegegnung der Dichtung gibt es als Antwort nur das dunkel drohende Grollen des Schicksals, das genau in der gleichen Weise nicht nur bei Goethe, sondern in zahllosen anderen Dichtungen von der Romantik bis in die jüngste Zeit (Stadler usw.) fast gesetzmäßig kontrapunktierend aus der ästhetischen Sphäre emporsteigt.

Die Zielpunkte dieses neuen Aufsteigens von Zeit können nach der ganzen Denkweise Goethes nur zwei sein: das Vorlaufen des Genius der Poesie durch die Zeit in heroischem Aufstieg, in Sturz und Apotheose, und die Schaffung einer verewigten Zeit (Urzeit) mitten in der Geschichte. Denn jetzt, nachdem die reale Antike und die reale Gotik, Helenas Vergangenheit und Fausts gotische Burg, erschienen und „abgetan" sind, nachdem sowohl Schönheit wie Dichtung sich voll geoffenbart haben, kann das Urverhältnis, in dem Dichtung ü b e r h a u p t zu Zeit (Geschichte) ü b e r h a u p t zueinander steht, rein und urphänomenologisch bestimmt werden. Ja jetzt m u ß im Grunde dieses Urverhältnis in seiner vollen, absoluten und ungehemmten Kraft hervorbrechen. Die D i c h t u n g muß nun frei und grenzenlos unbedingt ihrer Bahn folgen (Euphorion), und die G e s c h i c h t e muß eine Urform von Zeit aus sich herausstellen, auf die radiengleich alle Formen von Zeit zulaufen (Arkadien). Eine ewig gegenwärtige, poetische Urzeit kann nunmehr realisiert sichtbar — wenn auch an sich fiktiv-dichterisch — in einer wirklichen, vergötterten L a n d s c h a f t erscheinen (Arkadien).

Auf diese zwei Zielpunkte hin ist der „Krieg", den Faust zum Schein mit Menelaos kämpft, orientiert. Durch diesen Krieg gewinnt er Arkadien als „Mitte", in der er „standhält" und Euphorion zeugt. Und mit diesem Krieg, mit der Eroberung Griechenlands durch die germanischen Stämme, ist zugleich das heroische Thema des Kampfes um Hellas durch Byron-Euphorion symbolisch gegeben.

7. Die Stellung Arkadiens zwischen Natur und Geschichte in Goethes Klassik

Arkadien ist nicht eigentlich mehr Traum, sondern führt den Helden und Helena vom traumhaften Stillstehen der Zeit zu einem poetisch sichtbaren Dasein, wo „Natur in reinstem Kreise waltet" und „alle Welten sich ergreifen". Arkadien eliminiert sozusagen mitten im Geschichtlichen (Völkerwanderung) das spezifisch Geschichtliche, um einen ewigen Urgrund von Geschichte zu erhalten: „Nicht feste Burg soll dich umschreiben! Noch zirkt in ewiger Jugendkraft ... Arkadien! ... Zur Laube wandeln sich die Thronen" (V. 9566 ff.). Aus der Geschichte selber und ihren Thronen tritt nun transzendental freie (V. 9573) und übernatürliche Natur heraus, denn eine Natur wie diese ist in keiner wirklichen Natur auffindbar. Die ewige Fiktion reinen, vergötterten Daseins („o fühle dich vom höchsten Gott entsprungen" (V. 9564) scheint auf immer erfüllt. Alles bloß Zeitliche (Antike und Mittelalter) ist vergessen: „Vergangenheit sei hinter uns getan". Die „reine Natur" Arkadiens ist also nicht etwa ein Einbruch wirklicher Natur in wirkliche Geschichte, sondern bezeichnet die transzendentale Bedingung der Möglichkeit erfüllten Daseins überhaupt. Sie ist in diesem Sinne abstrahiert von der realen Natur wie von der Geschichte (antikes Arkadien), obgleich sie an und für sich beide, eine natürliche und eine geschichtliche Welt, in sich einschließt. Arkadien weist auf ein ganz bestimmtes, historisch antikes Arkadien, und andererseits auch ist es zeitlose Natur. „Das Land, vor aller Länder Sonnen, Sei ewig jedem Stamm beglückt". Hellas wird teilhaft jedem Volk. Als ewig je und je erscheinende Natur ist es Element jeder späteren Geschichte geworden, und einzig so — als verewigte Natur — vermag Hellas als „Vorbild" vor der deutschen Klassik zu stehen. Das Goethesche Kunst- und Geschichtsdenken erreicht hier einen Gipfel: Hellas tritt nicht als Regel und Norm in seiner realgeschichtlichen Struktur, sondern als ewig verjüngende, transzendentale Natur in das Reich des faustischen Deutschen. Nicht im Blick auf die historischen Kunstwerke der Antike (dieser Blick, den fast jeder andere Dichter gebracht hätte, wird in der Helenadichtung peinlichst vermieden), sondern im Durchschlagen elementar biologischer Kräfte („Und mütterlich im stillen Schattenkreise Quillt laue Milch bereit für Kind und Lamm") und im plötzlichen Auftauchen der „staunenden Frage", „obs Götter, ob es Menschen sind", d. h. in der Totalität von Boden und Himmel, Erde und Göttern offenbart sich vor Faust die Antike. Der ganze Umschlag von Geschichte in Natur (von „Thronen" in „Lauben") zielt auf die Gewinnung einer r e i n e n Welt mitten in der Geschichte, die eine Erhebung des Zeitlichen ins Göttlich-Ewige ermöglicht: Arkadien als natürliche und mythisch-geschichtliche Landschaft verknüpft die beiden Pole Natur und Geschichte, die in der Klassischen Walpurgisnacht noch stark gegensätzlich auseinanderstanden, zu einer inneren Einheit, welche die Voraussetzung bildet für die Gewinnung einer k l a s s i s c h e n Geschichtsnorm, die als ewig verpflichtende und gültige Norm notwendig sich an der Natur orientiert. D. h. der letzte Sinn der großen Bindung der Klassik ans antike „Vorbild" beruht auf nichts anderem als auf der Durchdringung der antiken Vorzeit mit ewig gegenwärtigen, biologischen Produktivkräften, aus denen j e d e spätere, schöpferische Welt eine n e u e Lebendigkeit zu gewinnen vermag. Die Reinheit der Antike, die in Arkadien erscheint, prägt sich weniger in einer konkret vergangenen Kunstform aus (wie im starren Klassizismus) als in einer geschichtlichen Natur und natürlichen Geschichte. Nicht ohne Grund ersteht Arkadien erst aus der E i n h e i t von Moderne und Antike, aus dem Zusammenwirken von Faust und Helena, gotischer Burg und Antike, nicht aus einer einseitigen Normierung der Antike. Es ist gleichsam das reinste, ungetrübteste, von keinen Fremdschichten mehr überdeckte Feld der Geschichte, für jede Zeit offen, für jede betretbar. Auf ihm vermag der Genius ungehemmt seine Bahn zu laufen. Denn daß Euphorion gerade in Arkadien geboren wird und dort seine Laufbahn vollendet, geht folgerichtig aus der Bedeutung dieser Landschaft hervor. Die reine Einheit von Natur und Geschichte, die Vergötterung des Menschen und Biologisierung des Göttlichen sind selber nur Zeichen des Genialen, Idealpunkte, in denen Geniales r e s t l o s sich zeigt. Die arkadische Euphoriongeburt ist die v o l l e Verwirklichung und Erscheinung jener genialen Gestalten, die früher nur halb und gehemmt zur Auswirkung kamen, die wie der Knabe Lenker vor dem „fratzenhaft Gebild" der kaiserlichen Hofwelt flohen oder wie Homunkulus nur als Leitsterne und ungewordene Wesen ahnungsvoll in jene Sphäre wiesen, wo das Schöne erst e n t s t e h t und noch nicht, wie im Helenaakt, bereits d a ist. Euphorion umspannt ferner Modernes und Antikes ineins[69]), d. h. er umschreibt den vollen Zirkel genialer Wirkungsbereiche. Ja diese Geburt in den arkadischen Höhlen ist eine einzige Bestätigung jenes Verhältnisses zwischen Dichtung und Geschichte, das wir aufzeigen konnten. Die arkadische Höhle entzieht die Poesie dem verstrickenden Zeitlauf und gewährleistet ihre ungestört reine Entfaltung: „Halbchor wacht auf: Trojanischer Krieg verschlafen", heißt es in einer Skizze der Szene[70]) in völliger Übereinstimmung mit dem Höhlenschlafmotiv in „Des Epimenides Erwachen", wo gleichfalls ein ganzer Krieg verschlafen wird, und ähnlichen Motiven im „Divan" („Siebenschläfer") u. a. Die „Geschichte der Entbindung" selbst erscheint dem „erwachenden" Chor „als Traum"[71]). Höhlenbild und Verschlafen des Chors besagen nichts anderes, als daß, während die Welt ihren Weg weiter läuft und der Chor schläft, sich verborgen und insgeheim das Ineinander von Zeit und Ewigkeit der Kunstwerdung in „unerforschten Tiefen" als „abspinnendes Märchen" ereignet und damit seinen irreal-transzendentalen und zugleich klassisch-konstitutiven Charakter bekundet.

8. Die Bildschichten Euphorions und ihre naturphilosophischen und kunstphänomenologischen Hintergründe

a) Die geplante Euphoriondeutung Mephistos

Reizvoll und aufschlußreich für Goethes Gesamthaltung tritt diese Geheimnisbewahrung in der Streichung der erklärenden Anrede der Phorkyas an Chor und Theaterpublikum (Paralip. 176) zu Tage, in der Phorkyas mit aufgehobenem Finger die Bedeutung der Euphoriongeburt herausstellen sollte unter ironischem Abweis alles „mystifizierenden" Sichabquälens mit dem, „was dahinter stecken" möge. Das „Geheimnis" — dies ist Goethes Überzeugung gegenüber der „neueren Symbolik" Creuzers u. a., auf die Phorkyas hier anspielt — ist ewig und jedem offenbar, auf keinen Fall durch mühsame Rückdeutung auf „Ägyptisches" usw. zu ergründen. Knapp bricht Goethe den einzigen real mythologisch-historischen Hinweis, den Bezug auf Euphorions „Stiefbruder", den Sohn Helenas und Achills, ab mit den Worten: „fraget hier nicht weiter nach". Überflüssig jede Frage nach dem quellenmäßigen Herkommen von Name, Stoff und Bedeutung der Gestalt, überflüssig „etymologisch hin und her sich zu bewegen" (Paralip. 176). Die Bedeutung liegt in den Gestaltformen des Goetheschen Euphorion selbst. Wahrscheinlich aus diesem Grunde strich Goethe schließlich diesen ganzen, ironisch schillernden Hinweis aufs Rätselhafte des Vorgangs. Wie die Geburt in der Höhle sich fernab von der Weltmeinung abspielt, „abgesondert von der Welt" (V. 9588), so beließ Goethe die ganze Szene in ihrer vorganghaften Entfaltung, mehr unmittelbar zeigend als gedanklich auslegend. Wohl ruhte die Aufklärung des ganzen Helenaaktes faktisch in ihr: „Glaubhafter Wunder Lösung endlich anzuschaun", mit dieser Aufforderung ruft

Mephisto den Chor und das Theaterpublikum wach. Er, der „zu stillem
Dienste ... hochgeehrt ... zur Seite stand", weiß um Sinn und Gehalt des
ganzen Helenaaktes, den er zum Schluß zu kommentieren berufen ist.
Aber was hätte seine Deutung besagt? „Eben jetzt wird die ‚Poesie' geboren, modern und antik ineins. Hier, schaut das ‚glaubhafte Wunder'!"
Träte Mephisto mit solchen Worten vor das Publikum, nichts wäre gewonnen. Die Poesie bliebe als Phänomen genau so im Dunkeln. Und so
verfing sich die ursprüngliche, unmittelbare Sinndeutung Mephistos —
echt Goethesch — in einer schillernd ironischen Steigerung des Rätsels
statt in einer Auflösung. Sie reicht dem Zuschauer mit einer Hand eine
Erklärung, um sie ihm mit der andern wieder zu nehmen. „Hier ist das
Rätsel"[72]), dieser aufhellende und zugleich verschleiernde Ausruf Philinens
Mignon gegenüber gilt auch für Euphorion, dessen poetischer Charakter
eine rational begriffliche wie historisch-ableitende Deutung verweigert,
um sie im Bild in unendlich vertiefter Weise zu gewähren: „Er springt
und tanzt und ficht, schon tadeln viele das So denken andere dies sei
nicht so grad Und gröblich zu verstehen, dahinter stecke was, man
wittert wohl Mysterien". Die sofortige Deutung des Vorgangs des
Springens, Tanzens, Fechtens würde ihn hoffnungslos in „Mysterien"
verstricken; andererseits „steckt" in der Tat „dahinter was": „Wir sagens
auch und unseres tiefen Sinnes wird Der neueren Symbolik treuer Schüler
sein". Die innere Dialektik von „Offenbaren" und „Geheimhalten", die
durch Goethes Gesamtdichtung geht, tritt selten so deutlich hervor wie
in dieser Ablehnung jedes „mystifizierenden", von vorgegebenen historisch-
etymologischen Analogien aus konstruierenden und kombinierenden
Deutungsversuchs und in dem gleichzeitigen Geständnis, daß dennoch
nichts „gröblich" zu verstehen sei, sondern immer „was dahinter stecke".
Offen liegt das Geheimnis, greifbar, faßbar und verstehbar für jeden, der
„poetisch", d. h. im Bild zu denken versteht. Verschlossen ist es jedem
mühsam rätselnden, philosophischen oder etymologisch-philologisch
quellenforschenden Geist. Das Bild spricht an Stelle des Systems oder
etymologischen Handbuchs. Die „endliche Lösung", die in der Tat dieses
„glaubhafte Wunder" der Euphorionzeugung, diese unfaßbar-faßbare Geburt des Genius der Poesie dem ganzen Helenaakt, nein der gesamten
Faust II-Dichtung schenkt, da sich ja alles Streben und Gestalten dieser
Dichtung auf das Rätsel der Genesis der Poesie richtet, enthüllt sich dem
Betrachter ausschließlich in der großartig selbstbewußt abrollenden Phantasmagorie des dichterischen Phänomens selbst. Nur aus ihm und seinen
Bausteinen, die sich in jahrzehntelanger Arbeit Werk für Werk in Goethe
aufschichteten, tritt das „glaubhafte Wunder" in „endlicher Lösung" vor
den Augen der „drunten Sitzenden und Harrenden" deutlich und aufklärend hervor.

b) Das „Springen" Euphorions, seine Vorformen und Bedeutungen

Als „Genius ohne Flügel", sich dennoch wie Mignon Flügel wünschend, „faunenartig ohne Tierheit" wie die gleichfalls halb tier-, halb engelgleiche Mignon (s. den Vergleich Mignons mit „Affen" usw.) zwischen Gott und Tier im Gewölbe des Universums „springend" von der „Erde", der er entweicht, zum Himmel, der ihn stürzt: so tritt dieser Genius bereits zu Beginn in jener außermenschlichen Spannweite hervor, die schon den kunstgenetischen Aufriß der Klassischen Walpurgisnacht gekennzeichnet hatte. Und wenn er endlich aus der „Spalte rauher Schlucht" sich „Leier", blumenstreifige Gewande (Schleiermotiv und Idyllik des Dämonen!) und der „Flamme übermächtige Geisteskraft" holt, um „künftiger Meister alles Schönen" zu werden, dem die „ewigen Melodien durch die Glieder sich bewegen", so ist die Symbolisierung der Poesie hier vollkommen. Die Verbindung von Flammen und Gold („Ist es Goldschmuck? ... Liegen Schätze dort verborgen?"), das Verschwinden in der Felsspalte usw., alles wiederholt in reinster Verklärung längst im ersten und zweiten Akt entwickelte Grundformen der Dichtung. Selbst die Sorge der Eltern Faust und Helena, ihr Entzücken bei seiner Wiederkehr aus der Spalte und bei seinem plötzlichen Wachsen ist in der „Zauberflöte zweiter Teil" schon parallel symbolisch gestaltet. Das Motiv vom Verschwinden in der Felsspalte und von der Sorge des Vaters erscheint gleichfalls parallel in den „Wanderjahren" beim Heraufholen des geheimnisvollen Kästchens durch Felix aus der Felsspalte jener „labyrinthischen" Höhle, durch die sich Wilhelm nur mit Hilfe eines Ariadnefadens zurechtfindet. Auch sind diese Höhlen des „Riesenschlosses" in den „Wanderjahren" genau wie hier im Helenaakt sowohl ein „Werk von Menschenhänden", wie die Kinder glauben, als auch ein „Werk der Natur", wie „Wilhelm wohl sah"[73]) (vgl. V. 9595/9598).

Darüber hinaus hat Goethe nicht nur in poetischen Figuren, sondern auch in Reflexionen diese Strukturen der Geniusallegorie gekennzeichnet. Von der „wundersamen Schnellkraft" des den Boden von sich abstoßenden, himmelstrebenden Geistes weiß nicht nur das „Springen" der Mignongestalt, sondern auch manche allgemeine Betrachtung Goethes zu künden: In „Dichtung und Wahrheit" heißt es z. B. bei Gelegenheit der echt Goetheschen Umdeutung der katholischen Sakramente „zum Schlusse" — nachdem Goethe von der „Verklärung des Leibes" „an der Pforte des Todes" gesprochen hat —: „Zum Schlusse werden sodann, damit der ganze Mensch geheiligt sei, auch die Füße gesalbt und gesegnet. Sie sollen, selbst bei möglicher Genesung, einen Widerwillen empfinden, diesen irdischen, harten, undurchdringlichen Boden zu berühren. Ihnen soll eine wundersame Schnellkraft mitgeteilt werden, wodurch sie den Erdschollen, der sie bisher anzog, unter sich abstoßen"[74]). Es duldet keinen Zweifel, daß damit die übliche Deutung des Springens der Euphoriongestalt auf Byron und eine romantisch den Boden unter den Füßen verlierende Genialität zu eng ist. Ganz allgemein war für Goethe jede geistige Hochleistung und Hochstimmung mit einem Abstoßen des irdischen Bodens, einer „Verklärung des Leibes" und „wundersamen Schnellkraft" verbunden. Dafür sprechen die zahllosen Darstellungen des Schwebens und Aufwärtssteigens, die Goethe immer an Gestalten hoher geistiger oder heilig überirdischer Kräfte beschreibt. Philipp Neri, der „humoristische" Lieblingsheilige Goethes, in dessen Schilderung er soviel eigene, wahlverwandte Züge anklingen läßt[75]), ist durch die „Gabe ... des Aufsteigens vom Boden und Schwebens über demselben, welches vor allem für das Höchste gehalten wird"[76]), ausgezeichnet. Die bedeutendsten Frauengestalten Goethes erschienen ihm als schwebende Sterne oder Engel. Im Gegensatz zum „Schweben" vertritt das „Springen" aber mehr die männlich energisch sich gegen Widerstände emporschwingende Kraft oder, wie bei Mignon, die Zwiespältigkeit zwischen Erde und Himmel.

Aber auch biographische „Übergänge in einen geläuterten, freieren, selbstbewußten Zustand" erscheinen ihm nicht als langsame „Bildungsstufen" im eigentlichen Sinn, sondern als „unbeabsichtigter Sprung und belebter Aufschwung zu einer höheren Kultur" nach vielen vorhergehenden „Irr-, Schleif- und Schleichwegen"[77]). Das „Springen" war ihm also auch organisches Gesetz der geistigen Bildung des Menschen überhaupt. Selbst in seiner Naturlehre zeigen ihm Sprünge — z. B. die „Erschütterung", die mit der „Solideszenz" der Gebirge verbunden ist — den „letzten Akt des Werdens" an, und zwar als „Sonderung des Reinsten ... vom Fremdartigen"; dieses Phänomen läßt ihn „bei seiner Unerforschlichkeit nicht los"[78]). Geht man dem innersten Kern dieses Unerforschlichen nach, so stößt man auf die wohl seltsamste Verbindung naturwissenschaftlicher und künstlerischer Probleme, die die Kunstgeschichte kennt: „Konflikte, Sprünge der Natur und Kunst. Eintretender Genius zur rechten Zeit. Element genugsam vorbereitet. Nicht roh und starr. Auch nicht schon verbraucht. Ebenso mit der Organisation. Hier springt die Natur auch nur, insofern alles vorbereitet ist, als ein Höheres, in die Wirklichkeit Tretendes, zur eminenten Erscheinung gelangen kann"[79]). So lautet eine rein naturwissenschaftliche Skizze, die schlaglichtartig die ganze Euphorionkomposition überhellt. Das „Springen" in der Natur wird assoziativ mit dem „eintretenden Genius" verbunden. Dieser Genius muß aber, genau wie Euphorion, Homunkulus usw., durch das „Element genugsam vorbereitet" sein. Das Eintreten des „Höheren" in die „Wirklichkeit" erfolgt auf Grund einer langen Vorbereitung in der „Natur" wie in der „Kunst". Wie Goethe hier künstlerische Phänomene

zur Erklärung von Naturerscheinungen anführt, so gibt umgekehrt hier
diese Naturdeutung eine Erklärung der Tatsache, daß Euphorion erst
spät und nach langer Vorbereitung, auch naturgenetischer Art, in den
Höhlen mit Hilfe von „Wurzeln und Rinden" (V. 9594) erscheint. Der
Genius tritt zur „rechten Zeit" ein, weil eine lange organische Entwicklung ihn, obgleich er plötzlich und als „Wunder" hervortritt, vorbereitet
hat für den „letzten Akt des Werdens", der eine Art „unerforschliche"
Erschütterung bei der Solideszenz ist. Denn das „Scheiden" und „Ab-
sondern" des Höhern vom Niedern, das sich in solcher Erschütterung im
Innern der Gebirge ereignet, kann auch als „Vereinigung im höhern
Sinne geschehen, indem das Getrennte sich zuerst steigert und durch die
Verbindung der gesteigerten Seiten ein Drittes, Neues, Höheres, Un-
erwartetes hervorbringt"[80]. „Liebe, menschlich zu beglücken, Nähert sie
ein edles Zwei, Doch zu göttlichem Entzücken Bildet sie ein köstlich
Drei", sagt Helena beim Anblick ihres soeben geborenen Sohnes Euphorion.
Euphorion ist „Drittes", Höchstes und „Göttliches", als „Unerwartetes"
aus dem einstmals „Getrennten" der zwei großen Gegenpole Faust und
Helena hervorbrechend.

Wie Terminologie und Darstellung zeigen, fließen also naturphilosophische Probleme unaufhörlich in künstlerische ein und umgekehrt
künstlerische in naturphilosophische, derart, daß das „Höhere, Unerwartete" der „Sprünge" der Natur assoziativ mit dem „eintretenden
Genius" der Kunst identifiziert und eine gleiche oder ähnliche Gesetzlichkeit ihres Werdens und Erscheinens angenommen wird. Die Eigenschaften der Euphoriongestalt stehen daher weit über dem Dämonisch-
Maßlosen spezifisch romantischer Prägung. Euphorion ist gar kein ausgesprochen neuzeitlicher Typus, wie in der Faustforschung durchgehend
angenommen wird. Springen, Fliegen usw. sind keineswegs Symbole für
das romantisch Unendliche, Unklassische und „Nordische" der Faustseele,
das sich, wie May sagt, am Schluß wieder durchsetze gegen die antike
ruhige Schönheit, sondern entsprechen einer grundsätzlichen Naturlehre
Goethes und einem Begriff des „Göttlichen", der sich durchaus am
Antiken zu orientieren vermag, wie schon der breit ausgeführte Vergleich
der jugendlich früh und rasch sich entwickelnden Tatkraft Euphorions
mit dem antiken Hermes-Heros beweist. Selbst Absturz und „Aureole"
Euphorions, jenes Höhere, das ihn kurze Zeit „trägt", sind auf eine
außerordentlich hintergründige und aufschlußreiche Weise parallel zur
Naturlehre gebildet:

c) Euphorions Tod und seine Aufspaltung in Aureole und Hülle

Zunächst scheint diese Absturz- und Verklärungsszene gar nichts mit Naturphilosophie zu tun zu haben: Die „Aureole", die am Schluß „wie ein Komet zum Himmel aufsteigt", als „das Körperliche verschwindet", bezeichnete Goethe als „höhere geistige Kraft aus dem Haupt gleichsam emanierend und sichtbar werdend, ... wie denn auch geniale und hoffnungsvolle Kinder durch solche Flammen merkwürdig geworden. Und so heißt es auch in Helena: Denn wie leuchtet's ihm zu Haupten? Was erglänzt, ist schwer zu sagen, Ist es Goldschmuck, ist es Flamme übermächtiger Geisteskraft? Und so kehrt diese Geistesflamme, bei seinem Scheiden, wieder in die höheren Regionen zurück"[81]). Die Flammensymbolik, die wir schon bei der Analyse der Knabe-Lenker- und Homunkulus-Gestalt zu deuten versuchten, steht also unmittelbar mit dem Schweben, Springen, ja Tanzen, Fechten usw. in Verbindung durch das Phänomen „übermächtiger Geisteskraft", die in solchen Flammen sich äußert. Nach dieser Deutung scheinen Flamme und Aureole lediglich auf eine „Rückkehr" in „höhere Regionen", d. h. auf eine außerbiologische, rein geistige Unsterblichkeit zu zielen. Dennoch weist die durchgängige dualistische Aufspaltung in Hülle und Geist, Mantel und Flamme in Goethes Daimonvorstellung und -gestaltung, die sich auch bei Euphorion im Zurückbleiben von „Kleid, Mantel und Lyra" nach dem kometenhaften Aufflammen und der Himmelfahrt der „Aureole" ausdrückt, auf eine doppelte Unsterblichkeit hin, die ihre Parallele in biologischen Überzeugungen Goethes findet:

Mag auch die eigenwillig dem Himmel verschworene Flamme des Geistes alles biologisch Gewordene, „Stoff" und „Hülle" zuletzt wie einen Fremdkörper abstreifen, mag diese Flamme aus geheimnisvoll unterirdischen, außerlebendigen und außerorganischen Höhlen und Labyrinthen emporstrebend unmittelbar ihre „Heimat" nur im Überirdischen suchen, so erkennt doch Goethe auch eine andere, rein biologisch stoffliche Unsterblichkeit in solcher Aureole. Gerade etwa zur Zeit der Arbeit am Helenaakt, zwischen den Jahren 1825 und 1827, beschäftigte sich Goethe eingehend und wiederholt mit der naturwissenschaftlichen Seite des „Aureole"- und Todesproblems, und zwar fasziniert durch das Phänomen verstäubender, ablebender Fliegen. Solche Verstäubungen, die ihm als „Befreiung von lästigem Stoff"[82]) erscheinen, sind ihm „höchstmerkwürdig", weil hier „dieses Ableben, diese eintretende Herrschaft der Elemente, die auf Zerstörung des Individuums hinausgeht, sich energisch durch Elastizität offenbart und ... die sich entwickelnde aura sich wieder entschieden gestaltet!"[83]) Die „Aura", ja, wie es an anderer

Stelle heißt, der „zusammenhängende Nimbus", der sich hier „um den entseelten Körper bildet"[84]), entsteht nach seiner Meinung in Verbindung mit einer „elastisch abstoßenden" Kraft als Ausdruck feuriger Energie, die vom lästigen Stoff befreit und eine „unendliche Fortpflanzung aus lebendiger Grundkraft"[85]) offenbart, durch die „der Tod immer vom Leben verschlungen wird"[86]).

Die Parallele zur Euphoriongestaltung liegt offen zu Tage: Auch hier erscheint das energisch „elastische" Abstoßen „lästigen Stoffes", auch hier bricht eine feurige Grundkraft hindurch, die den Tod im Leben verschlingt und selbst im „Trauergesang" noch den Trost: „Doch der Boden zeugt sie wieder" aufklingen läßt, und auch hier legt sich die „Aureole" um den „entseelten Körper". „Aus dem Größten wie aus dem Kleinsten ... geht die Metaphysik der Erscheinungen hervor", schreibt Goethe 1827 an Nees von Esenbeck im Anschluß an die Lektüre der Schrift über den „Wasserschimmel auf der toten Stubenfliege"[87]), deutlich eine Verbindungslinie zwischen der kleinsten Fliege und den stolzesten Erfahrungen des Geistes ziehend. Die „Geistesflamme", die Euphorions Haupt und entseelten Körper umlodert, taucht also auch mitten in der Natur auf, eine „ewige Tagseite" dem „Tod" gegenüber fest und zuversichtlich bestätigend[88]). D. h. selbst von dieser Seite aus ist Euphorions Absturz nicht ausschließlich Schicksal eines romantischen Dichters, sondern Ausdruck einer Grundüberzeugung des Goetheschen Gesamtdenkens.

Dennoch ist damit die Auflösung und Verklärung Euphorions noch längst nicht erfaßt und bedarf einer ergänzenden Darstellung. Das Verhältnis zwischen Hülle und Flamme erscheint nämlich bei genauerem Zusehen noch wesentlich schwieriger, als es hier in der dualistisch oder naturwissenschaftlich monistisch gesehenen Spannung von Stoff und Geist zum Ausdruck kam. Erstens entnimmt der ursprünglich „nackte Genius" („nackt, ein Genius", V. 9603) nicht nur Flamme und Leier der Felsspalte, sondern auch Hülle und Kleid, die in die kunstästhetisch wichtige Sphäre der Schleiersymbolik Goethes gehören: „Blumenstreifige Gewande Hat er würdig angetan. Quasten schwanken von den Armen, Binden flattern um den Busen" (V. 9617). Zweitens verschwindet beim Tode Euphorions nicht etwa diese Hülle, sondern nur der „Körper", während „Kleid, Mantel und Lyra" zurückbleiben, ja „die Gewande" ihn sogar „einen Augenblick tragen", als er sich „in die Lüfte wirft", in genauer Parallele zu Helenas „Schleier und Kleid", die in Fausts Händen zurückbleiben, ihn „in die Höhe heben" und als „göttliche" Kräfte ihn „über alles Gemeine rasch am Äther hin" zu tragen vermögen, solange er „dauern kann". Hülle und Kleid sind also keineswegs mit Körper, Natur und physischem Stoff identisch zu setzen. Sie bedeuten für Goethe eine eigene, künstlerisch hochbedeutsame, ans Göttliche grenzende Sphäre, sonderbar schillernd zwischen Stoff und göttlicher Flamme des Geistes. „Zieht mir

das weiße Kleid nicht aus", diese Bitte Mignons wiederholt sich auch bei
Euphorion: „Laßt meine Hände, laßt meine Locken, Laßt meine Kleider!
Sie sind ja mein!", worauf die merkwürdige Begründung folgt: Denn
„ich will nicht länger am Boden stocken!" Kleid und Hülle sind selbst
Elemente und Mittel des Fluges nach oben. Sie gehören zur Poesie genau
so wie Leier und Flamme, mit denen sie gemeinsam dem Felsspalt entnommen werden. Sie sind das zwischen geistiger Bedeutung und sinn-
lichem Bild verbindende Element und stehen, wie unsere Analyse des
Goetheschen Schleiermotivs zeigte, in unlösbarer Verbindung mit dem
Goetheschen Symbolbegriff überhaupt. Durchscheinend und verdeckend
ineins verknüpfen sie Himmel und Erde, bezeichnen sie zwar „die Göttin
nicht mehr, die du verlorst", doch „das Göttliche", das sie elementar
und unmittelbar „sind". Der Schleier als „göttlich" ist die letzte und
höchste Apotheose, die Goethe der Helena- und Kunstmanifestation dieses Aktes verlieh. Weder Körper noch Geist verbleiben dem am Äther
hinschwebenden Faust, aber Schleier und Kleid (bei Euphorion noch die
Lyra), die Zeichen des ewig sich verschleiernden, ewig emporstrebenden
Genius der Kunst. Das Zurückbleiben des Schleiers in Fausts Händen ist
nicht hohnvolles Zerbrechen der ästhetischen Sphäre, wie es die übliche
Deutung versteht, sondern ihre höchste und vollendetste Stufe. Als
„hohe unschätzbare Gunst" wird sie Faust zuteil.

Ferner ist die Trennung des Schleiers von Helenas Körper identisch
mit einer Abspaltung des „Göttlichen" von der „Göttin", d. h. der
Trennung des transzendental Ewig-Schönen vom konkreten Körper der
Schönheit. Diese Trennung ist nicht ohne Bedeutung für die Definition
des Kunstphänomens selbst wie auch für das Problem der Dauer des
Schönen. Kunst selbst wird erst produktiv ewig, wenn „Göttliches" aus
der „Göttin", transzendental Urbedingendes der Kunst aus der blendend
konkreten Verkörperung des Schönen herauszutreten vermag. Produktiv
eine K r a f t heischend ist dieser Prozeß, indem Faust vom „Göttlichen"
des Schleiers getragen nur solange am Äther zu schweben vermag, als er
„dauern kann". In völlig paralleler Wendung wird dieses „Dauern" des
Künstlers bzw. des Schleiers in der unmittelbar folgenden Szene betont:
„Phorkyas nimmt Euphorions Kleid, Mantel und Lyra von der Erde,
tritt ins Proscenium, hebt die Exuvien in die Höhe und spricht: „Noch
immer glücklich aufgefunden! Die Flamme freilich ist verschwunden,
Doch ist mir um die Welt nicht leid. Hier bleibt genug, Poeten ein-
zuweihen, Zu stiften Gild- und Handwerksneid; Und kann ich die
Talente nicht verleihen, Verborg' ich wenigstens das Kleid". Das „Kleid"
ist ein zurückbleibendes Element der Poesie, das Schulen stiftet und in
die Folgezeit einwirkt, mag auch die „Flamme", das unabdingbare
Kennzeichen genialer Poesie, entschwunden sein. Das unmittelbare Zu-
sammenfallen des Aufsteigens Fausts auf Helenas Schleier in den Äther

mit der „Einweihung der Poeten" zeigt, worauf es Goethe bei aller Satire ankam: auf den unzweideutigen Hinweis darauf, daß in Euphorions Kleid, Mantel und Lyra nichts anderes als eine irdische Unsterblichkeit von Poesie schlummert, die Schulen und Proselyten zu machen nicht unfähig sei. Die „Göttlichkeit" von Schleier und Kleid steht unterirdisch in Verbindung mit der zeitlichen Unsterblichkeit des Poetischen, wie Goethe gern am Schluß seiner Werke die Einheit von Göttlichem und irdisch Verbleibendem ausdrückt. Man denke an die Unverweslichkeit von Mignons Leiche, zu der polar einheitlich gebunden ihre ins Körperlos-Himmlische mit Flügeln entschwebende Apotheose gehört, oder an das himmlisch astrale Ende Makariens, zu der unterirdisch die biologische Rettung des Körpers von Wilhelms Sohn am Ende der Wanderjahre steht, oder an das Zurückbleiben des Kleiderköfferchens[88a]) am Sarg der unverweslichen Ottilie, deren Ende ja gleichfalls als Apotheose (Wundererscheinungen, Nachziehen des Kindes usw.) gezeichnet ist.

9. Der Schluß des Helenaaktes

Seine verschiedenen Unsterblichkeitsformen

Die Frage, die sich Goethe im Alter stets stellte, wie lange und wodurch Lebens- und Kunstwerke zu „dauern" vermögen, hat auch das Ende des Helenaaktes bestimmt, und zwar gab Goethe wie in den „Wanderjahren", so auch hier mehrfache Antworten, der mehrfachen Schichtung seines Lebens- und Kunstwerkes entsprechend: Stoffliche Natur wird gerettet durch Rückkehr in Bäume, Berge, Quellen, Weinstock; geschichtliche Schönheit (Helena) wird geborgen durch „Name" und „Person", das heißt durch das Geformte, unvergänglich Geprägte einmaliger Individualität; das „Göttliche" an und für sich, das sich von der „Göttin" loslöste, mag man es die zeitlos überirdische Urgewalt alles produktiv Schönen oder wie immer nennen, zieht am Äther als Schleier und Wolke dahin, sinnlich-unsinnlich als Symbol alles Künstlerischen Himmel und Erde verbindend; der Genius der Kunst steigt als strahlender „Komet" in den Himmelsraum empor. Sämtliche Elemente, die die Schönheit im ersten und zweiten Akt aufbauten, treten nach ihrer Vollendung wieder getrennt aus ihr heraus: Flamme (Knabe Lenker, Flammengaukelspiel, Homunkulus usw.), Kleid, Schleier, Hülle (Schmuck-, Schein- und Modeproblem der „Mummenschanz", absperrendes Glas des Homunkulus, Geheimnismotiv, Maske usw.), Naturelemente (Lustgartenvision, Klassische Walpurgisnacht), geschichtlich beschworenes Bild (Mütterszene, Gang in den Hades, Phorkyas-Helena-Konfrontation und die damit zusammenhängende Problematik der „Gegenwart" des Vergangenen bzw. Antiken im Modernen). Der Genese der Kunst entspricht ihre Auflösung bzw. Rettung.

Der zeitgeschichtliche Bezug aber erlischt wie er entstand: „Man glaubt in dem Toten eine bekannte Gestalt zu erblicken; doch das Körperliche verschwindet sogleich". Byron taucht in Euphorion auf wie ein Blitz aus der Zeit, um mit dem zeitverfallenen Körper wieder zu erlöschen. Wie die Parallele zu Byron entstehungsgeschichtlich erst nach der Euphorion-konzeption durch die Nachricht vom heroischen Tode dieses in Hellas gefallenen, von Goethe hochverehrten Dichters plötzlich auftauchte, so ist ihr dichterisch keine entscheidende Bedeutung für die Gestaltung der Euphorionallegorese beizumessen, es sei denn in der Formung des heroisch-kämpferischen, todbereiten Mutes Euphorions und in der inhalt-lichen Ausformung des „Trauergesangs", wodurch aber nach Goethes Zeugnis der „Chor ganz aus der Rolle fällt"[89]). Grundsätzlich berührt die Byronbeziehung den Aufbau der Euphoriongestalt aus der großen Gesamtschichtung des Werkes nicht oder kaum. Die Urphänomene poetischen Werdens und Sterbens sind die ausschlaggebenden Formkräfte, hinter denen das Zeitgeschichtliche verblaßt. Der Aufbau der Schönheit und ihre Spaltung durch die Übermacht eines naturgesetzlich wie dämonisch sich vollziehenden inneren Geschicks („Ein altes Wort bewährt sich leider auch an mir, Daß Glück und Schönheit dauerhaft sich nicht vereint") waren und sind das Urthema der Handlung, die damit ihren Kreislauf beschließt: Im Zerfall des Schönen ist auch eine neue Genesis verheißen: „Doch erfrischet neue Lieder, Steht nicht länger tiefgebeugt: Denn der Boden zeugt sie wieder, Wie von je er sie gezeugt", tröstet der Chor nach dem Tode des Genius, um selbst im bacchantischen Schlußsatz beruhigend und aufschäumend zugleich die elementar biologische Basis für die Neu-geburt alles produktiv Schönen zu legen: „Denn um neuen Most zu bergen, Leert man rasch den alten Schlauch".

In diesem Schlußwort des ganzen Aktes wird im Niederreißen aller überlieferten Stützen des Schönen, vor allem der „Sitte" und Konvention („Gespaltne Klauen treten alle Sitte nieder" (V. 10034)), eine neue Ewig-keit verkündet. Denn diese Schlußszene des Helenaaktes, vor allem die große Schilderung der Weinberge und Weinlese hat einen viel tieferen Bezug zu Goethes Altersleben und -fühlen als man es zunächst erwartet. Es spricht für die wunderbare Verbundenheit aller Bild- und Vor-stellungsschichten Goethes, daß wenige Jahre nach der Vollendung des Aktes Goethe selbst sich beim Ableben des Herzogs Karl August Todes-tröstung durch den Anblick der Weinberge und durch eifriges Studium des Weinbaues (auch von der technischen Seite her) geholt hat. „Die Weinberge nehmen sich hoffnungsvoll aus", heißt es damals, „... da wollen und müssen wir denn alles gelten lassen"[90]). „Bei dem schmerz-lichsten Zustand des Inneren" geben ihm „die Weinberge vor meinem

Fenster (in Dornburg) ... das Gefühl, daß eigentlich keine Trauer in der Welt sein sollte"[91]). Ein in der Dichtung bereits gestaltetes Motiv dringt jetzt unmittelbar ausrichtend und bestimmend in Goethes eigenes Leben ein in sonderbarer Umkehrung der sonst gebräuchlichen Ableitung dichterischer Vorgänge aus dem Leben. Bis in die Schilderung der Landschaft hinein ist die Parallele zum Helenaakt zu erkennen. Die Dornburger Landschaft gereicht ihm im Wechsel von Bergen, Hügeln, Gärten, Weinbergen, Feldern, die „durch Terassengänge zu einer Art von auf- und absteigendem Labyrinthe architektonisch auf das schicklichste verschränkt werden ... zu einer eigenen Tröstung", weil von „diesen würdigen landesherrlichen Höhen" bis zum „anmutigen Tal so vieles, was dem Bedürfnis des Menschen entsprechend weit und breit in allen Landen sich wiederholt"[92]), ihm die Gewähr einer ewig „sich wiederholenden" natürlichen Unsterblichkeit gibt. Aus dem „gesteigerten Wohlsein" dieser fruchtbaren Mittelgebirgslandschaft zieht er die Folgerung: „Die vernünftige Welt ist als ein großes unsterbliches Individuum zu betrachten, welches unaufhaltsam das Notwendige bewirkt und dadurch sich sogar über das Zufällige zum Herrn erhebt"[93]). In der Tat beleuchtet diese Schlußfolgerung die innerste Funktion, die beim späten Goethe die auffallende Vorliebe für die Garten- und milde Mittelgebirgslandschaft hat. Sie ist neben dem „ungeheuren" Urgebirge das Zeichen ewiger Behauptung natürlicher und kultureller Schaffensformen. Nur darum wird dieser Landschaftstypus schon in der Szene „Arkadien" (V. 9510/9573) und dann in der großen Schlußschilderung des Chors so liebevoll ausmalend vor uns ausgebreitet und behandelt: als Bürge unvergänglicher Dauer von Natur und Kultur. Allen Stürmen, Kriegen, Verwüstungen hält diese Landschaft unvergänglich stand: „Keine Spur von Verderben ist zu sehen, schritt auch die Weltgeschichte hart auftretend gewaltsam über die Täler"[94]). In der Pflege des Weins, den sorgfältigen Kulturen des Rebstockes, die gleichzeitig bacchantischen Wahnsinn und Rausch, ja „Niedertreten der Sitte" erzeugen, erfüllt sich ein ewiger Kreislauf von Schönheit und Element, Kunst und Natur, Form und Chaos. Im bacchantisch sich auflösenden Schluß des Helenaaktes münden Anfang und Ende des Schönen elementar ineinander. Wie einst in der Ergießung der Flamme des „Homunkulus" ins Meer ein Aufstieg, Absturz, Zerschellen und eine produktive Wiedergeburt des Genius dargestellt worden war und die „Genese" Helenas sich vollzog, so wird hier in der Rückkehr aller Kräfte in den Wirbel der Natur im „Ende" des Schönen schon wieder leise ein Neuanfang erhofft: „Denn um neuen Most zu bergen, leert man rasch den alten Schlauch" (Schlußworte).

Aufstieg und Ende der „Oper" und ihre Stellung in der Gesamtdichtung

Daneben steigen die Kunstgattungen selbst, vor allem die Oper, in steiler Kurve empor, um jäh wieder zu versinken: Mit dem Eintreten des „Wunders" Euphorion heben nicht nur Lichterscheinungen, Flammen und Verklärungen an, sondern erklingt „vielstimmige Musik", die sich als durchgeführte Oper bis zur „völligen Pause" am Ende des „Trauergesangs" durchhält. Ort und Zeitpunkt der Geburt der Musik — denn darum handelt es sich — sind sorgfältig gewählt. Erstens erklingt die Musik erst auf dem Gipfel der ganzen Faust II-Dichtung, zweitens entsteht sie in einer unterirdischen Höhle (gemäß der Operndarstellung im „Berliner Theaterprolog"), die sich sofort spontan dem Himmlischen öffnet: „Ein reizendes, rein melodisches Saitenspiel erklingt aus der Höhle".

Oft hat Goethe diese Gipfelstellung der Musik auch theoretisch begründet: „Die sonoren Wirkungen ist man genötigt, beinahe ganz obenan zu stellen" in der Stufenreihe der magnetischen, turmalinischen, elektrischen, galvanischen und chromatischen Wirkungen: „Wäre die Sprache nicht unstreitig das Höchste, was wir haben, so würde ich Musik noch höher als Sprache und als ganz zu oberst setzen. Wenigstens scheint mir, daß der Ton noch viel größerer Mannigfaltigkeit als die Farbe fähig sei"[95]. In der naturphilosophischen und kunstästhetischen Stufenreihe steht Musik für Goethe an oberster Stelle, immer dann Sprache und Farbe erhöhend und steigernd, wenn ungewöhnliche, nicht mehr sprachlich ausformulierbare Gipfelvorgänge durchdringen sollen, so bei Mignons Einsargung und Verklärung und so bei Euphorions Erscheinung. Das Göttlich-Himmlische des poetischen Genius lebt primär in Musik und Gesang, der plötzlich „aus der Höhle erklingt" und das ganze Drama formal wie inhaltlich auf eine unbegreifliche, wunderbare Höhe erhebt, ähnlich wie die Befreiung der Flamme des Homunkulus unter Gesang, vollstimmiger Musik und chorischem Enthusiasmus am Ende der Klassischen Walpurgisnacht dargestellt wird. Nicht nur kunsthistorisch also ist mit dem Einbruch der Oper ins Werk die „moderne" Musik und Seelenhaltung (Rührung usw.) charakterisiert; es ist auch ein Stufenbau von Kunst überhaupt verwirklicht:

Schon die Tatsache, daß Goethe in einem Atem Byron-Euphorion „als Repräsentanten der neueren poetischen Zeit" und zugleich als „nicht antik ... und nicht romantisch ... wie der gegenwärtige Tag" anspricht[96]), zeigt, daß Goethe in der Euphoriongestalt auch eine zeitlose Kunstschichtung sah. Wohl ist die Oper und Musik Euphorions modern, zugleich aber auch ein Gipfel von Kunst überhaupt: „Was ruft? — Ein

Dämon", so tritt die Oper im kunstsystematischen Aufriß der Gattungen im Berliner Theaterprolog 1821 auf, als „eine Stimme aus den Lüften" erschallt. Dämon, Musik, Oper, Genius und Himmelsregion fließen auf der höchsten Stufe der Selbstoffenbarung der Kunst ineinander. In ihnen ist ferner die Welt als Gesamtheit erloschen und ins dämonisch „Innre" verlegt: „Laß der Sonne Glanz verschwinden, Wenn es in der Seele tagt, Wir im eignen Herzen finden, Was die ganze Welt versagt" (V. 9691 ff., dazu Lesart: „Ach die ganze Welt verschwindet, Dem es in der Seele tagt"). In diesem Wort hat Goethe eine, wie er glaubte, moderne Kunstsphäre gezeichnet, um deren Ergründung er zeit seines Lebens rang. Die Musik läßt im „eigenen Herzen finden", was die „ganze Welt versagt". D. h. das christliche Erbe der weltabschließenden Behauptung der Seele hat sich ins musikalisch Geniale gewandt. Die „schöne Seele", Urahnin der Wilhelm-Meister-Gesellschaft vom Turm und zuinnerst mit Mignon verwandt durch ihre Sehnsucht nach „weißem Gewand und goldenen Flügeln"[97]), empfindet beim Anhören von Gesang zum erstenmal „lebhaft die Gottähnlichkeit" des Menschen und fühlt sich „auf das geistigste erhoben und glücklich"[98]). Noch stärker hat Goethe im Alter von hier aus die einzelnen Kunstgattungen bestimmt: „Ritterstücke, tumultuarische, aufgeregte, wo der Mensch sich selbst durch kräftige Tat zu helfen strebt, durch eigenes Innere zugrunde geht" (Paralip. zum „Berliner Theaterprolog" von 1821)[99]) sind ihm unter ausdrücklicher Abhebung von der antiken Tragödie spezifisch modern, weil sie sich aufs „eigene Innere" stellen. Phänomenologisch wird es von hier aus möglich, daß der trotzige, selbstbewußte, autonom handelnde Mensch der Neuzeit zugleich zusammenfließt mit dem „innerlichen" Charakter der Euphorionoper, was vielleicht am deutlichsten wird in Goethes spätklassischer Umdeutung seines eigenen Götzdramas, in dem er einen Prototyp der Innerlichkeit sieht in höchst merkwürdiger Bezugsetzung zur innerlichen Flamme der Seele: In der Götzdarstellung des Weimarer Maskenzugs von 1818 steht folgende, breit ausgeführte Stelle, gesprochen von einer jungen Zigeunerin: „Aber unsre Augen brennen Lichterloh in Finsternissen Und erhellen uns die Nächte, So kann unserem Geschlechte Nur das Höchste heilig deuchten, Gold und Perlen und Juwelen können solcher edlen Seelen Himmelsglanz nicht überleuchten — Der allein ist's, der uns blendet" (V. 559 ff.). Diese im Rahmen des Weimarer Maskenzugs wie auch im Blick auf das tatsächliche Goethesche Götzdrama völlig unverständlichen Worte erhalten Sinn nur dann, wenn man sich klarmacht, daß Goethe kunsttheoretisch im modernen Drama einen Niederschlag des „Himmelsglanzes der Seelen", der innerlich „brennenden Augen", die „zum Höchsten", „Heiligsten" nur aufblicken usw., sah. So weit dringt Theorie bildhaft bei Goethe in sinnliche Kunstmanifestation ein. Denn hält man diese Stelle mit der drei Jahre späteren Deutung der Ritterstücke zusammen, so rückt ihre Bedeutung aus allem Zweifel heraus: Das energische Tun, „Handeln" und Aufsichselbstgestelltsein des „Tüchtigen" der „Mittelzeit" (Mittelalter) greift für Goethe unmittelbar hinüber ins göttlich Eigene, Wunderschaffende der Seele: „Schicksal und Glaube finden keinen Teil, In reiner Brust allein ruht alles Heil: Denn immerfort, bei allem, was geschah, Blieb uns ein Gott im Innersten so nah; Wo Erd und Himmel sich im Gruße segnen, Dem Staunenden als Herrlichstes begegnen"[100]). Tüchtigkeit, energisches Handeln, Zuflucht der Seele in sich selbst, Ergreifen eines „Gottes im Innersten", Berührung von Himmel und Erde und Einbruch des „Herrlichsten" als staunenerregendes Wunder sind die Elemente einer Dichtungsgattung, die als spezifisch neu, nichtantik von Goethe angesprochen wurde und zweifellos auch die Euphoriongestalt grundlegend in ihrer Verbindung von kämpferisch-tüchtigem Heroismus, musikalischem Aufstieg der Seele und wunderbarer Identität von Himmel und Erde, Höhle und Verklärung geformt hat. Das Dämonische, der „Gott im Innersten", war von Goethe in vollem Bewußtsein als ein Erbe der germanisch-christlichen Neuzeit, als eine Höchstform des Heroischen erkannt worden. Sein Element heißt Musik, die auftaucht, „wenn es in der Seele tagt", und die verschwindet mit dem Untergang Euphorions: „Nun eilig, Mädchen! Sind wir doch den Zauber los, Der alt-thessalischen Vettel wüsten Geisteszwang; So des Geklimpers vielverworrner Töne Rausch, Das Ohr verwirrend, schlimmer noch den innern Sinn. Hinab zum Hades!" (V. 9962 ff.).

Auch hier ist ein Kreislauf vollendet; von der monologisch-antiken Starre des ersten Helenaauftritts über die duettartige Dialogführung der Reimerzeugung und die höchste musikalische Apotheose ist der Bogen von der Antike zur jüngsten Zeit großartig und endgültig gespannt, um in der Rückkehr zum Hades bzw. zur Natur die Grundlagen ewiger Wiederholungen des Schöpfungsvorganges zu legen.

Die natürliche, künstlerische und geschichtliche Totalität von Schönheit und Kunst hat sich damit am Ende des dritten Aktes restlos erschöpft und wird nunmehr in den zwei letzten Akten anderen Problemstellungen weichen.

VI. Kapitel

Die Schichtung des 4. und 5. Aktes
und der eigene dichterische Daseinsentwurf Goethes.

1. Die Frage nach dem Sinn der zwei letzten Akte

Die beiden letzten Akte des Faust II-Dramas haben die Forschung vor nicht geringere Rätsel gestellt als die drei ersten. Die im ganzen vorwaltende Meinung, Faust „gewinnt sich selbst innerlich wieder", indem er sich in den Schlußakten von der „ästhetischen zur ethisch-sozialen" Sphäre durchringt[1]), führte bei genauerer Sprach- und Inhaltsuntersuchung zu folgenden widerspruchsvollen Ergebnissen. Statt des erwarteten langsamen Durchbruchs ethisch-sozialen Verantwortungsbewußtseins im Bereich sittlich-praktischen Handelns mußte z. B. in den Staatsszenen des vierten Aktes ein „außerordentlicher Substanzverlust"[2]) festgestellt werden, und zwar von demselben Forscher, der die Wendung zur ethisch-sozialen Sphäre betont. Nicht nur die breitausgeführten Schlachtszenen haben nach ihm „etwas Theatralisches" und sind „leere scheinhafte Vorgänge", sondern auch in bezug auf den gesamten vierten Akt kommt Mays Sprachanalyse schließlich zu dem Urteil: „Aber daß Goethe wirklich erreicht habe, was er sich für die poetische Ausführung dieses Aufzuges vorgenommen hat, kann man nicht zugeben"[3]). Mit anderen Worten: die Formanalyse stellt ein Versagen der dichterischen Ausdruckskraft fest, ein Unvermögen, das, „was sich Goethe vorgenommen hat", poetisch zu verwirklichen und zu formen. Die Frage, ob das, was als nichterreichtes Ziel hier von der Kritik gekennzeichnet wird, auch tatsächlich Goethes Ziel war, sei hier noch unberührt. May erklärt sich das mangelnde Eindringen einer neuen ethisch-sozialen Haltung zunächst damit, daß Goethe wie „auf einer langsam, ja vorsichtig sich bewegenden Drehscheibe"[4]) den Übergang vom Ästhetischen zum Ethischen vollzogen habe, d. h. im „Trug, Zauberblendwerk, hohlen Schein" des Kriegstheaters und der nichtigen Staatsmaschinerie[5]) der Restaurationszeit[5a]) nochmals die ästhetische Sphäre als „Nachklang" weiterführte, indem „Faust lediglich Beschauer des seltsamen Phänomens" ist, und dann erst im fünften Akt immer mehr dem Dienst- und Opfergedanken und der Vision vom „freien Volk auf freiem Grund" zum Durchbruch verhalf[6]). Daneben wird vielfach Meißingers Meinung geteilt, dieser vierte Akt sei eine „schneidende Kritik" am Staat des Mittelalters bzw. der Restauration vom „positiven Staatsgedanken der Schlußvision"[7]) aus. Andererseits kann sich die gleiche Forschung wiederum nicht der Tatsache verschließen, daß selbst der fünfte Akt nicht eindeutig der neuen Gemeinschaftsethik zum Siege verhilft, da „die ethisch-soziale Läuterung darstellungsmäßig nicht gegeben, nicht realisiert" wird, Faust „nicht zur abschließenden Leistung und Bewährung aus dem neu erwachten Drang heraus im Sinne einer Gemeinschaftsethik und Politik" gelange, sondern „erlösungsbedürftig" durch die „Gnade von oben" bleibe[8]). Doch selbst diese Gnade hat „keine eigene poetische Form in diesem Werk, auch keine eigentlich poetische Wirklichkeit gewonnen"[9]), so daß schließlich als einzig „positives" sittliches Ethos nur „sein letztes, großartig unbedingtes Ja zum unendlichen faustischen Streben" sich herauszeichne. Andere, noch kritischere und schärfere Beurteilungen, die geradezu eine notorische Unsittlichkeit Fausts (auf Grund der Philemon-Baucis-Szene u. a.) behaupten und selbst das Ethos unendlichen Strebens verneinen, sind von Ada M. Klett sorgfältig verzeichnet worden.

Die ganze Problematik, um die solche Deutungsversuche kreisen, konzentriert sich also letztlich im Problem der Rechtfertigung und des ethischen Handelns. Immer wieder taucht die Fragestellung auf: Ist Faust auf Grund seiner ethisch-sittlichen Leistung oder etwa — idealistischer ausgedrückt — seiner inneren Haltung gerettet? Wie steht die „Gnade von oben" zur Autonomie seiner sittlichen Entscheidung? Wie verhält sich sein „unendliches", alles Realisierbar-Irdische hinter sich abbrechendes „Streben" zur „Schuld"? In welchem Bezug stehen „Magie" und „Sorge" zur christlichen Erlösung? Wie ringt sich das Ethische durch gegen das Ästhetische der früheren Akte? usw. Welche verschiedenartigen, hoffnungslos sich widersprechenden Antworten auf diese Fragen gegeben werden können und gegeben worden sind, kann bei Ada M. Klett nachgelesen werden[9a]). Je konsequenter eine These an der Dichtung demonstriert wird, umso deutlicher ergibt sich fast durchweg, daß keine einzige eine restlose „poetische Wirklichkeit" im Werk angenommen hat. Weder ist die sozial-ethische Lösung dichterisch geformt und bewältigt, noch die religiös erlösende eindeutig gestaltet. Ja selbst das „unendliche faustische Streben" hat längst die großartig sprengende Dynamik des „Faust I" verloren und zeigt sich noch nicht einmal „geläutert", wenn man sich den vierten Akt, die Philemon-Baucis-Szene usw. vergegenwärtigt.

Vor allem der vierte Akt, um den es uns zunächst geht, blieb seit jeher in der Forschung das große Schmerzenskind, an dem fast alle Erklärungen scheiterten. Meist hat man ihn als „Kontrast" zum dritten oder fünften Akt aufgefaßt. Der „ästhetischen" Haltung gegenüber solle im Plan zum Bau der Dämme ein neues „faustisches Pathos" aufbrechen, dem positiven Natur- und Volksstaat des fünften Aktes gegenüber das negative Bild des Staates des Mittelalters bzw. der Restaurationszeit karikiert werden[10]), um zu zeigen, „wie hohl und nichtig das Bild dieses Staates in Fausts Augen ist"[11]). Die Frage aber, die sich die Forschung dann selber stellte: „Was besteht denn für ein Anlaß, das (in der letzten Szene der Erz-ämterverleihung) so breit noch auszuführen bis zur vollen Verhöhnung dieses Staates, nachdem schon der „wunderbare falsche Ton" des ganzen abgelaufenen Unternehmens deutlich genug spürbar geworden ist?", blieb grundsätzlich ungelöst. May und mit ihm viele andere bezeichnen den vierten Akt als im ganzen mißlungen oder unfertig, weil er trotz aller „Kontraste", durch die er künstlerisch zu rechtfertigen sei, nicht die Goethesche Absicht erreicht habe, in ihm „eine für sich bestehende kleine Welt" darzustellen, die „durch einen leisen Bezug zu dem Vorher-gehenden und Folgenden sich dem Ganzen anschließt"[12]). Es „muß", sagt May, diesem „Wort des Dichters selbst widersprochen werden ... Weder hat sich uns im Ganzen des vierten Aktes ein für sich bestehender kleiner Weltenkreis eröffnet, noch eine eigentümliche, abgeschlossene, abgesetzte Kunstgestalt, in der diese erschiene. Wie nach einer langen Stauung fließt der Strom der Entwicklung kurz nach dem Beginn des fünften Aufzugs rascher und bald im brausenden stürzenden Fluß"[13]).

Demgegenüber fragt es sich, ob es nicht dennoch eine Möglichkeit gibt, den inneren Gründen, die Goethe gerade zu dieser und keiner anderen Formung bewogen haben, nahezukommen und von hier aus, wenn nicht eine „Rettung", so doch wenigstens eine Erklärung des Aktes zu finden. Zunächst muß dabei der Ausgangspunkt der Kritik, der Glaube, es handele sich in den zwei letzten Akten um eine Wendung vom Ästhetischen ins Ethische, fragwürdig werden. Nachdenklich mag schon die Tatsache stimmen, daß Goethe gerade die ethische Entscheidung des Gesamtwerkes, das geplante und teilweise schon skizzierte große „Gericht über Faust" (Paralip. 195) im Himmel, das dem Ganzen die krönende, klärende und sittlich rechtfertigende Lösung gegeben hätte, streicht mit der Begründung, das sei „Aufklärung. Faust endet als Greis, und im Greisenalter werden wir Mystiker"[14]). Bezeichnend sind ferner die „ausweichenden Ant-worten", mit denen Goethe auf jedes Drängen nach einer bündigen Deutung des Schlusses reagiert[15]). Es muß also die Möglichkeit eingerech-net werden, daß hinter diesem Sichverstecken in „Mystik", in diesem Ausweichen vor einer eindeutigen ethischen Entscheidung, die Goethe als „Aufklärung" abtut, das sichere Bewußtsein schlummert, welches er schon Schiller gegenüber anläßlich des Abschlusses der „Lehrjahre" in heftigen inneren Kämpfen äußerte, daß alle „Resultate" und klaren ethischen

Entscheidungen gerade den poetischen Charakter des Ganzen aufheben und aufs höchste gefährden könnten. Mit anderen Worten: Vielleicht verbirgt sich hinter dieser „Mystik" bei dem Haß Goethes gegen alles Mystifizierend-Verschwommene und Orakelhafte wieder der echt Goethesche Rückzug in innerpoetische Schichten, die jedem rational auflösenden wie auch jedem „richtenden" Deuten — sei es im Sinne eines ethischen Gerichts oder einer systematischen Ausrichtung der Handlung auf einen einzigen Punkt hin — fremd sind und aus völlig anderen Bezirken gespeist werden? Wenn Goethe bedeutsam von dem vierten Akt sagt, er bekomme „wieder einen ganz eigenen Charakter, so daß er, wie eine für sich bestehende kleine Welt, das Übrige nicht berührt und nur durch einen leisen Bezug zu dem Vorhergehenden und Folgenden sich dem Ganzen anschließt"[16]), so scheint er solche spezifisch dichterischen Schichten zu bezeichnen, denen es nun nachzugehen gilt.

Zunächst spricht vieles dafür, daß schon die erste, gemeinhin geltende Annahme, Faust gehe nach einem „Zerbrechen" der künstlerischen Welt nunmehr in eine praktisch-sittliche über, die ihn wieder „sich selber innerlich" zuführe, d. h. also seinem innersten Wesen gemäßer sei als die künstlerische, in der Tat in sich selber höchst fragwürdig ist. Nirgends hat Goethe mündlich oder schriftlich der Meinung Ausdruck gegeben, daß die ihm höchst verehrungswürdige künstlerische Produktivkraft, die ihm göttlicher Schöpfung fast ebenbürtig schien, schließlich zerbricht, um dadurch Fausts wahrstes Wesen wieder freilegen zu können. Ihre Auflösung am Ende des Helenaaktes war ein schöpferisches Eingehen in den Kreislauf der Natur, nicht das enttäuschende Entschwinden eines Trugs. Selbst der Abschied von Helenas Wolke zu Beginn des vierten Aktes preist noch den „großen Sinn" „blendend flüchtiger Tage", der in solchem „Spiegel" nochmals überwältigend aufstrahlt. Höchste Produktivkraft künstlerischen Tuns kann nach Goethe niemals gänzlich verschwinden und wird sich auch Fausts Wesen niemals für immer entziehen. Dennoch ist sie endgültig mit dem Ende des Helenaaktes abgeschlossen, und Gretchens „Seelenschönheit" tritt an die Stelle der sich auflösenden Wolke Helenas, eine neue Jugend und Verjüngung in Faust entfachend. „Des tiefsten Herzens frühste Schätze quellen auf" (V. 10060). Was also ist das Neue, das Faust in Gretchens Bild, Helena ablösend, begegnet?

Ehe diese Frage und damit das Problem des ersten Faustmonologs am Anfang des vierten Aktes gelöst werden kann, sei die unmittelbar folgende Szene, welche die spezifisch neue „Ethik", das Ringen Fausts mit den „Elementen" am Meer, verkündet, genauer untersucht. Von dieser Szene aus beginnt sich nämlich das Rätsel der zwei letzten Akte zu entschleiern, vor allem die scheinbar inkonsequente Bauweise und Durchkomponierung des zuletzt geschriebenen vierten Aktes. Von den bereits fertiggestellten Szenen des fünften Aktes, vor allem den wahrscheinlich ältesten Szenen am Meer („Mitternacht" bis „Grablegung") aus wollte Goethe rückwärts die „Lücken" zwischen dem dritten und fünften Akt schließen, um (wie er schreibt) der „historischen und ästhetischen Stetigkeit"[17]) willen. Handlungsmäßig scheint das zu bedeuten, daß Goethe die kaiserliche Belehnung mit der Küste durch Kriegshilfe usw. begründen wollte. Doch gerade dies widerspricht der Ausführung. Die danach wichtigste Szene, die Verleihung der Küste durch den Kaiser, fällt aus, obgleich sie bereits skizziert war[18]) und sich von selbst an das Ende des Aktes geknüpft hätte; umgekehrt werden die Mittel zum Zweck; die Kriegshilfe Fausts wird Selbstzweck, Inhalt und breit ausgeformte Darstellung, so daß das Ganze den Eindruck einer kaum mehr mit dem Gesamtdrama verbundenen, über Gebühr ausgedehnten „Einlage" und eines „Zwischenstückes"[19]) erhält. Es scheint sich der gleiche Vorgang wie im zweiten Akt zu wiederholen, wo ebenfalls die Szene, auf die der ganze Akt zuläuft, die Losbittung Helenas aus dem Hades, ausfällt und die „grenzenlosen Inzidenzien" den Akt füllen und selbständig machen. Hier wie dort aber verbirgt sich hinter solchen verselbständigten Zwischenakten eine poetisch „eigene Welt", deren innere Formung die Endszene ausschloß. Denn hinter dem neuen „Ethos", auf das die Handlung des vierten Aktes sich richtet: der Gewinnung von Land im Kampf mit dem Meer, schlummert etwas gänzlich anderes, als es die äußere Belehnung hätte darstellen können:

„Mein Auge war aufs hohe Meer gezogen ... Die Woge stand und rollte dann zurück, Entfernte sich vom stolz erreichten Ziel; Die Stunde kommt, sie wiederholt das Spiel ... Da herrschet Well' auf Welle kraftbegeistet, Zieht sich zurück, und es ist nichts geleistet, Was zur Verzweiflung mich beängstigen könnte! Zwecklose Kraft unbändiger Elemente! Da wagt mein Geist, sich selbst zu überfliegen; Hier möcht' ich kämpfen, dies möcht' ich besiegen" (V. 10198 ff.). Eine uralte, innerst Goethesche Problemstellung taucht hier auf: der Kampf mit der ewigen, „unfruchtbaren" (V. 10213) Wiederholung sinnlos gleicher Kräfte. „Da ist für mich nichts Neues zu erfahren, Das kenn ich schon seit hunderttausend Jahren" (V. 10210 f.). Das ewige Spiel der Wellen im Meer ist hohnvoll schreckliches Bild der ewig zwecklos zersplitternden Kraft alles auf Erden sich in Jahrtausenden Abmühenden. Hinter der Vision von der Bändigung der Wellen steht die über Sein und Nichtsein, über Sinn, Zweck, Ende und Zukunft alles Tuns überhaupt entscheidende Frage nach der Möglichkeit des Entrinnens aus dem Kreislauf einer ewig „wiederkäuenden" Natur, vor der schon Werther graute und vor der Goethe selbst (auf dem Umbruch zur Klassik) zum Granitgebirge des Harzes entwich, um das „ewig offene Grab" der Geburten und Wiedergeburten überwinden zu können. Das immer wieder, auch im ersten, zweiten und dritten Akt breit aufsteigende Motiv vom sinnlosen Kreislauf des Welt-

theaters, hier, in den zwei letzten Akten, gelangt es zur endgültigen
Klärung und ausschließlichen Formung, weil Faust hier vor keiner ge-
ringeren Macht steht als vor dem Tod. Der Einfall Goethes, Fausts Ende
am Meer spielen zu lassen, um im Kampf mit den Elementen zugleich
den Tod zu bestehen, entspringt der harten Einsicht, daß die Gewähr für
eine „Rettung" des „unendlich" Tätigen, für eine „Dauer" des Tuns über
alle Zukunft in „Äonen" hinaus nur durch die Überwindung des ewig
zurückschwingenden Kreises der Dinge überhaupt gegeben werden kann.
Alle Darstellungen des Faustischen Endes sprechen für diese Annahme:

Die wahrscheinlich frühsten Szenen der beiden letzten Akte, „Mitternacht" bis „Grablegung", konfrontieren auf ihrem Gipfel, dem Tode
Fausts, diesen Kampf gegen den verzweifelnd sinnleeren Kreislauf des Daseins mit der Faustischen Suche nach Dauer in Äonen: „Vorbei und reines
Nichts, vollkommnes Einerlei, Was soll uns denn das ewige Schaffen!
Geschaffenes zu nichts hinwegzuraffen ... Es ist so gut, als wär es nicht
gewesen, Und treibt sich doch im Kreis, als wenn es wäre. Ich liebte mir
dafür das Ewig-Leere" (V. 11597 ff.). Die Todesszene selbst, die Verwechslung des Grabes mit dem Graben, demonstriert Mephistos scheinbaren Triumph vor allem durch sein Bündnis mit den widersinnig zerstörenden und kreisenden Elementen: „Du bist doch nur für uns bemüht
Mit deinen Dämmen, deinen Buhnen ... In jeder Art seid ihr verloren; — Die Elemente sind mit uns verschworen, Und auf Vernichtung
läufts hinaus" (V. 11545 ff.). Der Kampf gegen die Elemente, die hier
nicht im positiv schöpferischen Sinn der Wiedergeburt und Rettung,
sondern in dem des Welttheatermotives gefaßt sind, ist also ein Ringen
um die Rettung einer ewigen Tat mitten im ewigen Kreislauf der Dinge.
So und nicht primär aus praktisch-kolonisatorischen Vorbildern (Friedrich
der Große, Amerika usw.) ist jene erhabene Gegenvision Fausts zu verstehen: „Im Innern hier ein paradiesisch Land, Da rase draußen Flut bis
auf zum Rand ... Und so verbringt umrungen von Gefahr Hier Kindheit, Mann und Greis sein tüchtig Jahr". Schon die Form dieser „Kolonie"
ist bezeichnend: ein „paradiesisch Land" mit den zeitlosen Typen Kind,
Mann, Greis mitten in einer brausenden Flut. Goethes alte Urzeitvision
schwingt hier nach als Behauptung einer ewig beharrenden Tat („tüchtig Jahr") im ewig niederreißenden Element. Diese Tat also ist im Wesen
nicht „praktisch", sondern „metaphysisch", weil sie auf nichts Geringeres
als auf den Sieg über den Tod zielt, auf die Niederringung der ewig zerstörenden „Elemente", die mit Mephisto „verschworen" sind in ewig
rückläufiger „Vernichtung" aller Tat. Selbst die große Auseinandersetzung
zwischen Faust und der „Sorge" kreist, wie sich zeigen wird, um die
Behauptung frei wirkender Tat gegen den Zweifel, der sich einschleichen
will, gegen das „schmerzlich Lassen, widrig Sollen, Bald Befreien, bald
Erdrücken" (V. 11482 f.), kurzum gegen die alles Große und Ewige

niederziehenden „Gespenster" des nichtigen Kreislaufs der Zeit. Die Grundfrage Fausts vor dem Tod lautet: Ist menschliche Tat ewig oder nicht? Verfällt sie der ewig alles zerstückelnden Wiederkehr von Werden und Vergehen oder „kann die Spur von meinen Erdentagen nicht in Äonen untergehn"? Von diesem Grundthema des Schlußaktes aus ist das „Ethos" des vierten Aktes konzipiert: „Da wagt mein Geist sich selbst zu überfliegen, Hier möcht' ich kämpfen, dies möcht' ich besiegen" (V. 10 220 ff.).

Vieles, was seither als primär galt, tritt damit an zweite Stelle zurück. Die Annahme, Faust trete ins Praktisch-Sozialpolitische ein, die „Kolonisation" sei Zielpunkt der Handlung, die Parallele, die Hertz zur Kolonisation Friedrichs des Großen spann[20] usw., all dies ist Ausdruck, nicht Grund dieser zwei Akte, so tief und wesentlich es auch dieses Ringen Fausts mit dem Meer beleuchtet. Nicht um eine Belehnung Fausts mit der Küste durch den Kaiser ging es im vierten Akt, sondern um die Herrschaft über die „Elemente" auch im scheinhaften „Kriegszauber", oder genauer, um die Beziehung, die zwischen den Elementen (Wasser, Feuer) und dem Krieg besteht. Keine „Satire" der Restaurationszeit und eine darauf folgende Errichtung einer positiven Staatsform ist, wie Meißinger, Frankenberger usw. annehmen, Goethes dringendstes Anliegen, genau so wenig wie es im fünften Akt um einen Eintritt ins Gemeinschaftsethische geht, dessen widerspruchsvolle und nur halb gelungene Darstellung ja mit Bedauern gerade immer wieder von den Vertretern dieser These bestätigt wird. Selbst um eine langsame Überwindung des Ästhetischen durch das Ethische kann es sich nicht im vierten Akt handeln. Denn Mays Ansicht, Ästhetisches schwinge in den Zauberspielen des vierten Aktes nach, um dann dem Ethischen Platz zu machen, wird sich bei einer genauen Analyse dieser Szenen als irrig erweisen. Vielmehr sind alle diese Formen nur Ausdruck einer tieferen, den Kampf zwischen Tat und Tod beschwörenden Schaffensproblematik Goethes, aus der sich allein die Gesamtheit der Szenen wie auch jede einzelne, anscheinend so unauflösbar widerspruchsvolle Stelle erklärt und aufhellt. Denn nur die Thesen, die nicht diese Totalität mit einschließen, rufen „Widersprüche" hervor, nicht aber liegen diese Widersprüche im Werk: Die These vom Gemeinschaftsethos gerät in Widerspruch mit dem schroffen Egoismus Fausts vor seinem Ende, der selbst das Glück eines alten Ehepaares in seiner Nachbarschaft nicht zu ertragen vermag; die These von der praktischen Bewährung steht im Widerspruch zu der scheinhaften, passiven Kriegsführung Fausts, zu dem Seeräubertum seiner drei Gesellen und dem blutigen Hohn der Verwechslung der Totengräber mit seinen Arbeitern usw. Versteht man jedoch diese Szenen aus dem Gesamtkampf zwischen Elementen und Tat mit all seinen metaphysischen bzw. schöpfungsphänomenologischen Hintergründen, so beginnen sich zwischen der Vernichtung des „Idylls" Philemon und Baucis und der Schlußvision Fausts am Meer, zwischen der Faust-Sorge-Szene und der Verwechslung der Totengräber mit den Arbeitern usw. unterirdisch verschränkte Beziehungen herauszuzeichnen, die in ihren komplizierten Spannungen zwischen Tat, Schuld, biologisch-elementarer Naturtragik und -rettung allerdings eindringlicher Untersuchungen bedürfen, um restlos, einwandfrei und werkgerecht zutage zu treten, im Grunde aber die Welt der drei vorhergehenden Akte gar nicht verlassen, die sich ja auch um das Problem des Schaffens drehte. Nicht eine ästhetische Welt wird überwunden und eine ethische dafür gewonnen, sondern längst im ästhetischen Raum aufgetretene Problemschichten werden weitergeführt und grundsätzlich gelöst, indem Goethe an Stelle spezifisch künstlerischer und kunstgeschichtlicher Schaffensfragen die Frage nach der Dauer und Ewigkeit des Schaffens überhaupt radikal unter den Blickpunkt des Todes stellt. Verlassen ist das ästhetische „Wie" des Schaffens, nicht aber das „Wozu". Ausschließlich in diesem „Wozu" ist die „Ethik" der neuen Stufe zu suchen. Es ist gleichsam eine Ethik der äußersten Grenzfragen, unter die alles „Bilden und Schaffen" gestellt ist. Indem den Helden zu Beginn des vierten Aktes auf dem Urgebirge die Vision vom brandenden Meer überkommt, gerät schon rein szenarisch alles im engen Sinne Kulturelle unter die ungeheure Spannweite außerkulturell alles Geschaffene umspülender Mächte. Faust steht frontal dem Anfang und dem Ende aller Kultur gegenüber, und zwar mit voller Absicht des Dichters: „Erst bilden und schaffen. Vorzüge der menschlichen Gesellschaft in ihren Anfängen", lautet das entsprechende Paralipomenon (178). Die alte Goethesche Frage nach dem „Bilden und Schaffen" wird hier, wo Faust, auf dem Urgebirge stehend, Meer und Kulturen überschaut, vorgetrieben zur Frage nach den „Anfängen der menschlichen Gesellschaft", nach ihrem Verhältnis zu Meer und Element und ihren „Vorzügen" gegenüber allen überlieferten bzw. im engen Sinn kulturellen Erscheinungen menschlichen Schaffens.

Was aber hier genau mit „Gesellschaft" und ihren „Anfängen" gemeint ist, wie sich im Einzelnen der faustische Kampf gegen Tod, Element, Meer und Vernichtung sowie der Durchbruch verewigter, „in Äonen" sich behauptender Tat in dieser äußersten Spannweite von Urgebirge und Meer abspielt, soll die folgende Untersuchung erweisen.

2. Die Schichtung des vierten Aktes

Die grundsätzliche „Umwendung" vom dritten zum vierten Akt

Wie stets auf Grenzscheiden zu neuen Epochen wird auch hier der Eintritt in eine neue Seinssphäre durch einen Akt der Verjüngung markiert. Altes, in diesem Falle Helena, „löst sich ab", „Jugenderstes" steigt empor (V. 10043, 10059). Schon der Ort des Umbruchs ist wichtig: Hoch- und Urgebirge, wie oft bei Goethe im Alter, so etwa zu Beginn der „Wanderjahre", eine Grenze zwischen zwei Welten und den Eintritt in einen neuen Bezirk kennzeichnend. „Meph. im Gebirg der Wolke nach. Faust läßt sich nieder. Die Wolke steigt als Helena. Ablösen (?) dieser Vision Meph. Faust umwendung zum Besitz Gewalt. Aufregung der Völker (Paralip. 179)"[21]) usw. Eine „Umwendung zu Besitz und Gewalt" vollzieht sich nach dieser Skizze im Gespräch zwischen Faust und Mephisto, als Faust mit der Wolke die Helenasphäre verläßt. Die Frage nach dem unterirdischen Weiterleben der spezifisch ästhetischen Sphäre ist also völlig anders zu verstehen. Nur bis zu dieser Stelle, dem Abschied von der Wolke, wirkt die ästhetische Sphäre hinein, nicht, wie May glaubt, bis in die passiv zuschauende Rolle Fausts beim Kriegszauber. Dafür spricht schon die Entstehungsgeschichte: Im Mai 1827, also kurz nach der Beendigung des Helenaaktes, der am 25. Januar „eingepackt"[22]), am 18. März aber nochmals geändert wird[23]), erwähnt Goethe die Fortführung der Handlung bis zu dem Niederlassen Fausts aus der Wolke und der Begegnung mit Mephisto[24]), während alle anderen Teile des vierten Aktes erst 1831 geschrieben sind. Das Ästhetische im Sinne der Kunstliebe oder der Antikeverehrung ist mit Helenas Wolke verlassen. Das passive Zuschauen beim Kriegszauber aber ist nicht „ästhetisch", sondern erwächst aus völlig anderen Schichten.

Denn elementar tauchen nun bestimmte, seither weniger vordringliche Elemente aus den drei vorhergehenden Akten auf. Erstens erhebt sich wieder die Frage nach der Berg- und Erdentstehung. Zweitens ist diese assoziativ mit der „Aufregung der Bergvölker", der Beschwörung der unterirdischen Zwerge, Undinen und längst gestorbenen Ritter sowie der drei „allegorischen Lumpe" Raufebold, Habebald, Haltefest usw. verbunden, weil für Goethe der geologische Vulkanismus mit der Menschengeschichte unmittelbar in Beziehung steht: Auf Mephistos Schilderung der „Zustände der besitzenden Menschen ... entgegnet Faust durch Schilderung der Revolte" (Paralip. 178): „Faust hat immer etwas Widerwärtiges", weil er in gleicher Weise die „Revolten" der Geschichte wie der Vulkane haßt. Aus diesen Hintergründen heraus erscheinen ihm plötzlich „die Anwohner des Meeresufers beneidenswert", weil man nur hier wirklich „erst bilden und schaffen" kann und so die „Vorzüge der menschlichen Gesellschaft in ihren Anfängen" offenbar werden (Paralip. 178). Der innere Zusammenhang zwischen den verschiedenartigsten Szenen wird bereits hier sichtbar. Die „Umwendung zu Besitz und Gewalt" entfaltet eine doppelte Möglichkeit von Gesellschaft: die Gesellschaft in ihren „Anfängen" und die durch „Revolten" gefährdeten „Zustände der besitzenden Menschen", zu denen Mephisto ihn verleiten will, weil sie scheinhaft und nichtig sind. Zwischen „erster Gesellschaft" und „Revolution" (bzw. „Besitz") entwickelt sich eine Spannung, in der „Bilden und Schaffen" (im Urstadium) positiv, das „Besitzen" und „Revoltieren" negativ erscheinen und sich parallel dazu auf Neptunismus und Vulkanismus erstrecken. Eine grundsätzliche gewaltige Auseinandersetzung zwischen diesen Urmächten des Daseins, nicht ein ethisch-sozialer Emporstieg Fausts, der ja gerade durch die „Umwendung zu Besitz und Gewalt" in tiefste Schuld im fünften Akt stürzt, ist zu gewärtigen. Aus diesen Hintergründen heraus blickt Faust vom Ur- und Hochgebirge hinunter in das Leben und Treiben der Völker, Naturen, Meere und Gebirge, vor die Mephistofrage gestellt, ob er sich dem Vulkanismus, „Tumult, Gewalt und Unsinn", die sich im „Zeichen" des Gneis und Basalt manifestieren (V. 10127), dem „lärmigen Hin- und Widerrutschen ... ewigen Hin- und Widerlaufen Zerstreuten Ameis-Wimmelhaufen" (V. 10149 ff.) der Städte, oder dem gigantischen Versuch der Überwindung eben dieses unendlich sich wiederholenden Tuns und Treibens zu widmen entschließen will oder nicht. Die Höhe des Blicks und die Nähe des Urgesteins schenken ihm Ruhe und Stärke, wobei die entsprechende, passiv betrachtende Haltung gerade Ausdruck seiner Überlegenheit über all diesen Tumult ist und weder mit der früheren ästhetischen Richtung noch mit „Verspieltheit" usw. verwechselt werden darf.

Der Anfangsmonolog und sein Verhältnis zum dritten und vierten Akt

Vom Hochgebirge aus schaut Faust aber auch zurück. Der Anfangsmonolog, im Gegensatz zu den übrigen Teilen des Aktes, wie schon erwähnt, im Zusammenhang mit der „Helena" skizziert, ja im Keime bereits in frühsten Skizzen zum zweiten Akt vorfindlich (Paralip. 99: „Faust niedergelegt an einer Kirchhofsmauer. Träume. Darauf großer Monolog zwischen der Wahnerscheinung von Gretchen und Helena"), führt ein wichtiges Motiv des Helena-Schlusses zu Ende. Das „Göttliche" des Schleiers tritt nämlich jetzt erst in Helenas wolkenartig „riesenhaft ... göttergleichem Fraungebild" hervor (V. 10049), löst sich dann auf, um „fernem Eisgebirge gleich", im „Osten" formlos breit „ruhn" zu bleiben als „Spiegel" „blendend flüchtiger Tage ... großen Sinns". Die Antike als historische Macht wird zur ferngespiegelten Größe, die im „verhüllen-

den" Schleier („Die Wolke steigt als Helena doch verhüllt in die Höhe"
(Paralip. 179)) nochmals ihr „Göttliches" vor Fausts Augen bekundet.
Waren im dritten Akt alle konkreten Kunstschichten zu Ende geführt
worden (Genius, das Schöne als „Name" und Porträt, das Schöne als
Naturelement usw.), so blieb doch gerade jene transzendentale Aufteilung
des Schönen in die konkrete „Göttin" und das allgemein „Göttliche" noch
nach einer Seite hin offen: Das Wesen des „Göttlichen", das Faust über
„alles Gemeine" hinträgt, war nicht gezeichnet. Es konnte noch nicht
zu Ende geführt werden, weil es als „Dauerndes" ja in Fausts starken
Händen verbleibt, und spielt so hinüber in die folgende Stufe des
faustischen Lebens.

In der Tat ist die Wolkenform bei Goethe stets Symbol des „Heranziehens des Göttlichen" gewesen. Die Wolken des vorliegenden Anfangsmonologs bezeichnen im Helenabild Cumulus und Stratus, im Gretchen-
bild Cirrus[25]). Parallel dazu schreibt Goethe einmal nach Schilderung
seiner meteorologisch-atmosphärischen Wolkenstudien: „Man weiß recht
gut, daß der Mensch alles, Gott selbst und das Göttliche an sich heranziehen, sich zueignen muß"[26]). Die Wolken sind ihm Formen des „Göttlichen", das der Mensch in ihnen zu sich heranzieht. „Howards", des
Wolkenerforschers „Ehrengedächtnis", schließt Goethe folgendermaßen:
„Doch mit dem Bilde hebet euren Blick: Die Rede geht herab, denn sie
beschreibt, Der Geist will aufwärts, wo er ewig bleibt"[27]). Wolken und
der im „Bild" aufwärtssteigende „Geist" stehen in Verbindung, wie die
für Goethe typische Beziehung zum fernen „Spiegel" der Wolken nur
seine alte Überzeugung wiederholt, daß einzig das Medium der Kunst
— als solches ist ja der göttliche Schleier bei Goethe gefaßt — der Vergangenheit „großen Sinn" wiederzuspiegeln und neu zu erzeugen vermag.
Kurzum, in Helenas Schleier und Wolke ist das spezifisch Göttliche der
Kunstsphäre Helenas zu Ende geführt.

Doch gleichzeitig tritt aus demselben Schleier Helenas eine zweite
Gestalt, Gretchen, hervor: „Die Wolke steigt halb als Helena nach Süd-
osten, halb als Gretchen nach Nordwesten" (Paralip. 179g[3]). Diese Rückwendung zu Gretchen scheint nichts mit dem vierten Akt, viel aber
mit dem fünften Akt, der Erlösung Fausts in den Schlußszenen, gemeinsam zu haben. Denn sogar die Cirruswolke, in die Goethe das Gretchen-
bild kleidet, stand mit dem Erlösungsmotiv bei Goethe in Verbindung:
„Doch immer höher steigt der edle Drang! Erlösung ist ein himmlisch
leichter Zwang. Ein Aufgehäuftes, flockig löst sich's auf, Wie Schäflein
trippelnd, leicht gekämmt zu Hauf. So fließt zuletzt, was unten leicht
entstand, Dem Vater oben still in Schoß und Hand"[28]). Das, was Goethe
den „leisen Bezug" des vierten Aktes zum „Vorhergehenden und Folgenden" nennt, ist in dieser Szene wunderbar klar symbolisch enthalten.
Helena, das nacherinnernde Spiegelbild aus dem vorhergehenden Akt,

Gretchen, die Erlösung spendende und zugleich „jugenderste" Gestalt des folgenden Schlußaktes verweben sich in der Wolkenvision, beide „göttlich", beide höchste Zielpunkte einer Erhebung Fausts in „höhere" Sphären kennzeichnend.

Daß diese Vision im Gegensatz zum früheren Plan — wonach Faust nach der Katastrophe der ersten Helenabeschwörung „niedergelegt an einer Kirchhofsmauer ... die Wahnerscheinung von Gretchen und Helena" in einem „großen Monolog" (Paralip. 99) schildert — nunmehr im Hochgebirge auf abgeklärter Warte nach einem Flug Fausts durch den Äther vor sich geht, entspricht der neuen Stufe, die nichts mehr von trüb schuldbewußtem Rückblick auf den ersten Teil des Dramas enthält, nichts mehr von Vergänglichkeits- und Kirchhofstrauer kennt, sondern in den drei reinen großen Ursymbolen Goethes, in Granit, Schleier und Licht (Himmel, Erlösung) die ganze symbolische Konfrontierung zwischen Gretchen und Helena ausmalt. Wenn also die Forschung annimmt, daß Faust in dieser Szene wieder sein wahrstes Inneres nach dem angeblichen Trug- und Wahnbild Helenas ergreife, so stimmt das nur in der Weise, daß gleichzeitig auch die Schuldfrage, d. h. das ethische Problem im strengen Sinne des Wortes, ausgelöscht ist: Faust rechtfertigt sich ethisch nicht, weder in dieser Begegnung mit Gretchen noch später bei seiner endgültigen Erlösung, sondern tritt rein naturhaft-geistig „verjüngt", ein „längstentbehrtes" höchstes Gut wiedergewinnend wie ein ihm zufallendes Geschenk, auf einen unsagbar hohen Gipfelpunkt des Daseins. Die scheinbare Rückwendung zum „wahren" Charakter des Faust, zu Motiven aus dem ersten Teil der Faustdichtung usw., ist genauer gesehen eine Erhebung auf eine noch höhere Stufe der Faust II-Atmosphäre, in der Faust eine Totalität des Daseins nunmehr nicht genetisch-strukturell, sondern unter der radikalen Sicht auf ein Bestehen vor Tod und Ewigkeit gewinnt, ja von der aus auch die Schuld- und Erlösungsfrage des fünften Aktes eine völlig neue Lösung erfährt, die nicht zu verstehen ist ohne die nun folgenden, scheinbar überflüssigen „Zwischenhandlungen" des vierten Aktes.

Geologie und Gesellschaft und Parallelkompositionen in den „Wanderjahren"

Das erste Gespräch mit Mephisto nimmt sich fast aus wie eine Wiederholung des Granitaufsatzes von 1784. „Hier (auf dem Granit) ruhst du unmittelbar auf einem Grunde, der bis zu den tiefsten Orten der Erde hinreicht, keine neuere Schicht, keine aufgehäufte, zusammengeschwemmte Trümmer haben sich zwischen dich und den festen Boden der Urwelt gelegt"[29]. Genau so spricht im Grunde Faust zu Mephisto, wenn er dessen vulkanistische Versuche, „das Unterste ins Oberste zu kehren",

abweist und die „Gebirgsmassen" als „edel-stumme", fraglos „in sich selbst
gegründete" und beharrende Urfundamente bezeichnet. An den spät und
willkürlich verfremdend überlagernden „Trümmern", die er im Granitaufsatz ablehnt, hat sich den inzwischen gewandelten geologischen Richtungen gemäß nur das Vorzeichen geändert. Es sind nicht mehr Trümmer
und „neuere Schichten", die durch ein anschwemmendes Meer erzeugt
wurden und einen „untreuen Boden"[30]) über die Urgebirge legten, sondern „Gebirgestrümmer", die nach der neueren vulkanistischen These,
die Mephisto vertritt, vom Feuer emporgeschleudert wurden, genau aber
wie im Granitaufsatz als „fremde" Zentnermassen (V. 10111) das „Land"
überdecken. Die Urpolarität von ursprünglich und fremd ist in beiden
Thesen gewahrt und wird auch in überraschend paralleler Schichtung auf
Gesellschaft, Politik und Staat übertragen. Sprach Goethe im Granitaufsatz von „jenen fruchtbaren schönen Tälern", über die man wie „über
ein anhaltendes Grab"[31]) gehe, redete er von den „Bewohnern jener
fruchtbaren, quellreichen Ebnen, die auf dem Schutte und Trümmern
von Irrtümern und Meinungen ihre glücklichen Wohnungen aufgeschlagen
haben", um ihre „Tage in einem engen Kreise ruhig" zu „befriedigen"[32]),
so preist nunmehr Mephisto „beschränkten Markt, Kohl, Rüben, Zwie-
beln", das „ewige Hin- und Widerlaufen, Zerstreuten Ameis-Wimmelhaufen". Die Welt des Granits hat in beiden Zeugnissen als Gegenwelt
den Kreislauf eines ewig offenen Grabes in Natur und Gesellschaft. Die
„Reiche der Welt und ihre Herrlichkeiten" (V. 10231 und Paralip. 178),
die Mephisto Faust anbietet, liegen wie nichtiger Tand „an unserer Oberfläche" (V. 10129) auf der vergänglichen Decke der Erde, die Faust leicht
ironisch abtut: „Faust läßt den Schein der Welt am Sonnentag gelten"
(Paralip. 178).

Der Kreislauf des Nichtigen aber — darin liegt eine weitere offene
Verbindung der vulkanistischen These mit der Trümmerentstehungsidee
des Granitaufsatzes — treibt eben auf Grund seiner Nichtigkeit zur
„Revolte": „Das kann mich nicht zufriedenstellen! Man freut sich, daß
das Volk sich mehrt, Nach seiner Art behäglich nährt, Sogar sich bildet,
sich belehrt — Und man erzieht sich nur Rebellen" (10155 ff.). Die entsprechende Skizze zu dieser Stelle klärt den Zusammenhang auf: „Jener
[Mephisto] schildert die Zustände der besitzenden Menschen. Faust hat
immer etwas Widerwärtiges. Mephisto schildert ein Sardanapalisches
Leben. Faust entgegnet durch Schilderung der Revolte" (Paralip. 178).
Revolte und Tumult sind die Korrelate sardanapalisch nichtigen „modernen" Daseins („Schlecht und modern, Sardanapal"), was eindeutig die
unmittelbar folgende Skizze bestätigt: „Beneidenswert sind ihm die Anwohner des Meeresufers, das sie der Flut abgewinnen wollen. Zu diesen
will er sich gesellen, Erst bilden und schaffen" (Paralip. 178). „Revolte"
auf der einen Seite, „Bilden und Schaffen" auf der anderen sind die Ex-

treme, die für Fausts Denken einander ausschließen; und in durchaus konsequenter Weise erscheinen daher die Meeresbewohner als „menschliche Gesellschaft in ihren Anfängen", deren „Vorzüge" Faust preist. Die „bildende und schaffende" Gesellschaft ist den ersten „Anfängen" verschworen, wie die Urwelt der Gebirge aus einem langsamen Wirken und Zeugen der Natur organisch sich formte: „Und Fels an Fels und Berg an Berg gereiht, Die Hügel dann bequem hinabgebildet, Mit sanftem Zug sie in das Tal gemildet. Da grünt's und wächst's, und um sich zu erfreuen, Bedarf sie nicht der tollen Strudeleien" (V. 10100). Die „Revolte" dagegen versucht, „das Unterste ins Oberste zu kehren" (V. 10090), und wird von Goethe auch sonst durchweg in völliger Parallelität geologischer und politischer Revolutionen verworfen: „Wie man die Könige verletzt, Wird der Granit auch abgesetzt, Und Gneis, der Sohn, ist nun Papa! Auch dessen Untergang ist nah: Denn Plutos Gabel drohet schon Dem Urgrund Revolution; Basalt, der schwarze Teufelsmohr, Aus tiefster Hölle bricht hervor, Zerspaltet Fels, Gestein und Erden, Omega muß zum Alpha werden. Und so wäre denn die liebe Welt Geognostisch auf den Kopf gestellt"[33]).

In konsequenter Reihenfolge bildet sich also in Faust der Entschluß zum Kampf wider den Kreislauf der Elemente: Vom Abstieg aus der Wolke im Urgebirge, von der Diskussion gegen den Vulkanismus Mephistos, der Ablehnung des „Bürger-Nahrungs-Graus" in „beschränktem Markt", der Verwerfung des modernen „Sardanapal" bis zum Eintritt in die „Vorzüge der menschlichen Gesellschaft in ihren Anfängen" am Meer führt eine gerade Linie. Deren Verlauf wird umso bedeutungsvoller und einsichtiger, als sie in fast ähnlicher Weise auch jenes Werk kompositorisch bestimmt, in dem die menschliche Gesellschaft ausdrücklich Thema und Inhalt bildet, die „Wanderjahre". Auch dort beginnt die Handlung in mächtiger Höhe auf dem Hochgebirge: „Im Schatten eines mächtigen Felsen saß Wilhelm an grauser, bedeutender Stelle, wo sich der steile Gebirgsweg um eine Ecke herum schnell nach der Tiefe wendete"[34]). (Ganz ähnlich beginnt der vierte Akt mit den Worten: „Der Einsamkeiten tiefste schauend unter meinem Fuß Betret ich wohlbedächtig dieser Gipfel Saum" (V. 10039)). Im weiteren Verlauf entwickeln sich nach Darstellung der Urzelle der Gesellschaft, der „heiligen Familie" im abgeschlossenen Gebirgskessel, wo kein Krieg hinzudringen vermag — dieses Bild taucht in anderer Weise im Philemon-Baucis-Motiv auf und in Fausts Schlußworten vom „paradiesisch Land" im „Inneren" der Deiche, „umrungen von Gefahr" —, die Gespräche über die Entstehung der Erde und Gebirge zwischen Montan, Wilhelm und Felix, wobei ähnlich wie in Faust II das „älteste Gebirge" und „frühste Gestein" als ursprünglich abgehoben werden von dem fremdüberlagernden wertlosen „Katzengold", das „überall ... weit und breit" liege[35]), während Montan genau wie

Faust (V. 10095) die „Stummheit" der Gebirge preist. Ehe also Goethe den Eintritt in die tatsächliche Gesellschaft vollzieht, baut er ein geologisches Ursymbol auf, sowohl in Faust II wie in den „Wanderjahren". Ferner erfolgt in beiden Werken dieser Eintritt sprunghaft unvermittelt. Nach dem Besuch im „Riesenschloß", jener labyrinthischen Verknüpfung von Urgebirge und Menschenwerk[36]), die eine unterirdische Wechselbeziehung zwischen Gebirge und Gesellschaft andeutet, erfolgt ein plötzlicher Sprung in die Landschaft der „Gemüsefelder" und Gärten des modernen Schlosses, das durch eine „jähe Kluft" und einen „tiefen Graben"[37]) vom Hochgebirge getrennt ist. In Faust II ertönt opernhaft plötzlich nach den großen geologischen Erörterungen der Klang kriegerischer Trommeln und dringt sofort die modern gegenwärtige Kaisergeschichte und Kaisergesellschaft ein. In den „Wanderjahren" münden schließlich die endlosen Wanderungen durch die Gesellschaft in den Entschluß, eine neue Urgesellschaft weit über dem Meer im Kampf gegen Urwald und Steppe zu gründen, nicht ohne diese Schlußteile kosmisch wieder zu umgreifen durch die „ätherische Dichtung" der in die Sterne entrückten Makarie einerseits und das „terrestrische Märchen" des Montanus andererseits[38]). Immer also wird selbst im Roman die Gesellschaft symbolisch untermauert oder überglänzt durch eine kosmische Ursymbolik. Vor allem die Skizzen zu den „Wanderjahren" belegen diesen Zusammenhang eindeutig: „Montan Urgeschichte Gesellsch. angetr." heißt es an einer Stelle[39]), und an einer anderen: „Riesenschloß Basalt auf Granit Troglodyten Leben"[40]). Auch die Geschichte wird hier von der Landschaft bestimmt: „Rom von der Trajanischen Säule gesehen. Welt. Geographischer Überblick Durch den Wasserlauf. Durch Mineralogie. Durch Vegetation"[41]). Selbst der Streit zwischen Vulkanismus und Neptunismus taucht in den „Wanderjahren" auf, ungefähr in der Mitte zwischen der „Pädagogischen Provinz" und Wilhelms Entschluß, Arzt zu werden. Die innere Verknüpfung von Gesellschaftsproblemen mit geologischen, biologischen, ja kosmisch-astronomischen Vorgängen liegt ganz außer allem Zweifel. So wie in den „Wanderjahren" letztlich auch die Gesellschaft im Bilden und Wirken ihren Gipfel erreicht, wie dann die „Pädagogische Provinz" ausklingt in einen Hymnus auf die wechselseitige Durchdringung aller Künste und Fertigkeiten: „Der Gedanke, das Entwerfen, die Gestalten, ihr Bezug, Eines wird das andre schärfen ... Wohl erfunden, klug ersonnen, Schön gebildet, zart vollbracht ... Wie Natur im Vielgebilde Einen Gott nur offenbart, So im weiten Kunstgefilde Webt ein Sinn der ew'gen Art"[42]), wie schließlich die nach Amerika auswandernde Gesellschaft sich in einem unendlich sich formenden, variierenden, gewaltig anschwellenden, bildenden und umbildenden Gesang am Tische verbindet[43]), so ist auch im vierten Akt von „Faust II" das „Bilden und Schaffen" letzter bewegender Grund zu Fausts Entschluß, am Meer die „Anfänge" der menschlichen Gesellschaft erneut zu erleben und zu gestalten. Das „Bilden und Schaffen", das der Ausgangs- und Endpunkt der gesamten großen Helenadichtung der drei ersten Akte war, ist auch jetzt im Versuch der Bewältigung der ewig vernichtenden Macht des Kreislaufs in Natur und Geschichte die treibende Kraft, die Faust der „Revolte" des Vulkanismus wie dem „Ameisenhaufen" der menschlichen Gesellschaft den Rücken weisen und ans Meer gehen lehrt. Jede andere Überlegung, etwa die, warum Mephisto nicht als „Versucher" vor den „Herrlichkeiten der Welt" ihn stärker beeinflußt, warum er im Gegenteil sofort auf Fausts heroischen Plan eingeht: „Mephisto läßt's gelten, zeigt die Gelegenheit dazu" (Paralip. 178), wird hinfällig vor der Gewalt dieses Themas. Denn der Zielpunkt Fausts und des Dramas rückt in eine wesentlich höhere Sphäre als es jede praktisch-ethische Deutung und Versuchungsstruktur zu fassen vermöchte. Wenn Faust nun plant, „das herrische Meer vom Ufer auszuschließen, Der feuchten Breite Grenzen zu verengen" usw. (V. 10229), so ist weder die tatsächliche Leistung des Vorgangs, die „Kolonisation" usw., noch die sittliche etwa des Eingliederns in die menschliche Gesellschaft — wovon ja tatsächlich besonders nach der Philemon-Baucis-Vernichtung nirgends die Rede sein kann — in erster Linie berührt, sondern ein wirkliches „sich selbst Überfliegen" des „Geistes" (V. 10220), ein gigantisches Ringen, der „Verzweiflung" vor der „zwecklosen Kraft unbändiger Elemente" (V. 10218 f.) Herr zu werden, d. h. ein Urproblem von Dasein überhaupt ist in vollster metaphysischer Schwere als Aufgabe gestellt. Endgültig und für immer soll die Urwelt und der reine „Anfang" der Menschheit, das reine „Bilden und Schaffen" im Kampf mit den „Revolten" und sinnwidrigen Wiederholungen des ewigen Weltspiels sich zu behaupten versuchen und gerettet dem Tod standhalten. Hinter der Meeresbekämpfung steht letztlich der Kampf des rein auf „Natur", Tat und Bilden gestellten Goetheschen Geistes, dem „die Aussicht nach drüben verrannt" ist, mit den Verstrickungen, Vergänglichkeiten und Nichtigkeiten, die in der Natur selbst und ihren Bildungsprozessen hausen. Ja genauer gesehen spielt sich sogar dieser Kampf in Fausts eigenem Innern ab. Die Faust-Sorge-Szene, die das beharrend „innere Licht" zum Trotz gegen äußere Blindheit zu entzünden vermochte und radikal die Unsterblichkeit der Seele im innerweltlichen Bereich dichterisch verwirklicht[43a]), steht nicht ohne Grund mitten zwischen der bösen „Gewalt", die Faust selbst dem ewigen Idyll uralter „Linden" und einer heiligen Erde antut, und dem bis zum Ende trotzigen Kampf gegen die gleich sinnlose „Gewalt" des Elements in der Sterbeszene. In die Schuld der Elemente wird Faust selber verstrickt, um den Tod endgültig bestehen zu können und nun erst, nach dem Zerschlagen des Knotens in der radikal diesseitigen Welt, des musikalisch versöhnenden Endes und des Triumphs ewig tätiger „Entelechie" gewiß zu werden. Von dort aus, von der Bewältigung des Todes im Angesicht des Meeres allein schlug die Kurve zurück zur Gestaltung des zuletzt vollendeten vierten Aktes. Vulkanismus, Neptunismus, Verachtung der Trümmer, Drang zum „sich selbst überfliegenden" gigantischen Ringen mit den Elementen, all dies sind gewaltig sich auftürmende Bausteine, die das zuinnerst metaphysische Gewölbe dieses Werkes stützen und aufrichten, indem sie sofort zu Beginn die kosmisch-terrestrische Weite der Problemstellung manifestieren — um sich damit allerdings notwendig dem Verständnis des Lesers zu entziehen, der sie als eine unbequeme, die Handlung ungebührlich „unterbrechende", den Strom des Ganzen „stauende"[44]) Einlage ganz zwangsläufig auffassen muß.

Krieg und Magie und ihre Bedeutung für das Ganze

Als Darstellung einer ewigen, nicht zeitbedingten Spannung im Innern von „Gewalt und Besitz" ist in der Tat die gesamte nun folgende Kriegshandlung und Staatsämtergründung geschrieben: Die Schilderung der „Verwirrung des Reiches" (Paralip. 178) läuft zunächst auf einen Kampf aller gegen alle hinaus: „Was sich nur ansah, waren Feinde. In Kirchen Mord und Totschlag, vor den Toren Ist jeder Kauf- und Wandersmann verloren. Und allen wuchs die Kühnheit nicht gering; Denn Leben hieß sich wehren" (V. 10267 ff.). Faust sieht in dieser Verwirrung dieselbe wellenartig ewige Wiederholung des hoffnungslos Gleichen wie im Meer: „Es ging, es hinkte, fiel, stand wieder auf, Dann überschlug sich's, rollte plump zu Hauf" (V. 10272 f.), ist die einzige Bemerkung, die Faust zu der großen Darstellung des Chaos im Reich macht. Dem Staatsleben des Mittelalters legt Goethe phänomenologisch die gleiche Struktur zugrunde wie dem Auf und Ab vernichtender Wellen.

Darauf „offeriert" Mephisto „höhern Beistand Und präsentiert die drei Rüstigen" (Paralip. 178), nämlich die allegorischen Gestalten Raufebold, Habebald und Haltefest, „vom ganzen Praß die Quintessenz" (V. 10922). Diese Figuren waren in einer sehr frühen Skizze bereits Fausts „Helfershelfer", als Mephisto im Kampf Fausts gegen die Mönche — welche nach dem damaligen Plan durch ihre „Segenssprüche" den „Zauberkreis" um Helena aufgehoben und Euphorion getötet hatten — „zur physischen Gewalt" riet. Mit ihrer Hilfe „führt" Faust „Krieg mit den Mönchen, rächt den Tod seines Sohnes und gewinnt große Güter" (Paralip. 63). Ausdrücklich wies Goethe damals darauf hin, daß er bereits „Fragmente" und „zerstreut gearbeitete Stellen" der Fortsetzung dieses Planes, d. h. des fünften Aktes, in Händen habe: „Indessen altert er (Faust) und wie es weiter ergangen, wird sich zeigen, wenn wir künftig die Fragmente, oder vielmehr die zerstreut gearbeiteten Stellen dieses zweiten Teils zusammen räumen" (Paralip. 63).

Die Konzeption der drei Helfershelfer steht also in Beziehung zum „Besitz der großen Güter", die sich Faust im fünften Akt erwirbt, wo ja auch noch heute die „drei gewaltigen Gesellen" als regelrechte Arbeitsmänner auftreten, die ungeheure Reichtümer vor ihm ausschütten. Faust sollte nach ältesten Konzeptionen im „zweiten Teil" des Dramas neben der Schönheitssphäre vor allem den „Taten-Genuß" durchleben und -leiden (Paralip. 1). Die innere tragische Dialektik im Wesen von Tat und Besitz war ein Ausgangspunkt für die Planung des fünften Aktes. Von ihr aus ist die Konzeption der drei Helfershelfer zu verstehen, durch die sich Faust ursprünglich „nun genug ausgestattet glaubt", um allein mit ihrer Hilfe Krieg führen und „große Güter" gewinnen, ja sogar „den Mephistopheles und Kastellan" entlassen zu können.

Eindeutig ergibt sich hieraus, daß als erstes Anliegen Goethes gar nicht die Belehnung mit der Meeresküste anzusehen ist, sondern Kriegführung und Besitzgewinnung überhaupt. Nicht ist der Krieg zugunsten des Kaisers Mittel zum Zweck der Belehnung, wie es eine auf äußere Handlung eingestellte Deutung darstellt, sondern ursprünglicher und zentraler Selbstzweck. Besitzgewinnung durch Krieg war die Voraussetzung, die dem relativ früh geschriebenen fünften Akt[45]) seine Tiefe, Tragik und Wucht gab. Die Faust-Sorge-Szene, die Verbrennung der Hütte, Erblindung und Tod Fausts sind nicht denkbar ohne Fausts Drang nach Herrschaft, Gewalt und Besitz. Als nunmehr im Verlauf der Ausformung der Krieg mit den Mönchen dahinfiel, weil der hochklassische Dualismus zwischen Antike und Christentum einer ausgleichenden Synthese zwischen den beiden Zeitaltern gewichen war, blieb die Notwendigkeit, Faust im Banne des Krieges zu zeigen, dennoch bestehen, vor allem vom Blickpunkt der frühst geschriebenen Szenen „Mitternacht" bis „Grablegung" aus; die Belehnung mit der Meeresküste wurde willkommene Gelegenheit, diesen Krieg auch äußerlich motivieren zu können. So kam es, daß im heutigen vierten Akt der Krieg breitesten Raum einnimmt, die Belehnung mit der Küste selbst aber fast ganz verschwindet oder nur kurz abgetan wird (V. 11035 f.).

Die drei Gewaltigen aber, auf die sich Faust ursprünglich einzig und allein stützen sollte unter Ablehnung sogar der Hilfe Mephistos und des Kastellans, wovon noch eine Spur (V. 11404) vorhanden ist, blieben auch jetzt noch „vom ganzen Praß die Quintessenz". Sie verkörpern allegorisch drei biologische und wesensbestimmende Stufen des Krieges: Jugend, Mannesalter und Greisenalter[46]); Raufen, Besitzergreifen und Festhalten. Den „höheren Beistand", den sie im Gegensatz zu den „aufgeregten Bergvölkern" repräsentieren, die Mephisto „lächerlich macht" (Paralip. 178), beruht darauf, daß in ihnen das Wesen Krieg selbst in konzentrierter

Naturform erscheint. Doch ließe sich fragen, ob nicht das äußere Ziel dieses Krieges, die Erwerbung der Küste durch Faust, auch inneres Ziel sei, da es ja auch hier um „Besitz" geht. Damit rühren wir an die entscheidende Frage dieses Krieges, an das Problem der Magie.

Im fünften Akt richtet sich der zentrale Vorwurf Philemons und Baucis' gegen Fausts Zauberei und nächtliches Opfern von Menschen zugunsten des Baus der Deiche und Kanäle. Die wahrscheinlich wesentlich ältere Faust-Sorge-Szene[47] kreist gleichfalls um das Problem der Magie: „Könnt ich Magie von meinem Pfad entfernen". Schuldig ist Faust primär weniger auf Grund des Besitzes an sich als durch dessen magischen Erwerb, der von Faust selbst als Verfälschung reiner Natur bezeichnet wird: „Könnt ich ... die Zaubersprüche ganz und gar verlernen, Stünd ich, Natur, vor dir ein Mann allein, Da wär's der Mühe wert, ein Mensch zu sein". Besitz und Gewalt, ja sogar Faust selbst, sofern er in ihrem Bereich steht, sind beherrscht von Magie unter Ausschluß wahrer Natur. Damit rückt der endgültige Aufbau des vierten Aktes in eine klärende Deutung: Sinnvoll wird es plötzlich, daß das ganze Kriegsspiel von Anfang bis Ende „Zauber" ist und „Spuk", mephistophelische Umkehrung von „Sein und Schein" (V. 10716), die nicht, (wie der Flammenzauber der Mummenschanz oder die Mütterbeschwörung), von Faust, sondern von Mephisto geleitet wird. Und hochbedeutsam wird es, daß der Akt nicht mit der geplanten Belehnung endet, sondern mit einer Anklage gegen Faust wegen Zauberei und mit dem Versuch des Erzbischofs, aus diesem Grunde Beschlag auf sein Besitztum zu legen. Was May als passiv ästhetisch „verspielte" Haltung Fausts beim Kriegstheater bezeichnet, erscheint genauerem Zusehen als notwendige Formung: Krieg wie Besitz erscheinen hier nicht in heroischer Höchstform (wie etwa noch bei Euphorion oder in Fausts Krieg im dritten Akt), sondern als Ausdruck ewig widerstreitender Elemente, als schuldhafte Verstrickung und vulkanistischer Abfall von der reinen Natur. Verfremdend, den Helden aus sich selbst lösend aber ist das Wesen aller Magie. Ursprüngliche Magie im Sinne des Volksglaubens ist vor allem gekennzeichnet durch negativ scheinhafte Gewinnung von Dingen, die ihrer Natur nach nicht dem Menschen zustehen. Das Problem der Magie, das dem Stoff nach aus der Faustsage stammt, ist entsprechend unter Goethes Händen in einen echt Goetheschen Gesichtskreis gerückt, der in vielen seiner Dichtungen, im „Zauberlehrling" usw. zur Darstellung kam (abgesehen von dem Phänomen der künstlerischen Magie, das wir bereits behandelt haben und das hier nicht mehr zur Debatte steht). Die Möglichkeit, durch Schein und Zauber in „Besitz" von Dingen zu gelangen, die dem Menschen ursprungsmäßig fremd sind, trifft die Kernfrage der Goetheschen Gesellschaftsproblematik, nämlich die, wieweit der Mensch seine „Natur" in der Gesellschaft zu behaupten vermag, ohne sich die Ewigkeit seiner Leistung zu verscherzen.

Nach den frühen Skizzen zum fünften und vierten Akt lief alles auf die
Frage hinaus, ob Faust durch Gewalt und Besitzergreifung sich in den
Kreis der Elemente „magisch verstrickt" (s. die Faust-Sorge-Szene) oder
ob es ihm gelingt, durch immer gleiche unverrückbare Tätigkeit sich mit
unerhörter Kraft „ins Freie zu kämpfen" und „umrungen von Gefahr"
ein „Eiland" zu erhalten, das seine reine Natur gegen alles sinnwidrige
Spiel und Widerspiel der Elemente und Geschichtsläufe zu sichern vermag. Daher verdichtete sich Fausts Endkampf mit den Elementen zu
einem Ringen zwischen der Magie der Dinge und Umwelten und seiner
reinen inneren Natur. Der „Spuk", von dem „alle Luft so voll ist"
(V. 11410), daß jede reine freie Tätigkeit erstickt wird, äußert sich
wesentlich darin, daß er das „Weiterschreiten" (V. 11451) des Helden
hemmt durch Zweifel oder Entstellung: „Er verliert sich immer tiefer,
Siehet alle Dinge schiefer" (V. 11475 f.). Die magische Entstellung des
Schaffens läßt das Werk ins Unvollendete sinken: „Und so wird er niemals fertig ... so ein unaufhaltsam Rollen, Schmerzlich Lassen, widrig
Sollen" (V. 11466 ff.). D. h. die ewig „unfruchtbaren" Wellen des Meers
sind nur der äußere Ausdruck einer Unfruchtbarkeit, die in der magischen
Entstellung des Geschaffenen durch Sorge, Traumgespinste usw. liegt.
Das Verlangen, Magie vom Pfad zu entfernen und in die reine Natur
einzutreten, erfolgt im Augenblick des Eintritts der Sorge und der Versündigung Fausts an der Natur durch Niederbrennen der heiligen Linden,
aus deren „Rauch" sich die „vier grauen Weiber" formen.

So verknüpft sich völlig konsequent die Ablehnung des satanisch-
plutonischen Vulkanismus des Mephisto durch Faust mit der Ablehnung
der „Wirren des Reiches". Denn diese Wirren stehen als Kampf aller
gegen alle assoziativ in Verbindung mit dem tobenden Meereselemente[48],
so daß schließlich der Krieg selbst notgedrungen in seiner Zerreißung
jeder volklichen und staatlichen Einheit zum Ausdruck eines ewig sinnwidrigen Kampfes wird und sich als verfremdend teuflischer Spuk offenbart. Der Krieg ist Magie, woraus sich konsequent die passiv zuschauende,
ursprungs-geborgene Haltung Fausts auf hohem Urgebirge Mephisto und
dem ganzen Krieg gegenüber ergibt: „Was kann da zu erwarten sein?
Trug! Zauberblendwerk! Hohler Schein!" (V. 10300). Damit tut Faust
mit vollem inneren Recht von Beginn an das ganze Spiel ab. Jede aktive
Teilnahme würde den Helden nur tiefer verstricken und gerade seinen
Kampf gegen die Elemente, jenen soeben ausgesprochenen übermenschlichen Entschluß, „sich selbst zu überfliegen", von Grund aus aufheben.
Heroismus und Tat sind, so sonderbar es klingt, beim späten Goethe
weniger mit äußeren Kämpfen verbunden als mit Rettung, Bewahrung
und Erkämpfung reiner Natur, ja, wie wir schon zeigten, mit dem Idyll.
Heroisch-dämonische Idyllik ist für Goethe ein Lieblingswort in Wort,
Bild und Beschreibung. Die „Umwendung zu Besitz und Gewalt", die

sich mit dem Abschied von Helena in Faust vollzieht unter entschlossener
Aufnahme des letzten Entscheidungskampfes zwischen dem Bösen, d. h.
der verstrickenden Magie von Welt und Sorge, und dem „sich ins Freie
kämpfenden" Genius der Natur, kann also in gar keiner anderen Form
sich ausdrücken als in einer breiten Entfaltung des Krieges als Schein
und Magie unter Ausschluß einer aktiven Teilnahme Fausts. Die spätere
Verstrickung in Schuld und Magie durch Vernichtung des Idylls (Philemon
und Baucis) widerspricht dem nicht. Denn beide Male, in der Philemon-
Baucis-Szene wie in den Zaubereien des Krieges, ist Faust unfreiwillig
widerwilliger Förderer des Vorgangs. Ferner entspringt Fausts Haß gegen
den kleinen Besitz des frommen Paares einer bestimmten Spannung im
faustischen Tun selbst, die uns noch eingehend beschäftigen wird. Hier
im vierten Akt dagegen ist das faustische Tun still passiv verborgene
Bewahrung des Ursprungs gegen das vulkanische Toben verfremdender
Mächte, treu seinem Schwur, sich selbst überfliegend die Macht dieser
Elemente zu brechen. Würde Faust eingreifen in den Kampf, so würde
er notwendig selber Partei und damit als „Teil" der Macht der irdischen
Elemente verfallen. Nur den wirklichen Naturelementen vor dem offenen
Meer vermag er sich zu stellen und den ganzen Kampf metaphysisch-
universal, nicht im verstrickenden Bereich von Parteikämpfen, bis zu
Ende durchzufechten unter Abwehr von Verstrickungen, die eine viel
bedrohlichere Gewalt haben, weil sie aus der Zerstörung reinster Natur
selbst (den heiligen Linden) aufsteigen und das Problem der Magie bis in
sein Zentrum selbst vortreiben.

Die Darstellung bestätigt diese These über alle Erwartung. Mephisto
begründet sofort den Krieg aus seinem plutonisch-unterirdischen Vulkanismus: „Kriegsunrat hab ich längst verspürt, Den Kriegsrat gleich
voraus formiert Aus Urgebirgs Urmenschenkraft. Wohl dem, der sie zu-
sammenrafft" (V. 10315 ff.). In der Wiederaufnahme der plutonischen
Salamandervision des Kaisers (V. 10417/22) aus dem ersten Akt wird die
Beziehung zwischen unterirdischem Feuer und Völkerschicksalen vertieft
und verschärft. Auf die weitverschlungenen Beziehungen dieser Szene zu
Stellen aus der „Italienischen Reise", zur „Natürlichen Tochter" usw. ist
bereits eingegangen worden. Nichts Geringeres als eine Urgeschichte der
Geschichte überhaupt liegt in ihr verborgen. Das „Element", das, „gräßlich" auf den Kaiser eindringend, in ihm einen „Traum" von „Ruhm
und Sieg" erregt, enthält im „großen Schein" den Kern alles dessen, was
in der „Oberwelt" vorgeht: Bergvolk und Zwerge erblicken „im Kristall
und seiner ewigen Schweignis ... der Oberwelt Ereignis". Der Tages-
geschichte liegt eine plutonische Urgeschichte zugrunde, zu der Goethe
bekanntlich — wie zum Vulkanismus überhaupt — nicht lediglich negativ
stand. Goethe hat sie als eine, wenn auch verderbliche, Wirkungsmöglich-
keit von Zeit, Geschichte und Natur neben dem Neptunismus anerkannt.

Feuer- und Wasserzauber helfen dem Kaiser die Schlacht gewinnen, wie
er einst Herr der Völker war im Durchschreiten von Flammen und Meer.
Die Magie des Krieges ist eine Magie der Elemente, deren spezifische Bedeutung erst klar wird in der echt Goetheschen Beschwörung längst gestorbener „Ritter, Könige, Kaiser" (V. 10559) und ihrer leeren Rüstungen
und Waffen, die Beginn und Schluß des Zaubers bilden. „Da standen sie
zu Fuß, zu Pferde, Als wären sie noch Herrn der Erde; ... Jetzt sind es
nichts als leere Schneckenhäuser; Gar manch Gespenst hat sich darein
geputzt, Das Mittelalter lebhaft aufgestutzt. Welch Teufelchen auch
drinne steckt, Für diesmal macht es doch Effekt. (Laut) Hört, wie sie
sich voraus erbosen, Blechklappernd aneinanderstoßen! ... Bedenkt, hier
ist ein altes Volk bereit Und mischte gern sich auch zum neuen Streit"
(V. 10557 ff.).

Der wahre Grund des Scheincharakters des Ganzen liegt also darin,
daß Geschichte, Krieg, Ritter, Könige und Kaiser nur uralt-neue Wiederholungen eines immer gleichen Kampfes sind. Sie werden wie die römischen
Legionen im Plan zur Pharsalischen Schlacht in der Klassischen Walpurgisnacht immer wieder scheinhaft beschworen, und genau so scheinhaft zerstieben sie wieder. Am Schluß des ganzen Kriegszaubers enthüllen
sie nicht nur sich selbst, sondern den ganzen breit entwickelten Kriegs-
vorgang als ein erschreckend-sinnloses Hin und Her von „Parteien" und
Hader, den widerwärtig „unfruchtbaren" Elementen der Meere vergleichbar: „Die hohlen Waffen aus der Säle Grüften (V. 10764) ... Wie in der
holden alten Zeit ... Als Guelfen und als Ghibellinen, Erneuen rasch den
ewigen Streit. Fest, im ererbten Sinne wöhnlich, Erweisen sie sich unver-
söhnlich ... Zuletzt bei allen Teufelsfesten, Wirkt der Parteihaß doch
zum besten, Bis in den allerletzten Graus; Schallt wider-widerwärtig
panisch, Mitunter grell und scharf satanisch, Erschreckend in das Tal
hinaus" (V. 10770 ff.).

Mit dieser grandios abschließenden Deutung des ganzen Kriegszaubers
ist die Goethesche Position vollkommen klar: Der Krieg ist wie alle
Geschichte — im geschichtsskeptischen Sinn Goethes — ein unaufhörlicher Hader, ein ewig unfruchtbares Toben wie die Wogen des Meeres.
Die negativ-magische Beschwörung von Wasser und Feuer in diesem
Kriegszauber beginnt und vollendet sich letztlich in der Beschwörung des
gespenstisch Vergangenen und gespenstisch sich immer erneuenden Ge-
schichtswirbels von „Parteien", „Guelfen und Ghibellinen", die um ihrer
scheinhaft anorganischen Macht willen für Goethe mit dem „Mittelalter"
ineins fallen, das sie „aufstutzen". Nicht ohne Grund stehen letztere
Verse als einzige breit ausgeformt mitten in den sonst so knappen
Skizzen des Aktes[49]). Goethe sah in ihnen Mitte und Bedeutung des
Ganzen. Weisen sie doch thematisch nach rückwärts und vorwärts auf
Fausts Gegenentschluß, eben diese sich immer wiederholende Urfeind-

schaft gegen alles positiv Tätige zu bezwingen. „Unfreundlich verwies ich ihm das fatale Hervorrufen solcher abgeschiedener Gespenster", heißt es schon in der „Italienschen Reise" an der Stelle, wo sein Reiseführer ihm über Hannibals Kämpfe in Sizilien berichtet; „Es sei schlimm genug, meinte ich, daß von Zeit zu Zeit die Saaten ... von Pferden und Menschen zerstampft werden müßten. Man solle wenigstens die Einbildungskraft nicht mit solchem Nachgetümmel aus ihrem friedlichen Traume aufschrecken. Er verwunderte sich sehr, daß ich das klassische Andenken an so einer Stelle verschmähte, und ich konnte ihm freilich nicht deutlich machen, wie mir bei einer solchen Vermischung des Vergangenen und des Gegenwärtigen zu Mute sei. Noch wunderlicher erschien ich diesem Begleiter, als ich auf allen seichten Stellen, deren der Fluß gar viele trocken läßt, nach Steinchen suchte ... Ich konnte ihm abermals nicht erklären, daß auch hier die Aufgabe sei, durch Trümmer sich eine Vorstellung von jenen ewig klassischen Höhen des Erdaltertums zu verschaffen"[50]).

Unvergleichlich klar ist in dieser Schilderung das Urproblem bezeichnet, um das es hier wie dort ging. Das „Nachgetümmel" der „abgeschiedenen Gespenster" der Hannibalkriege vertritt jene negativ ewig sich wiederholenden Parteikämpfe, von denen sich die naturhaft gegründeten „klassischen Höhen des Erdaltertums", d. h. der Granitzeit, herrlich abheben als geologische Zeugen einer Ursprungslandschaft, die genau so „klassisch" für Goethe ist wie die antike Kunst, weil sie beharrend sich behauptet im Sturz der Zeit. Magie, Gespenster und Spuk sind im vierten Akt grundsätzlich die gleichen Mächte, die Faust am Meer im fünften Akte bekämpft. In diesem Sinn ist der vierte Akt das geschichtlich-staatliche Vorspiel des Faustischen Ringens mit den Elementen, Sorge und Magie im entscheidenden Schlußakt.

Der Raub des Reichsschatzes und der positive Aufriß der Staatsbildung in der Schlußszene

Daneben erhebt sich als zweites, vielleicht noch schwierigeres Problem die Staatsämterverleihung der letzten Szene des Aktes, durch welche die Handlung fast ganz abzureißen scheint. Verfolgt man ihre Entstehung, so zeigt sich in ihr ein Wandel vom konkret Staatlichen zum Staatstypologischen, und zwar diesmal im positiven Sinne einer Staatsbildung. Erwachsen ist diese entstehungsgeschichtlich zuletzt geschriebene Szene des ganzen Faust II-Dramas aus der ursprünglichen Absicht, den Kampf zwischen Kaiser und Gegenkaiser zu einer Auseinandersetzung zwischen „Weisheit" und „Torheit" der Regierungskunst überhaupt auszugestalten: Nach einer Skizze sollte der „thörige Kaiser" als Gegner einen „weisen

Fürsten" haben, den Mephisto „zu betören hofft". In einer großen
„Deputation der Stände" trat Mephisto „als Sprecher" auf, um die neue
Kaiserwahl zu erörtern. Auch hier scheint Goethe eine Auseinandersetzung zwischen „Weisheit" und „Macht" geplant zu haben, wie die
Skizze andeutet: „Weiser Fürst Deputation Ablehnung ... der Kaiserwürde
Andeutung des rechten" (Paralip. 179). Der Krieg sollte anscheinend zu
einer inneren Frage nach Recht oder Unrecht, Sinn und Aufgabe der Staatsgewalt ausgebaut werden, die Handlung zu einer konkreten Staatsaktion
im Hin und Wider der Parteien und Standpunkte führen. Statt dessen
bringt Goethe später zwei symbolisch-typologische Szenen: den Raub des
kaiserlichen Schatzes in des „Gegenkaisers Zelt" und die Staatsämterverleihung durch den siegreichen und gewandelten Kaiser, beides im
Grunde knappe, nach Goethes Symboltheorie „prägnant" ins „Enge ge-
zogene" Darstellungen der Entwürdigung bzw. Wiederherstellung der
Würde des Staates. Und kaum etwas ist vielleicht charakteristischer für
die spätgoethesche Symboldichtung als dieses Zurücktreten psychologisch-
realistischer Vorgänge und rhetorischer Infragestellungen der konkreten
Herrschergewalt gegenüber einer rein repräsentativ zeichenhaften Manifestation ihrer Hoheit und Funktionsweite. Entartung, Verfall und Sturz
der Staatswürde werden nicht mehr in Dialogen und „Meinungen" vor
einer Deputation von Ständen zerredet, sondern knapp symbolisch im
Raub des Reichsschatzes gezeigt: „Hier steht der leere Thron, ver-
räterischer Schatz, Von Teppichen umhüllt, verengt umher den Platz".
Vieles „verrät" in der Tat dieser Schatz. Im März 1830 empört sich einmal Goethe gegen ein Gedicht auf den Tod der Großherzogin Louise,
in dem ihre Bescheidenheit in bezug auf äußeren Schmuck, Kleidung usw.
gerühmt worden war: „Es ist ein einseitiges Lob der Hingeschiedenen,
welches für die Zurückbleibenden beleidigend werden kann. Purpur,
Hermelin, Juwelen und Perlen gehören einer Fürstin und man kann
sogar verlangen, daß sie sich damit schmücke. Wenn Eine dann dies
unterläßt, ihre Juwelen in dem Gehäuse bewahrt und einfach auftritt, so
hängt das mit ihrer übrigen Denk- und Lebensweise zusammen; kann
aber einzeln weder betrachtet noch gerühmt werden. Weiterem Nachdenken diesen Fall überlassend"[51] usw.

Goethe trennt also scharf den zufälligen, psychologisch bestimmten
Charakter des Regenten von seiner repräsentativ grundsätzlichen Funktion, die unlöslich für ihn mit Schmuck, Purpur und sonstigen äußeren
Zeichen der Würde verknüpft ist. Das Staatlich-Repräsentative des Fürsten
hängt nach Goethe für immer an diesen Zeichen, und so wird es für
Goethe fast zwingend notwendig, im vierten Akt an Stelle einer reflexiv-
psychologischen Erörterung über „Weisheit" oder „Torheit" eines zufällig
herrschenden Regenten die Zeichen der Regentschaft an und für sich
einzusetzen, die das Dauernde, Beharrende und Grundsätzliche des Staates

repräsentieren. Der Raub des Schatzes durch Habebald ist schärfstes und „prägnantes" Zeichen für den Ruin der Kaisergewalt, der in des Gegenkaisers Zelten — in jenem elementar sinnlos alles vernichtenden Kriege, dessen „Quintessenz" ja Habebald darstellt — vor sich geht. Die unmittelbar folgende Wiederaufrichtung der Würde des Staates bezeugt nur die Richtigkeit dieser Deutung. Denn Goethe schreibt ausdrücklich in der Skizze zu dieser symbolischen Gründung der Kurfürsten- und Erzkanzlerämter: „Sowohl das Innere als das Äußere durch die nötigen Formen zu bekräftigen"[52]). Nach dem naturgleich elementaren Einbruch des Krieges hat Goethe das Bedürfnis, das positiv Beharrende auch im Raume des Staates und der Geschichte, nicht nur in der Geologie (Granit) zu behaupten, und zwar im „Inneren" wie „Äußeren". Aus diesem Grunde wählt er nicht irgend beliebige „Belohnungen. Beleihungen. Zuletzt mit dem Meeresstrande"[53]), wie ursprünglich geplant war, sondern die Verleihung der Urfunktionen und Grundrechte, auf denen das ganze Römische Reich Deutscher Nation im Wandel der Jahrhunderte ruhte: In unbekümmert anachronistischer Zusammenfassung der Ereignisse und Gesetze, die von der Gründung der vier karolingischen Hofämter — Marschall, Kämmerer, Truchseß, Schenk sowie des geistlichen Amtes („Erzbischof-Erzkanzler") — bis zur Einräumung der Grundrechte der aus diesen Ämtern entstandenen Kurfürstentümer in der „Goldenen Bulle" führten, wird an einem Tage vom Kaiser der Grundstock für Struktur und Geschichte des ganzen ersten deutschen Reiches gelegt. Nicht eine Verhöhnung und Verspottung der Nichtigkeit dieses Reiches steckt in dieser Szene. Vielmehr taucht gerade im Gegensatz zum verheerend nichtigen Kriegszauber der verflossenen Szenen das Bleibende im Geschichtlichen auf, eine Urfunktion und tragende Schicht. Nur weil eine Urgeschichte der Geschichte — in unbekümmert anachronistisch zeitlosem Sinne — beschworen werden soll, legte Goethe ein so großes Gewicht auf diese Staatsszene und studierte eingehend Text und Inhalt der „Goldenen Bulle", aus der er wesentliche Teile ausgiebig und breit in der Dichtung verwertete. Denn aus diesem Grundgesetzbuch des ersten Reiches sind ja alle seine Wirren und Zersplitterungen, aber auch schließlich die großen, für die Goethezeit modernen selbständigen deutschen Fürstentümer des 18. und 19. Jahrhunderts, der Aufstieg Preußens, in dem der Keim zur späteren Einigung lag, die größeren Kurfürstenstaaten Bayern, Sachsen usw. entstanden auf Grund der Rechte der Unteilbarkeit, eigener Zölle, Gerichtsbarkeit (Gesetz „de non appelando et evocando") usw., die Goethe vor unseren Augen nicht ohne Absicht breit darstellt. Goethes Bedürfnis nach Gesetzen auch im Wirrwarr der Geschichtsläufe führte zur Niederschrift dieser spätesten aller Faustischen Szenen. In ihr eine „schneidende Kritik" am „geschichtlichen Zustand der Restaurationszeit" und eine bewußte Kontrastszene zu Fausts Schlußvision vom freien Volk auf freiem Grunde sehen zu wollen[54]), geht nach der ganzen Grundhaltung des späten Goethe wie auch nach der Struktur der Szene selber nicht an, so naheliegend und schön auch der Gedanke ist. Skizzen wie diese: „Große Vorzüge des alten Adels Stifter Klöster Churfürstentum Erzbistum Bistum bis herab zum gefürsteten alten Adel geschäftig geschäftslos" — die zwar für „Dichtung und Wahrheit" bestimmt war, aber auf einem Blatt zum fünften Akt von „Faust II" (Paralip. 195) steht und, wie der Herausgeber sagt, auch „für unseren vierten Akt wichtig" ist[55]) — stellen die tatsächlich positive Einstellung Goethes zur alten Reichsverfassung außer allen Zweifel. Goethe stand im gleichen Maße positiv zur Staatsidee der Restaurationszeit und des ersten Reiches wie zur völkischen Naturlehre des Staates; eines widersprach nicht dem anderen, weil sie auf jeweils verschiedenen Ebenen seiner Vorstellungswelt liegen: die Idee vom freien Volk auf freiem Grund ist eine Vision, die auf tiefsten fundamental-ontologischen, unerschütterlichen Voraussetzungen seines Naturdenkens ruht. Sie ist in Parallele zu setzen zur transzendentalen Konzeption aller jener zeitlos typologischen Gemeinschafts- und Urstaatvorstellungen, die wie eine unendliche Reihe durch seine sämtlichen Werke von „Werther" bis zu „Faust II" wandern. In ihnen sah Goethe unbedingte, unentbehrliche, durch nichts abzuleugnende und zu verwerfende ewige Urforderungen menschlicher Natur überhaupt. Scharf davon wußte aber sein realistischer Blick — vor allem seiner eigenen, politisch zerrissenen Zeit gegenüber — die Welt wirklicher Zeitläufe zu trennen, die wie ein brandendes Meer jene „Eilande" umspült, die in höchst charakteristischer Weise immer wie ein Tempelheiligtum durch Dämme, Deiche, ja Palisaden[56]) und Klüfte, oder in Gestalt von abgemauerten Höhlen von jeder wirklichen Welt abgeschlossen werden. Tragischer Ausdruck einer Zeit, die ihrem größten Genius nicht erlaubte, den Traum vom freien Volk auf freiem Grund als Wirklichkeit zu denken oder gar zu gestalten, ist diese Haltung ohne Zweifel. Andererseits liegt ihr eine ähnliche Scheidung zugrunde wie die zwischen Kants unbedingten „Postulaten der Vernunft" — Freiheit, Unsterblichkeit, Gott — und den realen Erkenntnisbedingungen und -möglichkeiten. Die reale Welt ist eine „positive", nur bedingt zu bejahende Sphäre, die aber auf Grund ihrer unstreitigen Realität einbezogen und bewältigt werden muß. Der Staat der Restaurationszeit, dem Goethe nun einmal beruflich wie gedanklich-ideologisch verschrieben war, ist zwar nur eine mindere Form des Gemeinschaftslebens der Menschen, aber eine höchst wirkliche und bestimmende Macht, die zu stürzen ihm zeitlebens als Frevel und hassenswerte „Revolte" erschienen wäre und erschien. Seine Gesetze und fundamentalen Bedingungen zu fixieren und zu bestimmen, ist ihm notwendige Pflicht, der er sich keinesfalls zu entziehen versucht. Stellen sie doch wenigstens einen beruhigenden Leitfaden durch die sonst

so „tumultuösen" Verwandlungen dar, die Goethe vom friderizianischen
Staat und von der freien Reichsstadt Frankfurt über das Hofleben von
Weimar, die französische Revolution, die Napoleonischen Kriege, die
Restauration und die neueste Revolution von 1830 durchgemacht hatte.
Aus solcher bedingt positiven Haltung zur Restaurationszeit ist schließlich auch die Versform der letzten Szene zu verstehen. Diese Alexandriner,
die das Steif-Förmliche, Herkömmliche, Dokumentarische des Vorganges
betonen, sind ohne Zweifel hier eingesetzt, um das Bedingte, Konventionelle der Szene zu bezeichnen. Aus ihnen jedoch nur Satire und eine
bewußt „leere, konventionelle, geschwätzige Sprache"[57]) ableiten zu
wollen, geht wieder zu weit. Zwar steckt auch Satire in der Szene, vor
allem im Schluß, wo Fausts Küstenstrich im voraus der bischöflichen Gier
anheimfällt. Aber primär trieb das Förmliche des Vorgangs selbst, wie
auch der streng historisch altväterische Raum, verbunden mit Erinnerungen des Dichters an die Barockdichtung und die Dichtung eigener
frühester Jugend, zu dieser Versform.

Und endlich wird aus dem allen verständlich, warum Goethe den
Helden selbst in dieser Szene nicht mehr auftreten und damit die Belehnung mit der Küste ausfallen ließ. Nach der universal die Struktur
des ganzen Reiches gründenden Belehnungsszene war kompositorisch eine
Einzelbelehnung als Abschluß des Ganzen schwer tragbar. Sie hätte gerade dem typisch-zeitlosen, repräsentativen Sinn der Szene widersprochen
vor allem, wenn sie ganz zum Schlusse erfolgt wäre. Vielleicht auch hätte
das bedingt positiv Konventionelle mit dem unbedingt fordernden, auf
reine „Natur" dringenden Geist Fausts eine Dissonanz erzeugt, die
Goethe gerade am Schluß dieses Aktes zu vermeiden versuchte. Zwei
Welten standen sich ja in Faust und dem weiser gewordenen (V. 10870)
Kaiser gegenüber: die Urgeschichte des historischen Staates und die Urgeschichte des Naturstaates, der auf freiem, nur am Rande der Elemente
beheimatetem Grunde ruht. Hier gab es kein Hinüber und Herüber, wie
von den Heiligtümern Goethes kein offener Weg, sondern nur unterirdische Gänge zur „Welt" führen. Aus solchen oder ähnlichen Er-
wägungen heraus mochte schließlich der Dichter das Fehlen der Belehnungsszene vor sich selbst zu verantworten suchen und das sofortige
Eintreten in die reine Welt der Auseinandersetzung zwischen Faust,
Natur, Magie usw. motivieren.

3. Die Schichtung des fünften Aktes

Schuld, Sorge, Magie und inneres Licht im Aufriß der ersten Szenen
und ihre Bedeutung für das Gesamtproblem der Faustischen Rettung

Die großartige Weite und Vielschichtigkeit des letzten Aktes wird
schwerlich jemals völlig auf Grund einer analytisch-synthetischen Nach-
konstruktion in den wissenschaftlichen Erkenntnisraum einzugehen vermögen. Zwar stehen gerade in ihm weltanschaulich ausgerichtete Vorgänge bereit, durch Ausformulierung und Weiterführung ihrer Sinnelemente in das Bereich historisch und systematisch bestimmbarer Denk-,
Gefühls- und Seinsstrukturen aufgenommen zu werden. So konnten z. B.
die „mystisch"-religiösen Schlußpartien des Ganzen stets von bestimmten
Weltanschauungs- und Gemeinschaftsgruppen ergriffen und ihrem eigenen
Denken und Empfinden angenähert werden. Aber gerade je offener diese
Partien einer begrifflich weltanschaulichen Ausdeutung zu sein schienen,
umso mehr verschlossen sie sich einer klar abschließenden Erkenntnis.
Beunruhigend wie das „Rätsel" des ganzen Werkes blieb auch der Faustschluß im Bewußtsein der Forschungswelt haften. Vielleicht mochte sich
die Neigung, dichterische Vorgänge aus weltanschaulichen, historisch vorgegebenen oder erlebnismäßigen Bedingungen herzuleiten, statt aus der
verwickelten Mannigfaltigkeit und geschlossenen Einzigartigkeit poetischer
Sinn- und Gestaltbezüge zu begreifen, hier derart rächen, daß gerade
jene Vorstellungen und Begriffe, welche die Dichtung nun wirklich weltanschaulich klar in sich zu bergen schien, sich als so verwandelt und um-
geschmolzen im Werke erwiesen, daß die Fixierung ihrer Herkunft nur
mehr Verwirrung statt Aufklärung stiftete. Fragen wie die, ob der
Schluß „christlich" oder „humanistisch" sei, ob mit der Kolonisierung der
Küste eine hocheuropäisch zivilisatorische Leistung und entsprechende
Schuldverstrickung durch Opferung der Natur und Preisgabe uralter
Frömmigkeit verbunden sei (symbolisiert durch Fausts Haß gegen die
Glocken), oder ob eine Feier der Tat und des rastlosen „Augenblicks"
stattfinde, die ins Unendliche reichend auch solche Schuld in sich selber
aufzuheben vermag, parallel dazu verlaufende Probleme wie das Ver-
hältnis von Tat und Gnade, von humanistischer Autonomie und christ-
licher Beugung unter die „Liebe von oben", wichen den elementarsten
Dichtungsproblemen mehr aus statt sie zu fördern, da das Phänomen der
tragischen Verschuldung und Erlösung grundsätzlich reflexiv statt dichtungs-
genetisch behandelt worden war. Selbst so kluge Aufsätze wie die über
„Faust und die Sorge" von Burdach und Kommerell (s. auch die anderen
Aufsätze von Burdach: „Das religiöse Problem in Goethes Faust", „Faust

und Moses" usw. sowie von Petsch)[58]) streifen über entscheidende Werkfragen hinweg. Ersterer hebt diese Kernszene des Aktes durch Aufweis fern zurückliegender, vorgoethescher Wendungen des Sorgebegriffs faktisch aus dem Werk Goethes heraus, betrachtet ihn als ein Problem an und für sich, das sich im Wandel der Jahrtausende auf verschiedenartigste Weise manifestierte und zudem noch durch die Einführung des Begriffs der „Fürsorge" seine tragische Schärfe verliert. Der zweite geht zwar, im Werke verbleibend, den Bedeutungen der Goetheschen Sorge-, Schuld-, Tat-, Todes- und Unsterblichkeitsbegriffe nach. Er gibt aber in der reflexiv autochthonen Esoterik seiner Sehweise die unterirdischen Fäden zu den konkreten und außerordentlich komplizierten Schaffens- und Formungsprozessen des Goetheschen Gesamtdichtens aus den Händen, indem er einer unaufhörlichen Kontrolle aus dem Schaffensbereich des Dichters entsagt und einen selbstgesponnenen Faden ins schwerelos Unendliche ausspinnt, ohne ihm jenes Gewicht, aber auch jene Feinheit, Dichte und unergründliche Vielgliedrigkeit der Verwebung verleihen zu können, die nur der fragende Blick in die reale Tiefe der Goetheschen Formenwelt schenkt.

Die andere Seite des Problems, wie es möglich sei, dichterische Erscheinungen ins Erkenntnisbereich der Wissenschaft aufzunehmen, ohne dies Dichterische zu zerstören und ohne andererseits über Dichtung zu dichten, ist bereits damit beleuchtet. Die innere Struktur einer Dichtung gibt dem Strahl des Erkennens sich preis, wenn sich die flüchtige Fülle ihrer Phantasie- und Schaffensgebilde zu ordnen und schichten beginnt nach dem Gesetz ihres Werdens und nach den im Sein des Dichters verwurzelten Strukturzusammenhängen seiner Phantasiewelt, die umso reiner sich öffnen, je tiefer sie der Bild- und Vorstellungswelt des Dichters verhaftet bleiben und vor jeder „Übersetzung" in eine fremde Geisteswelt bewahrt werden. Die echte Übersetzung in die Wissenschaft hat sich engstens an die kategorialen Vorstellungs- und Schaffensformen des Dichters selbst anzuschließen und darf sie nur fortsetzen bzw. wissenschaftlich ausformulieren, nicht aber sie in eine außerpoetische Vorstellungs- und Begriffswelt — wie „humanistisch", „christlich" usw. — übertragen auf Grund oft rein zufälliger oder analoger Ähnlichkeiten. Breiteste philologische Erforschung der Motiv-, Gestalt- und Bildzusammenhänge hat aufs engste in Verbindung zu treten mit schärfster Durchleuchtung ihres Gewebes, um eine wissenschaftlich einwandfreie Aufklärung des dichterischen Phänomens zu erhalten. Die Enthüllung bestimmter Funktionen und Bedeutungen — etwa des Flämmchensymbols, der Plutusmaske, der Maske überhaupt oder ganzer Akte und Szenen — bedeutet dann kein geistreiches Überspinnen der Dichtung und kein reflexiv-dogmatisches Umdeuten ins Bereich der Gedanken und einer Philosophie — die als eigenschöpferische Sphäre viel machtvoller und wahrer auf sich selbst stünde —, sondern führt zu einer sachentsprechenden Aufhellung des Werkes. Dennoch zwingt die Tatsache, daß die Geschichte der Faustforschung im Grunde eine Geschichte der Geschichte darstellt, indem sie stärker die Struktur der Geisteswelt des 19. und 20. Jahrhunderts als die der Faustdichtung herausbildete[59]), zu noch schärferer Besinnung. Letztlich hat eine streng wissenschaftliche Faustdeutung die Aufgabe, dieses Problem der Geschichtlichkeit und Wesensfremdheit „anderer" Geister in die Forschung miteinzubeziehen und das Werk — Faust II — als prinzipiell unübersetzbar zu betrachten. Da jedoch nicht die Zeit- und selbst nicht die Erlebnisnähe eine Dichtung erschließt, wie die vielen Fehldeutungen aus Goethes unmittelbarstem Umkreis beweisen, so scheint sich hinter dem Geschichtsproblem noch etwas Tieferes zu verbergen: Die Erkenntnisschwierigkeiten scheinen nicht darin zu liegen, daß wir einer anderen Zeit angehören als Goethe, sondern darin, daß es sich um eine Dichtung handelt. Dichtung selbst richtet eine Schranke auf gegen jede außerpoetische Begriffswelt und verleiht so dem Werk das Gepräge von „Geschichtlichkeit", den Anschein, als sei es „zeitgebunden" und „aus der Zeit heraus" zu verstehen. In Wahrheit aber trennt nicht der Abgrund der Zeit uns von Goethe, sondern sein Werk selbst. Gelänge es also, die Kategorien, aus denen sich das Werk dichtungsgesetzlich aufbaut, zu erschließen, so wäre nicht nur eine „Übersetzung" in fremde Denkbereiche überwunden, sondern auch das Problem der Geschichte.

Diesem Bemühen galt die ganze vorliegende Arbeit. Ihm gilt in erhöhtem Maße die Untersuchung der Teile des Werkes, die am extremsten in außerpoetisches Gebiet überzuleiten scheinen und hinübergeleitet wurden: des „religiösen", „ethischen" Schlusses der ganzen Dichtung. Um diese Teile und mit ihnen die inneren Probleme des Faustischen Endes in ihrer Weitschichtigkeit erschließen zu können, ist zunächst der Umkreis, in den sie Goethe — nicht ohne Absicht — stellte, zu umzeichnen.

Die Szenen „Mitternacht" bis „Grablegung", die übereinstimmend in der Forschung als älteste Gestaltungen des Aktes gelten[60]), enthalten schon äußerlich die sonderbare „Schwierigkeit"[61]), daß Goethe von den vier grauen Weibern statt der „Schuld" ohne innere Begründung nur die „Sorge" gegen Faust führt, daß er also im Grunde das Schuldproblem im üblichen Sinne eliminiert und durch eine andere Problemstellung ersetzt. Nicht minder schwierig ist der kaum entzifferbare Kampf zwischen „Natur" und „Magie" in der gleichen Szene gelagert.

Dennoch gibt es ein Hilfsmittel, diese Vorgänge auch von innen her ohne künstliche Umdeutungen zu erfassen. Goethe hat sie nämlich selbst sozusagen durch die später geschriebenen Philemon-Baucis-Szenen poetisch interpretiert, indem er unmittelbar aus dem Rauch der verbrennenden Hütte die vier grauen Weiber Mangel, Not, Schuld und Sorge sich formen und den Helden nächtlich besuchen ließ, d. h. das Schuld- bzw. Sorgeproblem von hier aus ableitete, ja sogar, wie sich zeigt, schon in der Szenerie dieser vorausgehenden Szenen bildhaft andeutete, was hier eigentlich vorgeht, welche Gestalten und Mächte auf Faust eindringen und sein Ringen im Antlitz von Tod und Ewigkeit bestimmen, welche nicht.

Faust befindet sich in einem „Palast" und „Ziergarten", die beiden Alten Philemon und Baucis dagegen in „offener Gegend". Das ist überraschend und charakteristisch zugleich, überraschend, weil sonderbarerweise gerade der unendlich Tätige, Faust, im „Ziergarten" wohnt, das Idyllisch-Geruhsame dagegen im „Offenen", charakteristisch, weil damit das tatsächliche innerste Daseins- und Schuldverhältnis Fausts ausgedrückt ist: Seit langem hatte sich in Goethes tragischsten Dichtungen der Spätzeit, den „Wahlverwandtschaften", der „Natürlichen Tochter", dem „Mann von fünfzig Jahren", der Novelle „Wer ist der Verräter?", aber auch in anderen Dichtungen wie in der „Pandora", der „Novelle" usw. eine besondere Schuldproblematik herausgebildet, die eine innere Verbindung zwischen dem Phänomen des Ziergartens, Schlosses, Parks (wie überhaupt der kulturellen Sphäre) auf der einen Seite und offenen Landschaften, Flüssen, Meeren, Gebirgen usw. auf der anderen herstellte. Die „Tätigkeit" der vornehmen Menschen der „Wahlverwandtschaften" im und am Park, ihre aufklärerisch zivilisatorische Einebnung der mythisch-archaischen Gräber, ihre Versuche, Wege und Stege bequemer und leichter zugänglich zu gestalten, „den beschwerlichen Felsenpfad in einen bequemen Fußpfad zu verwandeln", ihre tragisch ahnungslose Schaffung des „Teichs", der später das Kind verschlingt, und ihre vielen „vorsorglichen Anstalten"[62]) gegen das innere und äußere Unglück, stehen offensichtlich unterirdisch in innerer Wechselbeziehung zur tragischen Verblendung, in der diese Menschen ihr Verhängnis heranziehen statt ablenken. Die Tätigkeit, die bei allen vieren immer mehr „eine Richtung gegen das Unermeßliche"[63]) nimmt und darin in einer merkwürdig parallelen und doch auch wieder andersartigen Weise der faustischen Tätigkeit ähnelt, gebiert aus sich selbst die Verschuldung, indem sie sich in sich selber verstrickt und dem offenen Naturstand entfremdet. Was anders soll die kontrastierende Einlage von der naturoffenen Rettung der zwei wunderlichen Nachbarskinder im brausenden Flusse im Gegensatz zu dem unheimlich still das Kind verschlingenden selbstgeschaffenen Teich bedeuten? Wie anders kann der Gegensatz zwischen der freien, weltoffenen „Heiterkeit und Unbefangenheit" des Grafen und der Baronesse und den „heimlich leidenschaftlichen Zuständen" der vier Hauptpersonen[64]) ins Rechte gerückt werden? Die zivilisatorisch rastlose Tätigkeit wirkt hier bedrohlich als abkapselnde, ins „heimlich Leidenschaftliche" verstrickende Macht, die wiederum merkwürdig parallel zur einsamen „Sorge" Fausts steht. Denn in beiden Wendungen enthüllt sich, was eigentlich mit „Schuld" in diesen Werken gemeint ist: „Wehe dem Menschen, der vorwärts oder rückwärts zu greifen durch Umstände oder durch Wahn veranlaßt wird", sagt einmal Goethe bedeutsam in den „Wahlverwandtschaften"[65]). Ähnlich ist auch die „Sorge" des erblindenden Greises dadurch gekennzeichnet, daß sie den glückhaften „Augenblick" der „Tat" verdüstert durch wahnhaften Rückblick und Vorblick: „Bei vollkommnen äußern Sinnen Wohnen Finsternisse drinnen, Und er weiß von allen Schätzen Sich nicht in Besitz zu setzen ... Sei es Wonne, sei es Plage Schiebt ers zu dem andern Tage, Ist der Zukunft nur gewärtig, Und so wird er niemals fertig" (V. 11457 ff). Die Bedenken und Zweifel an der Tat, das Abziehen vom „Gegenwärtigen" und der Drang ins Zukünftige bzw. Vergangene sind es eigentlich, was als Sorge den Helden zu übermannen droht und entsprechend von ihm auch nur durch unbekümmerte gegenwärtige Tätigkeit abgewehrt werden kann: „Er stehe fest und sehe hier sich um ... Wenn Geister spuken, Geh er seinen Gang" usw. Eine doppelte Problemstellung also scheint hier gegeben: Einmal führt die rastlose zivilisatorische Tätigkeit in Verstrickung und Naturfremdheit, andererseits befreit reine, gegenwärtige Tätigkeit auch von dieser Verfremdung und Sorge. Schuld und Erlösung scheinen beide aus Fausts Tätigkeit zu entspringen. Sein unendlicher Wunsch, alles zu besitzen, vernichtet die reine Natur, sein reines Tun richtet ihn wieder auf.

Daraus wird zunächst deutlich, was Schuld bei Goethe eigentlich ist. Die Schuld, genauer „das Verbrechen" Eduards und Charlottens bei der Zeugung ihres — damit todgeweihten — Kindes besteht ausdrücklich darin, daß sie das Nichtgegenwärtige (ihre Liebe zur Ottilie bzw. zu dem Hauptmann) ins Gegenwärtige zogen und „Abwesendes und Gegenwärtiges" heimlich und in Gedanken vermischten[66]). Schuld ist also hier wesensmäßig blinde Vermischung des Gewünschten mit dem Vorhandenen, Einbruch der Phantasie in den „Augenblick", magische Vertauschung eines maßlosen Wunsches mit seiner Erfüllung. Fausts Drang nach absoluter Verwirklichung seiner Wünsche führt zu Magie und Schuld, weil diese Wünsche etwas faktisch Metaphysisches (die Besiegung der Elemente) mit etwas Realem (Gewinnung von Boden und Besitz) v e r m i s c h e n und damit den Helden der Dämonie des Besitzes und des Kampfes um Besitz, d. h. dem Streit der Elemente selber preisgeben. Erst wenn Faust, wie in der Schlußszene, den traumhaften Charakter seines Handelns in „Äonen" beschwört, ist er „rein". Solange er noch real wünscht und wähnt, bleibt er magisch gefesselt: „Eh' ichs im Düstern suchte, Mit Frevelwort mich und die Welt verfluchte" (d. h. ehe er wie in Faust I maßlose Ziele auf enttäuschende, ungenügende Wirklichkeitswelten richtete), war er noch ein „Mensch", der rein und „frei" vor der

„Natur" stand. „Nun" aber durch sein Wähnen und „Suchen" im „Düstern" „ist die Luft von solchem Spuk so voll, Daß niemand weiß, wie er ihn meiden soll, Wenn auch ein Tag uns klar vernünftig lacht, In Traumgespinst verwickelt uns die Nacht; Wir kehren froh von junger Flur zurück, Ein Vogel krächzt; was krächzt er? Mißgeschick" (V. 11408 ff.).

Selbst das Motiv von den „Vorzeichen", „Warnungen" und den „abergläubischen" Versuchen, das Schicksal dem Menschen dienstbar zu machen, das eine so große Rolle in den „Wahlverwandtschaften" spielt, klingt in dieser Faust-Sorge-Szene auf: „Von Aberglauben früh und spat umgarnt: Es eignet sich, es zeigt sich an, es warnt. Und so verschüchtert stehen wir allein. Die Pforte knarrt, und niemand kommt herein (Erschüttert). Ist jemand hier? (Sorge): Die Frage fordert ja!" (V. 11415 ff.). Magie und Sorge werden hier geradezu identisch. Nicht vertreibt die Magie, wie in der gewöhnlichen Vorstellungswelt, durch ihre Möglichkeit, alle Wünsche zu befriedigen, die Sorge, sondern zieht sie geradezu an: „Nimm dich in acht und sprich kein Zauberwort", mit dieser seltsamen, flüsternden Warnung an sich selbst sucht sich Faust vor dem Zutritt der Sorge zu schützen. Der Zauberspruch würde die Sorge heranlocken.

Diese Form der Magie hat also in ihrer eigenartigen Verbindung mit der Sorge in Faust II wesensmäßig mit der Fabel gar nichts zu tun. Deutlich spricht das die Entstehungsgeschichte der Faust-Sorge-Szene aus: „Magie hab ich schon längst entfernt, Die Zauberfrevel williglich verlernt", so lautet eine ursprüngliche Lesart, die damit die elementar naive Magie aus der Faust I-Sphäre als längst überwunden ablehnt, um bei genauerem Nachsinnen: „Doch ist die Welt von solchem Spuk so voll (H[3]) ... Daß man nicht weiß, wie man ihn meiden soll" (H[4]) zur Erkenntnis zu führen, daß Magie ja nichts in einer primitiven Vorzeit Überwundenes ist, sondern als Sorge und „Traumgespinst" Tag und Nacht den Menschen bedroht. Daraus ringt sich elementar das bittere Eingeständnis heraus, daß Magie in Wahrheit keineswegs von Faust besiegt sei, sondern ihn tatsächlich von der „Natur" und seiner eigenen, kräftig weltoffenen, frei der Natur ins Auge blickenden Selbstgewißheit entfremde. Magie, Sorge und naturferne Selbstverfremdung Fausts hängen aufs engste zusammen und trennen damit grundsätzlich sorgend zivilisatorisches Tätigsein von der freien, dem Augenblick verpflichteten „Tat".

Vieles beginnt sich in dieser Scheidung zu klären: die Frage nach Fausts Schuld, nach dem Wesen seiner kolonisatorischen Tat, nach seinem Ende und seiner Erlösung — und zwar in folgender Weise:

Es wurde schon auf die merkwürdige und aufschlußreiche Tatsache hingewiesen, daß in den vier Gestalten, die aus dem Rauch der verbrannten Hütte Philemons und Baucis' emporsteigen, die drohendste

nicht die „Schuld", sondern die „Sorge" ist. Die Schuld dringt gar nicht
zu Faust, obgleich soeben nichts Geringeres als ein Verbrechen geschehen
ist. Man erklärte sich das damit, daß Schuld hier im Sinne von „Geld-
schulden"[67]) oder als aus materieller Not entstehende innere sittliche Ver-
schuldungsmöglichkeiten in der „sozialen Sphäre"[68]) gefaßt sei. Selbst
Kommerell definiert die „Schuld" dieser Stelle auf Grund ihrer Verbindung mit Mangel und Not als ein Mangeln „derjenigen Dinge, mit
denen man sich einer Schuld entledigen könnte", als ein „Nichthaben",
vor dem der „Reiche" Faust gefeit sei, „weil er sich loskaufen kann"[69]),
wie überhaupt für Kommerell grundsätzlich das faustische Leben und
Sterben sich darauf gründet, daß es, unaufhörlich neue „Lebensbereiche
plündernd"[70]), zur Natur in ein „Schuldverhältnis nicht moralischer, eher
geschäftlicher Art"[71]) geriet, indem es das „Geplünderte" bei der Aus-
gliederung im Tod entsprechend wieder zurückerstatten muß.

Blickt man genauer hinzu, so liegt das Verhältnis noch wesentlich
komplizierter. Für Goethe lag grundsätzlich überhaupt kein Anlaß vor,
die „Sorge" bei dem Helden einzulassen: „Ich bin nur durch die Welt
gerannt, Ein jed' Gelüst ergriff ich bei den Haaren" (V. 11433 ff.). Diesem anscheinend bedenkenlosesten aller Goetheschen Helden ist die Sorge
von innen her fremd. Dennoch läßt Goethe sie zu ihm herein, und zwar
nicht ohne betont scharfe Heraushebung des „Bruders" der vier grauen
Weiber, des „Todes", der unsichtbar allmächtig hinter der ganzen Szene
lauert: „Da kommt er, der Bruder, da kommt er, der — Tod". Im Angesicht des Todes erhebt sich die Frage nach der Vollendung eines
Menschen, der sein „Leben durchgestürmt" hat und sich in unaufhörlichem Tun verzehrte. D. h. die Frage nach der Ewigkeit und Dauer eben
dieses bedenkenlos tätigen Daseins überschattet groß und beherrschend
diese Szenen bis zu dem Schlußwort Fausts: „Es kann die Spur von
meinen Erdentagen Nicht in Äonen untergehn". Um die Dauer der Tat,
nicht um ihre ethische Sicherung scheint es also Goethe primär zu gehen.
Daher scheint das Schuldproblem einer anderen, überaus komplizierten
inneren Dialektik der Tat zu weichen, die Goethe fast sein ganzes Leben
beschäftigt hat und die nun eingehender Betrachtung bedarf.

War schon in den „Wahlverwandtschaften" eine eigentümliche Verbindung
rastlos praktischen Wirkens ins „Unendliche" mit einer passiv lähmenden
„Stille" sichtbar, die sich in magischer Vertauschung der Zeit- und Ge-
schehensbezüge, in ahnungsvollen „Vorzeichen" und Verkehrungen alles
Getanen ins Gegenteil ausdrückte, so geriet diese fast undurchsichtige
Verbindung von Tätigkeit und ästhetisch passiver Schwebehaltung ungefähr gleichzeitig zum dichterischen Austrag in der Konfrontation des
Prometheus mit Epimetheus in der „Pandora". Auch hier ist, genau wie
in „Faust II" (Ziergarten, Palast) und den Wahlverwandtschaften, die
spezifische Kultur- und Gartensphäre, ja eine ausgesprochen auf prak-

tisch-arbeitsmäßigen Ertrag orientierte Landschaft („Fruchtbäume ...
wohlbestellte Gärten ...") dem sorgenden, vielbedenkenden Epimetheus
zugeteilt, dessen Charakter es ist, „Vergangnem nachzusinnen, Rasch-
geschehenes zurückzuführen, mühsamen Gedankenspiels, Zum trüben
Reich gestalten-mischender Möglichkeit"[72]). Im Grunde hausen auch Sorge
und Magie in dieser arbeitsdurchdrungenen Kulturlandschaft und im
Herzen des Epimetheus. Ihnen entgegengesetzt ist die halbvollendete
Landschaft des unbekümmert tätigen Prometheus: „Fels und Gebirg",
auf denen „natürliche und künstliche Höhlen neben- und übereinander
gebildet sind ... Hier und da sieht man etwas regelmäßig Gemauertes,
... auch schon bequemere Wohnung andeutend" usw. Verfolgt man den
weiteren Verlauf, so ergibt sich, daß im Grunde beide den erfüllenden
„Augenblick" fliehn, der eine im düsteren „Nachsinnen", der andere im
rastlos unbefriedigten Tun. Denn die „gottgewählte Stunde", die „Wort
und Tat ... segnend vom Himmel" herniedersinken läßt, ist beiden
fremd. Sie ist allein den Kindern Phileros und Epimeleia durch ihren
spontanen Sprung in den Abgrund des Seins, in Wasser und Feuer, zugänglich. Genau in der gleichen Problemstellung befindet sich Faust vor
seinem Ende, als er im „Augenblick" zugleich die „Äonen" zu ergreifen
versucht. Wollte Goethe im Lobpreis des „Augenblicks" (im Grunde auch
einer „gottgewählten Stunde", wie das Wort von den „Äonen" beweist)
seinen Helden, was der Anlage nach gar nicht anders möglich war, die
Wette mit dem Teufel äußerlich verlieren und innerlich gewinnen lassen,
so mußte er in diesen „Augenblick" eine überirdische Totalität zwingen,
d. h. er mußte den Helden doppelt vor dem Einbruch des vernichtenden
Zeitlaufs sichern, einmal durch Abwehr der magischen Verflüchtigung des
Moments im Nachsinnen, Sorgen und „Wähnen", zum anderen durch
Überwindung des bloß rastlosen, irdischen, nur gegenwärtigen Tuns.
Denn nur so war eine Verwechslung mit einem rein irdisch bejahten
Augenblick, der Faust in die Hände des Teufels geliefert hätte, zu ver-
meiden. Aus keinem anderen Grund taucht diese sonderbar widerspruchs-
volle Einheit zwischen Sorge und dem scheinbar sorglosen Faustischen
Wort: „Ich bin nur durch die Welt gerannt" auf, das niemand zu glauben
vermag, der seine endlosen Monologe und Bedenklichkeiten aus Faust I
noch in Erinnerung trägt. Faust wird hier plötzlich im Kontrast zur
Sorge als bedenkenlos „begehrend", „wünschend", lebensverzehrend
und -„durchstürmend" geschildert. Warum? Keineswegs weil dies, wie
Kommerell annimmt, tatsächlich seinem Charakter oder den früheren
Lebensstationen entspräche, sondern vielmehr darum, weil Goethe das
Phänomen puren Tuns am Ende bewältigen muß, um im Kampf mit ihm
die Sphäre ewiger, absoluter und freier Tat zu erreichen.

Aus dem gleichen Grund findet die „Sorge" statt der „Schuld" Eintritt
bei Faust und endgültige Abweisung durch ihn. Wie Epimetheus und

Prometheus nur in ihrer polaren Zweiheit in ihren Kindern sich retten, so stellen sich das Tätige und das Bedenkende, Wort und Tat in Faust selbst im Angesicht des Todes zum Kampfe. Unendliche zeit- und seinsverwirrende Phantasie und unendlich irdisches Tun sind beide Ausdruck rein immanenten Unendlichkeitsdranges, aus dem es für Goethe und Faust an dieser Stelle nur einen einzigen Ausweg gibt: das „innere Licht". Auch nach Goethes Seelen- und Naturlehre kann sich ja irdisches Tun und Wähnen nur in solch „innerem Licht" retten. Betrachtet man den Vorgang genau, so ergibt sich eine doppelte Wendung: „Die Menschen sind im ganzen Leben blind, Nun, Fauste! werde du's am Ende" (V. 11497 ff.). Das ist tief und entscheidend: Die Macht der Sorge liegt auf den Menschen ihr ganzes Leben lang und schränkt sie unendlich ein. Auf Faust, dessen Leben und Tun unbeschränkt grenzenlos von Stufe zu Stufe zu schreiten vermochte, drückt sie erst im Augenblick des „Endes", im Rekapitulieren der Ganzheit des Gelebten. Erst da wird er bang rückschauend und vorschauend, d. h. besorgt um das Ganze. Und hier bedeutet Blindheit tiefste beglückendste Gnade: Faust ist blind dem Tod gegenüber. Er verwechselt — das ist ein außerordentlich wichtiger Punkt — sein Grab mit seinen Gräben, die Totengräber mit seinen Arbeitern, den Tod mit seinem Werk, nach einer frühen Skizze sogar Mitternacht mit strahlendem Tag (Paralip. 91). Blindheit ist also nicht, wie es Kommerell in Anlehnung an Märchenmotive faßt, ein anderer Ausdruck für den Tod[73]), sondern eine Gnade, die gerade das Besorgtsein um die Totalität des Daseins zu verleihen vermag: Indem Faust im Rückblick und Vorblick auf die Gesamtheit seines Lebens die immanente „schleichende" Sorge abweist: „Ich werde sie nicht anerkennen", bedenkt sie ihn mit Blindheit seinem Werk gegenüber, einer Blindheit aber, die den Tod überwindet, weil sie das Zufällige, Reale, Stückhafte des Tuns, dessen höhnende Wirklichkeit ja gerade irdische Sorge, Zweifel und „Traumgespinste" erzeugt, nicht mehr sehen läßt, sondern ihn auf die ewige Schöpferkraft des Innern — und etwas anderes ist nach Goethes Seelenlehre dies „innere Licht" nicht — verweist. Blind wird Faust seinem realen Werk gegenüber (wie die Skizze: „Wüßtest du dich drein zu finden, Müßtest glauben wie verblinden"[74]), beweist und wie vor allem die Todesszene es deutlich macht, in der dem blinden Faust die reale Nichtigkeit seines Werkes entzogen wird und aus der Verwechslung der Totengräber mit seinen Arbeitern sich die Endvision vom freien Volk auf freiem Grund, das Wort von den „Äonen", herausringt). Sehend und überirdisch klar wird aber Faust im Vertrauen auf die zeitlos zeugende Kraft ewig tätigen Geistes. Wie in Ottilie im Augenblick der inneren Überwindung irdischen Tuns — symbolisiert durch Fasten und Stummheit — das „innere Licht" aufflammt, das die Rettung auch für ihren Geliebten verheißt, und wie nach Goethes Optik das Auge eine innerst produktive Kraft ist, nicht vom äußern Licht allein gezeugt, sondern es auch zeugend, so tritt im Augenblick der Offenbarung der Nichtigkeit alles irdischen Tuns (durch die magische Kraft der Sorge) die transzendental-zeitlose Macht produktiv ewiger Tatkraft ins Werk. Fausts äußere Blindheit ist die Überwindung des Todes, nicht der Schuldzoll einer plündernden Kraft an die beraubte Natur und also Symbol des leiblichen Todes, wie es Kommerell faßt. Denn nur, weil dem so ist, zweifelt sogar Mephisto am Tode des Leibes: „Der alte Tod verlor die rasche Kraft, Das Ob? sogar ist lange zweifelhaft". Wäre das ganze Faustische Ende Rückzahlung geraubter Güter, so wäre gerade die Auflösung des Leibes notwendigste Tributpflicht. Statt dessen traut Goethe selbst dem Leibe Unsterblichkeit zu, sei es, wie hier bei Faust, im Sinne der Ewigkeit seiner Elemente, sei es auch, wie in Mignons und Ottiliens Tod, im Sinne der Bewahrung seiner körperlichen Form und Schönheit. Die Seele haust noch irgendwie auch nach dem Tode im Körper, so wollte es Goethes einheitliche Naturlehre: „Nun zaudert sie und will den düstern Ort, Des schlechten Leichnams ekles Haus nicht lassen" (V. 11626 f.). Genauer besehen wiederholt sich der Kampf zwischen immanenter und transzendental-zeitloser Tat hier nochmals: Vielfache Lesarten, die Goethes Interesse an dieser nur scheinbar grotesk humoristischen Szene bezeugen, stellen diesen Tatbestand klarstens heraus:

Fausts Seele hat „das besonderste Gelüst Erst die Verwesung abzuwarten ... Sonst war sie gern aus diesem Kerker los Und sehnte sich nach andern Tagen Jetzt läßt sie sich vom Element verjagen" (Lesart zu V. 11626 ff.). Weiter notiert sich Goethe: „Streit der Elemente" und den Vers: „Bis sie vor Elementen, die sich ewig hassen, sich endlich nicht zu retten weiß" (Lesart zu V. 11628). Vergleicht man das mit der Todesszene selbst, so schließt sich der Sinnbogen: „Du bist doch nur für uns bemüht, Mit deinen Dämmen, deinen Buhnen; Denn du bereitest schon Neptunen, Dem Wasserteufel, großen Schmaus. In jeder Art seid ihr verloren; — Die Elemente sind mit uns verschworen, Und auf Vernichtung läufts hinaus" (V. 11544 ff.). D. h. also, es besteht ein unzweideutiger Zusammenhang zwischen dem Tod Fausts und seinem heroischen Kampf mit den „Elementen" des Meeres. Bis zuletzt, bis in die Leiche hinein, setzt sich Fausts Kampf mit den revoltierenden, formzerstörenden „Elementen" fort. Nichts kann schlagender die These belegen, daß dieser Kampf mit dem Meer im Grunde ein metaphysischer Kampf auf Leben und Tod zwischen Fausts formbildender seelischer Kraft, der „unsterblichen Entelechie", die Goethe hier mythisch als „inneres Licht" bezeichnet, und dem widerlichsinnlosen „Streit" der Elemente ist, der bei Goethe mit dem Welttheatermotiv u. a. in Verbindung steht. Entsprechend ist die irdische Arbeit Fausts nach Mephistos Einsicht („Du bist doch nur für uns bemüht Mit deinen Dämmen, deinen Buhnen") wie alles Irdische, wie das ewig offene

Grab vergänglich wiederkehrenden Daseins, dem „Streit der Elemente"
verfallen. Erst wenn dieser Streit einsetzt, muß die „Seele", das „innere
Licht" weichen, um einer anderen Rettung sich zu versichern. Tod ist im
Grunde nichts anderes als die „Auflösung" der mit sich selbst streitenden
durch die produktive Kraft des Geistes und inneren Lichtes verbundenen
und geformten Elemente und steht darum in folgender Wechselbeziehung
zu Fausts „Arbeit":

Solange die Arbeit Fausts rein diesseitig ist, ist sie genau wie alles
andere diesem Streite verfallen; sobald das innere Licht sich aber behauptet im Kampf gegen Sorge (die Zweifel am Tun) und gegen das pur
immanente „Durchstürmen" des Daseins, beginnt eine Verklärung: Die
„Blindheit" entzieht ihn der realen Stückhaftigkeit irdischen Tuns und
gewährt ihm erst die nach außen blinde, im transzendentalen Raume
aber hellseherische Vision vom „freien Volk auf freiem Grund", vom
„paradiesisch Land", um das „draußen" die „Flut bis auf zum Rand"
braust usw., d. h. die überirdische Verklärung verewigter Tat. Blindheit
ist Schutz vor der Nichtigkeit irdischen Tuns, die grell noch bis in die
letzte Verwechslung der Totengräber mit seinen Kanalisationsarbeitern
hervorbricht. Sie ist zugleich Öffnung des „inneren Lichts", aus dem allein
die Gewißheit ewiger Tat quillt: „Allein im Innern leuchtet helles Licht;
Was ich gedacht, ich eil' es zu vollbringen ... Laßt glücklich schauen, was
ich kühn ersann. Ergreift das Werkzeug", so hat Goethe inneres Licht
und die Endvision der Tat unmittelbar miteinander verknüpft. Der
visionäre Sieg über die Meeresflut am Ende läuft parallel mit dem Sieg
des inneren Lichtes über das Traumgespinst der Sorge und Magie, wie
er später sich wiederholt in dem Sieg der tätigen Entelechie Fausts über
den „Streit der Elemente" im Leichnam.

Rückwärts aber wirft diese Szene ein endgültig aufklärendes Licht auf
die Philemon- und Baucis-Szene und auf die Schuldfrage. Die Philemon-
und Baucisszene, die ja Goethe wesentlich später als die Sorge- und Todesszene schrieb, d. h. von der Sorgeszene aus konzipierte, gibt den endlichen Ausschlag für die Richtigkeit unserer Deutung. Eine Skizze zur
Sorgeszene verrät den Zusammenhang: „Das hilft dir nichts, du wirst
uns doch nicht los. Grad im Befehlen wird die Sorge groß" (Paralip. 201),
erwidert die Sorge auf Fausts Hoffnung, ihr im Befehlen und Herrschen
zu entgehen; und eine andere Stelle: „Und wie der Mensch dem Menschen
Weg' bereitet, Dem Menschen ist's der Mensch, der sie bestreitet"[75]) beleuchtet den inneren Grund dieser These: Im irdischen Tun treten Mensch
gegen Mensch, Element gegen Element zum ewigen Kampf gegeneinander
auf; darum wird „grad im Befehlen" die Sorge groß. Fausts Tätigkeit am
Meer also ist doppelt geschichtet: Als irdisches Tun und Herrschen ist sie
selbst „Element" und in das Toben der Naturkräfte gebannt: Fausts Gier
nach dem Besitze Philemons und Baucis' entspricht dem „Streit", den

„Mensch gegen Mensch" ewig um Land und Besitz führen und führen werden. Im Grunde ist dies keine „Schuld", sondern ein Schicksal. „Auch hier geschieht, was längst geschah, Denn Naboths Weinberg war schon da", triumphiert Mephisto, nicht, wie zu erwarten wäre, auf Fausts Schuld und damit auf ein weiteres Reifwerden Fausts für die Hölle pochend, sondern höhnisch auf die schmachvolle Wiederholung dieses zeitlichen Vorgangs deutend. Nicht eine moralische Schuld Fausts also wird hier dokumentiert, sondern ein Schicksal des Weltlaufs, das unlösbar mit allem Herrschen und Arbeiten verknüpft ist. Ihm entgeht darum auch Faust nicht durch Reue oder „geschäftliche" Abtragung und Abzahlung der Schuld, sondern durch einen Sprung aus der Zeit, d. h. erstens durch einen visionär-transzendentalen Kampf gegen gerade jene „Elemente", denen er selber verfiel, gegen das ewig sich wiederholende Kommen und Gehen, Aufrichten und Zerstören der Meereswogen, und zweitens durch Erblindung gegen außen und Aufflammen des inneren Lichts. Die Arbeit Fausts am Meer erscheint also einmal als reales Kämpfen und Streiten um Besitz, zum anderen als gigantisch-überirdischer Sieg über die Elemente überhaupt. Nur so ist jene widerspruchsvolle Spannung zwischen See-räuberei, „Krieg, Handel und Piraterie" (V. 11188), ja Menschenschläch-terei und Gier nach Besitz („Die wenig Bäume, nicht mein eigen, Ver-derben mir den Weltbesitz") auf der einen Seite und der visionären Opfer-, Freiheits- und Gemeinschaftsethik der Schlußszene („Gemeindrang eilt, die Lücke zu verschließen") auf der anderen Seite zu verstehen.

Ferner ist damit auch der Gegensatz der zwei ersten Szenen „Offene Gegend" und „Palast, weiter Ziergarten, großer, gradgeführter Kanal" geklärt. Im Bann von Welt und Besitz richtet sich Fausts Abwehr nicht, wie es durchaus möglich gewesen wäre, gegen den Besitz eines anderen, gleichmächtigen, weltlichen Konkurrenten, sondern gegen die heilige Natur alter Linden und frommer Menschen. Hier liegen die elementaren Kontraste. Das, was ihm den „Weltbesitz" wirklich von innen heraus verbittert und „verkümmert", ist die ewig außer-„weltlich" reine Natur, die in einer überaus überraschenden und konsequenten Weise das Motiv der „Rettung", die in aller Natur verheißen ist, ausführt:

In fast allen Deutungen dieser Szene wurde übersehen, daß der „Wanderer", der hier auftaucht, einst von der „sturmerregten Welle" als Schiffbrüchiger ans Land geworfen, in der Hütte „geborgen" (V. 11048) und von den „dunklen Linden ... in ihres Alters Kraft" aufgenommen worden war (V. 11044 f.). Diese Welt der Rettung aus dem — nun anders gesehenen — Element und der Bergung in der uralt frommen Macht der Natur ist es, die genau so gegen das rastlose Wähnen und Tun Fausts im „Ziergarten" und „Palast" steht, wie einst die reine und freie Rettung der wunderlichen Nachbarskinder in den „Wahlverwandtschaf-ten" gegen das „unendliche" Wirken und das in heimlich-unselige Leidenschaft sich verstrickende Tun und Treiben der vier Hauptgestalten im Park, im Schloß und am gleichfalls wie die Kanäle Fausts künstlich selbst geschaffenen Teich. Die bestürzende und ablehnende Wirkung, welche in Ottiliens und Charlottens Seele die Erzählung dieser Rettung hervorruft, trifft auch auf Fausts innersten Haß gegen das Geläut der Glocke und den reinen „Lindenraum" zu. Denn wie er und in anderer Weise Ottilie einem Dämon rastloser Bewegung bei äußerlich völliger Ruhe anheimfallen und sich beide erst schrittweise zum „inneren Licht" durchringen, so ist ihnen die elementar frühe und jugendliche Rettung durch die Kräfte der Natur grundsätzlich versagt. Sie leben — wie Epimetheus oder der „Mann von fünfzig Jahren", der im Mondschein seinem Schatten nachjagt, während das jugendliche Paar sich aus grausem Unwetter, aus einem Einbruch des Dunkels in die vornehm hell erleuchtete Stille des Schlosses, aus Blutsschrecken zur heiter gelösten Freiheit von sich selber durchrang — im Bann grenzenlos verlaufenden und umstrickenden Tätigseins, der erst zu brechen ist durch Erblindung oder Verstummen alles äußeren Daseins (ursprünglich sollte Faust wie Ottilie „taub" werden gegen alle äußere Sprache) und durch die tröstliche Gewißheit einer überzeitlich im Innern schöpferisch wirkenden Kraft.

Die Erlösung Fausts vollzieht sich also im letzten Akt jenseits aller jugendlich rettenden Elementarkraft, weil Faust schon zu viel Welt und rastlos Tätiges in sich enthielt. Ja auf Grund dieser Welthaltigkeit wird er sogar umgekehrt auf der letzten Stufe seiner Rettung der „Lehrer" vorgeschlechtlich früh verblichener Knaben, wie Ottilie im Ende auf Grund ihres Leidenskampfes und ihrer Überwindung Vorbild und Erzieherin der kleinen, ihr auch im Tode nachfolgenden Nanny wird. Mögen diese Parallelen auch nicht allzu schwer wiegen, die hier mehr erläuternd als begründend eingefügt und zu verstehen sind, da die innere Struktur der beiden Werke und Gestalten viel zu verschieden ist, um eine derartige Parallelsetzung zu ertragen, so ist doch das eine gewiß: Fausts Verbrechen an Philemon und Baucis beruht auf einer tief Goetheschen Kontrastsetzung von Kultur und Natur, die in innerste Seelen- und Daseinskonflikte hinabreicht. Die Rettung, die der „Wanderer" durch Philemon und Baucis erfährt, ist ihm (Faust) versagt, ja sie ist ihm verhaßt, weil sie in der Tat die Grenze seines Herrschaftsbereiches bezeichnet. Wie anders wäre das — real genommen — unglaubhafte Wort zu begreifen: „Die wenig Bäume, nicht mein eigen, Verderben mir den Weltbesitz ... Des Glöckchens Klang, der Linden Duft Umfängt mich wie in Kirch und Gruft. Des allgewaltigen Willens Kür Bricht sich an diesem Sande hier", das aus dem Munde eines hundertjährigen Greises zu vernehmen schon Eckermann unverständlich schien[76]). Braucht Faust zur Gewährleistung der Unendlichkeit seines Besitzes in der Tat diese Hütte? Äußerlich nicht. Und dennoch ist diese Hütte und sie allein das harte Nein ewig junger

und alter Natur gegen seine Herrschaft. Hier am ewig rettenden, „zu-
frieden" lebenden, heiter sterbenden, zeitlosen, von Göttern aufgesuchten
Glück reinen Menschentums bricht sich „des Willens Kür", weil erstens
hier ein unvergänglich in sich selbst ruhendes Sein lächelnd alles zweck-
hafte Zielstreben aufhebt und weil zweitens der Klang dieser Glocken
die Grenzen des Lebens schreckhaft in Erinnerung bringt und damit die
tatvernichtende Sorge herbeizwingt: „Und das verfluchte Bim-Baum-
Bimmel, Umnebelnd heitern Abendhimmel, Mischt sich in jegliches Be-
gebnis, Vom ersten Bad bis zum Begräbnis, Als wäre zwischen Bim und
Baum Das Leben ein verschollner Traum" (V. 11 263 ff.). Hütte, Kapelle
und Linden bezeichnen eine unvergänglich ewige Welt, die in heiterer
Stille die Gesamtheit alles rein irdischen Tuns in Frage stellt. Ihre Vernichtung kommt daher einer Vernichtung von „Jahrhunderten" gleich:
„Was sich sonst dem Blick empfohlen, Mit Jahrhunderten ist hin"
(V. 11 336 ff.). Etwas kostbar Unveräußerliches ging mit ihnen verloren,
und anders mag auch die Tatsache, daß nicht nur der Jüngling, sondern
auch sein „Schatz" von Philemon den „Fluten entrückt" worden war,
nicht zu deuten sein. Der aus den Fluten gerettete Jüngling und die
Bergung seiner Schätze war schon im Schlußhymnus des zweiten Aktes
von uns als wesentliches Element der kosmisch-produktiven Schöpferkraft
von Natur und Kunst erkannt worden. Hier taucht es erneut wieder auf
im offenen Kontrast zu den „Schätzen", die sich Faust geheimnislos irdisch
tätig mit Hilfe von Seeräuberei und Gewalt erjagt hat. Auch in der
Klassischen Walpurgisnacht stand ja das Gold des Meeres in innerer
Spannung zum Gold im Gebirge, um das sich Pygmäen, Kraniche, Greife
usw. stritten, desgleichen im Flammengaukelspiel das Gold des Knaben
Lenker im Gegensatz zum Gold der Gnomen. Pures irdisch unendliches
Tun und geheim wirkende Kraft ewiger Schöpfung schließen sich aus oder
finden erst dann in Fausts Seele zueinander, als er das wahre Verhältnis
zwischen ihnen nach dem Ringen mit der Sorge und seiner Erblindung
zu verstehen vermag. Auf das Kostbare, „Jahrhunderte" Überdauernde des
Philemon-Baucis-Idylls mag darum die Skizze gerichtet gewesen sein:
„Unschätzbar so im Wandeln eigentlich belehrt, Unschätzbar ist, was niemals wiederkehrt"[77]) (möglicherweise von Lynkeus gesprochen). Denn die
folgende Lehre: „Und hätt er's auch gesehn, der höchste Blick Kehrt nur
ins Herz der Herrlichkeit zurück"[78]) bezeugt eine Wendung von der
freudigen Betrachtung äußerer Schätze zum „Herzen der Herrlichkeit",
das im Licht des Innern aufglüht und durchsichtig wird. Die Spannung
zwischen äußeren Schätzen und innerem produktiven Reichtum, auf
Grund dessen sich erst der „Augenblick" zu „Äonen" weitet, war offenkundig auch hier noch gemeint. Der alles überschauende Lynkeus, dem
„Ferne und Nähe", „Mond, Sterne, Wald und Reh" nur eine einzige
große Bestätigung „ewiger Zier" sind, spricht diese Worte wie ein gütiger

Vater über einer erlöschenden, verbrennenden Naturwelt und über einem erblindenden Faust, verheißend, daß alles noch gut wird.

Denn auch Lynkeus kennt ja das innere Licht, er ist ganz „Auge" im Sinn totalisierend alles „Ferne und Nahe" preisender Übersicht. Ihm muß nicht die äußere Welt erblinden, sondern er trägt in sich den Augenblick, der Äonen umspannt. Lynkeus steht zwischen dem ganzen verhängnisvoll verhängten Ereignis wie ein strahlender Hinweis darauf, daß trotz aller Verschuldung und Verstrickung letztlich die Macht des Auges, die ja nach Goethes Überzeugung selbst auch von innen die Sonne erschafft, die „Unsterblichkeit" der Entelechie garantiert. Die Frage der faustischen Erlösung ist damit im Grunde schon gestellt und beantwortet. Da Faust nicht schuldig ist im Sinne einer einmaligen moralischen Verfehlung, sondern eines totalen Naturschicksals, kann er auch nur unter totalen Aspekten erlöst werden.

Fausts Tod und das Verhältnis des Tragischen zum Religiösen bei Goethe

Wenn Faust im Antlitz des Todes sich durchringt zur männlichen Haltung des „Tätig-Freien" (V. 11564) und dann das Schlußwort ertönt: „Es ist vollbracht" (V. 11594), so hat sich mit diesem nicht zufälligen Anklang an Christi Ende in der Tat etwas ereignet, was schon seit Werthers Tod wie ein geheimnisvoller, aber still vorhandener Zug durch Goethes Werk geht: eine Art Erlösung oder stellvertretende Rettung der Welt. Schöffler hat in seiner Schrift über den „Werther" mit Verwunderung und teilweise überzeugender Eindringlichkeit die Tatsache notiert, daß Werthers „Leiden" in auffälliger, oft wörtlicher Anlehnung vor allem an das Johannes-Evangelium ein kosmisch stellvertretendes Leiden symbolisieren, in dem nicht nur eine persönliche Liebe, sondern eine Weltkatastrophe mit allen Kurven der Verdammnis und Erlösung im Jenseits („Stern") ansichtig wird[79]. Er suchte dies geistesgeschichtlich als Dokument eines Säkularisierungsprozesses im 18. Jahrhundert zu begreifen.

Schlägt man in Briefen vor allem der ersten Weimarer Jahre nach, so sind dort die Belege noch auffälliger: „Mir geht in allem alles erwünscht und ich leide allein um andere", heißt es beim Tode seiner Schwester[80]. Aber schon ein Jahr vorher schreibt er an Lavater: „Lieber Bruder, daß du nicht willst Ständigkeit kriegen, nicht kannst kriegen, ängstigt mich manchmal, wenn ich peccata mundi im Stillen trage ... Nichts Menschliches steht dazwischen, nur des unbegreiflichen Schicksals verehrliche Gerichte. Wenn ich dir erscheinen und dir erzählen könnte, was unschreibbar ist, du würdest auf dein Angesicht fallen und anbeten den, der da ist, da war und sein wird". Und dann steigert sich der Brief zu dem fast hybriden Satz: „Aber glaub an mich, der ich an den Ewigen glaube"[81].

In deutlichem Anklang an das Johannes-Evangelium (Abschied Jesu von den Jüngern) taucht hier eine christusähnliche Mittlerrolle Goethes zwischen Gott und Mensch auf. Wieder ein Jahr vorher hatte es ihn „rasend" gemacht, daß er „als Mensch, als eingeschränktes bedürftiges Ding" der „ganzen Lehre von Christo" nicht gewachsen sei[82]). In den „Lehrjahren" sagt Natalie an der wichtigen Stelle, wo sie zum erstenmal visionär im Wald als „Heilige" dem verwundeten Wilhelm erscheint, als einziges, bedeutungsvolles Wort: „Leidet er nicht um unsertwillen?"[83]).

Würde man, wozu hier nicht der Platz ist, diesen Zusammenhängen gründlicher nachgehen, man stieße auf eine streng innere Beziehung zu Goethes Schicksals-, Weltlauf- und Erlösungsvorstellungen, die das Phänomen des Tragischen bei Goethe maßgeblich unterbauen. Da Goethes Helden selten oder nie eine einmalige moralische Verfehlung zu büßen haben (wie etwa bei Schiller in der „Jungfrau von Orleans"), sondern unter einer Grundverfehlung des Daseins schlechthin stehen, da in ihnen eine Seins- oder Naturtragödie abrollt, vermögen sie stellvertretend einzustehen für das gesamtmenschliche Sein. D. h. Goethes Tragödie nähert sich der absoluten Tragödie der religiösen Vorstellungswelt, um sich allerdings gleichzeitig wieder von ihr zu entfernen. Denn die Konzeption des inneren Lichts sowie die Vorstellung von der reinigenden Wirkung der Natur enthält ja einen Erlösungsbegriff, der den Ausgleich ins Menschlich-Natürliche legt und damit die absolute Tragödie, in der alles Tragische im Sinne eines einzelnen Leides oder einer einzelnen Dichtung erlischt, in einen immanenten Seinskonflikt umwandelt, der zwar auch um Sein und Nichtsein einer Totalität ringt, aber im Dasein selbst kraft einer Spaltung der realen von der transzendental-zeitlosen Sphäre Rettungsmöglichkeiten entdeckt. Statt wie in der religiösen Tragödie Untergang und Rettung der Welt in einem einzigen, absoluten, unwiederholbaren Vorgang zu gewährleisten, spaltet die Dichtung ein Absolutes vom Relativen des vereinzelten Helden ab, ohne das Vereinzelte ganz aufheben zu wollen oder zu können, und erreicht so einen je und je in der Erscheinung selbst sich polar vollziehenden Reinigungs-, Rettungs- und Ausgleichsvorgang, der, eben weil er wiederholbar ist, sich — im poetisch-tragischen Bereich — in v e r s c h i e d e n e n Stoffen und Zuständen abspielen kann.

Schärfstens hat Goethe diese Spaltung der realen und transzendental-zeitlosen Sphäre gekennzeichnet durch das doppelte Wort bei Fausts Ende: „Es ist vollbracht" und „Es ist vorbei" (V. 11594 f.), in dem Goethes Grundverhältnis zum Religiös-Tragischen einerseits und zum Dichterisch-Tragischen andererseits sich unvergleichlich offenbart: Die religiöse Welt vermöchte nur ein „Vollbracht" auszusprechen, in dem ein und für allemal Welt ausgelöscht und erlöst wird; die poetisch-tragische Welt dagegen kennt die Doppelheit von „Vollbracht" und „Vorbei", ein Vollenden und Retten der Welt im visionär überrealen Erlebnis der paradoxen Einheit von „Augenblick" und „Äonen", und (im „Vorbei") ein Rückschauen auf den nichtig realen Ablauf der Zeit, die trotz aller visionären Erlösung unveränderlich und unaufhaltsam weiter ihr Wesen zu treiben vermag und immer treiben wird, solange Menschen atmen und leben. Die unauflösliche Spannung von flüchtigem Moment und äonengleich beharrendem Augenblick, in der sich die Schlußentscheidung des ganzen Faustdramas konzentriert, läßt die Tragödie des Daseins unaufhörlich sich wiederholen, sie zwingt zur immer erneut poetisch-tragischen Darstellung in der Pluralität von Tragödien. Fausts Tod begreift beides in sich, das Erfüllen und Vollenden der Zeit und das sinnlose Abbrechen und Verenden im Zeitlauf. „Den letzten schlechten, leeren Augenblick, Der Arme wünscht ihn festzuhalten ... Die Zeit wird Herr, der Greis hier liegt im Sand" (V. 11589 ff.). In diesen mephistophelischen Hohn „die Zeit wird Herr" mischt sich der Goethesche realistische Zweifel an der empirischen Wirklichkeit der Vision von der Unverlöschlichkeit der „Spur von meinen Erdentagen". Schrieb doch Goethe selbst im November 1831 — bei seinem Bemühen, durch „ein testamentarisches und codicillarisches" Sammeln und Festhalten seiner Hinterlassenschaft zu verhindern, daß „der Körper des Besitztums, der mich umgibt, ... allzuschnell in die niederträchtigsten Elemente, nach Art des Individuums selbst, sich eiligst auflöse" — die resignierte Bemerkung: „Doch haben Könige selbst nicht ein Quer-Fingerbreit über ihr irdisches Dasein hinaus wirken können; was wollen wir andern armen Teufel für Umstände machen"[84]). Eine religiös sichere Gewißheit der Ewigkeit des „Vollbrachten", d. h. der Rettung der Arbeit, gab es für Goethe nicht, weil er in der Spannung von Zeit und Ewigkeit bis zuletzt verharrte. Obgleich Goethe daran glaubt, daß es der „entelechischen Monade ... in Ewigkeit nicht an Beschäftigung" fehlen kann — so bei der Nachricht vom Tode des Sohnes Zelters[85]) —, obgleich er an der spontanen Überbrückbarkeit alles Zeitlichen unverrückt festhält: „Ob etwas in der vergangenen Zeit, in fernen Reichen oder mir ganz nah räumlich im Augenblick vorgeht, ist ganz eins"[86]), so ruht dennoch diese Hoffnung auf einer tragischen Spaltung des Seins, die sich schon darin äußert, daß Goethe fast durchweg solche Äußerungen in seinen Briefen zurücknimmt mit Wendungen wie: „Verzeih diese abstrusen Ausdrücke. Man hat sich aber von jeher in solche Regionen verloren, in solchen Sprecharten sich mitzuteilen versucht, da, wo die Vernunft nicht hinreichte und wo man doch die Unvernunft nicht wollte walten lassen"[87]). Goethe gebraucht zur Darstellung seiner unendlichen Hoffnung Entschuldigungen und Rechtfertigungen und verlegt sie offen ins fiktive Gebiet zwischen Vernunft und Unvernunft. Und vielleicht gibt es daher in der ganzen Faust II-Handlung keine tragischere und erschütterndere Stelle als die leicht hingeworfene Bemerkung Mephistos an die grabschürfenden

Lemuren: „Hier gilt kein künstlerisch Bemühn" (V. 11523). Vor Tod und
Verwesung erkennt selbst die Kunst ihre Grenzen, die umso schärfer hervortreten, je näher sie sich der religiös rettenden Sphäre befinden.

Denn daß Goethe als Totengräber gerade die „Lemuren", die Halbvollendeten und „geflickten Halbnaturen" (V. 11515) wählte, deren erschütternde Bedeutung für die naturfroh antikisierende Kunstsphäre
Goethe bereits 1812 in seinem Aufsatz „Der Tänzerin Grab" herausgestellt hatte, indem er dort die entsprechende Szene als entschiedenen
Ausdruck „heidnisch-tragischer Gesinnungen"[88]) faßte, weil sie die Un-
ausweichlichkeit des Todes mit der unstillbaren Sehnsucht nach Ver-
längerung des irdischen Lebens verbindet, stimmt zu der inneren Schichtung des faustischen Todes. Da die Kunst als zeitgewordene Schöpfung
dem Zeitlauf unterliegt, steht sie halbvollendet stets vor dem Tod: „Hier
gilt kein künstlerisch Bemühn ... Aus dem Palast ins enge Haus, So
dumm läuft es am Ende doch hinaus"; wohlgemerkt: „aus dem Palast".
Fausts kulturell irdische Leistung bricht fragmentarisch hier ab. Sie verfällt den „Lemuren", wie alles, was hier großartig als „Dauer" der
„Erdenspur" in „Äonen" aufleuchtet, gleichzeitig durchkreuzt wird vom
„Vorbei" und „vollkommnen Einerlei" einer je und je wieder hervor-
brechenden real-irdischen Herrschaft der Zeit. Der tragische Konflikt ist
also unendlich härter, als es die übliche idealistische Deutung der Szene
darstellt unter allzu leichter Behandlung der dem Teufel zufallenden, aber
keineswegs ungoetheschen Worte (auch das „Vollbracht" spricht ja der
Teufel, sich allerdings sofort verbessernd durch das Chorwort „vorbei").
Hinter der Todesszene Fausts steht das quälende Problem der Halbvollendung alles Geschaffenen beim Anblick der Zeit, das Goethe schon schreckhaft dem Kölner Dom gegenüber überfiel. Denn anders ist die auffällige
Verschiedenheit dieser Todesszene von allen in sonstigen Dichtungs-
bereichen üblichen Strukturformen des Tragischen nicht erklärlich:

Es ist überaus wichtig und kennzeichnend, daß Faust nicht etwa durch
Preisgabe seines irdischen Lebens eine Schuld abträgt und sich eine Ewigkeit sichert. Sein Tod ist weder Sühne noch Opfer für andere im Sinne
der überlieferten Tragödie, ja er ist bis zum Schlusse „zweifelhaft", wie
die nur dem Scheine nach groteske Suche des Teufels nach der Seele im
Leichnam und die auftauchende Möglichkeit eines Scheintodes bezeugt:
„Es war nur Schein, das rührte, das regte sich wieder" (V. 11635). Fausts
Entelechie beharrt solange im Körper, bis er völlig in die Elemente sich
„auflöst", d. h. solange die „Form" des Leibes von der „vis activa et
formativa" der schöpferisch-tätigen Seele behauptet wird. Im Grunde
stirbt also Faust gar nicht, genau so wenig wie Mignon oder Ottilie, sofern Tod die Zerstörung der irdisch-überirdischen Formkraft selber und
damit den endgültigen Triumph der „Elemente" (im auflösenden Sinne)
und Mephistos bedeuten würde. Die Frage, wie die drohende lemurische

Halbvollendung des Geschaffenen zu überwinden sei, wird vielmehr folgendermaßen gelöst:

Da die körperliche Form Bewahrung schaffender, bildender Kraft ist, wird ihre Dauer, wie die Unverweslichkeit Mignons und Ottiliens zeigt, für Goethe dringliches Anliegen. Solange überhaupt Form existiert, entwich die Seele noch nicht. Die Form aber zerfällt im „Streit der Elemente", wie schon die Lemuren in ihrer halbfleischlichen Gestalt — im Unterschied zur christlich transzendenten Unkörperlichkeit des Todes — grausam anzeigen. Eine immanente Garantie der Ewigkeit der vis activa et formativa also gibt es nicht mehr. Aus diesem Grunde setzt eine Garantie „von oben" ein. Diese unterscheidet sich aber wiederum von jeder religiösen Erlösungs- oder Rettungsvorstellung grundsätzlich dadurch, daß sie im Grunde die Offenbarung der seither verborgenen Formkraft der Seele und des inneren Lichts, nicht aber ein erlösend unbegreiflicher Einbruch aus dem Jenseits ist. Denn das fast blasphemische „Es ist vollbracht" bezieht sich weder wie in der absoluten Tragödie der Religion auf eine welterlösende Rettungstat Fausts durch seinen Tod (obgleich eine ganze Welt in ihm untergeht und wiederersteht) noch auf eine Beugung unter das „Vollbracht" eines anderen Erlösers (da das Blasphemische ja gerade darin liegt, daß es in Mephistos Munde auf Faust sich bezieht), sondern auf ein Vollbringen einer autonomen Faustischen Kraft, die, rein auf sich selbst und ihr vereinzeltes Schicksal gestellt, den Tod auszuhalten und zu überwinden begehrt, obwohl zugleich ein übergreifender Natur- und Schicksalsprozeß in ihr angelegt ist.

Gerade der scheinbar religiös-transzendente Schluß des Ganzen belegt diese These.

Die Bild- und Problemschichten des hymnischen Schlusses und ihre Funktionen

Der Chor der Engel, der dem Teufel Fausts „Unsterbliches" entführt (szen. Bem. zu V. 11824) — charakteristisch ist schon für Goethes Grundhaltung die Vermeidung des christlichen Wortes „Seele" und die Ersetzung durch die Begriffe „Unsterbliches" bzw. „Entelechie" —, ist ausgestattet mit einer Macht, deren genaue Bestimmung Aufklärung über die innere Wesenheit der hymnischen Schlußszenen verspricht. Die Engel „streuen Rosen", die sich „in Liebesflammen verwandeln" (Paral. 194). Die Macht dieser Flammen wird folgendermaßen bezeichnet: „Was euch nicht angehört, Müsset ihr meiden, Was euch das Innre stört, Dürft ihr nicht leiden. Dringt es gewaltig ein, Müssen wir tüchtig sein. Liebe nur Liebende Führet herein!" (V. 11745 ff.). Die Liebe also erscheint als eine Kraft, die das Fremde ausstößt und das „Innre" befreit. In solchem Sinne „Liebende" kann die „Liebe" heimführen und retten. Liebe ist eine Zurückführung des Liebenden zu sich selber und zu seiner „Wahrheit": „Wendet zur Klarheit Euch liebende Flammen! Die sich verdammen, Heile die Wahrheit!" Verdammt ist nur, wer sich selber verdammt durch Abwehr der Liebe und seiner ureigensten Wahrheit. Merkwürdig und vielgestaltig sind die Folgen dieser Fassung der Liebe.

Erstens wird der Sieg der Engel über die Teufel zu einer inneren Verwirrung in der Seele Mephistos selbst. Die ursprüngliche Gleichheit von Engeln und Teufeln auf Grund ihrer Abstammung von „Lucifers Geschlecht", die mehrfach betont wird: „Seid ihr nicht auch von Lucifers Geschlecht?" (V. 11770), „Es sind auch Teufel, doch verkappt" (V. 11695), wird beim Eindringen der „Liebesflammen" in Mephisto zu einem Streit des Teufels mit sich selbst: „Auch mir! Was zieht den Kopf auf jene Seite? Bin ich mit ihr doch in geschwornem Streite! Der Anblick war mir sonst so feindlich scharf. Hat mich ein Fremdes durch und durch gedrungen? Ich mag sie gerne sehn, die allerliebsten Jungen; Was hält mich ab, daß ich nicht fluchen darf?" Mephisto beginnt die Engel zu lieben, die er zu hassen und zu vertreiben entschlossen war. Das „Fremde" der Liebesflammen, das seine Teufelsnatur durchdringt, weckt die Erinnerung an eine noch ältere, mit den Engeln verwandte Natur, die ihn in höchste Verwirrung setzt, ihn zwingt, bei der Annäherung der Engel zurückzuweichen, bei ihrer Entfernung ihnen zu folgen (V. 11778 f.), und die es ihm gänzlich unmöglich macht, ihrer unmittelbaren Nähe standzuhalten. Mit einer Gewaltanstrengung „sich fassend" gelingt es ihm endlich, seine Teufelsnatur wieder zu gewinnen („Der ganze Kerl, dem's vor sich selber graut, Und triumphiert zugleich, wenn er sich ganz durchschaut, Wenn er auf sich und seinen Stamm vertraut; Gerettet sind die edlen Teufelsteile" [V. 11810 ff.]. Grauen vor sich selbst und Triumph zugleich über die Rettung seiner Teufelsnatur begleiten diesen Sieg der Liebe, wobei in dem „Gerettet sind die edlen Teufelsteile" auf eine höchst bedeutsame Weise kontrapunktisch-blasphemisch das „Gerettet ist das edle Glied" Fausts vorweggenommen und zuinnerst begründet wird:

Rettung und Erlösung kreisen bei Goethe beide Male um das Problem der Gewinnung ureigenster Natur. Die Teufelsnatur, die ihrem Wesen nach dadurch definiert ist, daß sie jede Natur von sich abzieht und daher der Liebe (im Goetheschen Sinne) grundsätzlich entgegengesetzt ist, kann bezwungen nur werden, indem sie selbst dem ihr feindlichen, „fremden" Elemente der Liebe verfällt: „Statt gewohnter Höllenstrafen Fühlten Liebesqual die Geister; Selbst der alte Satansmeister War von spitzer Pein durchdrungen. Jauchzet auf! es ist gelungen" (V. 11949). Fausts Rettung wird also ausdrücklich damit begründet, daß Mephisto selbst der ihm fremden Macht sich beugte, daß er dem Läuterungsprozeß Fausts nichts mehr entgegenzuhalten vermochte und Fausts ursprünglichster Natur freien Weg ließ. Bekanntlich hat Goethe einmal 1816 im Grimme gegen seine

Kritiker geäußert: „Wenn sie in der Fortsetzung von Faust etwa zufällig an die Stelle kämen, wo der Teufel selbst Gnad' und Erbarmen vor Gott findet, das, denke ich doch, vergeben sie mir sobald nicht"[89]). Einige Jahre vorher äußerte er Wieland gegenüber: „Ihr meint, der Teufel werde den Faust holen. Umgekehrt, Faust holt den Teufel"[90]). Mögen solche Aussprüche ernsthaft oder boshaft ironisch aufzufassen sein, jedenfalls sprechen sie für die innere Einstellung Goethes zu dem Problem der Erlösung. Der Teufel muß sich selbst retten vor der Erlösung; denn Erlösung heißt bei Goethe grundsätzlich Erhellung und Aufklärung der im Verfremdeten verdüsterten vis activa et formativa des Geistes. „Sieh! Wie er jedem Erdenbande Der alten Hülle sich entrafft Und aus ätherischem Gewande Hervortritt erste Jugendkraft", so beschreibt Gretchen die letzte und höchste Stufe der Verklärung Fausts: Die Endstufe ist zugleich die Anfangsstufe („erste Jugendkraft"). Nichts anderes als Selbstoffenbarung ursprünglichster Jugend ist das Eingehen Fausts in den Himmel: „Er wandelt mit der Seligen Schar Und bildet sich vollkommen", so lautete verräterisch die erste Version gerade jener Szene, die stets für die christlich erlösende, transzendente Funktion der „von oben" dem Strebenden entgegenkommenden „Gnade" und Liebe in Anspruch genommen wird. Faust „bildet sich vollkommen". Der Prozeß der Erlösung ist ein stufenweiser Bildungsprozeß und geht, wie sich noch im Einzelnen zeigen wird, nicht von der Liebe eines jenseitigen Erlösers oder überhaupt von einer transzendenten Sphäre aus.

Damit ist ferner eine zweite wichtige Bedeutung des Liebesbegriffs dieser Schlußszene bezeichnet, aus der sich der formale Stufenbau der Szenerie beim Aufstieg der Entelechie Fausts in die himmlischen Regionen erklärt. Die Liebe ist hier eine „bildende" Kraft. „So ist es die allmächtige Liebe, Die alles bildet, alles hegt" (V. 11872 f.). Entsprechend ist die Entelechie dem griechischen Ursprung nach eine formende Kraft, die ihr Ziel bereits in sich selbst hat, sich also selber vollendet. Tätige, bildende Liebe führt den Menschen nicht nur zur Wahrheit, sondern sie formt und gestaltet auch die im Menschen selbst liegende, ursprüngliche Wesenheit, darin dem „Eros" am Schluß der Klassischen Walpurgisnacht vergleichbar, wo ja die Frage der „Bildung" und des schöpferischen Werdens — allerdings im spezifisch naturphilosophischen und künstlerischen, weniger wie hier im radikal metaphysischen Sinne — im Mittelpunkt stand. Trotzdem tut man gut daran, den Gegensatz zwischen Eros und Liebe bei Goethe nicht wie Trendelenburg allzu scharf zu formulieren[91]). Genauer besehen ist auch die Liebe des Schlußaktes neben ihrer verklärenden, zur „Wahrheit" führenden Macht eine produktive Formkraft der Natur[91a]). „Pater profundus" entwickelt unmittelbar aus der vitalen Kraft der Natur, aus dem mächtig polaren Entgegenwirken von lastenden Felsen, emporschäumenden Wassern und „mit eignem kräftigen Triebe" aufstrebenden Bäumen die bildende und hegende Kraft „allmächtiger Liebe" (V. 11866 ff.); Blitz, Donner und Regen „sind Liebesboten, sie verkünden, Was ewig schaffend uns umwallt. Mein Innres mög' es auch entzünden, Wo sich der Geist, verworren, kalt, Verquält in stumpfer Sinne Schranken" (V. 11882 ff.).

Ein bedeutungsvoller Bildungsprozeß wird hier sichtbar: Von der „ewig schaffend uns umwallenden" Natur dringt die naturgleich blitzartig reinigende Gewitterkraft der Liebe ins „Innre" ein, es „entzündend" und von aller Dumpfheit befreiend. Die Reinigung des Geistes von den „Schranken der Sinne", die in der immer höher und verklärter emporschwebenden Entelechie Fausts sichtbar wird, dringt primär aus der ewig schaffenden Liebeskraft der Natur selbst ins „Innre" ein, dieses umbildend und klärend. Selbst „Doctor Marianus in der höchsten reinlichsten Zelle", von manchen Auslegern für Faust selber gehalten[92]), schaut das „Geheimnis" Marias im „klaren ausgespannten Himmelszelt" mit der Bitte, Regungen menschlicher Liebe nicht aus der Sphäre himmlischer Liebe ausschließen zu wollen: „Billige, was des Mannes Brust Ernst und zart beweget Und mit heiliger Liebeslust Dir entgegen trägt" (V. 12001). Und sonderbar Goethesch, fast an die Arkadienfrage des Helenaaktes anknüpfend: „Wir staunen drob; noch immer bleibt die Frage, Ob's Götter, ob es Menschen sind", steigert sich der Lobpreis auf Maria, die „Jungfrau, Mutter, Königin" zu dem Ausrufe: „Uns erwählte Königin, Göttern ebenbürtig" (V. 12011 f.).

Dennoch liegt natürlich ein Abgrund zwischen dem reinigenden Aufstieg Fausts zur Verklärung im Himmel und der paradiesisch zeitlosen Vergötterung des Naturstandes im Helenadrama. Sowohl das Bild der Natur als auch die Struktur des „Bildungs"prozesses sind grundsätzlich verschieden. War im Helenaakt in der Verbindung Fausts mit Helena ein höchster, atemlos plötzlich die Zeit stillhaltender Augenblick erreicht, in dem die Grenze zwischen Menschen und Göttern zu weichen begann und die Natur sich in eine arkadisch geborgene, inselhafte Paradiesesstätte verwandelte, so gerät in dem tätigen „Augenblick" des Schlußaktes, der sich zu „Äonen" erweitert, die Natur in eine mystische Bewegung: „Waldung, sie schwankt heran, Felsen, sie lasten dran, Wurzeln, sie klammern an, Stamm dicht an Stamm hinan. Woge nach Woge spritzt. Höhle, die tiefste, schützt. Löwen, sie schleichen stumm-Freundlich um uns herum, Ehren geweihten Ort, Heiligen Liebeshort" (V. 11844 ff.). Während der Liebesvorgang im dritten Akt dadurch bestimmt war, daß er mitten im Zeitlauf die Zeit und das weiterrollende Leben festhielt, ist im fünften Akt die Liebe ein aktiver Bildungsprozeß, der die gesamte Natur in Bewegung versetzt und auf einen „heiligen Liebeshort" hin konzentriert, d. h. die Natur in sich selbst elementar verwandelt und umformt: „Löwen schleichen stumm-freundlich um uns herum". D. h. also, im Grunde erscheinen die bereits früher analysierten Bild- und Problemschichten in dieser Bewegung erneut: lastender Fels, umklammernde Bäume, brausende Woge, schützende Höhle usw. Selbst die Umwandlung der wilden Löwennatur in eine heilig gebändigte Kraft ist in genau der gleichen Reihenfolge in der „Novelle" entwickelt, wo die Archaik von Felsen und Ruinen, die umklammernden Wurzeln und Bäume, welche die Grenze zwischen Mensch und Natur verwischen, ferner der Ausbruch der Elemente in Feuersbrunst und wilden Tieren und endlich die rettende Melodik des Kindes vor der Höhle der Ruine einen inneren Zusammenhang bilden, durch den das, was für Goethe bildende Kraft der Liebe bedeutet, heraustreten soll: Liebe ist eine schrittweise Umformung, Bändigung, Reinigung, Heiligung und Erhöhung der Naturkräfte. Vom Löwen der „Novelle" heißt es, daß er nicht ein durch den Himmel Gebrochener und „Überwundener" ist, „denn seine Kraft blieb in ihm verborgen", sondern daß er einen dem „eigenen friedlichen Willen Anheimgegebenen", in diesem Sinne „Gezähmten"[93]) darstelle. Liebe ist Anheimgabe der Natur an ihre eigenste Wahrheit, ihren „eignen friedlichen Willen" („Was euch nicht angehört, Müsset ihr meiden, Was euch das Innre stört, Dürft ihr nicht leiden"). Zugleich führt sie zur Aufwärtsentwicklung, da in dem Durchbruch solchen eigenen Willens eine wilde Triebkraft erhöht und gebändigt wird. Noch klarer tritt dieser Vorgang im „Märchen" zutage, wo als höchste Macht, die noch über dem Reich von Weisheit, Schein und Gewalt steht, die „Liebe" erscheint, von der es heißt: „Sie herrschet nicht, aber sie bildet". Auch hier geraten durch sie wie im fünften Akt von „Faust II" Natur und Kultur im wörtlichen Sinne in Bewegung. Der Tempel, einst ähnlich wie die Ruine in der „Novelle" unkenntlich in Felsen und Gestrüpp versunken, fährt unter der Erde ab und bildet zum Schluß im Fluß hochsteigend mit der Fährhütte einen geweihten, heiligen Ort. Vergleicht man das mit der Faust-stelle, wo Wald, Fels, Wogen und Bäume auf die Höhle zuschwanken und den „heiligen Liebeshort" bilden, so ist die Strukturanalogie klar, um so mehr, wenn man bedenkt, daß im Märchen ja ein ganzer Weltbildungs- und -verwandlungsprozeß bis zum Durchbruch eines tausendjährigen Friedensreiches[94]) dargestellt wird, dessen hymnisch-religiöse Weihe dem Faust II-Schluß nahesteht. Weitere Parallelen, die Verwandlung der Lilie in eine Rose[95]) im Augenblick des Durchbruchs der „bildenden Liebe" — womit die Darstellung der Liebesflammen als Rosen im fünften Akt von „Faust II" in Verbindung gebracht werden kann — u. a. können hier nur angedeutet werden. Nicht ohne Bedeutung beginnt der Gesang der „himmlischen Heerscharen" dem Teufel gegenüber mit dem Preis der naturbelebenden, fast biologischen Kraft ihrer Liebe: „Staub zu beleben; Allen Naturen Freundliche Spuren Wirket im Schweben Des weilenden Zugs" (V. 11680 ff.). Der Vergleich mit der knospenöffnenden Wärme des Frühlings setzt dies nur fort: „Heimlich belebende, Zweiglein beflügelte,

Knospen entsiegelte, Eilet zu blühn. Frühling entsprieße, Purpur und Grün; Tragt Paradiese Dem Ruhenden hin" (V. 11702 ff.).

So und nicht anders wird es innerlich möglich, Fausts schlummernde Entelechie zu wecken und die lemurische Halbvollendung und Auflösung des Leibes durch Zerfall in seine Elemente zu überwinden. Eine schrittweise Metamorphose bis in geläuterte Formen ist die Wirkung dieser bildenden Liebe: „Euch zu seligem Geschick Dankend umzuarten", so verkündet „Doctor Marianus" am Schluß das Ziel dieser Metamorphose, dessen naturphilosophische Hintergründe in der Lesart „völlig" „umzuarten" noch deutlicher hervortreten. Eine „Umartung" von Leib und Seele, das ist der Erlösungsprozeß Fausts, nicht eine Bekehrung oder ein total die Natur verwerfender und erneuernder religiös transzendenter Umwandlungsprozeß. Das, was „Gnade" hier meint und „Liebe", die „von oben" „teilnimmt", wird gleichfalls von den übrigen Dichtungen Goethes klarer beleuchtet, als es eine dogmatisch interpretierende, ausschließlich aufs Gedankliche gerichtete Deutung vermöchte. Weist schon die ursprüngliche Lesart: „Er wandelt mit der Seligen Schar Und bildet sich vollkommen" auf den ersten Goetheschen Ansatz, so gibt die Erinnerung an die vielen Vorformen des Goetheschen Begriffs der Gnade den endgültigen Ausschlag:

In der „Pandora" zieht das Liebesopfer des Phileros und der Epimeleia die „gottgewählte Stunde" herbei, die als Gnade geschenkt wird und weder durch Willen noch durch Vorsatz erzwungen werden kann. Im „Märchen" wird gleichfalls durch das Liebesopfer der Schlange die „Zeit erfüllt", und ein unberechenbar wunderbarer Augenblick verwandelt mit einem Schlag alles. Nicht anders in „Des Epimenides Erwachen": „Kometen winken, die Stund' ist groß" ... „Und so geht es, abgestuft ... Hinan! — Vorwärts — hinan! Und das große, das Werk ist getan"[96]). Goethes Gnadebegriff also ist ein Niederschlag des Schaffensprozesses selbst. Formung, Gestaltung, „Bildung" ist eine immanente Leistung der liebenden Entelechie, die durch die Gnade letztlich bestätigt, nicht ersetzt wird. Wie schon die Stelle aus „Des Epimenides Erwachen" zeigt, hängt Gnade bei Goethe sogar eher mit dem Heroisch-Dämonischen als mit dem Demütig-Empfangenden des christlichen Gnadenbegriffs zusammen. Der Heros allein ist teilhaftig der Gnade des großen Moments, weil er in der willigen Preisgabe seiner selbst dämonisch höhere Mächte segnend auf sich herabzieht. So war es schon im „Elpenor"-Fragment, im „Egmont" usw. Die „Rettung", die in Goethes Tragödie meist jäh „von oben" auf Grund einer Lichtvision oder musikalischen Verklärung den Helden beglückt, gründet sich — schon im „Egmont" — auf die unendliche, alles bezwingende Kraft seiner Liebe und seines irrationalen Daimonion. „Das Unbeschreibliche Hier ist's getan; Das Ewig-Weibliche Zieht uns hinan", das kann nur ein grenzenlos Liebender sagen, der im Vertrauen auf die ewig lebendige Kraft des „Unbeschreiblichen" seiner Liebe den irdischen Tod überwindet. „Der Liebe, dem Sehnen neigt sich der Nacht unbeweglichster Stern". Liebe erzwingt für Goethe stets die Gunst des Geschicks und die Gnade der großen, befreienden Stunde.

Sehr genau wußte Goethe die Rolle der Gnade nach dem Maß der Liebe zu verteilen. Der magischen Verstrickung unberührbar liebender Schönheit wird in ihrer verzweiflungsvollsten Stunde auf ihr trostlos bittendes Flehen nach oben nur ein tröstender Hauch des Himmels gewährt, keine völlige Rettung: Als Ottilie in schauerlicher Stille, verlassen auf dem Kahn mit dem toten Kind treibend, nach dem Himmel Auge und Bitte wendet, antwortet ihr nur ein sanfter Windhauch und treibt sie ans Ufer. Die Lilie im „Märchen" sieht sich beim Tod des Prinzen in „stummer Verzweiflung nicht nach Hilfe um, denn sie kannte keine Hilfe", und ihr Schmerz wird nur durch ein sanftes Licht und durch die Spiegelung ihrer Schönheit gemildert und erleuchtet[97]).

Ganz anders die opfernde Liebe, die in der Schlange sich ausdrückt, welche „auf Rettung sinnt" und sie durch völlige Preisgabe ihres Leibes erreicht. Hier wie bei „Johanna Sebus", bei Phileros und Epimeleia, bei den „wunderlichen Nachbarskindern" usw. hat die Liebe eine total rettende Wirkung, auf die der Himmel mit vollem Akkord antwortet und seinen Segen erteilt: „Gebt uns euren Segen, riefen beide, da alle Welt staunend verstummte. Euren Segen! ertönte es zum drittenmal, und wer hätte den versagen können?"[98]). Liebe rettet den Helden von der Magie der Schönheit wie auch von der Magie schuldhafter Verstrickung in den Weltlauf. Faust entgeht der Magie seiner Verschuldung und seines Verfallens an den „Streit der Elemente" nur durch sie, die elementar in dem „jugendersten, längst entbehrten Gut" seiner Liebe zu Gretchen im Schlußakt sichtbar wird, jener Liebe, die das „Beste seines Innern" mit sich fortzieht. Gretchen wirkt erlösend, gerade weil sie, sich selber opfernd, in dem tiefsten Abgrund des Leides versank. Schon in den Fortsetzungsplänen zur Walpurgisnacht des ersten Teils der Faustdichtung sollte Gretchens reines Blut im Augenblick ihrer fürchterlichsten Schändung durch ein höllisches Opferritual die dämonische Goldfeuerglut auslöschen. Schon hier, auf dem tiefsten Punkt der ganzen Tragödie, war die erlösende Rolle ihrer Liebe symbolisch gestaltet. So fallen die „Rosen", durch deren flammende Liebesgewalt Fausts Seele dem Teufel entführt wird, „aus den Händen liebender heiliger Büßerinnen" (V. 11943), unter ihnen Gretchen (vgl. damit die Verwandlung der Lilie in eine Rose durch das Opfer der Schlange). Doch greift die Macht dieser Liebe noch weiter. Sie wird hier nicht ohne tiefere Bedeutung ein „jugenderstes", dem „Innersten" Fausts verschriebenes „Gut" genannt. Hier taucht eine Beziehung zwischen Liebe und innerem Daimon auf, die zu seltsamen Konsequenzen im Stufenaufbau von Fausts Läuterung führte.

Blickt man nämlich tiefer in den Bildungsprozeß, der den Helden unaufhörlich emporführt, so wird ein wesentlicher Teil, ja vielleicht der wesentlichste seiner Verklärung und Erlösung von Frühformen des Geistes, von unmündigen Knaben, übernommen, die einen reinen Zustand des Faustischen Innern wiederherstellen und auf eine geheimnisvoll offenbare Weise nichts Geringeres als die Geniusallegorie Goethes wieder aufnehmen, indem sie — der Mignon- und Euphoriongestalt vergleichbar („halb erschlossen Geist und Sinn, Für die Eltern gleich Verlorne, Für die Engel zum Gewinn" [V. 11899 ff.]) — auf „höchste Gipfel" (szen. Bem. nach V. 11925) emporsteigend die Entelechie Fausts im „Puppenstand" empfangen und von allen „Flocken", die „ihn umgeben", freimachen (V. 11982 ff.). Nach allem, was wir über die Goethesche Knabe-Genius-Allegorie bereits entwickelt haben, kann kein Zweifel bestehen, daß diese aus Swedenborgs „Arcana coelestia" stammende Vorstellung von den frühgestorbenen, mitternachtsgeborenen Kindern, die nur durch das Auge eines im Verkehr mit Geistern stehenden Menschen Irdisches zu sehen vermögen, in der Umbildung durch Goethe die Mignon- und Euphorion-Linie fortführt. Wie im ersten und dritten Akt diese Knaben schon Faust einen Blick in höhere, reinere Regionen gewährt hatten, so befreien sie ihn hier gänzlich vom letzten Staub der lastenden Welt, und zwar auf Grund ihrer reinen Unmündigkeit und ihres frühen Abschieds von der Erde. Das „Halberschlossene" ihres „Geistes und Sinnes", das als Erbteil Mignons über Goethes sämtlichen Geniusgestalten verdüsternd und herrlich verheißungsvoll zugleich ausgestreut ist, befähigt sie zum Aufstieg nach oben. „Für die Eltern gleich Verlorne, Für die Engel zum Gewinn" (V. 11900 f.): in diesen deutlich an Fausts und Helenas Trauer um Euphorion, aber auch an Wilhelms Trauer um Mignon anklingenden Worten erscheint nochmals die gewaltige, äußerste Spannung des Goetheschen Geniusbegriffs, der den jugendlich reinen Geist der Erde entzieht, um ihn für die „Engel" aufzubewahren. Vor allem diese Knaben sind daher befähigt, Faust in die oberen Regionen zu führen, um umgekehrt wieder von ihm „an mächtigen Gliedern überwachsen" zu werden (V. 12076). Auf eine Formel gebracht: Fausts eigener „geliebter Sohn", der geflügelte Genius aus der Knabe Lenker- und Euphoriongestaltung führt ihn zu den höchsten Stufen empor. Das ist die notwendige Ergänzung zur rettenden Funktion jugenderster Liebe (Gretchens). Daimon, Genius und Liebe sind Geschwister bei Goethe. Ja selbst die „Engel", die erlösend sein „Unsterbliches" dem Teufel entführen, sind nicht ohne Anklang an diese geflügelten Genien gestaltet: Das „bübisch-mädchenhafte Gestümper" (V. 11682) ihres Gesangs sezt die Doppelgeschlechtlichkeit Mignons und des Knaben Lenker unmittelbar fort, und wenn weitere Parallelen erlaubt sind, so steht auch jener musizierende Knabe aus der „Novelle" (in dem schon Beutler einen Nachfolger Mignons entdeckt hat)[99]), nicht ohne Sinnbezug zu der Umwandlung tierisch wilder Kraft in gebändigt erlöste Heils-fülle am Schluß dieses Werkes. Kurzum, die eschatologische Umformung und Höherentwicklung der Natur in eine himmlische Klarheit vollzieht sich durch das Medium von Knaben und Kindern, deren radikal außer-irdische Geistigkeit und vorgeschlechtlich idealische Schwungkraft die wirk-liche Welt gleichsam von zwei Seiten einklammern und bändigen: von der Erinnerung an einen reinen „Ursprung", an eine „erste Jugendkraft", und von der vorweisenden Sehnsucht nach Wiedererringung „erster Jugend-kraft in ätherischem Gewande": „Ich seh' bewegte Schar Seliger Knaben, Los von der Erde Druck Im Kreis gesellt, Die sich erlaben Am neuen Lenz und Schmuck Der obern Welt. Sei er (Faust) zum Anbeginn, Steigendem Vollgewinn Diesen gesellt" (V. 11 971 ff.). Der „neue Lenz" und „Schmuck" der obern Welt kann nur durch Knaben geschenkt werden, die den ersten Lenz in seiner frühsten Reinheit gekannt und noch nicht preisgegeben haben, wie auch charakteristischerweise die „jüngeren Engel" den Sieg der Liebe und die hohe Bedeutung der Knaben verkünden, während die „vollendeteren Engel" (in bezug auf Fausts Entelechie) gestehen: „Uns bleibt ein Erdenrest Zu tragen peinlich, Und wär' er von Asbest, Er ist nicht reinlich".

Deutlich ruht Goethes Metaphysik und Erlösungsidee also auf einem triadischen Kreislauf von frühem Ursprung, Abfall und Wiederherstellung. Dafür sprechen auch die durchweg zyklisch sich wiederholenden Welt-verwandlungsvorgänge in den Maskenzügen, im „Märchen", in der „Pandora" („Das Zertrümmern, Zerstücken, Verderben da Capo ... Ver-jüngung des Epimetheus")[100]), sowie in sonstigen Äußerungen Goethes: „Ich sehe die Zeit kommen, wo Gott keine Freude mehr an ihr (der Menschheit) hat und er abermals Alles zusammenschlagen muß zu einer verjüngten Schöpfung. Ich bin gewiß, es ist alles danach angelegt, und es steht in der fernen Zukunft schon Zeit und Stunde fest, wann diese Ver-jüngungsepoche eintritt"[101]). Für die vorliegende Problemstellung heißt das: Eine „erlöste" Welt wird über die reale Welt dadurch errichtet, daß die reinsten Intentionen des Geistes, die nur in Kindern verborgen sein können, sich wieder durchsetzen und verjüngt heraustreten. Erlösung ist Offenbarung der Reinheit des Geistes. Selbst Gretchens Verzeihung weist auf einen Kreislauf: „Der früh Geliebte, Nicht mehr Getrübte, Er kommt zurück" (V. 12073). Schon im „Werther" ist die eschatologische Figur des Ossianischen „kommenden Wanderers" entstanden aus der Suche nach „den Fußstapfen seiner Väter" in einem eigentümlich zündenden Zu-sammentreffen von äußerstem Anfang und äußerstem Ende[102]), und für Werther selbst „leuchtet die Vergangenheit wie ein Blitz über den finstern Abgrund der Zukunft". Die Eschatologie ist Erfüllung und Wiederkehr einer paradiesisch reinen Urzeit, nicht Einbruch eines grund-sätzlich Neuen.

Der Ring ist damit geschlossen. Die vis activa et formativa der Faustischen Seele, die den geformten Leib selbst noch nach dem Tode festzuhalten suchte, entgeht der schrecklichen Ungewißheit über die Fortdauer ihres Wirkens nach dem Zerfall der Körperelemente nur dadurch, daß sie auf die Urkräfte ihres Wirkens: auf eine „bildende" Liebe und frühe, überirdische Reinheit des Genius zurückgeführt wird: „Wenn starke Geisteskraft Die Elemente An sich herangerafft, Kein Engel trennte Geeinte Zwienatur Der innigen beiden, Die ewige Liebe nur Vermag's zu scheiden" (V. 11958 ff.). Die „Engel" versagen bei der Klärung des Geistes, da sie noch einen Erdenrest tragen, nicht aber die „ewige Liebe" und — wie es unmittelbar folgend dargestellt wird — die „seligen Knaben". Fausts Lösung von den „Elementen" des Körpers ist nicht mehr Tod, sondern erlösendes Wiederergreifen „erster Jugendkraft". Nur so wölbt sich der Bogen einheitlich und folgerecht vom „inneren Licht" der Sorgeszene, dem Kampf mit den „Elementen" usw. bis zur Himmelfahrt Fausts. Der Entgliederung Fausts durch die halbvollendeten Lemuren entspricht seine Neuwerdung durch die bildende Kraft des Genius und der Liebe. In diesem Sinne ist die Faustdichtung einheitlich bis zum Schluß. Wie das ganze Faust II-Drama im Grunde nichts anderes als einen unaufhörlichen Bildungsprozeß von Kunst, Kultur, Natur und Geist thematisch und formal darstellte, so konnte auch dieser Schluß nur in einer fortschreitenden „Bildung" des Faustischen Geistes ausklingen. Die Formung und Verewigung des Genius, das war von Anfang bis Ende das unausschöpfbare Leitthema des Werkes. Hier im Schlusse klingt es brausend und unüberhörbar durch jede Phase des sich visionär hymnisch steigernden Verklärungsvorgangs.

Auch die Form entspricht diesem Vorgang. Gerade weil hier ein Bildungsprozeß und kein statischer Vorweis von Ergebnissen vorliegt, mußte der Schluß diese hymnische Sprache und Steigerung annehmen, wie die völlig notwendige und konsequente Streichung des geplanten „Gerichts über Faust" vor „Christus, Mutter, Evangelisten und allen Heiligen" erhärtet. Eine „Appellation" Mephistos „bei Gott" und eine Auseinanderlegung aller Gründe und Gegengründe der faustischen Rettung hätte den innersten Lebensprozeß dieser Dichtung: die „Bildung" und Verklärung des Helden getötet. „Geheim offenbar" — wie alles Bilden und Werden bei Goethe — ist auch dieser nur scheinbar mystische Schluß, und selbst die christliche Symbolik wird in diesem Ende von einer spezifisch Goetheschen Haltung des Frommseins ergriffen und verwandelt: Denn sogar der Begriff des „Heiligen", auf den alle diese stufenweise auf dem Gebirge gelagerten „Anachoreten", „Patres" und „Büßerinnen" bis hinauf zu Maria ausgerichtet sind, ist durchaus originär im Goetheschen Gesamtwerk verankert. Heiligung und Freiwerdung des Inneren von den Banden des Körpers, das klang schon leitmotivisch von Mignon bis Ottilie, ja im Grunde schon, wie Schöffler feststellte, in Lotte, dem „Engel" Werthers, in der Steigerung der Frau von Stein zur emporschwebenden Maria in der Phantasie Goethes und in vielen anderen Frauengestalten auf, zum Teil in äußerlich christlichen Formen. Auch der Mann steigert sich bei Goethe zum „Heiligen", und zwar überraschenderweise durchaus im faustischen Sinne des rastlos tätigen, produktiven, weltklugen und welterfahrenen heiligen Mannes. Es sei nur an Philipp Neri erinnert, dessen Darstellung nicht ohne Grund zweimal in der „Italienischen Reise" erscheint, an die Freude, die Goethe an der eigentümlich zwischen religiöser Ekstase und derber Tatkraft schillernden Gestalt Cellinis empfand, an den „Einsiedler" im „chinesischen Turm" der „Wanderjahre" und an manch andere „wunderliche Heilige" in Goethes Werken. Gerade die scheinbar ungoetheschste Figur des Faustschlusses, der „Pater ecstaticus", der „auf und ab schwebend" eine asketische Reinigung durch Pfeile, Lanze, Keule und Blitz erbittet, steht der Goetheschen Vorstellung vom Heiligen am nächsten. Drückt sich doch in seinem „Schweben" jene übergewaltig alles überwindende Geistesmacht aus, die Goethe an den Ekstasen Philipp Neris bewunderte; wird doch in ihm alles „Nichtige" aufgelöst durch die Erringung einer „Dauer" der Liebe: „Daß ja das Nichtige Alles verflüchtige, Glänze der Dauerstern, Ewiger Liebe Kern" (V. 11862 ff.).

Von welcher Seite man auch ausgeht, durch nichts ist bei einer ernsthaften Durchleuchtung des inneren Aufbaues der Dichtung zu beweisen, daß die überirdischen Symbole als Fremdkörper das Werk überdecken oder, wie selbst noch Kurt May feststellt, die „von oben hinzukommende Liebe keine eigene poetische Form in diesem Werk, d. h. ... die eigentlich poetische Wirklichkeit nicht gewonnen hat"[103]). Die religiöse Symbolik ist so durch und durch zu einer G o e t h e s c h e n Symbolik geworden, daß sie sprachlich wie bildmäßig in das Gesamtwerk hineinpaßt. Die von oben kommende Liebe ist eben zutiefst Echo, Widerhall einer lebendig emporstrebenden „bildenden" Kraft und kann und darf nicht ihre „poetische Wirklichkeit" in ein autonom transzendentes Bereich verlagern (was May vorauszusetzen scheint), ohne die Einheit des Ganzen zu stören.

Andererseits war die scheinbare Transzendenz dieses Echos unvermeidlich. Denn als „Gnade" kann nur erscheinen, was wirklich aus einem willensmäßig wie wissentlich unerreichbaren Raum „herabkommt". So war es schon in der „Pandora" und in fast allen Schlußvisionen der Goetheschen Werke, die gleichfalls keine „künstlerische Wirklichkeit", d. h. bildhaft und sprachlich deutende Ausformung ihrer Metaphysik erhielten und wesensmäßig auch nicht erhalten konnten, weil sie ihre entscheidenden Inhalte ja nicht aus sich selbst schöpften, sondern als Antwort auf die immanente Entwicklung und Verklärung des Helden darstellten. Darum ist im Schlußsatz von Faust II alles so „verschwebend" und — vom religiösen Standpunkt aus — bewußt unscharf trotz der Prägnanz und Geformtheit der einzelnen Gestalten, die Goethe betont[104]). Wäre es allerdings so, daß Faust, wie May und mit ihm fast durchgehend die übrige Faustforschung annimmt, „erlösungsbedürftig" ist durch eine „Gnade von oben", weil er in der Immanenz schuldhaft versagt und eine „ethisch-soziale Läuterung darstellungsmäßig nicht gegeben ist"[105]), dann wäre in der Tat eine poetische Ausformung und „Verwirklichung" dieser Welt, die „von oben" herabstrahlt, unausweichlich zu fordern. Aber gerade dies trifft ja nicht zu. Faust ist keineswegs in der Immanenz auf Grund eines Versagens im sozialen Bereich derart ausweglos verschuldet, daß er einer Rettung aus einer autonom transzendenten Welt notwendig bedürfte, sondern hat durchaus in und mit der Welt ihre zentrale Dämonie, Magie, ihren Widerstreit in ihren Elementen usw. bekämpft und überwunden. Er „bildet sich" daher „vollkommen" in einem schrittweisen Sieg über Sorge, Magie und Tod unter Eliminierung der ethisch-sozialen Schuldfrage, um die es grundsätzlich gar nicht ging. Im Grunde vollzog sich Fausts Erlösung schon beim Umschlag der real-irdischen Vorgänge in transzendental-zeitlose im Bereich seiner Tätigkeit selber, d. h. im Augenblick des Durchbruchs des inneren Lichts und der Vision vom transzendentalen „Eiland" mitten im Toben der Elemente. Verklärung und Himmelfahrt sind nur stufenweis fortschreitende „Entpuppungen" eines längst durch unendliche Tätigkeit mächtig emporgewachsenen Geistes; sie sind Entfaltungen und Wiederentdeckungen eines ursprünglich in „erster Jugendkraft" reinen und niemals, auch in der bittersten Verstrickung nicht, derart gefallenen und sündhaften Geistes, daß eine völlige Umkehr und Absage an den alten Adam im christlichen Sinne gefordert werden müßte. „In Faust selber", so hat Goethe einmal das Verhältnis von Tätigkeit, Liebe und Gnade umschrieben, lebt „eine immer höhere und reinere Tätigkeit bis ans Ende". Goethe leugnet also durchaus ein Versagen Fausts im sozial-ethischen und überhaupt moralischen Raum und eine entsprechende innere Notwendigkeit der „Gnade". Er leitet unvermittelt die „von oben ihm zu Hilfe kommende ewige Liebe" aus eben dieser positiv „höheren und reineren Tätigkeit" Fausts ab und begründet sie nicht, wie zu erwarten wäre, mit einem schuldhaften Versagen dieser Tätigkeit. Selbst der folgende Satz Goethes: „Es steht dieses mit unserer religiösen Vorstellung durchaus in Harmonie, nach welcher wir nicht bloß durch eigene Kraft selig werden, sondern durch die hinzukommende göttliche Gnade"[106]) enthält nur die uralte, in der „Pandora" bereits ausgesprochene Goethesche Weisheit von der Unmöglichkeit, Großes und Göttliches durch eigenen Willen und Absicht zu erzwingen; er macht aber nicht das Zugeständnis eines Versagens im irdischen Tun.

Im strengen Sinn also ist die Gnade von oben bei Goethe nicht christlich, denn sie gründet sich weder auf die Verwandlung und Abtötung eines sündigen Ich noch auf das Vertrauen auf einen göttlichen „Erlöser", der bezeichnenderweise auch nicht erscheint oder angerufen wird. Die „Heiligen" und Engel und selbst noch Maria, die Faust bei seiner Läuterung begleiten, sind wie alle Heiligen Mittelspersonen, sie sind nicht absolut richtende oder die menschliche Existenz von Grund auf formende und Entscheidung heischende Instanzen. Da diesen Mittelspersonen sogar das Absolute, auf das hin sie vermitteln, fehlt, sie also im Grunde auch nicht mehr vermitteln, so sind sie keine Heiligen mehr im streng religiösen Sinne, sondern symbolische Zwischenstufen eines metamorphosenhaft poetischen Vorgangs, dessen ontologisch gründende Basis in einem metaphysischen Natur-, Verjüngungs- und Liebesbegriff sowie in der Genius- und Daimonvorstellung Goethes besteht. Von Selbsterlösung oder rational fortschreitender Selbstoffenbarung im humanistisch-aufklärerischen Sinne kann — das ist mindestens ebenso wichtig — allerdings auch nicht die Rede sein angesichts des irrationalen Goetheschen Ursprungs-, Verjüngungs- und Liebesbegriffs und der aus ihm fließenden Vorstellung von der begnadeten Stunde. Liebe ist niemals Selbstoffenbarung, sondern Geschenk. Aus dieser eigentümlich komplizierten Schwebelage zwischen Christentum und Humanismus, die von beiden bestimmte Elemente, aber im Grunde von keinem den Inhalt in sich aufnimmt[106a]), erklärt sich die Schwierigkeit der begrifflich-weltanschaulichen Formulierung dieser Schlußszene und die kontroverse Situation der Forschung ihr gegenüber. Jeder Versuch, das christliche oder das humanistische Vorzeichen überzubetonen und Goethe in eine zeitgeschichtlich oder begrifflich bereits außerhalb Goethes vorhandene Weltanschauung zu pressen, scheitert an der einfachen Tatsache, daß sich Goethes Weltbild viel tiefer in seinen konkreten Gestaltungen ausspricht als in anderwärts bereits formulierten Weltanschauungsformen. Nur aus der sorgfältigen Analyse der inneren Schichtung seiner Dichtungen lassen sich gültige Aussagen auch über sein Denken und Vorstellen gewinnen.

4. Der dichterische Daseinsentwurf

So erhebt sich denn am Schluß unserer Darstellung die Frage, wie sich der Versuch, Goethes dichterische Sinngebilde wissenschaftlich zu begreifen, ergebnismäßig für die Gesamtsituation der Forschung und das Dichtungsverständnis ausgewirkt hat. Da es sich erwies, daß sämtliche Sinnelemente dieser Dichtung im Grunde nichts anderes sind als Aufbauelemente des Dichterischen überhaupt, d. h. als Gegenstand des Schaffens zugleich das Schaffen selbst repräsentieren, so steht hier wie bei kaum einer anderen Dichtung die Forschung vor der Möglichkeit, das Poetische als unmittelbaren Bildungsprozeß zu erkennen und strukturell auszuwerten.

Nachdem sich die einzelnen Bild- und Problemschichten in ihrem Zu-
sammenhange vor uns geöffnet und enträtselt haben, beginnt also nunmehr die Aufgabe, die Totalität des Dichtungsprozesses, d. h. den dichterischen Strukturentwurf von Sein überhaupt unter Abgrenzung von
allen apoetischen, wissenschaftlichen oder denksystematischen Entwürfen
des Seins zu entwickeln, um den Blick für die Funktionen und Leistungen
des Dichterischen, aber auch für die Schwierigkeiten seiner Situation frei-
zugewinnen. Denn die großartige Konsequenz, mit der Goethe selbst noch
den Schluß der Faust II-Dichtung als Bildungs-, Werde- und Aufstiegs-
prozeß des schaffenden Geistes formte und ausbaute unter Verzicht auf
rational greifbare „Ergebnisse" (Streichung der Gerichtsszene), führte sowohl zur biologischen Lehre von der ewigen Metamorphose alles Lebendigen („Euch zu seligem Geschick Dankend umzuarten"), wie sie auch
andererseits die Autonomie des poetischen geheimen Wirkens und Werdens
mit einer hartnäckigen Kraft behauptete, die überrascht und ihre Krönung
erfährt in einem doppelten Vorgang: erstens in der Bergung des „Unsterblichen", d. h. der Erhaltung des Einzigartigen, worin letztlich das
Problem der geschichtlichen Individualität in voller Schärfe und Komplikation aufgerollt ist („Ich zweifle nicht an unserer Fortdauer ... aber
wir sind nicht auf gleiche Weise unsterblich, und um sich künftig als große
Entelechie zu manifestieren, muß man auch eine sein")[107]), und zweitens
in der Verwandlung „alles Vergänglichen" ins „Gleichnis", wodurch der
poetische Symbolcharakter des Zeitlichen eine neue und besondere Wendung
erfährt:

Während der religiöse Entwurf des Daseins alles Vergängliche preisgibt
im Hinblick aufs Unvergängliche und der modern wissenschaftliche Entwurf das Vergängliche fragend, forschend und ergründend aufsucht auf
Grund der Kantischen Eliminierung des Unvergänglichen, setzt der
poetische Entwurf durch Hegung alles Vergänglichen und zugleich Aufhebung im „Gleichnis" ein „Unbeschreibliches" frei, auf das hin alles
Gleichnis ist, wobei dieses Unbeschreibliche wiederum weder der theoretisch-
reflexiven noch der dogmatisch-meditativen Sphäre anheimfällt, sondern
ausschließlich der „Tat": „Das Unbeschreibliche, hier ist es getan". Die
Tat des „Hier" und „Jetzt"[107a]) ist einzige Gewähr für die Rettung und
„Ereignis"werdung des „Unzulänglichen" wie für die Manifestierung des
„Unbeschreiblichen", auf das alles Beschriebene gleichnishaft weist. Daß
diese Tat Liebe ist und im „Ewig-Weiblichen" sich mythisch formuliert,
vertieft nur ihre unwiderrufliche Spontaneität und genetische Macht. „Ereignis" und Tat sind die Zentren, auf die hin das Gleichnissystem Goethes
ausgerichtet ist. Im schöpferischen Akt selber liegen auch die Inhalte der
Schöpfung verborgen. Ein Aufriß des Goetheschen „Weltbildes" ist daher
nicht möglich, ohne die genaue Mittellage der Poesie zwischen Religion
und Wissenschaft oder, wie die klassische Ästhetik es formulierte,

zwischen der intelligiblen und der erkenntniszugänglichen Sphäre, zwischen Vernunft und Verstand zu ergründen und diese Zwischenlage, die seit Kants Kritik der Urteilskraft immer wieder die Ästhetik in schier unentwirrbarer Weise zwischen dem Reich der „Idee" und den kategorialen Strukturen der Wirklichkeit einnahm, als unentrinnbares Schicksal der Kunst zu begreifen. Denn die Deutungsmängel der älteren Faustforschung bestanden ja gerade darin, daß sie das dichterische Gleichnissystem entweder auf eine rational-erkennbare, wirkliche, biographische oder auf eine mystische, religiöse, ideelle Ebene bezog, d. h. die Gehalte der Dichtung in ein wesensmäßig außerdichterisches Reich transponierte. Wird dagegen die Symbolfunktion des poetischen Bildes durch strenge Nachzeichnung des poetischen Prozesses selber erschlossen, so mag es gelingen, aus der verzweigten, aber, wie sich gezeigt hat, streng gesetzmäßig und folgerecht aufgebauten Fülle der Bildwerte einen Welt- und Seinsentwurf herauszukristallisieren, der nicht minder konsequent und in sich konstitutiv und verpflichtend ist wie die Weltbilder religiöser oder denksystematischer Geister, vielleicht sogar tiefer als jene, weil er näher am Sein selbst beheimatet ist und weil die Elemente des Lebens noch unmittelbar in ihm wohnen.

Vergegenwärtigt man sich rückblickend den Aufriß der Faust II-Dichtung und aller mit ihm zusammenhängenden Bild- und Symbolformen, so mögen sich Zweifel aufdrängen, ob die labyrinthische Fülle der aufgezeigten Schichten und Probleme sich jemals in einer wissenschaftlich formulierbaren Ergebnisfolge aufreihen und verdeutlichen läßt. Zu den im ersten Kapitel vorwegnehmend charakterisierten drei Grundsymbolen Granit, Schleier und Licht kamen im Verlauf genauerer Betrachtung die Symbole des Welttheaters (Jahreszeitenkreislauf, Maskenspiel usw.), die Schmuck-, Feuer- und Schatzsymbolik, das Gold-, Höhlen- und Kästchenbild, die Gleichnisbilder des Genius (springender Knabe, Hermaphrodit, Komet, Engel), die Symbole verewigter Zeit (Porträt, Idol, fiktiv ewige Urzeit) usw. Ferner traten Zusammenhänge zwischen Tragik und „musikalischer Rührung", „Schlaf", tragischem Umbruch und Verjüngung hervor, die zu neuen Bestimmungen der Tragödie bei Goethe führten. Zu erinnern ist an die Beziehung der Oper zu den unter- und überirdischen „Elementen", an das Verhältnis zwischen Musik und Sprache, „Maske" und „Person", Ironie und Ernst sowie an die entsprechenden Abgrenzungen zum Ästhetizismus Rousseauscher bzw. modern impressionistischer Richtungen. Andere Fragen wie die Spannung zwischen „Tat" und „Schein", Schönheit und Geschichte, zwischen normativ klassischer Kunstlehre und Kunstgeschichte oder der triadische Rhythmus von Ursprung, Verfremdung und eschatologischer Rettung, deren Beantwortung unablösbar auch mit den elementaren Problemen der Kunstform verknüpft ist, vermehren die Reihe dieser in sich selbst unendlichen poetischen Schich-

ten, die niemals durch eine bloße Aufzählung oder zusammenfassende
Analyse erschöpft werden kann, weil jede einzelne genannte Bild- und
Problemschicht derart in sich vielseitig angelegt ist, daß sie im Grunde
jeweils wieder eine eigene Untersuchung erfordert.

Dennoch muß der Versuch einer synthetischen Auswertung gewagt
werden schon angesichts des Totalitätsanspruchs, den die Goethesche Dichtung in jeder Phase ihrer Darstellung aufs neue erhebt. Die bereits in der
Einleitung behandelte Frage nach der „Einheit" des Goetheschen Dichtens
ist daher jetzt nach der Analyse des Werkes nochmals zu stellen und in
die prinzipiellere Frage überzuführen, welche Aufschlüsse eine solche Ge-
samterhellung der dichterischen Bild- und Problemschichten der Forschung
zu geben vermag.

Zunächst geht aus der bisherigen Darlegung hervor, daß die Goetheschen Symbolformen insofern nicht einer zersplitternden Vielheit ge-
trennter Bereiche verfallen, als sie ja in ihrer vereinzelten Prägung keineswegs bestimmte einzelne Begriffe oder Erlebnisse „bedeuten", die sie zu
ersetzen vermöchten und also jeweils vereinzelt betrachtet und analysiert
werden müßten, wie es die biographische Modelltheorie und weite Kreise
der Goethephilologie oft ad infinitum durchführten, um in ein unentwirr-
bares Feld von Beziehungen, Entlehnungen, Erlebnis- und Begriffsbereichen
zu geraten. Vielmehr stehen diese Formen in einem ganz bestimmten
einheitlichen Strukturganzen, aus dem die Dichtung als Dichtung nicht
heraustreten kann, ohne sich selbst aufzuheben. Die Erkenntnis dieses
Strukturganzen bedeutet zugleich eine Erkenntnis des Wesens der Dichtung und ihrer Symbolwelt, wie auch eine Bestimmung des Zugangs, den
die Forschung zu ihm hat: Das Sein, das die Dichtung meint, ist sie selber.
Schon darin liegt eine Abgrenzung des Poetischen von jedem nomina-
listischen Bilderrealismus bzw. Positivismus wie auch von jedem bilder-
zerstörenden, systembildenden Idealismus. Das Bild ist an und für sich
keineswegs, wie gezeigt werden konnte, die Totalität oder das unmittelbar vorgewiesene Phänomen selber und insofern nicht realistisch zu deuten
oder unmittelbar aufs Leben zu beziehen. Andererseits aber setzt sich
auch nicht die Totalität aus einer Vielheit von Bildern zusammen, die
durch einen ganzheitlich erfüllenden Akt am Schluß oder im Werk selbst
auszulöschen und durch eine übergreifende Idee zu ersetzen wäre. Vielmehr liegt im „Einzelnen", wie Goethe in jenem bedeutenden und rich-
tungweisenden großen Gespräch mit Luden[108]) ausführt — in dem schon
die spätere Auseinandersetzung der Goetheforschung zwischen Positivismus und Idealismus bis in einzelnste Fragen hinein scharf vorweggenommen und ins Rechte gestellt wird —, eine „poetische Richtung",
„welche auf einen notwendigen Zusammenhang, also auf einen Mittelpunkt ... hinweist", der weder, wie Goethe Luden zustimmt, aus einer
philosophischen Idee oder höheren „Inspiration", noch aber auch, wie

Goethe nachdrücklich gegen Ludens positivistisch-realistische Haltung feststellt, aus der Summe der Lebenserfahrungen, aus Erziehungseinflüssen,
aus der Lektüre alchimistischer Schriften, aus Erlebnissen, Liebesabenteuern
usw. erwächst[109]), sondern an jeder Stelle auch noch im „Torso den Herkules", in der „Tatze den Löwen", im „Fragment das Ganze" erkennen
und durchschimmern läßt[110]). Die kleinste Szene sei konzipiert im Blick
auf ein Ganzes hin. „Es ist Ihnen nicht zu verargen, daß Sie sehen und
nicht glauben wollen"[111]). Von Luden gestellt, dieses Ganze zu formulieren,
zieht sich Goethe charakteristischerweise zurück mit der Bemerkung, die
„ganze Herrlichkeit des Dichters" sei dann „dahin"; „der Dichter soll doch
nicht sein eigener Erklärer sein … damit würde er aufhören, Dichter zu
sein. Der Dichter stellt seine Schöpfung in die Welt hinaus, es ist die Sache
des Lesers, des Ästhetikers, des Kritikers, zu untersuchen, was er mit
seiner Schöpfung gewollt hat"[112]).

Deutlich tritt hier die Aporie unserer Goetheuntersuchung zutage: Der
Dichter verweigert letzte Auskunft über sein Werk, nicht weil er nicht im
Innersten wüßte, wie es mit ihm beschaffen ist, sondern weil das Wesen
des dichterischen Schaffens selbst eine Objektivierung der Totalität ausschließt: Goethe würde „aufhören, Dichter zu sein", wenn er das, um
was es ihm geht, in eine andere Sprache zu übersetzen begänne. Die produktive Bewegung des Schaffens, die sich auf einen totalen Seinsentwurf
richtet, stünde in diesem Augenblick still. Der totale Seinsentwurf wäre
bereits vollendet, objektiv greifbar, formulierbar. Dies aber ist ein Widerspruch in sich selbst. Solange überhaupt Leben währt, ist das Sein nicht
total. Das dichterische Schaffen ist unendlich und ewig, weil der Zielpunkt
seiner Bewegung nicht eine irdisch greifbare Wirklichkeit, nicht die Ausformung eines „Erlebnisses", einer gestellten Aufgabe oder eines von
irgendeinem daseienden Menschen ihm vorgehaltenen „Problems" ist,
sondern die Ganzwerdung von Dasein schlechthin, die Vollendung des nie
zu Vollendenden, die Beschwörung des Absoluten wenigstens im „Bild"
und „Schein".

Andererseits kann aber dieser unendliche Prozeß der Ganzwerdung nie
ausgelöst werden ohne die weckende, erregende und formende Kraft des
„Erlebnisses". Gerade die bei Goethe im Gegensatz etwa zu Schiller
außerordentlich hohe Bedeutung scheinbar zufälliger und entlegener Erlebnisse für die Konzeption eines Gedichtes beruht darin, daß vom Einmaligen, unmittelbar „Gegenwärtigen" aus mit fast traumhafter Sicherheit
der Weg zu jenem „unbekannt" verlaufenden Prozeß der Ganzwerdung
sich öffnet, d. h. daß das sinnlich Gegenwärtige bzw. Erlebte einzig die
Macht der Erhebung ins „Höhere" kennt. Der dunkle Entschluß schon
des jungen Goethe, sein Leben „ganz" zu gestalten, riß zwar seine Dichtung in eine unendliche Bewegung, vor der „alles Vergängliche" zum
„Gleichnis" versinkt, er gab ihm aber auch die Kraft, jedes zersplitterte

Stückchen seines Lebens sofort als in sich unendlich zu betrachten, aus jeder Phase seines Daseins eine Ganzheit zu entwickeln, die sie als Realität genommen gar nicht enthält.

Das Verhältnis von Bild und Totalität liegt also komplizierter: Das poetische Bild wird durch die unterirdisch ruhlose Bewegung eines zwischen „Anfang und Ende" gestellten Seins „Gleichnis" auf etwas „Unbeschreibliches" hin, das der Dichter nicht aussprechen kann und darf, weil dies das Ende seines Seins, den Tod des Dichtens bedeutete. Ausgelöst wird diese Bewegung aber durch das tatsächliche Erlebnis, von dem aus blitzartig Bezugslinien zur inneren Grundkonstellation Goethes sich ziehen. Daraus ergibt sich eine Möglichkeit, das spezifisch Dichterische von anderen Schaffensgebieten abzugrenzen und den Zugang zu ihm zu bestimmen. Die „Einheit" der labyrinthischen Fülle der Bilder ist weder in ihrer Summe, noch in ihrer jeweiligen „Bedeutung", sondern in der spontanen Totalität im Innern des Bildes selber zu suchen, die das, was man gemeinhin das „Unergründliche" der Dichtung nennt, erst begreiflich und einsichtig macht. Unergründlich ist die Poesie weniger als Sprache der Phantasie oder des Gefühls, denn Gefühls- und Phantasievorgänge stehen unter psychologisch ergründbaren, auf Grund einer Fülle analoger Fälle bestimmbaren Gesetzmäßigkeiten (deshalb sind auch rein psychologisch auflösbare Dichtungen „Zeiterscheinungen", die entstehen und vergehen, da sie auf Grund ihres rein abbildenden (seelische Vorgänge u n m i t e l - b a r ausdrückenden) Charakters nicht in die Sphäre der „Kunst" im strengen Sinne eindrangen). Unergründlich ist die Dichtung vielmehr durch die neue, e i g e n e Tiefe ihrer Bilder, durch die Unauswechselbarkeit ihrer Symbole und durch die Ausrichtung jedes einzelnen Bildes oder Verses auf ein Umfassenderes hin, in dem sich jedes Sein je und je wieder zu erkennen vermeint, ohne sich völlig mit ihm identifizieren zu können. „Dein Lied ist drehend wie das Sterngewölbe, Anfang und Ende immerfort dasselbe"[113]). In anderen Bereichen des menschlichen Schaffens erscheint ein solch totaler Daseinsentwurf nicht in diesem Sinn als „unergründlich", denn dort tritt er objektiviert heraus, sei es in Form fixierter irrationaler Dogmen, sei es in Gestalt formulierbarer Antinomien der Vernunft, in denen das Unergründliche religiöser oder philosophischer Ganzheitsentwürfe aus dem unmittelbaren Bildungsprozeß des Seienden ausbricht und sich niederschlägt in unantastbaren Sätzen des Glaubens, welchen wie wegweisenden Feuerzeichen nachgelebt wird, oder in diskutierbaren Begriffen, in welchen das Denken die Strukturen des Seins einzufangen und — trotz ihrer inneren Unergründlichkeit — übersichtlich ordnend weiter zu spinnen trachtet. Im dichterischen Vorgang dagegen verschließt sich das Sein im symbolischen Bild, es zum „Gleichnis" verwandelnd und damit eine Tiefe in ihm öffnend, welche die Sprache der Weisheit oder des Glaubens nicht kennt, weil sie zwar auch ein Unergründliches meint, im Ausdruck aber als faßbar und verstehbar sich dokumentiert (trotz ihrer inneren Paradoxien, die etwa in den Dogmen gläubig hingenommen werden müssen). Die Sprache der Poesie steht näher am Sein, sagten wir schon; nicht weil sie realer oder sinnlicher wäre als etwa die Philosophie — denn gerade die konkrete Sphäre meint ja gar nicht die Dichtung im „Gleichnis" —, sondern weil sie das Sein als Schicksal selbst auf sich nimmt, durchleidet und durchlebt. Die Nähe des poetischen Ausdrucks zum Sein zeigt zugleich den einzigen Weg, den es gibt, ihr „Unergründliches" zu ergründen, nämlich ihre eigene „poetische Richtung" — das, was im Bild und Gleichnis selbst schicksalhaft auf ein Absolutes, „Unerforschliches" weist — streng und unerbittlich zu verfolgen, die Kurve der Dichtung in all ihren Phasen nachzuzeichnen, d. h. den ganzheitlichen Seinsentwurf der Poesie bis ans Ende durchzuverfolgen. Dann erst kann die Aufforderung Goethes an „Leser, Ästhetiker, Kritiker, zu untersuchen, was er (der Dichter) mit seiner Schöpfung gewollt hat", sinnvoll und werkgerecht ausgeführt werden. Indem der Forscher „im Bild" bleibt, fällt zugleich in Abgrund und Tiefe des Bildes ein Strahl des Erkennens, nicht zwar im Sinne eines endgültigen statischen Ergebnisses, wohl aber im Sinne einer Entschleierung der tatsächlichen Vielfalt des poetischen Vorgangs. Nicht tritt, genau so wenig wie im religiösen oder philosophischen Reich, das Unergründliche damit „erkannt" heraus, aber es beginnt sich zu „zeigen", zu schichten, zu ordnen und in seinem inneren Aufbau zu enthüllen. Wissenschaft von der Dichtung heißt demnach einerseits klärendes Eindringen in die konstitutiven Schichten des Poetischen an und für sich, unabhängig von äußeren Einflüssen intellektueller oder erlebnishafter Art, die streng genommen ins Gebiet der Geschichtsforschung gehören. Andererseits aber bedeutet sie Aufhellung der Stellung, welche die Dichtung im Raum der Geschichte einnimmt, wobei das Verhältnis des Symbols zur Zeit erster und vordringlicher Klärung bedarf. Denn bezieht man, wie vorliegende Arbeit den Anschein erwecken könnte, sämtliche Bilder lediglich auf eine „Totalität", im Falle Goethes also etwa auf den triadisch-metaphysischen Verlauf von Ursprung, Verfremdung und Rettung, so träte eine Metaphysizierung der Dichtung ein, die gerade die entscheidende Tatsache des dichterischen Schaffens vergäße, daß die Bilder Funktionen sind und nicht Inhalte. Das Bild ist immer „für" etwas da — trotz seiner Unauswechselbarkeit und einzigartig nie wiederkehrenden Totalität. So stellt Goethe einen Naturvorgang dar, etwa die Entstehung der Vulkane; er meint aber eine politische Geschichte, und so stellt er umgekehrt eine Geschichte dar etwa von der Schlacht von Pharsalus bis zu der von Missolunghi, zielt aber auf einen Kreislauf der Natur. Ja gegen jede metaphysische Deutung ließe sich mit vollem Recht sagen, die ganze Kurve von Ursprung, Verfremdung und Verjüngung sei keineswegs zeitlos aus Goethe selber entsprungen, sie sei ihm vielleicht überhaupt nicht bewußt gewesen und sei zum mindesten ausgelöst worden durch sehr reale menschliche, psychologisch oder stofflich bedingte Problemkreise; daraus aber ergäbe sich die Notwendigkeit, die äußere Entstehungsgeschichte und seelische Einstellung Goethes zum Werk zu unterscheiden von der inneren, unbewußt sich durchhaltenden Urstrukturierung seiner Dichtung. Der funktionale Charakter des poetischen Bildes ist also streng zu bewahren gegen jede dinglich metaphysische Ausdeutung der Goetheschen Dichtung, denn nur er ermöglicht Bezugslinien in die verschiedensten Richtungen: in konkrete Erlebnisbereiche, reale Vorgänge und transzendentale Grundkonstellationen.

Zur Frage der inneren Schichtung des Symbols tritt somit das Problem der Umwandlung einer Seinssphäre in die andere im Medium des Bildes. Diese Umwandlung ist ein extrem geschichtsbildender Vorgang im Inneren der Dichtung. Denn nur in ihm werden natürlich oder schicksalhaft abrollende Erlebnisse verewigt (d. h. umgesetzt in geschichtliche Phänomene), und umgekehrt werden geschichtlich überlieferte Formen durch den Einbruch einer reineren Natur erhöht und verwandelt zu erneuerten Formen. Ich erinnere nur an die merkwürdige Erfassung der kunstgeschichtlichen Gattung der Oper aus den Feuer-, Wasser- und Luftelementen im „Berliner Theaterprolog" und an viele ähnliche Vorgänge. Ein zeitlich bestimmtes, konkret erlebbares Phänomen wie die Oper scheint Goethe dadurch tiefer und reiner ergründen zu können, daß er es in ein ewiges Naturphänomen umsetzt; ähnlich war es in der Darstellung der Napoleonischen Kriege in „Des Epimenides Erwachen" und in zahllosen anderen Fällen. Die funktionale Bezugsetzung der poetischen Bilder erhält also eine ganz bestimmte Gesetzmäßigkeit. Nicht werden willkürlich und geistreich die verschiedensten Phänomene aufeinander bezogen, sondern eine Urgeschichte der Geschichte entsteht durch Umdeutung der Geschichte in Natur im Medium des poetischen Bildes. Hier liegt eine der wichtigsten und bis heute wenigst beachteten Möglichkeiten dichterischer Gestaltung, welche das Verhältnis von Dichtung und Zeit von einer besonderen Seite zu erhellen verspricht: Zeitphänomene wie die Napoleonischen Kriege werden von der Poesie nicht dadurch bewältigt, daß sie in ihrer Realität rein deskriptiv aufgefangen werden und als Geschichte im strengen Sinn in der Dichtung beharren, sondern dadurch, daß sie zu Naturbildern werden. Genauer besehen sind aber diese Naturbilder wiederum nicht „Natur" im strengen Sinne des Wortes, sondern ganz bestimmt organisierte und von einer künstlerischen Absicht durchstrukturierte Elemente der Natur, so im Falle der Oper nicht Feuer, Wasser usw., sondern die mythischen Zeichen des Feuers, Wassers usw. (Gnomen, Salamander, Undinen), die in eine bestimmte Bewegung und Beziehung zueinander treten. Die Natur also ist selber verwandelt durch den Bezugspunkt, der „gemeint" ist: die Oper. In die Natur dringt das Zeitphänomen umformend ein, um das es thematisch zunächst geht. Die Natur wird gleichsam geschichtlich geladen, wie die Naturvorgänge, die sich in „Des Epimenides Erwachen" abspielen, zu einer „Geschichte" werden, einer Naturgeschichte, die einerseits die Zeitgeschicht allegorisiert, andererseits aber dem Leser den Wink gibt, daß es sich hier faktisch auch um eine ewige Geschichte, d. h. um Natur handelt. Sowohl die innere Klärung und Bewältigung des Zeitphänomens als auch seine „Verewigung" und Sinnwerdung ist mit der Transponierung des Geschichtlichen ins Natürliche erreicht. Aus diesem Grunde spricht Goethe lieber von „Urgeschichte" statt von Geschichte. Im Grunde erzählt jede poetische Bewältigung eines geschichtlichen Phänomens nicht dessen Geschichte, sondern dessen Urgeschichte, die in einer eigentümlichen Mittelstellung zwischen Natur und realer Geschichte nicht — wie das Wort irrtümlich vermuten ließe — eine zeitlich uralte Vorgeschichte, sondern eine ewige, je und je sich wiederholende. zeitlose Geschichte der Geschichte, ihren Grund und Typus, zu treffen beabsichtigt[113a]. Der geschichtliche Augenblick selber schlägt um in eine verewigte Urzeit, in der sich eigentümlich historische und natürliche Schichten kreuzen. Die Natur wird geschichtlich geprägt und durchorganisiert nach Gesichtspunkten, die dem zeitlichen Gegenstand urphänomenologisch nach des Dichters Meinung zugrunde liegen. In dieser schwierigen Verquerung der Deutungsbezüge der poetischen Bilder lag letztlich das „Rätsel" der Faust II-Dichtung (Klassische Walpurgisnacht, Mummenschanz usw.).

Noch eine weitere, seither kaum beachtete Möglichkeit der Begründung der Geschichte ergibt sich aus dem Gesagten: die analytisch-synthetische Erschließung der „Tat". Es gehört zu einem der großen Versäumnisse des vergangenen Geschichtsdenkens, auch dieser Goetheschen Leistung nicht die ihr gebührende Bedeutung beigemessen zu haben. Ohne eine genaue Ergründung der „Tat" ist weder das Phänomen der Einzigartigkeit des Geschichtlichen noch das der spontanen „Ganzwerdung" des Seins im produktiv geschichtsbildenden bzw. künstlerischen Prozeß zu begreifen. Denn Tat ist zunächst durch die völlige Abwesenheit aller übergreifenden Rettungs- und Sinnbezüge definiert. Tat ist primär Wagnis eines auf sich selbst gestellten Seins. In der „Tat" werden die Grenzen des Daseins nochmals gesetzt, da sie durch keine realen oder religiösen Sicherungen bereits vorgegeben und bewältigt sein dürfen. Der Täter steht vor einem Anfang und einem Ende der Dinge. Der poetische Totalitätsentwurf Goethes ist also gar nicht zu denken ohne das unaufhörlich erneuerte Wagnis der Tat. Der schaffende, „tätige" Dichter steht vor der Welt, als sei weder vor noch nach ihm irgend etwas geschehen und „spricht das Vorhandene ahnungsvoll aus, als wenn es entstünde". So definiert Goethe einmal die Uranfänge der Poesie[114]. Reine „Gegenwärtigkeit" und reines Umfassen der äußersten Anfänge und Grenzen des Werdens sind eins im dichterischen Schaffen, das als unentrinnbares Geschick, als Wagnis und aufgegebene Verpflichtung jeden Tag erneut auf dem Schaffenden lastet. Tod und Leben, mögen sie auch nie in der Schöpfung selber genannt sein, stehen sich ununterbrochen Auge in Auge gegenüber, im Stirb und Werde immer erneut die Urform alles Gestaltens beschreibend. Erst in diesem von Goethe meist mythisch beschriebenen Vorgang (Sprung in die tod- und lebenbringenden Elemente, Gabe von oben usw.) entsteht das „Unvergleichliche" des großen geschichtlichen Werkes bzw. der großen historischen „Tat". Erst in ihm wird deutlich, warum das „Totale" zugleich das „Einzige" ist, denn wäre das „Einzige" von Beginn an aufgehoben in einem umfassenderen Ganzheitssystem, so ruhte die Last des Daseins nicht unentrinnbar „gegenwärtig" auf den Schultern des Täters. Nur weil der „Augenblick" das „Dasein" als „Pflicht" (Helenaakt) unerbittlich vor den Schaffenden stellt, kann das gelingen, was man als unvergängliche Schöpfung des Genius bezeichnet, und kann diese Schöpfung zugleich einmalig und ewig sich zeigen, einmalig, weil keine außerpersönliche Macht die „Pflicht" des „Daseins" beruhigend abnimmt und einer übergreifend bergenden Sphäre aufläd, ewig, weil in solchem Schaffen — und sei es im kleinsten Fragment — Umfang und Grenzen des gesamtmenschlichen Daseins erneut abgesteckt werden. Aus dem gleichen Grund aber bleiben die e n t s c h e i d e n d e n w i s s e n s c h a f t l i c h e n F o l g e r u n g e n aus der Faust II-Dichtung an der E i n z e l a n a l y s e haften. Die Tragweite etwa der Vorgänge im zweiten und dritten Akt für die heutige Geschichtsphilosophie und Kunstlehre kann nur im Inneren dieser Vorgänge selbst erkannt und ausgewertet werden. Auf ihre Analyse (Kapitel II, Abschnitt 3, Kapitel IV und besonders Kapitel V) ist daher immer wieder (auch hier rückblickend) zu verweisen. Nur Andeutungen mögen zum Schluß ihre Bedeutung für die heutige Wissenschaftslehre kennzeichnen.

Entsinnt man sich des Ursprungs, aus dem die wesentlichen Richtungen unserer heutigen Geisteswissenschaft und Philosophie stammen, so stößt man auf eine erstaunlich gemeinsame Abspaltung vom Naturwissenschaftlichen, d. h. auf eine Aufhebung und Zerbrechung gerade jener Einheit zwischen fundamentaler geistiger Seinslehre und Naturwissenschaft, die Goethes Weltbild charakterisiert: Sowohl Diltheys Grundlegung der Geisteswissenschaften und der Lebensphilosophie wie Rickerts Wertphilosophie (mit der aus ihr hervorgegangenen Geschichts- und Kunstontologie Franz Böhms) wie endlich die breite existenzphilosophische und phänomenologische Strömung der letzten Jahrzehnte nahmen ihren Ausgang in einer Abgrenzung vom naturwissenschaftlichen Denken[114a]. Ihre Blickrichtung schaltet gleichsam die ganze Sphäre des Natur g e n e t i s c h e n aus, um ein An-Sich der „Phänomene" zu erhalten, das losgelöst in einer abgehobenen Welt des Geistes, des „Kulturellen", des (rein phänomenologisch, nicht natürlich) Handwerklichen (Heidegger), des „Wertes", des bloßen „Lebens" (in seiner faktisch außerbiologisch-irrational-geistigen Phänomenalität) usw. beheimatet ist. Nicht nur die schon sprachlich in sich versponnene Esoterik ihrer Darstellungsweise, sondern auch ihre inhaltlichen Leistungen entspringen deutlich diesem bewußten Verzicht auf die Tiefenperspektive ins Genetisch-Naturgegründete. Die Phänomene sind gleichsam, wenn hier eine solche Übertragung erlaubt ist, ausschließlich von der Warte des dritten und ersten Aktes der Faust II-Handlung ins Blickfeld gerückt: das schrittweise Freiwerden Helenas beispielsweise für die Begegnung mit Faust erinnert bis in die einzelnen Stufen hinein (Abwerfen verschuldeter Vergangenheit, Selbstbegegnung, Idolszene, Vorahnung des Todes usw.) an die zeitontologische Interpretation des Begriffs der „Geschichtlichkeit" am Schluß von Heideggers „Sein und Zeit" (vgl. die dortige Sorge-Schuld-Gegenwarts-Ganzheits-Todesproblematik usw.) und trennt sich doch auch wieder entscheidend von ihr durch eine weitergezogene Tiefenperspektive ins k o n k r e t geschichtlich - b i o - l o g i s c h e Urverhältnis Helenas zu Zeit und Geschichte, aus dem die G e s a m t h e i t des Zeit- und Geschichtsproblems gleichsam entstehungsgeschichtlich vor uns abrollt unter Einschluß sämtlicher Sphären: Natur, Kunst, Geschichte, biologischer, geschichtlicher, visionärer Unsterblichkeitsformen usw. Desgleichen könnten die großen gesellschafts-, staats- und kunstphänomenologischen Vorgänge des ersten Aktes strukturell mit irgendeiner modernen Phänomenologie in Verbindung gebracht werden, da bei beiden jede eigentlich konkrete Bindung an eine b e s t i m m t e geschichtliche Gesellschaft, Staatsform und Kunst einer a l l g e m e i n zeitlosen Strukturentfaltung des Wesens von Gesellschaft, Staat, Kunst usw. weicht. Dennoch tritt auch hier bei Goethe aus der zunächst rein zeichenhaft horizontal-phänomenologischen Skizzierung etwa der ersten Mummenschanzszenen langsam eine vertikal ins Unterste und Innerste der N a t u r reichende B i l d u n g s f o l g e zutage, die mit rein phänomenologischen Mitteln gar nicht mehr faßbar ist und strengerer naturgenetischer Forschung bedarf. Gerade die eigenartige Überschneidung ontologischer, phänomenologischer und naturwissenschaftlich-genetischer Sehweisen macht die Größe und Unvergänglichkeit des Goetheschen Werkes aus. S i e wieder sehen zu lehren, gehört mit zu den wichtigsten Aufgaben vorliegender Arbeit.

Die gleiche untrennbare Überschneidung zeitlos-ontologischer, real entstehungsgeschichtlicher und biologischer Schichten aber gilt auch für die Wissenschaft von der Dichtung im engeren Sinn. Alles, was sich bisher aus der Analyse der Goetheschen Dichtung ergab, kann im Grunde nur Vorbereitung, Beweisgrund für eine umfassendere P o e t i k sein, die eine doppelte Aufgabe in sich einschließt: erstens eine systematische Bestimmung der Strukturelemente, durch die sich Dichtung von allen übrigen Geistestätigkeiten des Menschen unterscheidet, und zweitens eine Bestimmung der geschichts g e n e t i s c h e n, selber Geschichte schaffenden Rolle der Dich-

tung. Der für die geschichtsrelativistische Dichtungsbetrachtung der letzten Jahrzehnte ungewöhnliche Gedanke einer n o r m a t i v e n Poetik würde sinnvoll, wenn es gelänge, die ewigen Bedingungen der Möglichkeit von Dichtung aufzuzeigen unter Einschluß des Problems des Geschichtlichen selber und unter maß- und richtunggebender Abgrenzung von allen Grenzsphären der Dichtung, die, ins Feld der Poesie einbrechend, möglicherweise das Absinken der nachgoetheschen Dichtung im unaufhaltsamen Prozeß der Naturalisierung bzw. Idealisierung des Dichtens verschuldeten. „Niemand kennt sich mehr, niemand begreift das Element, worin er schwebt und wirkt, niemand den Stoff, den er bearbeitet..."[114b]).
„Der neuere Künstler, der von der u n b e d i n g t e n K u n s t meist keinen Begriff hat, denkt: wenn in seinen Werken irgendein Geschichtliches, Sentimentales, Frommes pp. ausgedrückt oder angedeutet ist, er habe seine Schuldigkeit getan, und merkt nicht, daß im Reiche der Kunst sich alles höheren Betrachtungen unterzuordnen hat"[115]). Scharf hält hier der alternde Dichter gegen den „neueren Künstler" eine „unbedingte Kunst" aufrecht, ohne Regeln und Vorschriften, aber im klaren Bewußtsein der „höheren Betrachtungen", denen sich „alles unterzuordnen hat", und im Hinweis auf den Verfall, den das überstarke Einbrechen reiner Inhalts- und Gefühlsbestimmungen (Sentimentales, Frommes, Realgeschichtliches) in die Kunst notwendig erzeugt.

Die Elemente seiner eigenen „unbedingten Kunst" sind mit vorliegender Arbeit herausgestellt worden. Ob es möglich ist, aus ihnen Werde- und Seinsstrukturen von Dichtung an und für sich zu entwickeln, das zu entscheiden ist hier nicht der Ort. Dazu wäre weit über Goethe hinaus eine grundsätzliche Aufrollung der Frage erforderlich, unter welchen Bedingungen Dichtung überhaupt sich im Raum der Geschichte zugleich als übergeschichtlich zu behaupten vermag. Wieweit diese Frage bereits im Raum der Goetheschen Dichtung sich ausgewirkt hat, konnte gezeigt werden. Die große Spannung von Kunstgeschichte und Ästhetik, die sich in Goethes Helenaakt ausdrückt, führte bereits dort zu Lösungen, an denen keine Dichtungsbetrachtung mehr vorbeigehen kann, die ernstlich die „Unbedingtheit" der Kunst und ihre Geschichtlichkeit zugleich zu bewältigen trachtet. Die verschiedensten Möglichkeiten Goethescher Kunst, Geschichte zu verewigen und zugleich in ihrer Zeitlichkeit zu bewahren, führten ferner auch in anderen Problemschichten (bei der Behandlung der Wandlungen der Homunkulusgestalt, bei der Erörterung des Begriffs der „Antike", der „zweiten Natur", des „historischen Lokals" usw.) zu Folgerungen, die für j e d e Kunstlehre verpflichtend sein können, da sie nicht von einem abstrakt formulierenden Kunstästhetiker, sondern von dem größten Künstler unseres Volkes im I n n e r e n seiner K u n s t selbst entwickelt worden sind. Zeit wurde bei Goethe gerettet, indem Kunst sie aufnahm; darin lag schon der Sinn der panegyrischen Dichtung ältester Zeiten. Das Problem der Goetheschen Kunst begreift daher auch urbildlich in sich eine Problematik von Kunst überhaupt. Die Tatsache aber, daß dem deutschen Volk in einem unglaubhaften Glücksfalle von seinem größten Dichter ein Werk geschenkt worden ist, in dem die Genesis und Wesenheit des dichterischen Prozesses selbst mit der ganzen Fülle, Breite und Tiefe seiner schöpferischen Unendlichkeit dargestellt wurde, verpflichtet nicht nur zur erkennenden und nachzeichnenden Aufhellung und Klärung des Werkes, sondern vor allem dazu, aus diesem großartigsten Strukturentwurf der Poesie, den die Weltliteratur kennt, die Folgerungen zu ziehen, die sowohl auf theoretischem wie auf praktischem Gebiet liegen.

Theoretisch muß es einst möglich werden, die Bedingungen der Möglichkeit von Kunst überhaupt — die Goethe hier in gleich kühner und objektbezogener Problemweite entwirft wie Kant die transzendentalen Erkenntnisbedingungen — systematisch wie kunstgeschichtlich auszuwerten zu einer Kunstlehre, in der die geschichtssproduktive, nicht geschichtsabhängige Rolle der Dichtung durchsichtig wird auf Grund einer klaren, ontologisch einwandfreien Erschließung des Zusammenhangs, in welchem die biologischen, historischen, biographischen u. a. Elemente im spezifisch dichterischen Prozeß stehen. Da eine solche Poetik nicht zeigt, wie Dichtung faktisch zustandekommt, sondern lehrt, unter welchen Bedingungen sie möglich ist, bleibt sie theoretisch. Wesentlich wird sie aber im Rahmen der großen Auseinandersetzung zwischen Kunstgeschichte, Ontologie, Ästhetik und Anthropologie.

Praktisch jedoch ergibt sich aus der Erkenntnis der Faust II-Dichtung eine neue Bestimmung dichterischer „Tat". Daß Dichtung nicht wesentlich Wiedergabe von Erlebnissen oder ausformender Ausdruck begrifflich formulierbarer Weltbilder ist, sondern stets „neu" in ein „Unbekanntes" vorstößt — „treu" nur ihm und einer „Tat", die menschliches Schicksal trägt und gestaltet —, ist eine unabdingbare Forderung, durch deren Erfüllung einzig die Dichtung ihre unaufhörlich schöpferische Spontaneität wahrt, einzig ihre Produktivkraft behauptet und sich zur geschichtsbildenden Macht erhebt. Die „Unbedingtheit der Kunst", von der Goethe unter Verwerfung einer allzu engen Bindung an Inhalte und Gefühle spricht, vermag allein jeder Form- und Gehaltsfrage eine streng verpflichtende Richtung zu verleihen, weil sie in jedem Gestaltungspunkt eine untrügliche Ausrichtung aufs Ganze der Lebensentscheidung hervorbringt und keine Abirrung in rein formales Spiel oder ins bloß Stofflich-Gedankliche duldet. Nur darum ist Dichtung bei Goethe engstens mit dem ungebrochenen Wagnis der Tat verbunden, die das Schicksal der Welt, als stünde es völlig neu und unbewältigt vor uns, immer wieder auf sich nimmt und so die Spannweite der Dichtung unter Abschüttelung alles zeitverfallen Reproduktiven behauptet. Der Dichter erschafft erst dann eine „neue Welt", wenn er am Ende seiner eigenen steht.

Das Werden und Wachsen der Faust II-Dichtung, die Fülle ihrer Bild-
und Symbolwelt war nur die unendliche Ausformung eines einzigen
Themas, das hartnäckig in jedem Vers und Vorgang sich durchhielt, des
Themas der Schöpfung. Seine Ausprägung rief umwälzende Neuformungen
des Verhältnisses von Kunst, Geschichte und Natur hervor, deren Fruchtbarkeit und Bedeutung erst heute zu werten möglich ist. Seine tiefste und
reinste Rechtfertigung aber mag das spätgoethesche Ringen um den Urgrund alles Schaffens dann erst erhalten, wenn aus ihm durch Abräumung
vielfältiger Irrungen und Täuschungen der Quell einer neuen Schöpfung
hervorbricht.

Anmerkungen

Vorbemerkung

Das Buch setzt eine eingehende Kenntnis der Entstehungsphasen, Vorlagen und Quellen der Faust II-Dichtung voraus. Zur leichteren Benutzung wird für den Laien im folgenden eine kurze Übersicht über sie gegeben. Diese Tabelle erhebt in keiner Weise den Anspruch auf Vollständigkeit und vermag die Faust-Kommentare und textkritischen Ausgaben der seitherigen Goetheforschung nicht zu ersetzen, die jedem Leser zur Hand liegen müssen und denen die vorliegende Arbeit sich zu besonderem Dank verpflichtet fühlt. Mag mit diesem Buch auch über die seither erschlossenen Vorlagen, Quellen und geistig-biographischen Anregungen hinaus ein anderer Weg zur Deutung beschritten sein, mag hier in erster Linie die innergoethesche Entwicklung als große organische Einheit gesehen sein, aus der die geistigen Hintergründe der einzelnen Faust II-Gestalten und -szenen entstehungsgeschichtlich begriffen und gedeutet werden, so sind doch die tatsächlichen äußeren Anlässe und unmittelbaren Quellen des Werkes, vor allem aber die einzelnen Entwicklungsstationen, die sich in den Paralipomena und Lesarten ausdrücken, immer wieder der Ausgangspunkt, von dem aus erst eine größere und vertieftere Deutung möglich ist.

Das gleiche gilt für die umfangreiche Spezialliteratur zu Faust II, die weitgehend hinzugezogen wurde. Eine ausgiebige, unmittelbare Auseinandersetzung mit ihr im Text verbot sich, da das Buch schon ohnehin auf Grund seiner besonderen Deutungsweise einen Umfang annehmen mußte, der eine weitere Ausdehnung nicht mehr vertrug. Nur bei besonders strittigen Einzelfragen wurde diese Literatur auch im Text herangezogen; im übrigen muß auf die „Anmerkungen" verwiesen werden, in denen die jeweilige Einzelliteratur, soweit es der Raum erlaubte, angegeben wird. Auf ein vollständiges Literaturverzeichnis mußte angesichts der unabsehbaren Faust-Literatur verzichtet werden. Das konnte mit um so besserem Gewissen geschehen, als die Arbeit von Ada M. Klett: „Der Streit um Faust II seit 1900, chronologisch und nach Sachpunkten geordnet, mit kommentierter Bibliographie von 512 Titeln" (Jenaer Germanistische Forschungen, Bd. 33, Jena 1939) die wesentlichsten Arbeiten über Faust II in bibliographisch einwandfreier Weise bis 1939 zusammengestellt hat.

Auf sie muß auch aus einem m e t h o d o l o g i s c h e n Grund verwiesen werden: Die vorliegende Arbeit könnte dem Einwand begegnen, daß sie die einzelnen Faust-II-Szenen mit analogen Vorgängen in früheren oder gleichzeitigen Werken Goethes vergleicht, ohne die v e r s c h i e d e n e n Bedeutungen zu berücksichtigen, die die jeweiligen dichterischen Gebilde in anderen Werkzusammenhängen haben.

Diesem Einwand ist e r s t e n s die Arbeit von Ada M. Klett als aufhellendes Gegenbeispiel entgegenzustellen. Aus ihrer neutralen, rein sachlich berichtenden Zusammenstellung der Forschungsergebnisse von vier Jahrzehnten geht einwandfrei die ernste, widerspruchsvolle Lage hervor, die sich ergibt, wenn die Faust-II-Dichtung — wie es seither fast durchgehend geschah — lediglich aus einer sogenannten reinen W e r k i n t e r p r e t a t i o n untersucht wird, wenn das Werk als ein Ganzes „an sich" aus einer sogenannten Faust-„Idee", einem Faust-„Charakter" usw. begriffen wird. Man lese nur die „Streit"-Punkte nach, die in der Forschung z. B. über den Ausgang von Fausts Wette (S. 67), über die Rolle Helenas (S. 41 ff.), über Homunkulus' Stellung im Rahmen des Werkes (S. 34 ff.) und über andere Teilfragen entstanden, und man wird der erschreckenden Auswegslosigkeit innewerden, in die diese Interpretationsmethode notwendig geraten mußte. Erst unter dem Eindruck dieser Entwicklung kann die Notwendigkeit einer neuen, nicht mehr ausschließlich vom „Werk" und seiner „Idee" aus kombinierenden und willkürlich konstruierenden Methode eingesehen werden. Erst aus dem Versagen der reinen Werkinterpretation kann der vorliegende Versuch richtig eingeschätzt werden, das Werk g e n e t i s c h aus dem g e s a m t e n dichterischen Vorstellungs- und Gefühlsbereich des späten Goethe zu begreifen und aus der E n t s t e h u n g s g e s c h i c h t e des Werkes — und einzig aus ihr — die sachliche Grundlage einer Deutung zu empfangen.

Diese Gegenüberstellung des Alten mit dem Neuen war leider bei dem äußeren Umfang des Buches und bei der Notwendigkeit, zunächst einmal die S a c h e s e l b s t v o l l s t ä n d i g herauszuarbeiten und für sich sprechen zu lassen, im Text selber nicht möglich. Dem Forscher wird sie auf Grund seiner Kenntnis der einschlägigen Literatur selber leicht durchführbar sein. Dem weniger in der Faustliteratur Bewanderten bietet der übersichtliche Forschungsbericht von Ada M. Klett ein willkommenes Hilfsmittel, wenngleich er naturgemäß die Tiefe der in der vergangenen Faustliteratur aufgetretenen Probleme nicht sichtbar machen kann. In sehr vielen Fällen ist daher die Kontrolle bei der jeweiligen Einzelforschung unentbehrlich.

Noch auf eine z w e i t e methodologische Tatsache ist hier zu verweisen. Wenn in vorliegender Schrift im einzelnen nachgewiesen wird, daß sich die meisten Faust-II-Gestalten organisch aus früheren Goetheschen Dichtwerken entwickelten (Euphorion-Knabe Lenker aus Mignon, Faust-Plutus aus Vorformen im Divan, die Mummenschanz aus den früheren Maskenzügen usw.), so wird damit n i c h t die Behauptung verknüpft, daß diese Vorformen in den früheren Werken nicht auch a n d e r e Bedeutungen hätten und nicht ganz unabhängig von der Faust-II-Dichtung konzipiert wurden. Es wird lediglich zu zeigen versucht, daß es vom frühsten bis zum spätesten Goethe ganz bestimmte o r g a n i s c h g e w a c h s e n e d i c h t e r i s c h e G e b i l d e u n d P r o b l e m s c h i c h t e n gibt, die immer wiederkehren und — trotz der jeweils verschiedenen Werkkonstellation, aus der sie entstanden — in inneren, bedeutungsvollen und weite Teile der Faust-II-Dichtung aufhellenden Zusammenhängen miteinander stehen. Die Beziehungen, in denen diese Gebilde u n t e r e i n a n d e r sich befinden, galt es aufzudecken. Der Bedeutungszusammenhang, der sie a u ß e r d e m mit dem jeweiligen Werk verbindet, konnte erstens aus räumlichen Gründen nur bei unumgänglichen Problemstellungen berücksichtigt werden — dann allerdings um so gründlicher (s. z. B. die umfangreiche Wilhelm-Meister-Interpretation, Kap. III, Abschnitt 7). Er durfte aber zweitens auch aus i n n e r e n Gründen vernachlässigt werden: Gerade Goethes dichterisches Schaffen weist ja — in diametralem Gegensatz zum Schaffen Schillers, Kleists, Hebbels u. a. — die Neigung auf, aus den verschiedensten, oft Jahrzehnte zurückreichenden Quellen, Anlässen und Erlebnissen heraus plötzlich spontan ein dichterisches Gebilde aus sich herauszustellen, es n i e unter eine zentrale, das ganze Werk bestimmende I d e e zu stellen, oder es ihr gar subsumierend zu unterwerfen. Die geheimen Fäden zu erkennen, die von einem solchen spät gewordenen Gebilde zu früheren analogen zurücklaufen, vor allem aber die organische Gesetzmäßigkeit zu ergründen, mit der diese Fäden miteinander verwoben werden, war daher vordringliches Ziel der Untersuchung. Um es zu erreichen, wurde das g e - s a m t e Goethesche Schaffen berücksichtigt, einschließlich aller Briefe, Tagebücher, Gespräche und Lesarten zu den einzelnen Dichtungen.

Eine gewisse c h r o n o l o g i s c h e und problemgeschichtliche Anordnung dieses umfangreichen Materials taucht innerhalb der Einzelanalysen an verschiedenen Stellen auf je nach der entsprechenden Problemstellung. Es sei z. B. erinnert an die chronologische Gliederung des Problems Kunst-Gesellschaft im Anschluß an die Mummenschanz-Analyse, an die Einteilung: 1) Gesellschaftsfeindliche Kunst- und Naturverehrung in der Frühzeit (Sturm und Drang), 2) Annäherung zwischen Kunst und Gesellschaft: Tasso, frühklassische Maskenzüge, 3) Die Gesellschaft wird selber Kunstwerk: Endfassung der „Lehrjahre", 4) Tragisch-ästhetische Schwebehaltung der Hochklassik: Märchen, Natürliche Tochter, Helena usw., 5) Die Auflösung der ästhetisierten Gesellschaft: Wahlverwandtschaften, 6) Sieg des Biologisch-Historischen: Pandora, Dichtung und Wahrheit, Wanderjahre usw. Die feineren Übergänge und Differenzierungen wurden im Text selber — soweit es der Raum zuließ — angedeutet.

Nach der ersten Auflage des vorliegenden Buches ist eine wichtige Ergänzung zu den hier entwickelten Symbolzusammenhängen und Symbolproblemen Goethes erschienen: das Buch von Ronald D. Gray, Goethe the alchemist, a study of alchemical symbolism in Goethe's literary and scientific works, Cambridge: University Press 1952. Gray hat das Verdienst, die historische Herkunft der Goetheschen Symbole aufgedeckt zu haben, indem er den Nachweis führte, daß diese Symbole, die Hermaphroditengestalten, das Goldsymbol, die Gesteins-, Farben-, Elementensymbole usw. aus alchimistischen Traditionen stammen, die Goethe bekannt waren. Auch das Buch von Harold Jantz, Goethe's Faust as a renaissance man, parallels and prototypes, Princeton, NY: Princeton Univ. Press 1951, geht ähnlichen Zusammenhängen nach.

Ferner sei verwiesen auf meine Auseinandersetzung mit der mythengeschichtlichen und psychoanalytischen Symbolforschung Karl Kerényis, C. G. Jungs, Werner Danckerts, A. Dornheims u. a. in dem Aufsatz: „Symbolinterpretation und Mythenforschung, Möglichkeiten und Grenzen eines neuen Goetheverständnisses", in: Euphorion, Bd. 47 (1953), S. 38/67. Dieser Aufsatz faßt zugleich die Probleme und Interpretationen des vorliegenden Buches nochmals grundsätzlich zusammen und versucht eine begriffliche Klärung der Goetheschen Symbolstruktur. Das gleiche gilt für meinen Aufsatz: „Das Problem der Symbolinterpretation im Hinblick auf Goethes ‚Wanderjahre'", in: Deutsche Vierteljahrsschrift für Literaturwissenschaft und Geistesgeschichte, Jahrgang 26 (1952), S. 331/52.

An weiterer wichtiger Faust II-Literatur, die seit der ersten Auflage des vorliegenden Buches erschienen ist, nenne ich:

Atkins, Stuart: The Mothers, the Phorcides and the Cabiri in Goethe's Faust. Monatshefte f. deutschen Unterr. d. Sprache und Literatur, Madison, Wisc., Bd. 45, 1953.

Atkins, Stuart: Goethe, Calderon and Faust. Der Tragödie zweiter Teil, German Review, 28, 1953.

Atkins, Stuart: The vision of Leda and the Swan in Goethe's Faust, Modern Language Notes, 68, 1953.

Buchwald, Reinhard: Führer durch Goethes Faustdichtung, Stuttgart: Kröner 1949.

Busch, Ernst: Die klassische Walpurgisnacht, Germanisch-Romanische Monatsschrift 31, 1943.

Busch, Ernst: Goethes Religion. Die Faustdichtung in christlicher Sicht. Tübingen: Furche-Verl. 1949.

Danckert, Werner: Goethe. Der mythische Urgrund seiner Weltschau. Berlin: de Gruyter 1951.

Daur, Albert: Faust und der Teufel. Eine Darstellung nach Goethes dichterischem Wort, Heidelberg: C. Winter, 1950.

Enders, Karl: Faust-Studien, Müttermythos und Homunkulus-Allegorie in Goethes Faust, Bonn: Bouvier 1947.

Dornheim, Alfredo: Goethes „Mignon" und Thomas Manns „Echo", zwei Formen des „göttlichen Kindes" im deutschen Roman, in: Euphorion, Bd. 46 (1952).

Franz, Erich: Mensch und Dämon. Goethes Faust als menschliche Tragödie, ironische Weltschau und religiöses Mysterienspiel, Tübingen: Niemeyer 1953.

Flitner, Wilhelm: Goethe im Spätwerk, Hamburg: Claassen & Goverts, 1949.

Friedländer, Paul: Rhythmen und Landschaften im zweiten Teil des Faust. Weimar: Böhlau 1953.

Fuerst, Norbert: The Pentalogy of Goethe's Faust, in: Goethe, Bicentennial Studies, ed. by H. J. Meessen, Bloomington: Indiana University 1950.

Fuerst, Norbert: Die phantasmagorischen Gestalten des „Faust", in: Monatshefte f. d. deutschen Unterricht, deutsche Sprache und Literatur, Madison, Wisc., Bd. 41.

Fairley, Barker: Goethes Faust. Sechs Essays, Oxford: Clarendon Press, 1953, VI.

Hartlaub, Gustav F.: Prospero und Faust. Ein Beitrag zum Problem der schwarzen und weißen Magie. Dortmund 1948 (Shakespeare-Schriften 3).

Jaeger, Hans: The Problem of Faust's Salvation, in: Goethe, Bicentennial Studies, ed. by H. J. Meessen, Bloomington: Indiana University 1950.

Kerényi, Karl: Das ägäische Fest. Die Meergötterszene in Goethes Faust II, in: Spiegelungen Goethes in unserer Zeit, herausgegeben von Hans Mayer, Wiesbaden: Limes-Verl. 1949.

Mathaei, Rupprecht: Die Farbenlehre im Faust, in: Goethe, Vierteljahrsschrift d. Goethe-Gesellschaft, Bd. 10, 1948.

Reinhardt, Karl: Die klassische Walpurgisnacht. Entstehung und Bedeutung, in: Antike und Abendland, herausgegeben v. B. Snell, Bd. 1, Hamburg: M. v. Schröder 1945, auch in: Von Werken und Formen, Godesberg 1948.

Schadewaldt, Wolfgang: Faust und Helena, in: Deutsche Vierteljahrsschrift für Literaturwissenschaft und Geistesgeschichte, Jahrgang 30 (1956).

Schadewaldt, Wolfgang: Zur Entstehung der Elfenszene im zweiten Teil des Faust, ebd., Jahrgang 29 (1955).

Seidlin, Oskar: Helena: Vom Mythos zur Person, in: Publications of the Modern Language Association of America, Bd. 62 (1947).

Staiger, Emil: Fausts Heilschlaf, Hamburger Akadem. Rundschau 2, 1947/48.

Stöcklein, Paul: Wege zum späten Goethe, Hamburg 1949.

v. Wiese, Benno: Faust als Tragödie, Stuttgart 1946.

v. Wiese, Benno: Die deutsche Tragödie von Lessing bis Hebbel, Hamburg 1952,
S. 119/67.

Zeittafel und Vorlagen zur Entstehung von Faust II

Die Tabelle soll lediglich den Laien rasch orientieren und ihm die Benutzung
des Buches erleichtern. Zu den einzelnen, zum Teil noch umstrittenen Fragen der
Chronologie (vor allem der Paralipomena) sind die textkritischen und entstehungsgeschichtlichen Faustausgaben von Erich Schmidt (Weimarer Ausgabe, Bd. 15 und
53, Cottasche Jubiläumsausgabe, Bd. 14), Robert Petsch (s. Anm. 15 zur Einl.),
Karl Alt (s. Anm. 24 zur Einl.), Trendelenburg (s. ebd.), Theodor Friedrich (s.
Anm. 20 zur Einl.), Ernst Beutler (s. Anm. 19 zur Einl.) u. a., sowie die Ein-
zelliteratur hinzuzuziehen: G. W. Hertz, Zur Entstehungsgeschichte von Faust II,
Akt V, Euphorion 33 (1932), S. 244—277 und: Entstehungsgeschichte und Gehalt
von Faust II, Akt II, in: Natur und Geist in Goethes Faust, Frankfurt a. M. 1931,
S. 113—163, Wilhelm Büchner, Goethes Angaben über die Entstehung des Faust,
Jb. d. Goethe-Ges., Bd. 9 (1932), S. 34—45; Ch. Sarauw, Die Entstehungsgeschichte
des Goetheschen Faust, in: Det Kgl. Danske Videnskabernes Selskab, hist.-filol.
Meddelelser I 7, Kopenhagen 1918 (nur Schlußteile von Faust II, sonst haupt-
sächlich Faust I behandelt); Erich Seemann, Ein Beitrag zur Entstehungsgeschichte
von Faust II, Goethe und Hinrichs, Hannover 1938; A. Wohlauer, Goethes
Helenadichtung in ihrer Entwicklung, Breslauer Schulprogramm 1903; R. Petsch,
Fauststudien, Goethejahrbuch 28 (1907), S. 110—133; Niejahr (Euphorion 1, 81:
III. Akt und Paralip.) u. a. Einen ähnlich zusammenfassenden Überblick über
Entstehungszeit und Vorlagen bietet der Kommentar von Theodor Friedrich unter
„Erlebtes und Erlesenes".

Zeittafel

1797—1800: Schema zu Teil I und Teil II (Paralip. 1)

V. Akt: Einige Skizzen zu den Szenen „Mitternacht" bis „Grablegung" (Paralip. 91—96)

III. Akt: Paralip. 84 („Helena, Ägypterin, Mägde")
Großes Helena-Fragment vom Sept. 1800 (Vers 8498—8802,
ohne die ersten Chorpartien und mit anderen Abweichungen):
„Helena im Mittelalter, Satyrdrama, Episode zu Faust"

1. Akt: Paralip. 65 („Bravo, alter Fortinbras"), wahrscheinlich auch
andere Paralip., z. B. Paralip. 66 ff., 86—90 u. a.

1816: Inhaltsangabe der Faust-II-Dichtung (für „Dichtung und Wahrheit"
bestimmt: Paralip. 63 (vom 16. Dez.)

1825: Neue Inangriffnahme der Helenadichtung (25. Febr.), fortlaufend
Arbeit an ihr bis Juni 1826, zum Teil noch bis Früh-
jahr 1827

Möglicherweise im Frühjahr 1825 auch Teile des V. Aktes („Mitternacht" bis „Grablegung")

Skizze zum I. Akt („Faust schlafend, Geister des Ruhms": Paralip. 100)

1826: Vermutlich erste Faust-II-Szene und Teile des V. Aktes im Frühjahr
Im Anschluß an die Fertigstellung der „Helena" große Entwürfe zum II. Akt am 10. Juni, 9. November und 17. Dezember (Paralip. 123 (2), 99 und 123 (1). Die eigentliche Ausarbeitung der Klassischen Walpurgisnacht setzt erst wieder 1829/30 ein

1827: Weitere Arbeit am I. Akt, vgl. Paralip. 104, 106 (Nov., Dez.) u. a.

1828: Am 14. Januar Absendung des I. Aktes bis Vers 6036 (Lustgarten: Salamander-Elementenvision) zur Veröffentlichung im 12. Bd. der Ausgabe letzter Hand

1828—1830: Weitere Arbeit am I. Akt und an den ersten Teilen des II. Aktes. Der I. Akt Januar 1830 vollendet

1830: Arbeit am II. Akt: Januar/Februar: Klassische Walpurgisnacht, z. B. Paralip. 124 („Pharsalische Ebene, mond- und sternenhelle Nacht"), Paralip. 125 (6. 2.: Schema zum II. Akt), im Januar: Mephisto bei den Greifen und Sphinxen, Bergentstehung usw.

Skizze zur Proserpina-Szene (Faust in der Unterwelt), Paralip. 157 (18. Juni)

Klassische Walpurgisnacht vor dem 25. Juni beendet.

Vom V. Akt wahrscheinlich die Szene „Bergschluchten" Dez. 1830.

1831: V. Akt: Philemon- und Baucis-Szenen („Offene Gegend" bis „Tiefe Nacht") und Fausts Schlußmonolog

IV. Akt „Das Hauptgeschäft zustande gebracht": 22. Juli

1832: „Neue Aufregung zu Faust": 24. Januar

Vorlagen und Anregungen zu Faust II

Allgemein: Benjamin Hederich, Gründliches mythologisches Lexikon, herausgegeben von Johann Joachim Schwabe, Leipzig 1770

Zum 1. Akt: Alpenszene: 3. Schweizer Reise

Szene: „Saal des Thrones":
1) Hans Sachs, Geschicht Keyser Maximiliani löblicher gedechtnuß mit dem alchimisten (Ausg. d. Hans-Sachs-Schriften von Keller-Götze, Bd. 16, S. 422)
2) Hans von Schweinichens Denkwürdigkeiten (Büschings Ausg.)

Mummenschanz:
1) Grazzini: Tutti i Trionfi, Carri, Mascherate o Canti carnascialeschi andati per Firence dal tempo del Magnifico Lorenzo de'Medici fino all' Anno 1559 (Cosmopoli 1750)
2) Valentini, Abhandlung über die Komödie aus dem Stegreif und die italienischen Masken, Berlin 1826
3) Mantegna, Julius Cäsars Triumphzüge
4) Dürer, Triumphzug Maximilians
5) Florentiner Renaissancefeste

6) Beschreibung des Athenäus von dem Aufzug des Ptolomäus Philometor (daraus entnahm Goethe Elephant und Nike (Viktoria) und Athene (Göttin der Klugheit)

7) Zum Flammengaukelspiel: a) Gottfried Arnold, Historische Chronika (1642), VI, 655; b) Georg Rudolf Widmanns Faustbuch, bearbeitet von Nikolaus Pfitzer (Neudr. von A. Keller, Bibliothek des Literarischen Vereins Nr. 146, Tübingen 1880, II, 12)

Zur Mütterbeschwörung:

1) Plutarch, Leben des Marcellus, Kap. 20

2) Plutarch, Über den Verfall der Orakel, Kap. 22 und 13

Zur Helenabeschwörung:

1) Hans Sachs, Historia: Ein wunderbarlich gesicht keyser Maximiliani, löblicher gedechtnuß, von einem nigromanten (1564) (Keller-Götze 20, 483)

2) A. von Hamilton, L'Enchanteur Faustus (dtsch. von Mylius, in Reichardts Bibliothek der Romane, Bd. 2, Berlin 1778, abgedr. bei Alexander Tiele, Die Faustsplitter in der Literatur des 16.—18. Jahrhunderts, Berlin 1900, Nr. 156, 311)

Zum II. Akt: Zu Homunkulus:

1) Johannes Prätorius, Anthropodemus Plutonicus: Kap. von „Homunculis oder chymischen menschlein"

2) Paracelsus, De generationibus rerum naturalium (s. Werke, herausgegeben von Karl Sudhoff, Abt. I, Bd. 11, München-Berlin, 1928, S. 317)

3) Oken, Zeitschrift Isis 1819, S. 1117/23 (Entstehung des Lebens aus dem Meer)

4) Friedrich Wöhlers Harnstoffdarstellung (1828)

Zu Fausts Traum von Helenas Geburt (Vers 6903—6930): Correggios Gemälde „Leda mit dem Schwan"

Zur Klassischen Walpurgisnacht:

1) Dodwell, A classical and topographical tour through Greece, London 1819 (deutsch von Sickler, Meiningen 1821)

2) J. H. Voß, Mythologische Briefe, 1794

3) M. Annäus Lucan: De bello civili (Pharsalia)

4) Plutarch, Leben des Pompejus

5) Johann Meursius, Creta, Cyprus, Rhodus, Amsterdam 1675

6) Zu den Ameisen und Greifen: a) Herodot 4, 27; b) Plinius, Hist. nat. 11; c) Graf von Veltheim, Von den goldgrabenden Ameisen und Greifen der Alten, 1794

7) Biographie des Anaxagoras bei Diogenes Laertius

8) P. v. Köppen, Die dreigestaltete Hekate und ihre Rolle in Mysterien, 1823

9) Creuzer, Friedrich, Symbolik und Mythologie der alten Völker, 1810—1812, II, 284 ff.

10) Schelling, Über die Gottheiten von Samothrace, 1815

11) Gemälde: a) Raffael: Triumphzug der Galatee (Vers 8144
bis 8149); b) Annibale Carraccis und Agistinos' Triumphzüge
der Galatee, s. dazu Philostrats Gemäldebeschreibung (vgl.
Goethes Aufsatz Philostrats Gemälde, Abschnitt Cyklop und
Galatee)

Zum III. Akt: Zu Helena: Barthélémy, Voyage du jeune Anacharsis ed. 1789
  Zu Euphorion:
  1) das Pfitzersche Faustbuch: Erzählung von Fausts und Helenas
  Sohn
  2) Philostrats Heroicus (Helena und Achill zeugen Euphorion
  auf der Insel Leuce)
  3) Byrons Tod, dazu: Stanhope: Greece in 1823 and 1824
  (gelesen von Goethe Juni 1825)
  Zu Arkadien:
  1) Gell, Narrative of a journey in the Morea (1823)
  2) Williams, Select views in Greece (1824—1829)
  3) Castellan, Briefe über Morea, Weimar 1809

Zum IV. Akt: Zum Kriegszauber: Walter Scott, Letters on demonology and
  witchcraft (1831)
  Zum Kampf mit dem Meer: Catteau-Catteville: Tableau de la mer
  baltique 1829
  Zur Schlußszene: „Neue Erläuterung der Guldenen Bulle" von J. D.
  v. Olenschlager 1766 (zu Vers 10871—10970)

Zum V. Akt: 1) Entwässerung unter Friedrich d. Gr., Deichdefension an der
  Weser usw.
  2) Basrelief zu Cumae (Lemuren)
  3) Fresken des Campo Santo in Pisa, gestochen von Lasinio:
  „Triumph des Todes", „Jüngstes Gericht" und „Hölle und
  Einsiedler in der Thebaischen Wüste"
  4) Stich, angeblich nach Tizian: „Heiliger Hieronymus mit den
  drei Löwen" (zu Vers 11844—11853)
  5) Dantes „Paradiso"
  6) Swedenborg, Arcana coelestia (zu Vers 11894—11913)

Abkürzungen

WA   = Goethes Werke, herausgegeben im Auftrage der Großherzogin
            Sophie von Sachsen, Weimar 1887 ff. Römische Zahlen = Ab-
            teilung, arabische Zahlen = Bandzahl und Seitenzahl.

JA   = Goethes sämtliche Werke, Cottasche Jubiläumsausgabe, Stutt-
            gart und Berlin 1902 ff.

Gräf   = Hans Gerhard Gräf, Goethe über seine Dichtungen, II. Teil,
            Die dramatischen Dichtungen, 2. Bd., Faust, Frankfurt a. M.
            1904.

Gespräche   = Goethes Gespräche, Gesamtausgabe, herausgegeben von Frh.
            v. Biedermann, Leipzig 1909 ff. (zweite Auflage).

Die Zählung der Paralipomena erfolgt nach der Weimarer Sophienausgabe (WA).

Einleitung und Kapitel I (S. 12—63)

1) Zur Einleitung (S. 12—31):

Als Ergänzung des einleitenden Abschnittes sind die methodologischen Ausführungen Seite 349, 389—391, 419 ff., 426 hinzuzuziehen, die unmittelbar aus der Werkinterpretation selber erwachsen und die eigene Goethesche Stellung zur Frage der Dichtungsinterpretation einzubeziehen versuchen. Auch die Abschnitte über Goethes Dichtungsweise, Symbollehre und Geschichtsdenken (Seite 46 ff., 116 ff., 125 f., 238 ff. u. a.) sind hinzuzunehmen. Sie lassen die Grenzen zwischen der Goetheschen Position und unserer gewohnten geisteswissenschaftlichen und historisch-kritischen Denkweise deutlicher hervortreten als es in der vorbereitenden Einleitung möglich war. Zum Problem der Bilderanalyse und ihrer Abgrenzung von den philosophischen oder biographisch-philologischen Zugangsmöglichkeiten zu Goethe bieten die zusammenfassenden Schlußbetrachtungen S. 422—432 Ergänzungen.

Auch als Ganzes steht die einleitende Auseinandersetzung bewußt im Schatten der alles überragenden Problematik, die das Goethesche Werk selbst enthält. Sie greift gleichsam versuchsweise von außen einige ungelöste Fragen der Faust-II-Forschung auf, um von ihnen aus langsam in die innere Problemstellung des Werkes vordringen zu können. Ein „System" der Methodik ist daher nicht beabsichtigt. Es ist außerhalb der Einzelinterpretation nicht möglich und könnte allenfalls erst n a c h einer sorgfältigen Durcharbeitung aller Einzelfragen, die das Goethesche Schaffen uns stellt, gewagt werden. Auch eine sogenannte „philosophische" Werkinterpretation, wie sie etwa Rickert versuchte oder — im extremen Sinne — die Hegelschule vornahm, ist hier vermieden, so sehr auch die vorliegende Arbeit den Anschein philosophischer Durchformung und Durchdenkung erwecken mag. Es werden zwar F o l g e r u n g e n aus dem dichterischen Werk gezogen und hieran notwendigerweise philosophische Betrachtungen geknüpft. Die Ergebnisse bilden sich aber nicht durch induktives Aufsteigen aus dem Goetheschen Werk zu allgemeineren systematischen Schlußfolgerungen. Die Untersuchung verharrt vielmehr im einzelnen der „Erscheinung" und vollzieht gleichsam im Innern der dichterischen Gebilde selber (vgl. S. 49 f.) die Sinndeutung mit Hilfe von Vorstellungselementen, die das dichterische Gebilde aufbauen (vgl. die von Goethe wiederholt ausgesprochene Anschauung, daß die Symbole auch stets die „Sache selbst" sind und daß die „Phänomene" bereits ihre „Lehre" und „Theorie" in sich enthalten; zu der sich daraus ergebenden Problematik s. die Ausführungen S. 46 ff).

Folgerichtig nähert sich daher diese Methode wieder viel stärker der sogenannten historischen oder „positivistischen" Methode, als es die Auseinandersetzung mit der historisch-genetischen Motivinterpretation (S. 26—29) erwarten läßt. Man vergleiche den kurzen Abschnitt über „Erlebnis und Ganzheit" S. 423, man vergegenwärtige sich die sich durch das ganze Buch ziehende Auseinandersetzung zwischen dem „Einzelnen" und dem „Urphänomenologischen", und man wird einsehen, warum die vielbekämpfte positivistische Methode ein echteres, ursprünglicheres Verhältnis zu Goethes Gestalt- und Denkweise besaß als die nachfolgende Ideeninterpretation. Die Tatsache, daß sich bei Goethe — im entschiedenen Gegensatz zu Schiller, Kleist, Hebbel u. a. — E r l e b n i s und W e r k fast d e c k e n, mußte in dieser naturwissenschaftlich-genetisch denkenden Wissenschaftsrichtung (vgl. E. Rothackers Darstellung über den Positivismus in seiner „Einleitung in die Geisteswissenschaften", Tübingen 1930) den erregenden Glauben erwecken, von jedem e i n z e l n e n Punkt aus die irrationalen Sprünge und Einfälle genialer Intuition entstehungsgeschichtlich begreifen und so gleichsam eine Naturgeschichte der Genialität schreiben zu können (vgl. Wilhelm Scherers Wort von „Goethes Selbstbiographie als Kausalerklärung der Genialität", in: Wilhelm Scherer, Zur Geschichte der deutschen Sprache, 1868, S. VI ff.). Gerade G o e t h e mußte mit innerer Notwendigkeit zum Kronzeugen dieser Methodenlehre werden. Gerade an s e i n e Erforschung haben sich folgerichtig die entschiedensten Erfolge dieser Methode geknüpft, Erfolge, die vor allem bezüglich der Textklärung und Durchleuchtung der einzelnen Dichtungsschichten in entstehungsgeschichtlicher und damit großenteils auch kompositorischer und sprachlicher Hinsicht von keiner späteren „geistes- und ideengeschichtlichen" Interpretationsmethode je überholt oder auch nur erreicht werden konnten, weil die positivistische Methode einen unzweifelhaft ursprünglicheren Zugang zum Werdeprozeß dieser Dichtung, zu Goethes Vorstellung vom „Gegenwärtigen" besaß als die nachfolgende Ideeninterpretation, die in ihren besten Leistungen wiederum nur geistesgeschichtliche Linien zurück zu Shaftesbury, Leibniz, Giordano Bruno usw. spann, also grundsätzlich die positivistische Methode des Nachweises von Einflüssen nicht abstreifte, während ihre systematischen Deutungsversuche entweder in goethefremde Dogmatik (Gundolf) oder in begriffliche Leere (Simmel) gerieten.

Dennoch war damit nur die Hälfte des Problems erfaßt. Erlebnis und Anstoß sind nicht die Dichtung selber. Ja in der Goetheschen Abhängigkeit des Schaffens vom Erleben, die ja bei anderen Dichtern durchaus nicht in dieser Weise vorhanden ist, mag ein unendlich Tieferes mitspielen: die Erhebung des „Gegenwärtigen" ins zeitlos e w i g Gegenwärtige. Dem „Einzelnen" steht Goethes „Totalitäts"-Begriff gegenüber, dem „Erlebnis" seine Idee vom „Höheren", Durchgängigen des Schaffens, und dem Kausalitätsdenken des Positivismus der Goethesche prälogisch-überempirische „Ursprungs"-Begriff (vgl. S. 40 ff., 47 ff.) mit seiner scharfen Abgrenzung gegen jede „induktiv" ableitende Methode, ja überhaupt gegen jede nach „Ursache und Wirkung" fragende Denkweise (vgl. S. 41 f., 46 ff., 50, 56, 389 f., 432). Gerade dies widerstreitet dem Schererschen Versuch einer „Kausalerklärung" der Genialität.

Die Erschließung dieses „Ursprungs"-Begriffs — der sich in weitverzweigten Zusammenhängen durch die tragenden „urphänomenologischen" Natur- und Kunstvorstellungen Goethes zieht — mündete daher in vorliegender Arbeit folgerichtig in völlig anderen methodologischen Grundsätzen, die im nachfolgenden I. Kapitel (S. 32—63) angedeutet werden. Vor allem führte der Goethesche Ursprungs-Begriff in seiner konsequenten praktischen Anwendung dazu, das Goethesche Werk gleichsam bis in seine genetischen Urbestandteile zurückzuverfolgen, wodurch sich der Maßstab der Beurteilung ungewöhnlich verschob. Das Werk steht sozusagen nicht mehr als fertige Form im ästhetischen Sinne vor uns und wird dementsprechend auch nicht mehr nach festen ästhetischen Gesichtspunkten beurteilt und kritisiert, wie das in der Forschung von Friedrich Th. Vischer bis Ziegler, Croce, Witkowski, Rickert usw. immer wieder — sei es im positiv verteidigenden, sei es im negativ abwertenden Sinne — zu beobachten ist. Vielmehr wird versucht, möglichst aus dem Gesichtskreis des Schaffenden selbst Entstehung und Sinn des Geschaffenen zu deuten und durch Aufhellung der inneren assoziativen und kunsttheoretischen Zusammenhänge der einzelnen Dichtungsgebilde den „Sinn" des jeweils Geschaffenen zu erschließen.

Außer den in den folgenden Anmerkungen genannten Werken sind zur Frage der Methodik noch hinzuzuziehen: Erich Schmidt, Aufgaben und Wege der Faustphilologie (in den Berichten der Versammlung deutscher Philologen und Schulmänner in München 1891), J. Minor—A. Sauer, Studien zur Goethephilologie (Wien 1880), Wilhelm Scherer, Goethephilologie (Aufsätze über Goethe, Berlin 1886, S. 3—27), Hans Titze, Die philosophische Periode der deutschen Faustforschung (1817—1839), Diss. Greifswald 1916. Allgemeinere Werke zur Methodenlehre: R. Petsch, Deutsche Literaturwissenschaft, Aufsätze zur Begründung der Methode, Berlin 1940 (German. Studien, Heft 222), J. Petersen, Die Wissenschaft von der Dichtung, System und Methodenlehre der Literaturwissenschaft, Berlin 1939 (s. das dortige ausführliche Literaturverzeichnis), H. Pongs, Das Bild in der Dichtung, Marburg 1927, O. Walzel, Gehalt und Gestalt im Kunstwerk des Dichters, Berlin 1923 (Handbuch der Literaturwissenschaft, Bd. 3), ders., Grenzen der Poesie und Unpoesie, Frankfurt a. M. 1937, ders., Das Wortkunstwerk, Mittel seiner Erforschung, Leipzig 1926, Franz Schultz, Die philosophisch-weltanschauliche Entwicklung der literarhistorischen Methode, in: Philosophie der Literaturwissenschaft hrg. von E. Ermatinger, Berlin 1930, S. 1 ff., Emil Ermatinger, Das dichterische Kunstwerk, Grundbegriffe der Urteilsbildung in der Literaturgeschichte, Leipzig-Berlin 1939 (3. Auflage). Zu der hier angewandten Methode der Bildanalyse s. vergleichsweise das Buch von Gerhard Fricke, Die Bildlichkeit in der Dichtung des Andreas Gryphius, Materialien und Studien zum Formproblem des deutschen Literaturbarock, Berlin 1933.

Zur Forminterpretation: K. Burdach, Goethes Sprache und Stil im Alter, Vorspiel II, Halle 1926, Paul Fischer, Goethes Wortschatz, Ein sprachgeschichtliches Wörterbuch zu Goethes sämtlichen Werken, Leipzig 1929, Andreas Heusler, Goethes Verskunst, Deutsche Vierteljahrsschrift für Literaturwissenschaft und Geistesgeschichte, Bd. 3. Allgemeines zur Forminterpretation: A. Riehl, Bemerkungen zu dem Problem der Form in der Dichtkunst, Vierteljahrsschrift für wissenschaftliche Philosophie 1897—1898, Karl Voßler, Gesammelte Aufsätze zur Sprachphilosophie, München 1923, Josef Nadler, Das Problem der Stilgeschichte, in: Philosophie der Literaturwissenschaft, herausgegeben von E. Ermatinger, Berlin 1930, S. 376—397 u. a.

2) Zum I. Kapitel:

Die hier entwickelte Problematik des Goetheschen Symbolbegriffs ist entscheidend für das Verständnis alles folgenden. Sie enthält Voraussetzungen, die vor allem für die Formung des neuen Goethebildes von besonderer Bedeutung zu sein scheinen, wie aus analogen Arbeiten hervorgeht. Ich nenne u. a. den Aufsatz von Wolfgang Lange, Goethe und das Urtümliche, in: Deutsches Ahnenerbe, Reihe B, Fachwissenschaftliche Untersuchungen, Abt. 15: Arbeiten des Reichsberufswettkampfes der Deutschen Studenten 1937/38, Bd. III: Beiträge zu einer organischen Volkskunde, Berlin 1940, S. 41—63. W. Lange spricht vom „urtümlichen Bild" (S. 42 ff.), dem „eine größere Realität" zukomme „als gemeinhin in unserem Sprachgebrauch" (S. 43) und in dem „die Hauptmaßstäbe des modernen Denkens ..., Zeit, Raum und Kausalität" (S. 42, vgl. damit unsere Ausführungen S. 47) aufgehoben seien bzw. „von einer gleichsam anderen Qualität erfüllt" würden (S. 43). „Man muß sich darüber klar sein, daß der moderne Begriff das Wesen des urtümlichen Bildes nur andeuten, nicht aber ersetzen kann, da das Wesen des urtümlichen Bildes gerade in seiner Anschaubarkeit und seiner unmittelbar zu den Sinnen sprechenden Wirklichkeit liegt" (S. 42, vgl. damit unsere Ausführungen S. 38 ff.). „Und tief ins Urtümliche hinzureichen scheint die Feststellung, daß gerade im Symbol Vergangenheit und Zukunft verbunden sind zur greifbaren Gestalt; beide, Vergangenheit und Zukunft, treffen sich in der Gegenwart, und der gegenwärtige Augenblick wird zur Ewigkeit" (S. 50, vgl. damit unsere Ausführungen S. 59 ff. u. a.). Auch das bekannte Wort Goethes, daß er sich vor dem Dämonischen „hinter ein Bild flüchtete", wird von W. Lange zu einer Vertiefung des Klassischen ins „Urphänomenologisch-Dämonische" ausgewertet bzw. zu einer Abgrenzung der Goetheschen Klassik vom Klassizismus geführt (S. 60), wie sie ähnlich in unseren Ausführungen zum Ausdruck kommt.

Will man sich ein klares Bild darüber verschaffen, welcher geistesgeschichtliche Wandel sich in solchen, im Rahmen des kleinen Aufsatzes naturgemäß nur tastenden Ansätzen ausdrückt, so nehme man zum Vergleich Bücher aus der früheren Goetheforschung zur Hand, etwa Walter Jacobi, Das Zwangsmäßige im dichterischen Schaffen Goethes, psychiatrisch-kritische Studie, Langensalza 1915 (= Sammlung wissenschaftlicher Arbeiten, Heft 42), F. Kainz, Psychologie der ästhetischen Grundgestalten bei Goethe, in: Archiv f. d. ges. Psychologie, Bd. 90, Paul Albrecht, Die bildliche Darstellung des Gefühlslebens in der Sprache Goethes (bis 1790), Hamburg 1921, R. M. Meyer, Goethes Art zu arbeiten, Goethejahrbücher, Bd. 14 (1893), Ch. Sarauw, Die Entstehungsgeschichte des Goetheschen Faust, in: Det kgl. Danske Videnskabernes Selskab, hist.-filol. Meddelelser, I, 7, Kopenhagen 1918 (bes. das 1. Kap. über Goethes naturhafte Schaffensweise und „periodische Erneuerung" (S. 65 f.)). Auch dort wird das Unbewußte, organisch Wachsende des Goetheschen Schaffens erkannt (vgl. unsere Ausführungen S. 32 ff.), aber durchgehend ins psychologisch Deduzierbare gewandt oder auf andere, außerdichterische Ursprünge reduziert. Die eigentümlich totalisierende Kraft, die im dichterischen Bildschaffen liegt, ist weder in ihrer Bedeutung für Entstehung und Sinn des Werkes noch in ihrer g e s c h i c h t s p h i l o s o p h i s c h e n Konsequenz (Umwandlung des Zeitbegriffs, neue Bestimmung der „Tat" usw.) erkannt. Eine Ausnahme macht der bedeutende Ansatz bei Wilhelm Dilthey, Die Kunst als erste Darstellung der menschlich-geschichtlichen Welt in ihrer Individuation, Teil IV der „Beiträge zum Studium der Individualität" 1895/96 (Ges. Schriften V, Leipzig-Berlin 1924, S. 273). Der Aufsatz bezieht sich zwar nicht unmittelbar auf Goethe, greift aber das Problem in seiner grundsätzlichen Bedeutung auf. Leider ist dieser Vorstoß — der zögernd verbindlichen Art Diltheys gemäß — nicht zu jener tieferen, radikaleren Fortführung gelangt, die der geschichtsphilosophisch konsequenter denkende York von Wartenberg von ihm forderte (Briefwechsel zwischen Wilhelm Dilthey und dem Grafen Paul York von Wartenberg 1877—1897, herausgegeben von Erich Rothacker, Halle 1923, S. 193).

Zu entscheidenderen Ergebnissen gelangten erst die Arbeiten von Ferdinand Weinhandl (s. Anm. 171), Friedrich Meinecke (s. Anm. 79) und vor allem von Franz Koch (s. das Kapitel „Vergangenheit und Gegenwart" in: Goethes Stellung zu Tod und Unsterblichkeit, Schriften der Goethe-Gesellschaft, Bd. 45, S. 144 bis 187, Weimar 1932). Auf sie sei hier nachdrücklich verwiesen.

Als Ergänzung zu diesem im I. Kapitel aufgeworfenen Problem des Verhältnisses des Goetheschen Symbols zum G e s c h i c h t l i c h e n s. die Einzelanalysen S. 110—130, 169, 195—204, 230, 233—247, 259 ff., 312—325 u. a. Zur allgemeineren Problemstellung vgl. auch Ernst Hoffmann, Die Sprache und die archaische Logik, Tübingen 1925, Heidelberger Abhandlungen, Bd. 3; Margarete Hoerner, Gegenwart und Augenblick, Deutsche Vierteljahrsschrift, Bd. X, 457 ff. Aus der unübersehbaren Literatur über das S y m b o l nenne ich: Ferdinand Weinhandl, Das aufschließende Symbol (s. Anm. 171), H. Kuhn, Der Begriff des Symbolischen in der älteren deutschen Ästhetik, Schlesische Jbb. f. Geistesw. und Naturw., Breslau 1924; Joh. Volkelt, Der Symbolbegriff in der neuesten Ästhetik, Jena 1876; Robert Scherer, Das Symbolische, eine philosophische Analyse, Philos. Jb. d. Görres-Ges., Bd. 48, Fulda (1935); J. Flesch, Metaphysik des Symbols und der Metapher, Diss., Bonn 1934 u. a.

E i n z e l a n m e r k u n g e n :

1) Ada M. Klett, Der Streit um Faust II seit 1900, Jenaer Germanistische Forschungen 33, Jena 1939. — 2) Kurt May, Faust II. Teil, in der Sprachform gedeutet, in: Neue Forschung, Arbeiten zur Geistesgeschichte d. Germ. und Rom. Völker, Berlin 1936. — 3) G. W. Hertz, Natur und Geist in Goethes Faust, Deutsche Forschungen, Bd. 25, Frankfurt a. M. 1931; ders.: Goethes Naturphilosophie im Faust, Berlin 1913. — 4) H. Heinrich Borcherdt, Die Mummenschanz im zweiten Teil des „Faust", in: Goethe, Vierteljahrsschr. d. G.-Ges., Bd. 1, 1936, S. 289 ff. — 5) Konrad Burdach, Faust und die Sorge, Deutsche Vierteljahrsschr. f. Litw. und Geistesgesch. 1923; ders.: Die Schlußszene in Goethes Faust, Sitzungsbericht d. Berliner Akad., Philos.-hist. Klasse, Berlin 1931, u. a. Aufsätze. — 6) Robert Petsch, Goethes Faust. Der Tragödie zweiter Teil, GRM., XI. Jahrg. (1923), S. 336 ff.; ders.: Die dramatische Kunstform des Faust, Euphorion 33 (1932); ders.: Aufsätze über Faust in: Gehalt und Form, Dortmund 1935, u. a. — 7) Max Kommerell, Faust zweiter Teil, zum Verständnis der Form, in: Corona, Jg. VII, Heft 2/3, München-Berlin 1937. — 8) K. J. Obenauer, Der faustische Mensch, 14 Betrachtungen zum 2. Teil von Goethes Faust, Jena 1922. — 9) Vor allem Kurt May, Zur Einheit im Faust II, GRM. 18, 1930, 98 ff. — 10) B. Croce, Goethe, Wien 1920. — 11) Konr. Ziegler, Gedanken über Faust II, Stuttgart 1919. — 12) Fr. Gundolf, Goethe, Berlin 1916, S. 762 f. — 13) Th. A. Meyer, Friedrich Vischer und der 2. Teil von Goethes Faust, Stuttgart 1927. Vgl. Fr. Th. Vischer, Kritische Gänge, Tübingen 1844, Bd. 2, S. 49—212; ders.: Die Literatur über Goethes Faust, Hallesche Jbb. 1839; ders.: Der Tragödie dritter Teil, Tübingen 1862. — 14) Ernst Beutler, Der zweite Teil von Goethes Faust,

Goethe-Kalender 1937 (Bd. 30), S. 68—108. — 15) Goethes Faust, herausgegeben von R. Petsch (Goethes Werke, Festausgabe, Bd. 5), Leipzig 1926, S. 688. — 16) a.a.O. — 17) K. A. Meißinger, Helena, Schillers Anteil am Faust, Frankfurt a. M. 1935. — 18) a.a.O. Vgl. auch die Dissertation seiner Schülerin Dorothea Lohmeyer: Faust und die Welt, ein Versuch über den zweiten Teil der Dichtung, Leipzig 1939 (Diss. Frankfurt a. M.). — 19) E. Beutler, Faust, erläutert, Leipzig 1939. Sammlung Dieterich, Bd. 35. — 20) Theodor Friedrich, Goethes Faust, erläutert (mit Wörterbuch), Reclam 7177/80, Leipzig 1940 (3. Auflage). — 20a) Zu den inneren Widersprüchen, die sich aus einer solchen aufs „Werk" gerichteten Deutungsmethode ergeben, s. den folgenden Abschnitt sowie die Einzeluntersuchungen unter S. 65 ff., 81, 186, 362 ff. u. a. — 21) Franz Schultz, Klassik und Romantik der Deutschen, Epochen der deutschen Literatur, Bd. IV, Teil 1, Stuttgart 1935. — 22) R. Beitl, Goethes Bild der Landschaft, Berlin-Leipzig 1929. — 23) W. Müller, Die Erscheinungsformen des Wassers bei Goethe, Erlangen 1917. — 24) Goethes Faust, herausgegeben von Erich Schmidt, JA 14; Goethes Faust, erklärt von Adolf Trendelenburg, Berlin-Leipzig 1921; Petsch, a.a.O.; E. Beutler, a.a.O.; Goethes Faust, herausgegeben von G. Witkowski, 2. Bd., Leiden 1936 (9. Auflage); Goethes Faust in sämtlichen Fassungen mit den Bruchstücken und Entwürfen des Nachlasses, herausgegeben von Karl Alt, Berlin-Leipzig-Wien-Stuttgart 1939 u. a. — 25) s. z. B. Erich Schmidts Faustkommentar (JA 14), wo vielfache Beziehungen einzelner Fauststellen zu anderen Goetheschen Dichtungen angedeutet werden. — 26) s. die vielzitierte Goethesche Briefstelle: „Natur und Kunst sind zu groß, um auf Zwecke auszugehen, und haben's auch nicht nötig, denn Bezüge gibts überall und Bezüge sind das Leben" (an Zelter, 29. 1. 1830). — 27) Über die Funktion des Ironischen in Faust II, auf die seit Burdach jüngst vor allem Kommerell und May aufmerksam gemacht haben, s. S. 33, 38, 55 f., 91 ff., 162 ff. — 28) Wilhelm Böhm, Faust der Nichtfaustische, Halle 1933; B. Croce, a.a.O.; Konr. Ziegler, a.a.O. usw. — 29) Borcherdt, a.a.O., S. 297. — 30) ders.: a.a.O., S. 301. — 30a) Z. B. in der Aufdeckung der Rolle der Poesie für Fausts Leitung der Mummenschanz, s. unter S. 181 ff. — 31) ders.: a.a.O., S. 305. — 32) K. May, Faust, II. Teil, Berlin 1936, S. 63. — 33) ebd. S. 63. — 34) ebd. S. 67 f. — 35) s. Kommerell, a.a.O., S. 214; Beutler, Goethe-Kalender 1937, S. 102, u. a.; das „Herabsinken" Mephistos ist vor allem belegt durch Szenen des zweiten und fünften Aktes. — 36) a.a.O., S. 67 f. — 37) Auf die zweite Begründung Mays aus der Sprachführung Goethes wird noch bei der Behandlung der Forminterpretation einzugehen sein, s. unter S. 22 ff. — 38) a.a.O., S. 67, Anm. 56. — 39) Zur Frage der Verführung Fausts durch Mephisto s. unter S. 64 ff., 136 ff., 273 ff., 343 ff. — 40) a.a.O., II, Erl. zu V. 9945/54. — 41) GRM. 18, S. 100, 104/05 usw. — 42) a.a.O., S. 64. — 43) Fr. Gundolf, a.a.O., S. 763. — 44) GRM., XI. Jg., S. 344. — 45) ebd. S. 345. — 46) Heinrich Rickert, Goethes Faust. Die dramatische Einheit der Dichtung, Tübingen 1932. — 47 GRM. 18, 107 (K. May). — 48) Max Kommerell, Faust und die Sorge, Goethe-Kalender 1939, Leipzig 1939. — 49) M. Kommerell, Corona, a.a.O., S. 218. — 50) ebd. S. 219. — 51) ebd. S. 230. — 52) ebd. S. 229. — 53) ebd. S. 225. — 54) s. dazu die Neigung Goethes, das „offenbare Geheimnis" in stumme Zeichen und Andeutungen zu verschließen schon zur Zeit der „Natürlichen Tochter", sowie Goethes Wendung gegen Shakespeare, er „verschwätze das Geheimnis" (WA I 41, S. 55). — 55) a.a.O., Corona, S. 218. — 56) ebd. S. 224. — 57) ebd. S. 224. — 58) JA, Bd. 14. — 59) a.a.O. — 60) a.a.O. — 61) „Natur und Geist in Goethes Faust", a.a.O. — 62) ebd. S. 113 ff. — 63) ebd. Vorwort. — 64) Helene Herrmann, Faust, der Tragödie zweiter Teil, Studien zur inneren Form des Werkes, Zs. f. Ästhet. und allgem. Kunstwiss., Bd. 12, 1917, Heft 1/2. — 65) Margarethe Bressem, Der metrische Aufbau des Faust II, Berlin 1931. — 66) A. Heusler, Goethes Verskunst, DVLG 3. — 67) Paul Knauth, Goethes Sprache und Stil im Alter, Leipzig 1898. — 68) W. Ruoff, Goethe und die Ausdruckskraft des Wortes, Leipzig 1933. — 69) a.a.O., S. 192. — 70) a.a.O., S. 98. — 71) a.a.O., S. 67 — 72) a.a.O., S. 67, Anm. 56. — 73) a.a.O. (Corona), S. 383. — 74) ebd. S. 369. — 75) ebd. S. 384. — 76) s. unter S. 312—325. — 77) a.a.O., S. 99. — 78) a.a.O., S. 119—120. — 79) Friedr. Meinecke, Die Entstehung des Historismus, 2 Bde., München-Berlin 1936, Bd. 2, Kap. 10, „Goethe", S. 480—631. Franz Koch, Vergangenheit und Gegenwart ineins, Halle 1939, s. auch vor allem das bedeutende Kapitel: „Vergangenheit und Gegenwart" in Franz Kochs Buch: „Goethes Stellung zu Tod und Unsterblichkeit", Weimar 1932, S. 144 bis 187. — 79a) Vgl. die Untersuchung der merkwürdigen, damit zusammenhängenden Probleme u. S. 281 ff. — 80) a.a.O., S. 192. — 81) Gräf, Nr. 1498. — 82) Konr. Burdach, Vorspiel, Halle 1926, Bd. 2, S. 402 ff. — 83) ebd. S. 423. — 84) ebd. S. 437. — 85) DVLG, 1 (1923). — 86) Sitzungsbericht d. Berliner Akad., Philos.-hist. Kl. 1912. — 87) a.a.O. — 88) Westöstl. Divan, herausgegeben von K. Burdach, JA 5, S. 422/23. — 89) WA IV 3, S. 94/95, 100; WA IV 6, 302 f., 311 u. a. — 90) s. dazu Fr. Meinecke, a.a.O. — 91) a.a.O. (Vorspiel, 2. Bd.), S. 420. — 92) a.a.O. — 93) WA IV 15, S. 62. — 94) A. Bäumler, Ästhetik, in: Handbuch d. Philosophie, Bd. 26, München-Berlin 1934, S. 99. — 95) a.a.O., S. 207. — 96) Obenauer, a.a.O., S. 83. — 97) Gräf, Nr. 1941 (20. 7. 1831 an H. Meyer über Faust II). — 97a) s. die folgende Darstellung, S. 33 ff. — 97b) s. die Neigung Goethes zum Geheimhalten der „Bedeutungen" seiner Symbole, zum Versteckspielen mit Andeutungen, zum Inkognito usw., vgl. damit unsere Analyse S. 44 ff., 76 ff., 185 ff. — 97c) Zum Verständnis der hier angewandten Methode ist es wichtig, darauf hinzuweisen, daß mit einer Entwicklung der Symbole aus ihren Vorstufen nicht gemeint ist, daß die Bedeutung, die die Symbole in einem früheren Werk haben, einfach auf die Faust-II-Symbole übertragen werden dürfen. Vielmehr sind gerade die früheren Bedeutungen von den späteren abzuheben, um die volle Sinndeutung zu erhalten; vgl. besonders die Darstellung der v e r s c h i e d e n e n Entwicklungsstufen in Kapitel III, Abschnitt 5—9 (S. 146 bis 171), ferner S. 76 ff, 88, 110, 113, 140 f., und vor allem S. 226—232, 233, 277 , 308—312. Zu den wechselnden Funktionen der Symbole je nach der Werkkonstellation, s. S. 191, und z. B. die verschiedene Rolle der Blumen- und Früchtesymbolik im Sturm und Drang (S. 146), in der Frühklassik (S. 148 ff.), im Wandel zur Hochklassik (S. 152 ff.), im krisenhaften Übergang zur Spätklassik (Wahlverwandtschaften S. 161 ff.) und endlich in der Spätklassik (Divan, S. 167 ff.). — 98) s. die vorhergehende Anmerkung. — 98a) Eine eingehende, zum Teil positive Auseinandersetzung mit dieser Richtung mußte aus Raumgründen fallen; vgl. aber die Analyse der Stellung, die Goethe selbst zu ihr und den mit ihr zusammenhängenden Fragen eingenommen hat: unter S. 118 ff. und Vorbemerkungen zu vorliegenden Einzelanmerkungen. — 98b) vgl. dazu gleichfalls unsere Analyse der eigenen Einstellung Goethes zu ihr unter S. 117. — 99) WA IV 49, S. 397. — 100) ebd. — 101) Gräf, S. 606 f. — 102) Gräf, Nr. 1961. — 103) Gräf, S. 606 f. — 104) Gräf, Nr. 1555, WA IV 43, 167. — 105) Gräf, Nr. 1941. — 106) s. unter S. 140—169. — 107) WA I 18, S. 319. Analoge Ineinanderverwandlungen von Wald und Ruine (Kunstwerk) s. in „Des Epimenides Erwachen", in der Szenerie der „Pandora", in den Anfangsnovellen der „Wanderjahre" u. a. Siehe dazu unsere Ausführungen S. 122 ff. — 108) WA I 18, 321. — 109) WA I 18, 320. — 110) Vgl. „Pyrmont"-Entwurf WA I 36, 258 ff. und WA I 35, 104 f. — 111) WA I 18, 336. — 111a) WA I 18, 340. — 112) WA I 18, 461. — 113) WA I 25, 1, S. 168. — 114) s. Brief vom 29. 1. 1830 an Zelter. — 115) WA II 9, S. 241 ff., besonders S. 244 f. — 116) WA II 9, S. 241. — 117) Gräf, Nr. 1489. — 118) WA IV 49, 164. — 119) JA 33, S. 121. — 120) s. dazu Gerhard Plathow, Das Wahrheitsproblem in Goethes Wissenschaft, German. Studien, Heft 155, Berlin 1934, besonders S. 115, 120 ff. — 121) Gräf, Nr. 1531. — 122) Gräf, Nr. 1941. — 123) WA IV 43, 167. — 124) Gespräche, Bd. 4, S. 322 (mit Eckermann 13. 2. 1831). — 125) An Knebel 14. 11. 1827 (WA IV 43, 167). — 126) 23. 11. 1829 an Rochlitz, WA IV 46, 166 f. — 127) s. dazu Camilla Lucerna, Das Märchen, Goethes Naturphilosophie als Kunstwerk, Leipzig 1910 und die grundlegende Ausgabe des „Märchens" von Theodor Friedrich, Goethes Märchen, mit einer Einführung und einer Stoffsammlung zur Geschichte und Nachgeschichte des Märchens, Leipzig 1925 (= Reclams Univ.-Bibliothek Nr. 6581/83). — 127a) Vom Götzdrama und Straßburger Münster-Aufsatz über den Granitaufsatz (aus der Frühklassik) bis in Problemschichten der Spätzeit, die vor allem im zweiten und dritten Akt der Faust II-Dichtung ansichtig werden, sucht G. nach einer urgewaltigen, tragenden Schicht, die bald als eine ursprünglichere geschichtliche Vergangenheit (altdeutsche Zeit, Griechentum, Orient usw.), bald als „klassische Höhen des Erdaltertums" (Italienische Reise WA I 31, S. 94 f.) im Geologischen erscheint. — 128) WA II 9, 173. — 129) WA II 9, 171. — 130) WA II 9, 179. — 131) WA II 9, 174. — 132) WA 9, 174. — 133) WA II 10, 79. — 134) WA I 41, 1, S. 128—131. — 135) WA II 9, 257. — 136) vgl. unter S. 253. — 137) vgl. dazu den Briefwechsel Goethe—Herder vor allem zur Zeit der italienischen Reise Goethes. — 138) WA III 1, S. 308 f. — 139) WA I 24, 45. — 139a) WA II 9, 175. — 140) Farbenlehre, WA II 1, S. 72 f. — 141) WA I 19, 272 f. — 142) Plathow, a.a.O., S. 25. — 143) WA IV 21, 152 f. — 144) WA IV 4, 109. — 145) WA I 35, 150. — 146) WA IV 20, 233. — 147) WA IV 34, 137. — 148) WA II 11, 131. — 149) „Symbolik"-Aufsatz, WA II 11, 167 ff. (die Verwandten = Wahlverwandtschaften). — 150) WA II 11, 168. — 151) WA II 11, 110. — 152) WA II 11, 120. — 153) WA II 11, 106. — 154) WA II 11, 104 u. 105. — 155) WA I 42, 180. — 156) WA I 42, 2, S. 260. — 157) WA I 28, 358 (Dichtung und Wahrheit). — 158) WA I 18, 150. — 159) WA IV 7, 63. — 160) WA II 3, 121. — 161) WA II 7, 347. — 162) WA II 11, 105. — 163) WA I 49, 1, S. 142. — 164) WA I 18, 322 f. — 165) WA IV 40, 337. — 166) In O. F. Damms Schopenhauerbiographie (Reclam) aus N. Paralip. § 462 zitiert. — 167) Goethe, Vierteljss. der G.-Ges., Bd. I (1936), S. 214.

— 168) WA IV 28, 175 f. — 169) WA II 5, 2, S. 298. — 170) WA II 1, 302. Siehe dazu die weiteren Nachweise von Goethes „Zweifel am Allvermögen der Sprache", in: Goethe, Vierteljahrsschrift, Bd. 1 (1936), S. 204 ff. — 171) Ferd. Weinhandl, Die Metaphysik Goethes, Berlin 1932, III. Buch: Die Metaphysik des Symbols, S. 283. — Siehe ferner an weiterer Literatur: ders.: Über das aufschließende Symbol, Sonderhefte der deutschen Philos. Ges., Heft 6, Berlin 1929, und die geschichtlich sehr ausführlich auf Goethes Symbolbegriff vorbereitende Arbeit von Curt Müller, Die geschichtlichen Voraussetzungen des Symbolbegriffs in Goethes Kunstanschauung, Palästra 211, Leipzig 1937. — 172) WA I 49, 1, S. 141 f. — 173) ebd. — 174) WA II 1, S. XXXVI. — 175) Burdachs Einleitung zum Divan JA 5, S. XXX f. — 176) WA IV 1, 199. — 177 ebd. — 178) WA IV 1, 238. — 179) WA I 22, 181. — 180) JA 33, S. 42. — 181) JA 33, 3. — 182) WA II 9, 174. — 183) JA 33, 36. — 184) Das Bild vom „inneren Licht" taucht bekanntlich bei G. an den verschiedensten Stellen auf, in der Ottiliegestalt, der Faust-Sorge-Szene usw. — 185) JA 33, 41. — 186) V. 131 f. (WA I 16, 127). — 187) WA I 1, 6 ff., V. 56, 84 ff., 95 f. Siehe dazu auch die eingehende Analyse von R. Klarmann: „Goethes Zueignung von 1784", in: Preuß. Jbb., Bd. 197, S. 31 ff. (1924). — 188) WA I 18, 124. — 189) WA I 18, 159. — 190) Burdach, Vorspiel II, 436; Kommerell, a.a.O., S. 369. — 191) WA I 23, 254. — 192) Geologie, Farbenlehre, Meteorologie (Wolkenstudien); auf die Verbindung der Metamorphosenlehre, die in ihrem Ineinander von Beharrendem und Sichwandelndem, z. B. in der Knochenlehre die gleiche symbolische Urphänomenalität aufweist, mit den künstlerischen Bild- und Problemformen wird vor allem noch bei der Behandlung des zweiten und dritten Aktes eingegangen werden, wo sich herausstellt, daß die „Schönheit" unter einem bestimmten Gesetz der Metamorphose steht, in dem sich Absolutes („Ungeheures") und organisch Genetisches unvermittelt überschneiden. — 192a) s. dazu die Einzeluntersuchung vor allem der Symbolik von Helenas Schleier, Euphorions Kleid, Aureole usw. unter S. 353 ff. — 192b) s. die Einzeluntersuchung unter S. 371 ff. — 193) WA IV 41, 169 (26. 9. 1826). — 194) WA II 13, 448. — 195) Kommerell, a.a.O. Siehe auch G. Regler, Die Ironie im Werk Goethes, Leipzig o. J. (1924). — 196) WA II 1, S. XII. — 197) WA IV 42, 198 (24. 5. 1827). — 198) WA II 9, 175 f. — 199) WA I 19, 204. — 200) WA II 9, 171. — 201) s. S. 315 ff., 331 f. — 202) JA 33, 3. — 203) WA IV 27, 156. — 203a) s. dazu die ausgedehnten Einzeluntersuchungen unter S. 221 f., 260 f., 274 ff., 329 ff. — 204) Vor allem in den Schlußpartien, vgl. unter S. 220 f., 258 f. — 205) WA I 28, 145. — 206) WA IV 27, 157. — 206a) s. z. B. die Stelle: „Ferner ist ein Urphänomen nicht einem G r u n d s a t z gleichzuachten, a u s dem sich mannigfaltige Folgen ergeben, sondern anzusehen als eine G r u n d e r s c h e i n u n g, i n n e r h a l b deren das Mannigfaltige anzuschauen ist" (von G. gesperrt; WA IV 41, 167). — 207) Im allgemeinen haben ja die Hertzschen Thesen die Zustimmung der Forschung gefunden (vgl. z. B. den zusammenfassenden Forschungsbericht bei A. M. Klett, a.a.O.). — 208) WA II 11, 126. — 209) s. K. May, Anmerkung 9. — 210) s. unter S. 281 ff. — 210a) Zum Problem des „Häßlichen" und „Schönen" in der Phorkyasgestalt s. die Einzeluntersuchungen unter S. 280 ff. — 211) Gräf, S. 599 f., 608. — 212) a.a.O. — 212a) Zu Goethes Geschichtsbewußtsein vgl. auch vor allem das Buch von Wilhelm Heinrich Scheidt, Von der Weisheit Goethes für die Geschichte, Berlin 1937, und die dort verzeichnete Literatur, darunter besonders Julia Gauß, Die methodischen Grundlagen von Goethes Geschichtsforschung, Jbb. d. Fr. Dtsch. Hochst. 1932/33. — 213) a.a.O. — 214) Fr. Meinecke, a.a.O., Bd. 2, S. 501 und 502. — 215) s. unter S. 118 f. — 216) s. unter S. 117 f. — 217) Franz Böhm, Ontologie der Geschichte, Tübingen 1933; ders.: Die Logik der Ästhetik, Tübingen 1930. — 218) Alfred Bäumler, Kants Kritik der Urteilskraft, ihre Geschichte und Systematik, Bd. 1. Das Irrationalitätsproblem in der Ästhetik und Logik des 18. Jahrhunderts, Halle 1923. — 219) s. M. Heidegger, Sein und Zeit, Halle 1935[4], II. Abschnitt, Kapitel 5: „Zeitlichkeit und Geschichtlichkeit". Siehe ferner zu dem ganzen Fragenkreis: Nicolai Hartmann, Das Problem des geistigen Seins, Untersuchungen zur Grundl. der Geschichtsphilosophie und der Geisteswissenschaften, Berlin-Leipzig 1933; E. Rothacker, Geschichtsphilosophie, Handbuch der Philosophie, München-Berlin 1934, u. a. — 220) Siehe Rothackers Analyse der philosophischen Hintergründe der sog. „Historischen Schule" und weiter Strecken der konkreten positivistischen Forschung des 19. Jahrhunderts in seiner „Einleitung in die Geisteswissenschaften", Tübingen 1930[2]. — 221) A. Bäumler, Ästhetik, a.a.O., S. 99. — 222) Benedetto Croce, Ästhetik als Wissenschaft des Ausdrucks, Leipzig 1905. — 223) Das Buch von Roman Ingarden, Das literarische Kunstwerk, eine Untersuchung aus dem Grenzgebiet der Ontologie, Logik und Literaturwissenschaft, Halle 1931, bringt auch keine befriedigende Lösung, da es sich zu sehr in systematisch-theoretischen Erörterungen verspinnt.

Anmerkungen zu Kapitel II (S. 64—130)

Literatur:

Zum Problem der Musik, der Oper und des Theaters: Die vorhandene Literatur ist meist biographisch-psychologisch oder allgemein kunstästhetisch eingestellt und bietet daher zu den hier vorgetragenen Anschauungen über das Verhälnis der Goetheschen Dichtungen zu Musik, Oper und Theater nur wenig Anregungen. Ich nenne aus der Fülle der Literatur außer den in Anmerkung 31 erwähnten Arbeiten von Abert, Krüger und Schwan: R. Baetz, Schauspielmusik zu Goethes Faust, ungedruckte Diss. Leipzig 1934, Karl Blechschmidt, Goethe in seinen Beziehungen zur Oper, Diss. Frankfurt a. M., Dühren (Rheinland) 1937, Wilhelm Bode, Die Tonkunst in Goethes Leben, Berlin 1912, 2 Bde., Hans John, Goethe und die Musik, Langensalza 1928 (Musikalisches Magazin, Heft 73), Ferdinand Küchler, Goethes Musikverständnis, Leipzig-Zürich 1935, W. J. v. Wasielewski, Goethes Verhältnis zur Musik, Bonn 1880. Außerdem sei zur Ergänzung auf die Einzelanalysen S. 294 und S. 359—361 verwiesen.

Zum Problem des Tragischen vergleiche die vorzügliche Arbeit von Chr. Janentzki, Goethe und das Tragische, Logos 16 (1927); ferner: Düntzer, Goethes Ansicht über das Wesen des Tragischen, Goethe-Jahrbuch III (1882); ferner finden sich gute Bemerkungen bei Houston Steward Chamberlain, Goethe, München 1927, 4. Auflage, sowie in den Werken von K. J. Obenauer, Petsch, Koch, Sengle, Rickert usw., die in den Anmerkungen genannt sind.

Zur F a r b e n l e h r e vgl. Hermann Glockner, Das philosophische Problem von Goethes Farbenlehre (= Beitr. z. Philosophie 11); Wilhelm Bader, Goethes Farbenlehre als Ausdruck seiner Metaphysik, Hamburg 1939 (Diss.), Hans Lipps, Goethes Farbenlehre, Ansätze zu einer Interpretation, Jb. d. Fr. Dtsch. Hochstiftes, Jahrg. 1936/40, S. 123—135, Halle 1940, Manfred Richter, Das Schrifttum über Goethes Farbenlehre mit besonderer Berücksichtigung der naturwissenschaftlichen Probleme, Berlin 1936 (Diss. Dresden), Werner Jablonski, Vom Sinn Goethescher Naturforschung, Berlin 1927 u. a.

Zum S p i e g e l problem s. Franz Koch, Goethe und Plotin, Leipzig 1925.

Zur Deutung der „P a n d o r a" s. H. Schell, Das Verhältnis von Form und Gehalt in Goethes Pandora, Würzburg 1939.

Zum Problem der G e s c h i c h t e müssen vor allem die ergänzenden Einzelanalysen S. 233—247, 258—259, 312—325 hinzugezogen werden, da sie erst die hier entwickelten Probleme in ihrer vollen sachlichen Breite entfalten und ihre Deutung beweiskräftig machen. An Literatur s. außer den in den Anmerkungen 79 und 212ª (zur Einleitung und zu Kapitel I) genannten Werken noch: Friedrich Meinecke, Goethes Mißvergnügen an der Geschichte, Berlin 1933, Walter Lehmann, Goethes Geschichtsauffassung in ihren Grundlagen, Langensalza 1930, Gustav Würtemberg, Goethe und der Historismus, Zeitschrift für Deutschkunde, 21. Erg.-Heft, Leipzig-Berlin 1929, H. Cysarz, Goethe und das geschichtliche Weltbild, 1932, E. Menke-Glückert, Goethe als Geschichtsphilosoph und die geschichtsphilosophische Bewegung seiner Zeit, Leipzig 1907 (Lamprechts Beitr. z. Kulturund Literaturgeschichte, Heft 1).

E i n z e l a n m e r k u n g e n :

1) Gespräche, Bd. 4, S. 305. — 2) ebd. S. 329. — 3) Zählung nach der Weimarer Sophienausgabe (WA I 15, 2). — 4) vgl. damit auch das Gespräch Goethes mit Falk vom 20. 12. 1816, Gräf, Nr. 1188. — 5) Gräf, Nr. 1229. — 6) Eckermanns Dialog zwischen Faust und Mephisto als Überleitung von der ersten Szene (Anmutige Gegend) zum Kaiserhof, gedr. Goethejahrbuch 2, 447 ff. (vgl. 6, 394). — 7) H. Rickert, a.a.O., S. 281. — 7ª) Borcherdt, a.a.O., S. 305 (Verführungsabsicht Mephistos), S. 297, 301 (Fausts erzieherisches Pathos); K. May, a.a.O., S. 67 f. (Mephisto), S. 64 (Fausts erzieherisches Pathos). — 7b) s. S. 409 ff. — 8) Gespräche 4, 329. — 9) ebd. — 10) Gräf, Nr. 1962. — 11) Gräf, Nr. 1474. — 12) Gespräche 4, 306. — 12ª) Gespräche 4, 305 f. — 12b) Die kompositorische Bedeutung des „Schlafs" für das Faust II-Drama herausgearbeitet zu haben, ist vor allem das Verdienst Kommerells. — 13) IV. Akt, zweite Szene, WA I 8, 257. — 14) WA I 8, 219. — 15) Die Problematik des Tragischen im Drama Schillers, von Gerhard Fricke, Jb. d. Fr. Dtsch. Hochst., Frankfurt a. M. 1930, S. 3—69. — 16) ders.: S. 36. — 17) WA I 19, S. 69—71. — 18) WA III 4, 120. — 19) Herbert Schöffler, Die Leiden des jungen Werther, ihre geistesgeschichtlichen Hintergründe, Frankfurt a. M. 1938. — 20) Gespräche 4, 306. — 21) ebd. — 22) WA IV 49, 128, (31. 10. 1831). — 23) Friedr. Sengle, Goethes Verhältnis zum Drama, die theoretischen Bemerkungen im Zusammenhang mit seinem dramatischen Schaffen, Berlin 1937 (Neue deutsche Forschungen, Abteilung Neue deutsche Literaturgeschichte, Bd. 9; Bd. 116 der Gesamtreihe), S. 50 ff. — 24) Gräf, Nr. 1531. — 25) WA I 23, 259. — 26) WA I 23, 256 f. —

27) WA I 27, 270. — 28) WA I 23, 202. — 29) Schiller an Goethe, 2. Juli 1796.
— 30) K. Ph. Moritz, Über die bildende Nachahmung des Schönen, Neudruck:
Deutsche Lit.-Denkmale des 18. und 19. Jahrhunderts, Stuttgart 1888, Bd. 31,
S. 34. — 31) WA I 35, 90 f.; vgl. auch WA I 70, 1, S. 7, ferner Brief an Zelter
vom 2. Mai 1820 (WA IV 33, 9 f.), vom 11. Mai 1820 (WA IV 33, 27) usw.,
s. ferner: H. Abert: Goethe und die Musik, Stuttgart 1922; Schwan, Wilh. B.,
Die opernästhetischen Theorien der deutschen klassischen Dichter, Leipzig 1928
(Diss.); K. J. Krüger, Die Bedeutung der Musik für Goethes Wortkunst, Goethe,
Vierteljahrsschr., Bd. 1 (1936), S. 204 ff., u. a. — 32) WA IV 6, 318. — 33) WA
I 35, 12. — 34) JA 35, 313. — 35) WA II 11, 173 f. — 36) s. WA I 40:
„Theater- und Schauspielkunst", vor allem dort die „Regeln für Schauspieler",
1803 (WA I 40, 139 ff.) und WA I 41, 1: „Shakespeare und kein Ende" (S. 52 ff.).
— 37) WA I 40, S. 74, 75, 81 u. a. — 38) WA I 2, 248. — 39) WA I 27, 347.
— 40) WA I 27, 365. — 41) WA IV 25, 292. —42) s. dazu die Einzeluntersuchungen über die Verschiedenheit der frühen und späten Helenafassungen und
S. 227 ff., 308 ff. — 43) Paralip. 63 (WA I 15, 2, 176). — 44) Gräf, Nr. 977
(An Schiller 12. 9. 1800). — 45) s. unter S. 231 ff., 309 ff. — 46) s. S. 112 f. —
47) s. S. 98 ff. — 48) WA I 13, 2, Paralip. I zu V. 117/230. — 49) V. 182 bis
217. — 50) s. Paul Hankamer, Deutsche Gegenreformation und deutsches Barock
(= Epochen der deutschen Literatur, Bd. 2, Teil 2), Stuttgart 1935, S. 283 ff.,
291 ff., 338 ff., oder das Kapitel „Theatralik" bei H. Cysarz, Deutsche Barockdichtung, Leipzig 1924, S. 175 ff. — 51) WA I 13, 2, 243. — 52) Paral. I zum
Berliner Theaterprolog. — 53) WA IV 47, 8 (6. 4. 1830). — 54) Paralip. II zum
Berliner Theaterprolog. — 55) ebd. — 56) WA I 49, 1, 322. — 57) WA IV 31,
27. — 58) s. unter S. 104 ff. — 59) WA I 29, S. 173—185. — 60) R. M. Meyers
Erläuterungen zu JA 26, S. 283. — 61) WA III 3, 399. — 62) WA I 6, 163. —
63) WA I 6, 22. — 64) WA I 6, 39. — 65) WA I 7, 76 f. — 66) WA I 50,
457 ff. — 67) Parallelen liegen im schemenhaft sich jedem Zugriff Entziehenden,
im Schleiermotiv bei beiden, ja selbst in ihrer Herkunft, s. unter S. 313 f. —
68) WA I 50, 460. — 69) WA I 50, 459. — 69a) Schlußszenen der „Zauberflöte II. Teil", WA I 12, S. 219 f. — 69b) WA I 23, 287, 289. — 70) WA I
20, 346. — 71) WA I 20, 333. — 72) WA I 20, 333. — 73) JA 35, 318. — 74) K.
Ph. Moritz, a.a.O., S. 14, 15, 36 usw. — 75) An Zelter 6. 3. 1810. — 76) WA
I 20, 220/21. — 77) WA I 6, 42. — 78) WA I 7, 137 f. — 79) WA I 23, 142. —
80) WA I 23, 124 f. — 81) Gespräche 2, 506. — 82) ebd. — 83) WA I 24, 16.
— 84) WA I 26, 204 ff.; WA I 28, 101 ff. — 85) WA I 23, 160. — 86) WA
IV 25, 178 f. — 87) WA I 24, 165. — 88) WA I 24, 166. — 89) WA IV 25,
179. — 90) WA III 4, 120. — 91) WA III 4, 121. — 92) WA III 4, 120. —
93) WA IV 25, 179. — 94) ebd. — 95) WA I 28, 26. — 96) WA I 28, 360. —
97) WA I 28, 65, 67. — 98) ebd. — 99) WA I 3, 71. — 100) WA I 3 („Wiederfinden"). — 101) JA 5, 329. — 102) WA II 1, 323 f. — 103) WA II 1, 324. —
104) WA II 1, S. IX. — 105) WA II 1, S. XI. — 106) WA II 1, 298. — 107) WA
II 1, 299. — 108) WA I 3, 191. — 109) WA II 3, 270. — 109a) WA II 3,
151 ff., vor allem S. 156. — 110) WA II 3, 272. — 111) WA II 3, 307. —
112) WA I 6, 191 f. — 113) WA I 3, 97. — 114) JA 5, 328 f. — 115) WA I 34,
1, 360. — 116) Erich Schmidt, JA 14, S. 298, zu V. 4626. — 117) WA I 32, 5.

— 118) WA I 32, 27. — 119) WA I 32, 7. — 120) WA III 1, 228. — 121) WA III 1, 232. — 122) WA I 23, 43. — 123) WA I 22, 57. — 124) WA I 22, 58. — 125) WA I 32, 10. — 126) WA I 23, 3. — 127) ebd. — 128) WA I 23, 154. — 129) WA I 23, S. 254 und 258. — 130) WA I 42, 2, S. 191. — 131) s. u. a. WA IV 26, 221; WA I 29, 135; WA I 28, 162; JA 33, 215 usw. — 132) Die „Urworte orphisch" fand Goethe bei Fr. G. Welcker, Georg Zoegas Abhandlungen, herausgegeben und mit Zusätzen begleitet, Göttingen 1817, S. 39, in der Reihenfolge Daimon-Tyche-Eros-Ananke. Franz Koch, Goethe und Plotin, Leipzig 1925, S. 255 (Anmerkung 31), vermutet, daß G. die „Hoffnung" hinzugefügt habe, „vielleicht angeregt durch eine Bemerkung über die Zusammenstellung von Fortuna und Spes"; wesentlicher aber als diese Anregung ist die Tatsache, daß Goethe überhaupt durch eine solche kleine Notiz bei Welcker (S. 39, Anmerkung 14 und S. 40) sich sofort bewogen sieht, die „Hoffnung" als seiner ganzen Weltanschauung nach unentbehrlich hinzuzufügen. — 133) WA I 2, 249. — 134) WA I 3, 73. — 135) Herausgeber von WA I 32 (461 f.); es handelt sich um Paralip. 26, WA I 32, 461). Dem Herausgeber ist seine Vermutung selber zweifelhaft, ja er hält sogar die Beziehung auf die „Selbstvorschriften" Goethes für möglich, was sich mit unserer Deutung deckt. — 136) WA III 1, 266. — 137) s. unter S. 245 ff. — 138) WA IV 42, 275. — 139) s. Anmerkung 130. — 140) WA I 6, 90 (Divan). — 141) s. S. 148 ff. und die Identität der goldenen Zeit mit der Antike im „Aufzug der vier Weltalter", WA I 16, 440; ferner „Amor mit Treue verbunden" (Weltverjüngung). — 142) s. Iphigenie u. a. — 143) s. vor allem den Schluß („Was hab ich Alter noch von dir zu hoffen ... Die schwere Schuld ..."). — 144) „Nordamerikaner glücklich, keine Basalte zu haben. Keine Ahnen und keinen klassischen Boden", WA II 13, 314. — 145) WA I 20, 211 f.; WA I 29, 135. — 146) s. die dortige Bedeutung Amerikas. — 147) WA I 24, 215 und 217. — 148) WA I 20, 210. — 149) WA I 20, 211. — 150) ebd. — 151) ebd. — 152) Iphigenie, V. 1271—1300, und Tasso I, 3. — 153) WA I 20, 224. — 154) WA I 20, 215. — 155) WA I 23, 199. — 156) WA I 23, 154. — 157) siehe dazu WA I 23, 206 und 207. — 158) 1805 in seiner Winckelmannarbeit heißt es bedeutsam: „Für den Künstler ... ist eine geschichtliche Ansicht verwandter Zustände zu schnellerer Bildung höchst vorteilhaft ... Nur erst spät wird er seiner Geschichte gewahr und lernt einsehen, wieviel weiter ihn eine stetige Bildung nach einem geprüften Leitfaden hätte führen können" (JA 34, 4). Siehe ferner WA IV 19, 121, 126 f., 139 usw. und die freudig zustimmenden Rezensionen zum „Wunderhorn", zu Hebels „Alemannischen Gedichten" (WA I 40, 297 ff.) im Jahre 1805/06 im Gegensatz zur scharfen Wendung gegen das Geschichtliche, Volkstümliche, Vaterländische im Jahre 1799—1801 (JA 33, 277 u. a.). Besonders deutlich tritt die geradezu antiklassizistische Haltung um 1805 in seiner Aufforderung zutage, sich nicht so sehr auf die „Muster" der Antike als auf die eigenen „Voreltern" zu besinnen: JA 34, 166. — 159) WA IV 19, 139. — 160) WA IV 19,126 f. — 161) WA IV 19, 139. — 162) WA IV 19, 180; WA IV 21, 201; WA IV 22, 221 und 234, 270, 309; WA IV 23, S. 6, 377 usw. — 163) WA IV 36, 205. — 163a) WA IV 23, 6. — 164) WA IV 22, 270. — 165) s. in den „Wanderjahren" beim „Einsiedler" die Einzeichnung von „Namen" aus einer „historischen Neigung" heraus (WA I 24, 153). — 166) s.

die Bedeutung des Porträts für die Geschichtsbetrachtung in den „Wanderjahren",
WA I 24, 93 f. — 167) WA I 24, 118. — 168) WA I 23, 258: „Hier im Marmor
ruht es (Mignon) unverzehrt", WA I 23, 281 ff.; WA I 20, 409, 413. — 169) WA
IV 21, 250. — 170) s. unter S. 161 ff., 317 ff. — 171) Vorbereitet natürlich schon
längst, z. B. im „Divan", der eben aus dem gleichen Grunde ein kleineres Publikum
findet. — 172) Tasso I, 3 (Beschwörung der antiken Vorzeit). — 173) Iphigenies
und Orests Anrufung der Tantaliden und Bitte an die Götter, vor allem V. 1271
bis 1300). — 173ᵃ) s. V. 9629—9678 und die entsprechenden Einzeluntersuchungen
unter S. 332 ff. — 174) Gräf, Nr. 1498. — 175) WA I 24, 17. — 175ᵃ) siehe
S. 125 ff., 320—325. — 175ᵇ) s. S. 339 ff., 346 ff. — 176) Gräf, Nr. 1981. —
177) WA I 28, 358. — 178) ebd. — 179) ebd. — 180) WA IV 23, 162. —
181) WA I 24, 116 f. — 182) WA I 24, 249. — 183) WA I 24, 153. —
184) WA IV 44, 312. — 185) Gespräche 1, S. 420—445. — 186) WA IV 25, 411.
— 186ᵃ) Goethe hat ihn nie abgesandt. — 187) WA II 13, 445 (Paralip. 409). —
188) WA IV 33, 131. — 189) WA IV 28, 243 f. — 190) WA IV 32, 131. —
191) WA IV 46, 222. — 192) WA II 3, 136. — 193) 19. 10. 1829 an Zelter. —
194) ebd. — 195) WA IV 44, 140. — 196) WA IV 44, 102. — 197) s. WA IV
23, 6; WA I 28, 284, 303 usw. — 198) WA I 28, 284. — 199) WA IV 23, 6. —
200) WA I 24, 29. — 200ᵃ) s. die Einzeluntersuchungen unter S. 260 ff. —
201) WA II 3, 145. — 201ᵃ) s. die Einzeluntersuchungen unter S. 312 ff. —
202) WA I 24, 17 f. — 203) WA I 18, 317 (mit Lesart), 319. — 204) WA I 24,
48. — 205) WA I 24, 17. — 206) WA I 18, 320 (vgl. Lesart S. 464). — 207) WA
I 18, 319 f. — 208) WA I 23, 197. — 209) Gräf, I. Teil, 1. Bd., S. 246. —
209ᵃ) WA I 34, 2, 194. — 209ᵇ) Zu der polaren Symbolik: Granit-höhere Sphäre
vgl. die Ausführungen S. 52 f., 265, 278 ff., 370, 375 f. — 210) WA I 24, 29. —
211) WA I 18, 320. — 212) WA I 24, 154. — 213) Gräf, Teil I, Bd. 1, S. 243 f.
— 214) ebd. — 215) Gräf, Nr. 1435. — 216) Gräf, Teil I, Bd. 1, S. 243. —
217) WA I 24, 116. — 218) JA 26, 222. — 219) WA I 28, S. 27 f. — 220) JA
26, 223. — 221) WA I 42, 2, S. 241. — 221ᵃ) WA IV 25, 225 f. — 222) s. dazu
die betreffende Analyse S. 260 ff., 285 ff. — 223) WA I 24, 253. — 224) WA
IV 40, 219 f. und WA I 32, 175. — 225) WA IV 41, 169. — 226) WA IV 24,
92. — 227) WA I 48, 144. — 228) An Zelter am 11. 3. 1832; WA IV 41, 267.
— 229) WA I 32, 177.

Anmerkungen zu Kapitel III (1. Akt) (S. 131—225)

Literatur:

Zur allgemeinen Deutung der M u m m e n s c h a n z, die meist in abwertenden
Fehldeutungen besteht, siehe die in den Anmerkungen 22, 216a, 224a ausführlicher
zitierten Belege; ferner nenne ich O. Walzel, a.a.O. (Handbuch), S. 332, der die
Mummenschanz negativ deutet, ähnlich Geneviève Bianquis, Faust à travers
quatre siècles, Paris 1935, S. 186, und Helene Herrmann, Faust, Der Tragödie
II. Teil, Studien zur inneren Form, Zeitschrift für Ästhetik 12 (1917), S. 90 u. a.
Zur M i g n o n deutung siehe die Literaturangaben Anmerkung 145.
Zu den s t a a t s p o l i t i s c h e n Elementen der Faust II-Dichtung vgl. die

allerdings zu allgemein gehaltene Arbeit von Ludwig Heilbrunn, Faust II. Teil, als politische Dichtung, Frankfurt a. M. 1925. Sie streicht vor allem die Bedeutung Napoleons für Goethes politisches Denken heraus, in einer allerdings nicht durchweg schlüssigen Weise; ähnlich auch P. Müllensiefen, Faust als Napoleon, ein Kommentar zu der Tragödie II. Teil (Beitr. z. Philosophie und Psychologie, Heft 11, Tübingen), Stuttgart 1932.

Zur M ü t t e r s z e n e siehe die ausführlichen Literaturangaben in den Anmerkungen 234a, 241, 247, 252.

E i n z e l a n m e r k u n g e n :

1) Die Zugehörigkeit dieses Paralip. zur Faust II-Dichtung ist nicht ganz sicher, was jedoch kaum ins Gewicht fällt bei der großen inhaltlichen und formalen Ähnlichkeit des Paralip. mit Paralip. 86, 87, 88, 89, 90 u. a. — 2) Goethes Faust, herausgegeben von R. Petsch (Werke, Festausgabe, Bd. 5), Leipzig 1926, S. 508. — 2a) s. die Ausführungen S. 176—185, 212—225. — 3) An Zelter, 24. 1. 1828 (WA IV 43, 262). — 4) s. die ausführlichen Darlegungen, S. 140 ff. — 5) s. S. 140—185. — 6) Gräf, Nr. 1757. — 7) Gedr. Goethejahrbuch (herausgegeben von L. Geiger), Bd. 2, S. 447—449, Frankfurt a. M. 1881. — 8) vgl. damit Goethes Auftreten in Mephistos (nicht Fausts!) Maske beim Weimarer Maskenzug von 1818. — 9) s. unter S. 304 ff. — 10) s. dazu die großen Ausführungen, S. 146 ff., 285 ff. — 11) Petsch, a.a.O., S. 584. — 12) Petsch, a.a.O., S. 583. — 13) WA IV 27, 172. — 14) Brief vom 24. 1. 1798 (WA IV 13, 33), vgl. damit WA IV 15, S. 197, 203, 214, 227 f. (1801), ferner WA IV 13, 68 f., WA IV 12, 247 u. a. — 14a) s. die Einzeluntersuchungen unter S. 196 f. — 15) WA I 32, 270. — 16) ebd. — 17) WA II 6, 132. — 18) WA II 6, 131 f. — 19) ebd. — 20) Formung eines Phallus, s. dazu Borcherdt, a.a.O., 229. — 20a) s. S. 196 ff. — 21) WA I 49, 2, S. 230. — 22) s. die Fehlurteile bei Gundolf, a.a.O., S. 748 f., 756, 759 f.; Witkowski, a.a.O., Erläuterungen zur Mummenschanz, hält die Mummenschanz „nicht" für eine „absichtliche symbolische Darstellung einer Gesamtidee (etwa der menschlichen Gesellschaft) ... Eine Anzahl schöner Bilder reihen sich so aneinander, daß vom Lieblichen zum Schönen, vom sinnlichen Eindruck ohne tieferen Sinn (!) zu ... Gruppen von hoher Bedeutung fortgeschritten wird". Auch Petsch (a.a.O., S. 584) schreibt: „Die Mummenschanz gibt Goethe erwünschte Gelegenheit, die Hofgesellschaft in der gedankenlosen Nichtigkeit ihrer Vergnügungen ... bloßstellen zu lassen" usw. — 23) WA I 49, 2, S. 187. — 24) WA I 49, 2, S. 213, 218. — 25) Valentini, Abhandlung über die Komödie aus dem Stegreif und die Italienischen Masken, Berlin 1826, S. 27 und Tafel 14; Grazzini, Tutti i Trionfi, Cosmopoli 1750, S. 346, 227 usw. — 26) s. dazu das folgende Kapitel u. S. 152 ff. — 27) A. Bäumler, a.a.O., II. Teil, S. 284/86. — 28) WA I 1, 352, Vier Jahreszeiten, 48. — 29) WA I 38, 5 f., 8 f. — 30) 10. 10. 1772 an Kestner (WA IV 2, 31). — 31) WA IV 2, 136. — 32) Concerto dramatico, WA I 38, 8. — 33) WA I 19, 78. — 34) Concerto dramatico, WA I 38, 4. — 35) WA I 38, 8. — 36) Daraus ergibt sich die sonderbarerweise positive Folgerung für Goethe, Shakespeare zu kürzen und zu zerstückeln und seine Teile wie goldene Äpfel in silbernen Schalen zu kredenzen (beachte hier wieder das Bild von den künstlichen Früchten). Die

Spannung zwischen Kunst und Konvention, Dichtung und Gesellschaft, welche
ja den Wilhelm Meister-Roman beherrscht, tritt jedoch beim frühen Goethe noch
in klarer Negation der Konvention auf, in polemischer Verteidigung der Ganzheit des großen Geistes gegen die zerstörende und zerstreuende Macht der Gesellschaft. — 37) WA I 16, 10, V. 42 ff. — 38) s. die genaueren Ausführungen unter
S. 152 ff., 161 ff. — 39) s. Brief vom 11. 5. 1767 an seine Schwester (WA IV 1,
91). — 40) „Aufzug der 4 Weltalter", „Amor mit Treue verbunden", „Planetentanz", „Maskenzug zum 30. Januar 1789" (Friede, Eintracht, Überfluß, Kunst
usw.). „Maskenzug zum 30. Januar 1802" (Auseinandersetzung zwischen der „gefährlichen Muse" und der „holden Unschuld", darauf der negative, das „städtische
Gewühl" vertretende Momus mit seinem Gegenspieler Satyr und am Schluß die
Sonne. Eine eigentümliche Verschmelzung der Jahreszeitenallegorik mit moderner
Literaturdarstellung ist die „romantische Poesie, Maskenzug von 1810" (alle in
WA I 16). Noch im Maskenzug von 1818 vertritt die Nacht den Raum der Poesie,
der Tag den Raum von Leben und praktischer Wissenschaft. — 41) Aufzug der
4 Weltalter: goldene Zeit = Freude und Unschuld; silberne Zeit = Fruchtbarkeit, Gaben des Geistes und der geselligen Fröhlichkeit. Siehe auch das Wort:
„Was tief verborgen ruht, ruf ich hervor; Ich gebe zwiefach, was der Mensch
verlor. Durch K u n s t gepflegt wird nur in meinem Schoß Das Schöne prächtig
und das Gute groß" (V. 5 ff.). — 42) Vom silbernen zum ehernen Zeitalter; vgl.
auch immer in den Paralip. die sehr aufschlußreiche Schilderung der Kleider,
Embleme und Begleiter der betreffenden Allegorien. — 43) V. 5 (Aufzug der
4 Weltalter). — 44) WA I 16, 444 ff., 198. — 44ª) WA I 38, 61. — 45) s. vor
allem „Amor mit Treue verbunden", wo die ganze Handlung auf das Problem
Alter-Verjüngung abgestellt ist. — 46) Im Planetentanz von 1784 folgen auf
„Liebe, Leben und Wachstum mit sich führend" die Gestirne Venus, Tellus, Mars
usw. mit der Sonne als Abschluß. Das Realzeitliche (Tellus, Mars usw.) wird eingeschlossen vom paradiesischen Urzustand. Selbst noch im Maskenzug von 1802
erscheint die Kunst als eine „neue, schönere Welt" im Gegensatz zu Momus und
Satyr, die das städtische Gewühl vertreten, und wiederum schließt die Sonne
„alles belebend und duldend" das Ganze krönend ab. — 47) Sie stützt sich auf
die Untersuchungen der Wandlungen des Parkmotivs von dem „Lila"-Feenspiel,
„Triumph der Empfindsamkeit", den Briefen der ersten Weimarer Jahrzehnte usw.
bis Tasso, Wahlverwandtschaften usw. — 48) vgl. Tasso, die Verse 979 ff., die
nicht etwa nur dem renaissancistischen Tassostoff entsprechend geformt wurden,
sondern dem neu gewonnenen klassischen Begriff der höheren, reineren und über-
wirklichen Wahrheit der Kunstnatur entstammen und insofern tatsächlich die
spätantik-stoische bzw. renaissancistische Identifizierung der Natur mit einer
außerempirisch-rationalen oder überrational-geoffenbarten Norm (die sich in den
Arkadien- und Paradiesesvorstellungen dieser Zeiten niederschlug) geistesgeschichtlich fortsetzt. — 49) s. P. Hankamer, a.a.O., S. 86 ff., 130, 435 ff. — 50) WA
IV 3, 223. — 51) Anfangsszene der zweiten italienischen Fassung des Singspiels
„Claudine von Villa Bella" (im Gegensatz zur ersten Sturm- und Drangfassung).
Ferner WA IV 3, 227, WA IV 6, 171 usw., und die rokokohafte Eremitagen-
stimmung von „Erwin und Elmire" (zweite italienische Fassung). — 52) WA I
47, 310. — 53) WA I 20, 201. — 54) s. S. 192 ff., 467 ff. — 55) s. S. 195 ff. —

56) WA I 47, 300 f. — 57) Im Park Tassos stehen die Büsten der Dichter Virgil und Ariost; aus dem Boden des Parks steigen die Züge verklärter Antike und Renaissance auf. Blumenwindend im Park hat die Prinzessin beim Anblick dieses „neuen Grüns und dieser Sonne" das Gefühl, als kehre „jene Zeit zurück", als könnten „wir u n s e r sein und stundenlang Uns in die goldne Zeit der Dichter träumen" (V. 22 ff.). „Immergrüne" (V. 28) Bäume entheben ihn dem biologischen Wechsel usw. Der Park ist künstliche Schöpfung, seltsam zwischen Kunst und Gesellschaft, Genie und „Sitte" die Waage haltend. — 58) s. S. 161 ff. — 59) Zu ihrer Bedeutung für die Kunst-Gesellschaftsproblematik s. die folgende Ausführung. — 60) WA I 21, 187. — 61) ebd. — 62) WA I 22, 15 f. — 63) WA I 21, 154 und 167. — 64) s. unter S. 173, 253, 282. — 65) WA I 51, 219. — 66) WA I 51, 237. — 67) WA I 51, 252 f. — 68) WA I 51, 252. — 69) ebd. — 70) ebd. — 71) WA I 21, 154. — 72) WA I 23, 254. — 73) WA I 23, 161: „Ist doch wahre Kunst, rief er aus, wie gute Gesellschaft". — 74) WA I 51, 214, desgl. WA I 21, 154. — 75) WA I 22, 10. — 76) WA I 22, 352 f. — 77) WA I 22, 354. — 78) WA I 23, 161. — 79) WA I 21, 322. — 80) WA I 22, 327 f., 331. — 81) WA I 22, 341. — 82) WA I 22, 153 f., 57. — 83) s. Analyse S. 353 ff. — 84) WA I 23, 11. Siehe schon im Urmeister die Bedeutung des Kleides der schönen Amazone: WA I 52, 216. — 85) s. Zitat von Anmerkung 93 (S. 206). — 86) WA I 22, 66. — 87) WA I 23, 154 und vor allem S. 165 f. und 260. — 88) WA I 23, 165. — 89) WA I 23, 151/53. — 90) WA I 23, 161. — 91) s. die Analyse des Schlüsselsymbols unter S. 216, 219 f. — 92) 9. Juli 1796 an Schiller. — 93) ebd. — 94) WA I 22, 261 f.) 95) WA I 22, 291. — 96) WA I 22, 309, vgl. vor allem damit ihr Bekenntnis: „Ich erinnere mich kaum eines Gebotes. Nichts erscheint mir in Gestalt eines Gesetzes; es ist ein T r i e b, der mich leitet und mich recht führt; ich folge mit Freiheit meinen Gesinnungen und weiß so wenig von Einschränkungen als von „Reue" (WA I 22, 356); das ist eine denkbar unchristliche, aber spezifisch Goethesche Daimonvorstellung. Vgl. auch die interessanten Belege für das Dämonische als „Führer" der Seele bei Goethe, die Chr. Sarauw, Goethes Augen, a.a.O., S. 110 ff., beibringt. — 97) WA I 22, 290 f. — 98) WA I 22, 292. — 99) s. unten die genaueren Ausführungen der parallelen Hintergründe der Homunkulusgestalt, S. 251—257, 289 ff. — 100) WA I 23, 164. — 101) s. unter S. 251—257, 289 ff. — 102) Gräf, Teil I, Bd. 1, S. 427. — 103 WA I 20, 29. — 104) WA I 20, 201. — 105) s. unter S. 395 f. — 106) WA I 20, 205. — 107) WA I 20, 208. — 108) WA I 20, 308. — 109) WA I 20, 397. — 110) WA I 20, 309. — 111) WA I 20, 219. — 112) WA I 20, 246. — 113) WA I 20, 269. — 114) WA I 20, 260. — 115) WA I 20, 242. — 116) WA I 20, 244. — 117) Ottilies Tagebuch: WA I 20, 213 ff. — 118) WA I 20, 235—237. — 119) WA I 20, 240. — 120) z. B. an Zelter, Brief vom 19. 3. 1827. — 121) s. unter S. 112 ff. — 122) „Vor den Urphänomenen, wenn sie unsern Sinnen verhüllt erscheinen, fühlen wir eine Art von Scheu bis zur Angst. Die sinnlichen Menschen retten sich ins Erstaunen" usw. (JA 35, 303). — 123) WA I 20, 253. — 124) WA IV 26, 414. — 125) WA IV 26, 414. — 126) WA III 13, 9. — 127) WA I 48, 147. — 128) Requiem V. 91 f. (WA I 16, 385 ff.). — 129) JA 5, 327. — 130) Erläuterung Burdachs zu S. 327 (JA 5). — 131) WA I 4, 20. — 132) WA I 6, 151 (ab V. 11). — 133) WA I 6, 191—193. — 134) WA I 4, 25.

— 135 s. dazu Burdachs Stilanalyse, JA 5, S. XXX. — 136) WA I 7, 111, 112, 113 usw. — 136a) vgl. die Belege bei E. Schmidt (JA 14, S. 310 f.). — 137) ebd., S. 113. — 138) WA I 7, 307 (Paralip. I, Bl. 155a). — 139) WA I 34, 1, 188 f. — 140) WA I 25, 1, 10. — 141) WA IV 45, 250; 23. 4. 1829. — 142) WA I 48, 250. — 143) WA IV 13, 33. — 144) So z. B. im Wort Mephistos im Weimarer Maskenzug von 1818: „Gefährlich ists mit Geistern sich gesellen! Und wenn man sie nicht stracks vertreibt, Sie ziehen fort, Ein und der andre bleibt In irgendeinem Winkel hängen, Und hat er noch so still getan, Er kommt hervor in wunderlichen Fällen" (WA I 16, 292, V. 738 ff.), oder in dem Gedicht: „Mich ängstigt das Verfängliche im widrigen Geschwätz ... Und mich umfängt das bängliche, das graugestickte Netz" (WA I 4, 114), das genau wie in der Mummenschanz kontrastierend zum „Unvergänglichen" steht, dem „ewigen Gesetz, wonach die Ros und Lilie blüht". Siehe ferner die Faust-Sorge-Szene und den dortigen Vergleich der Sorge mit den Gespinsten. — 144a) Paralip. 102, vgl. Erich Schmidt, a.a.O. (JA 14, S. 315). — 145) WA III 1, 224; s. dazu die Mignonliteratur, die fast durchweg der psychologisierenden Deutungsweise der vergangenen Literaturforschung verfallen ist: Walter Wagner: Goethes Mignon, GRM. XXI (1933), S. 401—415, Dorothea Flashar, Bedeutung, Entwicklung und literarische Nachwirkung von Goethes Mignongestalt, German. Studien 65, Berlin 1929; Fr. R. Lachmann, Goethes Mignon: Entstehung, Name, Gestaltung, GRM. 1927; Julius Schiff, Mignon, Ottilie und Makarie im Lichte der Goetheschen Naturphilosophie, Jahrbuch der Goethe-Gesellschaft IX, 133/47; Max Wundt, Goethes Wilhelm Meister und die Entwicklung des modernen Lebensideals, Berlin-Leipzig 1913; J. Petersen, Mignon, Deutsche Literaturzeitung 31 usw.; Gustav Cohen, Mignon, Jahrbuch der Goethe-Gesellschaft VII, 132—153, deutet die Mignongestalt rein psychopathisch. — 146) WA I 51, 252. — 147) WA I 23, 179, 273 f. — 148) s. Schlußszene und vor allem Paral. III (WA I 12, S. 388), das sehr starke Ähnlichkeiten mit Euphorion aufweist: „So komm ich und flieh und wechsle die Flur, Und wer mich verfolgt, Verlieret die Spur". — 149) WA I 23, 280. Zu den vorigen Zitaten s. WA I 23, 272 ff. — 150) WA I 23, 254. — 151) WA I 21, 183 f. — 152) WA I 21, 229. — 153) WA I 40, 115. — 154) WA II 11, 171, 173. — 155) WA I 41, 1, S. 261 f. — 156) WA III 2, 69. — 157) WA IV 42, 275. — 157a) Der Einwand, den A. Daur in seinem Buch: „Faust und der Teufel", Heidelberg 1950, S. 423 f., gegen diese Interpretation erhebt, erscheint sowohl von der grammatischen Fügung als auch vom Kontext aus gesehen unhaltbar. Es würde eine gänzliche Sinnenstellung bedeuten, die Verse 5556—5559 auf den „Günstling" des in Frage stehenden Königs zu beziehen. Denn die Frage des Knaben Lenker zielt auf eine Charakteristik des Königs, die der Herold in den Versen 5554—5559 gibt. Daß diese Charakteristik sich eindeutig nur auf den König beziehen kann, geht aus der unmittelbar folgenden Aufforderung des Knaben Lenker und der sich anschließenden weiteren Charakteristik des Herolds hervor, die nach wie vor dem „Herrscher", nicht dem Günstling gilt, und zudem noch das „Nichtstreben" des Königs (Faust-Plutus) in der bildhaften Ausmalung steigert. — 158) WA I 21, 195. — 159) ebd. — 160) WA I 42, 2, S. 176. — 161) WA I 28, 213. — 162) V. 19 ff. (WA I 16, S. 208). — 163) WA I 7, 32. — 164) Franz Schultz, Die Göttin Freude, Zur

Geistes- und Stilgeschichte des 18. Jahrhunderts, Jahrbuch d. Fr. Dtsch. Hochst., Frankfurt a. M. 1926, S. 3—38. — 165) WA I 6, 155, vorherige Stelle: S. 163. — 166) Auch nach den Lesarten (zu V. 5778 ff. [H. 33] zog der Herold den Zauberkreis um die Goldkiste, desgleichen wurden V. 5807—5814 ursprünglich vom Herold gesprochen (Paralip. 104). — 167) s. auch Borcherdt, a.a.O., S. 299. — 168) a.a.O. II, S. 304, zu V. 5797. — 169) s. Goethes Schilderung, WA I 32, 186—207. — 170) JA 5, 122. — 171) Gräf, Nr. 1973. — 172) WA I 25, 2, S. 130 f. Mit einem „magischen Fernrohr" will Wilhelm dort Natalie über den Abgrund hinweg zu sich heranziehen. — 173) s. dazu die genaueren Ausführungen bei Gelegenheit der Begründung der großen Streichung der Hadesszene in Faust II unter S. 243 ff. — 174) s. unter S. 243 ff. — 175) s. die Analyse des spätgoetheschen Dialogs, S. 314. — 176) s. unter S. 214 f., 221. — 177) a.a.O., II, S. 304, zu V. 5801/96. — 178) Borcherdt, a.a.O., S. 290. — 179) K. May, a.a.O., S. 57 ff. — 180) Borcherdt, a.a.O., S. 289. — 181) WA I 24, 61. — 182) ebd. — 183) WA I 25, 1, S. 168. — 184) WA I 25, 1, S. 295. — 185) Gespräche 2, 164. — 186) WA I 20, 163. — 187) WA I 20, 400. — 188) WA I 20, 411. — 189) WA IV 39, 46. — 189a) WA I 34, 1, S. 252. — 190) Trendelenburg, a.a.O., Bd. II, S. 84. — 191) Borcherdt, a.a.O., S. 299. — 191a) s. O. Höfler, Kultische Geheimbünde der Germanen, 1. Bd., Frankfurt a. M. 1934, S. 212, Anmerkung 148. — 191b) ebd., S. 69 ff. — 191c) WA I 18, 227. — 192) WA I 18, 228. — 193) WA I 18, 256. — 193a) s. die genauere Darstellung des „Märchens" im Zusammenhang mit der Idee von „Faust II" bei K. J. Obenauer, Der faustische Mensch, Jena 1922, S. 9 ff. — 194) 30. I. 1796 an Schiller. — 195) WA I 18, 232. — 196) WA I 24, 49. — 197) Gesperrt von Goethe. — 198) V. 722 ff. (WA I 12, 217). — 199) WA I 18, 75. — 200) WA I 18, 377 f. — 201) WA I 18, 379. — 202) laut WA I 18, 496. — 203) V. 21 ff. — 204) II. Akt, V. Auftritt. — 205) ebd. — 206) WA IV 5, 149. — 207) WA I 30, 168 f. — 208) s. dazu Borcherdts Hinweis auf das Gedicht „Ilmenau", a.a.O., S. 303 f. — 209) WA I 3, 3 f., 6. — 210) WA I 16, S. 328 (V. 25 ff.). — 211) WA I 16, 495/96. — 212) WA I 16, 499. — 213) WA I 31, 20. — 214) WA I 18, 329. — 215) V. 2693 ff. — 215a) s. O. Höfler, a.a.O, Bd. 1, S. 69/70, 73 f. (dort auch ein Hinweis auf J. Prätorius: „Blockes-Berges-Verrichtung", das ja G. gekannt hat), Feuererscheinungen beim Aufzug des wilden Heeres, S. 107. — 216) V. 131, V. 136 ff. (WA I 13, 1, 121). — 216a) So werden von Böhm, Bianquis, Heilbrunn, May, Frankenberger, Petsch usw. die Zaubereien der Kriegsszenen meist lediglich negativ als unliebsame Unterbrechungen, als „Resignation" und „politischer Nihilismus" (Heilbrunn, S. 24) oder gar als bedeutungslose Spielereien angesehen (s. die Einzelangaben zur Forschung in den Anmerkungen zu Kap. VI). — 217) s. unter S. 80 ff. — 218) WA IV 1, 179. — 219) WA I 23, S. 9, 11. — 220) vgl. damit die Bedeutung des Schleiers als Zeichen einer Wendung von der individuellen „Göttin" Helena zum allgemein „Göttlichen" am Schluß des Helenaaktes, s. unter S. 355 f. — 221) s. „Pandora", „Märchen", „Zauberflöte II. Teil" usw. — 222) s. im „Mann von 50 Jahren" der Eintritt des Sohnes vom äußersten Dunkel in strahlendste Helle; in „Wer ist der Verräter?" die Szene vor dem Spiegel usw. — 223) WA II 5, 2, 398, s. dazu WA II 5, 2, 420, Paralip. CXX. — 224) WA I 4, 282, s. dazu WA I 15, 2, 12. — 224a) Nach Karl Alt, a.a.O., ist das Flammengaukelspiel für den Kaiser „lediglich ein heiterer Scherz" (S. LI). Bernhard Busch, Die Mummenschanz in Faust II (N. Jbb. f. d. klassische Altert., Gesch. und dt. Lit., Bd. 53, Jahrg. 27, 1924), schreibt S. 48: „Noch hat er (Faust) sich von dem eigenen und von Mephistos Flammengaukelspiel nicht ganz freigemacht". Petsch, Goethes Faust, Leipzig 1924, S. 587, spricht von der „völligen Nutzlosigkeit von Fausts Mahnung so gut wie Mephistos Erfindungen", die sich in der Lustgartenszene offenbare, vgl. auch Rickert, a.a.O. — 225) s. unter S. 48 f. — 226) WA I 18, 323. — 227) WA I 18, 325. — 228) WA I 18, 485. — 229) WA I 18, 468. — 230) WA I 18, 477. — 231) Ernst Beutler, Ursprung und Gehalt von Goethes Novelle, DVLG, Jahrg. 16, Heft 3, Halle 1938, S. 351. — 232) WA I 18, 340 f. — 233) WA I 18, 345. — 234) Die Rolle des Mephisto in der Salamandervision kann erst verstanden und behandelt werden im Zusammenhang mit dem Problem seiner Verwandlung in die Phorkyasgestalt, siehe unter S. 273 ff. — 234a) Abgesehen von Plutarch, der von Goethe selbst als unmittelbare Quelle genannt wird, hat die Forschung versucht, die Mütterszene in Verbindung zu bringen mit Plato, Plotin (Loeper, Hempel, Bd. 13, S. XLVIII, Koch, s. folgende Anmerkung), mit der deutschen Mystik (Obenauer, a.a.O., S. 52 f), mit Kant (Petsch, s. folgende Anmerkung), mit Schiller (Meißinger, a.a.O.) usw. Solche Deutungen, die nicht etwa nur jüngeren Datums sind, sondern schon in der philosophischen Faustinterpretation der Hegelschule des 19. Jahrhunderts auftauchen (s. Titze, a.a.O., S. 533), wurden entschiedener eingeschränkt nur durch die positivistische Forschung (s. das oft zitierte Wort Erich Schmidts: „Man soll die Deutung nicht dadurch verwirren, daß man Deas matres bis nach Indien aufspürt und Goethes ganze Naturphilosophie hineinliest" (JA 14, S. 319). — 235) z. B. Meißinger, a.a.O., S. 83; vgl. auch die Beziehung auf Kant, die R. Petsch in seinem Aufsatz versucht: „Fausts Gang zu den Müttern" (Vom Geiste neuer Literaturforschung, Festschrift für Oskar Walzel, Wildpark-Potsdam o. J., S. 49—57). Gegen sie wandte sich mit einleuchtenden Gründen Franz Koch (Fausts Gang zu den Müttern, Festschrift der Nationalbibliothek in Wien, Wien 1926, S. 509—528, und: Geist und Leben, Heidelberg 1939, S. 62—81). — 236) Gespräch mit Eckermann, 10. 1. 1830. — 237) Meißinger, a.a.O., S. 83. — 238) Außer der durchgehenden Satire gegen alles „Mystagogische" romantischer und teilweise auch idealistischer Herkunft (s. unter S. 293, 348 ff.) richtet sich Goethes Ablehnung des Neuplatonismus vor allem gegen dessen idealistische Konzeption des „Einen", wodurch „wir das Formende und die höhere Form selbst in eine vor unserem äußeren und innern (!) Sinn verschwindende Einheit zurückdrängen" (JA 35, 317). Diese Kritik von 1829 zu eigenen Plotinzitaten aus dem Jahr 1805 ist charakteristisch für die Wandlung des alten Goethe gegenüber der idealistisch-hochklassischen Zeit. — 239) WA III 4, 43. — 239a) vgl. die in den obigen Anmerkungen angegebene Literatur, die jedoch letzlich nur assoziative Verbindungen mit dem großen geistesgeschichtlichen Erbe der Antike, der deutschen Mystik usw. feststellt, die ohnehin auf der Hand liegen. Eine quellenmäßige Abhängigkeit im strengen Sinne besteht lediglich in bezug auf Plutarch. — 240) WA I 20, 375. — 241) Plutarch, Moralische Schriften, Kapitel 22, Über den „Verfall der Orakel"; vgl. auch zu dem ganzen Problem E. Rotten: Goethes Urphänomen und die platonische Idee (Philosophische Arbeiten, Bd. 8, Heft 1, Gießen 1913). Daß es

sich bei Fausts Gang zu den Müttern um die Beschwörung Goethescher „Urphänomene" handelt, wird auch von Roman Wörner, Goethes Weltanschauung im
Faust (in: Die Ernte, Festschrift für Fr. Muncker), Halle 1926, S. 47, vertreten.
— 242) s. S. 111 ff., 164 ff., 319 ff. — 243) Schon in den „Wahlverwandtschaften" ging es um die Frage, wie lange das „zweite Leben" nach dem Tod in den
konkreten Grabdenkmälern und Porträts der Verstorbenen der Vergänglichkeit,
Verwitterung usw. trotze. Vergleiche damit auch in Goethes Romeo- und Julia-
Bearbeitung die von Goethe hinzugefügte Stelle: „Die Stufen hier, aus alten, ab-
getretenen Unkennbaren Leichensteinen aufgeschichtet, Sind wie das Grab der
Gräber, Wie der Tod des Todes, Der sich selbst verzehrt und grimmig Denkmale
seiner Herrschaft still vernichtet" (V. 1961, WA I 9, 271), wie überhaupt ein
Vergleich dieser Bearbeitung mit dem Shakespeareschen Original bedeutende Auf-
schlüsse über Goethes Position ermöglicht, in der opernhaften Behandlung des
Fackel- und Blumenmotivs u. a. — 244) s. dazu die breitere Ausführung in der
Helena-Analyse S. 302 ff. Schon Franz Koch hat diese Umbildung des neu-
platonischen Gedankengutes ins Goethesche „Werde"-Motiv angedeutet, a.a.O.,
S. 524 f. — 245) Plathow, a.a.O., S. 120. — 246) s. unter S. 312 ff. — 247) Artur
Frederking, Fausts Gang zu den Müttern, Euphorion 18 (1911), S. 422 ff. —
248) ders.: S. 427, Anmerkung 2. — 249) ders.: S. 429. — 250) WA I 16, 243
(Epilog). — 251) WA I 4, 134. — 252) Hertz, Natur und Geist in Goethes Faust,
Frankfurt a. M. 1931, Kapitel 7: Die Mütter und Helenas Wiederkehr und Abschied, S. 191. — 253) Hertz, S. 192 f. — 254) s. das Erlebnis in Jabachs Haus
(Dichtung und Wahrheit). — 255) WA I 24, 29. — 256) ebd. — 257) Gespräche
4, 13. — 258) WA I 32, 336 f. — 259) ebd. — 260) ebd. — 261) JA 35, 207. —
262) WA II 9, 44. Zum Problem des „Ungeheuren" bei Goethe vgl. auch A. Raabe,
Der Begriff des ‚Ungeheuren' in den ‚Unterhaltungen deutscher Ausgewanderten',
in: Goethe (Vierteljahrsschrift), Bd. 4, 1939. — 263) Das Problem des intentionslos „bloß Schönen" wird im Helenaakt erst brennend, s. unter S. 302 ff. —
264) 10. 3. 1832, WA IV 49, 262. — 265) WA I 36, 176. — 266) s. JA 35, 325;
Gespräche 3, 373 ff., u. a. — 267) WA I 24, 162.

Anmerkungen zu Kapitel IV (2. Akt) (S. 226—301)

Literatur:

Die Forschung hat sich bei ihrer Durchleuchtung des II. Aktes fast ganz
auf die Homunkulusgestalt konzentriert und merkwürdigerweise die interessanten
Probleme, die die Mephisto-Phorkyas gestalt sowie die einzelnen mytho-
logischen Figuren der Klassischen Walpurgisnacht bieten, so gut wie ganz übersehen. Jedoch auch in der Homunkulusdeutung konnte bis jetzt keine
Einigung erzielt werden. Die übliche Ansicht von dem negativ-intellektualistischen
Charakter des Homunkulus der Frühkonzeption („Gelehrtensatire") wie auch die
These von der naturwissenschaftlichen „Menschwerdung" des Homunkulus der
Endfassung wurden in ihrer Einseitigkeit zu korrigieren und in größere Zu-
sammenhänge einzugliedern versucht. Grundlage der Deutung blieb stets die
methodische Forderung, die Homunkulusgestalt entstehungsgeschichtlich aus ihren
Wandlungen von den Frühskizzen bis zur endgültigen Ausformung zu begreifen

und im Zusammenhang mit dem Gesamtproblem der Wiedergeburt der Antike zu verstehen. In letzterem Punkt weicht die Untersuchung von den seitherigen bedeutenden entstehungsgeschichtlichen Arbeiten von G. W. Hertz ab. Hertz betrachtete die Homunkulusgestalt mehr von einer allgemein naturphilosophischen These aus sowie unter dem Gesichtspunkt der Gewinnung der P e r s o n (Entelechie) Helenas und kam daher zu einer negativen Bewertung der Frühkonzeption des Homunkulus (aus dem Jahr 1826). Erst aber im Hinblick auf das Problem der Wiedergeburt der gesamtantiken G e s c h i c h t e wird die innere N o t w e n d i g - k e i t dieser Frühkonzeption für das Goethesche Denken einsichtig.

Theodor Friedrich (Kommentar, „Ins Überzeitliche", S. 158) gibt dem Homunkulus einen besonderen Sinn für die Deutung des Gesamtdramas. Er geht dabei von dem Entstehungsdrang und dem ihm anscheinend widersprechenden Zerschellen am Muschelthron der Galatee aus. „Was der denkende Verstand Wagners dem Homunkulus nicht geben konnte, das darf dieser erwarten von seiner Selbstaufgabe im Urfeuchten: das Dasein im Sinne des Naturzusammenhanges. Von dort aus wird er, die einander übergeordneten Daseinsstufen nach und nach durchlaufend, bis in den Bereich des menschlichen Daseins gelangen". Die menschlichen Entwicklungsstufen stelle Faust dar.

Über die seitherigen Homunkulus-Thesen und ihre Grenzen siehe die Andeutungen im Text und die jeweils dazu gehörigen Anmerkungen. Die Masse der H o m u n k u l u s - L i t e r a t u r und ihrer Deutungen ist jedoch unübersehbar. Bereits Strehlkes Wörterbuch zu Goethes Faust, Stuttgart 1892 (S. 72 f.), führt zwölf sich zum Teil widersprechende Homunkulus-Deutungen an. Es seien hier weiter genannt: Veit Valentin, Homunkulus und Helena, Jahrbuch der Goethe-Ges., Bd. XVI, S. 127—148, ders., Die Klassische Walpurgisnacht, eine literarhistorisch-ästhetische Untersuchung, Leipzig 1901. Diese Arbeiten bilden den Ausgangspunkt für die später von Hertz und anderen vertretene Auffassung, daß in Homunkulus' „Werden" auch Helena mit „wird". Siehe ferner P. Alsberg, Homunkulus in Goethes Faust, Jahrbuch der Goethe-Ges., Bd. 5 (1918), S. 108 bis 134 (A. behauptet, in Homunkulus lebe Fausts mittelalterlicher Geist weiter und gehe mit dem Zersprengen des Glases zugunsten der Antike zugrunde). Gegen ihn wendet sich Carl Enders, Die Deutung des Homunkulus in Goethes Faust, Zeitschrift für Ästhetik und allgem. Kunstwissenschaft, Bd. 14 (1919), S. 42—68, greift aber selbst nur die alte These auf, Homunkulus sei der „verkörperte Verstand", „Vertreter der fortgeschrittenen Aufklärungsepoche" (S. 60 f.); es solle in ihm die „psychisch-physische Entstehung der realen Individualität des Menschen" (S. 48) gezeigt werden usw. Dabei stützt er sich viel zu sehr auf ein außergoethesches Werk, auf Schlegels Lucinde, mit dem er als Schlegelforscher besonders vertraut ist. Theodor Kalepky (Zur Deutung des Goetheschen Homunkulus, Neophilologus, Bd. 13 (1928), S. 280 ff.) sieht in Homunkulus den „Repräsentanten der ganzen gewaltigen neuhumanistischen Strömung", einen antikisierenden Büchergelehrten, der sich entzückt in die antike Schönheit verliert. Léon Polak (Die Homunkulusfigur in Goethes Faust, Neophilologus, Bd. 13, 1928, S. 16—23) polemisiert gegen diese Anschauung und wendet sich überhaupt gegen die Evolutionshypothese. Beziehungen zwischen Homunkulus und Euphorion haben schon gesehen: Ernst Müller, Goethes Homunkulus und Euphorion, Preuß. Jbb.,

Bd. 131, 1908, S. 458—506, und Friedrich Lienhard, Einführung in Goethes
Faust (1916). Gottlieb Schuchard (Homunkulus, Zeitschrift für deutsche Philologie 59, 1934, S. 196—203) geht in einer allerdings sehr oberflächlichen Weise
mehr auf die kulturphilosophische Bedeutung des Homunkulus ein. Ergänzend
seien noch genannt: Julius Goebel, Homunkulus, Goethe-Jahrbuch 21 (1900),
S. 208—223, Walter Schneider, Homunkulus, Jahrbuch der Goethe-Ges., Bd. XVI,
S. 224—230, A. Ludwig, Homunkulus und Anthropoiden, Arch. f. d. Studium
der neueren Sprachen und Literaturen, Bd. 137 (1919).

Zu den a l l g e m e i n e r e n hier vorgetragenen Anschauungen über die Be-
deutung der Symbolik der K l a s s i s c h e n W a l p u r g i s n a c h t bietet die
Arbeit von Hedwig Vogel, Goethes Menschheitsidee in Naturschau und Dich-
tung, dargestellt an Faust II, Erlangen 1937 (= Erlanger Arbeiten zur deutschen
Literatur, Bd. 8) wertvolle Ergänzungen. Die Verfasserin sieht bereits die beharrende Rolle, die die Sphinxe im Gegensatz zu der verwirrenden Funktion der
Lamien spielen, ja sie bemerkt sogar die erlösend umwandelnde Wirkung, die
Oreas auf Mephisto ausübt (S. 80—90). Auch die entscheidende Bedeutung des
„Mondlichts" (S. 84) sowie der symbolische Sinn von Fausts Schlaf in der Studierstube (S. 41) wird schon herausgearbeitet. Leider verspinnt sich die Verfasserin
bei ihren eigenen Ausdeutungen zu sehr in anthroposophische Spekulationen, statt
in der Goetheschen Vorstellungswelt zu bleiben. Dadurch hebt sie ihren eigenen
Forschungsertrag wieder weitgehend auf.

Zur S c h l u ß f e i e r siehe Richard Fester, Eros in Goethes Faust, München
1933, und Hans Kern, Wandlungen des Erosgedankens, in: Goethe-Kalender auf
das Jahr 1933.

E i n z e l a n m e r k u n g e n :

1) Petsch (Faustausgabe), a.a.O., S. 594. — 2) An Schiller 12. September 1800.
— 3) An Schiller 16. September 1800. — 4) s. unter S. 348 ff. — 5) V. 8754 ff.;
vgl. damit die Lesart von 1800, die ganz ohne erhebliche Änderung an dieser Stelle
übernommen ist. — 6) s. unter S. 308 ff. — 7) s. unter S. 136, 138 f. — 8) Tgb.
vom 26. September 1800. — 9) An W. v. Humboldt, 22. Oktober 1826. — 10) s.
unter S. 77 f. — 11) 22. Oktober 1826 an W. v. Humboldt. — 12) Über das
Verhältnis von Krieg und Schönheit, dem Heroischen und Arkadisch-Zeitlosen s.
die Helena-Analyse S. 339 ff. — 13) s. dazu die eingehende Analyse der Idolszene S. 312 ff. — 14) Eine eingehende Untersuchung über das Verhältnis
zwischen normativer und kunstgeschichtlich relativierender Kunstbetrachtung bei
G. s. unter S. 302 ff., 390 f., 420 ff. — 15) Petsch, a.a.O., S. 623. — 16) O.
Pniower, Goethes Faust, Zeugnisse und Entwürfe, Berlin 1899, S. 164 f. —
17) „Wagners Laboratorium. Er sucht ein chemisch Menschlein hervorzubringen".
— 18) Bei der zweiten, eigentlich dichterischen Arbeit am II. Akt Ende
1829, Anfang 1830. — 19) Beutlers Faustausgabe (1939), a.a.O., S. 584. —
20) Paracelsus, Sämtliche Werke, herausgegeben von Karl Sudhoff, Abteilung I,
Bd. 11, München-Berlin 1928, S. 317. — 21) s. Bartscherer, Agnes, GRM. 6,
S. 586, dies.: Paracelsus, Paracelsisten und Goethes Faust, Dortmund 1911. —
22) s. Paracelsus, a.a.O. I 11, S. 317. — 23) Zum Problem der künstlerischen
Bewältigung von Geschichte auch in der heutigen Fassung der Klassischen Wal-

purgisnacht s. S. 285 ff. — 24) s. z. B. WA I 22, 94 u. a. — 25) a.a.O., S. 10 f. — 26) WA I 22, 292. — 27) WA I 22, 348 f. — 28) 16. Dezember 1829. — 29) Kommerell, a.a.O., S. 368. — 30) Hertz, a.a.O., S. 129. — 31) a.a.O., Erl. zum Homunkulus. — 32) Petsch, a.a.O., S. 592. — 33) Obenauer, a.a.O., S. 92. — 34) s. dazu S. 287 ff. — 35) s. dazu S. 383 ff. — 36) s. unter S. 112 ff. — 37) Goethes Aufsatz: „Moderne Guelfen und Ghibellinen" von 1826, WA I 41, 2, S. 276 ff. — 38) ebd. — 39) 15./18. Dezember 1826, Gräf, Nr. 1435. — 40) Gräf, I. Teil, Bd. 1, S. 243 (WA I 35, 104/05). — 41) WA I 32, 176/77. — 42) WA I 30, 191. — 43) Gräf, Teil I, Bd. 1, S. 243 f. — 44) Trendelenburg, a.a.O., Erl. zu V. 6955, S. 196. — 45) s. dazu WA II 9, 44. — 45ª) Auf der einen Seite erscheint das Welttheatermotiv in seiner spezifisch Goetheschen geschichtsskeptischen Wendung im Kampf zwischen Pompejanern und Cäsareanern (Erichtho-Monolog und Oreas: Vers 7816), bei den Lamien (Vers 7795), in der Seismosrevolte und im Streit zwischen Pygmäen und Kranichen (mit der abschließenden Mondsturzvision des Anaxagoras). Auf der anderen Seite symbolisieren die Sphinxe, Oreas, Dryas, die Greife, Arimaspen, Sirenen, Thales, ja sogar die Phorkyaden das Urphänomenologisch-Beharrende und „Ungeheure" oder das Organisch-Aufbauende (siehe dazu die Ausführungen S. 259—289). — 46) Paralip. 125. Zu dem ganzen Problem der Hades-Szene s. auch A. Gerber, The evolution of the classical Walpurgisnacht and the scene in Hades (in: Americana Germanica, Bd. 3, S. 1—26). — 47) Gräf, Nr. 1452. — 48) WA I 40, 114 f. — 49) WA I 20, 22. — 49ª) s. dazu die Ausführungen S. 308 ff. — 49ᵇ) s. die Ausführungen S. 308—316. — 50) WA I 25, 1, S. 297 f. — 51) Vor allem in der Schlacht zwischen Pygmäen und Kranichen. — 52) Hertz, a.a.O., S. 197. — 53) ebd. — 54) WA I 24, 375. — 55) vgl. Paralip. 63 mit Paralip. 99 und 123. — 56) An Zelter, 31. 3. 1822. — 57) In Paralip. 99 lag Faust noch an einer Kirchhofsmauer (nicht in der Studierstube), in der großen Skizze vom 17. Dez. 1826 schlief er gleichfalls noch nicht in seiner Studierstube, sondern kam mehr nebenbei in Wagners Laboratorium „zu Besuch". — 58) s. Anmerkungen 61—65. — 59) Gräf, Nr. 1755. — 60) Goethe sagt selbst, die Deutung des Ledatraumes durch Homunkulus „bringe schon in diesen früheren Akten das Klassische und Romantische zur Sprache", wodurch „das Ganze auf einem aufsteigenden Terrain zu Helena hinaufgehe", Gespräch mit Eckermann 16. Dezember 1829. — 61) ebd. — 62) Gespräche, Bd. 4, S. 80, 178, 338 usw. — 63) Gesperrt von Goethe-Eckermann. — 64) Gräf, Nr. 1755. — 65) Gespräch mit Eckermann 2. 3. 1831. — 66) Beutler, Faustausgabe S. 585. — 67) JA 33, 16 f. — 68) Erich Schramm: „Ist G. oder Herder der Verfasser der Sulzerrezension in den Frankfurter Gelehrtenanzeigen?" Euphorion 33, S. 312/28. — 68ª) vgl. die Geburt Euphorions in der Höhle, Galatees Überdauern der Geschichte in „Cyperns rauhen Höhlegrüften" (s. S. 297, 348, der Genius in der „Zauberflöte II. Teil", die heilige Stadt im Pyrmont-Entwurf, das vom „andern Ufer" getrennte Reich der Lilie im „Märchen" u. a., s. ferner S. 27, 206 ff., 387 f. usw.). — 69) Hertz, a.a.O., S. 130—131. — 70) Hertz, a.a.O., S. 147. — 71) a.a.O., zu V. 6883 f. — 72) s. die Einzelanalyse der Schlußteile der Klassischen Walpurgisnacht S. 289 ff. — 73) WA I 22, 94. — 74) Heinrich Düntzer, Faust, Leipzig 1857, S. 525 (zitiert von Hertz, a.a.O., S. 143). — 75) zitiert bei Hertz, a.a.O., S. 144. — 76) Hertz, a.a.O., S. 116. —

77) s. die Ausführungen S. 289 ff. — 78) s. unter S. 214, 219 ff. — 79) WA I 32, 97. — 80) WA I 32, 149. — 81) s. unter S. 220 f. — 82) Hertz, a.a.O., S. 76 f. — 83) WA I 30, 266 (später Zusatz zu dem Originalbrief). — 84) JA 35, 65. — 85) „Die Schönheit kann nie über sich deutlich werden", JA 35, 306 und WA II 9, 44. — 85a) s. auch Ernst Volkmann: Gestalt und Wandel der Kentaurenidee bei Goethe, in: Lebendiges Erbe, Festschrift für E. Reclam, Leipzig 1936, S. 124, 128, 129. — 86) Diese „Verwirrung" stand mit der Geschichts- und Welttheaterkonzeption der ersten Version (Homunkulus als Weltkalendermännchen usw.) in Verbindung. — 87) 21. 2. 1831, Gräf, Nr. 1888. — 88) WA II 9, 171. — 89) ebd. — 90) JA 27, 105. — 91) Trendelenburg, a.a.O., S. 217. — 92) s. Camilla Lucerna, Das Märchen, Leipzig 1910, S. 164. — 93) WA I 23, 197. — 94) Die erste Szene („Pharsalische Felder") läßt in der heutigen Fassung fast revueartig klar die wesentlichsten Aufbauelemente der Klassischen Walpurgisnacht: Sphinxe (Granit), Greife und Ameisen (Gold), Sirenen (Musik, Kunst) nacheinander auftreten und vor Faust nebeneinander aufstellen (V. 7181—7190). — 95) Trendelenburg, a.a.O., S. 205. — 96) ebd., S. 207. — 97) ebd., S. 240. — 98) WA I 31, 20. — 99) Überhaupt steht ja Goethe, wie heute allgemein erkannt ist, nicht einseitig auf neptunistischer Basis, sondern versuchte im Alter beide, Neptunismus und Vulkanismus, neutral und von „historischem Abstand" aus zu begreifen: In den 20er Jahren des 19. Jahrhunderts schreibt er sogar von solch geschichtlicher Warte aus gegen den „krassen Neptunismus" (WA II 9, 184 ff., 187 usw.) — 100) WA IV 5, 1 f. — 101) s. unter S. 359 ff. — 101a) s. z. B. J. H. Voß, Mythologische Briefe, Bd. 1, Stuttgart 1827², S. XVIII und S. 246 f. — 102) vgl. WA I 7, 106, 113, WA II 11, 168 f. usw. — 103) Tgb. vom 26. September 1800. — 104) Lesart zu Paralip. 123. — 105) s. S. 331 ff. — 106) s. S. 355, 371 f. — 107) WA I 41, 2, S. 44. — 108) WA I 41, 2, S. 245. — 109) s. die symbolische parlamentarische Gemeindeordnung der Pygmäen, ihre kosmopolitische Entwurzelung und vor allem die Vorformung dieses Streites in Goethes „Reise der Söhne Megaprazons", die Goethe zur Faust II-Arbeit nochmals vornahm, und zwar unter Überlesung der Pygmäen-Kranichen-Szenen. — 110) laut WA I 18, 496. — 111) s. unter S. 83, 206 ff. und im „Divan", wo durchweg das Eingehen in das Wasserelement als geistige Befreiung, nicht als Einkörperung und Beginn einer unteren Entwicklungsreihe erscheint (WA I 6, S. 5, 22, 26, 197; JA 5, 122 u. a.). — 112) a.a.O., Kommentar zu V. 8331 f. — 113) WA I 49, 2, S. 256. — 114) WA I 49, 2, 12. — 115) ebd., S. 13. — 116) ebd., S. 12. — 117) WA II 6, 361. — 118) WA I 49, 2, 14 f. — 119) ebd., S. 13. — 119a) s. Schellings Sämtliche Werke, Abteilung I, Bd. 8, Stuttgart-Berlin 1861, S. 358, 359, 366. — 120) WA I 30, 264 f. — 121) Trendelenburg, a.a.O., S. 285. — 122) WA I, 49, 1, 322. — 122a) vgl. S. 32 und 415. — 123) Trendelenburg, a.a.O., S. 287. — 123a) s. Schelling, a.a.O., S. 410, Anmerkung 111. — 124) WA IV 27, 61. — 125) Dafür spricht auch die Tatsache, daß Goethe interessanterweise in den Tagen des Abschlusses der Klassischen Walpurgisnacht, am 18. Juni 1830, plant, die Proserpina-Szene in einen „Prolog des dritten Aktes" (Paralip. 157) zu verwandeln, das heißt „vom II. Akt abzutrennen, um diesen mit dem Meeresfest abschließen zu können" (s. Karl Alt, a.a.O., S. 598).

Anmerkungen zu Kapitel V (3. Akt) (S. 302—361)

Literatur:

Zum Ganzen des Helenadramas s. außer den allgemeinen Werken über Faust II die Arbeiten von H. Rickert, Helena in Goethes Faust, Die Akademie, Heft 4, S. 1—62, 1925 (Sonderdruck), Erlangen 1925, und das Helenakapitel in seinem größeren Werk: Goethes Faust, die dramatische Einheit der Dichtung, Tübingen 1932. Für ihn ist Helena noch lediglich eine „Versuchung" für Faust. Siehe ferner: K. A. Meißinger, Helena, Schillers Anteil an Faust, Frankfurt a. M. 1935; Otto Harnack, Vierteljahrsschrift für Literaturgeschichte, Weimar, Bd. 5, S. 113; R. Petsch, Goethejahrbuch, Bd. 28, S. 126 ff; Niejahr, Euphorion I, 81; E. Oswald, The Legend of the Fair Helena, London 1905; A. Wohlauer, Goethes Helenadichtung in ihrer Entwicklung, Breslauer Schulprogramm 1903; J. Bruns, Vorträge und Aufsätze 1905, S. 70 ff.

Zur allgemeineren k u n s t p h i l o s o p h i s c h e n Betrachtung (S. 302—308) siehe: Oskar Walzels Einleitung zu Goethes kunsttheoretischen Schriften in der Cottaschen Jubiläumsausgabe (JA), Bd. 36, ders.: Das ästhetische Glaubensbekenntnis in Goethes und Schillers Hochklassizismus, Goethe-Jahrbuch XVI (1930); G. Rabel, Goethe und Kant, 2 Bde., Wien 1927; K. Vorländer, Kantstudien 1897, Bd. I, S. 60—325 und Bd. II, S. 161 (über Goethe und Kant).

Zur Verbindung des Goetheschen Kunstdenkens mit dem 18. Jahrhundert: Castle, Winckelmanns Kunsttheorie in Goethes Fortbildung (in: Goethes Geist), Wien 1926; Curt Müller, a.a.O. (Anmerkung 171 zur Einleitung); Albert Riemann, Die Ästhetik A. G. Baumgartens, Halle 1928. Allgemeiner: Ed. v. Hartmann, Philosophie des Schönen, Berlin 1924, 2. Auflage sowie die a.a.O. genannten Werke von Alfred Bäumler, Nicolai Hartmann u. a.

Zu den behandelten E i n z e l f r a g e n : Das hier im Mittelpunkt stehende Problem der I d o l szene ist in der Forschung bis jetzt kaum beachtet worden. Nur in dem schon erwähnten Werk von H. Vogel, Goethes Menschheitsidee in Naturschau und Dichtung, dargestellt an Faust II, Erlangen 1937, finden sich Ansätze zu den entsprechenden zeitontologischen Fragen (S. 111, 113 ff., auch S. 77 ff.). Über Fausts W e t t e mit Mephisto (S. 342—346) s. J. Petersen, Helena und der Teufelspakt in: Jb. d. Freien Deutschen Hochstiftes 1936/40, S. 119 bis 236 (s. auch die dort verzeichnete Literatur zum Helenadrama). Zum Problem n o r d i s c h - antik s. Robert Petsch, Nördliches und Südliches in Goethes Faust, Goethe (Vierteljahrsschrift), Bd. I (1936); F. Wickhoff, Der zeitliche Wandel in Goethes Verhalten zur Antike, dargelegt an Faust, in: Jahreshefte des österr.-archäolog. Instituts, Bd. 1, S. 105 ff., Wien 1898; M. Enzinger, Goethe und die Antike, in: Arch. f. d. Studium d. neueren Sprachen, Bd. 172, S. 146—156; B. v. Hagen, Fausts Hellasfahrt, in: Goethe (Vierteljahrsschr.), Bd. 5, 1940, S. 24 ff.; H. Rose, Klassik als künstlerische Denkform des Abendlandes, Stuttgart-Leipzig 1937; Richard Benz, Goethe und die romantische Kunst, München 1940. Über die B u r g in Mistra (rein äußerlich): Baumeister, Goethejahrbuch XVII, S. 214.

Interessante Belege für die tatsächliche Breite der Goetheschen p o l y - t h e i s t i s c h e n Vorstellungen in seinem K u n s t schaffen (vgl. S. 337 ff.) bringt

Chr. Sarauw, Goethes Augen, in: Det Kgl. Danske Videnskabernes Selskab, hist.-filol. Meddelelser II 3, Kopenhagen 1919, S. 95—102; dort finden sich auch wichtige Belege zu Goethes Schicksalsbegriff (S. 102 ff.). Zu E u p h o r i o n : R. Petsch, Goethejahrbuch, Bd. XXVIII, S. 118 ff. Zu weiteren E i n z e l f r a g e n : Curt Fritz, Goethes Stellung zum Kriege, Hilchenbach (Westfalen) 1931; über Helenas Tod: R. Petsch, Goethes Stellung zum Unsterblichkeitsglauben, Neophilologus 1924 und A. v. Aster, Goethes Faust, in: Philosophische Reihe, Bd. 75, München 1923, S. 118 f. Zum Problem der „Treue" Helenas (S. 344) vgl. Sarauw, Die Entstehungsgeschichte des Goetheschen Faust, a.a.O., S. 88 ff.

E i n z e l a n m e r k u n g e n :

1) August Langen, Anschauungsformen in der deutschen Dichtung des 18. Jahrhunderts (Dtsch. Arbeiten der Univers. Köln, Jena 1934). — 2) WA IV 13, 33, vgl. damit Anmerkung 14 zu Kap. III. — 3) s. unter S. 427 und die Einzelausführungen S. 312—325). — 4) s. Bäumlers Arbeit über Kants Kritik der Urteilskraft, a.a.O. — 5) Brief Schillers an Goethe vom 20. Oktober 1797. — 6) K. Ziegler, a.a.O., S. 34. — 7) WA IV 11, 70. — 8) Diese Chorpartie ist nicht, wie die meisten übrigen, erst später eingefügt, sondern stammt aus der Erstfassung von 1800. — 9) WA IV 12, 87 f. — 10) Gräf, Teil I, Bd. 1, S. 27. — 11) Anmerkung Erich Schmidts zu Paralip. 162 in WA I 15, 2, 227. — 12) WA II 1, S. IX und XV. — 13) Kommerell, a.a.O., S. 384, sagt, es sei eine „Störung" zwecks „Auflösung des Trugs". — 14) WA I 42, 2, 139. — 15) WA I 20, 221. — 16) Und zwar zweimal (H. 14); bei Petsch, a.a.O., Paralip. 137, ist diese spätere Handschrift nicht angegeben, sondern nur in der Anmerkung S. 626 kurz vermerkt. — 17) Paralip. 174. — 18) WA I 20, 219. — 19) WA I 20, 220. — 20) WA I 20, 221. — 21) Petsch, a.a.O., Paralip. 127. — 22) Vor allem WA I 20, S. 213/16. — 23) WA I 20, 215. — 24) WA I 20, 210. — 25) WA I 20, 211. — 26) WA I 42, 2, 131. — 27) WA I 42, 2, 141. — 28) WA I 20, 361 f. — 28a) s. Mignons „Zuckungen", die einen „gewaltigen Riß" in ihrem „Inneren" erregen, aus dem schließlich Tränen und — das Lied des Harfners (!) hervorbrechen (JA 17, 163 ff.); vgl. auch den „unaufhaltsam wie ein Uhrwerk ... immer wieder von vorn anfangenden und losrauschenden" Wirbeltanz Mignons, der plötzlich Wilhelm „auf einmal" seines tiefen und wahren Gefühls für Mignon innewerden läßt: „Er empfand, was er schon für Mignon gefühlt, in diesem Augenblick auf einmal. Er sehnte sich ... (sie) an Kindesstatt seinem Herzen einzuverleiben" (JA 17, 130 f.) — 28b) Äußerlich gleicht sie dem „stillen Schein des Mondes" (Vers 1956, s. auch die Prinzessin im „Märchen"), innerlich aber wütet in ihr eine unerträgliche Flamme der Leidenschaft, die sie „schwach und krank" macht (Vers 1841, 1845 f.), ähnlich der Krankheit Ottiliens, dem tödlichen Schmerz der Prinzessin im „Märchen" u. a. — 29) WA I 22, 204. — 30) WA I 24, 29. — 31) WA I 24, 166. — 32) WA I 27, 171 f. Goethe spricht hier geradezu von einer „magischen Haltung" des Bildes. — 33) WA I 27, 346. — 34) WA I 28, 26. — 35) WA I 28, 27. — 36) WA I 28, 286 und 281, 284. — 37) So sah Goethe selber den Euphorionkampf (Gräf, Nr. 1419 und 1420). — 38) Gräf, Nr. 1419. — 39) ebd., s. auch Nr. 1420. — 40) z. B. Gräf, Nr. 1395, 1419, 1420. — 41) Paralip. 56 in WA I 53, 369 (Nachträge), ist zwischen Paralip. 164 und 165 in WA I 15, 2,

einzuschalten. — 42) WA II 6, 131. — 43) WA I 10, 277, II. Aufzug: „Zimmer Eugenies. Im gotischen Stil". — 44) WA I 16, 497, s. auch Lesart S. 510. — 45) Gesperrt von Goethe. — 46) WA I 41, 2, S. 222. — 47) 22. 5. 1799 an W. v. Humboldt, WA IV 14, 103. — 48) WA I 41, 1, S. 61. — 49) WA I 41, 2, S. 248. — 50) Trendelenburg, a.a.O., S. 369 zu V. 9074 ff. — 51) WA II 13, 445. — 52) WA IV 22, 187. — 53) WA I 48, 250. — 54) WA I 41, 1, S. 58. — 55) Franz Böhm, Ontologie der Geschichte, Tübingen 1933, S. 71. — 56) WA I 41, 2, S. 277. — 57) WA I 49, 2, 215. — 58) WA I 28, 359. — 59) s. z. B. Brief an Zelter vom 6. 6. 1825. — 60) WA IV 27, 13. — 61) An Zelter, 31. 12. 1825 (WA IV 40, 217). — 62) JA 37, 214; WA IV 27, 33 und JA 34, 166, wo Calderon zu Goethes „Voreltern" gerechnet wird. — 63) WA IV 27, 13. — 64) JA 34, 166. — 65) JA 35, 119, ferner 90 (Zu „Theseus und die Geretteten"). Es handelt sich um eine für Goethes eigenes Denken höchst charakteristische Ausdeutung eines Gemäldes. — 66) Gräf, Nr. 1498. — 67) Gräf, Nr. 1638. — 68) Eichendorffs Werke, hrsg. von L. Krähe, Berlin o. J., Bd. 1, S. 280. — 69) s. Gräf, Nr. 1489, ferner die antiken und modernen Kunstformen, die Euphorions Wesen begründen (s. S. 359 ff.). — 70) Paralip. 58 in WA I 53, 370 (Nachträge), zwischen Paralip. 166 und 167 WA I 15, 2, 229 zu setzen. — 71) ebd. — 72) WA I 21, 153. — 73) WA I 25, S. 16 f. — 74) WA I 27, 122. — 75) s. vor allem die zweite Schilderung in der Italienischen Reise, WA I 32, 186—207. — 76) WA I 31, 245. — 77) WA II 11, 19. — 78) WA II 9, 244 f. — 79) WA II 11, 163. — 80) WA II 11, 166. — 81) Gräf, S. 410, 15 (JA 14, 375 [Anmerkung zu V. 9902]). — 82) WA II 6, 190. — 83) WA IV 40, 124. — 84) WA IV 41, 173. — 85) WA II 6, 190. — 86) WA IV 41, 173 f. — 87) WA IV 42, 198 und Anmerkung S. 367. — 88) WA IV 41, 173. — 88a) vgl. unsere Analyse S. 189 f. — 89) Gräf, Nr. 1498. — 90) WA IV 44, 262. — 91) WA IV 44, 173 f. — 92) WA IV 44, 209. — 93) WA IV 44, 210. — 94) WA IV 44, 209 f. — 95) WA II 11, 173 f. — 96) Gräf, Nr. 1498. — 97) WA I 22, 261. — 98) WA I 22, 341 f. — 99) WA I 13, 2, 200 ff. — 100) V. 59 ff. (WA I 13, 117 [Prolog zu Eröffnung des Berliner Theaters im Mai 1821]).

Anmerkungen zu Kapitel VI (4. und 5. Akt) (S. 362—432)

Literatur:

Zum IV. Akt s. die überall in der Faust-Literatur verstreuten Darstellungen und Bemerkungen. Die negative Beurteilung des Aktes überwiegt in der Forschung, sowohl in den (s. Anmerkungen 1—11) genannten Arbeiten von May, Frankenberger, Meißinger, wie auch bei Erich Schmidt, der von den „Allotria der Erzämter", den „steifen Alexandrinern" spricht (JA 14, S. XXXV), bei Bianquis, a.a.O., S. 241 f., Alt (Faustausgabe S. LIX) u. a.

Zu beiden Akten: Karl Lohmeyer, Das Meer und die Wolken in den beiden letzten Akten des Faust, Jahrbuch der Goethe-Ges., Bd. 13, Weimar 1927 (die Arbeit ist auch entstehungsgeschichtlich von Wert). Zur Frage der Kultivierung der Küste (in beiden Akten): Hertz, Euphorion 24, S. 375 ff., und Burdach, Dtsch. Vierteljahrsschrift für Litw. und Geistesgeschichte 1, S. 52 f.

Zum V. Akt s. außer den in den Einzelanmerkungen 58, 69, 91, 91a) angegebenen Arbeiten: Hermann Türck, Die Bedeutung der Magie und Sorge in Goethes Faust, vorgetragen in der Histor.-Philos.-Ges. in Jena, 8. Dez. 1899 (Manuskriptdruck), K. Gaiser, Faust und die Sorge, Zeitschrift für Deutschkunde, Jahrgang 54, 1940, S. 174—184, ders., Die Rolle der Liebe im Schlußakt der Faustdichtung, ebd. S. 225—236; Heinrich Rickert, Die Wetten in Goethes Faust, Logos 10, S. 123—161, 1921; Hilsenbeck, Fr., Faust und die Sorge, Zeitschrift für dtsch. Unterr. 28, S. 721—723; Helene Herrmann, Faust und die Sorge, Zeitschrift für Ästhetik 31, S. 321/37 (1937) (die Verfasserin sieht die positive Seite der Erblindung Fausts); W. Hof, Fausts Ende, GRM. 27 (1939); Max Kommerell, Die letzte Szene der Faustdichtung, ein Interpretationsversuch, Zeitschrift für deutsches Altertum und deutsche Literatur 77, 1940, S. 175—188; Wilhelm Hertz, Fausts Himmelfahrt, in: Die Ernte, Festschrift für Frz. Muncker, Halle 1926, S. 59—92; Roman Woerner, Goethes Weltanschauung im Faust, in: Die Ernte, Festschrift für Franz Muncker, Halle 1926, S. 31—58 (der Aufsatz vertritt die Auffassung, daß der Faustschluß weder christlich noch humanistisch ist, ähnlich wie unsere Ausführungen S. 417 ff.); A. R. Hohlfeld, Zum irdischen Ausgang von Goethes Faust, Goethe (Vierteljahrsschrift) I (1936).

Zur a l l g e m e i n e n Problematik der Schlußszenen: Horst Schülke, Goethes Ethos, eine systematische Darstellung der Goetheschen Ethik und ein phänomenologischer Vergleich ihrer wesentlichsten Züge mit der christlichen Ethik der Goethezeit, Schönberg (Mecklenburg) 1939 (Diss.); Ernst Neubauer, Goethes religiöses Erleben, im Zusammenhang seiner intuitiv-organischen Weltanschauung, Tübingen 1925; Erich Franz, Goethes religiöses Denken, Tübingen 1932; Gustav Krüger, Die Religion in Goethes Zeit, Tübingen 1931; Heinr. Hoffmann, Goethes Religion, Bern 1940; K. J. Obenauer, Goethe in seinem Verhältnis zur Religion, Jena 1924, zweite Auflage; P. Lorentz, Die Idee der Liebe in Goethes Faust, Goethe (Vierteljahrsschrift), Bd. 5 (1940), S. 286/96.

Die in dem Abschnitt „Goethes Staatslehre" (S. 387) zu dem Problem der Faustischen Schlußvision entwickelte These von der Scheidung in eine reale und eine transzendentale Sphäre findet eine gewisse unmittelbar belegbare Bestätigung in der von Petsch (a.a.O., S. 616) unter Anlehnung an Burdach (JA 5, S. 411 und DVjLG 1, S. 54, Anmerkung 1 und S. 57) erwähnten Beziehung der Goetheschen Staatslehre zu „Kants Ideal der Menschengesellschaft". In Goethes Handexemplar von Kants „Kritik der Urteilskraft" steht die Bemerkung „Optime" an der Stelle § 86 („Von der Ethikotheologie"): „In Beziehung auf das h ö c h s t e, unter seiner Herrschaft allein mögliche G u t, nämlich die Existenz vernünftiger Wesen unter moralischen Gesetzen, werden wir uns dieses Urwesen als a l l w i s s e n d denken ... Auf solche Weise ergänzt die m o r a l i s c h e Teleologie den Mangel der p h y s i s c h e n".

E i n z e l a n m e r k u n g e n :

1) GRM. 18 (1930), S. 111 (Kurt May). — 2) K. May, a.a.O., S. 215. — 3) ebd. 222. — 4) GRM. 18, 110. — 5) K. May, a.a.O., S. 217. — 5ª) s. dazu Meißinger, a.a.O., S. 101. — 6) GRM. 18, 110/11, vgl. auch K. May, a.a.O., S. 222. — 7) Meißinger, a.a.O., S. 101 f. — 8) K. May, a.a.O., S. 253. — 8ª) a.a.O., S. 52—86. — 9) ebd. S. 275. — 10) ebd. S. 221. — 11) J. Franken-

berger, Walpurgis, zur Kunstgestalt von Goethes Faust, Bd. II der Sammlung „Staat und Geist", Leipzig 1926, S. 117. — 12) Gräf, Nr. 1883. — 13) K. May, a.a.O., S. 222. — 14) Gräf, Nr. 1617. — 15) ebd. — 16) Gräf, Nr. 1883. — 17) Gräf, Nr. 1961. An W. v. Humboldt 1. 12. 1831, WA I 49, 166. — 18) WA I 15, 1, 341 f. — 19) Gespräch mit Eckermann vom 17. 2. 1831, Gespräche 4, 329. — 20) W. Hertz, a.a.O., Kap. 2, Faust und Friedrich d. Gr. — 21) Paralip. 60 in WA I 53, 371 (Nachträge), ist zwischen Paralip. 179 und 180 (WA I 15, 2, S. 238) zu setzen. — 22) Gräf, Nr. 1457. — 23) Gräf, Nr. 1468. — 24) 24. Mai 1827 an Zelter, WA IV 42, 190. — 25) Trendelenburg, a.a.O., S. 447. — 26) An Zelter, 24. Juli 1823, WA IV 37, 135. — 27) WA I 3, 100. — 28) WA I 3, 100. — 29) WA II 9, 173. — 30) WA II 9, 175 f. — 31) WA II 9, 176. — 32) WA II 9, 175. — 33) JA 4, 94. — 34) WA I 24, 3. — 35) WA I 24, 42. — 36) s. Lesart WA I 25, 2, S. 16 f. — 37) WA I 24, 63. — 38) WA I 25, 1, S. 284. — 39) WA I 25, 2, S. 209. — 40) ebd. S. 216. — 41) ebd. S. 293. — 42) WA I 25, 1, S. 17 f. — 43) WA I 25, 1, S. 65 ff. — 43a) vgl. V. 11 442 ff. — 44) K. May, a.a.O., S. 222. — 45) Die Szenen „Mitternacht" bis „Grablegung" gehören zu den ältesten Teilen der Faust II-Dichtung überhaupt (nach Hertz, Euphorion 33, S. 248, bereits im Frühjahr 1825 entstanden, nach Witkowski sogar schon in den Jahren 1797—1800 (a.a.O., S. 388); in der Tat aber sind damals (1797—1800) nur die Paralip. 91—96 entstanden, die, wie Hertz S. 276 nachweist, nicht in die fertigen Szenen ein-gearbeitet wurden. Jedenfalls sind jedoch — auch nach Hertz — die Szenen „Mitter-nacht" bis „Grablegung" die ältesten des V. Aktes); die zuletzt geschriebene Szene des V. Aktes, die Philemon-Baucis-Szene, ist etwa von April bis Juni 1831 (Tgb. WA III 13, 59, Gespräch mit Eckermann, 6. Juni 1831), d. h. etwa gleich-zeitig, jedenfalls nicht wesentlich später als der IV. Akt entstanden; s. dazu Max Rieger, Zum letzten Akt des Faust, Euphorion, Bd. 9, S. 331 ff. — 46) s. die szen. Bemerkungen zu ihrem Ä u ß e r e n (nach Vers 10330, 10334, 10338). — 47) s. Anmerkung 45. — 48) s. unter S. 366 ff. — 49) Paralip. 182, Zeile 7: Vers 10562, darin eingetragen zusammen mit den Versen 10555/6, 10561. — 50) WA I 31, S. 94 f. — 51) WA IV 46, 281. — 52) Paralip. 184. — 53) Paralip. 182. — 54) Meißinger, a.a.O., S. 101 f. — 55) Erich Schmidt, WA I 15, 2, 243, Be-merkung zu Paralip. 195. — 56) s. Pyrmont-Entwurf, Gräf, I. Teil, Bd. 1, S. 246. — 57) K. May, a.a.O., S. 217 ff., vgl. auch Erich Schmidt, JA 14, S. XXXV, wo von den „Allotria der Erzämter" gesprochen wird. — 58) Euphorion 33 (1932): K. Burdach, Das religiöse Problem in Goethes Faust; ders.: Faust und die Sorge, DVLG, Bd. 1, 1923; ders.: Faust und Moses, Sitzungsbericht der Berl. Akademie, Philos.-histor. Klasse 1912; R. Petsch, Gehalt und Form, Dortmund 1925. — 59) s. dazu die Arbeit von Hans Titze, Die philosophische Periode der deutschen Faustforschung (1817 bis 1839), Diss. Greifswald 1916, der leider nicht die ge-plante Fortsetzung, die die historisch-kritische Periode behandeln sollte, folgte; ferner die rein informierende Arbeit von Ada M. Klett, a.a.O. — 60) s. An-merkung 45. — 61) Petsch, a.a.O., S. 614. — 62) WA I 20, 44. — 63) WA I 20, 80 f. — 64) WA I 20, 110, 109. — 65) WA I 20, 346. — 66) WA I 20, 131. — 67) Erich Schmidt, JA 14, 392. — 68) K. Burdach, DVLG, 1, 40. — 69) M. Kommerell, Faust und die Sorge, Goethekalender 1939, S. 98 f. — 70) ebd. 113. — 71) ebd. 112. — 72) WA I 50, 297 f. und V. 10 ff. — 73) Kommerell, Goethe-kalender, a.a.O., S. 119. — 74) Paralip. 227 in Goethes Faust, Textrevision von H. G. Gräf, Leipzig (Inselverlag) 1932. — 75) Paralip. 226 ebd. — 76) Gräf, Nr. 1914. — 77) Paralip. 226 ebd. — 78) ebd. — 79) Schöffler, a.a.O., S. 15. — 80) WA IV 3, 166. — 81) WA IV 3, 109. — 82) An Herder, WA IV 2, 262. — 83) WA I 22, 46, 44. — 84) An Zelter, 23. November 1831, WA IV 49, 147. — 85) An Zelter, 19. 3. 1827, WA IV 42, 95. — 86) An Humboldt, 1. Dezember 1831, WA IV 49, 165. — 87) An Zelter, 19. 3. 1827, WA IV 42, 95. — 88) WA I 48, 149. — 89) Gräf, Nr. 1174, S. 226. — 90) zit. JA 14, 396. — 91) Trendelenburg, a.a.O., S. 170. Zu dem Fragenkomplex s. auch Paul Lorentz, Die Idee der Liebe in Goethes Faust, in: Goethe (Vierteljahrsschrift) 5 (1940), S. 286/96. — 91a) s. zu dem ganzen Problem der „Metamorphose" Fausts im Schlußakt, zur Frage nach dem Verhältnis zwischen den naturphilosophischen und den religiösen Elementen vor allem die sehr ins einzelne gehende Untersuchung von G. Wilhelm Hertz, Fausts Himmelfahrt, in: Die Ernte, Festschrift für Franz Muncker, Halle 1926, S. 59—92, besonders S. 70 f., 72, 75, 83 ff., und die tiefdringende Arbeit von Franz Koch, Goethes Stellung zu Tod und Unsterblichkeit, Weimar 1926, besonders das Schlußkapitel: „Stirb und werde!" Eine zentrale Stellung gibt dem Gedanken der „Metamorphose" der Kommentar von Theodor Friedrich in dem Kapitel „Ins Überzeitliche". Von Homunkulus ausgehend, der „entstehen" will, weist er nicht nur auf die vormenschlichen Formen hin, sondern bringt auch Gestalten wie die gefangenen Trojerinnen, die noch kein „Personen"-Recht haben, das Volk, den Schüler, Wagner, Baccalaureus in eine Reihe, deren Endglied der sich entwickelnde Faust ist, der noch jenseits des irdischen Daseins in immer neuen Wandlungen seine „Entelechie" sich schöpferisch („Schöpfungsgenuß von innen") auswirken läßt. — 92) O. von der Pfordten, Der Doktor Marianus in Goethes Faust, Euphorion 18, 722. — 93) WA I 18, 348. — 94) s. WA IV 10, 352, dazu „Goethes Märchen" von Theodor Friedrich, Reclam Nr. 6581/83, S. 158, sowie den Hinweis auf Herders Deutung der Apokalypse, den die noch ungedruckte Arbeit von Camilla Lucerna: „Goethe und die Ausleger seines Rätselmärchens" (im Freien Deutschen Hochstift, Frankfurt a. M.) gibt. — 95) Camilla Lucerna, Das Märchen, Goethes Naturphilosophie als Kunstwerk, Leipzig 1910, S. 142, — 96) WA I 16, 372, 374. — 97) WA I 18, 254 ff. — 98) WA I 20, 335. — 99) E. Beutler, DVLG, Jahrgang XVI, Heft 3, S. 351. — 100) WA I 50, 458 f. — 101) Gespräche 4, 41. — 102) WA I 19, 124 f., 131 f. — 103) K. May, a.a.O., S. 275. — 104) Gräf, Nr. 1914. — 105) K. May, a.a.O., S. 253. — 106) Gespräch mit Eckermann vom 6. 6. 1831, Gräf, Nr. 1914. — 106a) vgl. dagegen die Behauptung Burdachs, a.a.O., vom christlichen Humanismus Goethes und die Richtigstellung bei Hertz, der schon von einem „naturreligiösen Mythos vom immerwährenden Aufstieg der Entelechie nach dem Tode" spricht (Hertz, Fausts Himmelfahrt, a.a.O., S. 90). — — 107) Gespräche 4, 163. — 107a) s. die bedeutende Herausarbeitung und Bestimmung des Goetheschen Begriffs der ewig tätigen „Gegenwart" bei Franz Koch, Goethes Stellung zu Tod und Unsterblichkeit, a.a.O., im Kapitel „Vergangenheit und Gegenwart". — 108) 19. 8. 1806, Gespräche 1, 420—445, ebenso Gräf, Nr. 1065, S. 122/60. — 109) Gräf, S. 150 ff. — 110) Gräf, S. 138. — 111) ebd. S. 149. — 112) ebd. S. 137. — 113) WA I 6, 39. — 113a) Wer sich für die tieferen geschichtsphilosophischen Folgen dieser hier nur skizzenhaft geschilderten

Zusammenhänge zwischen Symbol und „Urgeschichte" der Geschichte interessiert, sei auf meinen 1942 in der Deutschen Vierteljahrsschrift für Litw. und Geistesgeschichte erschienenen Aufsatz: „Begriff und Symbolik der ‚Urgeschichte' in der romantischen Dichtung" verwiesen, der — abgesehen von Goethe — die Bedeutung des romantischen Urgeschichts- und Symbolbegriffs für die Entstehung des modernen Geschichtsbewußtseins zu klären versucht. — 114) WA I 41, 1, 128. — 114a) s. Heinrich Rickert, Die Grenzen der naturwissenschaftlichen Begriffsbildung, eine logische Einleitung in die historischen Wissenschaften, Tübingen 1929 (fünfte Auflage); Wilhelm Dilthey, Die geistige Welt, Einleitung in die Philosophie des Lebens (Ges. Schr., Bd. 5/6, 1924); ders.: Der Aufbau der geschichtlichen Welt in den Geisteswissenschaften (= ebd., Bd. 7). Auch die sogenannte „Existenzphilosophie" Heideggers geht ja auf die verhängnisvoll isolierende Abgrenzung der „Phänomenologie" von der naturwissenschaftlich-genetischen Denkweise zurück (s. Edmund Husserl, Ideen zu einer reinen Phänomenologie und phänomenologischen Philosophie, Halle 1928, 3. Aufl.). — 114b) WA IV 39, 216. — 115) WA IV 48, 126.

Werkregister
(aus dem darstellenden Text, nicht aus den Anmerkungen)

A

Abglanz, 26, 167
Achilleis, 310
Agamemnon (Äschylos), 58
Anbetung des Kreuzes (Calderon), 338
Arcana coelestia (Swedenborg), 414
Aufgeregten, Die, 196

B

Ballade (Löwenstuhl), 200
Berliner Theaterprolog von 1821, 21,
    80, 82, 86, 204 f., 359 f., 426
Braut von Messina, 83

C

Claudine von Villa Bella, 150

D

Das Römische Carneval, 140
Der ewige Jude, 149
Der neue Paris, 257
Der standhafte Prinz (Calderon), 338
Der vollkommenen Stickerin, 167
Des Epimenides Erwachen, 34, 77, 87,
    106, 198 f., 201 ff., 254, 287, 330,
    348, 412, 426 f.
Dichtung und Wahrheit, 59, 76 f.,
    91 ff., 116, 121 f., 178, 214, 227,
    257, 320, 324, 336 f., 350 f., 387
Divan, West-östlicher, 26 f., 74, 77, 79,
    85 f., 88 f., 106, 110, 115, 161, 163,
    166 ff., 170, 177 ff., 184, 229, 290 f.,
    336, 348
Der Tänzerin Grab, 129, 166, 244, 406

E

Egmont, 68 ff., 77, 412
Einfache Nachahmung der Natur,
    Manier und Stil, 141
Elpenor, 106, 110, 129, 412

F

Farbenlehre, 42 ff., 47, 54 f., 96 ff.,
    119, 207 f.
Faust I, 12, 17, 22, 54, 64—67, 78,
    131 f., 136 f., 176, 184, 191, 214,

223, 235, 248, 251, 258, 277, 343 f.,
    363, 373, 393 f., 396
Frankfurter Gelehrte Anzeigen, 254

G

Geheimschrift, 167
Götz, 52 f., 110, 250, 266, 360
Granit, Über den, 40 f., 51, 53, 264 f.,
    373 f.

H

Hamburger Theaterprolog, 81
Hamlet, 338
Hans Sachsens poetische Sendung, 53,
    165 f.
Hermann und Dorothea, 311, 320

I

Iphigenie, 109, 114, 244, 320
Israel in der Wüste (Moses), 309 f.
Italienische Reise, 58, 123, 129 f., 141,
    198, 201, 220, 240, 258, 264, 268,
    295, 382, 394, 417

J

Jahrmarktfest zu Plundersweilern, 147,
    266
Johanna Sebus, 413
Johannes-Evangelium, 404
Jungfrau von Orleans, 404

K

L

Lear, 338
Lehrjahre, 27, 42, 51, 71, 77, 87, 90 f.,
    103, 112, 116, 122 f., 143 f., 154,
    159, 161 f., 170, 172 f., 177 f., 188,
    206, 235, 265, 307, 323, 364, 404

M

Manon Lescaut (Prévost), 324
Märchen, Das, 13, 39, 45, 72, 87, 106,
    123, 192 ff., 197, 245, 256, 265, 269,
    307 f., 311, 411 ff., 415
Maskenzüge, 17 f., 21, 35, 67, 72 f., 83,
    87, 106, 109, 133, 142 f., 148 ff.,

170 f., 178, 183 f., 194, 199, 217,
256, 266, 360, 415
Maximen und Reflexionen, 321
Moderne Guelfen und Ghibellinen,
236 f., 331

N

Natürliche Tochter, 44 f., 188 ff., 196 f.,
200 ff., 308 ff., 330, 382, 392
Noten und Abhandlungen zum Westöstlichen Divan, 167, 178 f.
Novelle, 34 f., 48, 59, 82, 122 ff., 154,
175, 183, 188, 202, 208 ff., 225, 392,
411, 414 f.

O

P

Pandora, 34, 86 ff., 106, 108, 163, 167,
188, 206, 211, 245 f., 256, 291, 298,
309, 312, 339, 392, 395, 412, 417 f.
Phaeton, Tragödie des Euripides, Ver-
such einer Wiederherstellung, 287 f.
Philostrats Gemälde, 47
Propyläen, Einleitung in die, 36
Proserpina, 199, 242 ff., 324
Pygmalion (Rousseau), 94, 224
Pyrmont-Entwurf, 34, 59, 123 ff.,
239 ff., 316

Q

R

Reicher Blumen goldne Ranken, 167
Reise der Söhne Megaprazons, 196 f.,
267, 286, 288
Requiem dem frohsten Manne des Jahrhunderts, 166

S

Satyros oder der vergötterte Wald-
teufel, 202 f.
Shakespeare und kein Ende, 331
Simon-Magus-Legende, 234 f.
Symbolik-Aufsatz, 277

T

Tasso, 88, 107, 109 f., 114, 129, 150 ff.,
170, 215, 244, 307 f., 320

U

Über die männliche und weibliche Form
(Humboldt), 174
Über Wahrheit und Wahrscheinlichkeit
der Kunstwerke, 144
Unterhaltungen deutscher Aus-
gewanderten, 39, 46, 197, 307
Urfaust, 17
Urgötz, 137
Urmeister, 172, 180
Urworte Orphisch, 84, 106 f.

V

Vicar of Wakefield (Oliver Goldsmith),
94, 126, 324

W

Wahlverwandtschaften, 23, 45, 70, 88,
92, 110 f., 114 f., 128, 143, 151,
159, 161 ff., 170, 188, 190, 207, 214,
223, 243 ff., 299, 319, 392 ff., 400 f.
Wanderjahre. 23, 33 ff., 39, 44, 59, 77,
90 f., 93, 110, 113, 115, 121 ff., 125,
127 f., 147, 159, 166, 169, 171, 185,
188 ff., 199, 207, 214, 218 f., 224,
245 ff., 260, 299 f., 317, 320, 323,
350, 356, 370, 373, 375 f., 417
Werther, Die Leiden des jungen, 70 f.,
387, 403, 415
Wilhelm Meister, 70 f., 147, 152, 159,
306
Wunderhorn, Des Knaben, 338

X

Y

Z

Zauberflöte, II. Teil, 25, 87, 172, 175,
188, 196, 350
Zauberlehrling, 380
Zueignung, 51, 54

Namenregister

(aus dem darstellenden Text, nicht aus den Anmerkungen)

A

Anaxagoras, 114
Aristoteles, 119, 331
Arnold, G., 186
Äschylos, 58, 334
Augustin, 213

B

Bacon, R., 97 f.
Baumgarten, A., 177, 306
Bäumler, A., 28, 30, 62, 145
Beitl, R., 14
Beutler, E., 13, 18, 20, 210, 234, 253, 414
Böhm, Fr., 62, 335, 428
Boisserée, S., 335
Borcherdt, H. H., 12 f., 16—18, 66, 186, 188, 190 f.
Bressem, M., 21
Burdach, K., 12—14, 26—28, 51, 54, 96, 99, 167 f., 389
Büsching, J. G. G., 139
Byron, G. Lord, 25, 113—115, 230, 325, 334, 340—342, 346, 351, 357, 359

C

Cäsar, 259
Calderon, 19, 331, 338
Catel, L. F., 118
Cellini, B., 48, 117, 417
Creuzer, Fr., 262, 292 f., 348
Croce, B., 11, 63

D

Diderot, D., 94
Dilthey, W., 63, 305, 428
Dodwell, 241
Düntzer, H., 20

E

Eckermann, J. P., 65, 81, 134, 186, 197, 235, 243, 251 f., 256, 263, 288, 401
Eichendorff, J. Freiherr von, 344
Eichstädt, 91
Esenbeck, N. v., 298, 354
Euripides, 288

F

Falk, J., 189 f.
Frankenberger, J., 368
Frederking, A., 217
Fricke, G., 68
Friederike Brion, 126
Friedrich, Th., 13, 20
Friedrich der Große, 367 f., 388

G

Georgekreis, 26
Görres, J. v., 262
Grazzini, A. Fr., 142 f., 186
Gundolf, Fr., 12, 17, 26

H

Hackert, Ph., 48, 117
Haug, J. Chr. Fr., 97
Hederich, B., 186
Hegel, G. W. Fr., 117, 305
Heidegger, M., 428 f.
Herder, J. G., 43, 61, 74, 190
Herrmann, H., 21
Hertz, G. W., 12 f., 19 ff., 36, 59, 218, 235, 246, 255, 258, 368
Heusler, A., 21
Hölderlin, Fr., 311
Homer, 85, 119, 325
Howard, 372
Humboldt, W. v., 33, 159, 174 f., 255

I

J

Jean Paul, 167 f.

K

Kant, I., 42, 55, 62 f., 145, 177, 212, 302—306, 387, 420 f., 431
Karl August, 118, 357
Karl VI., 186
Klett, A. M., 363
Knauth, P., 21
Koch, Fr., 24, 28, 61 f.
Kommerell, M., 11 f., 18 ff., 23, 28,

54 f., 91, 223, 235, 276, 316, 343, 389, 395, 397 f.

L

Langen, A., 302
Lavater, J. K., 403
Lessing, G. E., 302
Loeper, 186
Lucan, 242
Luden, H., 118, 422 f.
Luise, Großherzogin, 385

M

Mantegna, A., 142
Marianne v. Willemer, 26
Maximilian, Kaiser, 186
May, K., 12 f., 16—19, 21—25, 66, 76, 91, 167, 187, 223, 352, 362 ff., 368, 370, 380, 417 f.
Meinecke, Fr., 24, 28, 61 f.
Meißinger, K. A., 13, 363, 368
Meyer, R. M., 84
Meyer, Th. A., 12
Moritz, K. Ph., 51, 74, 89
Müller, W., 14

N

Napoleon, 201, 287 f., 388, 426
Neri, Ph., 183, 351, 417
Newton, I., 44, 96, 99, 213
Nicolai, Fr., 235
Nonnus, 287

O

Obenauer, K. J., 12 f., 29, 236
Oeser, A. Fr., 206
Ovid, 287

P

Paracelsus, 234, 252, 254, 256
Petsch, R., 12 f., 18, 20, 132, 138, 227, 233, 343, 390
Pfitzer, N., 186
Pindar, 168
Plathow, G., 44, 216
Plato, 215 f., 219, 303, 306
Plinius, 297
Plotin, 89, 219
Plutarch, 212 f., 215
Pompejus, 259

Pniower, O., 233
Prätorius, J., 234, 254, 256
Prevost d'Exiles, A.-F., Abbé, 324

Q

R

Rickert, H., 18, 65, 186, 343, 345, 428
Riemer, Fr. W., 238, 240, 256
Rousseau, J. J., 94, 105, 224, 421
Ruoff, W., 21

S

Schelling, Fr. W. v., 292 f., 297, 306
Schiller, Fr. v., 13, 36, 39, 51, 68 f., 73 f., 76, 78, 83 f., 159, 177, 228, 280 f., 303, 305 f., 309 ff., 331, 364, 404, 423
Schmidt, E., 20, 312 f.
Schöffler, H., 70, 403, 416
Schöne, Hofrat, 65
Schopenhauer, A., 74
Schubert, Fr., 75
Schultz, Fr., 14, 179
Sengle, Fr., 71
Shaftesbury, A. A. Eearl of, 306
Shakespeare, W., 119, 153, 279 f., 338
Simmel, G., 26
Stadler, E., 345
Stein, Charlotte v., 27, 269, 417
Strabo, 241
Swedenborg, E., 414

T

Thales, 114
Tischbein, J. H. W., 82
Tizian, 248
Trendelenburg, A., 20, 191, 241, 264 f., 271, 276, 333, 409

U

V

Valentini, 142 f.
Vischer, Fr. Th., 12, 65
Vulpius, Christiane, 144

W

Wagner, R., 74
Weinhandl, F., 49

Werner, A. G., 286
Wieland, C. M., 409
Wilhelm v. Oranien, 124
Winckelmann, J. J., 48, 117
Witkowski, G., 17, 142, 183, 186, 195, 234 f., 255, 290, 343
Wöhler, Fr., 255

X

Y

Z

Zelter, K. Fr., 75, 129, 405
Ziegler, K., 12

Sachregister

(aus dem darstellenden Text, nicht aus den Anmerkungen)

A

Aberglaube, 93
Abglanz, Farbiger, 84, 88 ff., 91 ff., 96 ff., 108, 116
Absurdes, 165 f.
Ästhetizismus, 49 f., 93 ff., 163 ff., 245 ff., 308 ff.
Alter, 104, 109 f., 249, 251
Ameisen, 127, 195, 259, 263, 267 ff., 272 f.
Arbeit, 399 ff.
Arkadien, 150, 180, 339 ff., 346 f.
Augenblick, 120, 125, 342 f., 345, 393, 396, 402
Aureole, 25, 172, 352 ff.

B

Besitz, 176 ff., 192 f., 378 ff., 393
Biologisches, 32 ff., 70 f., 141 f., 145, 151, 163, 242 f., 245 ff., 255, 274, 285, 287, 337, 347, 353 ff.
Blindheit, 397 ff.
Blumen, 142 ff., 147 ff., 152, 162, 166 f.
Boden, 240, 243, 257 f., 357 f.

C

Chaos, 73 f., 99, 281 f.

D

Dämonische, Das, 73 f., 82 ff., 105, 160, 207, 214, 251 f., 255, 257, 282, 288 f., 340 f., 353, 361
Dauer, 40 ff., 112 ff., 124, 144, 162 f., 165, 355 f., 358, 395, 407

E

Einfühlung, 117
Einheit, 12 ff., 30, 34, 36 ff., 47, 59, 123, 129, 143, 212, 326 ff., 330 f., 347, 356, 396, 416, 422, 424
Elemente, 82 ff., 142, 186—212, 290 f., 294, 296, 298, 322, 367 f., 377 f., 381, 383, 398, 406 f.
Entdämonisierung, 166 ff.
Entelechie, 233, 256 f., 406 f., 409
Entsagung, 299 ff.
Erhaben, 229, 279 f., 284
Erlösung, 193, 393, 401, 404, 408 f., 412, 415, 418
Ewigkeit, Verewigung, 33 ff., 41 ff., 61, 111 ff., 120, 122 f., 129, 215 f., 299, 348, 395

F

Farbenlehre, 42 ff., 75 f., 96 ff., 207 f.
Felsspalte, 188, 350, 355
Feuer, 82 f., 185—212, 268, 413
Flamme, 25, 33, 74, 84, 88 ff., 171, 185—212, 350, 353 ff.
Flammengaukelspiel, 185—212, 267 ff.
Flügel, 25, 54, 172, 350 ff.
Früchte, 142, 145 ff., 152, 162, 166 f.

G

Ganzheit, 36 f., 47 ff., 144, 150, 161, 261, 423
Gärtner(innen), 143, 145, 147, 150, 152
Geheimnis, 19, 44, 48, 55 f., 60, 123, 135, 138 f., 148, 188 f., 190 f., 198, 348 f.
Geistesgeschichte, 62, 116 ff., 427 ff.
Geiz, 148 ff., 183 f., 192 f.
Gemeinschaft, 38 f., 205 f.
Genius, 138 f., 170—176, 253 f., 256 f., 273, 282, 285, 287, 289, 322, 347, 350 ff., 355, 414, 416
Geologie, 41 ff., 54, 286 ff, 373 ff.

Geschichte, 35, 41, 43, 56 ff., 100, 109 f., 112 ff., 120—125, 127, 129, 139, 233—243, 245, 247 ff., 250, 260, 285 f., 288, 297, 304, 315, 317 f., 325, 345 ff., 383, 391, 425 ff., 430
Geschichtsschreibung, 26—29, 48, 61 ff., 116 ff.
Gesellschaft, 140 f., 143, 145—153, 155, 158 f., 169 f., 197—203, 206, 209 f., 225, 369, 371, 374 ff.
Gnade, 412 f., 417 f.
Gnomen, 195, 197, 199
Goethephilologie, 126
Gold, 142, 148 f., 171, 185, 187 ff., 191 ff., 197 ff., 259, 267 ff., 272 f., 350, 353, 413
Götter (Göttliches), 290—295, 355 f., 371 f.
Granit, 40—46, 50, 54, 57 f., 122 ff., 127, 259, 264, 267 f., 272 ff., 372
Greife, 127, 197, 259, 263, 267 ff., 271 ff.

H

Heiliger, 75, 182, 351, 416 f.
Heiterkeit (Das Heitere), 165 f., 183 f.
Hermaphroditisches, 171—175, 253, 255, 282, 284
Heroisch-Dämonisches, 340 f., 412
Historismus, 26 ff., 61 f., 117 ff., 304
Höhle, 124, 192, 195, 220 f., 297
Hoffnung, 100 f., 104—107, 109 f.
Hülle, 73 f., 172, 354 f.

I

Idee, 73, 214, 221 f., 261 f.
Idol, 312—327
Idyll, 339 ff.
Innere, Das, 123, 220, 257, 360, 407
Inneres Licht, 389, 397 ff., 402 ff.
Iris (Regenbogen), 64, 67, 82 f., 86, 88, 90, 93, 96 f., 99 f., 103, 106
Ironie, 24, 33, 38, 55 f., 60, 89, 91 ff., 128, 162 f., 165, 267

J

Jahreszeitenkreislauf, 143, 146, 152
Jüngling, 125, 128, 298 ff., 402
Jugend, 104 f., 108, 129, 249, 251, 379

K

Kästchen, 149, 188 ff., 198
Kindheit, 100—105
Kiste, 186 ff.
Kleid, 25 f., 54, 73, 169 ff., 172, 354 ff.
Koffer, 149, 188, 190
Konvention, 141, 145, 147—151, 153, 155 f., 160 ff., 168 f.
Kraniche, 197, 285—289
Krieg, 198 ff., 285—289, 339 f., 368, 378 ff., 383
Künstlichkeit, 143 ff., 151 ff., 156, 254
Kunst, 140—145, 147—150, 152—155, 158 f., 162, 234, 244, 255, 257, 284 f., 294, 296, 325
Kunstgeschichte, 303 ff., 325

L

Lamien, 259, 263, 265 ff., 273 f.
Leben, 190 ff., 217
Leiche, 163, 190, 320 ff., 398 ff., 407
Lemuren, 166, 406
Lethe, 64, 67—74, 76 f., 80, 83, 86 f., 91, 93, 108, 114
Licht, 50 ff., 72, 74 f., 86 f., 89, 97 f., 111, 114, 116, 123 f., 258, 372
Liebe, 148, 407—413, 416 ff., 420
Luciane, 164 f.

M

Magie, 120 ff., 124, 131 f., 135 f., 138, 182, 184 f., 217 f., 233, 245, 260, 378, 380—384, 389, 391, 394, 396, 413
Maske, 72 f., 76 f., 79 ff., 88, 109, 153 f., 159 ff., 180 f.
Meteor, 255, 285 ff.
Mignon, 25, 35, 52, 72 ff., 102, 112, 114, 152—155, 159 ff., 171—176, 210, 414
Mode, 142—145, 150 f., 162 f., 203, 274
Mond, 148, 220 f., 257 f., 260
Musik, 72—77, 79, 83, 85 f., 89, 116, 211, 270 f., 273, 359 ff.
Mütter (Mutter), 16 f., 128, 212 ff., 217, 219—223
Mythologie, 262

N

Nachahmung, 101 ff., 150 f.
Nacht, 148 f., 171, 217
Natalie (Amazone), 155—161, 174, 185, 206 f.
Natürlichkeit, 145, 152, 254
Natur, 120—124, 138, 140—154, 156, 162, 168 ff., 203, 209 ff., 247, 249 f., 260, 334 f., 346 f., 377, 380 ff., 391, 393 f., 400, 408, 410
Neptunismus, 255 f., 268 f., 371, 376, 378
Not, 202 f., 210, 391, 395

O

Ontologie, 39—43, 61 f., 103, 303 ff., 335, 428 f.
Oper, 21, 23, 72—75, 79 f., 82 ff., 86, 109, 116, 294, 359 f.
Originalität, 153 f.
Ottilie, 73, 93, 111 f., 114 f., 163 ff., 190, 215, 319 ff., 393, 397, 401, 407, 413

P

Pan, 185 f., 201 f., 207, 210
Paradiesesvorstellung, 149 f.
Park, 150 f.
Parodie, 164 f., 262
Phorkyas, 228 f., 278—285, 311 ff.
Pygmäen, 195 ff., 285—289

Q

R

Reichtum, 148 ff., 178 f.
Rettung, 123, 128, 130, 215, 322, 334 f., 369, 389, 400 f., 408, 412
Revue, 137 f., 140, 145, 148
Rührung, 243 ff., 331 f.
Ruine, 122 ff.

S

Schatz, 137 ff., 149, 185—212, 342, 385 f., 402
Schauder, 121, 171, 174, 214, 220, 260
Schein, 51 ff., 73, 84, 101, 106, 109 f., 113, 142, 145, 150, 152, 154, 161 f., 164, 194, 200, 205, 244, 266, 274

Schemen, 214, 222
Schicksal, 189—212, 308 ff., 400
Schlaf, 64, 67—74, 76 f., 83, 87, 100, 108, 144, 209 f., 248, 275, 287
Schlange, 193 f.
Schleier, 23 ff., 44, 51, 53 f., 73, 76, 87 f., 101, 106, 111, 114, 157, 354 ff., 371 ff.
Schlüssel, 189, 216, 219
Schminke, 153 f.
Schmuck, 156 f., 197 ff.
Schöne, Das, 219, 231, 242, 262, 281, 298, 320 f., 323, 347, 355, 372
Schöne Gräfin, 155—161
Schöne Seele, 159 ff., 235
Schönheit, 133 f., 144 f., 148, 221 f., 224, 226, 261, 272—275, 282, 284, 297, 300—309, 311—318, 322, 325, 357, 413
Schuld, 67—71, 104, 110, 188—200, 244 f., 309, 328, 369, 373, 377, 382, 389—394, 396, 399 f., 403
Sein, 44, 50, 53, 109, 114, 145, 205, 215 f., 232
Silber, 148 f.
Sirenen, 127, 197, 269—273
Sitte, 148, 151 f.
Sonne, 64, 67, 82 f., 86—90, 97 f., 100 f., 148, 258
Sorge, 389—399
Sphinx, 122 f., 127, 259, 263—267, 269—273
Spiegelung, 15, 19, 24, 27 f., 35, 37 f., 85, 88, 92 f., 100 f., 104, 125, ff., 247, 324 ff., 334
Sprache, 22 f., 49 f., 75 f.
Sprachstil, 163
Springen, Das, 172, 350—353
Staat, 137, 139, 142, 190—212, 384 ff., 387 f.
Stummheit, 15, 44 ff., 55, 175, 343

T

Tag, 148 f., 217
Tanz, 73, 76, 80 f.
Tat, 18, 43, 61, 63, 69, 86, 98—101, 104—110, 252 ff., 344 f., 367 ff., 377, 379, 381, 390, 393, 395—399, 401 f., 418, 420, 427 f., 431
Theatralische, Das, 72 f., 75 ff., 80 f.

Tod, 207 f., 321 f., 367 ff., 390, 394 f.,
 397 ff., 403, 406
Tragik, 67—72, 74, 85, 162 f., 308 f.,
 369, 403 ff., 406
Tragisch-Heroisches, 340
Traum, 107 ff., 121, 219, 317

U

Überfluß, 148, 150
Ungeheure, Das, 42, 58 f., 176, 213—
 225, 261, 279 ff.
Unschuld, 148 ff.
Unsterblichkeit, 356, 358, 390, 398
Urbild, 215 f., 219
Urgeschichte, 58, 115, 122, 124, 196,
 382, 386, 388
Ursprung, 28 ff., 40 ff., 122, 148, 163,
 257, 264, 266, 268, 275, 313 f., 328 f.,
 330, 382
Urzeit, 110, 112, 116, 124, 129, 150,
 320, 346

V

Verjüngung, 101, 106—111, 117, 119 ff.,
 129, 149, 207, 248 ff., 370, 373
Vulkanismus, 193, 241, 266 ff., 288 ff.,
 371, 376 ff., 381

W

Wahrheit, 41 ff., 46 ff., 51 ff., 57, 144 f.,
 150, 219, 317 f., 408
Werden, 32 ff., 145, 174, 216, 255 f.,
 286, 337
Wette, 342—345
Wiedergeburt, 105 f., 110 f., 117, 119 f.,
 126—129, 140, 149, 207, 233, 243,
 245 ff., 249
Wolke, 52, 54 f., 87, 372 f.
Würde, 177 f., 180, 329

X

Y

Z

Zeit, 41 f., 58 f., 120, 123, 275, 305,
 313, 320, 345, 347, 406

Druckfehler

Es muß heißen:

Seite 7,   Zeile 14, von unten: 1. Die Frage nach dem Sinn der zwei letzten Akte 362

„ 129, „   20, von oben: in „Der Tänzerin Grab"
„ 142, „   18, von oben: „erklären"
„ 150, „   1, von unten: Überzeugungen
„ 151, „   14, von oben: „Dilettantisch" —
„ 151, „   20, von unten: hier die Entstehung
„ 158, „   17, von unten: Gestalt
„ 167, „   20, von unten: vollkommnen
„ 170, „   7 f., von oben: Furcht-Hoffnungs-Allegorie
„ 182, „   23, von oben: zauberhaft
„ 196, „   21, von unten: mir widerlichst
„ 202, „   9, von oben: Pan-Allegorie
„ 210, „   1, von oben: Pan-Kaiser-Allegorie
„ 216, „   22, von oben: Plathow
„ 236, „   19, von oben: Beynahe
„ 237, „   4, von oben: ja
„ 238, „   12, von oben: droht, bzw.
„ 239, „   9, von oben: Erde, Wasser
„ 253, „   6, von oben: Geniusallegorie
„ 270, „   17, von oben: „vom Herzen"
„ 276, „   4, von unten: ich
„ 284, „   11, von oben: „Vor aller Augen
„ 291, „   4, von oben: Symbol
„ 301, „   22, von oben: Göttin der Liebe
„ 308, „   3, von unten: furchtbaren „Wellen"
„ 309, „   14, von oben: Verhängnisses
„ 319, „   19, von oben: „Achilleus"
„ 319, „   23, von oben: Ottiliens
„ 324, „   15, von oben: Prevosts
„ 357, „   11, von oben: Euphorionallegorie
„ 393, „   17, von unten: Liebe zu Ottilie
„ 414, „   4, von unten: setzt
Seite 416, Seitenüberschrift: hymnische Form
Seite 426, Zeile 6, von unten: durchstrukturierte
„ 449, „   16, von unten: 132) WA II 9, 174